D1502848

L'HIVER DU MONDE

DU MÊME AUTEUR

L'Arme à l'œil, Laffont, 1980.
Triangle, Laffont, 1980.
Le Code Rebecca, Laffont, 1981.
L'Homme de Saint-Pétersbourg, Laffont, 1982.
Comme un vol d'aigles, Stock, 1983.
Les Lions du Panshir, Stock, 1987.
Les Piliers de la terre, Stock, 1989.
La Nuit de tous les dangers, Stock, 1992.
La Marque de Windfield, Laffont, 1994.
Le Pays de la liberté, Laffont, 1996.
Le Troisième Jumeau, Laffont, 1997.
Apocalypse sur commande, Laffont, 1999.
Code zéro, Laffont, 2001.
Le Réseau Corneille, Laffont, 2002.
Le Vol du frelon, Laffont, 2003.
Peur blanche, Laffont, 2005.
Un monde sans fin, Laffont, 2008.
La Chute des géants, Le Siècle, 1, Laffont, 2010.

KEN FOLLETT

L'HIVER DU MONDE

LE SIÈCLE

2

roman

traduit de l'anglais par Jean-Daniel Brèque,
Odile Demange, Nathalie Gouyé-Guilbert,
Dominique Haas, Viviane Mikhalkov

ROBERT LAFFONT

Titre original : WINTER OF THE WORLD
© 2012, Ken Follett
Traduction française : Éditions Robert Laffont, S.A., Paris, 2012

ISBN 978-2-221-11083-6
(édition originale : ISBN 978-0-525-95292-3 Dutton/Penguin Group,
New York)

À la mémoire de mes grands-parents,
Tom et Minnie Follett,
Arthur et Bessie Evans

Les personnages

Américains

Famille Dewar
Gus Dewar, sénateur
Rosa Dewar, sa femme
Woody Dewar, leur fils aîné
Chuck Dewar, leur benjamin
Ursula Dewar, mère de Gus

Famille Pechkov
Lev Pechkov
Olga Pechkov, sa femme
Daisy Pechkov, leur fille
Marga, maîtresse de Lev
Greg Pechkov, fils de Lev et de Marga
Gladys Angelus, actrice de cinéma, autre maîtresse de Lev

Famille Rouzrokh
Dave Rouzrokh
Joanne Rouzrokh, sa fille

Membres de la haute société de Buffalo
Dot Renshaw
Charlie Farquharson

Autres
Joe Brekhounov, gangster
Brian Hall, responsable syndical
Jacky Jakes, starlette
Eddie Parry, marin, ami de Chuck Dewar

Capitaine Vandermeier, supérieur de Chuck Dewar
Margaret Cowdry, belle héritière

Personnages historiques
F.D. Roosevelt, 32e président des États-Unis
Marguerite «Missy» LeHand, sa secrétaire particulière
Harry Truman, vice-président des États-Unis
Cordell Hull, secrétaire d'État
Sumner Welles, sous-secrétaire d'État
Colonel Leslie Groves, membre du Corps des ingénieurs de l'armée, un des responsables du projet Manhattan

Anglais

Famille Fitzherbert
Comte Fitzherbert, dit Fitz
Princesse Bea, sa femme
«Boy» Fitzherbert, vicomte d'Aberowen, leur fils aîné
Andy Fitzherbert, leur benjamin

Famille Leckwith-Williams
Ethel Leckwith (née Williams), députée d'Aldgate
Bernie Leckwith, mari d'Ethel
Lloyd Williams, fils d'Ethel, beau-fils de Bernie
Millie Leckwith, fille d'Ethel et de Bernie

Autres
Ruby Carter, amie de Lloyd
Bing Westhampton, ami de Fitz
Lindy et Lizzie Westhampton, filles jumelles de Bing
Jimmy Murray, fils du général Murray
May Murray, sa sœur
Marquis de Lowther, dit Lowthie
Naomi Avery, meilleure amie de Millie Leckwith
Abe Avery, frère de Naomi

Personnages historiques
Ernest Bevin, député, ministre des Affaires étrangères
Winston Churchill, Premier ministre

Allemands et Autrichiens

Famille von Ulrich
Walter von Ulrich

Maud von Ulrich, sa femme (née Lady Maud Fitzherbert)
Erik von Ulrich, leur fils
Carla von Ulrich, leur fille
Ada Hempel, leur domestique
Kurt Hempel, fils illégitime d'Ada
Robert von Ulrich, cousin de Walter von Ulrich
Jörg Schleicher, associé de Robert von Ulrich
Rebecca Rosen, orpheline

Famille Franck
Ludwig Franck, industriel
Monika Franck, sa femme (née Monika von der Helbard)
Werner Franck, leur fils aîné
Frieda Franck, leur fille
Axel Franck, leur benjamin
Ritter, leur chauffeur
Comte Konrad von der Helbard, père de Monika

Famille Rothmann
Docteur Isaac Rothmann
Hannelore Rothmann, sa femme
Eva Rothmann, leur fille
Rudi Rothmann, leur fils

Famille von Kessel
Gottfried von Kessel, député du parti du Centre
Heinrich von Kessel, son fils

Membres de la Gestapo
Thomas Macke, inspecteur puis commissaire
Kringelein, commissaire puis commissaire principal, supérieur
    de Macke
Reinhold Wagner
Klaus Richter
Günther Schneider

Autres
Hermann Braun, meilleur ami d'Erik
Wilhelm Frunze, chercheur

Russes

Famille Pechkov
Grigori Pechkov

Katerina Pechkov, sa femme
Vladimir Pechkov, dit Volodia, leur fils
Ania Pechkov, leur fille

Autres
Zoïa Vorotsintseva, physicienne
Ilia Dvorkine, membre de la police secrète
Colonel Lemitov, supérieur de Volodia
Colonel Bobrov, officier de l'armée Rouge

Personnages historiques
Joseph Staline, secrétaire général du parti communiste soviétique
Lavrenti Beria, chef de la police secrète
Viatcheslav Molotov, ministre des Affaires étrangères

Espagnols

Teresa, professeur d'alphabétisation

Gallois

Famille Williams
Dai Williams, « Granda »
Cara Williams, « Grandmam »
Billy Williams, député d'Aberowen
Dave Williams, fils aîné de Billy
Keir Williams, benjamin de Billy

Famille Griffiths
Tommy Griffiths, ami de Billy Williams
Lenny Griffiths, fils de Tommy

Première partie

Tendre l'autre joue

I

1933

1.

Carla savait que la scène de ménage menaçait. Elle sentit la tension entre ses parents dès qu'elle entra dans la cuisine, une atmosphère aussi glaciale que le vent qui soufflait dans les rues de Berlin, vous gelant jusqu'à la moelle avant une tempête de neige de février. Elle fut à deux doigts de ressortir.

Ils se disputaient rarement, pourtant. Ils étaient plutôt du genre à se faire des mamours – trop même, au goût de Carla qui avait envie de disparaître sous terre quand ils s'embrassaient en public. Leurs démonstrations d'affection étonnaient ses amies : leurs parents à eux n'auraient jamais fait une chose pareille. Carla en avait parlé à sa mère, un jour. Celle-ci avait ri, apparemment enchantée, et lui avait expliqué : « Tu sais, la guerre nous a séparés, ton père et moi, au lendemain de notre mariage. » Elle était anglaise de naissance, mais ça ne se remarquait pas. « Je suis restée à Londres alors qu'il rentrait en Allemagne pour rejoindre l'armée. » Carla avait entendu cette histoire d'innombrables fois; il faut dire que Mutter ne se lassait pas de la raconter. « Nous pensions que la guerre durerait trois mois. En réalité, nous ne nous sommes pas revus pendant cinq ans. Et pendant tout ce temps, je n'ai eu qu'une envie : me blottir dans ses bras. Alors maintenant, j'en profite. »

Vater ne valait guère mieux. « Ta mère est la femme la plus intelligente que j'aie jamais rencontrée, lui avait-il déclaré, dans cette même cuisine, quelques jours plus tôt seulement. Voilà pourquoi je l'ai épousée. Ne va pas imaginer que c'était parce que... » Il avait baissé la voix et pouffé tout bas avec Mutter.

À croire qu'ils pensaient qu'à onze ans, Carla ne savait rien de ce qui se passait entre un homme et une femme. C'était franchement gênant.

De temps en temps tout de même, une querelle éclatait. Carla savait en reconnaître les signes annonciateurs. Et ce jour-là, indéniablement, l'orage grondait.

Ils étaient assis chacun à une extrémité de la table de la cuisine. Vater était vêtu de sombre – costume gris foncé, chemise blanche empesée, cravate de satin noir. Il avait de l'allure, comme toujours, malgré ses cheveux qui commençaient à se clairsemer et le léger embonpoint qui faisait s'arrondir son gilet, sous la chaîne en or de sa montre. Son visage impassible affichait une expression de calme forcé. Carla connaissait bien cette mimique qui lui était habituelle quand un membre de la famille avait fait quelque chose qui l'irritait.

Il tenait à la main un numéro du *Demokrat*, l'hebdomadaire pour lequel Mutter travaillait. Elle y rédigeait une page d'échos politiques et diplomatiques sous le nom de Lady Maud. Vater se mit à lire à haute voix : «Notre nouveau chancelier, Herr Adolf Hitler, a fait ses débuts dans le monde diplomatique à l'occasion de la réception donnée par le président Hindenburg.»

Le président était le chef de l'État, Carla le savait. Il était élu, mais jouait un rôle d'arbitre dans la politique quotidienne, se tenant au-dessus de la mêlée. Le chancelier était l'équivalent du Premier ministre qui existait dans d'autres pays : c'était lui qui dirigeait le gouvernement. Bien qu'Hitler ait été nommé chancelier, sa formation politique, le parti nazi, ne disposait pas de la majorité absolue au Reichstag – le parlement allemand – ce qui permettait, pour le moment, aux autres formations d'endiguer ses excès.

Vater parlait d'un ton dégoûté, comme s'il était contraint d'évoquer un sujet répugnant, les eaux usées, par exemple. «Il paraissait mal à l'aise en frac.»

La mère de Carla buvait son café à petites gorgées et regardait par la fenêtre, feignant d'être captivée par le spectacle des gens gantés et emmitouflés, pressés de se rendre au travail. Elle faisait semblant d'être calme, elle aussi, mais Carla se rendait bien compte qu'elle rongeait son frein.

Leur domestique, Ada, se tenait en tablier devant le plan de travail, en train de couper du fromage. Elle posa une assiette devant Vater, qui l'ignora. «Herr Hitler était visiblement sous le charme d'Elisabeth Cerruti, l'épouse de l'ambassadeur d'Italie, une femme très cultivée, vêtue d'une robe de velours rose à parements crème. »

Mutter évoquait toujours la tenue des personnalités dont elle parlait dans ses articles. Elle prétendait que cela permettait aux lecteurs de mieux se les représenter. Elle-même était toujours d'une grande élégance ; les temps étaient durs pourtant et cela faisait des années qu'elle ne s'était rien acheté. Elle n'en était pas moins gracieuse ce matin-là dans une robe de cachemire bleu marine qui avait probablement l'âge de Carla, mais soulignait joliment sa silhouette élancée.

« Signora Cerruti, de confession juive, est une fasciste convaincue, et ils se sont entretenus pendant de longues minutes. A-t-elle demandé à Herr Hitler de cesser d'attiser la haine contre les Juifs ? » Vater reposa sèchement la revue sur la table.

Nous y voilà, songea Carla.

« Tu n'ignores sûrement pas que les nazis vont être fous de rage, lança-t-il.

— J'espère bien, répondit Mutter paisiblement. Le jour où ils apprécieront ce que j'écris, j'arrêterai.

— Tu ne te rends donc pas compte qu'ils peuvent être terriblement dangereux si on les met en rogne ? »

Une étincelle de colère s'alluma dans les yeux de Mutter. « Je t'en prie, Walter, ne me parle pas comme à une demeurée. Je sais bien qu'ils sont dangereux – c'est même la raison pour laquelle je m'oppose à eux.

— Je ne vois pas l'utilité de les pousser à bout.

— Tu les attaques bien au Reichstag. » Vater était député du parti social-démocrate.

« Je participe à des débats rationnels. »

C'était toujours pareil, songea Carla. Vati était logique, prudent, respectueux des lois. Mutti avait de la classe et de l'humour. Il arrivait à ses fins par une ténacité tranquille ; elle par le charme et le culot. Ils ne pourraient jamais être d'accord.

Vater ajouta : « Au moins, je ne rends pas les nazis fous de rage.

— C'est peut-être parce que tu ne leur fais pas grand mal. »

Agacé par sa repartie facile, Vater haussa le ton. « Tu t'imagines réellement que tes plaisanteries leur font du tort ?

— Je les ridiculise.

— Et tu éludes le débat.

— Il me semble que les deux tactiques ont leurs mérites. »

Cette fois, Vater était vraiment en colère. « Enfin Maud, tu ne comprends donc pas que tu te mets en danger, et toute notre famille avec toi ?

— Au contraire. Le vrai danger consiste à ne *pas* ridiculiser les nazis. Tu peux me dire à quoi ressemblerait la vie de nos enfants si l'Allemagne devenait un État fasciste ? »

Ce genre de discussion angoissait Carla. Elle ne supportait pas d'entendre dire que leur famille était en danger. La vie devait continuer comme toujours. Elle aurait voulu s'asseoir dans cette cuisine tous les matins jusqu'à la fin des temps, avec ses parents aux deux bouts de la table de pin, Ada devant l'évier, et son frère Erik, qui s'affairait bruyamment à l'étage, en retard, comme toujours. Pourquoi cela devrait-il changer ?

Elle ne se rappelait pas un petit déjeuner où ses parents n'aient pas parlé politique et avait l'impression de comprendre ce qu'ils faisaient, comment ils espéraient faire de l'Allemagne un pays où il ferait meilleur vivre pour tous. Récemment pourtant, leurs discussions avaient pris un tour nouveau. Ils semblaient penser qu'un péril effroyable planait sur eux, mais Carla n'arrivait pas à se figurer de quoi il retournait.

Vater disait : « Dieu sait que je fais tout ce que je peux pour mettre des bâtons dans les roues d'Hitler et de sa bande.

— Moi aussi. Mais quand c'est toi qui le fais, tu prétends agir raisonnablement. » Le ressentiment durcissait les traits de Mutter. « Et quand c'est moi, je me fais accuser de mettre la famille en danger.

— À juste titre », rétorqua Vater. La querelle commençait à peine, mais à cet instant-là, Erik dévala l'escalier dans un fracas de cheval au galop et fit irruption dans la cuisine, son sac de collégien bringuebalant sur l'épaule. Il venait d'avoir treize ans et un léger duvet noir disgracieux commençait à ombrer sa lèvre supérieure. Quand ils étaient petits, Carla et Erik jouaient beaucoup ensemble ; mais ces jours-là étaient révolus. Il s'était mis à pousser comme une asperge et affectait de trouver sa sœur stupide et puérile. En réalité, elle était plus intelligente que lui et savait un tas de choses auxquelles il ne comprenait rien, comme les cycles menstruels.

« C'était quoi, le dernier air que tu as joué ? » demanda-t-il à Mutter.

Le piano les réveillait souvent le matin. C'était un Steinway à queue – hérité, comme la maison elle-même, des parents de Vater. Mutter jouait avant le petit déjeuner parce que, disait-elle, elle était trop occupée le reste de la journée et trop fatiguée le soir. Ce matin-là, elle avait travaillé une sonate de Mozart puis un air de jazz. « Ça s'appelle Tiger Rag, répondit-elle à Erik. Tu veux du fromage ?

— Le jazz, c'est décadent, grommela Erik.

— Ne dis pas de bêtises, veux-tu ! »

Ada tendit à Erik une assiette de fromage et de tranches de saucisse, et il commença à s'empiffrer. Carla trouvait ses manières déplorables.

Vater prit l'air sévère. « Qui est-ce qui t'apprend pareilles niaiseries, Erik ?

— Hermann Braun dit que le jazz, ce n'est pas de la musique, c'est juste du bruit de Nègres. » Hermann était le meilleur ami d'Erik ; son père était membre du parti nazi.

« Hermann ferait mieux d'essayer d'en jouer au lieu de dire des sottises. » Vater se tourna vers Mutter et son visage s'adoucit. Elle lui sourit. Il poursuivit : « Ta mère a voulu m'apprendre le ragtime, il y a bien des années de cela, mais le rythme m'a toujours échappé.

— Autant chercher à apprendre à une girafe à faire du patins à roulettes », confirma Mutter en riant.

Carla constata avec soulagement que l'orage s'était éloigné. Elle se détendit. Elle prit une tranche de pain noir et la trempa dans son lait.

À présent, c'était Erik qui cherchait la querelle. « Les Nègres sont une race inférieure, lança-t-il d'un ton provocateur.

— Permets-moi d'en douter, le reprit Vater patiemment. S'ils passaient leur enfance dans de belles maisons remplies de livres et de tableaux, si on leur permettait de fréquenter de bonnes écoles avec des professeurs compétents, ils finiraient peut-être par être plus intelligents que toi.

— N'importe quoi ! protesta Erik.

— Ne parle pas à ton père sur ce ton, petit sot », intervint Mutter d'une voix indulgente : toute sa colère s'était épuisée contre Vater et elle paraissait simplement lasse et déçue. « Tu ne sais pas de quoi tu parles, et Hermann Braun non plus.

— La race aryenne est forcément supérieure aux autres, s'entêta Erik. C'est nous qui dirigeons le monde !

« — Ton ami nazi ignore tout de l'histoire, reprit Vater. Les Égyptiens de l'Antiquité ont construit les pyramides à une époque où les Allemands vivaient encore dans des grottes. Les Arabes étaient les maîtres du monde au Moyen Âge – les musulmans pratiquaient l'algèbre à une époque où les princes allemands n'étaient même pas capables d'écrire leur nom. Cela n'a rien à voir avec la race. »

Carla fronça les sourcils : « Ça a à voir avec quoi, alors ? »

Vater lui jeta un regard plein de tendresse : « Voilà une excellente question, qui prouve que tu es une petite fille très intelligente. » Le compliment la fit rougir de plaisir. « Dans la plupart des civilisations – les Chinois, les Aztèques, les Romains –, la grandeur cède un jour la place à la décadence. Personne ne sait vraiment pourquoi.

— Finissez vite de manger et allez mettre vos manteaux, dit Mutter. Nous allons être en retard. »

Vater sortit sa montre de sa poche de gilet et la regarda en haussant les sourcils. « Il est encore tôt.

— Il faut que je dépose Carla chez les Franck, expliqua Mutter. Son école est fermée aujourd'hui – la chaudière à réparer si j'ai bien compris – et Carla va passer la journée avec Frieda. »

Frieda Franck était la meilleure amie de Carla. Leurs mères étaient très proches, elles aussi. En fait, dans leur jeunesse, la mère de Frieda, Monika, avait été amoureuse de Vater – une histoire amusante que la grand-mère de Frieda avait révélée un jour après avoir bu un peu trop de *Sekt*.

— Elle ne peut pas rester avec Ada ? demanda Vater.

— Ada a rendez-vous chez le médecin.

— Ah. »

Carla s'attendait à ce que son père demande de quoi elle souffrait, mais il hocha la tête comme s'il le savait déjà et rangea sa montre. Carla mourait d'envie de poser la question, mais sentit intuitivement que ce n'était pas une bonne idée. Elle prit mentalement note d'interroger sa mère un peu plus tard – et oublia immédiatement.

Vater enfila un grand pardessus noir et partit le premier. Erik mit sa casquette – la perchant aussi loin en arrière que possible sans qu'elle tombe, comme le voulait la mode chez les garçons de son âge – et suivit Vater sur le perron.

Carla et sa mère aidèrent Ada à débarrasser. Carla aimait ces deux femmes presque autant l'une que l'autre. Quand elle était petite, c'était Ada qui s'était occupée d'elle jusqu'à ce qu'elle ait l'âge d'aller à l'école, car Mutter avait toujours travaillé. À vingt-neuf ans, Ada n'était pas encore mariée. Elle n'était pas particulièrement jolie, mais avait un sourire charmant, plein de gentillesse. L'été précédent, elle avait été amoureuse d'un agent de police, Paul Huber. Malheureusement, ça n'avait pas duré.

Carla et sa mère mirent leurs chapeaux devant le miroir de l'entrée. Mutter prenait son temps. Elle avait choisi un feutre bleu foncé, de forme ronde avec un bord étroit, comme en portaient toutes les femmes; mais elle inclinait le sien selon un angle particulier, qui lui donnait un chic fou. En se coiffant de sa casquette de laine tricotée, Carla se demanda si elle aurait un jour autant de classe que Mutter. Celle-ci ressemblait à une déesse de la guerre, avec son long cou, son menton et ses pommettes sculptés dans du marbre blanc; belle, oui, sans rien de joli pourtant. Carla avait ses cheveux bruns et ses yeux verts, mais elle ressemblait plus à une poupée joufflue qu'à une statue. Un jour, elle avait surpris sa grand-mère qui disait à Mutter : «Ton vilain petit canard se transformera en cygne, tu verras.» Carla attendait toujours cette métamorphose.

Quand Mutter fut prête, elles sortirent. Leur demeure se trouvait au milieu d'un alignement de grandes et élégantes maisons de ville dans le quartier du Mitte, le vieux centre de la ville. Elles avaient été construites pour des ministres de haut rang et des officiers tels que le grand-père de Carla, qui travaillaient dans les bâtiments gouvernementaux voisins.

Carla et sa mère descendirent en tram l'avenue Unter den Linden avant de prendre le S-Bahn, le métro aérien, pour se rendre de la Friedrichstrasse à la station Zoologischer Garten, juste à côté du jardin zoologique. Les Franck habitaient le quartier de Schöneberg, au sud-ouest de la ville.

Carla espérait croiser le frère de Frieda, Werner. Il avait quatorze ans et elle était un peu amoureuse de lui. Il arrivait à Carla et Frieda d'imaginer que chacune épousait le frère de l'autre, qu'elles vivaient dans deux maisons voisines et que leurs enfants étaient les meilleurs amis du monde. Ce n'était qu'un jeu pour Frieda, mais en secret, Carla était sérieuse. Werner était un beau garçon, très mûr pour son âge, ce n'était pas un idiot comme Erik. Dans la maison de poupées de Carla, le père et la mère qui dormaient côte à côte dans le lit miniature s'appelaient Carla et Werner. Personne ne le savait, même pas Frieda.

Frieda avait un autre frère, Axel, qui n'avait que sept ans ; il était né avec un spina-bifida et comme il avait besoin de soins médicaux constants, il ne vivait pas chez eux, mais dans un hôpital spécialisé, dans la banlieue de Berlin.

Mutter avait eu l'air soucieuse pendant tout le trajet. «J'espère que ça va aller, murmura-t-elle plus ou moins pour elle-même lorsqu'elles sortirent du métro.

— Ne t'en fais pas. Je vais bien m'amuser avec Frieda.

— Ce n'est pas à ça que je pensais. C'est à mon petit article sur Hitler.

— Tu crois que nous sommes en danger ? Vati avait raison ?

— Ton père a souvent raison.

— Qu'est-ce qui va nous arriver si les nazis se mettent en colère contre nous ? »

Mutter lui jeta un long regard étrange avant de s'écrier : «Seigneur ! Dans quel monde t'ai-je fait naître ? » Puis elle se tut.

Au bout de dix minutes de marche, elles arrivèrent devant une superbe villa qu'entourait un vaste jardin. Les Franck étaient riches : le père de Frieda, Ludwig, était propriétaire d'une usine de postes de radio. Deux voitures étaient rangées dans l'allée. La plus grosse, une limousine noire et luisante, appartenait à Herr Franck. Le moteur ronronnait et un nuage de vapeur bleue s'élevait du pot d'échappement. Le chauffeur, Ritter, son pantalon d'uniforme enfoncé dans de hautes bottes, se tenait, casquette à la main, prêt à ouvrir la portière. Il s'inclina poliment en disant : «Bonjour, Frau von Ulrich.»

Le deuxième véhicule était une voiture verte à deux places. Un homme courtaud à barbe grise sortit de la maison, portant une sacoche de cuir, et effleura le bord de son chapeau pour saluer Mutter avant de monter dans la petite automobile. «Je me demande ce que le docteur Rothmann vient faire d'aussi bonne heure», s'inquiéta Mutter.

Elles ne tardèrent pas à l'apprendre. La mère de Frieda, Monika, une grande femme à l'opulente chevelure rousse, apparut sur le seuil. Au lieu de les faire entrer, elle se campa devant la porte comme pour en barrer l'accès. «Frieda a la rougeole ! annonça-t-elle.

— La pauvre ! s'écria Mutter. Comment va-t-elle ?

— Pas très bien. Elle a de la fièvre et elle tousse. Mais Rothmann dit qu'elle va se remettre. Le problème, c'est qu'elle est en quarantaine.

— Évidemment ! Et toi, tu l'as déjà eue ?

— Oui, quand j'étais petite.

— Werner aussi, je m'en souviens – il avait eu une éruption carabinée. Des boutons partout. Et ton mari ?

— Tout va bien. Ludi l'a eue dans son enfance. »

Les deux femmes se tournèrent vers Carla. Elle n'avait jamais eu la rougeole. Elle comprit qu'elle ne pourrait pas passer la journée chez Frieda.

Si Carla était déçue, Mutter, elle, était dans tous ses états. « Le numéro de cette semaine est consacré aux élections – il *faut* que j'aille au journal. » Elle avait l'air affolée. Tous les adultes étaient préoccupés par les élections législatives qui devaient se tenir le dimanche suivant. Mutter et Vater craignaient l'un comme l'autre que les nazis n'obtiennent suffisamment de voix pour prendre le contrôle intégral du gouvernement. « En plus, j'ai une vieille amie qui arrive de Londres. Je pourrais peut-être convaincre Walter de prendre une journée de congé pour garder Carla ?

— Tu devrais l'appeler », suggéra Monika.

Peu de gens avaient le téléphone chez eux, mais c'était le cas des Franck, et Carla et sa mère entrèrent dans le vestibule. L'appareil était posé près de la porte d'entrée sur une table à pieds fuselés. Mutter souleva le combiné et indiqua à l'opératrice le numéro du bureau de Vater au Reichstag, le bâtiment du Parlement. Dès que la communication fut établie, elle lui exposa la situation. Elle l'écouta un instant et son visage s'assombrit. « Mon journal va exhorter cent mille lecteurs à faire campagne pour le parti social-démocrate, insista-t-elle. Et tu me dis que tu as quelque chose de plus important que ça à faire aujourd'hui ? »

Carla n'eut pas de mal à deviner comment la discussion se terminerait. Vater avait beau l'aimer tendrement, il ne lui avait jamais consacré une journée entière depuis qu'elle était née. Les pères de ses amies ne se comportaient pas autrement. Ce n'était pas le travail des hommes, voilà tout. Mais il arrivait à Mutter de faire comme si elle ignorait ce genre de règles.

« Dans ce cas, je n'ai plus qu'à l'emmener au journal, conclut Mutter sèchement. Je n'ose pas imaginer comment Jochmann va le prendre. » Herr Jochmann était son patron. « Tu sais que ce n'est pas ce qu'on peut appeler un féministe, même dans ses meilleurs jours. » Elle raccrocha brutalement.

Carla avait horreur que ses parents se disputent, et c'était la deuxième scène de la journée. Le monde entier en devenait instable. Ces querelles lui faisaient beaucoup plus peur que les nazis.

« Allons, viens », lui dit Mutter en s'approchant de la porte.

En plus, je n'aurai même pas vu Werner, pensa Carla au désespoir.

À cet instant précis, le père de Frieda, un homme énergique et jovial, au visage rose barré d'une petite moustache noire, apparut dans l'entrée. Il salua aimablement Mutter, et elle s'arrêta pour échanger quelques politesses avec lui pendant que Monika aidait son mari à enfiler un manteau noir à col en fourrure.

Il se dirigea vers le pied de l'escalier. « Werner ! cria-t-il. Je pars sans toi ! » Il se coiffa d'un feutre gris et sortit.

« J'arrive ! J'arrive ! » Werner descendit l'escalier avec la grâce d'un danseur. Il était aussi grand que son père, et infiniment plus séduisant avec ses cheveux blond vénitien un tout petit peu trop longs. Il avait coincé sous son bras un cartable de cuir qui paraissait rempli de livres et tenait dans l'autre main une paire de patins à glace et une crosse de hockey. Malgré sa hâte, il s'arrêta pour dire : « Bonjour, Frau von Ulrich », très courtoisement. Puis, sur un ton moins formel : « Salut, Carla. Ma sœur a la rougeole. »

Carla se sentit rougir sans aucune raison. « Je sais », répondit-elle. Elle chercha quelque chose de charmant et de spirituel à lui dire, mais ne trouva rien. « Je ne l'ai jamais eue, alors je ne peux pas rester chez vous.

— Je l'ai attrapée quand j'étais gosse, précisa-t-il comme si cela remontait à une éternité. Il faut que je me dépêche », ajouta-t-il d'un ton contrit.

Se refusant à le voir disparaître aussi vite, Carla le suivit au-dehors. Ritter tenait la portière ouverte. « Qu'est-ce que c'est comme voiture ? » demanda Carla. Les garçons connaissaient toujours les marques d'automobiles.

« Une limousine Mercedes-Benz W 10.

— Elle a l'air très confortable. » Elle surprit le regard de sa mère, mi-étonné, mi-amusé.

«Tu veux qu'on vous dépose quelque part? demanda Werner.

— Ce serait drôlement gentil.

— Je vais demander à mon père.» Werner passa la tête à l'intérieur de la voiture et dit quelques mots.

Carla entendit Herr Franck répondre : «Entendu, mais faites vite!»

Elle se tourna vers sa mère. «Ils vont nous conduire en voiture!»

Mutter n'hésita qu'un instant. Elle n'appréciait pas les idées politiques de Herr Franck – il donnait de l'argent aux nazis – mais n'allait certainement pas refuser de faire le trajet dans une voiture chauffée par un matin aussi glacial. «C'est très aimable à vous, Ludwig», remercia-t-elle.

Elles rejoignirent les Franck à l'arrière de la voiture, où il y avait suffisamment de place pour quatre. Ritter démarra souplement. «Vous allez Kochstrasse, je suppose?» demanda Herr Franck. De nombreux éditeurs de journaux et de livres avaient leurs bureaux dans cette rue du quartier de Kreuzberg.

«Je m'en voudrais de vous faire faire un détour. Vous pouvez nous laisser Leipziger Strasse. Ça ira très bien.

— Je ne demande pas mieux que de vous conduire jusqu'à votre porte – mais peut-être préférez-vous que vos collègues de gauche ne vous voient pas descendre de la voiture d'un gros ploutocrate.» Son ton hésitait entre humour et hostilité.

Mutter lui adressa son sourire le plus charmant. «Voyons, Ludi, vous n'êtes pas gros – juste un peu enveloppé.» Elle tapota le devant de son pardessus.

Il rit et la tension se dissipa. «Je ne l'ai pas volé», reconnut Herr Franck qui prit le tuyau acoustique pour donner ses instructions à Ritter.

Ravie d'être dans la même voiture que Werner, Carla était bien décidée à en tirer le meilleur parti. Malheureusement, elle ne trouvait aucun sujet de conversation. La seule question qu'elle aurait vraiment voulu lui poser était : «Quand tu seras grand, tu crois que tu pourrais épouser une fille aux cheveux bruns et aux yeux verts, plus jeune que toi d'environ trois ans, et plutôt intelligente?» En désespoir de cause, elle finit par désigner ses patins à glace et par lui demander : «Tu as match aujourd'hui?

— Non. Je vais juste à l'entraînement après les cours.

— À quelle place joues-tu?» Elle ne connaissait rien au hockey, mais il y avait toujours des places dans les sports d'équipe.
«Ailier droit.

— Ce n'est pas un peu dangereux, le hockey?

— Pas vraiment, mais il faut être rapide.

— Je suis sûre que tu es un excellent patineur.

— Pas trop mauvais», concéda-t-il modestement.

Une fois de plus, Carla surprit sa mère qui la regardait avec un petit sourire énigmatique. Avait-elle deviné les sentiments que lui inspirait Werner? Carla sentit son visage s'empourprer à nouveau.

La voiture s'arrêta devant un établissement scolaire et Werner descendit. «Au revoir, tout le monde!» s'écria-t-il, et il franchit en courant le portail qui donnait dans la cour.

Ritter repartit, longeant la rive sud du canal de la Landwehr. Carla contempla les péniches, leurs cargaisons de charbon coiffées de neige comme des montagnes. Elle était étrangement déçue. Elle avait réussi à passer quelques instants avec Werner en lui faisant comprendre qu'elle aimerait bien faire le trajet en voiture, et avait gâché ces précieuses minutes en lui parlant de hockey sur glace.

De quoi aurait-elle aimé discuter avec lui? Elle n'en avait pas la moindre idée.

Herr Franck se tourna vers Mutter : «J'ai lu votre chronique dans le *Demokrat*.

— J'espère qu'elle vous a plu.

— Je dois dire que je n'ai pas beaucoup apprécié votre manque de respect envers notre chancelier.

— Parce que vous pensez que les journalistes doivent se montrer respectueux à l'égard des hommes politiques? répondit Mutter d'un ton enjoué. Voilà une idée bien radicale. Dans ce cas, la presse nazie ferait bien d'être un peu plus polie à l'égard de mon mari! Je ne suis pas sûre qu'elle y soit très disposée.

— Je ne parle pas de tous les hommes politiques, évidemment», répliqua Herr Franck agacé.

Ils traversèrent le carrefour noir de monde de la Potsdamer Platz où régnait une terrible cohue : les automobiles, les tramways et les piétons y côtoyaient des charrettes tirées par des chevaux.

«Ne serait-il pas préférable que la presse puisse critiquer tout le monde équitablement? demanda Mutter.

26

« — Une idée merveilleuse, chère amie. Vous vivez dans un monde chimérique, vos amis socialistes et vous. Nous sommes des hommes pragmatiques, et nous savons que l'Allemagne ne peut pas vivre d'idées. Le peuple a besoin de pain, de chaussures et de charbon.

— Je suis tout à fait de votre avis. Je ne refuserais pas moi-même un peu plus de charbon. Mais je tiens à ce que Carla et Erik grandissent en citoyens d'un pays libre.

— Vous surestimez la liberté. Elle ne fait pas le bonheur des gens, vous savez. Ils préfèrent un pouvoir fort. Pour ma part, je veux que Werner, Frieda et ce pauvre Axel grandissent dans un pays fier de lui, discipliné et uni.

— Faut-il vraiment, pour qu'il soit uni, que de jeunes voyous en chemises brunes tabassent de vieux boutiquiers juifs?

— La politique n'est pas toujours tendre. On n'y peut rien.

— Vous vous trompez. Nous avons un rôle à jouer, vous et moi, Ludwig, chacun à notre façon. Nous devons essayer de rendre la politique moins dure – plus honnête, plus rationnelle, moins violente. Ne pas le faire, c'est manquer à notre devoir patriotique. »

Herr Franck se hérissa.

Carla ne savait pas grand-chose des hommes, mais elle avait déjà compris qu'ils n'aimaient pas que les femmes leur fassent la leçon, surtout lorsqu'il s'agissait de devoir. Mutter avait dû oublier son charme légendaire à la maison ce matin-là. Il est vrai que tout le monde était sur les nerfs à l'approche des élections.

Ils débouchèrent sur la Leipziger Platz. « Où voulez-vous que je vous dépose? demanda fraîchement Herr Franck.

— Ici, ce sera parfait », répondit Mutter.

Franck tapota sur la vitre de séparation. Ritter arrêta la voiture et se hâta de venir ouvrir la portière.

« J'espère que Frieda sera vite remise, dit Mutter.

— Merci. »

Elles descendirent et Ritter referma la portière.

Le bureau était à quelques minutes à pied, mais de toute évidence, Mutter avait eu hâte de quitter la voiture. Carla espérait qu'elle cesserait un jour de se disputer avec Herr Franck. Autrement, elle risquait pour sa part d'avoir du mal à continuer à voir Frieda et Werner, une perspective qui lui faisait horreur.

Elles s'éloignèrent d'un pas vif. « Surtout, tâche d'être sage au bureau et de n'embêter personne.» Le ton sincèrement implorant de sa mère toucha Carla, qui s'en voulut de lui donner autant de tracas. Elle se promit d'être irréprochable.

Mutter salua plusieurs personnes en passant : Carla avait toujours vu sa mère tenir cette chronique et elle était très connue dans les milieux de la presse. Tout le monde l'appelait «Lady Maud», à l'anglaise.

Près du bâtiment où le *Demokrat* avait ses bureaux, elles croisèrent une autre connaissance : le sergent Schwab. Il s'était battu au côté de Vater pendant la Grande Guerre, et portait encore les cheveux coupés très court, dans le style militaire. La paix revenue, il avait travaillé comme jardinier, d'abord pour le grand-père de Carla, puis pour son père; mais il avait volé de l'argent dans le porte-monnaie de Mutter et Vater l'avait renvoyé. Maintenant, il portait l'affreux uniforme militaire des Sections d'assaut, les Chemises brunes, qui n'étaient pas des soldats mais des nazis qui s'étaient vu accorder des pouvoirs de police auxiliaire.

Sans porter la main à sa casquette, Schwab lança d'une voix claironnante : «Bonjour, Frau von Ulrich», comme s'il n'avait même pas honte d'être un voleur.

Mutter lui adressa un signe de tête glacial et passa devant lui. «Je me demande ce qu'il fabrique par ici», murmura-t-elle, soucieuse, au moment où elles entraient dans le bâtiment.

La revue pour laquelle elle travaillait occupait le premier étage d'un immeuble moderne. Consciente qu'elle n'aurait pas dû se trouver là, Carla espérait pouvoir rejoindre discrètement le bureau de Mutter. Par malchance, elles rencontrèrent Herr Jochmann dans l'escalier. C'était un homme corpulent, au nez chaussé d'épaisses lunettes. «Qu'est-ce que c'est? lança-t-il d'un ton rogue sans retirer la cigarette qu'il avait à la bouche. C'est un journal que je dirige ou une école maternelle?»

Mutter ne se démonta pas. «J'ai pensé au commentaire que vous avez fait l'autre jour, dit-elle. Sur les jeunes, qui s'imaginent que le journalisme est un métier prestigieux et ne se rendent pas compte du travail que cela représente.»

Il fronça les sourcils. «J'ai dit ça, moi? Ma foi, c'est vrai, indéniablement.

— Alors j'ai eu l'idée de proposer à ma fille de m'accompagner aujourd'hui. Pour qu'elle découvre la réalité de notre métier. Ça ne peut qu'être bon pour son éducation, surtout si elle devient écrivain, comme elle le souhaite. Elle fera un compte rendu de sa visite à ses camarades de classe. J'étais certaine que vous approuveriez cette démarche.»

Mutter avait beau broder, elle avait l'air convaincante, estima Carla qui n'était pas loin d'y croire elle-même. Cette fois-ci, tout son charme était au rendez-vous.

«Vous n'attendez pas une visite importante de Londres aujourd'hui?

— Si, en effet, Ethel Leckwith, mais c'est une vieille amie. Elle a connu Carla quand elle était bébé.»

Jochmann s'adoucit. «Hum. Bien. Je vous rappelle que nous avons une conférence de rédaction dans cinq minutes. Le temps que j'aille acheter des cigarettes.

— Carla peut y aller à votre place.» Mutter se tourna vers elle. «Il y a un bureau de tabac trois immeubles plus loin. Herr Jochmann fume des Roth-Händle.

— Oh, c'est vraiment gentil, ça me fera gagner du temps.» Jochmann tendit à Carla une pièce d'un mark.

Mutter ajouta : «Mon bureau est en haut de l'escalier, juste à côté de l'alarme d'incendie. Tu m'y trouveras quand tu reviendras.» Elle se détourna et prit le bras de Jochmann pour lui parler en confidence. «J'ai trouvé que le numéro de la semaine dernière était le meilleur que nous ayons jamais sorti», lui déclara-t-elle tandis qu'ils gravissaient les marches.

Carla sortit dans la rue en courant. Mutter s'en était habilement sortie, avec son mélange habituel d'audace et de séduction. Il lui arrivait de dire : «Nous les femmes, nous devons employer toutes les armes dont nous disposons.» En y réfléchissant, Carla prit conscience qu'elle n'avait pas agi autrement pour obtenir de monter dans la voiture de Herr Franck. Peut-être n'étaient-elles pas si différentes, après tout. Cela expliquerait aussi le curieux petit sourire avec lequel Mutter l'avait regardée : elle se revoyait sans doute trente ans plus tôt.

Il y avait la queue au bureau de tabac. La moitié des journalistes de Berlin semblaient s'y être donné rendez-vous pour acheter leurs provisions de cigarettes de la journée. Carla réussit enfin à mettre la main sur un paquet de Roth-Händle et retourna au *Demokrat*. Elle trouva facilement l'alarme d'incendie – une grande manette fixée au mur – mais Mutter n'était pas dans son bureau. Sans doute la conférence de rédaction avait-elle déjà commencé.

Carla s'engagea dans le couloir. Toutes les portes étaient ouvertes sur des pièces presque vides. Elle n'y aperçut que quelques femmes qui devaient être des dactylos et des secrétaires. Au fond du bâtiment, à l'endroit où le couloir faisait un coude, elle se trouva devant une porte fermée portant un panonceau «Salle de réunion», d'où lui parvenaient des voix masculines échauffées par la discussion. Elle frappa doucement à la porte, mais personne ne lui répondit. Elle hésita un instant, puis tourna la poignée et entra.

Dans la salle remplie de fumée de tabac, elle découvrit huit à dix personnes assises autour d'une longue table. Mutter était la seule femme. Voyant Carla se diriger vers le bout de la table et tendre à Jochmann les cigarettes et la monnaie, tous se turent, manifestement surpris. Elle se dit qu'elle n'aurait pas dû entrer.

Mais Jochmann la remercia.

«Je vous en prie, Monsieur», répondit-elle et sans trop savoir pourquoi, elle esquissa une petite révérence.

Les hommes éclatèrent de rire et l'un d'eux lança : «Une nouvelle assistante, Jochmann?» Elle comprit avec soulagement qu'elle n'avait pas commis d'impair.

Elle quitta la salle prestement et regagna le bureau de Mutter. Sans retirer son manteau – il faisait froid –, elle parcourut la pièce du regard. Elle vit un téléphone, une machine à écrire et des piles de papier et de carbone posées sur une table.

À côté du téléphone, se trouvait une photographie encadrée représentant Carla, Erik et Vater. Elle avait été prise deux ans plus tôt par une belle journée ensoleillée qu'ils avaient passée sur la plage du lac de Wannsee, à vingt-cinq kilomètres du centre de Berlin. Vater était en short. Ils riaient tous. C'était avant qu'Erik ne se prenne au sérieux et ne se croie devenu un homme.

Il y avait une seule autre photo dans la pièce, accrochée au mur celle-là, sur laquelle on voyait Mutter au côté du héros social-démocrate Friedrich Ebert, qui avait été le premier président du Reich allemand, juste après la guerre. Elle avait été prise une dizaine d'années plus tôt. Carla sourit devant la robe informe, à taille basse de sa mère, et sa coupe de cheveux à la garçonne : c'était sans doute la mode à l'époque.

L'étagère contenait des Bottin mondains, des annuaires téléphoniques, des dictionnaires de différentes langues et des atlas. Rien à lire en un mot. Dans le tiroir du bureau, elle trouva des crayons, plusieurs paires de gants de soirée neufs, encore enveloppés dans leur papier de soie, un paquet de serviettes hygiéniques et un carnet contenant des noms et des numéros de téléphone.

Carla mit le calendrier de bureau à jour à la date du lundi 27 février 1923. Puis elle glissa une feuille de papier dans la machine à écrire. Elle tapa son nom complet : Heike Carla von Ulrich. À l'âge de cinq ans, elle avait déclaré qu'elle préférait son deuxième prénom et ne voulait plus qu'on l'appelle Heike. Toute la famille avait accepté son choix, ce qui l'avait tout de même un peu étonnée.

Chaque touche de la machine à écrire actionnait une tige métallique qui venait frapper le papier à travers un ruban encreur, imprimant une lettre. Quand accidentellement, elle appuya sur deux touches à la fois, les tiges se coincèrent. Elle s'efforça de les séparer, vainement. Elle décida de presser sur une nouvelle touche, avec le résultat inverse de celui qu'elle espérait : il y avait maintenant trois tiges enchevêtrées. Elle poussa un gémissement : elle avait fait une bêtise, c'était sûr.

Un bruit l'attira vers la fenêtre. Une dizaine de Chemises brunes défilaient au milieu de la rue en scandant des slogans : « Mort aux Juifs ! À bas les Juifs ! » Carla ne comprenait pas pourquoi ces gens-là en voulaient tellement aux Juifs, qui étaient comme tout le monde, après tout, religion mise à part. Elle reconnut avec stupéfaction le sergent Schwab en tête du cortège. Elle avait eu de la peine pour lui quand ses parents l'avaient mis à la porte, parce qu'elle savait qu'il aurait du mal à retrouver un emploi. L'Allemagne comptait des millions d'hommes qui cherchaient du travail : Vater disait que c'était la crise. Mais Mutter avait été inflexible : ils ne pouvaient tout de même pas garder un voleur chez eux !

Les cris au-dehors avaient changé. « À bas les journaux juifs », hurlaient désormais les hommes en chœur. Carla vit un bras se lever et un légume pourri vint s'écraser sur la porte d'un quotidien national. Puis, sous ses yeux épouvantés, ils se dirigèrent vers le bâtiment dans lequel elle se trouvait.

Elle recula et continua à épier du coin de l'œil, cachée par l'embrasure de la fenêtre, espérant que les manifestants ne la verraient pas. Ils s'arrêtèrent devant l'immeuble, criant toujours. L'un d'eux jeta une pierre qui heurta la fenêtre de Carla, sans la briser pourtant. Elle poussa tout de même un petit cri effrayé qui attira une dactylo, une jeune femme coiffée d'un béret rouge. «Que se passe-t-il ?» demanda-t-elle en poussant la porte, puis elle regarda par la fenêtre. «Et merde !»

Les membres de la Section d'assaut pénétrèrent dans le bâtiment et Carla entendit un piétinement de bottes dans l'escalier. Elle était terrifiée : qu'allaient-ils faire ?

Le sergent Schwab entra dans le bureau de Mutter. Il hésita un instant en voyant une femme et une enfant, puis parut prendre son courage à deux mains. Il attrapa la machine à écrire et la balança par la fenêtre, fracassant la vitre. Carla et la dactylo hurlèrent.

D'autres Chemises brunes passaient dans le couloir, braillant leurs slogans.

Schwab empoigna la dactylo par le bras : «Et maintenant, chérie, tu vas me dire où est le coffre-fort.

— Dans la salle des archives, murmura-t-elle d'une petite voix apeurée.

— Montre-moi où c'est.

— Tout ce que vous voudrez.»

Il la poussa hors de la pièce.

Carla se mit à pleurer, mais ravala immédiatement ses larmes. Elle songea un instant à se cacher sous le bureau, avant de se raviser. Elle ne voulait pas leur montrer à quel point elle était terrifiée. Quelque chose en elle se révoltait, lui donnait envie de défier ces brutes.

Que pouvait-elle faire ? Avant tout, il fallait prévenir Mutter.

Elle s'approcha de la porte et regarda dans le couloir. Les SA entraient et sortaient des bureaux, mais ils n'étaient pas encore arrivés au fond. Carla ne savait pas si le tapage qu'ils faisaient s'entendait depuis la salle de réunion. Elle enfila le couloir, courant à toutes jambes, quand un cri l'arrêta net. Jetant un coup d'œil dans une pièce, elle vit Schwab qui secouait la dactylo au béret rouge en hurlant : «Où est la clé ?

— Je n'en sais rien, je vous le jure !» sanglotait la jeune femme.

Le sang de Carla ne fit qu'un tour. Comment Schwab pouvait-il se permettre de traiter une femme de cette façon ? Elle cria : «Lâchez-la tout de suite, Schwab, espèce de voleur !»

Schwab fit volte-face avec dans les yeux un éclair de haine qui décupla la peur de Carla. Puis son regard se déplaça vers quelqu'un qui devait être situé derrière elle et à qui il lança : «Fais dégager cette gosse, tu veux ?»

Elle sentit quelqu'un la soulever par les aisselles. « Une petite Juive ? demanda une voix masculine. Tu m'en as tout l'air, avec ta tignasse brune.

— Je ne suis pas juive », hurla-t-elle, terrifiée.

L'homme la porta jusqu'à l'entrée du couloir et la déposa brutalement dans le bureau de Mutter. Elle trébucha et tomba. « Reste ici, toi », dit-il et il s'éloigna.

Carla se releva. Elle ne s'était pas fait mal. Le couloir était rempli de Chemises brunes à présent, et il lui était impossible de rejoindre sa mère. Il fallait absolument trouver de l'aide.

Elle regarda par la fenêtre brisée. Une petite foule s'était rassemblée dans la rue. Deux policiers se trouvaient parmi les badauds, en train de bavarder. Carla leur cria : « Au secours ! Au secours ! Police ! »

Ils la virent et s'esclaffèrent.

Leurs rires l'exaspérèrent, et la colère lui fit un peu oublier sa peur. Elle retourna dans le couloir. Son regard se posa sur l'alarme d'incendie. Levant le bras, elle empoigna la manette.

Elle hésita. On n'était pas censé actionner l'alarme s'il n'y avait pas d'incendie, et une petite affiche apposée sur le mur menaçait les contrevenants de lourdes sanctions.

Elle tira tout de même le levier.

Rien. Le mécanisme ne fonctionnait peut-être pas.

Mais soudain, un mugissement retentit, s'élevant puis retombant, résonnant à travers tout le bâtiment.

Les journalistes surgirent presque immédiatement de la salle de réunion, au fond du couloir. Jochmann sortit le premier. « Bon sang ! Mais que se passe-t-il ? » demanda-t-il furieux, hurlant pour couvrir le bruit de l'alarme.

Un des SA répondit : « Ce torchon juif communiste a insulté notre Führer. Nous le fermons.

— Sortez de mes bureaux ! »

L'homme l'ignora et passa dans une autre pièce. Quelques instants plus tard, on entendit un hurlement de femme et un fracas qui évoquait le bruit d'un bureau métallique renversé.

Jochmann se tourna vers un de ses collaborateurs : « Schneider, appelez la police immédiatement ! »

Carla savait que c'était inutile : les policiers étaient déjà sur place, et se gardaient bien d'intervenir.

Mutter se fraya un passage à travers l'attroupement et courut dans le couloir jusqu'à son bureau : «Ça va? Tu n'as rien?» cria-t-elle en serrant Carla dans ses bras.

Elle ne voulait pas être consolée comme un bébé. Repoussant sa mère, elle répondit : «Je vais bien, ne t'en fais pas.»

Mutter regarda autour d'elle : «Ma machine!

— Ils l'ont jetée par la fenêtre.» Carla se dit que finalement, elle ne se ferait pas gronder parce qu'elle avait bloqué des touches.

«Il faut sortir d'ici.» Mutter attrapa la photo qui était sur son bureau, prit Carla par la main et elles quittèrent la pièce en toute hâte.

Personne ne les arrêta dans l'escalier. Devant elles, un jeune homme, peut-être un journaliste, avait coincé la tête d'un SA sous son bras et le traînait hors du bâtiment. Carla et sa mère les suivirent. Une autre Chemise brune dévalait les marches derrière elles.

Sans desserrer son étreinte, le reporter aborda les deux policiers qui se trouvaient dans la rue : «Arrêtez cet homme, dit-il. Je l'ai surpris en train de dévaliser nos bureaux. Vous trouverez dans sa poche un pot de café volé.

— Lâchez-le tout de suite», répondit le plus âgé des deux policiers.

À contrecœur, le reporter le libéra.

Le deuxième SA se rapprocha de son collègue.

«Quel est votre nom, monsieur? demanda le policier au journaliste.

— Rudolf Schmidt. Je suis correspondant parlementaire au *Demokrat.*

— Monsieur Schmidt, je vous arrête pour voies de fait sur la personne d'un auxiliaire de police.

— Ne soyez pas ridicule. J'ai pris cet homme la main dans le sac.»

Le policier fit un signe de tête aux deux Chemises brunes. «Conduisez-le au commissariat.»

Les hommes attrapèrent Schmidt par les bras. Il parut sur le point de se débattre, puis se ravisa. «Tous les détails de cette affaire paraîtront dans le prochain numéro du *Demokrat!* s'écria-t-il.

— Il n'y aura pas de prochain numéro, rétorqua le policier. Emmenez-le!»

Sur ces entrefaites, un camion de pompiers arriva et une

demi-douzaine d'hommes en jaillit. Leur chef s'adressa aux policiers d'un ton brutal : « Il faut évacuer le bâtiment.

— Retournez à la caserne, il n'y a pas d'incendie, rétorqua le plus âgé. Ce ne sont que des membres des Sections d'assaut qui ferment un journal communiste.

— Ce n'est pas mon problème, répliqua le pompier. L'alarme a été déclenchée et la première chose à faire est d'évacuer tout le monde, les Sections d'assaut comme les autres. Nous nous passerons de vous. » Il conduisit ses hommes à l'intérieur de l'immeuble.

Carla entendit sa mère s'exclamer : « Oh, non ! » Se retournant, elle la vit qui contemplait sa machine à écrire, tombée sur le trottoir. Le boîtier métallique avait explosé, révélant les articulations entre les tiges et les touches. Le clavier était complètement déformé, une extrémité du cylindre s'était détachée et la petite cloche qui tintait pour indiquer la fin d'une ligne gisait par terre pitoyablement. Une machine à écrire n'était pas un objet précieux, mais Mutter semblait au bord des larmes.

Les Chemises brunes et le personnel de la revue quittèrent le bâtiment sous la conduite des pompiers. Le sergent Schwab résistait et criait, furieux : « Il n'y a pas le feu ! » Les pompiers le poussèrent en avant sans l'écouter.

Jochmann sortit, lui aussi, et s'adressa à Mutter : « Ils n'ont pas eu le temps de faire beaucoup de dégâts – les pompiers les en ont empêchés. Je ne sais pas qui a déclenché l'alarme, mais nous lui devons une fière chandelle ! »

Carla qui avait eu peur de se faire réprimander pour son initiative se félicita. Finalement, elle avait bien fait !

Elle prit la main de sa mère, qui sembla surmonter son accès de chagrin. Elle s'essuya les yeux avec sa manche, un geste inhabituel qui révélait son émotion : si Carla en avait fait autant, sa mère n'aurait pas manqué de lui rappeler qu'elle avait un mouchoir. « Qu'est-ce qu'on fait maintenant ? » Elle n'avait jamais entendu ces mots dans la bouche de Mutter – d'habitude, elle savait toujours quoi faire.

Carla prit soudain conscience que deux personnes se tenaient près d'elles. Elle leva les yeux sur une très jolie femme qui devait avoir à peu près l'âge de Mutter, et dont le visage respirait l'autorité. Carla la connaissait, mais n'aurait pas su dire où elle l'avait déjà rencontrée. Elle était accompagnée d'un homme assez jeune pour être son fils. Il était mince, pas très grand, et ressemblait à un acteur de cinéma. Il avait un visage remarquablement séduisant, qui aurait presque été trop harmonieux sans son nez aplati et déformé. Les deux nouveaux venus avaient l'air abasourdis, et le jeune homme était pâle de colère.

La femme prit la parole la première, en anglais. «Bonjour, Maud, dit-elle d'une voix qui parut vaguement familière à Carla. Ne me dites pas que vous ne me reconnaissez pas! Je suis Eth Leckwith, et voici Lloyd.»

2.

Lloyd Williams trouva à Berlin un club de boxe où il pouvait venir s'entraîner une heure par jour pour quelques pièces. Il était situé dans le quartier ouvrier de Wedding, au nord du centre-ville. Lloyd travailla avec des massues de gymnastique, des médecine-balls, la corde à sauter et le sac de sable avant de mettre un casque et d'enchaîner cinq rounds sur le ring. Le responsable du club lui trouva un sparring-partner, un Allemand de son âge et de sa catégorie – Lloyd était poids welter. L'Allemand avait un joli coup droit rapide et imprévisible, et toucha Lloyd plusieurs fois avant que celui-ci ne lui envoie un crochet du gauche qui le mit au tapis.

Lloyd avait grandi dans un quartier difficile, l'East End de Londres. À douze ans, il s'était fait rudoyer par d'autres garçons de son école. «J'ai connu ça, lui avait dit son beau-père, Bernie Leckwith. Tu as les meilleures notes, et le *shlammer*, la petite frappe de la classe, te prend en grippe.» Dad était juif – sa mère ne parlait que yiddish. Quelques jours plus tard, il accompagnait Lloyd au club de boxe d'Aldgate. Ethel avait protesté, mais Bernie avait eu le dernier mot, ce qui n'était pas fréquent.

Lloyd avait appris à bouger vite et à frapper dur, et les bagarreurs de l'école s'étaient cherché une autre victime. Il y avait aussi gagné le nez cassé qui donnait un peu de caractère à son joli visage. Et surtout, il s'était découvert un talent. Il avait des réflexes rapides et une pugnacité qui lui avaient permis de remporter plusieurs victoires sur le ring. Son entraîneur avait été déçu qu'il choisisse d'entrer à l'université de Cambridge alors qu'il aurait pu passer professionnel.

Il prit une douche, remit sa tenue de ville et gagna un bar ouvrier, où il commanda une bière pression et s'assit à une table pour écrire à sa demi-sœur, Millie, et lui raconter l'incident des Chemises brunes. Millie l'avait envié de pouvoir faire ce voyage avec leur mère, et il lui avait promis de lui envoyer un véritable journal de bord.

Lloyd avait été profondément ébranlé par l'échauffourée à laquelle il avait assisté le matin même. La politique faisait partie de sa vie quotidienne : sa mère avait été députée, son père était conseiller d'arrondissement à Londres et lui-même était président de la section londonienne de la Labour League of Youth, la jeunesse travailliste. Mais jusqu'à ce jour, il n'avait connu que les débats et les scrutins. Jamais encore il n'avait vu un bureau saccagé par des voyous en uniforme sous les yeux de policiers complaisants. C'était une forme brutale de politique, qui l'avait choqué.

«Penses-tu que cela pourrait arriver à Londres, Millie?» écrivit-il. Instinctivement, il avait tendance à penser que non. Hitler avait pourtant des admirateurs parmi les industriels et les patrons de presse britanniques. Quelques mois auparavant seulement, Sir Oswald Mosley, un ancien député qui n'hésitait pas à retourner sa veste, avait fondé l'Union des fascistes britanniques. À l'image des nazis, ses membres aimaient à se pavaner dans des uniformes de style militaire. Jusqu'où iraient-ils?

Il termina sa lettre et la plia avant de prendre le S-Bahn pour regagner le centre. Sa mère et lui avaient prévu de retrouver Walter et Maud von Ulrich pour le dîner. Lloyd avait entendu parler de Maud toute sa vie. Malgré tout ce qui les séparait, sa mère et elle s'aimaient beaucoup. Ethel avait commencé à travailler toute jeune comme femme de chambre dans la grande demeure de la famille de Maud. Plus tard, elles avaient été suffragettes ensemble, faisant campagne pour que les femmes obtiennent le droit de vote. Pendant la guerre, elles avaient publié un journal féministe, *La Femme du soldat*. Leurs idées avaient ensuite divergé sur des questions de tactique politique et elles s'étaient brouillées.

Lloyd se rappelait très bien le voyage de la famille von Ulrich à Londres en 1925. Il avait dix ans et était assez grand pour avoir été mortifié de ne pas savoir un mot d'allemand alors qu'Erik et Carla, qui avaient respectivement cinq et trois ans, étaient parfaitement bilingues. C'était à cette occasion qu'Ethel et Maud s'étaient réconciliées.

Il se dirigea vers le restaurant où ils s'étaient donné rendez-vous, le Bistro Robert. En entrant, il fut surpris par l'ameublement Art déco – des chaises et des tables impitoyablement rectangulaires et des pieds de lampe en fer forgé très ornementés surmontés d'abat-jour de verre coloré –, mais apprécia les serviettes blanches amidonnées au garde-à-vous à côté des assiettes.

Il était le dernier. Maud et sa mère avaient vraiment de l'allure, se dit-il en approchant de la table où les von Ulrich et Ethel avaient déjà pris place : élégamment vêtues, séduisantes, pleines de grâce et d'assurance. D'autres clients leur jetaient des regards admiratifs. Il se demanda dans quelle mesure sa mère devait son sens du chic à son amie aristocratique.

Après qu'ils eurent passé commande, Ethel leur exposa la raison de son voyage. «J'ai perdu mon siège parlementaire en 1931, dit-elle, et j'espère bien le retrouver aux prochaines élections. Mais en attendant, il faut que je gagne ma vie. Par bonheur, Maud, vous m'avez appris le métier de journaliste.

— Je ne vous ai pas appris grand-chose, protesta Maud. Vous étiez douée, voilà tout.

— Le *News Chronicle* m'a commandé une série d'articles sur les nazis et j'ai signé un contrat avec un éditeur, Victor Gollancz, pour écrire un livre sur le même sujet. Lloyd a accepté de m'accompagner pour me servir d'interprète – il fait des études de français et d'allemand à Cambridge.»

Son sourire plein d'orgueil maternel n'échappa pas à Lloyd, qui craignit d'en être indigne. «Mes compétences de traducteur n'ont pas encore été mises à rude épreuve, commenta-t-il. Pour le moment, nous avons essentiellement rencontré des gens comme vous, qui parlent anglais couramment.»

Lloyd avait commandé une escalope de veau panée à la viennoise, un plat qu'il n'avait jamais vu en Angleterre et qu'il trouva délicieux. Pendant qu'ils mangeaient, Walter lui demanda : «Tu ne devrais pas être à la fac ?

— Si, mais Mam s'est dit qu'en l'accompagnant, je ferais sûrement des progrès en allemand, et l'université m'a donné l'autorisation de m'absenter.

— Ça te dirait de venir travailler pour moi au Reichstag pendant votre séjour ? Je ne pourrai pas te payer, malheureusement, mais au moins, tu entendrais parler allemand toute la journée.»

Lloyd fut enchanté. «Ça serait sensationnel. Quelle chance incroyable!

— À condition qu'Ethel puisse se passer de toi, évidemment», ajouta Walter.

Elle sourit : «Peut-être pourrez-vous me le rendre de temps en temps, quand j'aurai vraiment besoin de lui?

— Bien sûr.»

Ethel tendit le bras par-dessus la table et effleura la main de Walter. C'était un geste plein d'intimité, qui révéla à Lloyd l'étroitesse du lien qui unissait ces trois êtres. «C'est tellement gentil de votre part, Walter, dit-elle.

— Moins que vous ne croyez. Un jeune assistant intelligent ayant quelques notions de politique est toujours précieux.

— Il y a des moments où je me demande si je comprends encore quelque chose à la politique, murmura Ethel. Bon sang, que se passe-t-il ici, en Allemagne?

— On ne s'en sortait pas si mal au milieu des années 1920, expliqua Maud. Nous avions un gouvernement démocratique et l'économie se développait. Mais en 1929, le krach de Wall Street a tout réduit à néant. Et nous voilà en pleine crise.» Sa voix frémissait d'une émotion singulièrement proche de la douleur. «On peut voir des centaines d'hommes faire la queue pour une offre d'emploi. Il m'arrive de regarder leurs visages. Ils sont désespérés. Ils se demandent comment ils vont nourrir leurs enfants. Comme les nazis semblent leur offrir une lueur d'espoir, ils se disent : Après tout, qu'est-ce que j'ai à perdre?»

Estimant apparemment qu'elle exagérait, Walter intervint avec plus d'optimisme : «La bonne nouvelle est qu'Hitler n'a pas su convaincre une majorité d'Allemands. Aux dernières élections, les nazis ont obtenu le tiers des voix. Ça ne les a pas empêchés de devenir le parti le plus puissant du pays, mais par bonheur, Hitler ne dirige qu'un gouvernement minoritaire.

— Voilà pourquoi ils ont réclamé de nouvelles élections, coupa Maud. Il lui faut la majorité absolue pour faire de l'Allemagne la dictature brutale qu'il veut instaurer.

— L'obtiendra-t-il? demanda Ethel.

— Non, dit Walter.

— Oui, dit Maud.

— Je serais vraiment surpris que le peuple vote pour une dictature, précisa Walter.

— Mais les élections ne seront pas libres ! s'indigna Maud, très en colère. Tu as bien vu ce qui s'est passé à la revue ce matin ! Tous ceux qui critiquent les nazis sont en danger. Et pendant ce temps, ils se livrent à une propagande incroyable, à laquelle personne ne peut échapper.

— Je n'ai pas eu l'impression que les gens étaient prêts à riposter », remarqua Lloyd. Il regrettait de ne pas être arrivé quelques minutes plus tôt aux bureaux du *Demokrat* pour régler leur compte à quelques Chemises brunes. Se rendant compte qu'il serrait le poing, il se força à mettre sa main à plat. Mais son sentiment de révolte demeura intact. « Pourquoi les militants de gauche ne vont-ils pas saccager les bureaux des journaux nazis ? Ils n'ont qu'à leur rendre la monnaie de leur pièce !

— Il ne faut pas répondre à la violence par la violence, objecta Maud énergiquement. Hitler n'attend qu'un prétexte pour prendre des mesures répressives – décréter l'état d'urgence, supprimer les droits civils et jeter ses adversaires en prison. » Sa voix prit un ton implorant. « Évitons de lui donner cette excuse – même si c'est difficile. »

Ils terminèrent leur repas. Le restaurant commençait à se vider. Au moment où on leur apportait le café, ils furent rejoints par le patron, Robert von Ulrich, un cousin de Walter, et par le chef, Jörg. Robert avait été attaché militaire à l'ambassade d'Autriche à Londres avant la guerre, à l'époque où Walter occupait les mêmes fonctions à l'ambassade d'Allemagne – et où il était tombé amoureux de Maud.

Robert ressemblait à Walter, mais était vêtu de façon plus apprêtée, avec une épingle de cravate en or et des breloques à sa chaîne de montre ; ses cheveux étaient parfaitement lissés. Jörg, un blond aux traits délicats et au sourire enjoué, était plus jeune que lui. Ils avaient été prisonniers de guerre ensemble en Russie et partageaient à présent un appartement au-dessus du restaurant.

Ils évoquèrent le mariage de Walter et Maud, célébré dans le plus grand secret à la veille de la guerre. Ils n'avaient invité personne, mais Robert et Ethel avaient été leurs témoins. Ethel raconta : « Nous avons pris le champagne à l'hôtel, puis j'ai suggéré délicatement que nous nous retirions, Robert et moi, et

Walter – elle réprima un fou rire – Walter a dit : "Je pensais que nous dînerions ici tous ensemble !" »

Maud s'étrangla. « Vous pouvez imaginer combien ça m'a fait plaisir ! »

Lloyd baissa les yeux sur son café, embarrassé. À dix-huit ans, il n'avait jamais connu de femme et les plaisanteries un peu lestes le mettaient mal à l'aise.

Ethel se tourna vers Maud d'un air plus sombre : « Avez-vous des nouvelles récentes de Fitz ? »

Lloyd savait que ce mariage clandestin avait été à l'origine d'une terrible rupture entre Maud et son frère, le comte Fitzherbert. Fitz l'avait reniée parce que, passant outre à son statut de chef de famille, elle ne lui avait pas demandé l'autorisation de se marier.

Maud secoua la tête tristement : « Je lui ai écrit la dernière fois que nous sommes allés à Londres, mais il n'a même pas voulu me voir. Je l'ai blessé dans son orgueil en épousant Walter sans le prévenir. J'ai bien peur que mon frère ne soit pas du genre à pardonner les offenses. »

Ethel régla l'addition. Tout était bon marché en Allemagne pour qui avait des devises étrangères. Ils étaient sur le point de se lever quand un inconnu s'approcha de leur table et, sans y avoir été invité, avança une chaise. C'était un homme corpulent au visage rond barré d'une petite moustache.

Il portait l'uniforme des Chemises brunes.

Robert demanda d'un ton glacial : « Que puis-je pour vous, monsieur ?

— Inspecteur Thomas Macke. » Il attrapa par le bras un serveur qui passait : « Apportez-moi un café. »

Le serveur jeta un regard interrogateur à Robert, qui acquiesça d'un signe de tête.

« Je travaille au service politique de la police prussienne, poursuivit Macke. Je suis responsable de la section berlinoise du Renseignement. »

Lloyd traduisit à voix basse pour sa mère.

« Mais peu importe, dit Macke, je souhaite m'entretenir d'une affaire personnelle avec le propriétaire du restaurant.

— Où travailliez-vous il y a un mois ? » demanda Robert.

Cette question inattendue prit Macke au dépourvu, et il répondit sans réfléchir : « Au commissariat de Kreuzberg.

— Quel emploi exerciez-vous ?

— J'étais chargé des casiers judiciaires. Pourquoi ? »

Robert hocha la tête comme s'il s'était attendu à cette réponse. « Autrement dit, vous avez quitté un emploi de gratte-papier pour vous retrouver à la tête de la section berlinoise du Renseignement. Un avancement remarquablement rapide. Permettez-moi de vous en féliciter. » Il se tourna vers Ethel. « Quand Hitler est devenu chancelier, à la fin du mois de janvier, son homme de main, Hermann Göring, a été nommé ministre de l'Intérieur de Prusse – responsable du plus important service de police du monde. Depuis, Göring a renvoyé un très grand nombre de policiers et les a remplacés par des nazis. » S'adressant à nouveau à Macke, il ajouta d'un ton sarcastique : « Bien sûr, s'agissant de notre invité surprise, je suis convaincu que cette promotion est due à ses seuls mérites. »

Macke s'empourpra mais conserva son calme. « Comme je vous l'ai dit, je désire m'entretenir d'une affaire personnelle avec le propriétaire.

— Je vous en prie, passez me voir demain matin. À dix heures, si vous voulez bien ?

— Mon frère est dans la restauration, continua-t-il, sans tenir compte de la proposition de Robert.

— Ah, très bien ! Je le connais peut-être. Macke, c'est bien cela ? Quel genre d'établissement tient-il ?

— Un petit restaurant ouvrier à Friedrichshain.

— Ah ! Dans ce cas, il y a peu de chances que je l'aie rencontré. »

Lloyd se demanda si Robert n'avait pas tort de se montrer aussi arrogant. Macke était grossier et ne méritait pas qu'on prenne de gants avec lui, mais il avait certainement le pouvoir de nuire.

Macke poursuivit : « Mon frère souhaite racheter votre restaurant.

— Décidément, on ne manque pas d'ambition dans votre famille, me semble-t-il.

— Nous sommes prêts à vous en offrir vingt mille marks, payables en deux ans. »

Jörg éclata de rire.

« Laissez-moi vous raconter une histoire, monsieur l'inspecteur, reprit Robert. Je suis autrichien, et je suis comte. Il y a vingt ans, j'étais propriétaire d'un château en Hongrie et d'un grand domaine où vivaient ma mère et ma sœur. La guerre m'a fait perdre ma famille, mon château, mes terres et même mon pays, qui a été... comment dire... amputé. » Son ton ironique avait disparu et sa voix était rauque d'émotion. « Quand je suis arrivé à Berlin, je n'avais en poche que l'adresse de Walter von Ulrich, un cousin, c'est tout. Je suis tout de même parvenu à monter ce restaurant. » Il déglutit péniblement. « C'est tout ce que j'ai. » Il s'interrompit pour boire une gorgée de café. Autour de la table, tous gardaient le silence. Robert se ressaisit et retrouva un peu de sa superbe. « Même si vous m'en proposiez une somme généreuse – ce qui n'est pas le cas – je refuserais, parce qu'en vous le vendant, c'est toute ma vie que je vous vendrais. Je ne veux pas me montrer discourtois, malgré votre comportement déplaisant. Mais mon restaurant n'est pas à vendre, quel que soit le prix que vous m'en offrirez. » Il se leva. « Bonsoir, monsieur l'inspecteur », dit-il en tendant la main à Macke.

Celui-ci la serra machinalement, puis sembla le regretter. Il se leva, visiblement en colère. Son visage replet avait pris une teinte cramoisie. « Nous en reparlerons », lança-t-il et il sortit.

« Quel mufle ! s'écria Jörg.

— Vous voyez ce que nous sommes obligés de supporter ? demanda Walter à Ethel. Cet homme se croit tout permis, simplement à cause de l'uniforme qu'il porte ! »

Ce qui inquiétait le plus Lloyd, c'était l'assurance de Macke. Qu'on lui cède le restaurant au prix qu'il en offrait lui avait paru évident et il avait réagi au refus de Robert comme à un simple contretemps. Les nazis étaient-ils déjà aussi puissants ?

Oswald Mosley et ses fascistes britanniques n'avaient pas d'autre objectif pour l'Angleterre – remplacer le règne de la loi par l'intimidation et les brutalités. Comment les gens pouvaient-ils avoir la sottise de les suivre ?

Ils enfilèrent leurs manteaux, prirent leurs chapeaux et dirent bonsoir à Robert et Jörg. Lloyd sentit la fumée dès qu'ils eurent franchi le seuil : ce n'était pas une odeur de tabac, c'était autre chose. Ils montèrent tous les quatre dans la voiture de Walter, une BMW Dixi 3/15, ces Austin Seven fabriquées sous licence en Allemagne.

Au moment où ils traversaient le parc du Tiergarten, deux camions de pompiers les dépassèrent dans un vacarme de cloches. « Je me demande bien où ça brûle », s'interrogea Walter.

Ils ne tardèrent pas à distinguer la lueur des flammes à travers les arbres. « On dirait que c'est du côté du Reichstag », remarqua Maud.

lait devant un stade bondé. «Ceux qui cherchent à nous faire obstacle seront impitoyablement massacrés.» Il tremblait, laissant délibérément la colère monter en lui. «Tous les fonctionnaires communistes seront abattus là où ils se trouvent. Les députés communistes du Reichstag doivent être pendus cette nuit même.» Il avait l'air au bord de l'explosion.

En même temps, tout cela paraissait étrangement factice. La haine d'Hitler était sincère, sans doute, mais ses vitupérations participaient d'un spectacle destiné à ceux qui l'entouraient, ses compagnons et les autres. C'était un comédien, mû par une émotion authentique mais qui l'amplifiait au profit de son public. Son numéro était indéniablement efficace : tous ceux qui se trouvaient à portée d'oreille avaient les yeux rivés sur lui, littéralement hypnotisés.

«*Mein Führer*, dit Göring, je vous présente le chef de ma police politique, Rudolf Diels.» Il désigna un homme mince aux cheveux bruns qui se tenait près de lui. «Il a déjà arrêté un des auteurs de ce crime.»

Diels ne participait pas à l'hystérie générale. Il annonça calmement : «Il s'agit de Marinus van der Lubbe, un ouvrier du bâtiment hollandais.

— Un communiste! ajouta Göring triomphant.

— Expulsé du parti communiste hollandais pour avoir provoqué des incendies, précisa encore Diels.

— J'en étais sûr!» s'exclama Hitler.

Lloyd comprit que le nouveau maître de l'Allemagne était décidé à incriminer les communistes, sans tenir compte de la réalité.

Diels reprit d'un ton déférent : «À la suite de l'interrogatoire préliminaire auquel j'ai procédé, je me permets de préciser que cet homme est de toute évidence un malade mental, et qu'il a agi seul.

— Ridicule! s'écria Hitler. Ils préparaient ça depuis longtemps. Mais ils ont raté leur coup! Ils n'ont pas compris que le peuple est avec nous.»

Göring se tourna vers Diels : «La police est en état d'alerte maximum dès cet instant. Nous avons la liste de tous les communistes – députés au Reichstag, représentants élus des gouvernements locaux, responsables et militants du parti communiste. Je vous ordonne de procéder à leur arrestation : cette nuit même ! Dites à vos hommes de ne pas hésiter à faire usage de leurs armes. Interrogez-les sans pitié.

— Oui, monsieur le ministre », répondit Diels.

Lloyd comprit que Walter avait eu raison de s'inquiéter. C'était le prétexte qu'attendaient les nazis. Ils n'écouteraient aucun de ceux qui présenteraient l'incendie comme le crime d'un fou isolé. Ils avaient besoin d'un complot communiste pour imposer des mesures de répression.

Göring contempla d'un air dégoûté la boue qui maculait ses chaussures. « Ma résidence officielle n'est qu'à une minute d'ici et elle a, par bonheur, été épargnée par le feu, *mein Führer*, dit-il. Peut-être pourrions-nous nous y transporter ?

— Excellente idée. Il va falloir mettre un certain nombre de choses au point. »

Lloyd leur tint la porte ouverte et ils sortirent. Dès que les voitures s'éloignèrent, il franchit le cordon de police et rejoignit sa mère et les von Ulrich.

« Lloyd ! Où étais-tu passé ? s'écria Ethel. J'étais folle d'inquiétude.

— Je suis entré dans le bâtiment.

— Quoi ? Comment ?

— Personne ne m'en a empêché. C'est une telle pagaille là-dedans. »

Sa mère leva les bras au ciel. « Ce garçon n'a aucun sens du danger.

— J'ai vu Adolf Hitler.

— As-tu entendu ce qu'il disait ? demanda Walter.

— Il accuse les communistes d'avoir provoqué l'incendie. Il va y avoir une purge.

— Que Dieu nous protège », murmura Walter.

3.

Thomas Macke n'avait pas digéré les sarcasmes de Robert von Ulrich. *Décidément, on ne manque pas d'ambition dans votre famille, me semble-t-il.* Ces paroles méprisantes résonnaient encore à ses oreilles.

Il regrettait de n'avoir pas eu la présence d'esprit de lui

répondre : «Et alors ? Vous ne valez pas mieux que nous, espèce de freluquet arrogant. » Il n'avait plus qu'une idée en tête : se venger. Mais il fut tellement occupé pendant les journées qui suivirent qu'il fut bien obligé de ronger son frein.

La police secrète prussienne avait son siège dans un élégant bâtiment de style classique, au 8, Prinz-Albrecht-Strasse, dans le quartier gouvernemental. Macke éprouvait un frisson d'orgueil chaque fois qu'il en franchissait la porte.

Il ne savait plus où donner de la tête. Quatre mille communistes avaient été appréhendés dans les vingt-quatre heures qui avaient suivi l'incendie du Reichstag, et les rafles se poursuivaient. On avait entrepris de débarrasser l'Allemagne d'une véritable infection, et Macke trouvait que l'air de Berlin était déjà plus pur.

Mais les dossiers de police n'étaient pas à jour. Des gens avaient déménagé, des élections avaient été perdues et gagnées, des personnes âgées étaient décédées et des jeunes avaient repris leur appartement. Macke dirigeait une équipe chargée d'actualiser les fichiers, de trouver de nouveaux noms, de nouvelles adresses.

C'était une activité qui lui convenait. Il aimait les registres, les répertoires, les plans de villes, les coupures de presse, les listes en tout genre. On n'avait pas su prendre la juste mesure de son talent au commissariat de quartier de Kreuzberg, où les tâches du service de renseignement se limitaient à rosser les suspects jusqu'à ce qu'ils livrent des noms. Il espérait être plus apprécié ici.

Cela dit, passer à tabac des détenus ne lui avait jamais posé problème. Depuis son bureau, au fond du bâtiment, il lui arrivait d'entendre les cris d'hommes et de femmes qu'on torturait au sous-sol, mais cela ne le perturbait pas le moins du monde. C'étaient des traîtres, des éléments subversifs, des révolutionnaires. Leurs grèves avaient ruiné l'Allemagne, et ces salauds-là feraient bien pire encore si on leur en laissait l'occasion. Ils ne lui inspiraient aucune compassion. Son seul regret était que Robert von Ulrich ne se trouve pas parmi eux, gémissant de douleur, suppliant qu'on l'épargne.

Il lui fallut attendre le jeudi 2 mars à huit heures du soir pour pouvoir consulter le dossier de Robert.

Il renvoya les membres de son équipe chez eux et monta à l'étage pour apporter une liasse de listes mises à jour à son

48

supérieur, le commissaire Kringelein. Puis il retourna à ses classeurs.

Il n'était pas pressé de rentrer chez lui. Il vivait seul depuis que son épouse, une femme rétive, était partie avec un serveur du restaurant de son frère, prétendant avoir besoin de liberté. Ils n'avaient pas d'enfants.

Il commença à dépouiller les fichiers.

Il avait déjà découvert que Robert von Ulrich avait adhéré au parti nazi en 1923 et l'avait quitté deux ans plus tard. Cela ne présentait pas un intérêt majeur en soi. Il lui fallait autre chose.

Le système de classement n'était pas aussi cohérent qu'il l'aurait souhaité. Dans l'ensemble d'ailleurs, la police prussienne le décevait. La rumeur prétendait que Göring n'était pas satisfait, lui non plus, et avait l'intention de détacher le service politique et le Renseignement de la police régulière pour constituer une nouvelle police secrète, plus efficace. C'était une bonne idée, selon Macke.

En attendant, le nom de Robert von Ulrich ne figurait dans aucun des fichiers officiels. Peut-être l'inefficacité de la police n'était-elle pas seule en cause. Ce type pouvait très bien ne rien avoir à se reprocher. S'il s'agissait vraiment d'un comte autrichien, il y avait peu de chances pour qu'il soit communiste ou juif. Apparemment, le pire reproche qu'on pût lui faire était d'avoir un cousin social-démocrate, ce Walter von Ulrich. Or ce n'était pas un délit – pas encore.

Macke regretta de ne pas avoir procédé à cette enquête avant d'aller rendre visite au restaurateur. Il s'était engagé dans cette affaire sans avoir pris suffisamment de renseignements. C'était une erreur indigne de lui. Elle l'avait exposé à l'arrogance et aux sarcasmes de ce soi-disant aristo. Il avait été humilié. Mais il aurait sa revanche.

Il commença à parcourir des tas de paperasses diverses et variées, rangées dans un placard poussiéreux au fond de la pièce. Le nom de von Ulrich n'y apparaissait pas non plus. Il remarqua pourtant qu'il manquait un dossier : à en croire la liste punaisée à l'intérieur de la porte du placard, il aurait dû y trouver un rapport de cent dix-sept pages intitulé «Établissements de débauche». Il s'agissait probablement de la liste de toutes les boîtes de nuit de Berlin. Macke devina la raison de son absence. On avait dû s'en servir récemment : les bars de nuit les plus décadents avaient été fermés quand Hitler était devenu chancelier.

Macke remonta à l'étage. Kringelein était en train de donner des instructions aux policiers en uniforme chargés de faire une descente dans les appartements de communistes et de sympathisants dont Macke avait fourni les nouvelles adresses.

« Je cherche le rapport sur les établissements de débauche », annonça-t-il, n'hésitant pas à interrompre son supérieur : Kringelein n'était pas nazi et ne se permettrait pas de réprimander un membre des Sections d'assaut.

Kringelein eut l'air importuné, mais ne protesta pas. « Sur la table là-bas, dit-il. Prenez. »

Macke prit le dossier et retourna dans son bureau.

L'enquête remontait à cinq ans déjà. Elle dressait l'inventaire des bars en activité et précisait leurs spécialités : jeu, spectacles indécents, prostitution, trafic de drogue, homosexualité et autres dépravations. Le dossier donnait les noms des propriétaires et des investisseurs, des employés et des membres des clubs privés. Macke éplucha consciencieusement toutes les notices : Robert von Ulrich était peut-être toxicomane, ou amateur de prostituées.

Berlin était célèbre pour ses bars homosexuels. Macke examina avec dégoût la fiche consacrée au Chausson rose, une boîte où des hommes dansaient entre eux et où le spectacle de variétés mettait en scène des chanteurs travestis. Il y avait des moments où son travail était franchement répugnant, se dit-il.

Faisant courir son doigt sur la liste de membres, il trouva le nom de Robert von Ulrich et poussa un soupir d'aise.

Celui de Jörg Schleicher figurait quelques lignes plus bas.

« Parfait, parfait, murmura-t-il. On va bien voir si vous faites encore les malins. »

4.

Lorsque Lloyd revit Walter et Maud, il les trouva plus en colère – et plus inquiets encore.

C'était le samedi suivant, le 4 mars, la veille des élections. Lloyd et Ethel avaient l'intention d'assister à un rassemblement du parti social-démocrate organisé par Walter et avaient été invités à déjeuner chez les von Ulrich, dans le quartier du Mitte, avant le meeting.

Les von Ulrich habitaient une demeure du XIXe siècle aux pièces spacieuses percées de grandes fenêtres, mais la décoration intérieure portait la marque du temps. Le déjeuner fut très simple, des côtelettes de porc accompagnées de pommes de terre et de chou, mais le vin était bon. À les entendre, Walter et Maud étaient pauvres et ils vivaient indéniablement de façon plus spartiate que leurs parents, mais au moins, ils n'avaient pas faim.

En revanche, ils avaient peur.

Hitler avait persuadé le vieux président du Reich, Paul von Hindenburg, d'approuver le décret sur l'incendie du Reichstag accordant aux nazis le pouvoir de faire ce qu'ils faisaient déjà, c'est-à-dire passer à tabac et torturer leurs adversaires politiques. « Ils ont procédé à vingt mille arrestations depuis la nuit de lundi ! annonça Walter d'une voix tremblante. Pas seulement des communistes déclarés, mais aussi ceux que les nazis appellent des "sympathisants communistes".

— Autrement dit, tous ceux qui leur déplaisent, précisa Maud.

— Dans de telles conditions, comment peut-on envisager la tenue d'élections démocratiques ? demanda Ethel.

— Nous ferons ce que nous pouvons, répondit Walter. Renoncer à faire campagne, c'est rendre service aux nazis. »

Lloyd intervint d'un ton impatient : « Quand cesserez-vous de vous résigner comme ça ? Quand riposterez-vous enfin ? Êtes-vous toujours convaincus qu'il ne faut pas répondre à la violence par la violence ?

— Oui, acquiesça Maud. L'opposition pacifique est notre seule planche de salut.

— Le parti social-démocrate possède bien une organisation paramilitaire, la Reichsbanner, expliqua Walter. Le problème est qu'elle est tellement faible ! Un petit groupe de sociaux-démocrates a proposé de rendre coup pour coup aux nazis, mais il a été mis en minorité.

— N'oublie pas, Lloyd, ajouta Maud, que la police et l'armée sont du côté des nazis. »

Walter consulta sa montre de gousset. « Il faut y aller. »

C'est alors que Maud lança inopinément : «Walter, et si tu annulais?»

Il la dévisagea, stupéfait. «Voyons, on a vendu sept cents billets.

— Au diable les billets. C'est pour *toi* que je me fais du souci.

— Ne te fais pas de mauvais sang. Les entrées seront soigneusement filtrées. Aucun fauteur de troubles ne pourra s'introduire dans la salle.»

Lloyd eut l'impression que Walter était moins confiant qu'il ne cherchait à le paraître.

«De toute façon, il est hors de question de laisser tomber ceux qui ont encore le courage d'assister à un rassemblement politique démocratique. Ils représentent notre dernier espoir.

— Tu as raison, convint Maud, qui se tourna vers Ethel. Vous feriez peut-être tout de même mieux de rester ici, Lloyd et vous. Walter a beau dire, cela peut être dangereux, et après tout, ce n'est pas votre pays.

— Le socialisme est international, répliqua Ethel avec énergie. Comme votre mari, j'apprécie votre sollicitude, mais je suis venue observer la politique allemande de près, et je ne vais certainement pas laisser échapper une occasion pareille.

— Quoi qu'il en soit, les enfants n'iront pas», conclut Maud.

Carla eut l'air déçue, mais garda le silence, tandis qu'Erik déclarait : «De toute manière, je n'avais pas envie d'y aller.»

Walter, Maud, Ethel et Lloyd montèrent dans la petite voiture de Walter. Lloyd avait beau être inquiet, l'excitation était la plus forte. Il allait découvrir la politique sous un angle bien plus passionnant que ce que l'Angleterre pouvait lui offrir. Et s'il y avait de la bagarre, cela ne lui faisait pas peur.

Ils se dirigèrent vers l'est, traversant l'Alexanderplatz, pour s'engager dans un quartier d'immeubles pauvres et de petites boutiques dont certaines arboraient des enseignes en caractères hébraïques. Le parti social-démocrate était un mouvement ouvrier, mais, à l'image du parti travailliste britannique, il avait su séduire quelques membres de l'élite. Walter von Ulrich faisait partie d'une petite minorité haut placée.

La voiture s'arrêta devant un immeuble dont le fronton portait l'inscription : «Théâtre du Peuple». Une queue s'était déjà formée devant l'entrée. Walter traversa le trottoir pour rejoindre la porte, agitant la main en direction de la foule qui l'ovationna. Lloyd et les autres le suivirent à l'intérieur.

Walter serra la main d'un jeune homme au visage grave. «Je vous présente Wilhelm Frunze, le secrétaire de la branche locale de notre parti.» Frunze, qui ne devait pas avoir plus de dix-huit ans, était de ces garçons qui donnent l'impression d'être nés adultes. Il portait un blazer aux poches boutonnées, passé de mode depuis dix ans.

Frunze montra à Walter comment on pouvait bloquer les portes à l'aide de barres intérieures. «Dès que tout le monde sera installé, nous boucler ons la salle, comme ça, aucun agitateur ne pourra entrer, expliqua-t-il.

— Très bien, approuva Walter. C'est une bonne idée.»

Frunze les fit entrer dans la salle. Walter monta sur l'estrade et salua plusieurs autres candidats qui étaient déjà arrivés. Le public commença à prendre place. Frunze indiqua à Maud, Ethel et Lloyd les sièges qui leur avaient été réservés au premier rang.

Deux garçons s'approchèrent d'eux. Le plus jeune, qui donnait l'impression d'avoir quatorze ans mais était plus grand que Lloyd, salua Maud avec une courtoisie irréprochable et esquissa une petite courbette. Maud se tourna vers Ethel : «Ethel, voici Werner Franck, le fils de mon amie Monika.» Elle s'adressa ensuite à Werner : «Ton père sait que tu es ici?

— Oui. Il trouve qu'il vaut mieux que je m'informe moi-même des réalités de la social-démocratie.

— Il a les idées larges, pour un nazi.»

Lloyd trouva que c'était une réflexion un peu rude à faire à un garçon aussi jeune, mais Werner ne se laissa pas démonter : «Mon père ne croit pas vraiment au nazisme, vous savez. Il pense simplement que l'arrivée d'Hitler au pouvoir est une bonne chose pour l'économie allemande.»

Wilhelm Frunze répliqua, indigné : «Je vois mal ce que notre économie a à y gagner. Toute question d'injustice mise à part, ces milliers de gens qu'on jette en prison ne peuvent plus travailler. C'est une grande perte, au contraire.

— Je suis bien de votre avis, approuva Werner. Et pourtant, la population approuve les mesures d'Hitler.

— Les gens s'imaginent qu'on les sauve d'une révolution bolchevique, soupira Frunze. La presse nazie les a convaincus que les communistes étaient sur le point de lancer une campagne d'assassinats, d'incendies criminels et d'empoisonnements dans toutes les villes et tous les villages du pays.»

Le compagnon de Werner, un garçon de plus petite taille mais manifestement plus âgé, intervint : «N'empêche que ce sont les Chemises brunes et pas les communistes qui traînent les gens dans des caves et leur brisent les os à coups de matraque». Il parlait allemand couramment avec une pointe d'accent que Lloyd n'arrivait pas à identifier.

«Pardon, j'ai oublié de vous présenter Vladimir Pechkov, dit Werner. Il fréquente la même école que moi, l'Académie de garçons de Berlin. Tout le monde l'appelle Volodia.»

Lloyd se leva pour lui serrer la main. Volodia devait avoir le même âge que lui; c'était un jeune homme au physique peu commun, dont le regard bleu dénotait une grande franchise.

«Je connais Volodia puisque je suis aussi à l'Académie des garçons, répondit Frunze.

— Wilhelm Frunze est le génie du lycée, précisa Volodia. Toujours premier en physique, en chimie et en maths.

— C'est vrai», confirma Werner.

Jetant un regard insistant à Volodia, Maud lui demanda : «Pechkov? Seriez-vous le fils de Grigori?

— En effet, madame. Mon père est attaché militaire à l'ambassade soviétique.»

Volodia était donc russe. Il parlait un allemand irréprochable, se dit Lloyd avec un soupçon d'envie. Évidemment, si cela faisait plusieurs années qu'il vivait ici...

«Je connais bien vos parents», dit Maud à Volodia. Elle fréquentait tous les diplomates de Berlin, Lloyd l'avait déjà compris. Cela faisait partie de son travail.

Frunze consulta sa montre : «Il est temps de commencer.» Il monta sur l'estrade et demanda le calme.

Le silence se fit dans la salle.

Frunze annonça que les candidats prononceraient des discours puis répondraient aux questions du public. On n'avait distribué de billets d'entrée qu'aux membres du parti social-démocrate, et les portes avaient été fermées, ajouta-t-il, de sorte que chacun pouvait parler librement. Ils étaient entre amis.

On se serait cru dans une société secrète, songea Lloyd, qui se faisait une autre image de la démocratie.

Walter fut le premier à prendre la parole. Ce n'était pas un démagogue, remarqua Lloyd, et il évitait les effets rhétoriques gratuits. Ce qui ne l'empêchait pas de flatter ses auditeurs, de leur affirmer qu'ils étaient des hommes et des femmes intelligents et bien informés, qui n'ignoraient rien de la complexité des questions politiques.

Il ne parlait que depuis quelques minutes quand un homme en chemise brune apparut sur l'estrade.

Lloyd jura. Comment était-il entré ? Il était arrivé depuis les coulisses : quelqu'un avait dû lui ouvrir la porte des artistes.

C'était un colosse aux cheveux en brosse. Il s'avança jusqu'à la rampe et se mit à vociférer : « Ceci est un attroupement séditieux. Les communistes et les éléments subversifs sont indésirables dans l'Allemagne d'aujourd'hui. Le meeting est terminé. »

Son assurance présomptueuse scandalisa Lloyd. Il aurait bien voulu pouvoir affronter ce gros malotru sur le ring.

Wilhelm Frunze bondit sur ses pieds, se dressa devant l'intrus et hurla d'une voix tremblante de fureur : « Sortez d'ici, espèce de brute ! »

L'autre le repoussa d'une violente bourrade. Frunze recula en chancelant, trébucha et tomba à la renverse.

Tous les auditeurs étaient debout. Certains poussaient des cris de colère et de protestation, d'autres de peur.

Une bande entière de SA sortit alors des coulisses.

Lloyd comprit avec consternation que ces salauds avaient bien préparé leur coup.

Celui qui avait bousculé Frunze cria : « Dehors ! » et les autres Chemises brunes lui firent écho : « Dehors ! Dehors ! Dehors ! » Ils devaient être une vingtaine à présent, et il en arrivait constamment de nouveaux. Certains portaient des matraques de police ou des gourdins improvisés. Lloyd aperçut une crosse de hockey, une masse de forgeron en bois, un pied de chaise. Ils arpentaient la scène en bombant le torse, le visage crispé dans un sourire mauvais, brandissant leurs armes en scandant « Dehors ! » Lloyd sentait que l'envie de frapper les démangeait.

Il s'était levé avec les autres. Sans se concerter, Werner, Volodia et lui avaient formé une haie défensive devant Ethel et Maud.

La moitié de la salle essayait de fuir, l'autre criait et tendait le poing en direction des intrus. Ceux qui cherchaient la sortie bousculaient ceux qui voulaient rester, provoquant de petites échauffourées. Beaucoup de femmes pleuraient.

Sur l'estrade, Walter s'agrippa au lutrin : « Gardez votre calme, s'il vous plaît ! cria-t-il. Pas de débandade ! » La plupart ne l'entendaient pas, les autres l'ignorèrent.

Les Chemises brunes commencèrent à sauter de l'estrade pour se mêler à la foule. Lloyd prit sa mère par le bras tandis que Werner en faisait autant avec Maud, et ils se dirigèrent en groupe vers la sortie la plus proche. Mais toutes les portes étaient déjà obstruées par des essaims de gens affolés qui cherchaient à quitter la salle. Ce qui n'empêchait pas les SA de continuer à hurler aux gens de vider les lieux.

Les assaillants étaient en majorité des hommes robustes alors que le public, beaucoup plus hétéroclite, comprenait des femmes et des vieillards. Lloyd, qui mourait d'envie d'en découdre, se ravisa : ce n'était évidemment pas une bonne idée.

Un homme coiffé d'un casque d'acier datant de la Grande Guerre bouscula Lloyd qui perdit l'équilibre et heurta sa mère. Il résista à la tentation de se retourner pour le frapper. Sa priorité était de protéger Mam.

Un adolescent boutonneux armé d'une matraque posa la main dans le dos de Werner et le poussa violemment en criant «Dehors! Dehors!» Werner fit volte-face et esquissa un pas dans sa direction. «Bas les pattes, salaud de fasciste!» lança-t-il. L'autre se figea sur place, visiblement terrifié, ne s'attendant pas à rencontrer de résistance.

Werner reprit sa progression, soucieux avant tout, comme Lloyd, de conduire les deux femmes en sécurité. Le géant casqué qui avait assisté à l'échange intervint : «Qui est-ce que tu traites de salaud?» hurla-t-il. Il se jeta sur Werner, le frappant du poing à l'arrière de la tête. Il visa mal et le coup porta obliquement, mais Werner poussa tout de même un cri et trébucha en avant.

Volodia s'interposa et frappa la brute au visage, à deux reprises. Lloyd admira l'enchaînement gauche droite, sans se laisser pour autant détourner de sa mission. Quelques secondes plus tard, ils atteignaient la porte tous les quatre. Lloyd et Werner réussirent à gagner le foyer du théâtre avec les deux femmes. Là, il n'y avait plus ni cohue ni violence. Ni Chemises brunes non plus.

Rassurés sur le sort de leurs protégées, Lloyd et Werner retournèrent en direction de la salle.

Volodia se battait courageusement contre la brute, mais il était en difficulté. Il martelait le visage et le corps de l'autre qui se contentait de secouer la tête comme s'il était importuné par un insecte. Malgré son poids et sa lenteur, il toucha Volodia à la poitrine et à la tête. Le jeune Russe chancela. Le colosse leva le poing, s'apprêtant à frapper de toutes ses forces. Lloyd craignit que Volodia ne résiste pas à la puissance du coup.

À cet instant, Walter prit son élan et sauta de l'estrade, atterrissant sur le dos de la brute. Lloyd faillit applaudir. Ils tombèrent dans une mêlée de bras et de jambes. Volodia était sauvé, pour le moment.

Le boutonneux qui avait bousculé Werner était en train de harceler ceux qui s'efforçaient de sortir, abattant sa matraque sur leurs dos et sur leurs têtes. «Sale lâche!» hurla Lloyd en se précipitant vers lui. Mais Werner l'avait devancé. Écartant Lloyd, il saisit la matraque des deux mains pour l'arracher au jeune homme.

L'homme casqué intervint et frappa Werner avec un manche de pioche. Lloyd fit un pas en avant et lui asséna un direct du droit. Le coup était parfait et atteignit l'homme juste à côté de l'œil droit.

Mais c'était un ancien combattant, qui n'était pas homme à se laisser aisément démonter. Il pivota et se lança contre Lloyd, toujours armé de son manche de pioche. Lloyd esquiva sans difficulté et le frappa encore à deux reprises. Il se concentra sur la même zone, autour des yeux, faisant éclater la peau. Le casque qui protégeait la tête de son adversaire empêchait malheureusement Lloyd de lui asséner un crochet du gauche, son coup fatal. Il évita un swing du manche de pioche et frappa à nouveau l'homme au visage. Cette fois, celui-ci recula, le sang ruisselant des entailles qui entouraient ses yeux.

Lloyd regarda autour de lui. Constatant que les sociaux-démocrates ripostaient enfin, il se sentit envahi par un élan de joie féroce. Une grande partie des auditeurs s'étaient réfugiés au-delà des portes, et il ne restait presque plus que des jeunes gens dans la salle. Ils avançaient, escaladant les rangées de sièges pour s'approcher des Chemises brunes; ils étaient des dizaines.

Quelque chose de dur le frappa à l'occiput. La douleur fut si violente qu'il poussa un rugissement. Se retournant, il aperçut un garçon de son âge qui brandissait un morceau de madrier et s'apprêtait à frapper à nouveau. Lloyd l'agrippa par le collet et lui asséna deux violents coups dans le ventre, d'abord du poing droit, puis du gauche. Le garçon en eut le souffle coupé et lâcha son arme. Un uppercut au menton l'acheva; il s'évanouit.

Lloyd se frotta la base du crâne. Cela faisait un mal de chien, mais la blessure ne saignait pas.

Il avait en revanche la jointure des doigts écorchée et couverte de sang. Se penchant, il ramassa le morceau de poutre que son agresseur avait laissé tomber.

Quand il parcourut à nouveau la salle du regard, il fut ravi de constater qu'un certain nombre de Chemises brunes battaient en retraite, se hissant sur l'estrade et disparaissant en coulisses, prévoyant sans doute de déguerpir par l'entrée des artistes, qui leur avait permis d'accéder à la salle.

Le colosse qui avait tout déclenché gisait au sol, il gémissait et se tenait le genou comme s'il se l'était démis. Debout au-dessus de lui, Wilhelm Frunze le frappait avec une pelle en bois, encore et encore, martelant d'une voix suraiguë les mots que l'homme avait prononcés pour déclencher la bagarre : « In-dé-si-rables ! Dans ! L'Al-le-magne ! D'au-jour-d'hui ! » Impuissant, le type cherchait à esquiver les coups en rampant, mais Frunze ne lâchait pas. Finalement, deux autres SA attrapèrent leur camarade par les bras et le traînèrent dehors.

Frunze les laissa partir.

Est-ce qu'on les a vraiment battus ? se demanda Lloyd avec une allégresse croissante. On dirait bien !

Plusieurs jeunes gens poursuivirent leurs adversaires jusqu'au fond de la scène, mais ils s'arrêtèrent là et se contentèrent d'accabler d'injures les Chemises brunes qui décampaient.

Lloyd chercha les autres du regard. Volodia avait le visage tuméfié et un œil fermé. La veste de Werner était déchirée, et un grand carré d'étoffe pendillait. Walter était assis sur un siège, au premier rang. Le souffle court, il se frottait le coude, grimaçant un sourire. Frunze lança sa pelle, la faisant voler à travers les rangées de sièges vides jusqu'au fond de la salle.

Werner, qui n'avait que quatorze ans, exultait. « On leur a donné une bonne leçon, hein ?

— Ça, c'est sûr », répondit Lloyd avec un grand sourire.

Volodia prit Frunze par les épaules. « Pas mal pour une bande de lycéens, non ?

— Ils ont tout de même interrompu notre réunion », fit remarquer Walter.

Les jeunes le regardèrent avec rancune, fâchés qu'il gâche leur triomphe.

Mais Walter était furieux. « Soyez réalistes, les garçons. Ceux qui étaient venus nous écouter ont pris la fuite, terrifiés. Quand retrouveront-ils le courage d'assister à un rassemblement politique ? Les nazis ont obtenu ce qu'ils voulaient. Plus personne ne peut ignorer qu'il est risqué de venir écouter les représentants d'un autre parti que le leur. La grande perdante d'aujourd'hui, c'est l'Allemagne. »

Werner se tourna vers Volodia : « Je déteste ces salauds de Chemises brunes. Je me demande si je ne vais pas adhérer au parti communiste. »

Volodia lui jeta un regard pénétrant de ses yeux intensément bleus et lui dit tout bas : « Si tu veux vraiment combattre les nazis, il y a peut-être un moyen plus efficace. »

Ayant surpris ses propos, Lloyd se demanda ce qu'il voulait dire.

À cet instant, Maud et Ethel revinrent dans la salle en courant. Elles parlaient toutes les deux en même temps, pleuraient et riaient de soulagement ; Lloyd oublia les paroles de Volodia et n'y repensa plus jamais.

5.

Quatre jours plus tard, Erik von Ulrich rentra chez lui en uniforme de la Hitlerjugend, la Jeunesse hitlérienne.

Il était fier comme Artaban.

Il portait une Chemise brune exactement du même modèle que celles des membres des Sections d'assaut, avec plusieurs écussons et un brassard orné d'une croix gammée. Il arborait également la cravate noire et le short noir réglementaires. Il était un soldat, un patriote, voué au service de son pays. Enfin, il faisait partie du groupe.

C'était encore mieux que de soutenir le Hertha, la populaire équipe de football berlinoise. Certains samedis où son père n'avait pas de réunion politique, il lui était arrivé de l'emmener à un match. Erik avait alors éprouvé le même sentiment grisant d'appartenir à une immense foule d'êtres humains battant au rythme d'un seul cœur.

Il arrivait cependant que le Hertha se fasse battre, et il rentrait à la maison inconsolable.

Les nazis, eux, étaient des gagnants.

Et pourtant, il était terrifié à l'idée de ce que son père allait dire.

Ses parents avaient la sale manie de ne jamais faire comme les autres et ça le rendait fou. Tous les garçons de son âge étaient membres de la Jeunesse hitlérienne. Ils faisaient du sport, ils chantaient, ils partaient à l'aventure dans les champs et les bois hors de la ville. Ils étaient intelligents, costauds, loyaux, efficaces.

Erik était rongé d'inquiétude à l'idée qu'un jour, il pourrait être obligé de faire la guerre – comme son père et son grand-père – et si cela devait arriver, il voulait être prêt, entraîné, endurci, discipliné et combatif.

Les nazis détestaient les communistes, mais après tout, son père et sa mère ne les aimaient pas non plus. Les nazis haïssaient aussi les Juifs. Et après? Les von Ulrich n'étaient pas juifs, alors qu'est-ce que ça pouvait bien faire? Pourquoi Vater et Mutter refusaient-ils obstinément de participer au mouvement? Erik en avait assez d'être tenu à l'écart, alors il avait décidé de passer outre.

Ce qui ne l'empêchait pas d'avoir une trouille bleue.

Comme d'habitude, leurs parents n'étaient pas là quand Erik et Carla rentrèrent du collège. Ada fit une moue désapprobatrice en leur servant leur goûter et leur annonça : « Il va falloir que vous débarrassiez vous-mêmes aujourd'hui, j'ai affreusement mal au dos. Je vais aller m'allonger un moment. »

Carla s'inquiéta : « C'est pour ça que tu as dû aller chez le médecin? »

Ada hésita un instant avant de répondre : « Oui, en effet. »

De toute évidence, elle leur cachait quelque chose. L'idée qu'Ada puisse être malade et leur mente à ce sujet mettait Erik mal à l'aise. Il ne serait jamais allé jusqu'à dire comme Carla qu'il aimait Ada, mais sa présence bienveillante l'avait accompagné toute sa vie et il tenait à elle plus qu'il n'était prêt à le reconnaître.

Carla était tout aussi soucieuse. « J'espère que ce n'est pas grave. »

Ces derniers temps, Carla avait mûri, et il arrivait à Erik de ne plus la comprendre. Il avait beau avoir presque deux ans de plus qu'elle, il avait encore l'impression d'être un enfant, alors qu'elle se comportait en adulte une bonne partie du temps.

Ada les rassura : «Il faut que je me repose, c'est tout. Ça ira mieux après.»

Erik prit une tartine. Quand Ada fut sortie, il vida sa bouche et expliqua à sa sœur : «Je suis encore dans la section des petits, le Deutsches Jungvolk, mais dès que j'aurai quatorze ans, je pourrai rejoindre les grands.

— Vati va piquer une de ces crises! Tu es complètement toqué ou quoi?

— Herr Lippman dit que Vati aura des ennuis s'il cherche à m'en faire partir.

— Oh, mais c'est épatant», lança Carla. Elle manifestait depuis peu une tendance au sarcasme cinglant qui hérissait Erik. «Tu vas monter les nazis contre ton père, l'accabla-t-elle. Quelle excellente idée! Toute la famille a beaucoup à y gagner.»

Erik fut décontenancé. Il n'avait pas envisagé les choses sous cet angle. «Tous les garçons de ma classe y sont, s'indigna-t-il. Sauf Fontaine le Français et le Juif, Rothmann.»

Carla tartina sa tranche de pain de beurre de poisson. «Pourquoi tiens-tu tellement à faire comme tout le monde? Ce sont presque tous des imbéciles. Tu m'as dit toi-même que Rudi Rothmann est le garçon le plus intelligent de ta classe.

— Je ne veux ni du Français ni de Rudi comme copain! cria Erik, et à sa grande humiliation, il sentit les larmes lui monter aux yeux. Pourquoi est-ce que je devrais fréquenter des garçons que tout le monde déteste?» C'était ce qui lui avait donné l'audace de défier son père : il ne supportait plus de quitter le collège en compagnie des Juifs et des étrangers pendant que tous les petits Allemands défilaient autour du terrain de sport en uniforme.

Un cri parvint à leurs oreilles.

Erik se tourna vers Carla : «Qu'est-ce que c'est?

— Je crois que c'était Ada», répondit Carla en fronçant les sourcils.

Ils entendirent alors, plus distinctement : «À l'aide!»

Erik bondit sur ses pieds, mais Carla l'avait déjà devancé. Il la suivit dans l'escalier qui menait au sous-sol et ils s'engouffrèrent dans la petite chambre où logeait Ada.

Elle était allongée sur le petit lit rangé contre le mur, le visage crispé de douleur. Sa jupe était mouillée et il y avait une flaque par terre. Erik n'en croyait pas ses yeux. Elle avait fait pipi dans sa culotte? Comment une chose pareille pouvait-elle arriver? En plus, elle était la seule adulte présente dans la maison. Il était complètement désemparé.

Carla avait peur, elle aussi – Erik le lisait sur son visage – mais elle ne s'affola pas. «Ada, qu'est-ce qui ne va pas?» Sa voix paraissait étrangement calme.

«J'ai perdu les eaux.»

Erik n'avait pas la moindre idée de ce que cela signifiait.

Carla non plus : «Je ne comprends pas.

— Ça veut dire que mon bébé va bientôt naître.

— Tu attends un bébé? demanda Carla, stupéfaite.

— Mais tu n'es pas mariée!» s'offusqua Erik.

Carla réagit violemment : «Tais-toi, Erik : tu es donc bête à ce point?»

Il savait, bien sûr, que les femmes pouvaient avoir des bébés sans être mariées... mais quand même pas Ada!

«Alors c'est pour ça que tu es allée chez le médecin la semaine dernière», dit Carla à Ada.

Ada hocha la tête.

Erik essayait encore de se faire à cette idée. «Tu crois que Mutti et Vati le savent?

— Bien sûr que oui. Ils n'ont pas voulu nous le dire, c'est tout. Va chercher une serviette de toilette.

— Où ça?

— Dans le placard du palier, au premier.

— Une propre?

— Bien sûr que oui!»

Erik monta l'escalier quatre à quatre, prit une petite serviette blanche dans le placard et redescendit à toute vitesse.

«Ça ne va pas servir à grand-chose», observa Carla qui la prit tout de même pour essuyer les jambes d'Ada.

«Le bébé va bientôt sortir, je le sens, gémit Ada. Mais je ne sais pas quoi faire.» Elle se mit à pleurer.

Erik avait les yeux rivés sur Carla. C'était elle qui commandait, maintenant. Peu importait qu'il fût l'aîné, il attendait qu'elle prenne la direction des opérations. Elle restait calme et essayait de faire preuve de sens pratique, mais il voyait bien qu'elle était terrifiée et qu'il aurait suffi d'un rien pour qu'elle perde son sang-froid. Pourvu qu'elle tienne le coup, songea-t-il.

Carla se tourna à nouveau vers lui. «Va chercher le docteur Rothmann, dit-elle. Tu sais où est son cabinet.»

Erik fut profondément soulagé de se voir confier une tâche à sa portée. Mais un obstacle lui traversa immédiatement l'esprit. «Et s'il est en visite?

— Alors tu demanderas à Frau Rothmann ce qu'il faut faire, espèce d'imbécile! Allez, grouille!»

Erik ne demandait qu'à s'éloigner de cette chambre et de son mystère terrifiant. Il remonta l'escalier au grand galop et se précipita dans la rue. Courir, ça au moins, c'était une chose qu'il savait faire.

Le cabinet du médecin était à un peu moins d'un kilomètre. Il adopta une foulée rapide. En courant, il pensait à Ada. Qui était le père de son bébé? Il se rappela qu'elle était allée au cinéma avec Paul Huber deux ou trois fois, l'été précédent. Est-ce qu'ils l'avaient fait? Forcément! Erik et ses camarades parlaient beaucoup de ce qui se passait entre les hommes et les femmes, mais en réalité, ils ne savaient pas grand-chose. Où est-ce que ça avait eu lieu? Pas au cinéma, tout de même? Est-ce qu'on ne devait pas s'allonger pour faire ça? Il était perplexe.

Les Rothmann habitaient une rue modeste. C'était un bon docteur, Erik avait entendu sa mère le dire, mais il avait dans sa clientèle de nombreux ouvriers qui ne pouvaient pas lui verser d'honoraires élevés. La maison du médecin comprenait un cabinet de consultation et une salle d'attente au rez-de-chaussée. La famille vivait à l'étage.

Une Opel 4 verte était rangée le long du trottoir, une affreuse petite voiture à deux places qu'on surnommait la *Laubfrosch*, la Rainette.

Le loquet de la porte d'entrée n'était pas mis. Tout essoufflé, Erik poussa le battant et entra dans la salle d'attente. Un vieil homme toussait dans un coin et une jeune femme tenait son bébé sur ses genoux. «Bonjour! Docteur Rothmann?» appela Erik.

Hannelore Rothmann, une grande femme blonde aux traits énergiques, sortit de la salle de consultation. L'épouse du médecin jeta à Erik un regard furieux. «Tu as un sacré toupet d'entrer ici dans cet uniforme!» lui lança-t-elle.

Erik fut pétrifié. Frau Rothmann n'était pas juive, mais son mari l'était, ce qu'Erik avait oublié dans son agitation. «Notre bonne est en train d'avoir un bébé! expliqua-t-il.

— Et tu viens chercher un docteur juif pour t'aider?»

Erik était complètement déconcerté. Il n'avait jamais imaginé que les attaques des nazis pourraient inciter les Juifs à leur rendre la pareille. Il dut convenir cependant que l'attitude de Frau Rothmann était tout à fait sensée. Les Chemises brunes paradaient dans les rues en criant « Mort aux Juifs ! » Pourquoi un médecin juif devrait-il les aider ?

Il ne savait plus quoi faire. Il y avait beaucoup d'autres médecins, bien sûr, mais il ne savait pas où ils habitaient, ni s'ils accepteraient de venir chez des gens qu'ils ne connaissaient pas. « C'est ma sœur qui m'envoie, murmura-t-il d'une voix tremblante.

— Carla a beaucoup plus de bon sens que toi.

— Ada a dit qu'elle avait perdu les eaux. » Erik ne savait pas ce que cela signifiait, mais ça avait l'air important.

Tout en lui jetant un regard de dégoût, Frau Rothmann regagna le cabinet de consultation.

Le vieux assis dans le coin de la salle d'attente gloussa : « Nous sommes tous des sales Juifs jusqu'à ce que vous ayez besoin de nous ! Et alors c'est : "Je vous en prie, docteur Rothmann, venez !" et "Que pensez-vous de cette affaire, maître Koch !" et "Prêtez-moi cent marks, Herr Goldman" et... » Une quinte de toux interrompit sa litanie.

Une fille qui devait avoir environ seize ans arriva du vestibule. C'était sûrement Eva, la fille des Rothmann, se dit Erik. Il ne l'avait pas vue depuis bien longtemps. Elle avait des seins maintenant, mais elle était toujours moche et boulotte. « Ton père t'a laissé entrer à la Jeunesse hitlérienne ? lui demanda-t-elle.

— Il ne le sait pas encore.

— Oh ! là, là ! J'en connais un qui va avoir des ennuis ! »

Le regard d'Erik se reporta sur la porte du cabinet, désespérément close. « Tu crois que ton père va bien vouloir venir ? Ta mère était drôlement fâchée contre moi.

— Bien sûr qu'il viendra, le rassura Eva. Si les gens sont malades, il les soigne. » Sa voix se chargea de mépris. « Il ne commence pas par leur poser des questions sur leur race ou leurs idées politiques. On n'est pas des nazis, nous. » Elle ressortit.

Erik allait de surprise en surprise. S'il avait su que cet uniforme allait lui valoir autant d'avanies ! Au collège, tout le monde trouvait ça sensationnel.

Quelques instants plus tard, le visage du docteur Rothmann apparut dans l'embrasure de la porte. Il s'excusa auprès de ses deux patients : «Je reviens dès que possible. Je suis navré, mais il y a là un bébé qui refuse d'attendre.» Il se tourna vers Erik : «Viens jeune homme, je vais te raccompagner chez toi malgré cet uniforme.»

Erik le suivit dans la rue et prit place sur le siège avant de la Rainette. Il adorait les voitures et attendait impatiemment d'avoir l'âge d'apprendre à conduire; en général, il était enchanté de pouvoir faire un tour dans un nouveau véhicule, quel qu'il fût : il observait les cadrans et étudiait la façon de conduire du conducteur. Mais ce jour-là, assis dans sa Chemise brune à côté d'un médecin juif, il avait l'impression d'être en vitrine. Et s'ils croisaient Herr Lippmann? Le trajet fut un supplice.

Par bonheur, il fut court : il ne leur fallut que quelques minutes pour arriver chez les von Ulrich.

«Comment s'appelle la jeune maman? demanda Rothmann.

— Ada Hempel.

— Ah oui, elle est venue me voir la semaine dernière. Ce bébé arrive un peu tôt. Montre-moi le chemin, veux-tu?»

Erik le fit entrer et des vagissements lui parvinrent immédiatement aux oreilles. Le bébé était déjà là! Il se précipita au sous-sol, le médecin sur les talons.

Ada était couchée sur le dos. Ses draps étaient imbibés de sang et de matières visqueuses. Carla était là, tenant dans ses bras un minuscule bébé couvert de mucosités. Une espèce de corde sortait du ventre du bébé et passait sous la jupe d'Ada. Carla avait les yeux écarquillés de terreur. «Qu'est-ce que je dois faire? cria-t-elle, la voix mouillée de larmes.

— Tu fais exactement ce qu'il faut, la rassura le docteur Rothmann. Garde encore le bébé contre toi quelques instants, tu veux?»

Il s'assit à côté d'Ada. Il l'ausculta et lui prit le pouls : «Comment vous sentez-vous?

— Je suis épuisée», murmura-t-elle.

Rothmann hocha la tête d'un air satisfait. Il se releva et jeta un coup d'œil au bébé que tenait Carla. «C'est un garçon», annonça-t-il.

Avec un mélange de fascination et de répulsion, Erik regarda le médecin ouvrir sa sacoche, en sortir du fil et faire deux nœuds sur la corde. Tout en s'affairant, il demanda à Carla d'une voix douce : «Pourquoi pleures-tu? Tu as fait un travail du tonnerre. Tu as mis un bébé au monde toute seule. Tu n'avais pas vraiment besoin de moi, tu sais! Tu devrais être médecin quand tu seras grande.»

Carla s'apaisa. Puis elle chuchota : «Regardez sa tête, docteur.» Le médecin dut s'incliner vers elle pour l'entendre. «J'ai l'impression qu'elle a quelque chose de bizarre.

— Je sais.» Le médecin sortit de sa mallette une paire de ciseaux aiguisés et coupa le cordon entre les deux nœuds. Puis il prit le nouveau-né tout nu et le tint à bout de bras, l'examinant sous tous les angles. Erik ne remarquait rien d'anormal, mais le bébé était si rouge, si ridé et si gluant que c'était difficile à dire. Après un moment, le médecin soupira : «Oh, mon Dieu!»

Observant plus attentivement, Erik constata que le bébé avait effectivement un problème. Sa figure était de travers. Un côté était normal, mais de l'autre, la tête paraissait cabossée, et l'œil était bizarre, lui aussi.

Rothmann rendit le bébé à Carla.

Ada gémit et sembla se contracter.

Quand elle se détendit, le docteur Rothmann glissa la main sous sa jupe et en sortit une masse qui ressemblait de façon répugnante à un morceau de viande. «Erik, dit-il, va me chercher un journal.

— Lequel?» demanda Erik. Ses parents lisaient la plupart des quotidiens.

«Peu importe, mon garçon, répondit Rothmann avec gentillesse. Ce n'est pas pour le lire.»

Erik courut au rez-de-chaussée où il trouva le *Vossische Zeitung* de la veille. Lorsqu'il revint, le médecin enveloppa le bout de viande dans le journal et le posa par terre. «C'est ce qu'on appelle le placenta, expliqua-t-il à Carla. Si tu pouvais le faire brûler tout à l'heure, ce serait bien.»

Puis il se rassit au bord du lit. «Ada, mon petit, il va falloir être très courageuse. Votre bébé est vivant, mais il a probablement quelque chose qui n'est pas tout à fait comme il faudrait. Nous allons le laver, l'envelopper chaudement et ensuite, il faudra l'emmener à l'hôpital.»

— Qu'est-ce qu'il a? demanda Ada effrayée.

— Je ne sais pas. Les examens nous le diront sans doute.

— Il s'en sortira?

— Les médecins de l'hôpital feront tout leur possible. Le reste est entre les mains de Dieu.»

Erik se rappela que les Juifs adoraient le même Dieu que les chrétiens. Il était si facile de l'oublier.

«Pensez-vous, Ada, que vous arriverez à vous lever pour venir à l'hôpital avec moi? reprit Rothmann. Votre bébé a besoin de vous. Il faut que vous l'allaitiez.

— Je suis tellement fatiguée!

— Reposez-vous une minute ou deux. Mais pas plus, parce que je tiens à faire examiner rapidement ce petit. Carla vous aidera à vous habiller. Je vous attends en haut.» Il s'adressa à Erik avec une ironie débonnaire : «Viens avec moi, petit nazi.»

Erik était au supplice. L'indulgence du docteur Rothmann était encore plus blessante que la colère de sa femme.

Ils s'éloignaient déjà quand Ada héla le médecin : «Docteur?

— Oui, mon petit.

— Il s'appelle Kurt.

— C'est un très joli prénom», dit le docteur Rothmann. Il sortit et Erik le suivit.

6.

Le nouveau parlement allemand se réunit pour la première fois le jour où Lloyd Williams commença à travailler comme assistant de Walter von Ulrich.

Walter et Maud se battaient avec l'énergie du désespoir pour sauver la fragile démocratie allemande. Lloyd partageait leur détresse parce qu'il les connaissait depuis toujours et savait que c'étaient des gens bien, mais aussi parce qu'il craignait que l'Angleterre ne suive l'Allemagne sur la route de l'enfer.

Les élections n'avaient rien réglé. Les nazis avaient obtenu quarante-quatre pour cent des suffrages, davantage qu'au scrutin précédent, mais moins que les cinquante et un pour cent dont ils avaient besoin.

Walter y voyait un motif d'espoir. Alors qu'ils se rendaient à l'ouverture du Parlement, il se réjouit tout haut : «Malgré des manœuvres d'intimidation massives, ils n'ont pas réussi à convaincre la majorité des Allemands de voter pour eux.» Il frappa le volant du poing. « Ils peuvent dire ce qu'ils veulent, ils ne sont *pas* populaires. Et plus longtemps ils resteront au pouvoir, plus les gens prendront conscience de leur perversité. »

Lloyd ne partageait pas son optimisme. « Ils ont interdit tous les journaux d'opposition, jeté en prison des députés et corrompu la police, observa-t-il. Cela n'a pas empêché quarante-quatre pour cent des Allemands de leur accorder leur voix ! Je ne trouve pas ça rassurant. »

Gravement endommagé par l'incendie, le bâtiment du Reichstag était inutilisable et le Parlement se réunissait à l'opéra Kroll, à l'autre bout de la Königsplatz. Ce vaste complexe architectural rassemblait trois grandes salles de concert et quatorze plus petites, sans compter des restaurants et des bars.

À leur arrivée, ils furent abasourdis : des Chemises brunes cernaient l'édifice. Les députés et leurs collaborateurs se massaient devant les portes, cherchant à entrer. « C'est comme ça qu'Hitler pense arriver à ses fins ? lança Walter, furieux. En interdisant l'accès aux membres de la Chambre ? »

Lloyd remarqua que les portes étaient bloquées par des recrues de la SA. Ils laissaient passer sans autre formalité ceux qui étaient vêtus d'uniformes nazis, mais réclamaient leurs papiers à tous les autres. Un garçon plus jeune que Lloyd le toisa de la tête aux pieds avec mépris avant de le laisser entrer à contrecœur. C'était de l'intimidation pure et simple.

Lloyd sentit la colère monter en lui. Il avait horreur des menaces et savait qu'un bon crochet du gauche aurait suffi à assommer cette petite brute. Mais il se força à garder son sang-froid, à passer son chemin et à franchir la porte.

Après la bagarre du Théâtre du Peuple, sa mère avait examiné la grosse bosse qu'il avait sur le crâne et avait prétendu le faire rentrer immédiatement en Angleterre. Il avait réussi à la ramener à de meilleurs sentiments, mais de justesse.

Elle lui reprochait régulièrement de n'avoir aucun sens du danger, ce qui n'était pas tout à fait vrai. Il lui arrivait d'avoir peur, mais ce sentiment ne faisait qu'exacerber sa combativité. Son tempérament le portait à l'attaque, pas à la retraite. C'était bien ce qui effrayait sa mère.

Pourtant, elle était exactement comme lui. Elle n'avait pas la moindre intention de repartir. Elle était effrayée, et en même temps, l'idée de se trouver à Berlin à ce tournant de l'histoire de l'Allemagne le transportait. De plus, elle était scandalisée par la violence et la répression dont elle était témoin et était bien décidée à écrire un livre pour mettre en garde les démocrates d'autres pays contre les méthodes des fascistes. «Tu es pire que moi», lui avait lancé Lloyd, et elle avait été incapable de le contredire.

À l'intérieur, l'Opéra grouillait de Chemises brunes et de SS, dont beaucoup étaient armés. Ils gardaient toutes les issues et manifestaient, par leurs regards et par leurs gestes, leur haine et leur mépris envers tous ceux qui n'épousaient pas la cause du nazisme.

Walter devait assister à une réunion du groupe parlementaire du parti social-démocrate et il était en retard. Lloyd fit rapidement le tour du bâtiment, cherchant la pièce où ils devaient se rendre. Passant la tête à l'intérieur de la chambre des débats, il vit qu'une immense croix gammée avait été suspendue au plafond, dominant la salle.

Le premier point à l'ordre du jour de l'après-midi devait être la loi sur les pleins pouvoirs, qui permettrait au gouvernement d'Hitler d'adopter des mesures législatives sans avoir à les faire approuver par le Reichstag.

Cette loi ferait d'Hitler un dictateur. La répression, l'intimidation, la violence, la torture et le meurtre qui s'étaient imposés en Allemagne depuis plusieurs semaines prendraient un caractère définitif. C'était une perspective intolérable, impensable.

Lloyd n'imaginait pas qu'un Parlement au monde pût voter une loi pareille. Cela revenait à abdiquer tout pouvoir. Un vrai suicide politique.

Il trouva les sociaux-démocrates dans une petite salle de concert. La réunion avait déjà commencé. Lloyd entra avec Walter, et on lui demanda d'aller chercher du café.

Il fit la queue derrière un jeune homme pâle, à l'air exalté, entièrement vêtu de noir. Lloyd avait fait de grands progrès en allemand qu'il parlait plus couramment désormais; il employait des expressions familières et avait suffisamment d'assurance pour engager la conversation avec un inconnu. Il apprit ainsi que le jeune homme en noir s'appelait Heinrich von Kessel. Il faisait le même genre de travail que Lloyd, puisqu'il était assistant bénévole de son père, Gottfried von Kessel, un député du Zentrum, le parti catholique.

«Mon père connaît bien Walter von Ulrich, lui apprit

Heinrich. Ils étaient tous deux attachés à l'ambassade d'Allemagne à Londres en 1914. »

Le monde de la politique internationale et de la diplomatie était décidément bien petit, songea Lloyd.

Heinrich déclara à Lloyd que le retour aux valeurs chrétiennes était la réponse à tous les problèmes de l'Allemagne.

« Le christianisme, ce n'est pas trop mon truc, avoua Lloyd avec franchise. Ne le prends pas mal. Mes grands-parents gallois sont de fervents chrétiens qui passent leur temps au temple, mais ma mère est indifférente à tout ce qui concerne la religion et mon père est juif. Il nous arrive de temps en temps d'aller à la chapelle évangélique du calvaire à Aldgate, mais c'est surtout parce que le pasteur est membre du parti travailliste. »

Heinrich sourit : « Je prierai pour toi. »

Les catholiques ne faisaient pas de prosélytisme, se rappela Lloyd. Quel contraste avec ses grands-parents d'Aberowen si dogmatiques, convaincus que tous ceux qui ne pensaient pas comme eux restaient volontairement sourds au message de l'Évangile et étaient voués à la damnation éternelle !

Quand Lloyd regagna la réunion du parti social-démocrate, Walter avait pris la parole. « C'est tout bonnement impossible ! s'écriait-il. La loi sur les pleins pouvoirs constitue un amendement à la Constitution. Il faut, pour qu'elle soit adoptée, que les deux tiers des députés soient présents, soit quatre cent trente-deux députés sur six cent quarante-sept. Et que les deux tiers de ce quorum l'approuvent. »

Lloyd fit le calcul de tête tout en posant le plateau sur la table. Les nazis disposaient de deux cent quatre-vingt-huit sièges, et les nationaux-allemands, leurs proches alliés, de cinquante-deux, ce qui faisait trois cent quarante – il leur en manquait donc presque cent. Walter avait raison. La loi ne passerait pas. Rasséréné, Lloyd s'assit pour écouter le débat et améliorer ses connaissances en allemand.

Son soulagement fut de courte durée. « N'en soyez pas si sûr, répliqua un homme qui s'exprimait avec l'accent ouvrier berlinois. Les nazis essaient d'obtenir le soutien du parti du Centre. » Les amis d'Heinrich, se dit Lloyd. « Cela pourrait leur donner soixante-quatorze voix supplémentaires. »

Lloyd fronça les sourcils. Pourquoi le Zentrum soutiendrait-il une mesure qui le priverait de tout pouvoir ?

Walter exprima la même interrogation sous une forme plus

brutale : « Il faudrait que les catholiques soient vraiment stupides ! »

Lloyd regretta de n'avoir pas eu ces informations avant d'aller chercher le café : il aurait pu en discuter avec Heinrich. Peut-être aurait-il appris quelque chose d'utile. C'était trop bête !

L'homme à l'accent berlinois reprit : « En Italie, les catholiques ont conclu une alliance avec Mussolini – un concordat, censé préserver les droits de l'Église. Pourquoi n'en feraient-ils pas autant ici ? »

Lloyd calcula que le soutien du parti du Centre permettrait aux nazis d'obtenir quatre cent quatorze voix. « Ils sont encore loin du compte », chuchota-t-il à Walter, un peu rassuré.

Un autre jeune assistant surprit ses propos et lui fit observer en élevant la voix : « Vous semblez oublier la toute récente déclaration du président du Reichstag. » – En l'occurrence Hermann Göring, le plus proche collaborateur d'Hitler. – Lloyd n'avait pas entendu parler de cette déclaration. Personne d'autre non plus, apparemment, car les députés se turent en entendant cet échange. L'assistant poursuivit : « Il a décrété que les députés communistes emprisonnés et donc absents ne sont plus considérés comme membres du Reichstag. »

Une explosion de protestations indignées secoua la salle. Lloyd vit le visage de Walter s'empourprer. « Il ne peut pas agir comme ça ! s'écria-t-il.

— C'est parfaitement illégal, acquiesça l'assistant. Il n'empêche qu'il l'a fait. »

Lloyd était consterné. Ils n'allaient tout de même pas faire passer la loi par un tel tour de passe-passe ! Il recommença ses calculs. Les communistes avaient quatre-vingt-un sièges. Si on les déduisait du total, les nazis n'avaient plus besoin que des deux tiers de cinq cent soixante-six, autrement dit trois cent soixante-dix-huit voix. Même avec celles des nationaux-allemands, ils ne les avaient toujours pas. En revanche, s'ils obtenaient le concours des catholiques, ils pouvaient l'emporter.

Une voix s'éleva : « La légalité est bafouée. Nous devrions quitter la salle en signe de protestation.

— Non, non, surtout pas ! objecta Walter. Ils feraient adopter la loi en notre absence. Il faut dissuader les catholiques de les soutenir. Wels doit parler à Kaas immédiatement. » Otto

Wels était le président du parti social-démocrate ; quant à Ludwig Kaas, un prélat, il dirigeait le parti du Centre.

Un murmure d'approbation parcourut la salle.

Lloyd inspira profondément et se pencha vers Walter : « Herr von Ulrich, pourquoi ne pas inviter Gottfried von Kessel à déjeuner ? Il me semble que vous avez travaillé ensemble à Londres avant la guerre. »

Walter émit un rire sans joie : « C'est un type franchement imbuvable ! » maugréa-t-il.

Peut-être ce déjeuner n'était-il pas une excellente idée, après tout. « J'ignorais que vous ne l'appréciez pas, reprit Lloyd contrit.

— Je le déteste, confirma Walter, l'air pensif. Mais je suis prêt à tout essayer.

— Voulez-vous que j'aille le trouver pour lui transmettre cette invitation ?

— Si tu veux. On verra bien. S'il accepte, dis-lui de me retrouver au Herrenklub à une heure.

— Parfait. »

Lloyd gagna en toute hâte la salle dans laquelle Heinrich s'était engouffré. Une réunion très comparable à celle qu'il venait de quitter s'y déroulait. Parcourant la pièce du regard, il repéra la silhouette noire de Heinrich, croisa son regard et lui fit signe de le rejoindre de toute urgence.

Ils sortirent ensemble de la salle. « Il paraît que ton parti va soutenir la loi sur les pleins pouvoirs ! lança Lloyd.

— Ce n'est pas sûr, répondit Heinrich. Nos députés sont divisés.

— Qui est contre les nazis ?

— Brüning et plusieurs autres. » Brüning était l'ancien chancelier, une personnalité importante de la scène politique.

Lloyd reprit espoir. « Qui d'autre ?

— Tu m'as fait sortir pour me tirer les vers du nez, c'est ça ?

— Non, pardon, pas vraiment. Walter von Ulrich voudrait déjeuner avec ton père. »

Heinrich fit une moue dubitative. « Ils ne s'apprécient pas beaucoup, tu es au courant, non ?

— C'est ce que j'ai cru comprendre. Mais pour une fois, ils mettront leurs différends de côté ! »

Heinrich n'était toujours pas convaincu. « Je vais lui transmettre ta proposition. Attends-moi ici.» Il retourna dans la salle.

Lloyd s'interrogea sur ses chances de succès. Si seulement Walter et Gottfried avaient été des amis intimes! Il avait toujours peine à croire que les catholiques puissent voter avec les nazis.

Le pire était que la situation qui régnait en Allemagne pouvait fort bien se reproduire en Angleterre, une perspective sinistre qui le faisait frémir. Il avait toute sa vie devant lui et n'avait aucune envie de la passer sous le joug d'une dictature répressive. Il voulait faire carrière en politique, comme ses parents, et faire de son pays un lieu où il fasse meilleur vivre pour des hommes comme les mineurs des houillères d'Aberowen. Pour cela, il fallait des rassemblements politiques où les gens puissent s'exprimer franchement, des journaux libres de critiquer le gouvernement, des pubs où les hommes soient en mesure d'aborder tous les sujets sans avoir à regarder par-dessus leur épaule pour vérifier que personne ne les écoutait.

Le fascisme menaçait tout cela. Mais peut-être le fascisme échouerait-il. Si seulement Walter réussissait à convaincre Gottfried von Kessel et à empêcher le Centre de soutenir les nazis!

Heinrich ressortit : «Il est d'accord.

— Magnifique! Herr von Ulrich a suggéré qu'ils se retrouvent au Herrenklub à une heure.

— Ah oui? Il en est membre?

— Je suppose. Pourquoi?

— C'est un cercle conservateur. Mais puisqu'il s'appelle Walter *von* Ulrich, il vient forcément d'une famille noble, même s'il est socialiste.

— Je ferais sans doute bien de réserver une table. Peux-tu me dire où il se trouve?

— À deux pas.» Heinrich indiqua le chemin à Lloyd.

«Je réserve pour quatre?»

Heinrich sourit. «Pourquoi pas? S'ils ne veulent pas de nous, ils pourront toujours nous demander de partir.» Il regagna la salle.

Lloyd quitta le bâtiment, traversa rapidement la place, passant devant le bâtiment incendié du Reichstag, et se dirigea vers le Herrenklub.

Il y avait des cercles à Londres, bien sûr, mais Lloyd n'y avait jamais mis les pieds. Le Herrenklub lui fit l'effet d'un lieu hybride qui tenait à la fois du restaurant et de la chambre mortuaire. Des serveurs en habit allaient et venaient à pas feutrés, posant silencieusement des couverts sur des tables drapées de blanc. Un maître d'hôtel prit sa réservation et nota le nom « von Ulrich » aussi solennellement que s'il consignait une formule dans le Livre des morts.

Lloyd regagna l'opéra Kroll, encore plus animé et plus bruyant que quelques instants auparavant. La tension semblait avoir monté d'un cran. Il entendit dire qu'Hitler lui-même ouvrirait la séance de l'après-midi pour présenter le projet de loi.

Un peu avant une heure, Lloyd et Walter traversèrent l'esplanade. « Heinrich von Kessel a été surpris d'apprendre que vous étiez membre du Herrenklub », remarqua Lloyd.

Walter hocha la tête. « J'en ai été l'un des fondateurs, il y a une dizaine d'années. À l'époque, il s'appelait le Juniklub. Nous l'avions créé pour faire campagne contre le traité de Versailles. C'est devenu un bastion de droite, et je suis probablement le seul membre social-démocrate, mais j'y reste parce que c'est un lieu idéal pour rencontrer l'ennemi. »

À l'intérieur du cercle, Walter désigna à Lloyd un homme tiré à quatre épingles qui se tenait au bar. « C'est Ludwig Franck, le père du jeune Werner, qui s'est battu avec nous au Théâtre du Peuple. Je suis certain qu'il n'est pas membre – il n'est même pas allemand de naissance. Sans doute a-t-il été invité à déjeuner par son beau-père, le comte von der Helbard, l'homme âgé qui l'accompagne. Suis-moi. »

Ils se dirigèrent vers le bar, et Walter fit les présentations. Herr Franck s'adressa à Lloyd : « Vous avez fait le coup de poing avec mon fils il y a une quinzaine de jours, si j'ai bien compris. »

Lloyd effleura machinalement l'arrière de son crâne : la bosse avait diminué, mais la douleur n'avait pas entièrement disparu. « Nous avions des femmes à protéger, monsieur, expliqua-t-il.

— Je n'ai rien contre une bonne bagarre de temps en temps, reprit Herr Franck. Ça forge la jeunesse. »

Walter l'interrompit avec agacement. « Allons, Ludi, je vous en prie, ce n'est pas un sujet de plaisanterie. Empêcher la tenue de réunions électorales est déjà suffisamment grave, et voilà que votre Führer s'est mis dans la tête de détruire tous les fondements de la démocratie !

— Peut-être la démocratie n'est-elle pas la forme de gouvernement qui nous convient, observa Ludwig Franck. Après tout, nous ne sommes ni français ni américains, Dieu merci.

— Et la liberté ? Vous y renonceriez sans état d'âme ? Soyez sérieux, voyons. »

Herr Franck changea soudain de ton. « Fort bien Walter, dit-il froidement. Je serai sérieux puisque vous insistez. Ma mère et moi sommes arrivés de Russie il y a plus de dix ans. Mon père n'a pas pu nous accompagner. On l'avait trouvé en possession de littérature subversive, et plus précisément d'un ouvrage intitulé *Robinson Crusoé*, un roman qui fait, paraît-il, l'apologie de l'individualisme bourgeois. Ne me demandez pas ce que c'est, je n'en sais rien. Toujours est-il qu'il a été envoyé en camp de détention quelque part, dans les régions arctiques. Peut-être... » la voix de Herr Franck se brisa et il s'interrompit, déglutissant avec peine avant d'achever sa phrase calmement : « Peut-être s'y trouve-t-il toujours. »

Il y eut un moment de silence. Lloyd était bouleversé par ce qu'il venait d'entendre. Il savait que le gouvernement communiste de Russie pouvait se montrer impitoyable, mais ce récit personnel, relaté par un homme dont la peine était manifestement encore très vive, rendait la réalité tellement plus présente !

« Ludi, dit enfin Walter, nous détestons tous les bolcheviks, mais les nazis pourraient bien être pires !

— Je suis prêt à courir ce risque », rétorqua Franck.

Le comte von der Helbard intervint alors : « Nous ferions bien d'aller déjeuner. J'ai un rendez-vous en début d'après-midi. Veuillez nous excuser. » Les deux hommes s'éloignèrent.

« Ils ne savent dire que ça ! fulmina Walter. Les bolcheviks ! Comme s'il n'y avait qu'eux ou les nazis. C'est à pleurer. »

Heinrich s'avança alors avec un homme plus âgé, son père, de toute évidence : ils avaient la même crinière brune séparée par une raie, à cette différence près que les cheveux de Gottfried étaient plus courts et mouchetés d'argent. Malgré la similitude de leurs traits, Gottfried, avec son faux col à l'ancienne mode, avait l'air d'un bureaucrate tatillon, alors qu'Heinrich ressemblait davantage à un poète romantique qu'à un assistant parlementaire.

Ils se dirigèrent vers la salle à manger. Walter attaqua sans perdre de temps, dès qu'ils eurent passé leur commande : « Je ne comprends pas ce que votre parti espère gagner en soutenant cette loi sur les pleins pouvoirs, Gottfried. »

Von Kessel ne fut pas moins direct. « Nous sommes un parti catholique, et notre premier devoir est de protéger la position de l'Église en Allemagne. C'est ce que nos électeurs attendent de nous. »

Lloyd fronça les sourcils de désapprobation. Sa mère, qui avait été membre du parlement britannique, disait toujours qu'il était de son devoir de se placer au service des électeurs qui n'avaient *pas* voté pour elle, et pas seulement au service de ceux qui lui avaient donné leur voix.

Walter recourut à un autre argument. « Un parlement démocratique est la meilleure garantie pour toutes nos églises – et c'est précisément ce que vous vous apprêtez à détruire !

— Réveillez-vous, Walter, répliqua Gottfried d'un ton agacé. Hitler a remporté les élections. Il est au pouvoir. Dans les années à venir, c'est lui qui gouvernera l'Allemagne, quoi que nous fassions. Nous devons nous protéger.

— Ses promesses ne sont que du vent, vous devriez le savoir !

— Nous avons exigé des assurances précises, par écrit : l'Église catholique sera indépendante de l'État, les établissements d'enseignement catholique pourront poursuivre leurs activités librement, les catholiques ne feront l'objet d'aucune discrimination dans la fonction publique. » Il jeta un regard interrogateur à son fils.

« Ils ont promis que cet accord nous serait remis en début d'après-midi, confirma celui-ci.

— L'alternative est pourtant très claire ! Un bout de papier signé par un tyran ou un parlement démocratique : que préférez-vous ?

— La seule puissance est celle de Dieu.

— Dans ce cas, que Dieu sauve l'Allemagne », soupira Walter en levant les yeux au ciel.

La confiance dans la démocratie n'avait pas eu le temps de s'affermir en Allemagne, songea Lloyd alors que la joute oratoire se poursuivait entre Walter et Gottfried. Le Reichstag n'exerçait de pouvoir que depuis quatorze ans. Ils avaient perdu une guerre, vu leur monnaie privée de toute valeur et souffert d'un chômage massif : aux yeux des Allemands, le droit de vote était impuissant à les protéger.

Gottfried se montra inflexible. À la fin du déjeuner, sa position était aussi inébranlable qu'au début. Sa seule responsabilité était la protection de l'Église catholique. Lloyd en aurait hurlé d'exaspération.

Ils regagnèrent l'Opéra et les députés prirent place dans la salle, tandis que Lloyd et Heinrich s'installaient dans une loge pour assister aux débats.

Lloyd reconnut les membres du parti social-démocrate regroupés tout à gauche. Alors que l'heure de l'ouverture de la séance approchait, il vit des SA et des SS se poster devant toutes les issues et le long des murs, formant un demi-cercle menaçant derrière les sociaux-démocrates. On aurait pu croire qu'ils avaient l'intention d'empêcher les députés de quitter le bâtiment tant qu'ils n'auraient pas voté la loi. Devant cette image effrayante, Lloyd se demanda, avec un frisson de crainte, s'il ne risquait pas, lui aussi, de se trouver emprisonné dans la salle.

Un rugissement d'acclamations et d'applaudissements s'éleva. Hitler fit son entrée, vêtu d'un uniforme de SA. Les députés nazis, dans la même tenue pour la plupart, se levèrent, grisés d'enthousiasme, lorsqu'il monta à la tribune. Seuls les sociaux-démocrates restèrent assis ; mais Lloyd remarqua qu'ils étaient quelques-uns à jeter des regards soucieux, par-dessus leur épaule, en direction des gardes armés. Comment pourraient-ils s'exprimer et voter librement s'ils s'inquiétaient déjà parce qu'ils s'abstenaient d'ovationner leur adversaire ?

Quand le calme revint enfin, Hitler prit la parole. Il se tenait très droit, le bras gauche collé contre le flanc, n'esquissant de gestes que du droit. Il avait un timbre criard et grinçant mais puissant, qui évoqua aux oreilles de Lloyd à la fois un fusil-mitrailleur et un aboiement. Sa voix frémissait d'émotion lorsqu'il évoqua les « traîtres de novembre 1918 », qui avaient capitulé alors que l'Allemagne était sur le point de gagner la guerre. Ce n'était pas du cinéma : Lloyd eut l'impression qu'il était convaincu de la vérité de chacune des paroles stupides et mensongères qu'il prononçait.

Les traîtres de novembre étaient un thème rebattu, mais Hitler changea alors de sujet. Il parla des Églises et de la place essentielle de la religion chrétienne dans l'État allemand. C'était inhabituel de sa part et ses propos étaient clairement destinés au parti du Centre, dont les suffrages décideraient du résultat du scrutin. Il affirma qu'il considérait les deux grandes confessions, le protestantisme et le catholicisme, comme des piliers de la nation allemande. Il n'était pas question que le gouvernement nazi porte atteinte à leurs droits.

Heinrich jeta à Lloyd un regard triomphant.

«Si j'étais vous, je réclamerais tout de même ces engagements par écrit», lui chuchota Lloyd.

Il était deux heures et demie quand Hitler en arriva à sa péroraison. Il termina son discours par une indéniable menace de violence : «Le gouvernement de soulèvement national est déterminé, et préparé à prendre acte de l'annonce d'un rejet et donc de la proclamation d'une résistance.» Il s'interrompit, pour que tout le monde ait le temps de s'imprégner du message : voter contre la loi serait considéré comme une déclaration de résistance. «C'est à vous, messieurs, qu'il appartient à présent de décider si nous aurons la guerre ou la paix!»

Il s'assit sous les bruyantes acclamations des députés nazis, et la séance fut suspendue.

Heinrich était aux anges, Lloyd au désespoir. Ils s'éloignèrent dans des directions différentes : il ne restait plus à leurs partis qu'à se livrer à des discussions de dernière minute.

Dans le camp des sociaux-démocrates, l'ambiance était pesante. Leur président, Wels, devait parler devant la Chambre. Que pourrait-il dire? Plusieurs députés firent valoir que s'il critiquait Hitler, il risquait de ne pas quitter le bâtiment vivant. Ils craignaient aussi pour leurs propres vies. En admettant que des députés se fassent tuer, songea Lloyd avec un frémissement d'effroi, qu'arriverait-il à leurs assistants?

Wels révéla alors qu'il gardait une capsule de cyanure à portée de main, dans la poche de son gilet. S'il était arrêté, il était décidé à se suicider pour éviter la torture. Lloyd fut horrifié. Wels était un représentant du peuple, et se voyait contraint de se conduire comme un vulgaire saboteur.

La journée de Lloyd s'était ouverte sur de faux espoirs. Il avait considéré la loi sur les pleins pouvoirs comme une idée absurde qui ne risquait en aucun cas de se concrétiser. Il prit alors conscience que la plupart de ceux qui l'entouraient s'attendaient à ce que cette loi soit adoptée le jour même. Il avait fort mal évalué la situation.

Avait-il également tort de croire qu'une chose pareille ne

pouvait pas se produire dans son propre pays? Se leurrait-il, une fois de plus?

Quelqu'un demanda alors si les catholiques avaient pris une décision définitive. Lloyd se leva. «Je vais aller voir.» Il sortit et gagna en courant la salle où se réunissait le parti du Centre. Comme dans la matinée, il glissa la tête par la porte et fit signe à Heinrich de le rejoindre dehors.

«Brüning et Ersing sont en train de flancher», lui annonça Heinrich.

Le cœur de Lloyd se serra. Ersing était un éminent dirigeant syndical catholique. «Comment un syndicaliste peut-il envisager de voter une mesure pareille? s'étonna-t-il.

— Kaas prétend que la patrie est en danger. Ils sont tous convaincus qu'un rejet de la loi ouvrirait la voie à une anarchie sanglante.

— C'est une tyrannie sanglante que vous inaugurerez en l'adoptant.

— Et ton groupe?

— Ils sont persuadés qu'ils se feront tous fusiller s'ils votent contre. Mais ils le feront quand même.»

Heinrich rejoignit les membres du Zentrum et Lloyd les sociaux-démocrates. «Les plus durs sont en train de fléchir, annonça-t-il à Walter et à ses collègues. Ils craignent qu'un rejet de la loi ne provoque une guerre civile.»

L'atmosphère s'assombrit encore.

Ils regagnèrent tous la salle des débats à dix-huit heures.

Wels fut le premier à parler. Il était calme, raisonnable, pondéré. Il rappela que dans l'ensemble, la république démocratique avait permis aux Allemands de vivre mieux, qu'elle leur avait assuré l'égalité des chances et le droit à la protection sociale, tout en rendant à leur pays sa place légitime dans le concert des nations.

Lloyd remarqua qu'Hitler prenait des notes.

En conclusion, Wels proclama courageusement sa foi dans l'humanité et la justice, la liberté et le socialisme. «Aucune loi ne vous donnera le pouvoir d'anéantir des idées qui sont éternelles et indestructibles», lança-t-il d'une voix ferme sous les rires et les quolibets des nazis.

Les applaudissements des sociaux-démocrates furent noyés sous le charivari général.

«Nous saluons les persécutés et les opprimés! cria encore

Wels. Nous saluons nos amis dans le Reich. Leur résolution et leur loyauté méritent l'admiration. »

Lloyd distingua à peine ses paroles au-dessus des huées et des sifflets des nazis.

« Le courage de leurs convictions et leur confiance demeurée intacte sont les gages d'un avenir meilleur ! »

Wels se rassit au milieu d'un tapage indescriptible.

Sa déclaration pouvait-elle encore inverser la tendance ? s'interrogea Lloyd.

Hitler succéda à Wels à la tribune. Le chancelier avait changé de ton et Lloyd comprit que son discours précédent n'avait été qu'un échauffement. La voix était devenue plus sonore, les formules plus brutales, le ton plus méprisant. Son bras droit ne cessait d'esquisser des gestes agressifs : il tendait l'index vers la salle, serrait le poing, en martelait le lutrin, portait la main à sa tête et balayait l'air d'un grand mouvement semblant repousser toute opposition. Ses partisans accueillaient chaque expression véhémente par une tempête d'acclamations. Chacune de ses phrases exprimait la même émotion : une colère farouche, dévorante, meurtrière.

Débordant d'assurance, Hitler fit clairement comprendre qu'il aurait parfaitement pu s'abstenir de présenter ce projet de loi au Parlement. « En cette heure, nous faisons appel au Reichstag allemand pour qu'il nous accorde quelque chose que nous aurions pris de toute façon ! » lança-t-il d'un ton goguenard.

Le visage d'Heinrich s'assombrit et le jeune homme quitta la loge. Quelques instants plus tard, Lloyd le vit s'approcher de son père et lui parler tout bas à l'oreille.

Lorsqu'il revint, il avait l'air ravagé.

« Et alors, ces garanties écrites, vous les avez ? » lui demanda Lloyd.

Heinrich détourna le regard. « Elles sont en train d'être dactylographiées », répondit-il.

Hitler acheva son discours par une déclaration de mépris à l'endroit des sociaux-démocrates. Il ne voulait pas de leurs voix. « L'Allemagne sera libre, hurla-t-il, mais pas grâce à vous ! »

Les chefs de file des autres partis se succédèrent brièvement à la tribune, plus accablés les uns que les autres. Le prélat Kaas annonça que le Centre accorderait son soutien au projet de loi.

Les autres lui emboîtèrent le pas. Tous s'y déclarèrent favorables, à l'exception des sociaux-démocrates.

Le résultat du vote fut proclamé pendant que les nazis poussaient des cris de victoire.

Lloyd était frappé de stupeur. Il venait de voir la force à l'état brut s'étaler dans toute sa crudité, et c'était un spectacle hideux.

Il quitta la loge sans dire un mot à Heinrich.

Il trouva Walter en pleurs dans le hall d'entrée. Il s'essuyait le visage avec un grand mouchoir blanc, sans parvenir à endiguer ses larmes. Lloyd, qui n'avait jamais vu un homme pleurer de la sorte sinon à des enterrements, en fut tout désemparé.

«Ma vie est un échec, murmura Walter. Il n'y a plus d'espoir. La démocratie allemande est morte.»

7.

Les nazis avaient décrété que le samedi 1er avril serait une journée de boycott des entreprises juives. Lloyd et Ethel se promenèrent dans les rues de Berlin, incrédules. Ethel prenait des notes pour son livre. L'étoile de David avait été peinte sur les vitrines des boutiques appartenant à des Juifs. Des Chemises brunes se tenaient à la porte des grands magasins juifs, intimidant les acheteurs potentiels, tandis que des détachements de SA interdisaient l'accès aux études d'avocats et aux cabinets de médecins juifs. Lloyd vit deux Chemises brunes tenter d'arrêter les patients qui venaient consulter le docteur Rothmann, le médecin de famille des von Ulrich, mais un charbonnier qui souffrait apparemment d'une cheville foulée leur cria d'aller se faire foutre, et ils s'éloignèrent en quête d'une proie plus facile. «Comment des gens peuvent-ils se montrer aussi abjects envers les autres?» s'interrogea Ethel.

Lloyd pensait à son beau-père qu'il aimait tant. Bernie Leckwith était juif. Si le fascisme arrivait à s'imposer en Angleterre, il serait la cible de telles manifestations de haine. Il en frémit d'horreur.

Une sorte de veillée funèbre se tint au Bistro Robert ce soir-là. Personne ne l'avait organisée, mais à huit heures, la salle du restaurant était bondée de sociaux-démocrates, de journalistes (des collègues de Maud), et d'amis de Robert, des acteurs pour la plupart. Les plus optimistes prétendaient que la crise économique n'avait fait que plonger la liberté en hibernation et qu'elle se réveillerait un jour. Les autres étaient purement et simplement désespérés.

Lloyd ne but presque rien. L'alcool lui brouillait les idées, et c'était une sensation qu'il n'aimait pas. Il se demandait, sans trouver de réponse, ce que les Allemands de gauche auraient pu faire pour éviter cette catastrophe.

Maud leur parla de Kurt, le bébé d'Ada. « Elle l'a ramené de l'hôpital. Il a l'air tout à fait heureux pour le moment. Mais son cerveau a souffert et il ne pourra jamais vivre normalement. Quand il aura grandi, il faudra le confier à un établissement spécialisé, le pauvre petit ! »

Lloyd avait appris que Carla, qui n'avait pourtant que onze ans, avait aidé Ada à accoucher. Cette gamine avait un sacré cran.

L'inspecteur Thomas Macke fit irruption à neuf heures et demie en uniforme de SA.

Lors de sa dernière apparition, Robert ne l'avait pas pris au sérieux, alors que Lloyd avait immédiatement senti que c'était un homme dangereux. Il avait l'air d'un abruti avec son visage bouffi coupé en deux par sa petite moustache, mais l'inquiétante lueur de cruauté qui brillait dans ses yeux ne lui avait pas échappé.

Robert avait fermement refusé de lui vendre son restaurant. Qu'est-ce que Macke pouvait bien vouloir aujourd'hui ?

L'inspecteur se planta au milieu de la salle à manger et hurla : « Cet établissement encourage des comportements dégénérés ! »

Les clients se turent, interloqués.

Dans une imitation de la gestuelle hitlérienne, Macke leva l'index pour leur intimer l'ordre d'écouter. « L'homosexualité est incompatible avec la virilité de la nation allemande ! »

Lloyd plissa le front. Voulait-il dire que Robert était pédé ?

Jörg sortit de la cuisine, coiffé de sa toque de chef. Il s'immobilisa près de la porte, les yeux rivés sur Macke.

Une idée choquante traversa l'esprit de Lloyd. Peut-être Robert était-il *vraiment* pédé : après tout, il vivait avec Jörg depuis la guerre. Parcourant la salle du regard, il constata que tous leurs amis comédiens étaient des couples d'hommes, à l'exception de deux femmes aux cheveux courts...

Il était perplexe. Il savait que ces hommes-là existaient, bien sûr, et ayant les idées larges, il pensait qu'ils ne méritaient pas d'être persécutés mais aidés. Tout de même, c'étaient des pervers, des types bizarres. Robert et Jörg avaient pourtant l'air parfaitement normaux, ils tenaient un restaurant et vivaient paisiblement, presque comme un couple marié !

Il se tourna vers sa mère et lui demanda tout bas : «Est-ce que Robert et Jörg sont vraiment...

— Oui, mon chéri.»

Assise à la droite d'Ethel, Maud ajouta : «Quand Robert était jeune, les valets avaient intérêt à numéroter leurs abattis.»

Les deux femmes rirent sous cape. Lloyd était doublement scandalisé : non seulement Robert était pédé, mais sa mère et Maud y voyaient matière à plaisanteries.

Macke lança : «Je déclare cet établissement fermé jusqu'à nouvel ordre !

— Vous n'avez pas le droit !» protesta Robert.

Macke n'avait évidemment pas le pouvoir de prendre une décision pareille, se dit Lloyd ; mais il se rappela alors comment les Chemises brunes avaient investi la scène du Théâtre du Peuple. Il se retourna et constata, atterré, que des SA franchissaient déjà la porte.

Ils firent le tour des tables, renversant bouteilles et verres sur leur passage. Certains dîneurs se figèrent, observant la scène ; d'autres quittèrent leurs sièges. Plusieurs hommes crièrent et une femme se mit à hurler.

Walter se leva et prit la parole d'une voix forte et calme : «Nous ferions mieux de nous en aller en bon ordre, dit-il. Inutile d'en venir aux mains. Que tout le monde aille chercher son manteau et son chapeau et rentre chez lui.»

Plusieurs clients se dirigèrent vers les portemanteaux tandis que les autres prenaient la fuite en toute hâte. Walter et Lloyd poussèrent doucement Maud et Ethel vers la sortie. La caisse se trouvait près de la porte, et Lloyd vit un SA qui l'ouvrait et commençait à se remplir les poches.

Robert n'était pas intervenu jusque-là, regardant avec accablement son chiffre d'affaires de la soirée disparaître dans la rue ; mais c'en fut trop. Il poussa un cri de colère et bouscula le voleur pour l'éloigner de la caisse.

L'homme riposta d'un coup de poing qui mit Robert à terre, et il en profita pour lui asséner une volée de coups de pied. Un de ses camarades se joignit à lui.

Lloyd se précipita au secours de Robert. Il entendit sa mère crier « Non ! » alors qu'il repoussait les Chemises brunes. Jörg avait été presque aussi rapide que lui, et à eux deux, ils aidèrent Robert à se relever.

Ils furent immédiatement agressés par plusieurs autres Chemises brunes. Lloyd reçut une grêle de coups de poing et de coups de pied, et un objet s'abattit brutalement sur sa tête. Tout en poussant un cri de douleur, il pensa *Non, ça ne va pas recommencer !*

Il fit volte-face et riposta, frappant alternativement du poing gauche et du droit, assénant chaque coup avec précision, cherchant à traverser sa cible, comme on le lui avait appris à l'entraînement. Il assomma deux hommes, avant de se sentir agrippé par-derrière et de perdre l'équilibre. Il se retrouva au sol, solidement maintenu par deux brutes, pendant qu'une troisième le bourrait de coups de pied.

On le fit ensuite rouler sur le ventre, on lui tira les bras derrière le dos et il sentit le contact du métal sur ses poignets. Il était menotté pour la première fois de sa vie. Il sentit une peur nouvelle monter en lui. Ce n'était pas une bagarre comme les autres. Il s'était fait rosser, d'accord, mais le pire était certainement encore à venir.

« Debout ! » lui ordonna quelqu'un en allemand.

Il se contorsionna pour se remettre sur ses pieds et constata que Robert et Jörg étaient eux aussi menottés. Robert saignait de la bouche, et Jörg avait un œil poché. Une demi-douzaine de Chemises brunes les surveillait. Les autres vidaient les verres et les bouteilles qui restaient sur les tables ou se bousculaient autour du chariot des desserts, se bourrant de pâtisseries.

Tous les clients semblaient être partis. Lloyd fut soulagé de savoir sa mère en sécurité.

La porte du restaurant s'ouvrit sur Walter. « Inspecteur Macke », lança-t-il, le nom du sinistre individu s'étant gravé dans sa mémoire. S'exprimant avec toute l'autorité dont il était capable, il poursuivit : « Que veut dire ce scandale ? »

Macke désigna Robert et Jörg. « Ces deux individus sont des homosexuels. Et ce jeune homme a agressé un membre de la police auxiliaire qui cherchait à les arrêter. »

Walter pointa le doigt vers la caisse, qui était restée ouverte, son tiroir béant et vide à l'exception de quelques petites pièces. «Les policiers se seraient-ils transformés en cambrioleurs de nos jours?

— Un client a dû profiter de la confusion provoquée par ces hommes lorsqu'ils se sont opposés à leur arrestation.»

Plusieurs Chemises brunes s'esclaffèrent d'un air entendu.

«Je crois me souvenir, dit Walter, que vous avez été un jour un policier chargé de faire respecter la loi et l'ordre, inspecteur. Ou bien fais-je erreur? En ce temps-là, vous pouviez être fier de vous. Qu'êtes-vous devenu aujourd'hui?

— Nous faisons respecter l'ordre, pour protéger la patrie, rétorqua Macke, piqué au vif.

— Où avez-vous l'intention de conduire vos prisonniers, insista Walter. Dans un lieu de détention officiel? Ou dans quelque sous-sol plus ou moins clandestin?

— À la caserne de la Friedrichstrasse», répondit Macke indigné.

À l'éclair de satisfaction qui illumina brièvement le visage de Walter, Lloyd comprit que celui-ci avait habilement manœuvré, exploitant ce que Macke pouvait conserver de fierté professionnelle pour lui faire révéler ses intentions. À présent, au moins, Walter savait où Lloyd, Robert et Jörg allaient être emmenés.

Mais que se passerait-il à la caserne?

C'était une situation inédite pour Lloyd bien qu'il eût vécu dans l'East End de Londres et connu un certain nombre de gens qui avaient eu maille à partir avec la police. Pendant toute son enfance, il avait joué au football dans la rue avec des garçons dont les pères faisaient de fréquents séjours au commissariat de Leman Street, dans le quartier d'Aldgate. Peu en sortaient indemnes. On racontait que les murs étaient maculés de sang. Pouvait-il espérer être mieux traité dans la caserne de la Friedrichstrasse?

«Vous risquez l'incident diplomatique, inspecteur», reprit Walter. Lloyd comprit qu'il lui rappelait systématiquement son titre dans l'espoir d'inciter Macke à se conduire en policier plutôt qu'en truand. «Vous avez arrêté trois citoyens étrangers: deux Autrichiens et un Britannique.» Il leva la main comme pour couper court à une éventuelle objection. «Il est trop tard pour reculer, maintenant. Les deux ambassades ont été prévenues, et je suis persuadé que leurs représentants viendront frapper à la porte de notre ministère des Affaires étrangères de la Wilhelmstrasse dans moins d'une heure. »

Lloyd se demanda si c'était vrai.

Macke esquissa un sourire odieux. « Le ministère ne se précipitera certainement pas pour défendre deux pédés et un jeune voyou.

— Permettez-moi de vous rappeler que notre ministre des Affaires étrangères, von Neurath, n'est pas membre de votre parti. Il fera probablement passer les intérêts de la patrie avant les vôtres.

— Et vous, vous allez certainement découvrir qu'il fait ce qu'on lui dit. Et maintenant, dégagez. Vous faites entrave à l'exercice de mes fonctions.

— Je vous aurai prévenu ! insista Walter courageusement. Vous feriez bien de respecter les procédures si vous ne voulez pas vous attirer de sérieux ennuis.

— Fichez le camp », lança Macke.

Walter sortit.

Lloyd, Robert et Jörg furent traînés à l'extérieur du restaurant et poussés sans ménagement à l'arrière d'une sorte de camion. Ils furent contraints de s'allonger sur le plancher du véhicule tandis que les Chemises brunes s'asseyaient sur des bancs pour les surveiller. Ils démarrèrent. Lloyd avait mal aux poignets et avait l'impression que ses épaules allaient se démettre à tout instant.

Heureusement, le trajet ne fut pas long. On les fit descendre brutalement du camion pour entrer dans un bâtiment. Il faisait sombre et Lloyd ne distinguait pas grand-chose. On les conduisit dans un bureau où l'on nota son nom dans un registre et où on lui confisqua son passeport. Robert fut dépouillé de son épingle de cravate en or et de sa chaîne de montre. Puis on leur retira enfin les menottes avant de les pousser dans une pièce faiblement éclairée, aux fenêtres munies de barreaux. Une quarantaine de détenus s'y entassaient déjà.

Lloyd avait mal partout. Il éprouvait une douleur thoracique si vive qu'il pensa que les SA avaient dû lui casser une côte. Il avait le visage meurtri et un violent mal de tête. Il aurait donné beaucoup pour avoir une aspirine, une tasse de thé et un oreiller, mais se doutait bien qu'il devrait s'en passer pendant un certain temps.

Ils s'assirent par terre près de la porte. Lloyd enfonça sa tête entre ses mains pendant que Robert et Jörg discutaient entre eux, se demandant quand on viendrait les sortir de là. Walter allait téléphoner à un avocat, évidemment. Mais toutes les procédures réglementaires avaient été suspendues par le décret sur l'incendie du Reichstag, et la loi ne leur offrait plus de vraie protection. Walter se mettrait aussi en relation avec les ambassades : une intervention politique était désormais leur plus grand espoir. Lloyd se dit que sa mère essaierait sûrement de passer un appel international pour avertir le ministère britannique des Affaires étrangères, à Londres. Si elle y parvenait, le gouvernement ne manquerait pas de réagir à l'arrestation d'un étudiant britannique. Cela prendrait du temps, évidemment – au moins une heure, peut-être même deux ou trois.

Quatre heures s'écoulèrent, puis cinq. La porte ne s'ouvrit pas.

Dans les pays civilisés, une loi prévoyait la durée pendant laquelle la police était autorisée à maintenir un individu en détention sans chef d'accusation précis, sans désignation d'un avocat et sans saisie d'un juge. Lloyd comprit alors que cette mesure n'était pas un simple détail de procédure. En l'absence d'une telle protection juridique, il pouvait rester là indéfiniment.

Leurs compagnons de détention étaient tous des prisonniers politiques, découvrit-il : des communistes, des sociaux-démocrates, des responsables syndicaux et un prêtre.

La nuit passa lentement. Aucun des trois compagnons d'infortune ne ferma l'œil. Lloyd ne voyait pas comment il aurait pu dormir. Les premières lueurs grises de l'aube s'infiltraient déjà par les barreaux des fenêtres quand enfin, la porte de la cellule s'ouvrit. Mais au lieu de laisser entrer des avocats ou des diplomates, elle livra passage à deux hommes en tablier qui poussaient un chariot chargé d'une grosse marmite. Ils servirent à la louche de la bouillie d'avoine claire. Lloyd n'en mangea pas, mais but un gobelet de café qui sentait l'orge brûlé.

Il se rassura en songeant que le personnel de nuit de l'ambassade britannique n'était formé que de diplomates subalternes, qui n'avaient guère d'influence. Au matin, dès que l'ambassadeur lui-même serait levé, il prendrait des mesures énergiques.

Une heure après le petit déjeuner, la porte se rouvrit, mais uniquement sur des Chemises brunes... Les SA firent sortir tous les prisonniers en rangs et les chargèrent dans un camion : quarante ou cinquante hommes dans un unique véhicule bâché. Ils étaient si serrés qu'il n'était pas question de s'asseoir. Lloyd réussit à ne pas être séparé de Robert et de Jörg.

C'était un dimanche, mais peut-être les conduisait-on tout de même au tribunal. Il l'espérait de tout cœur. Au moins, il y aurait des avocats et un semblant de procédure régulière. Il se dit qu'il se débrouillait à présent assez bien en allemand pour exposer son cas, très simple après tout, et prépara son discours dans sa tête. Il dînait au restaurant avec sa mère quand il avait vu quelqu'un dérober le contenu de la caisse ; il était intervenu et avait été pris dans l'échauffourée qui avait suivi. Il imaginait déjà le contre-interrogatoire. On lui demanderait si l'individu qu'il avait agressé était une Chemise brune. Il répondrait : « Je n'ai pas fait attention à ses vêtements, j'ai vu un voleur, c'est tout. » Des rires fuseraient dans la salle et le procureur aurait l'air ridicule.

Le camion sortit de la ville.

Ils pouvaient voir le paysage par des fentes de la bâche. Lloyd avait l'impression qu'ils avaient parcouru une trentaine de kilomètres quand Robert annonça : « Nous sommes à Oranienburg. » C'était le nom d'une petite ville au nord de Berlin.

Le camion s'arrêta devant un portail de bois flanqué de deux piliers de brique. Deux SA armés de fusils gardaient l'entrée.

L'angoisse de Lloyd monta d'un cran. Où était le tribunal ? Cet endroit avait tout l'air d'un camp de détention. Comment pouvait-on jeter des gens en prison sans l'ordre d'un juge ?

Après une brève attente, le camion entra et s'arrêta devant un ensemble de bâtiments en ruine.

Lloyd était de plus en plus inquiet. La nuit précédente, il avait pu se rassurer en se rappelant que Walter savait où ils étaient. Aujourd'hui, personne ne pouvait deviner où on les avait conduits. Et si la police répondait simplement que non, il n'était pas en détention provisoire et qu'elle n'avait aucune trace de son arrestation ? Comment pourrait-on le faire sortir de là ?

Ils descendirent du camion et entrèrent lentement dans ce qui ressemblait à une usine. Une odeur de pub flottait dans l'air. Peut-être était-ce une ancienne brasserie.

Une fois de plus, on releva leurs noms. L'idée qu'il existerait au moins une trace écrite de ses déplacements réconforta un peu Lloyd. Ils ne furent ni attachés, ni menottés, mais des SA armés de fusils les surveillaient sans relâche, et Lloyd eut la sinistre impression que ces jeunes gens n'attendaient qu'un prétexte pour tirer.

On leur distribua à chacun une paillasse et une couverture bien mince puis on les parqua dans un bâtiment délabré qui avait dû servir un jour d'entrepôt. L'attente recommença.

La journée s'écoula sans qu'on vienne chercher Lloyd.

Le soir, il y eut un nouveau chariot et une nouvelle marmite, qui contenait cette fois un brouet de carottes et de navets. Chaque homme en reçut un bol plein, avec une tranche de pain. Lloyd était mort de faim car il n'avait rien mangé depuis vingt-quatre heures, et il engloutit cette maigre pitance, regrettant qu'il n'y en ait pas davantage.

Quelque part dans le camp, trois ou quatre chiens hurlèrent toute la nuit.

Lloyd se sentait sale. C'était la deuxième nuit qu'il passait dans les mêmes vêtements. Il avait envie de prendre un bain, de se raser, d'enfiler une chemise propre. Les latrines, deux tonneaux disposés dans un angle, étaient absolument répugnantes.

Mais le lendemain était un lundi. Il se passerait forcément quelque chose.

Lloyd s'endormit vers quatre heures du matin. À six heures, ils furent réveillés par un SA qui beuglait : «Schleicher! Jörg Schleicher! Où est Jörg Schleicher!»

Peut-être allait-on les libérer?

Jörg se leva : « C'est moi, je suis Schleicher.

— Suis-moi», ordonna la Chemise brune.

Robert demanda d'une voix inquiète : «Pourquoi? Que lui voulez-vous? Où l'emmenez-vous?

— Qu'est-ce que ça peut te faire? Tu es sa mère? répliqua l'autre. Couche-toi et boucle-la.» Il enfonça son fusil dans les côtes de Jörg. «Dehors, toi.»

En les regardant s'éloigner, Lloyd se reprocha de n'avoir pas assommé cette brute pour s'emparer de son fusil. Il aurait pu s'évader. Et s'il avait manqué son coup, qu'auraient-ils pu lui faire, le jeter en prison? Il y était déjà. Sur le coup, cette idée ne lui était même pas venue à l'esprit. Avait-il déjà adopté une mentalité de prisonnier?

Il attendait même sa bouillie d'avoine avec impatience.

Avant le petit déjeuner, on les fit tous sortir du bâtiment pour s'aligner autour d'un terrain entouré de grillage, à peu près grand comme le quart d'un court de tennis. On aurait dit qu'il avait servi de lieu de stockage de matériaux, du bois ou des pneus peut-être. Lloyd frissonna dans l'air glacé du matin : son pardessus était resté au Bistro Robert.

C'est alors qu'il vit Thomas Macke approcher.

L'inspecteur portait un manteau noir au-dessus de son uniforme de SA. Il avait la démarche pesante d'un flic, se dit Lloyd.

Derrière lui, deux Chemises brunes maintenaient par les bras un homme nu coiffé d'un seau.

Lloyd regardait, horrifié. Les mains du prisonnier étaient liées derrière son dos, et le seau fermement attaché sous son menton par un cordon.

C'était un homme jeune, menu, à la toison pubienne blonde.

Robert poussa un gémissement : « Oh mon Dieu, c'est Jörg. »

Toutes les Chemises brunes du camp étaient rassemblées. Lloyd fronça les sourcils. De quoi s'agissait-il ? Quel était ce jeu cruel ?

Jörg fut conduit à l'intérieur du terrain grillagé et resta là, frissonnant de froid. Les deux hommes qui l'avaient escorté se retirèrent. Ils disparurent quelques instants avant de revenir, tenant chacun deux bergers allemands en laisse.

Cela expliquait les aboiements qui n'avaient pas cessé de la nuit.

Les chiens étaient squelettiques et leur robe fauve laissait apparaître des plaques pelées et malsaines. Ils avaient l'air affamés.

Les Chemises brunes s'approchèrent de la clôture.

Lloyd eut une prémonition, vague mais atroce, de ce qui allait se passer.

Robert hurla « Non ! » et se jeta en avant. « Non, non, non ! » Il chercha à ouvrir la grille de l'enceinte. Trois ou quatre SA le tirèrent brutalement en arrière. Il se débattit, mais c'étaient de jeunes brutes robustes et Robert n'avait pas loin de la cinquantaine : il n'était pas de force à leur résister. Ils le jetèrent au sol avec mépris.

« Non, dit Macke à ses hommes. Je veux qu'il regarde. »

Ils remirent Robert sur ses pieds et le maintinrent debout, face au grillage.

On introduisit les chiens dans l'enceinte. Terriblement excités, ils aboyaient et bavaient. Les deux SA savaient manifestement les maîtriser et ne les craignaient pas. Ils devaient avoir l'habitude. Lloyd se demanda, atterré, combien de fois cette scène s'était déjà jouée.

Les hommes lâchèrent les chiens et sortirent précipitamment de l'enclos.

Les bêtes se jetèrent immédiatement sur Jörg. L'un le mordit au mollet, l'autre au bras, un troisième à la cuisse. Un cri de souffrance et de terreur parvint aux spectateurs, assourdi par le seau métallique. Les Chemises brunes hurlèrent de joie et applaudirent. Les prisonniers regardaient, muets d'horreur.

Après le premier choc, Jörg essaya de se défendre. Il avait les mains liées et était aveuglé, mais il pouvait donner des coups de pied au hasard. Ses pieds nus n'avaient cependant guère d'effet sur les chiens affamés. Ils esquivaient et revenaient à l'attaque, déchirant sa chair de leurs dents acérées.

Il chercha alors à s'enfuir. Talonné par les chiens, il courut droit devant lui avant de s'écraser contre le grillage. Les Chemises brunes poussèrent de bruyantes acclamations. Un chien s'en prit aux fesses de Jörg, arrachant un lambeau de chair sous des hurlements de rire.

Debout à côté de Lloyd, un SA criait : « Sa queue ! Mords-lui la queue ! » Lloyd devina que « queue » en allemand – *der Schwanz* – était un mot d'argot désignant le sexe masculin. L'homme était fou d'excitation.

Le corps blanc de Jörg était rougi par le sang qui ruisselait de ses multiples blessures. Il se colla au grillage, le visage contre le fil de fer, protégeant son sexe, donnant des coups de pied en arrière et latéralement. Mais ses forces déclinaient. Ses coups faiblissaient. Il avait du mal à tenir debout. Les chiens s'enhardirent, déchiquetant sa chair, avalant des lambeaux sanguinolents.

Finalement, Jörg glissa à terre.

Les chiens se rassemblèrent autour de lui pour festoyer.

Les deux SA rentrèrent alors dans l'enclos. Avec des gestes expérimentés, ils remirent les laisses aux chiens, les écartèrent de Jörg et les emmenèrent.

Le spectacle était terminé, et les Chemises brunes commencèrent à s'éloigner, bavardant avec animation.

Robert se précipita dans l'enclos. Cette fois, personne ne l'en empêcha. Il se pencha, gémissant, au-dessus de Jörg.

Lloyd l'aida à détacher les mains de son compagnon et à le débarrasser du seau. Jörg était inconscient, mais il respirait encore. «On ne peut pas le laisser là, dit Lloyd. Prenez-le par les jambes.» Lloyd souleva Jörg par les aisselles et ensemble, ils le transportèrent dans le bâtiment où ils avaient passé la nuit. Ils le déposèrent sur un matelas. Les autres prisonniers firent cercle autour d'eux, terrifiés, sur leurs gardes. Lloyd espérait que l'un d'eux s'avancerait en déclarant qu'il était médecin, mais personne n'en fit rien.

Robert se débarrassa de sa veste et de son gilet, puis retira sa chemise dont il se servit pour éponger le sang. «Il nous faudrait de l'eau propre», murmura-t-il.

Lloyd avait repéré une colonne d'alimentation dans la cour. Il sortit, mais il n'avait pas de récipient. Il retourna vers l'enclos. Le seau était toujours par terre. Il le rinça et le remplit.

Quand il revint, la paillasse était imbibée de sang.

Robert plongea sa chemise dans le seau et, agenouillé à côté du matelas, entreprit de laver les plaies de Jörg. Sa chemise blanche fut bientôt écarlate.

Jörg bougea.

Robert lui parla tout bas : «Ne t'agite pas, mon chéri. Tout va bien. Je suis là.» Mais Jörg ne paraissait pas l'entendre.

Macke entra alors, suivi de quatre ou cinq Chemises brunes. Attrapant Robert par le bras, il le tira en arrière. «Alors! grinça-t-il. Vous savez maintenant comment nous traitons les pervers de votre espèce.»

Lloyd ne put se retenir. Montrant Jörg du doigt, il lança, furieux : «Le vrai pervers, c'est l'homme qui est responsable de ça.» Et, rassemblant toute sa colère et tout son mépris, il ajouta : «L'inspecteur Macke.»

Macke adressa un léger signe de tête à l'une des Chemises brunes. D'un geste faussement décontracté, l'homme prit son fusil par le canon et en abattit la crosse sur la tête de Lloyd.

Celui-ci tomba par terre, les mains sur le crâne, souffrant le martyre.

Il entendit Robert supplier : «Je vous en prie, laissez-moi m'occuper de Jörg.

— Nous verrons, répliqua Macke. Venez d'abord par ici.»

Malgré la douleur, Lloyd entrouvrit les paupières et vit Macke entraîner Robert à l'autre bout de la pièce, vers une table de bois grossier. Il sortit de sa poche un document et un stylo plume. «Votre restaurant vaut aujourd'hui la moitié de ce que je vous ai offert l'autre fois : dix mille marks.

— Ce que vous voudrez, accepta Robert en larmes. Mais laissez-moi soigner Jörg.

— Signez ici. Ensuite, vous pourrez rentrer chez vous tous les trois. »

Robert signa.

«Ce monsieur servira de témoin», dit Macke. Il tendit le stylo à une des Chemises brunes. Parcourant la pièce des yeux, il croisa le regard de Lloyd. «Et peut-être notre intrépide invité britannique pourra-t-il faire office de second témoin.

— Fais ce qu'il dit, je t'en prie, Lloyd», intervint Robert.

Lloyd se releva tant bien que mal, frotta sa tête endolorie, prit le stylo et signa.

Macke, triomphant, mit le contrat dans sa poche et sortit.

Robert et Lloyd se précipitèrent vers Jörg.

Il était mort.

8.

Walter et Maud accompagnèrent Ethel et Lloyd à la gare de Lehrte, juste au nord du Reichstag incendié, pour leur faire leurs adieux. C'était un bâtiment de style néo-Renaissance, qui ressemblait à un château français. Comme ils étaient en avance, ils s'installèrent au buffet pour prendre un café.

Lloyd était content de partir. En six semaines, il avait appris beaucoup de choses, sur la langue et sur la politique allemandes, mais maintenant, il n'avait qu'une envie : rentrer chez lui, raconter à d'autres ce qu'il avait vu et les avertir que la même chose pouvait très bien se produire en Angleterre.

En même temps, son départ lui inspirait un étrange sentiment de culpabilité. Il allait retrouver un pays où régnait la loi, où la presse était libre et où être social-démocrate n'était pas considéré comme un délit. Il abandonnait la famille von Ulrich, condamnée à vivre sous le joug d'une dictature cruelle où un innocent pouvait être déchiqueté à mort par des chiens et où la justice ne demanderait jamais de comptes aux responsables de ce crime odieux.

Les von Ulrich avaient l'air terrassés, Walter plus encore que Maud. Ils étaient comme des gens à qui l'on vient d'annoncer une mauvaise nouvelle, ou qui ont perdu un être cher. Ils semblaient incapables de penser à autre chose qu'à la catastrophe qui s'était abattue sur eux.

Lloyd avait été libéré avec les excuses du ministère allemand des Affaires étrangères, assorties d'une déclaration justificative, tout à la fois abjecte et mensongère, selon laquelle il avait été mêlé à une bagarre du fait de sa propre imprudence puis avait été détenu à la suite d'une erreur administrative que les autorités regrettaient profondément.

« J'ai reçu un télégramme de Robert, dit Walter. Il est bien arrivé à Londres. »

En tant que citoyen autrichien, Robert avait pu quitter l'Allemagne sans trop de difficultés. Il avait eu plus de mal à faire sortir son argent. Walter avait demandé à Macke de lui verser la somme due sur un compte bancaire en Suisse. Macke avait commencé par prétendre que c'était impossible, mais Walter avait insisté, le menaçant de contester la vente devant les tribunaux et ajoutant que Lloyd était prêt à témoigner que le contrat avait été signé sous la contrainte. Finalement, Macke avait fait jouer ses relations.

« Je suis bigrement content que Robert ait pu partir », soupira Lloyd. Il serait plus heureux encore quand il aurait lui-même regagné Londres sain et sauf. Sa tête était encore meurtrie et ses côtes le faisaient souffrir chaque fois qu'il se retournait dans son lit.

« Et si vous veniez à Londres ? Tous les deux ? demanda Ethel à Maud. Enfin, toute la famille. »

Walter se tourna vers sa femme. « Ce serait peut-être une bonne idée. » Lloyd voyait bien pourtant qu'il n'en pensait pas un mot.

« Vous avez fait tout ce que vous pouviez, insista Ethel. Vous vous êtes battus courageusement. Malheureusement, c'est l'autre camp qui a gagné.

— Tout n'est pas encore fini, remarqua Maud.

— C'est possible, mais vous êtes en danger.

— L'Allemagne aussi.

— Si vous veniez vivre à Londres, Fitz se laisserait peut-être fléchir. Il pourrait vous aider. »

Lloyd savait que le comte Fitzherbert était à la tête de l'une des plus grosses fortunes de Grande-Bretagne grâce aux gisements de houille situés dans les profondeurs de ses terres galloises.

« Il ne m'aidera pas, soupira Maud. Fitz ne cède jamais. Vous le savez aussi bien que moi.

— C'est vrai », acquiesça Ethel. Lloyd se demanda d'où lui venait cette certitude, mais n'eut pas l'occasion de lui poser la question. Sa mère enchaîna : « Tout de même, avec votre expérience, vous trouveriez facilement un emploi dans un journal londonien.

— Et moi, que ferais-je à Londres ? demanda Walter.

— Je ne sais pas, reconnut Ethel. En même temps, qu'allez-vous faire ici ? À quoi bon être député dans un Parlement impuissant ? » Elle était d'une franchise brutale, songea Lloyd, mais comme d'habitude, ses paroles étaient justes.

Lloyd avait beau s'associer à leur épreuve, il estimait que le devoir des von Ulrich était de rester dans leur pays. « Ce sera dur, c'est sûr, intervint-il. Mais si tous les gens bien fuient le fascisme, il ne se répandra que plus vite.

— Il se répand de toute façon », objecta sa mère.

Maud s'écria alors d'un ton véhément qui les fit tous sursauter : « Je ne partirai pas. Je refuse catégoriquement de quitter l'Allemagne. »

Tous les yeux étaient fixés sur elle.

« Je suis allemande depuis près de quinze ans, expliqua-t-elle. C'est mon pays à présent.

— Vous êtes quand même anglaise de naissance, remarqua Ethel.

— Un pays, pour moi, c'est avant tout les gens qui l'habitent, poursuivit Maud. Je n'aime pas l'Angleterre. Mes parents sont morts depuis longtemps, et mon frère m'a reniée. J'aime l'Allemagne. Cette Allemagne, c'est mon merveilleux mari, Walter, mon fils fourvoyé, Erik, ma fille incroyablement compétente, Carla ; c'est aussi notre domestique, Ada, et son fils, le pauvre petit Kurt ; mon amie Monika et sa famille ; mes collègues journalistes... Je reste, pour me battre contre les nazis.

— Vous avez déjà fait plus que votre part », fit observer Ethel d'une voix douce.

La voix de Maud se chargea d'émotion. « Mon mari a voué son existence, son être tout entier, à faire de l'Allemagne un pays libre et prospère. Je ne veux pas être celle qui l'obligera à renoncer à l'œuvre de sa vie. S'il perd cela, il perd son âme.»

Ethel enfonça alors le clou comme seule une vieille amie pouvait se le permettre. «Et vos enfants? Vous n'avez pas envie de les savoir en sécurité!

— Envie? Ce n'est pas une envie, Ethel, c'est un désir déchirant, torturant!» Elle fondit en larmes. «Carla fait des cauchemars à propos de Chemises brunes et Erik ne manque pas une occasion d'enfiler cet uniforme couleur de merde.» Sa véhémence laissa Lloyd pantois. Il n'avait jamais entendu une dame respectable dire «merde». Elle poursuivit : «Bien sûr, j'ai envie de les sortir de là.» Lloyd avait sous les yeux une femme désespérée, qui se tordait les mains, tournait la tête d'un côté et de l'autre d'un air affolé et s'exprimait d'une voix qui tremblait sous l'effet d'un violent conflit intérieur. «Mais ce serait une mauvaise chose, pour eux comme pour nous. Je ne céderai pas! Mieux vaut subir le mal que d'y assister de loin, sans pouvoir agir.»

Ethel posa la main sur le bras de Maud. «Pardon d'avoir posé cette question. J'ai eu tort. J'aurais dû savoir que vous ne prendriez jamais la fuite.

— Et moi, je vous remercie de l'avoir posée, cette question», répliqua Walter. Tendant le bras, il prit les longues mains de sa femme entre les siennes. «La question est en suspens entre Maud et moi depuis un moment, tacitement. Il était grand temps de mettre les choses au point.» Leurs mains jointes reposaient sur la table. Lloyd s'interrogeait rarement sur la vie sentimentale des membres de la génération de sa mère – c'étaient des adultes, mariés depuis longtemps, ce qui résumait tout pour lui –, mais il ne pouvait que constater l'existence entre Walter et Maud d'un lien d'une force sans commune mesure avec l'affection qui unissait habituellement un couple d'âge mûr. Ils ne se faisaient aucune illusion : ils savaient qu'en restant, ils risquaient leur vie, et celle de leurs enfants. Mais ils partageaient un engagement qui défiait la mort.

Lloyd se demanda s'il connaîtrait un jour pareil amour.

Ethel leva les yeux vers l'horloge. «Oh flûte! s'écria-t-elle. Nous allons manquer notre train!»

Lloyd ramassa précipitamment leurs bagages et ils coururent jusqu'au quai. Un coup de sifflet retentit. Ils sautèrent juste à temps dans un wagon et se penchèrent par la fenêtre alors que le train quittait la gare.

Walter et Maud restèrent sur le quai, agitant la main, leurs silhouettes s'amenuisant avant de se fondre dans le lointain.

II

1935

1.

« Il y a deux choses que tu dois absolument savoir sur les filles de Buffalo, dit Daisy Pechkov. Elles boivent comme des trous et ce sont d'affreuses snobinardes. »

Eva Rothmann pouffa de rire : « Je ne te crois pas. » Elle avait presque entièrement perdu son accent allemand.

« Et pourtant, c'est vrai », s'obstina Daisy. Elles se tenaient devant une grande psyché à trois pans dans sa chambre décorée de tons rose et blanc, en pleine séance d'essayages. « Du bleu marine et du blanc, ça devrait bien t'aller, poursuivit-elle. Qu'en penses-tu ? » Elle approcha un corsage du visage d'Eva pour en étudier l'effet. Le contraste de couleurs était plutôt seyant.

Daisy fouillait dans sa penderie à la recherche d'une tenue qu'Eva pourrait porter pour le pique-nique de la plage. Elle n'était pas jolie et avait l'air terriblement mal fagotée dans les tenues à volants et fanfreluches qu'affectionnait Daisy. Les rayures convenaient mieux à ses traits accusés.

Observant les cheveux noirs et les yeux brun sombre de son amie, Daisy ajouta : « Tu peux te permettre de porter des couleurs vives, tu sais. »

Eva n'avait pas une garde-robe très fournie. Son père, médecin juif à Berlin, avait dépensé toutes ses économies pour l'envoyer en Amérique, où elle était arrivée un an plus tôt presque sans bagages. Une œuvre de bienfaisance avait pris en charge ses frais de scolarité, lui permettant ainsi de fréquenter le même internat que Daisy – elles avaient dix-neuf ans, l'une comme l'autre. Mais Eva ne pouvait évidemment pas rentrer dans sa famille pour les vacances, et sur un coup de tête, Daisy l'avait invitée à passer l'été chez elle.

Sa mère n'avait pas été enchantée : «Tu es à l'école toute l'année : je me réjouissais tellement de t'avoir rien qu'à moi pendant quelques semaines.

— C'est une fille épatante, Maman, avait protesté Daisy. Elle est charmante, facile à vivre. Et puis on s'entend tellement bien !

— Je comprends que tu sois désolée pour elle parce qu'elle a dû fuir les nazis, mais tout de même...

— Je me fiche pas mal des nazis, c'est une bonne copine, voilà tout.

— Je veux bien, mais de là à l'accueillir chez nous !

— Maman ! Elle n'a aucun endroit où aller ! »

Comme d'habitude, Olga avait fini par céder.

«Des snobinardes? répéta alors Eva. Ça m'étonnerait que quelqu'un ait l'idée d'être bêcheuse avec toi !

— Tu parles ! Bien sûr que si.

— Tu es si jolie, et toujours si pleine d'entrain.»

Daisy ne prit pas la peine de le nier. «C'est justement pour ça qu'elles me détestent.

— En plus, tu es riche.»

C'était vrai. Le père de Daisy roulait sur l'or, sa mère avait hérité d'une grosse fortune et Daisy elle-même devait toucher un petit pactole le jour de ses vingt et un ans.

«Ça ne veut rien dire, tu sais. Dans cette ville, ce qui compte, ce n'est pas que tu aies de l'argent, mais depuis combien de temps tu en as. Quelqu'un qui travaille est un moins que rien. Les gens vraiment chic sont ceux qui vivent des millions que leur ont laissés leurs arrière-grands-parents.» Elle cherchait à dissimuler sous l'enjouement railleur de son ton la rancœur que lui inspirait cette ségrégation.

«Mais ton père est célèbre ! insista Eva.

— Tout le monde le considère comme un gangster.»

Le grand-père de Daisy, Josef Vialov, avait tenu des bars et des hôtels. Son père, Lev Pechkov, avait investi les profits amassés par son beau-père dans l'achat de théâtres de music-hall en faillite qu'il avait transformés en cinémas. Il était même propriétaire d'un studio à Hollywood.

Eva était scandalisée. «Comment peuvent-ils dire une chose pareille?

— On prétend qu'il a été bootlegger. Je pense que c'est vrai. Je ne vois pas comment ses bars auraient pu lui rapporter autant d'argent pendant la prohibition s'il n'avait pas vendu de l'alcool de contrebande. Toujours est-il que c'est pour cette raison que jamais on ne proposera à maman d'être membre de la Société des dames de Buffalo.»

Elles se tournèrent d'un même mouvement vers Olga, assise sur le lit de Daisy en train de lire le *Buffalo Sentinel*. Cette femme si belle et si svelte sur les photos de sa jeunesse s'était empâtée et avait perdu sa fraîcheur. Elle se désintéressait de son apparence, ce qui ne l'empêchait pas de courir les boutiques en compagnie de Daisy, prête à dépenser les yeux de la tête pour transformer sa fille en gravure de mode.

Olga leva les yeux de son journal : «Je ne crois pas que ce soit le passé de bootlegger de ton père qui les tracasse, ma chérie. Mais c'est un immigré russe, et les rares fois où il se décide à aller à la messe, c'est pour aller à l'église orthodoxe russe d'Ideal Street. Aux yeux de ces gens-là, c'est presque aussi répréhensible que d'être catholique.

— C'est vraiment injuste, se révolta Eva.

— Autant te prévenir tout de suite qu'ils n'adorent pas les Juifs non plus», dit Daisy. Eva n'était en réalité qu'à moitié juive. «Pardon d'être aussi franche.

— Tu peux l'être autant que tu veux : après l'Allemagne, ce pays me fait l'effet de la Terre promise, tu sais.

— Ne vous faites pas trop d'illusions, intervint Olga. À en croire le journal, beaucoup de chefs d'entreprise américains détestent le président Roosevelt et admirent Adolf Hitler. Je peux vous assurer que c'est vrai, parce que le père de Daisy est du nombre.

— Je déteste la politique, c'est tellement rasoir! s'écria Daisy. Il n'y a rien de plus intéressant dans le *Sentinel*?

— Si. Muffie Dixon va être présentée à la cour britannique.

— Tant mieux pour elle», lança Daisy d'un petit ton pincé.

Olga lut à haute voix : «Miss Muriel Dixon, fille du regretté Charles "Chuck" Dixon, tombé en France pendant la guerre, sera présentée à Buckingham Palace mardi prochain par l'épouse de l'ambassadeur des États-Unis, Mrs. Robert W. Bingham.»

N'ayant pas la moindre envie d'entendre parler de Muffie

Dixon, Daisy se tourna vers Eva. «Je suis déjà allée à Paris, mais jamais à Londres. Et toi?

— Moi non plus. La première fois que j'ai quitté l'Allemagne, c'était pour prendre le bateau pour l'Amérique.»

Olga s'écria soudain : «Oh, non!

— Qu'y a-t-il?» demanda Daisy.

Sa mère roula le journal en boule. «Ton père est allé à la Maison Blanche avec Gladys Angelus.

— Quoi!» Daisy eut l'impression d'avoir reçu une gifle. «Il avait promis de m'emmener!»

Le président Roosevelt avait convié une centaine d'hommes d'affaires à une réception pour essayer de les gagner à la cause du New Deal. Aux yeux de Lev Pechkov, Frank D. Roosevelt était un communiste, ou peu s'en fallait, mais l'invitation l'avait flatté. Olga avait cependant refusé de l'accompagner. «Je n'ai pas l'intention de faire croire au Président que nous formons un couple normal», avait-elle lancé, furieuse.

Lev vivait officiellement là, dans la superbe demeure de style Prairie construite par le grand-père Vialov, mais il passait la plupart de ses nuits dans l'appartement huppé du centre-ville où il logeait sa maîtresse de longue date, Marga. De plus, la rumeur lui attribuait une liaison avec la plus grande vedette de son studio, Gladys Angelus. Daisy comprenait que sa mère se sente rejetée. Elle éprouvait le même sentiment quand son père partait passer la soirée avec sa deuxième famille.

Elle avait été folle de joie quand il lui avait proposé de l'accompagner à la Maison Blanche à la place de sa mère et s'était empressée de le raconter à tout le monde. Aucun de ses amis n'avait jamais rencontré le Président, sauf les fils Dewar, dont le père était sénateur.

Lev ne lui avait pas précisé la date de cette invitation, et elle avait pensé que fidèle à lui-même, il la préviendrait au dernier moment. Mais il avait dû changer d'avis, ou peut-être avait-il simplement oublié. En tout cas, il avait laissé Daisy en plan, une fois de plus.

«Je suis navrée, mon poussin, la consola sa mère. Mais tu sais ce que valent les promesses de ton père.»

Eva lui jeta un regard compatissant qui piqua Daisy au vif. Le père d'Eva était à des milliers de kilomètres et elle ne le reverrait peut-être jamais, mais elle semblait plus peinée pour son amie que pour elle-même.

Daisy serra les dents. Elle n'allait pas laisser cette histoire lui gâcher la journée. « Bien, bien, je serai donc la seule fille de Buffalo qui s'est fait poser un lapin à cause de Gladys Angelus, lança-t-elle. Bon. Alors, qu'est-ce que je vais mettre ? »

Les jupes étaient spectaculairement courtes cette année-là à Paris, mais la société conservatrice de Buffalo suivait la mode de loin. Daisy possédait pourtant une robe de tennis d'une teinte bleu layette assortie à ses yeux qui lui arrivait aux genoux. C'était peut-être le jour ou jamais de l'étrenner. Elle l'enfila à la place de celle qu'elle portait. « Qu'en pensez-vous ?

— Oh, Daisy, fit Eva, elle est superbe, mais...

— Ça va leur en boucher un coin », remarqua Olga. Elle aimait bien que Daisy fasse sensation. Ça lui rappelait sans doute sa jeunesse.

« Daisy, demanda alors Eva, si tu trouves ces gens tellement snobs, pourquoi tiens-tu à aller à ce pique-nique ?

— Charlie Farquharson y sera, et j'envisage de l'épouser, répondit Daisy.

— Tu es sérieuse ?

— C'est un excellent parti, approuva Olga énergiquement.

— Comment est-il ?

— Absolument adorable, répondit Daisy. Ce n'est pas le plus beau garçon de Buffalo, mais il est charmant et gentil. Plutôt timide.

— Très différent de toi, autrement dit.

— Appelons ça l'attraction des contraires.

— Les Farquharson sont l'une des plus vieilles familles de Buffalo », précisa Olga.

Eva haussa ses sourcils noirs. « Snobs ?

— Jusqu'au bout des ongles, confirma Daisy. Mais le père de Charlie a perdu tout son argent dans le krach de Wall Street, et il est mort très peu de temps après – certains prétendent qu'il s'est suicidé. Alors il faut bien qu'ils redorent leur blason. »

Eva eut l'air scandalisé. « Tu comptes te faire épouser pour ton argent ?

— Non. Il m'épousera parce que je vais le séduire. Mais sa mère m'acceptera à cause de mon argent.

— Tu dis que tu *vas* le séduire. Il est au courant de tes intentions ?

— Pas encore. Mais je me demande si je ne vais pas engager

les manœuvres d'approche cet après-midi. Oui, cette robe sera parfaite, finalement.»

Daisy adopta donc le bleu layette et Eva les rayures bleu marine et blanc. Quand elles furent enfin prêtes, elles étaient déjà en retard.

La mère de Daisy refusait d'avoir un chauffeur. «J'ai épousé le chauffeur de mon père, et ça m'a gâché la vie», lui arrivait-il de dire. Elle était terrifiée à l'idée que Daisy suive son exemple : raison supplémentaire d'applaudir à deux mains le choix de Charlie Farquharson. Quand elle devait se rendre quelque part dans sa Stutz grinçante de 1925, elle demandait à Henry, le jardinier, de retirer ses bottes de caoutchouc et d'enfiler un complet noir. Mais Daisy avait sa propre voiture, un coupé sport Chevrolet rouge.

Elles se dirigèrent vers le sud de la ville. Daisy aimait conduire, cela lui donnait un sentiment de puissance et de vitesse qu'elle adorait. Elle regrettait presque que la plage ne soit pas à plus de dix kilomètres.

Au volant, elle imagina la vie qu'elle mènerait si elle épousait Charlie. Avec son argent à elle et son prestige social à lui, ils formeraient le couple le plus en vue de la société de Buffalo. Aux dîners qu'ils donneraient, le décor de table serait d'une telle élégance que tous les convives en resteraient bouche bée d'émerveillement. Ils auraient le plus grand yacht du port et y organiseraient des réceptions pour d'autres couples fortunés qui aimaient s'amuser. Les gens se battraient pour être invités par Mrs. Charles Farquharson. Aucun gala de bienfaisance ne serait réussi si Daisy et Charlie n'occupaient pas la table d'honneur. Elle se voyait comme dans un film, vêtue d'une ravissante robe parisienne, évoluer au milieu d'une foule d'hommes et de femmes figés d'admiration, accueillant leurs compliments d'un sourire gracieux.

Elle rêvait encore quand elles arrivèrent à destination.

La ville de Buffalo était située au nord de l'État de New York, près de la frontière canadienne, au bord du lac Érié. Woodlawn Beach, la plage où était organisé le pique-nique, était formée d'un kilomètre et demi de sable fin. Daisy rangea sa voiture et elles traversèrent les dunes.

Une cinquantaine ou une soixantaine de jeunes privilégiés, les enfants de l'élite de Buffalo, étaient déjà là. Ils passaient leurs étés à faire de la voile et du ski nautique le jour et à assister à des fêtes et à des bals la nuit. Daisy salua ceux qu'elle connaissait, c'est-à-dire presque tout le monde, et présenta Eva à la ronde, avant d'aller chercher un verre de punch. Elle y trempa prudemment les lèvres : certains garçons trouvaient hilarant de le corser en ajoutant plusieurs bouteilles de gin.

Cette fête était donnée en l'honneur de Dot Renshaw, une vraie langue de vipère que personne ne voulait épouser. Les Renshaw étaient une vieille famille de Buffalo, comme les Farquharson, mais leur fortune avait résisté au krach. Soucieuse des convenances, Daisy se dirigea immédiatement vers leur hôte, le père de Dot, pour le remercier. «Veuillez excuser notre retard, dit-elle. Je ne me suis pas rendu compte de l'heure qu'il était.»

Philip Renshaw la regarda de la tête aux pieds. «Vous portez une jupe bien courte», remarqua-t-il d'un ton où la désapprobation le disputait à la concupiscence.

«Je suis heureuse qu'elle vous plaise», répondit Daisy, feignant d'y voir un compliment sans ambiguïté.

«Quoi qu'il en soit, c'est une chance que vous soyez enfin arrivées, poursuivit-il. J'ai fait venir un reporter du *Sentinel* et il nous faut quelques jolies filles sur la photo.»

Daisy chuchota à Eva : «Voilà pourquoi j'ai été invitée. Trop aimable à lui de me le faire savoir.»

Elles virent approcher Dot, une jeune fille au visage étroit et au nez pointu. Daisy avait toujours l'impression qu'elle risquait à tout moment de donner un coup de bec. «Je croyais que tu devais accompagner ton père chez le Président!» lança-t-elle.

Daisy eut du mal à ravaler son humiliation. Si seulement elle ne s'en était pas vantée devant tout le monde !

«Il paraît qu'il était accompagné de sa, hum..., de son actrice principale, poursuivit Dot. C'est inhabituel, quand on est invité à la Maison Blanche.

— Je crois savoir, riposta Daisy, que le Président prend plaisir à rencontrer des actrices de temps en temps. Ça met un peu de piment dans sa vie. Il le mérite bien, non ?

— Je serais surprise qu'Eleanor Roosevelt ait apprécié. Selon le *Sentinel*, tous les autres invités étaient accompagnés de leurs épouses.

— Quelle délicate attention de leur part!» Daisy se détourna, cherchant désespérément à s'éclipser.

Elle aperçut Charlie Farquharson, qui s'évertuait à installer un filet de beach tennis. Lui au moins ne se moquerait pas de sa déconvenue. « Comment vas-tu, Charlie ? demanda-t-elle gaiement.

— Bien, me semble-t-il », répondit-il en se redressant. C'était un jeune homme d'environ vingt-cinq ans, grand, légèrement enrobé, toujours un peu voûté comme s'il craignait que sa haute taille n'intimide les autres.

Daisy lui présenta Eva. Charlie était délicieusement mal à l'aise en société, surtout avec les jeunes filles, mais il fit un effort et s'adressa à Eva, curieux de savoir si elle se plaisait en Amérique et si elle avait des nouvelles de sa famille, à Berlin.

Eva lui demanda s'il s'amusait bien.

« Pas beaucoup, avoua-t-il franchement. J'aurais préféré rester chez moi, avec mes chiens. »

Il devait certainement avoir moins de mal avec les animaux domestiques qu'avec les filles, songea Daisy. Mais la mention des chiens n'était pas inintéressante. « Ah, tu as des chiens ? De quelle race ?

— Des Jack Russel terriers. »

Daisy en prit note mentalement.

Une femme tout en os d'une cinquantaine d'années s'approcha. « Pour l'amour du ciel, Charlie, tu n'as pas encore fini d'installer ce filet ?

— Ça y est presque, Maman », répondit-il.

Nora Farquharson portait un bracelet maillon en or, des boucles d'oreilles en diamants et un collier de chez Tiffany ; plus de bijoux que nécessaire pour un pique-nique. Apparemment, les Farquharson n'étaient pas vraiment dans la misère, se dit Daisy. Ils prétendaient avoir tout perdu, mais Mrs. Farquharson avait encore une femme de chambre, un chauffeur et deux chevaux pour se promener au parc.

« Bonjour, madame, dit Daisy. Je vous présente mon amie Eva Rothmann. Elle vient de Berlin.

— Bonjour », fit Nora Farquharson sans leur tendre la main. Elle ne voyait aucune raison de faire preuve d'amabilité envers des parvenus russes, et moins encore envers leur invitée juive.

Mais une idée sembla soudain lui traverser l'esprit. « Ah Daisy, puisque vous êtes là, vous pourriez peut-être essayer de voir qui a envie de jouer au tennis. »

Tout en étant parfaitement consciente que la mère de Charlie la traitait comme une espèce de domestique, Daisy décida de se montrer accommodante. «Bien sûr, acquiesça-t-elle. Des doubles mixtes, par exemple?

— Excellente idée.» Mrs. Farquharson lui tendit un bout de crayon et une feuille de papier. «Notez les noms, voulez-vous?»

Daisy lui décocha son plus charmant sourire et sortit de son sac un stylo en or et un petit carnet de notes recouvert de cuir beige. «J'ai tout ce qu'il faut, merci!»

Étant membre du Racquet-Club, un cercle un peu moins chic que le Yacht-Club, elle connaissait tous les joueurs de tennis, les bons comme les mauvais. Elle inscrivit Eva avec Chuck Dewar, le fils du sénateur, qui avait quatorze ans. Joanne Rouzrokh jouerait avec l'aîné des Dewar, Woody, qui n'avait que quinze ans mais était déjà aussi grand que son échalas de père. Quant à elle, elle serait, évidemment, la partenaire de Charlie.

Daisy aperçut alors un visage qui lui parut familier et reconnut avec stupéfaction son demi-frère, Greg, le fils de Marga. Ils ne se rencontraient pas souvent, et elle ne l'avait pas vu depuis un an. Elle le trouva très changé : il avait dû grandir de presque vingt centimètres et avait déjà une ombre de barbe alors qu'il n'avait que quinze ans. Quand il était petit, il avait toujours été débraillé, et n'avait fait aucun progrès dans ce domaine. Il portait ses vêtements de prix négligemment : les manches de son blazer retroussées, sa cravate à rayures pendillant lâchement à son cou, son pantalon de lin mouillé par la mer et couvert de sable aux revers.

Daisy était toujours gênée en présence de Greg. C'était le vivant rappel que son père les avait rejetées, sa mère et elle, en faveur de Greg et Marga. Beaucoup d'hommes mariés avaient des liaisons, elle le savait pertinemment; mais l'indiscrétion de *son* père s'étalait aux yeux de tous. Il aurait tout de même pu avoir la décence d'installer Marga et Greg à New York, où personne ne se connaissait, ou bien en Californie, où l'adultère était entré dans les mœurs. Ici, leur présence était un scandale permanent et c'était en partie à cause de Greg que les gens regardaient Daisy de haut.

Il lui demanda poliment comment elle allait. «Je suis furax, si tu veux tout savoir, répondit-elle. Papa m'a laissée tomber, une fois de plus.

— Que s'est-il passé? demanda Greg prudemment.

— Il m'a proposé de l'accompagner à la Maison Blanche, et

en fait, il a emmené cette putain de Gladys Angelus. Maintenant, je suis la risée de tous, évidemment.

— Il cherchait sans doute à faire un peu de publicité pour *Passion*, le nouveau film dans lequel elle joue.

— Tu le défends toujours parce que tu es son chouchou. »

Greg eut l'air agacé. « Moi, au moins, je l'admire au lieu de passer mon temps à me plaindre de lui.

— Je ne... » Daisy, qui s'apprêtait à prétendre le contraire, dut convenir qu'il avait raison. « Oui, c'est vrai que je me plains beaucoup, mais quand même, il devrait tenir ses promesses, non ?

— Il est tellement occupé, tu sais.

— Dans ce cas, il ferait peut-être mieux de ne pas avoir deux maîtresses en plus d'une épouse. »

Greg haussa les épaules. « C'est une lourde charge pour un seul homme. »

Relevant soudain l'ambiguïté involontaire de ses propos, ils pouffèrent de rire en même temps.

« Après tout, je ne devrais pas t'en vouloir, admit Daisy. Tu n'as pas demandé à venir au monde.

— Et moi, je devrais sans doute te pardonner de m'avoir privé si longtemps de mon père trois nuits par semaine : j'avais beau pleurer et le supplier de rester, il rentrait chez vous. »

Daisy n'avait jamais vu les choses sous cet angle. Pour elle, Greg était l'usurpateur, l'enfant illégitime qui lui volait son père. Elle comprit alors qu'il avait été aussi malheureux qu'elle.

Elle le regarda plus attentivement. Il n'était pas si mal, après tout. Trop jeune pour Eva, pourtant. Et il deviendrait sûrement aussi égoïste et inconstant que leur père.

« Bon, reprit-elle. Est-ce que tu joues au tennis ? »

Il secoua la tête. « On n'admet pas les gens comme moi au Racquet-Club. » Il se força à afficher un sourire insouciant, et Daisy prit conscience que, comme elle, Greg souffrait d'être au ban de la bonne société de Buffalo.

« Mon sport préféré, c'est le hockey sur glace, ajouta-t-il.

— Dommage. » Elle poursuivit sa tournée.

Quand elle eut complété sa liste, elle rejoignit Charlie qui avait enfin réussi à installer le filet. Elle chargea Eva d'aller chercher les deux premiers couples avant de se tourner vers le jeune homme : « Tu veux bien m'aider à faire le plan des matchs, s'il te plaît ? »

Ils s'agenouillèrent côte à côte et dessinèrent un tableau dans le sable, prévoyant des éliminatoires, des demi-finales et une finale. Pendant qu'ils notaient les noms, Charlie lui demanda : « Tu aimes le cinéma ? »

Allait-il lui proposer un rendez-vous ? s'interrogea Daisy. « Bien sûr, répondit-elle.

— Tu as déjà vu *Passion* ?

— Non, Charlie, répondit-elle sèchement. La maîtresse de mon père y joue.

— Comment ça ? s'écria-t-il offusqué. Le journal les présente comme des amis, rien de plus.

— Et pourquoi crois-tu que miss Angelus, qui a à peine vingt ans, est tellement *amie* avec mon père qui a la quarantaine ? lança Daisy, sarcastique. Parce qu'elle adore sa calvitie naissante ? Ou son petit bedon ? Ou bien ses cinquante millions de dollars ?

— Oh, je vois, murmura Charlie, confus. Je suis navré.

— Il n'y a pas de quoi. Excuse-moi. C'est moi qui suis un peu vache. Tu n'es pas comme les autres, toi : tu ne vois pas le mal partout.

— C'est que je suis idiot, c'est tout.

— Mais non. C'est que tu es gentil. »

Charlie eut l'air embarrassé, mais flatté.

« Finissons-en, dit Daisy. Il faut organiser tout ça de manière à être sûrs que les meilleurs joueurs arrivent en finale. »

Nora Farquharson réapparut. Elle observa Charlie et Daisy agenouillés côte à côte dans le sable, puis étudia leur tableau.

« Pas mal, Maman, qu'est-ce que tu en penses ? » s'enquit Charlie. De toute évidence, il tenait beaucoup à avoir l'approbation de sa mère.

« Très bien. » Elle jeta à Daisy le regard inquisiteur d'une chienne qui voit un étranger s'approcher de ses petits.

« C'est Charlie qui a presque tout fait, affirma Daisy.

— Ça m'étonnerait », rétorqua Mrs. Farquharson d'un ton tranchant. Son regard se tourna vers Charlie avant de se reposer sur Daisy. « Vous êtes une jeune fille intelligente », reprit-elle. Elle fit mine de vouloir ajouter quelque chose, mais se ravisa.

« Oui ? demanda Daisy.

— Rien. » Elle se détourna.

Daisy se releva. « Je sais parfaitement ce qu'elle pensait, murmura-t-elle à Eva.

— Quoi donc ?

— Vous êtes une jeune fille intelligente – presque assez bien pour mon fils, si seulement vous veniez d'une meilleure famille. »

Eva prit l'air sceptique. « Tu n'en sais rien, voyons.

— Bien sûr que si. Et je l'épouserai, ne serait-ce que pour donner tort à sa mère.

— Oh Daisy, pourquoi te soucies-tu tellement de ce que pensent ces gens ?

— Allons les regarder jouer. »

Daisy s'assit sur le sable à côté de Charlie. Il n'était peut-être pas beau, mais c'était un homme qui adorerait sa femme et lui passerait tous ses caprices. Il faudrait évidemment supporter la belle-mère, mais elle pensait pouvoir l'amadouer.

Joanne Rouzrokh était au service. C'était une jeune fille élancée, dont la jupe blanche mettait les longues jambes en valeur. Son partenaire, Woody Dewar, très grand lui aussi, lui tendit une balle. Quelque chose dans sa façon de regarder Joanne retint l'attention de Daisy : il avait l'air très attiré par elle, peut-être même amoureux. Mais comme il avait quinze ans et elle dix-huit, c'était un béguin sans avenir.

Elle se tourna vers Charlie. « Après tout, je devrais peut-être aller voir *Passion* », lança-t-elle.

Il ne mordit pas à l'hameçon. « Oui, peut-être », fit-il avec indifférence. Elle se reprocha d'avoir laissé passer sa chance.

« Je me demande où je pourrais acheter un Jack Russel terrier », chuchota Daisy à Eva.

2.

Lev Pechkov était le meilleur père qu'un garçon pût imaginer – ou plus exactement, il l'aurait été s'il avait été plus souvent là. Il était riche et généreux, plus intelligent que n'importe qui, et même, mieux habillé que tout le monde. Il avait sans doute été très beau dans sa jeunesse, et maintenant encore, les femmes se jetaient à son cou. Greg Pechkov l'adorait, et son unique regret était de ne pas le voir suffisamment.

« J'aurais dû vendre cette saloperie de fonderie quand j'en ai eu l'occasion, maugréa Lev pendant qu'ils arpentaient l'usine silencieuse et déserte. Elle me faisait déjà perdre de l'argent avant cette foutue grève. Je ferais mieux de m'en tenir aux cinémas et aux bars.» Il agita l'index d'un geste sentencieux. «Les gens achèteront toujours de la gnôle, que les temps soient bons ou mauvais. Et ils vont au cinéma même quand ils n'ont plus un rond. N'oublie jamais ça.»

Greg était convaincu que son père était un homme d'affaires quasiment infaillible. «Alors pourquoi tu la gardes?

— Par sentimentalisme, soupira Lev. Quand j'avais ton âge, je bossais dans un endroit de ce genre, l'usine de construction mécanique Poutilov, à Saint-Pétersbourg.» Il parcourut du regard les fourneaux, les gabarits, les treuils, les tours et les établis. «En fait, c'était bien pire.»

Les Buffalo Metal Works, les Ateliers métallurgiques de Buffalo, fabriquaient des hélices de toutes tailles, y compris d'énormes modèles destinés aux bateaux. Greg était fasciné par la précision mathématique de leurs pales incurvées. Il était premier de sa classe en maths. «Tu étais ingénieur?» demanda-t-il.

Le visage de Lev se fendit d'un grand sourire. «Je dis ça pour impressionner les gens. En vrai, je m'occupais des chevaux. J'étais palefrenier. Je n'ai jamais rien compris aux machines. C'est mon frère Grigori qui était fort pour ça. Tu lui ressembles un peu. N'empêche. N'achète jamais de fonderie, tu m'entends?

— D'accord.»

Il avait été prévu que Greg passe l'été à suivre son père dans toutes ses activités pour apprendre le métier. Lev rentrait à l'instant de Los Angeles et les travaux pratiques de Greg venaient donc de commencer. La fonderie ne l'intéressait pas. Il était bon en maths, certes, mais sa vraie passion, c'était le pouvoir. Il aurait voulu accompagner son père à Washington lorsqu'il allait faire du lobbying pour l'industrie cinématographique. C'était là que se prenaient les vraies décisions.

Il attendait le déjeuner avec impatience : ils devaient rencontrer le sénateur Gus Dewar et Greg avait l'intention de lui demander une faveur. Mais il n'avait pas encore réglé la chose avec son père. Comme il hésitait à lui en parler, il aborda un autre sujet : «Il t'arrive d'avoir des nouvelles de ton frère de Leningrad?»

Lev secoua la tête. «Je n'en ai pas eu depuis la guerre. Ça ne m'étonnerait pas qu'il soit mort. Beaucoup de bolcheviks de la première heure ont disparu.

— Tiens, à propos de famille, j'ai vu ma demi-sœur samedi. Elle était au pique-nique de la plage.

— Vous vous êtes bien amusés?

— Elle est furieuse contre toi, tu sais.

— Qu'est-ce que j'ai encore fait?

— Tu avais promis de l'emmener à la Maison Blanche, et tu y es allé avec Gladys Angelus.

— C'est vrai. J'avais complètement oublié. Mais il fallait que je fasse un peu de réclame pour *Passion.* »

Ils furent abordés par un homme de grande taille vêtu d'un costume à rayures voyant, même pour la mode de l'époque. Il effleura le bord de son chapeau mou en disant : « Bonjour, patron.

— Joe Brekhounov est notre responsable de la sécurité, expliqua Lev à Greg. Joe, je te présente mon fils Greg.

— Enchanté », fit Brekhounov.

Greg lui serra la main. Comme la plupart des usines, la fonderie avait son propre service de sécurité. Mais Brekhounov avait plus l'allure d'un truand que d'un flic.

« Rien à signaler? interrogea Lev.

— Juste un petit incident cette nuit, répondit Brekhounov. Deux machinistes ont voulu faucher une barre d'acier de quarante centimètres, qualité avion. On les a chopés au moment où ils cherchaient à la faire passer par-dessus la clôture.

— Vous avez appelé la police? demanda Greg.

— Pas la peine, répliqua Brekhounov avec un sourire entendu. On leur a donné une petite leçon sur les notions de propriété privée puis on les a envoyés à l'hôpital pour y réfléchir tranquillement. »

Greg ne fut pas surpris d'apprendre que la police privée de son père rossait les voleurs. Lev n'avait jamais frappé sa mère, mais Greg sentait que la violence était constamment tapie sous les dehors avenants de son géniteur. C'était parce qu'il avait passé sa jeunesse dans les bas quartiers de Leningrad, supposait-il.

Un homme corpulent vêtu d'un costume bleu et coiffé d'une casquette d'ouvrier surgit de derrière un fourneau. « Notre responsable syndical, Brian Hall, dit Lev. Salut, Hall.

— Bonjour, Pechkov. »

112

Greg plissa le front. Les gens appelaient généralement son père monsieur Pechkov.

Lev se tenait jambes écartées, mains sur les hanches. «Alors, vous avez une réponse?»

Le visage de Hall se durcit. «Les gars ne retourneront pas bosser si la réduction de salaire est maintenue. C'est ça que vous voulez savoir?

— J'ai pourtant relevé mon offre!

— Ça n'en reste pas moins une baisse de salaire.»

Greg s'inquiéta : son père ne supportait pas la contradiction et risquait d'exploser.

«Le directeur me dit que nous n'avons pas de commandes parce qu'avec des salaires pareils, nos prix ne peuvent pas être compétitifs.

— C'est parce que vos machines sont dépassées, Pechkov. Certains de ces tours étaient déjà là avant la guerre! Il faut investir dans un équipement plus moderne.

— En pleine crise! Vous êtes cinglé? J'ai déjà gaspillé assez d'argent comme ça.

— C'est exactement ce que pensent les gars, lança Hall de l'air de celui qui abat son atout. Ils n'ont pas l'intention de vous faire de cadeau, alors qu'ils n'ont même pas de quoi vivre.»

Greg ne comprenait pas que les ouvriers puissent se mettre en grève pendant une crise économique, et l'aplomb de Hall l'agaçait. Il ne s'adressait pas à Lev comme un employé mais d'égal à égal.

«À l'heure qu'il est, nous perdons tous de l'argent, remarqua Lev. Vous trouvez ça malin?

— De toute façon, ça ne me concerne plus, répliqua Hall d'un ton que Greg jugea suffisant. Le syndicat nous envoie une équipe du siège pour prendre le relais.» Il sortit de sa poche de gilet une grosse montre en acier. «Leur train arrive dans une heure.»

Le visage de Lev s'assombrit. «Nous n'avons pas besoin de fauteurs de troubles venus de l'extérieur.

— Si vous ne voulez pas de troubles, n'en provoquez pas!»

Lev serra le poing, mais Hall s'éloignait déjà.

Lev se tourna vers Brekhounov. «Tu étais au courant de cette histoire?» demanda-t-il furieux.

Brekhounov avait l'air soucieux. «Je m'en occupe tout de suite, patron.

— Débrouille-toi pour savoir qui sont ces types du siège, et où ils logent.

— Ça ne sera pas difficile.

— Et qu'ils retournent à New York dans une putain d'ambulance !

— Vous pouvez compter sur moi, patron. »

Lev fit demi-tour et Greg lui emboîta le pas. Ça, au moins, c'est parlé, se dit Greg avec un certain respect. Il suffisait à son père de dire un mot pour que des responsables syndicaux se fassent tabasser.

Ils quittèrent l'usine et montèrent dans la voiture de Lev, une berline Cadillac à cinq places, un nouveau modèle bien caréné. Ses longues ailes incurvées ressemblaient, songea Greg, à des hanches de fille.

Lev s'engagea dans Porter Avenue pour rejoindre le lac et se rangea devant le Yacht-Club de Buffalo. Le soleil qui jouait sur les bateaux de la marina dessinait de jolis reflets dans l'eau. Greg était convaincu que, contrairement à Gus Dewar, son père n'appartenait pas à ce club très fermé.

Ils longèrent l'embarcadère. Le club-house était construit sur pilotis, au-dessus de l'eau. Lev et Greg poussèrent la porte et laissèrent leurs chapeaux au vestiaire. Être invité dans un club auquel il ne pourrait jamais espérer adhérer mettait Greg terriblement mal à l'aise. Ses membres estimaient sans doute qu'il devait considérer comme un privilège d'être autorisé à y mettre les pieds. Il enfonça ses mains dans ses poches et adopta une démarche nonchalante pour leur montrer qu'il n'était pas intimidé.

« J'ai fait partie de ce club, autrefois, lui raconta Lev. Mais en 1921, le président m'a prié de démissionner parce que j'étais bootlegger. Et ensuite, il m'a demandé de lui vendre une caisse de scotch.

— Pourquoi le sénateur Dewar veut-il déjeuner avec toi ?

— On ne va pas tarder à le savoir.

— Ça t'ennuierait beaucoup que je lui demande une faveur ? »

Lev fronça les sourcils. « Probablement pas. De quoi s'agit-il ? »

Mais sans laisser à Greg le temps de répondre, Lev se dirigea vers un homme d'une soixantaine d'années. « Je te présente Dave Rouzrokh, dit-il à Greg. C'est mon principal concurrent.

— Vous me flattez », répliqua l'autre.

Les Roseroque Theatres étaient une chaîne de cinémas délabrés de l'État de New York. Leur propriétaire, en revanche, était loin d'être décrépit. Grand, les cheveux blancs, un nez en cimeterre, il avait une allure patricienne; il portait un blazer de cachemire bleu dont la poche de poitrine était ornée de l'insigne du club. «J'ai eu le plaisir de regarder votre fille Joanne jouer au tennis samedi, dit Greg.

— Elle n'est pas mauvaise, n'est-ce pas? demanda Dave avec un plaisir manifeste.

— Elle joue même très bien.

— Je suis content de tomber sur vous, Dave, coupa Lev. J'avais justement l'intention de vous appeler.

— Pour quelle raison?

— Vos cinémas ont grand besoin de rénovation. Franchement, ils ne sont plus dans le coup.»

Dave prit l'air amusé. «Vous aviez l'intention de me téléphoner pour m'annoncer ça?

— Pourquoi les laissez-vous dans cet état? Vous devriez faire des travaux!»

Dave haussa les épaules avec élégance. «À quoi bon? Je gagne assez d'argent. À mon âge, on a tendance à éviter les tracas, vous savez.

— Vous pourriez doubler vos profits.

— En augmentant le prix des billets? Non merci.

— Vous êtes fou.

— Tout le monde n'est pas obsédé par l'argent, remarqua Dave avec une once de mépris.

— Dans ce cas, vendez-les-moi», lança Lev.

Greg en resta interdit : il n'avait pas senti les choses venir.

«Je vous en donnerai un bon prix», ajouta-t-il.

Dave secoua la tête. «J'aime bien être propriétaire de cinémas. C'est une industrie qui donne du plaisir aux gens.

— Huit millions de dollars», insista Lev.

Greg en resta bouche bée. Est-ce que je me trompe, ou bien Papa vient-il effectivement de proposer à Dave huit millions de dollars? se demanda-t-il.

«C'est un bon prix, admit Dave. Mais je ne suis pas vendeur.

— Personne ne vous en offrira jamais autant, s'obstina Lev visiblement exaspéré.

— Je sais.» De toute évidence, Dave jugeait que la plaisanterie avait assez duré. Il vida son verre. «Je vous souhaite une bonne journée », dit-il et il sortit du bar en direction de la salle à manger.

Lev avait l'air écœuré. « Tout le monde n'est pas obsédé par l'argent, répéta-t-il. Quand je pense que l'arrière-grand-père de Dave est arrivé de Perse il y a un siècle avec pour tous bagages les nippes qu'il avait sur le dos et six tapis. Il n'aurait pas craché sur huit millions de dollars, lui.

— Je ne savais pas que tu avais autant d'argent, s'étonna Greg.

— Je n'ai pas cette somme en liquidités, évidemment. Mais les banques ne sont pas faites pour les chiens.

— Tu emprunterais pour pouvoir payer Dave, c'est ça ? »

Lev agita à nouveau son index. « N'utilise jamais ton argent quand tu peux dépenser celui d'autrui. »

La haute silhouette surmontée de la grosse tête de Gus Dewar apparut alors. Il avait une bonne quarantaine d'années et ses cheveux châtains étaient saupoudrés de gris. Il les salua avec une politesse réservée, leur serrant la main et leur proposant un verre. Greg comprit immédiatement que Gus et Lev ne s'aimaient pas et craignit que cette antipathie ne dissuade le sénateur de lui accorder la faveur qu'il voulait lui demander. Il ferait peut-être mieux d'y renoncer.

Gus était un gros bonnet. Son père avait été sénateur avant lui, une succession dynastique que Greg jugeait antiaméricaine. Gus avait aidé Franklin Roosevelt à devenir gouverneur de l'État de New York, puis à accéder à la présidence. Il siégeait à présent à la puissante commission des Affaires étrangères du Sénat.

Ses fils, Woody et Chuck, fréquentaient le même lycée que Greg. Woody était un intello, Chuck un sportif.

« Le Président vous a-t-il demandé de régler cette histoire de grève, monsieur le sénateur ? demanda Lev.

— Non... pas encore, du moins », sourit Gus.

Lev se tourna vers Greg. « La dernière fois que la fonderie a été en grève, il y a vingt ans, le président Wilson a envoyé Gus me forcer la main pour que j'accorde une augmentation aux ouvriers.

— Je vous ai fait faire une économie, observa Gus avec bonhommie. Vos ouvriers réclamaient un dollar : je les ai convaincus d'accepter la moitié.

— C'est-à-dire exactement cinquante *cents* de plus que ce que j'avais l'intention de leur donner.»

Gus sourit encore et haussa les épaules. «Et si nous allions déjeuner?»

Ils se rendirent dans la salle à manger. Une fois les commandes passées, Gus dit : «Le Président a été très heureux que vous puissiez assister à la réception à la Maison Blanche.

— Je n'aurais sans doute pas dû emmener Gladys, remarqua Lev. Mrs. Roosevelt a été un peu froide avec elle. Sans doute n'apprécie-t-elle pas beaucoup les actrices de cinéma.»

Elle n'apprécie sûrement pas beaucoup les actrices qui couchent avec des hommes mariés, songea Greg, mais il n'en dit rien.

Pendant le déjeuner, Gus causa de tout et de rien. Greg attendait l'occasion de pouvoir lui parler. Il avait envie de travailler à Washington un été, pour découvrir les coulisses du pouvoir et se faire des relations. Son père aurait pu lui obtenir un stage, mais auprès d'un républicain, et leur parti n'était pas au gouvernement. Greg voulait travailler dans le bureau du sénateur Dewar, un homme influent et respecté, ami personnel et allié du Président.

Il se demanda pourquoi il était si nerveux à l'idée de lui poser la question. Le pire qui pût arriver était que Dewar refuse.

Gus n'entra dans le vif du sujet qu'après le dessert. «Le Président m'a demandé de m'entretenir avec vous de la Liberty League», dit-il.

La Ligue américaine pour la liberté : Greg avait entendu parler de cette organisation, un groupe de droite hostile au New Deal.

«Le New Deal est la seule chose qui nous met à l'abri du cauchemar que vit l'Allemagne.

— Les membres de la Ligue ne sont pas des nazis.

— Ah bon? Ils nourrissent pourtant le projet de lancer une insurrection armée pour renverser le Président. Ce n'est pas réaliste, bien sûr – enfin, pas encore.

— J'ai tout de même le droit d'avoir mes opinions personnelles, non?

— Bien sûr, mais vous soutenez le mauvais camp. La Ligue n'a rien à voir avec la liberté, vous savez.

— Ne me parlez pas de liberté, lança Lev sans dissimuler sa

colère. J'avais douze ans quand je me suis fait fouetter par la police de Leningrad parce que mes parents faisaient grève.»

Greg se demanda s'il avait bien entendu. La brutalité du régime tsariste plaidait, lui semblait-il, en faveur du socialisme, et non le contraire.

Gus reprit : «Roosevelt sait que vous financez la Ligue. Il veut que vous arrêtiez.

— Comment sait-il à qui je donne de l'argent?

— Le FBI fait son travail. Il s'intéresse de près à cette organisation.

— Mais nous vivons dans un État policier, ma parole! Moi qui vous prenais pour un libéral.»

Les arguments de Lev manquaient singulièrement de logique, songea Greg. Il faisait simplement feu de tout bois pour essayer de déconcerter Gus, quitte à se contredire largement.

«J'essaie seulement d'éviter que la police n'ait à intervenir, répliqua Gus sans se départir de son calme.

— Votre Président si bien informé sait-il aussi que je vous ai piqué votre fiancée?» demanda Lev avec un sourire mauvais.

Première nouvelle, songea Greg; mais c'était manifestement vrai car Lev avait enfin réussi à désarçonner Gus : ce dernier eut l'air outragé. Il détourna le regard et rougit. Un à zéro, avantage Pechkov, se dit Greg.

«C'est une vieille histoire, expliqua Lev en se tournant vers son fils. Figure-toi que Gus était fiancé à Olga, en 1915. Mais elle a changé d'avis, et c'est moi qu'elle a épousé.»

Gus avait retrouvé son sang-froid. «Nous étions tous si jeunes!

— Je dois reconnaître que vous avez rapidement oublié Olga», ajouta Lev.

Gus lui jeta un regard glacial. «Vous aussi.»

Cette fois-ci, c'était à son père d'être gêné, constata Greg. Un partout!

Il y eut un instant de silence embarrassé, que Gus finit par rompre. «Nous avons fait la guerre, vous et moi, Lev. J'étais dans un bataillon de mitrailleurs avec Chuck Dixon, un copain de classe. Dans une petite ville française qui s'appelle Château-Thierry, il s'est fait déchiqueter sous mes yeux.» Gus parlait sur un ton détaché, mais Greg retint son souffle. Gus poursuivit : «Je souhaite ardemment que mes fils ne connaissent jamais ce que nous avons connu. Voilà pourquoi des organisations comme la Ligue pour la liberté doivent être écrasées dans l'œuf. Il s'agit de l'avenir de nos enfants. »

Greg saisit la perche. «Je m'intéresse beaucoup à la politique, moi aussi, monsieur le sénateur. Et j'aimerais bien en savoir davantage. Pensez-vous que vous pourriez me prendre comme stagiaire un été ? » Il retint son souffle.

Gus eut l'air étonné, mais répondit : «Un jeune homme disposé à travailler en équipe peut toujours m'être utile. »

Ce n'était ni un oui, ni un non. «Je suis premier en maths, et capitaine de l'équipe de hockey sur glace, insista Greg, cherchant à se faire valoir. Vous pouvez demander à Woody ce qu'il pense de moi.

— Je n'y manquerai pas. » Gus se tourna vers Lev. «Acceptez-vous de réfléchir à la requête du Président ? C'est vraiment important. »

Gus lui proposait en quelque sorte un échange de bons procédés. Lev se laisserait-il fléchir ?

Son père hésita longuement, puis écrasa sa cigarette et lança : «Marché conclu. »

Gus se leva. «Parfait. Le Président sera satisfait», dit-il pendant que Greg songeait : c'est gagné !

Ils sortirent du club pour rejoindre leurs voitures.

Au moment où ils quittaient le parking, Greg remercia son père : «J'apprécie vraiment ce que tu as fait, tu sais.

— Tu as bien choisi ton moment, observa Lev. Ça me fait plaisir de voir que tu as quelque chose dans le crâne. »

Le compliment combla Greg. Il se savait plus intelligent que son père à maints égards – il était indéniablement plus fort en sciences et en maths –, mais craignait de ne pas être aussi astucieux ni aussi habile que lui.

«Tu dois savoir te servir de ta cervelle, poursuivit Lev. Pas comme tous ces crétins. » Greg ne savait absolument pas de qui il parlait. «Il faut toujours avoir une longueur d'avance sur les autres, c'est comme ça qu'on réussit dans la vie. »

Lev rangea sa Cadillac devant ses bureaux, un immeuble moderne du centre-ville. Ils traversaient le vestibule de marbre quand Lev annonça : «Et maintenant, je vais donner une bonne leçon à cet imbécile de Dave Rouzrokh. »

Dans l'ascenseur, Greg se demanda ce que son père allait faire.

Pechkov Pictures occupait l'étage supérieur du bâtiment.

Greg suivit Lev dans un large couloir qui conduisait à la réception occupée par deux jeunes et charmantes secrétaires. «Appelez-moi Sol Starr, voulez-vous?» demanda Lev alors qu'ils entraient dans son bureau.

«Solly est propriétaire d'un des plus grands studios d'Hollywood», expliqua Lev en se laissant tomber dans son fauteuil.

Le téléphone sonna et Lev décrocha. «Sol! s'exclama-t-il. Comment ça va?» Greg écouta une ou deux minutes de plaisanteries typiquement masculines, puis Lev redevint sérieux. «Un petit conseil, dit-il. Ici, dans l'État de New York, nous avons une chaîne merdique de cinémas pouilleux, les Roseroque Theatres... ouais, c'est ça... tu sais, tu ferais bien de ne pas leur envoyer tes exclusivités cet été : tu risquerais de ne pas être payé.» Greg comprit que le coup serait dur pour Dave : sans nouveautés à mettre à l'affiche, ses recettes allaient dégringoler. «Tiens-le-toi pour dit, hein? Mais non, Solly, ne me remercie pas. Tu en ferais autant pour moi... Salut!»

Une fois de plus, Greg fut impressionné par le pouvoir de son père. Il pouvait faire tabasser des gens. Il pouvait offrir huit millions de dollars qui ne lui appartenaient pas. Il pouvait faire peur à un Président. Il pouvait piquer sa fiancée à un autre homme. Et d'un coup de téléphone, il pouvait acculer un concurrent à la ruine.

«Tu vas voir, dit Lev. Dans un mois, Dave Rouzrokh me suppliera de racheter sa boîte, pour la moitié de ce que je lui ai proposé aujourd'hui.»

3.

«Je ne comprends pas ce qu'a ce chiot, se plaignit Daisy. Il ne fait rien de ce que je lui dis. Il me rend folle.» Sa voix tremblait et une larme brillait dans ses yeux. Elle exagérait à peine.

Charlie Farquharson observa le chien. «Il n'a rien. C'est un adorable petit bonhomme. Comment s'appelle-t-il?

— Jack.

— Hmm.»

Ils étaient assis dans des fauteuils de jardin dans le vaste parc remarquablement entretenu qui entourait la maison de Daisy.

Eva avait salué Charlie puis s'était retirée avec tact pour écrire à sa famille. Le jardinier, Henry, binait un parterre de pensées jaunes et violettes un peu plus loin. Sa femme, Ella, la domestique, apporta un pichet de limonade et des verres, qu'elle posa sur une table pliante.

Le chiot était un minuscule Jack Russel terrier blanc à taches fauves, une petite bête trapue et robuste. Le regard pétillant d'intelligence, il semblait comprendre tout ce qu'on lui disait, mais n'avait manifestement aucune envie d'obéir. Daisy le tenait sur ses genoux et lui caressait le museau de ses doigts délicats d'un geste – espérait-elle – éminemment troublant aux yeux de Charlie. « Ça te plaît, comme nom ?

— Tu ne trouves pas ça un peu banal ? » Charlie avait les yeux rivés sur sa main blanche posée sur la truffe du chien et se trémoussa sur sa chaise, visiblement mal à l'aise.

Daisy ne voulait pas en faire trop. Si elle dépassait les bornes, Charlie risquait de rentrer chez sa mère ventre à terre. Il était tellement coincé ! Cela expliquait qu'il soit encore célibataire à vingt-cinq ans : plusieurs filles de Buffalo, dont Dot Renshaw et Muffie Dixon, avaient fini par renoncer à lui mettre le grappin dessus. « Alors, trouve autre chose, si tu veux, proposa-t-elle.

— Les chiens reconnaissent mieux leurs noms quand il y a deux syllabes. Bonzo, par exemple. »

Daisy n'avait aucune expérience en la matière. « Pourquoi pas Rover ?

— Trop courant. Rusty me plairait mieux.

— Parfait ! approuva-t-elle avec enthousiasme. Va pour Rusty. »

Le chien se tortilla et sauta à terre, lui échappant sans effort.

Charlie le souleva du sol. Daisy remarqua qu'il avait de grandes mains. « Il faut montrer à Rusty que c'est toi le chef, expliqua-t-il. Tiens-le bien et ne le laisse pas descendre tant que tu ne lui en as pas donné la permission. » Il reposa le chien sur les genoux de Daisy.

« Mais il est costaud, tu sais ! En plus, j'ai peur de lui faire mal. »

Charlie sourit avec condescendance. « Tu n'arriverais probablement pas à lui faire mal, même si tu essayais. Tiens-le solidement par son collier – tords-le un peu au besoin pour le resserrer – et pose l'autre main fermement sur son dos. »

Daisy suivit les conseils de Charlie. Sous la pression de sa main, le chien s'immobilisa, comme s'il se demandait ce qu'on attendait de lui.

«Dis-lui "Assis", et appuie-lui sur les fesses.

— Assis, dit-elle.

— Plus fort. Et insiste sur le "ss". Puis appuie énergiquement.

— Assis, Rusty!» répéta-t-elle en lui poussant la croupe vers le bas. Le chiot s'assit.

«Et voilà! s'exclama Charlie.

— Tu es vraiment fort!» admira Daisy.

Charlie se rengorgea. «Il faut simplement savoir comment faire, expliqua-t-il modestement. Avec les chiens, tu dois toujours être catégorique, ne jamais donner l'impression d'hésiter. C'est tout juste s'il ne faut pas aboyer pour leur parler.» Il se carra dans son fauteuil, visiblement satisfait. Il était plutôt corpulent et remplissait son siège. Parler d'un sujet qu'il maîtrisait l'avait détendu, ce qui était exactement ce qu'avait espéré Daisy.

Elle lui avait téléphoné le matin même. «Je suis au désespoir! J'ai un chiot à la maison et je ne m'en sors pas du tout. Penses-tu que tu pourrais me donner quelques conseils?

— De quelle race est-il?

— C'est un Jack Russell.

— Ah! C'est ma race préférée, j'en ai trois!

— Quelle coïncidence!»

Comme l'avait escompté Daisy, Charlie avait proposé de passer chez elle l'aider à éduquer son chien.

Eva lui avait demandé, sceptique : «Tu crois vraiment que Charlie est le garçon qu'il te faut?

— Tu plaisantes? avait répondu Daisy. C'est un des meilleurs partis de Buffalo.»

«Je suis sûre que tu t'en sors aussi drôlement bien avec les enfants, dit-elle alors.

— Je n'en sais rien.» Il changea de sujet. «Tu entres à l'université en septembre?

— Oui, à Oakland, probablement. C'est une université pour filles qui propose un cursus de deux ans. À moins que...

— À moins que quoi?»

À moins que je ne me marie, voulait-elle dire, mais elle reprit : «Je ne sais pas... À moins qu'il ne se passe autre chose.

— De quel genre?

— J'aimerais bien aller en Angleterre. Mon père est allé à

Londres et il a rencontré le prince de Galles. Et toi ? Quels sont tes projets ?

— Il avait toujours été prévu que je reprendrais la banque de mon père, mais maintenant, il n'y a plus de banque. Ma mère a un peu d'argent qui lui vient de sa famille, et je m'occupe de sa gestion, mais pour le reste, je dois reconnaître que je suis plutôt en roue libre.

— Tu devrais te lancer dans l'élevage de chevaux, suggéra Daisy. Je suis sûre que tu réussirais très bien. » Elle était elle-même bonne cavalière et avait déjà remporté un certain nombre de prix. Elle se voyait déjà dans le parc avec Charlie, sur deux chevaux gris, leurs deux enfants les suivant sur des poneys. Cette vision lui fit monter le rouge aux joues.

« J'adore les chevaux, confirma Charlie.

— Moi aussi ! J'aimerais bien élever des chevaux de course. » Daisy n'eut pas à feindre l'enthousiasme. Élever une lignée de champions était son rêve le plus cher. À ses yeux, les proprié-taires d'écuries de courses constituaient l'élite internationale par excellence.

« Les pur-sang coûtent un prix fou », remarqua Charlie triste-ment.

De l'argent, Daisy n'en manquait pas. Si Charlie l'épousait, ce ne serait plus jamais un souci pour lui. Elle n'en dit rien, évi-demment, mais soupçonna Charlie d'y avoir pensé, et laissa cette idée planer dans l'air le plus longtemps possible.

Charlie finit par rompre le silence : « Ton père a vraiment fait passer à tabac deux responsables syndicaux comme on le raconte ?

— Quelle idée ! » Daisy ne savait rien de cette affaire, mais n'aurait pas été autrement surprise que ce soit vrai.

« Il paraît qu'ils sont venus de New York pour se charger de l'organisation de la grève, insista Charlie, et qu'ils se sont retrouvés à l'hôpital. Le *Sentinel* parle d'une rixe avec des res-ponsables syndicats locaux, mais tout le monde pense que ton père est derrière tout ça.

— La politique, ça m'assomme ! J'ai horreur de parler de ça, rétorqua Daily gaiement. Quel âge avais-tu quand tu as eu ton premier chien ? »

Charlie se lança dans un long récit de ses souvenirs canins. Daisy se demandait comment poursuivre. Je suis arrivée à l'atti-rer ici, se dit-elle, je l'ai mis à l'aise ; maintenant, il s'agit de le séduire. Mais il avait été manifestement perturbé en la voyant caresser le chien de façon un peu trop sensuelle. Le mieux serait de provoquer un contact physique qui paraisse fortuit.

«Et Rusty? Qu'est-ce que je peux lui apprendre d'autre? demanda-t-elle quand Charlie eut fini son histoire.

— À marcher au pied, répondit Charlie immédiatement.

— Comment on fait?

— Tu as des biscuits pour chien?

— Bien sûr.» Les fenêtres de la cuisine étaient ouvertes et Daisy éleva la voix pour se faire entendre de la domestique. «Ella, est-ce que vous pourriez m'apporter la boîte de Milkbones s'il vous plaît?»

Charlie cassa un des biscuits et prit le chiot sur ses genoux. Il dissimula un morceau de biscuit dans son poing fermé, le fit flairer à Rusty, puis ouvrit la main et laissa le chien le manger. Il en prit un autre bout, vérifia que le chien l'avait vu. Puis il se leva et posa le chien à ses pieds. Rusty avait les yeux fixés sur le poing fermé de Charlie. «Au pied, Rusty», commanda Charlie et il fit quelques pas. Le chien le suivit.

«C'est bien! approuva Charlie et il donna le biscuit à Rusty.

— C'est incroyable! fit Daisy, admirative.

— Au bout d'un moment, tu n'auras plus besoin du biscuit. Une caresse suffira. Et pour finir, il marchera à côté de toi automatiquement.

— Charlie, tu es un génie.»

Le jeune homme rougit de plaisir. Il avait de beaux yeux bruns, exactement comme ceux du chien, remarqua-t-elle. «À toi, maintenant», dit-il à Daisy.

Elle imita Charlie, et obtint le même résultat.

«Tu vois? remarqua Charlie. Ce n'est pas bien sorcier.»

Daisy éclata de rire, ravie. «On devrait monter une société. Farquharson et Pechkov, éducateurs canins.

— C'est une bonne idée», dit-il. Il paraissait sincère.

Ça marche comme sur des roulettes, se félicita Daisy.

Elle se dirigea vers la table et remplit deux verres de limonade. Il s'était levé, lui aussi et murmura : «En général, je suis un peu timide avec les filles.»

Sans blague, pensa-t-elle, sans desserrer les lèvres.

«Mais avec toi, c'est si facile de bavarder», poursuivit-il. Il n'y voyait apparemment qu'un heureux hasard.

Alors qu'elle lui tendait son verre, elle fit un geste maladroit et renversa la limonade sur lui. « Oh, pardon ! Je suis vraiment désolée ! s'exclama-t-elle.

— Ce n'est rien », la rassura-t-il, mais son blazer de lin et son pantalon de toile blanche étaient mouillés. Il sortit un mouchoir et entreprit de s'essuyer.

« Laisse-moi faire », fit Daisy en lui prenant le mouchoir des mains.

Elle s'approcha pour tamponner les revers de sa veste. Il se figea, et à ses narines frémissantes, elle sut qu'il humait son parfum Jean Naté – lavande en notes de tête, musc en notes de fond. Elle passa négligemment le mouchoir sur le devant du blazer, qui ne portait pas la moindre trace de limonade. « C'est presque fini », murmura-t-elle comme à regret.

Puis elle mit un genou en terre dans une sorte de geste d'adoration et entreprit d'éponger les taches humides de son pantalon, maniant le mouchoir avec une légèreté aérienne. Tout en lui effleurant la cuisse, elle afficha un air d'innocence naïve et leva les yeux. Il avait le regard fixé sur elle et respirait difficilement, bouche ouverte, hypnotisé.

4.

Woody Dewar inspecta d'un regard impatient le *Sprinter*, vérifiant que tout était bien rangé. C'était un ketch de course de quinze mètres, long et effilé comme un couteau, que Dave Rouzrokh prêtait aux Compagnons de bord. Cette association à laquelle appartenait Woody emmenait les fils des chômeurs de Buffalo sur le lac Érié pour leur apprendre les rudiments de la voile. Woody constata avec satisfaction que les amarres et les défenses étaient en place, les voiles ferlées, les drisses ramenées et tous les autres cordages soigneusement enroulés.

Son frère Chuck, son cadet d'un an, était déjà à quai, blaguant avec deux gamins de couleur. Chuck était facile à vivre et s'entendait avec tout le monde. Woody, qui souhaitait faire de la politique comme leur père, lui enviait ce charme naturel.

Les garçons ne portaient que des shorts et des sandales, et les trois qui plaisantaient sur le quai étaient l'image même de la force et de la vitalité juvéniles. Woody regretta de ne pas avoir emporté son appareil. La photographie était un de ses passe-temps préférés et il avait aménagé une chambre noire chez ses parents, pour pouvoir développer et tirer lui-même ses clichés.

Ayant constaté qu'ils laissaient le *Sprinter* dans l'état où ils l'avaient trouvé le matin, Woody sauta sur le quai. Une douzaine d'adolescents quittèrent le chantier naval ensemble, le visage tanné par le vent et le soleil, éprouvant dans tous leurs membres une plaisante lourdeur due à l'exercice physique, riant en se rappelant les bévues, les chutes et les blagues de la journée.

Le fossé qui séparait les deux frères issus d'une famille riche et le groupe de garçons pauvres se comblait dès qu'ils étaient sur l'eau, travaillant main dans la main pour maîtriser le yacht, mais il réapparut dans toute sa clarté au parking du Yacht-Club. Deux véhicules étaient rangés côte à côte : la Chrysler Airflox du sénateur Dewar, avec un chauffeur en uniforme au volant, qui attendait Woody et Chuck; et un pick-up Chevrolet Roadster équipé de deux bancs de bois à l'arrière, pour les autres. Woody fut gêné quand le chauffeur lui ouvrit la portière, mais apparemment, les garçons n'y attachaient aucune importance. Ils le remercièrent et crièrent : «À samedi prochain ! »

En remontant la Delaware Avenue, Woody se tourna vers son frère : «C'était sympa, mais je ne sais pas très bien à quoi ça sert.

— Comment ça? demanda Chuck surpris.

— On n'aide pas leurs pères à retrouver un emploi, et en fait, c'est la seule chose qui leur serait vraiment utile.

— Peut-être que leurs fils obtiendront plus facilement du boulot dans quelques années.» Buffalo était une ville portuaire : en temps normal, les navires marchands qui faisaient la navette entre les grands lacs et le canal de l'Érié, sans compter la navigation de plaisance, offraient des milliers d'emplois.

«À condition que le Président arrive à remettre l'économie sur les rails.

— Dans ce cas, va donc bosser pour Roosevelt, rétorqua Chuck en haussant les épaules.

— Et pourquoi pas? Papa a bien travaillé pour Woodrow Wilson.

— Moi, je préfère la voile.»

Woody consulta sa montre-bracelet. «On a juste le temps de se changer pour le bal, il va falloir se grouiller.» Le Racquet-

Club organisait un dîner dansant que Woody n'aurait manqué sous aucun prétexte. « Après une journée de bateau, j'aspire à la compagnie de créatures à la peau douce, qui parlent d'une voix flûtée et portent des robes roses.

— Hou ! fit Chuck moqueur. Joanne Rouzrokh n'a jamais porté de rose de sa vie. »

Woody en fut désarçonné. Cela faisait quinze jours qu'il rêvait effectivement de Joanne toute la journée et la moitié de la nuit, mais comment son frère pouvait-il le savoir ? « Qu'est-ce qui te fait croire...

— Oh, allons ! lança Chuck avec mépris. Quand elle est arrivée au pique-nique dans sa jupe de tennis, tu as failli tourner de l'œil. Tout le monde a bien vu que tu as le béguin pour elle. Heureusement, elle n'a pas eu l'air de le remarquer, elle.

— Pourquoi "heureusement" ?

— Arrête ton char, Woody ! Tu as quinze ans et elle dix-huit ! Mets-toi un peu à sa place ! C'est un mari qu'elle cherche, pas un collégien.

— Mince, c'est vrai ! Excuse-moi J'avais oublié que tu es *le* spécialiste en matière de femmes. »

Chuck rougit. Il n'avait jamais eu de petite amie. « Pas besoin d'être spécialiste pour voir la réalité en face. »

Ils se parlaient tout le temps sur ce ton, mais il n'y avait aucune malveillance dans leurs propos : ils étaient simplement d'une franchise brutale. Étant frères, ils jugeaient inutile de prendre des gants.

La voiture se rangea devant un hôtel particulier de style pseudo-gothique construit par leur défunt grand-père, le sénateur Cameron Dewar. Ils se précipitèrent à l'intérieur pour se doucher et se changer.

Désormais aussi grand que leur père, Woody enfila un vieil habit de soirée de celui-ci. Il était un peu usé, mais cela n'avait pas d'importance. Les plus jeunes porteraient des uniformes d'école ou des blazers, mais les étudiants mettraient des smokings, et Woody tenait à se vieillir un peu. Ce soir, il danserait avec elle, songea-t-il, le cœur battant, en se lissant les cheveux à la brillantine. Il la tiendrait dans ses bras et sentirait sous ses paumes la chaleur de sa peau. Il la regarderait dans les yeux et elle lui sourirait. Ses seins effleureraient sa veste pendant qu'ils danseraient.

Dès qu'il fut prêt, il rejoignit ses parents au salon. Papa

buvait un cocktail, Mama fumait une cigarette. Long et efflanqué, Papa avait l'air d'un cintre dans son smoking croisé. Mama était belle, malgré son œil fermé en permanence – une malformation de naissance. Elle était superbe ce soir-là dans une robe longue, dentelle noire sur soie rouge, recouverte d'une courte veste de soirée de velours noir.

La grand-mère de Woody arriva la dernière. À soixante-huit ans, elle était toujours élégante et pleine d'assurance, aussi mince que son fils, mais plus petite. Elle posa les yeux sur la robe de Mama et dit d'un ton élogieux : «Rosa, ma chère, vous êtes magnifique.» Elle se montrait toujours aimable avec sa bru. Avec tous les autres, elle était hargneuse.

Gus lui prépara un cocktail sans qu'elle le lui demande. Woody dissimula son impatience pendant qu'elle le buvait en prenant son temps. Il était parfaitement superflu d'essayer de presser Grandmama. Elle était intimement persuadée qu'aucun événement mondain ne pouvait commencer tant qu'elle n'était pas là : elle était la grande vieille dame de la haute société de Buffalo, veuve et mère de sénateur, la doyenne de l'une des familles les plus anciennes et les plus en vue de la ville.

Woody se demanda à quel moment il était tombé amoureux de Joanne. Il la connaissait depuis toujours, ou presque, mais avait longtemps tenu les filles pour des spectatrices insignifiantes des aventures passionnantes des garçons : tout avait changé pourtant deux ou trois ans auparavant, et elles étaient soudain devenues plus fascinantes à ses yeux que les voitures et les hors-bord. À l'époque, il s'intéressait davantage aux filles de son âge, un peu plus jeunes même. Joanne, quant à elle, le traitait en gamin – un gamin intelligent, certes, avec qui on pouvait discuter agréablement de temps en temps, mais certainement pas comme un petit ami potentiel. Et voilà que cet été, sans qu'il comprenne vraiment pourquoi, il s'était mis à la considérer comme la fille la plus séduisante du monde. Malheureusement, les sentiments de Joanne à son égard n'avaient pas évolué dans le même sens.

Pas encore.

Grandmama posait une question à son frère : «Comment ça marche en classe, Chuck ?

— Atrocement mal, Grandmama, vous le savez très bien. Je suis l'abruti de la famille, le vivant vestige de nos aïeux chimpanzés.

— Je n'ai jamais, me semble-t-il, entendu un abruti parler de ses "aïeux chimpanzés". Es-tu bien sûr que la paresse n'y est pour rien ? »

Rosa prit la défense de son fils : « Les professeurs de Chuck disent qu'il travaille dur en classe, Mère.

— En plus, il me bat aux échecs, ajouta Gus.

— Dans ce cas, je voudrais bien savoir ce qui ne va pas, insista Grandmama. S'il continue comme ça, il ne sera pas admis à Harvard.

— Je lis lentement, c'est tout, se justifia Chuck.

— Tu m'en diras tant. Mon beau-père, ton arrière-grand-père paternel était banquier et il a mieux réussi que tous les autres membres de sa génération. Or c'est à peine s'il savait lire et écrire.

— On ne m'avait jamais dit ça, remarqua Chuck.

— Et pourtant c'est vrai. Mais n'y trouve pas une excuse. Il faut que tu travailles plus dur. »

Gus regarda sa montre. « Si tu es prête, Mère, nous ferions mieux d'y aller. »

Ils montèrent enfin en voiture et prirent la direction du club. Papa avait réservé une table pour le dîner et invité les Renshaw et leurs enfants, Dot et George. Woody parcourut la salle du regard sans apercevoir Joanne, à sa grande déception. Il vérifia le plan de la salle, disposé sur un chevalet à l'entrée, et constata, consterné, qu'il n'y avait pas de table retenue pour les Rouzrokh. Auraient-ils décidé de ne pas venir ? Sa soirée serait gâchée.

Pendant le homard et le bifteck, la conversation porta exclusivement sur les événements qui se déroulaient en Allemagne. Philip Renshaw trouvait qu'Hitler faisait du bon travail. Le père de Woody objecta : « Si j'en crois le *Sentinel* d'aujourd'hui, un prêtre catholique s'est retrouvé en prison pour avoir critiqué Hitler.

— Vous êtes catholique ? s'étonna Mr. Renshaw.

— Non, épiscopalien.

— Voyons, Philip, ce n'est pas une question de religion, intervint Rosa sèchement. Il s'agit de liberté. » La mère de Woody avait été anarchiste dans sa jeunesse et restait libertaire dans l'âme.

Certains préféraient dîner chez eux et ne venir que pour le bal, et d'autres gens firent leur entrée au moment où l'on servait le dessert aux Dewar. Woody surveillait la porte du coin de l'œil, espérant toujours voir apparaître Joanne. Dans la salle contiguë, un orchestre se mit à jouer «The Continental», un grand succès de l'année précédente.

Il aurait été bien en peine de dire pourquoi Joanne lui plaisait tant. La plupart des gens ne l'auraient pas considérée comme une beauté, mais elle ne passait pas inaperçue. Elle ressemblait à une princesse aztèque avec ses pommettes hautes et le même nez en cimeterre que son père, Dave. Ses cheveux étaient noirs et épais et son teint légèrement bistre, en raison, bien sûr, de ses origines persanes. Il émanait d'elle une intense mélancolie qui donnait à Woody envie de mieux la connaître, de la rasséréner et de l'entendre lui parler tout bas de tout et de rien. Il avait le sentiment que sa présence remarquable était le signe d'un caractère terriblement passionné. Sa propre prétention à s'y connaître en femmes le fit sourire.

«Tu cherches quelqu'un, Woody?» demanda Grandmama à qui rien n'échappait jamais.

Chuck rit sous cape d'un air entendu.

«Je me demandais simplement qui viendrait au bal», répondit Woody avec désinvolture, mais il ne put s'empêcher de rougir.

Il ne l'avait toujours pas aperçue quand sa mère se leva et qu'ils sortirent de table. Il errait comme une âme en peine dans la salle de bal aux accents de «Moonglow» de Benny Goodman, quand soudain, Joanne fut là : elle avait dû arriver alors qu'il regardait ailleurs. Son moral remonta en flèche.

Elle portait ce soir-là une robe de soie gris-vert d'une simplicité spectaculaire avec un profond décolleté en V qui mettait sa silhouette en valeur. Elle avait été sensationnelle dans sa jupe de tennis qui dévoilait ses longues jambes, mais cette tenue-là était encore plus séduisante. En la voyant évoluer à travers la salle, gracieuse et assurée, Woody en eut la gorge serrée.

Il s'avança vers elle, mais la salle de bal était comble désormais et il se découvrit d'un coup une popularité exaspérante : tout le monde voulait lui parler. Tandis qu'il se frayait laborieusement un passage à travers la foule, il s'étonna de voir ce vieux Charlie Farquharson, un type rasoir au possible, danser avec la pimpante Daisy Pechkov. Il ne se rappelait pas avoir jamais vu Charlie danser avec qui que ce fût, et certainement pas avec une fille aussi mignonne que Daisy. Par quel prodige était-elle arrivée à le faire sortir de sa coquille?

Quand il rejoignit Joanne, elle était tout au fond de la salle, loin de l'orchestre. À sa vive contrariété, il la trouva en grande discussion avec un groupe de garçons de quatre ou cinq ans de plus que lui. Par bonheur, il était très grand, ce qui rendait la différence d'âge moins visible. Ils avaient tous un verre de Coca à la main, mais Woody huma une odeur de scotch : l'un d'eux devait avoir une flasque dans sa poche.

En arrivant à leur niveau, il entendit Victor Dixon affirmer d'un ton péremptoire : « Personne n'est favorable au lynchage, bien sûr, mais il faut comprendre les problèmes du Sud. »

Woody savait que le sénateur Wagner avait déposé un projet de loi visant à sanctionner les shérifs qui autorisaient les lynchages, et que le président Roosevelt avait refusé de soutenir ce texte.

Joanne était scandalisée. « Comment peux-tu dire une chose pareille, Victor ? C'est de l'assassinat pur et simple ! Il ne s'agit pas de comprendre leurs problèmes, il s'agit de les empêcher de tuer des gens ! »

Woody constata avec joie que Joanne partageait ses idées politiques. Mais de toute évidence, ce n'était malheureusement pas le bon moment pour l'inviter à danser.

« Tu ne comprends pas, mon chou, pérora Victor. Ces Nègres du Sud ne sont pas vraiment des êtres civilisés. »

Je suis peut-être jeune et inexpérimenté, songea Woody, mais je n'aurais jamais commis l'erreur de parler à Joanne sur un ton aussi condescendant.

« Ce sont ceux qui procèdent à des lynchages qui ne sont pas civilisés ! » lança-t-elle.

Woody décida que c'était le moment d'apporter sa pierre au débat. « Joanne a raison, dit-il en essayant de se vieillir en prenant un timbre plus grave que d'ordinaire. Il y a eu un lynchage dans la ville natale de nos gens de maison, Joe et Betty, qui se sont occupés de nous, mon frère et moi, depuis notre petite enfance. Le cousin de Betty a été déshabillé et brûlé avec une lampe à souder, sous les yeux de la foule. Puis ils l'ont pendu. » Victor lui jeta un regard furibond, irrité de voir un gamin détourner l'attention de Joanne ; mais les autres l'écoutaient avec un intérêt horrifié. « Peu importe quel délit il avait commis, poursuivit Woody. Les Blancs qui ont fait ça sont des sauvages.

« — En attendant, ton cher président Roosevelt n'a pas soutenu la loi antilynchage, remarqua Victor.

— En effet, et ça me déçoit beaucoup, convint Woody. Mais je sais pourquoi il a pris cette décision : il a eu peur que des congressistes du Sud furieux ne sabotent le New Deal par représailles. N'empêche que j'aurais bien voulu qu'il leur dise d'aller se faire voir.

— Qu'est-ce que tu comprends à tout ça ? demanda Victor. Tu n'es qu'un gosse. » Il sortit une flasque d'argent de sa poche de veste et versa un peu de son contenu dans son verre.

« Woody a des idées politiques plus mûres que les tiennes, Victor », protesta Joanne.

Woody rougit de fierté : « La politique est une sorte d'affaire de famille. » À son grand agacement, il se sentit alors tiré par le coude. Trop bien élevé pour feindre de ne l'avoir pas remarqué, il se tourna et découvrit Charlie Farquharson, tout transpirant après s'être démené sur la piste de danse.

« Je peux te parler un instant ? » demanda Charlie.

Woody résista à la tentation de l'envoyer paître. Charlie était plutôt sympathique et ne faisait de mal à personne. On ne pouvait que compatir de le voir affligé d'une mère pareille. « Oui, Charlie, qu'y a-t-il ? » répondit-il avec toute la bonne volonté qu'il parvint à mobiliser.

« C'est à propos de Daisy.

— Je vous ai vus danser ensemble.

— Elle danse drôlement bien, n'est-ce pas ? »

Cela n'avait pas frappé Woody, mais il répondit gentiment : « Super !

— C'est vraiment une fille épatante.

— Charlie, chuchota Woody, essayant de bannir toute nuance d'incrédulité de sa voix, vous sortez ensemble, Daisy et toi ? »

Charlie prit l'air décontenancé. « On est allés faire du cheval au parc ensemble, deux ou trois fois, ce genre de chose.

— Donc, vous sortez ensemble. » Woody n'en revenait pas. On aurait eu peine à imaginer couple plus mal assorti : Charlie était un tel empoté, et Daisy était à croquer.

Charlie ajouta : « Elle n'est pas comme les autres filles, tu sais. C'est tellement facile de lui parler ! Et puis elle adore les chiens et les chevaux. Mais les gens disent que son père est un gangster.

— Je pense qu'ils ont raison, Charlie. Tout le monde lui achetait de l'alcool pendant la prohibition.

« — C'est ce que prétend ma mère.

— Elle n'apprécie pas beaucoup Daisy, si je comprends bien.

— Oh, Daisy, ça va, elle l'aime bien. C'est sa famille qui ne lui plaît pas. »

Une idée encore plus extravagante traversa l'esprit de Woody. « Parce que tu envisages de l'*épouser*?

— Eh oui, j'y songe, acquiesça Charlie. Et je suis presque sûr que si je lui faisais ma demande, elle accepterait. »

Après tout, se dit Woody, Charlie faisait partie de l'élite sociale mais n'avait pas d'argent, à l'inverse de Daisy. Peut-être se compléteraient-ils. « On a déjà vu des choses plus bizarres », observa-t-il. C'était captivant, mais il aurait préféré se concentrer sur sa propre vie sentimentale. Il jeta un coup d'œil autour de lui, vérifiant que Joanne était toujours dans les parages. « Pourquoi est-ce que tu me racontes ça ? » demanda-t-il à Charlie. Ils n'étaient pas vraiment amis, après tout.

« Ma mère changerait peut-être d'avis si Mrs. Pechkov était invitée à devenir membre de la Société des dames de Buffalo.

— Quoi, le cercle le plus snob de la ville ? s'étonna Woody, pris au dépourvu.

— Oui. Si Olga Pechkov en faisait partie, Maman ne pourrait rien trouver à redire à ce que j'épouse Daisy. Tu comprends ? »

Woody ignorait si le stratagème serait efficace, mais il ne pouvait douter de la chaleur et de la sincérité des sentiments de Charlie. « Tu as peut-être raison.

— Tu serais d'accord pour en parler à ta grand-mère ?

— Quoi ? Attends, Charlie, Grandmama Dewar est un dragon. Je ne lui demanderais jamais une faveur pour moi-même, alors pour quelqu'un d'autre, tu imagines !

— Woody, écoute-moi. Tu sais aussi bien que moi qu'elle fait la pluie et le beau temps dans cette petite clique. Si elle veut faire entrer quelqu'un, tout le monde s'inclinera. Dans le cas contraire, ce n'est même pas la peine d'y penser. »

C'était vrai. La Société avait une présidente, une secrétaire et une trésorière, mais Ursula Dewar administrait le club comme sa propriété privée. Woody n'en était pas moins réticent à lui réclamer une faveur. Elle risquait de le rembarrer brutalement. « Je ne sais pas trop, murmura-t-il contrit.

— Oh, voyons, Woody, s'il te plaît ! Tu ne comprends pas. » Charlie baissa le ton. « Tu ne sais pas ce que c'est d'aimer quelqu'un à ce point. »

Justement si, songea Woody, ce qui emporta sa décision. Si Charlie est aussi malheureux que moi, comment pourrais-je avoir le cœur de lui refuser ce service ? J'espère que quelqu'un en ferait autant pour moi, si cela pouvait me donner de meilleures chances auprès de Joanne. « D'accord, Charlie. Je lui parlerai.

— Merci ! C'est vraiment sympa. Dis-moi, elle est là ce soir, non ? Tu ne pourrais pas faire ça tout de suite ?

— Hé, arrête. J'ai d'autres chats à fouetter.

— Oui, bon, je comprends... Quand alors ? »

Woody haussa les épaules. « Demain.

— Tu es un vrai copain !

— Ne me remercie pas encore. Elle refusera certainement. »

Quand Woody se retourna pour parler à Joanne, elle avait disparu.

Il faillit se mettre à sa recherche, mais se ravisa. Il ne fallait pas donner l'impression de lui courir après. Un garçon collant n'avait rien de séduisant, c'était au moins une chose qu'il savait.

Il dansa consciencieusement avec plusieurs autres filles : Dot Renshaw, Daisy Pechkov et Eva, l'amie allemande de Daisy. Il alla chercher un Coca et sortit rejoindre un groupe de garçons qui fumaient dehors. George Renshaw versa un peu de scotch dans le Coca de Woody, qui en améliora le goût, mais il ne voulait pas s'enivrer. Cela lui était déjà arrivé, et il en gardait un mauvais souvenir.

Joanne choisirait certainement un homme qui partagerait ses intérêts intellectuels, pensait Woody – ce qui excluait Victor Dixon. Woody l'avait entendue citer un jour les noms de Karl Marx et de Sigmund Freud. Il était allé lire le *Manifeste du parti communiste* à la bibliothèque publique, mais n'y avait vu qu'une diatribe politique plutôt assommante. Les *Études sur l'hystérie* de Freud, qui présentaient la maladie mentale comme une sorte d'enquête policière, l'avaient plus intéressé. Il aurait bien voulu faire savoir à Joanne, en passant, qu'il avait lu ces livres.

Il n'avait pas renoncé à danser avec elle au moins une fois dans la soirée, et finit par essayer de la trouver. Elle n'était ni dans la salle de bal, ni au bar. Avait-il laissé passer sa chance ? En essayant de ne pas lui manifester trop d'intérêt, s'était-il montré trop passif ? L'idée que le bal puisse s'achever sans même qu'il ait posé la main sur son épaule était intolérable.

Il sortit. Il faisait noir, mais il l'aperçut presque tout de suite.

Elle s'éloignait de Greg Pechkov, le teint un peu empourpré, comme si elle s'était disputée avec lui. « Quelle bande de foutus conservateurs ! lança-t-elle à Woody. Tu dois être le seul ici à ne pas penser comme eux. » Elle avait l'air un peu grise.

Woody sourit. « Merci pour le compliment – si c'en est un.

— Tu es au courant pour le défilé de demain ? »

Il savait que les grévistes de la fonderie de Buffalo avaient prévu de manifester pour protester contre le passage à tabac des syndicalistes new-yorkais. Woody devina qu'elle s'était querellée avec Greg à ce propos : son père était propriétaire de l'usine. « J'avais l'intention d'y aller, approuva-t-il. Je pourrais prendre quelques photos.

— Tu es un ange », dit-elle et elle l'embrassa.

Il fut tellement surpris qu'il faillit bien ne pas réagir. Pendant une seconde, il resta là, figé, pendant qu'elle écrasait sa bouche contre la sienne. Il sentait le goût du whisky sur ses lèvres.

Puis il se réveilla. Il la prit dans ses bras et serra son corps contre le sien, sentant avec émoi ses seins et ses hanches se presser contre lui. Une partie de son cerveau craignait qu'elle ne s'offusque, ne le repousse et ne lui reproche avec colère de lui manquer de respect ; mais un instinct plus profond lui disait qu'il était en terrain sûr.

Il n'avait pas une grande expérience des baisers – et n'en avait jamais échangé avec une femme mûre de dix-huit ans – mais le contact de sa bouche si douce était un tel délice qu'il frotta ses lèvres contre les siennes, la mordillant très délicatement, ce qui lui procura un plaisir extrême. Il en fut récompensé en l'entendant gémir tout bas.

Il était vaguement conscient que si un adulte passait par là, la situation pourrait être embarrassante, mais il était trop excité pour s'en préoccuper vraiment.

La bouche de Joanne s'entrouvrit et il sentit sa langue se glisser dans la sienne. C'était nouveau pour lui : les rares filles qu'il avait embrassées n'avaient pas fait ça. Mais il se dit qu'elle devait avoir de l'expérience, et d'ailleurs, c'était divin. Il imita les mouvements de sa langue avec la sienne. C'était d'une intimité incroyable, et terriblement émoustillant. Sans doute était-ce ce qu'il fallait faire, car elle recommença à gémir.

Prenant son courage à deux mains, il posa la main droite sur son sein gauche. Il était merveilleusement doux et renflé sous la soie de sa robe. Tout en le caressant, il sentit sous des doigts une légère protubérance et songea, avec un frémissement, qu'il devait s'agir de son mamelon. Il le frotta du bout du pouce.

Elle le repoussa brutalement. « Seigneur Dieu ! s'écria-t-elle. Mais qu'est-ce que je suis en train de faire ?

— De m'embrasser », répondit Woody au comble de la joie. Il posa les mains sur ses hanches arrondies, sentant la chaleur de sa peau à travers la robe de soie. « Recommençons, tu veux bien ? »

Elle détacha ses mains. « J'ai dû perdre la tête. Enfin, tout de même, nous sommes au Racquet-Club ! »

Le charme était rompu, constata Woody chagrin, il n'y aurait pas d'autre baiser ce soir-là. Il regarda autour de lui. « Ne t'en fais pas, chuchota-t-il. Personne ne nous a vus. » Cette atmosphère de conspiration l'enchantait.

« Je ferais mieux de rentrer chez moi avant de faire encore pire. »

Il essaya de ne pas se sentir blessé. « Je peux te raccompagner jusqu'à ta voiture ?

— Tu es fou ? Si nous rentrons ensemble, tout le monde se doutera de ce qui s'est passé : surtout si tu continues à sourire comme un idiot du village. »

Woody chercha à afficher une mine plus sévère. « Dans ce cas, tu n'as qu'à entrer la première. J'attendrai ici une minute ou deux.

— Bonne idée. » Elle s'éloigna.

« À demain ! » lui cria-t-il.

Elle ne se retourna pas.

5.

Ursula Dewar occupait un appartement personnel dans le vieil hôtel particulier victorien de Delaware Avenue. Elle disposait d'une chambre, d'une salle de bains et d'un dressing. Après la mort de son mari, elle avait transformé le dressing en petit salon. La plupart du temps néanmoins, elle avait toute la maison à elle : Gus et Rosa passaient beaucoup de temps à Washington, et Woody et Chuck étaient en pension. Mais quand ils étaient tous là, elle passait une bonne partie de la journée dans son logement particulier.

Woody vint lui parler le dimanche matin. Il était encore sur son petit nuage après le baiser de Joanne, bien qu'il eût passé la moitié de la nuit à se demander quelle conclusion en tirer. Authentique amour ou ivresse tout aussi authentique, il pouvait avoir de nombreuses significations. La seule chose dont il était sûr était qu'il mourait d'envie de revoir Joanne le plus vite possible.

Il entra dans la chambre de sa grand-mère derrière la servante, Betty, qui venait lui apporter son plateau du petit déjeuner. Il avait été heureux que Joanne soit scandalisée par la manière dont la famille de Betty, dans le Sud, avait été traitée. En politique, on privilégiait trop, selon lui, les débats dénués de passion. Il *fallait* se mettre en colère devant la cruauté et l'injustice.

Grandmama était déjà assise dans son lit, un châle de dentelle réchauffant sa chemise de nuit de soie couleur taupe. « Bonjour, Woodrow, fit-elle, surprise.

— J'aimerais bien prendre une tasse de café avec vous, Grandmama, si vous voulez bien. » Il avait déjà demandé à Betty d'apporter deux tasses.

« C'est un honneur pour moi », répondit Ursula.

Betty, une femme à cheveux gris d'une cinquantaine d'années dotée d'une silhouette que l'on aurait pu dire confortable, posa le plateau devant Ursula et Woody versa le café dans les tasses en porcelaine de Saxe.

Il avait un peu réfléchi à ce qu'il allait dire et avait passé en revue tous ses arguments. La prohibition appartenait au passé, et Lev Pechkov était désormais un homme d'affaires respectable, expliquerait-il à sa grand-mère. De plus, il n'était pas juste que Daisy subisse les conséquences des actes illicites de son père – d'autant plus que la plupart des familles respectables de Buffalo lui avaient acheté de l'alcool de contrebande.

« Vous connaissez Charlie Farquharson ? commença-t-il.

— Oui. »

Bien sûr. Elle connaissait toutes les familles du gotha de Buffalo.

« Veux-tu un morceau de toast ? proposa-t-elle.

— Non, merci, j'ai déjà pris mon petit déjeuner.

— Les garçons de ton âge ont toujours de l'appétit. » Elle lui jeta un regard perspicace. « Sauf quand ils sont amoureux. »

Elle était en forme ce matin.

«La mère de Charlie le mène un peu à la baguette», remarqua Woody.

«Elle en faisait autant avec son mari, fit Ursula d'un ton pince-sans-rire. Le malheureux n'a trouvé qu'une façon de se libérer : mourir.» Elle but une gorgée de café et commença à manger son pamplemousse à la fourchette.

«Charlie est venu me voir hier soir et m'a prié de vous demander une faveur.»

Elle haussa un sourcil mais resta muette.

Woody inspira profondément. «Il voudrait que vous invitiez Mrs. Pechkov à être membre de la Société des dames de Buffalo.»

Ursula laissa tomber sa fourchette, et l'argent tinta contre la porcelaine fine. Comme pour dissimuler son émoi, elle dit : «Ressers-moi un peu de café, veux-tu, Woody?»

Il obtempéra, sans ajouter un mot. Il ne se rappelait pas l'avoir jamais vue aussi déconcertée.

Elle but une gorgée puis releva la tête : «Pourquoi diable Charles Farquharson, ou qui que ce soit d'autre au demeurant, souhaite-t-il qu'Olga Pechkov soit admise dans la Société?

— Il veut épouser Daisy.

— Vraiment?

— Et il a peur que sa mère ne s'y oppose.

— Sur ce point, il n'a sûrement pas tort.

— Mais il pense qu'il arriverait à la convaincre...

— Si je faisais admettre Olga dans la Société.

— Les gens oublieraient peut-être que son père a été un gangster.

— Un gangster?

— Enfin, un bootlegger du moins.

— Oh, ça! lança Ursula avec dédain. Ce n'est pas le problème.

— Ah bon?» C'était au tour de Woody d'être étonné. «Mais alors, c'est quoi?»

Ursula prit l'air pensif. Elle resta silencieuse si longtemps que Woody se demanda si elle n'avait pas oublié sa présence. «Ton père a été amoureux d'Olga Pechkov autrefois, dit-elle enfin.

— La vache!

— Je t'en prie, ne sois pas grossier.

— Excusez-moi, Grandmama, mais je ne m'attendais pas à ça.

— Ils étaient même fiancés.

138

— Fiancés ?» fit-il, médusé. Et après une minute de réflexion, il ajouta : «Je dois être le seul à Buffalo à ne pas être au courant, non ?»

Elle lui sourit. «Il y a un curieux mélange de sagesse et d'innocence typique des adolescents. Je m'en souviens très bien chez ton père et je le retrouve chez toi. Oui, tout le monde à Buffalo le sait, mais ta génération considère certainement cette information comme de l'histoire ancienne dénuée de tout intérêt.

— Et que s'est-il passé ? interrogea Woody. Je veux dire, qui a rompu ?

— Elle, quand elle est tombée enceinte.»

Woody en demeura bouche bée. «De Papa ?

— Mais non, de son chauffeur : Lev Pechkov.

— C'était son chauffeur ?» Woody resta muet un instant, cherchant à encaisser cette succession de coups. «Oh là là, Papa a dû se sentir drôlement bête.

— Ton père n'a jamais été bête, rétorqua sèchement Ursula. La seule bêtise qu'il ait commise dans sa vie a été de demander Olga en mariage.»

Woody se rappela alors sa mission. «Tout de même, Grandmama, ça remonte à sacré longtemps.

— Sacrément. Il faut un adverbe, mon chéri, pas un adjectif. Mais ton jugement est meilleur que ta grammaire. Ça *fait* longtemps, tu as raison.»

Tout espoir n'était peut-être pas perdu. «Alors vous voulez bien ?

— Comment ton père le prendrait-il, selon toi ?»

Woody réfléchit. Il était inutile d'essayer de noyer le poisson, sa grand-mère verrait immédiatement clair dans son jeu. «Ce qu'il en penserait ? J'imagine qu'il n'apprécierait pas beaucoup et que la présence d'Olga lui rappellerait un épisode humiliant de sa jeunesse.

— Tu imagines bien.

— D'un autre côté, il tient à faire preuve d'équité envers tous ceux qui l'entourent. Il a horreur de l'injustice. Il ne voudrait sûrement pas punir Daisy à la place de sa mère. Et encore moins punir Charlie. Papa a bon cœur.

— Contrairement à moi, c'est cela ? ironisa Ursula.

— Ce n'est pas ce que je voulais dire, Grandmama. Mais je suis presque sûr que si vous lui posiez la question, il ne s'opposerait pas à l'admission d'Olga dans la Société.»

Ursula hocha la tête. «Je suis de ton avis. Mais je me demande si tu t'es interrogé sur la véritable origine de cette initiative?»

Woody comprit où elle voulait en venir. «Oh, vous pensez que c'est Daisy qui a suggéré ça à Charlie? C'est bien possible. Mais est-ce que ça change quelque chose aux tenants et aux aboutissants de l'affaire?

— Je pense que non.

— Alors, vous voulez bien?

— Je suis heureuse d'avoir un petit-fils qui a bon cœur – même si je le soupçonne de se faire manipuler par une jeune fille maligne et ambitieuse.»

Woody sourit. «Ça veut dire oui, Grandmama?

— Je ne peux rien te promettre, comprends-moi bien. Mais je soumettrai cette proposition au comité.»

La moindre suggestion d'Ursula était considérée par toutes ces dames comme une injonction royale, ce que Woody se garda bien de faire remarquer à sa grand-mère. «Merci, Grandmama. C'est vraiment gentil de votre part.

— Maintenant, embrasse-moi et va te préparer pour la messe.»

Woody s'esquiva.

Il oublia promptement Charlie et Daisy. Assis dans la cathédrale St Paul de Shelton Square, il n'écouta pas un mot du sermon – consacré à Noé et au Déluge – et n'eut de pensées que pour Joanne Rouzrokh. Ses parents étaient à l'église, mais elle ne les avait pas accompagnés. Se rendrait-elle vraiment à la manifestation? Si elle y était, il lui demanderait un rendez-vous. Accepterait-elle?

Elle était trop intelligente pour s'arrêter à leur différence d'âge, supposait-il. Elle savait forcément qu'elle partageait plus de points communs avec Woody qu'avec des abrutis comme Victor Dixon. Et ce baiser! Il en avait encore des fourmillements sur les lèvres. Ce qu'elle avait fait avec sa langue... Est-ce que les autres filles faisaient pareil? Il n'avait qu'une envie : réessayer, aussi tôt que possible.

Si elle acceptait de sortir avec lui, que se passerait-il en septembre? Il savait qu'elle devait partir pour Vassar College, dans la ville de Poughkeepsie. Quant à lui, il retournerait au lycée et ne la verrait donc pas avant Noël. Vassar était une université réservée aux jeunes filles, mais il y avait forcément des hommes à Poughkeepsie. Et si elle sortait avec d'autres garçons? Il était déjà jaloux.

Devant l'église, il annonça à ses parents qu'il ne rentrerait pas déjeuner parce qu'il allait à la manifestation.

« C'est bien », approuva sa mère qui avait été rédactrice en chef du *Buffalo Anarchist* dans sa jeunesse. Elle s'adressa ensuite à son mari. « Tu devrais y aller toi aussi, Gus.

— Le syndicat a engagé des poursuites, se justifia-t-il. Tu sais bien que je ne peux pas préjuger de l'issue d'un procès. »

Elle se tourna vers Woody. « Débrouille-toi simplement pour ne pas te faire tabasser par les sbires de Lev Pechkov. »

Woody prit son appareil photo dans le coffre de la voiture de son père. C'était un Leica III, d'assez petit format pour qu'il puisse le porter autour du cou avec une lanière, mais dont la vitesse d'obturation pouvait aller jusqu'à un cinq centièmes de seconde.

Il traversa quelques rues pour rejoindre Niagara Square, où les manifestants devaient se rassembler. Lev Pechkov avait cherché à convaincre la ville d'interdire la manifestation en allé-guant le risque de violences, mais le syndicat avait souligné ses intentions pacifiques. Il avait apparemment eu gain de cause, car plusieurs centaines de personnes se bousculaient devant la mairie. Beaucoup brandissaient des banderoles portant des slo-gans, des drapeaux rouges et des pancartes disant NON AUX BRUTALITÉS PATRONALES. Woody fit le tour de la foule à la recherche de Joanne, en vain.

Il faisait beau et l'humeur des manifestants était à l'image du temps. Il prit quelques clichés : des ouvriers en chapeau et cos-tume du dimanche, une voiture tout enrubannée de bande-roles; un jeune flic qui se rongeait les ongles. Toujours pas trace de Joanne, et il commença à se dire qu'elle ne viendrait pas. Elle avait peut-être eu mal à la tête en se réveillant.

Le départ avait été prévu à midi, mais ils ne se mirent en marche qu'un peu avant une heure. La présence policière était importante tout au long du parcours, observa Woody, qui s'était avancé jusqu'au centre du cortège.

Alors qu'ils se dirigeaient vers le sud en empruntant Washington Street pour gagner le cœur industriel de la ville, il vit Joanne rejoindre la manifestation deux ou trois mètres devant lui. Son cœur s'arrêta de battre. Elle portait un pantalon ajusté qui mettait ses formes en valeur. Il pressa le pas pour la rattraper. «Bonjour! lança-t-il d'un ton enjoué.

— Tu as l'air de drôlement bonne humeur, dis-moi», remarqua-t-elle.

C'était peu dire. Il était fou de bonheur. «Tu as la gueule de bois?

— Ça doit être ça, ou alors c'est la peste noire. À ton avis?

— Si tu as une éruption, c'est sûrement la peste. Tu as des bubons?» Woody savait à peine ce qu'il disait. «Je ne suis pas médecin, mais je veux bien t'examiner.

— Arrête un peu. Quelle agitation! C'est peut-être charmant, mais franchement, tu m'épuises.»

Woody essaya de reprendre son calme. «Tu nous as manqué à l'église, dit-il très sérieusement. Il y a eu un sermon sur Noé.»

À sa grande consternation, elle éclata de rire. «Oh, Woody, lança-t-elle. Je t'adore quand tu es drôle, mais je t'en supplie, ne me fais pas rire aujourd'hui.»

Cette remarque était sans doute flatteuse, mais il était loin d'en être sûr.

Il repéra une épicerie ouverte dans une rue latérale. «Il faut que tu te réhydrates, affirma-t-il. Je reviens tout de suite.» Il courut jusqu'au magasin et acheta deux bouteilles de Coca, sorties du réfrigérateur. Il demanda à l'épicier de les ouvrir puis rejoignit le cortège. Quand il en tendit une à Joanne, elle s'écria : «Oh, tu me sauves la vie!» Approchant la bouteille de ses lèvres, elle but à longs traits.

Pour le moment, Woody trouvait qu'il ne s'en sortait pas trop mal. La manifestation était bon enfant, malgré l'incident brutal à l'origine de son organisation. Un groupe d'hommes d'un certain âge chantait des hymnes révolutionnaires et des airs traditionnels. Plusieurs familles étaient même venues avec des enfants. Et il n'y avait pas un nuage dans le ciel.

«Tu as lu les *Études sur l'hystérie*? demanda Woody pendant qu'ils marchaient.

— Jamais entendu parler.

— Oh! C'est un bouquin de Sigmund Freud. Je croyais que tu étais une de ses grandes admiratrices.

— Je m'intéresse à ses idées. Mais je n'ai jamais rien lu de lui.

— Tu devrais. Les *Études sur l'hystérie* sont tout à fait passionnantes.»

Elle lui jeta un regard en coin. «Pourquoi est-ce que tu lis des trucs pareils? On ne donne sûrement pas de cours de psychologie dans ton lycée de rupins. Les profs sont plutôt vieux jeu, non?

— En fait, je ne sais pas vraiment. Il me semble t'avoir entendue parler de psychanalyse et je me suis dit que ça avait l'air drôlement chouette. Et effectivement, ça l'est.

— Comment ça?»

Woody avait l'impression qu'elle le mettait à l'épreuve, qu'elle voulait voir s'il avait vraiment lu ce livre ou s'il ne faisait que frimer. «L'idée qu'une action cinglée à première vue, comme de renverser de l'encre sur une nappe de façon obsessionnelle, puisse répondre à une sorte de logique cachée.»

Elle hocha la tête. «Ouais, acquiesça-t-elle. C'est ça.»

Woody saisit intuitivement qu'elle ne comprenait rien à ce qu'il lui racontait. Il l'avait déjà dépassée dans sa connaissance de Freud et elle ne voulait pas l'admettre.

«Quel est ton passe-temps préféré? lui demanda-t-il alors. Le théâtre? La musique classique? J'imagine qu'aller au cinéma n'a plus rien d'exceptionnel pour quelqu'un dont le père est propriétaire d'une centaine de salles.

— Pourquoi tu me demandes ça?

— Eh bien...» Il se jeta à l'eau. «Je voudrais te proposer une sortie, alors autant te tenter avec quelque chose qui te fasse vraiment envie. Dis-moi quoi, et je t'invite.»

Elle lui sourit, mais ce n'était pas le sourire qu'il avait espéré. Il était amical, bienveillant, mais annonçait une mauvaise nouvelle. «Woody, ça me ferait très plaisir, mais je te rappelle que tu as quinze ans.

— Tu as dit toi-même hier soir que je suis plus mûr que Victor Dixon.

— Je n'accepterais pas non plus de sortir avec lui.»

La gorge de Woody se serra et il demanda d'une voix rauque : «Tu m'envoies balader, c'est ça?

— Oui, exactement. Je ne veux pas sortir avec un garçon qui a trois ans de moins que moi.

— Je pourrai te reposer la question dans trois ans, alors? On aura le même âge à ce moment-là.»

Elle rit, puis dit : «Arrête de blaguer, ça me fait mal à la tête.»

Woody décida de ne pas dissimuler sa peine. Qu'avait-il à perdre? Au supplice, il demanda : «Et ce baiser alors, qu'est-ce qu'il voulait dire?

— Rien du tout. »

Il secoua la tête, malheureux. « Pour moi, c'était drôlement important. C'est le meilleur baiser de ma vie.

— Oh, Woody, je n'aurais pas dû faire ça, je le savais. C'était juste pour m'amuser, tu sais. Ça m'a plu, à moi aussi : tu peux être flatté, je t'assure. Tu es vraiment mignon et sacrément intelligent, mais un baiser n'est pas une déclaration d'amour, Woody, même si tu y as pris beaucoup de plaisir. »

Ils étaient presque dans les premiers rangs du cortège et Woody apercevait déjà leur destination : la haute enceinte de la fonderie de Buffalo. La grille était fermée et gardée par une bonne dizaine d'agents de sécurité de l'usine, des costauds en chemises bleu pâle semblables à celles de la police.

« En plus, j'avais trop bu, se défendit Joanne.

— Ouais, moi aussi », renchérit Woody.

C'était une tentative pathétique pour préserver son amour-propre, et Joanne eut la bonne grâce de faire semblant d'y croire. « Dans ce cas, on s'est conduits comme des idiots tous les deux, et il vaudrait mieux oublier tout ça, dit-elle.

— Ouais », acquiesça Woody en détournant le regard.

Ils étaient arrivés à l'usine. Les manifestants qui étaient en tête du défilé s'arrêtèrent devant les grilles, et quelqu'un se mit à prononcer un discours dans un mégaphone. En observant l'orateur plus attentivement, Woody reconnut Brian Hall, le responsable syndical. Son père le connaissait et l'appréciait : dans un passé obscur, ils avaient coopéré pour mettre fin à une grève.

Ceux qui se trouvaient en fin de cortège avançaient toujours, provoquant une bousculade sur toute la largeur de la rue. Les gardiens de l'usine empêchaient toujours les manifestants d'approcher de l'entrée, même si les grilles devant lesquelles ils étaient postés étaient fermées. Woody remarqua alors qu'ils étaient armés de matraques du même genre que celles de la police. L'un d'eux cria : « N'approchez pas des portes ! C'est une propriété privée ! » Woody leva son appareil et prit une photo.

Mais ceux qui arrivaient par-derrière continuaient à pousser les premières rangées. Woody prit Joanne par le bras et essaya de l'écarter de la cohue. Ce n'était pas facile : la foule était dense à présent, et personne ne voulait leur céder le passage. Woody constata qu'à son corps défendant, il s'approchait des grilles de l'usine et des gardiens aux matraques. « Il risque d'y avoir du grabuge », murmura-t-il à Joanne.

Elle était rouge d'excitation. « Ces salauds ne nous empêcheront pas d'entrer ! » cria-t-elle.

Un homme qui se tenait près d'elle approuva bruyamment : « Elle a raison ! Bigrement raison ! »

La foule était encore à une dizaine de mètres des grilles, mais les gardiens entreprirent alors de repousser les manifestants. Woody prit une photo.

Brian Hall qui avait hurlé jusqu'à présent dans son mégaphone en dénonçant les brutalités patronales et en pointant un doigt accusateur vers la police privée changea alors de ton et se mit à appeler au calme. « Écartez-vous des grilles, s'il vous plaît, camarades, s'époumonait-il. Reculez, évitez les violences ! »

Woody vit une manifestante qu'un gardien bousculait si brutalement qu'elle en trébucha. Elle ne tomba pas cependant, mais jeta un cri et son compagnon lança au gardien : « Hé, mon gars, vas-y mollo, hein !

— Tu me cherches ? » demanda l'autre d'un ton provocant.

La femme lui hurla : « Arrêtez de me pousser !

— Reculez, reculez », vociféra l'agent de sécurité en brandissant sa matraque. La femme cria encore.

Au moment où la matraque s'abattit, Woody prit une photo.

« Ce salaud a frappé une femme », s'exclama Joanne en faisant un pas en avant.

Mais le gros du cortège commença à se déplacer en sens inverse, s'éloignant de l'usine. Les voyant faire demi-tour, les gardiens leur donnèrent la chasse, poussant, donnant des coups de pied et faisant pleuvoir des coups de matraque.

Brian Hall cria : « Pas de violence ! Gardiens, reculez ! N'utilisez pas vos matraques ! » Puis son mégaphone lui fut arraché des mains par un agent de sécurité.

Certains jeunes gens contre-attaquèrent. Une demi-douzaine de vrais policiers se frayèrent un chemin à travers la foule. Au lieu d'empêcher les gardiens de frapper, ils se mirent à arrêter ceux qui ripostaient.

Le gardien qui avait déclenché l'affrontement tomba à terre et deux manifestants commencèrent à le bourrer de coups de pied.

Woody prit une photo.

Joanne criait de fureur. Se jetant contre un gardien, elle le griffa au visage. L'homme tendit le bras pour l'écarter. Accidentellement ou non, le plat de sa main heurta brutalement le nez de Joanne. Celle-ci recula, du sang coulant de ses narines. Le gardien leva sa matraque. Woody attrapa Joanne par la taille et la tira en arrière. Le coup s'abattit dans le vide. « Viens, lui cria Woody. Il faut sortir d'ici ! »

La violence du choc l'avait désarçonnée et elle n'opposa aucune résistance tandis que Woody l'éloignait aussi rapidement qu'il le pouvait des grilles de l'usine, la poussant, la soutenant, son appareil photo se balançant autour de son cou au bout de sa lanière. La foule avait cédé à la panique, des manifestants tombaient et se faisaient piétiner par ceux qui prenaient la fuite.

Grâce à sa taille supérieure à la moyenne, Woody réussit à rester debout et à maintenir Joanne fermement sur ses pieds. Ils se frayèrent laborieusement un passage à travers la bousculade, à quelques mètres des matraques. Enfin, la foule s'éclaircit. Joanne se détacha de son étreinte et ils prirent leurs jambes à leur cou.

Le bruit de l'échauffourée diminua derrière eux. Ils s'engagèrent successivement dans plusieurs rues adjacentes et arrivèrent dans une ruelle déserte bordée d'usines et d'entrepôts, tous fermés en ce dimanche après-midi. Ils ralentirent et se mirent à marcher, reprenant leur souffle. Joanne éclata de rire. « C'était épatant ! » s'écria-t-elle.

Woody était loin de partager son enthousiasme. « C'était atroce, oui, répliqua-t-il. Et ça aurait pu être encore pire. » Il l'avait sauvée et espérait vaguement que cela l'inciterait à revenir sur son refus de sortir avec lui.

Manifestement, elle n'avait pas le sentiment de lui devoir grand-chose. « Allons, lança-t-elle d'un ton méprisant. Personne n'est mort !

— Ces brutes ont délibérément provoqué une émeute !

— Évidemment ! Pechkov cherche à discréditer les syndicalistes. »

Ils avaient parcouru moins d'un kilomètre quand Woody aperçut un taxi en maraude et le héla. Il donna au chauffeur l'adresse des Rouzrokh.

Tandis qu'ils étaient assis à l'arrière du taxi, il sortit un mouchoir de sa poche. « Je ne peux pas te ramener à ton père dans cet état », observa-t-il. Il déplia le carré de coton blanc et épongea doucement le sang qui maculait la lèvre supérieure de Joanne.

Ce geste intime l'émoustilla, mais elle ne le laissa pas en profiter bien longtemps. «Laisse, je vais le faire, protesta-t-elle presque aussitôt en lui prenant le mouchoir des mains. Ça va comme ça?

— Il en reste un peu», mentit-il. Il reprit le mouchoir. Elle avait une grande bouche, des dents blanches et régulières, et des lèvres délicieusement pleines. Il fit semblant de voir une tache sous sa lèvre inférieure. Il l'essuya doucement avant de dire : «Voilà, c'est mieux.

— Merci.» Elle lui jeta un regard étrange, mi-tendre, mi-contrarié. Elle avait percé sa ruse à jour, se dit-il, et ne savait pas si elle devait lui en vouloir.

Le taxi s'arrêta devant sa maison. «N'entre pas, fit-elle. Je vais raconter des bobards à mes parents, et je n'ai pas envie que tu lâches le morceau par inadvertance.»

Tout en songeant qu'il saurait certainement se montrer plus discret qu'elle, il lança : «Je t'appelle plus tard.

— D'accord.» Elle sortit du taxi et remonta l'allée avec un geste nonchalant de la main.

«Chouette pépée, commenta le chauffeur. Mais trop vieille pour vous.

— Conduisez-moi Delaware Avenue», dit Woody en indiquant le numéro de la maison et le nom de la rue transversale. Il n'avait pas la moindre envie de discuter de Joanne avec un maudit chauffeur de taxi.

Le refus de Joanne de sortir avec lui lui trottait dans la tête. Il n'aurait pas dû en être surpris : tout le monde, depuis son frère jusqu'au chauffeur de taxi, le disait trop jeune pour elle. La rebuffade n'en était pas moins douloureuse. Il avait l'impression de ne plus savoir quoi faire de sa vie. Comment allait-il arriver jusqu'au bout de cette journée?

Chez lui, ses parents faisaient leur sieste rituelle du dimanche après-midi. Chuck était convaincu que c'était le moment où ils couchaient ensemble. Betty lui annonça que son petit frère était parti nager avec des copains.

Woody se dirigea vers la chambre noire et développa la pellicule contenue dans son appareil. Il fit couler de l'eau chaude dans la cuvette pour que les produits chimiques soient à bonne température puis glissa le film dans un sac noir afin de le transférer dans une cuve étanche à la lumière.

C'était un travail de longue haleine qui exigeait beaucoup de patience, mais il était heureux, assis dans le noir, l'esprit occupé par Joanne. Si assister ensemble à une émeute ne l'avait pas conduite à tomber amoureuse de lui, cette aventure les avait indéniablement rapprochés. Il était convaincu qu'en tout cas, elle l'appréciait de plus en plus. Son refus n'était pas forcément définitif. Peut-être ferait-il bien de s'accrocher. De toute façon, aucune autre fille ne l'intéressait.

Quand le minuteur sonna, il transféra la pellicule dans un bain d'arrêt pour interrompre la réaction chimique, puis dans un bain de fixateur pour stabiliser l'image. Enfin, il lava et sécha le film et examina les photos noir et blanc en négatif sur le rouleau.

Il les trouva plutôt bonnes.

Il découpa le film, et posa la première vue dans l'agrandisseur. Il mit en place une feuille de papier photo de dix-huit centimètres sur vingt-quatre sur le socle de l'agrandisseur, alluma, et projeta l'image négative sur le papier en comptant les secondes. Puis il transféra la feuille dans un bain de révélateur. Lentement, des taches grises se dessinèrent sur le papier blanc, et la scène qu'il avait photographiée commença à apparaître. C'était le moment qu'il préférait, un instant magique. Le premier cliché montrait un Noir et un Blanc, tous les deux en chapeau et costume du dimanche, portant ensemble une banderole sur laquelle était écrit le mot FRATERNITÉ. Quand l'image fut nette, il plongea la feuille dans un bain de fixateur puis la rinça et la mit à sécher.

Il tira tous les clichés qu'il avait pris, les sortit de la chambre noire et les étala à la lumière sur la table de la salle à manger. Il était satisfait : c'étaient des photos vivantes, pleines d'action, qui montraient avec clarté une succession d'événements. Quand il entendit ses parents remuer à l'étage, il appela sa mère. Elle avait été journaliste avant son mariage et écrivait encore des livres et des articles de revues. «Qu'en penses-tu?» lui demanda-t-il.

Elle les examina soigneusement de son œil unique avant de conclure : «Je les trouve bonnes. Tu devrais les proposer à un journal.

— Tu crois? demanda-t-il avec un frisson d'excitation. Lequel?

— Malheureusement, ils sont tous conservateurs. Essaie le *Buffalo Sentinel*. Le rédacteur en chef est Peter Hoyle – il y est depuis la nuit des temps. Il connaît bien ton père. Il te recevra probablement.

— Quand crois-tu que je devrais y aller?

— Tout de suite. C'est de l'actualité brûlante. Tous les journaux de demain parleront de la manifestation. S'ils ont besoin de photos, c'est ce soir.»

Woody était regonflé à bloc. «Très bien.» Il ramassa les feuilles brillantes et en fit une pile bien ordonnée. Sa mère alla chercher une chemise cartonnée dans le bureau de son père. Sur un baiser, Woody sortit.

Il prit un bus pour le centre.

L'entrée principale des bureaux du *Sentinel* était fermée, et il resta désemparé l'espace de quelques secondes, avant de se dire qu'il fallait bien que les journalistes puissent entrer et sortir du bâtiment le dimanche s'ils voulaient publier le numéro du lundi matin, et il finit par trouver une entrée latérale. «J'ai des photographies pour Mr. Hoyle», annonça-t-il à l'employé assis de l'autre côté de la porte, et celui-ci lui indiqua l'escalier.

Il trouva le bureau du rédacteur en chef, une secrétaire prit son nom et une minute plus tard, il serrait la main de Peter Hoyle, un grand homme imposant, aux cheveux blancs et à la moustache noire. Il était en compagnie d'un collègue plus jeune et parlait fort, comme pour couvrir le bruit des rotatives. «L'article sur les chauffards et les délits de fuite est bon, Jack, mais le chapeau est dégueu», dit-il en posant la main sur l'épaule du journaliste en guise de congé et en le poussant vers la porte. «Trouve une autre accroche. Garde la déclaration du maire pour plus tard et commence par les gosses estropiés.» Jack s'éloigna et Hoyle se tourna vers Woody. «Qu'est-ce que tu m'apportes là, fiston? demanda-t-il sans préambule.

— J'étais au défilé cet après-midi.

— Tu veux parler de l'émeute.

— Il n'y a pas eu d'émeute avant que les gardiens ne se mettent à matraquer les femmes.

— Il paraît que les manifestants ont voulu pénétrer de force dans l'usine et que les gardiens ont dû les repousser.

— Ce n'est pas exact, monsieur, et mes photos le prouvent.

— Montre-moi ça. »

Woody les avait mises en ordre pendant qu'il était dans le bus. Il posa la première sur le bureau du rédacteur en chef. « Tout a commencé pacifiquement. »

Hoyle écarta la photo : « Aucun intérêt. »

Woody présenta un cliché pris devant l'usine. « Le service de sécurité attendait aux grilles. Vous pouvez voir les matraques. » L'image suivante avait été prise au moment où la bousculade avait commencé. « Les manifestants étaient à une bonne dizaine de mètres des grilles. Les gardiens n'avaient absolument pas besoin de les repousser. Il s'est agi d'une provocation délibérée.

— Je vois », murmura Hoyle, et il n'écarta pas ces photos.

Woody sortit alors son meilleur cliché : un gardien qui frappait une femme à coups de matraque. « J'ai assisté à toute la scène, commenta-t-il. Cette femme lui avait simplement dit d'arrêter de la pousser, c'est tout, et il s'est mis à la cogner.

— C'est une bonne photo, approuva Hoyle. Tu en as d'autres ?

— Une seule, répondit Woody. La plupart des manifestants se sont dispersés quand la bagarre a commencé, mais quelques-uns ont riposté. » Il montra à Hoyle l'image de deux manifestants qui bourraient de coups de pied un gardien à terre. « Ces hommes ont rendu la monnaie de sa pièce à la brute qui avait frappé la manifestante.

— Tu as fait du bon boulot, jeune Dewar », dit Hoyle. Il s'assit à son bureau et sortit un formulaire d'une corbeille de rangement. « Vingt dollars, ça te va ?

— Vous voulez dire que vous allez publier mes photos ?

— Ce n'est pas pour ça que tu me les as apportées ?

— Si, bien sûr, monsieur, merci, vingt dollars, c'est entendu. Je veux dire, c'est très bien. Enfin, c'est beaucoup. »

Hoyle griffonna quelques mots sur le formulaire et le signa. « Apporte ça à la caisse. Ma secrétaire te montrera le chemin. »

Le téléphone posé sur son bureau sonna. Le rédacteur en chef souleva le combiné et aboya : « Hoyle. » Prenant cela pour un congé, Woody sortit.

Il était aux anges. Il ne s'attendait pas à être payé, mais surtout, il était ravi que le journal publie ses photos. Il suivit les indications de la secrétaire et arriva dans une petite pièce équipée d'un comptoir et d'un guichet où le caissier lui remit ses vingt dollars. Il rentra chez lui en taxi.

Ses parents furent enchantés de son succès, et son frère lui-même le félicita. Pendant le dîner, Grandmama remarqua : « J'espère tout de même que tu n'envisages pas de faire carrière dans le journalisme. Ce serait déchoir. »

De fait, Woody s'était demandé s'il ne ferait pas bien de se lancer dans la photographie de presse plutôt que dans la politique, et la désapprobation de sa grand-mère le prit au dépourvu.

Mais sa mère sourit : « Voyons, Ursula, ma chère, vous oubliez que j'ai été journaliste.

— Ce n'est pas la même chose, vous êtes une femme, répliqua Grandmama. Woodrow a une réputation à soutenir, comme son père et son grand-père avant lui. »

Mama ne s'en offusqua pas. Elle adorait Grandmama et c'était toujours avec une tolérance amusée qu'elle écoutait ses proclamations d'orthodoxie.

L'intérêt qui se concentrait, comme si souvent, sur son frère aîné finit par agacer Chuck qui lança : « Et moi, qu'est-ce que je suis censé devenir ? De la merde, c'est ça ?

— Je t'en prie, Charles, ne sois pas vulgaire », rétorqua Grandmama, ayant ainsi le dernier mot, comme à son habitude.

Cette nuit-là, Woody eut peine à trouver le sommeil. Il était tellement impatient de voir ses photos dans le journal ! Il éprouvait le même sentiment que le soir de Noël, quand il était enfant : il avait tellement hâte que ce soit le matin qu'il n'arrivait pas à fermer l'œil.

Il pensa à Joanne. Elle avait vraiment tort de le croire trop jeune pour elle. Il était juste bien. Elle l'appréciait, ils avaient beaucoup de points communs et son baiser lui avait plu. Il n'avait pas renoncé à gagner son cœur.

Il s'endormit enfin et quand il s'éveilla, il faisait grand jour. Il enfila un peignoir sur son pyjama et dévala l'escalier. Joe, le maître d'hôtel, sortait toujours de bonne heure pour acheter les journaux, lesquels étaient déjà posés sur la desserte dans la pièce où l'on servait le petit déjeuner. Les parents de Woody s'y trouvaient, son père mangeait des œufs brouillés, sa mère prenait un café.

Woody s'empara du *Sentinel*. Une de ses photos était à la une.

Il ne s'attendait pas à cela. Ils n'avaient publié qu'un de ses clichés : le dernier. Celle où l'on voyait un gardien de l'usine allongé à terre, molesté par deux ouvriers. L'article était intitulé : ÉMEUTE DES GRÉVISTES DE LA FONDERIE.

«Oh, non!» gémit-il.

Il lut le texte avec incrédulité. On racontait que les manifestants avaient cherché à pénétrer dans l'usine et avaient été vaillamment repoussés par les agents de sécurité, dont plusieurs avaient été légèrement blessés. Le comportement des ouvriers avait été condamné par le maire, le chef de la police et Lev Pechkov. Tout à la fin de l'article, le journaliste avait ajouté quelques lignes, comme après coup, donnant la parole à Brian Hall, lequel niait cette version des faits et accusait les gardiens de violence gratuite.

Woody posa le journal devant sa mère. «J'ai expliqué à Hoyle que c'étaient les gardiens qui avaient déclenché l'échauffourée et je lui ai donné des photos qui le prouvaient! lança-t-il furieux. Pourquoi publier des mensonges pareils?

— Parce que c'est un conservateur.

— Les journaux sont censés dire la vérité! s'obstina Woody d'une voix que l'indignation poussait dans les aigus. Ils ne peuvent quand même pas raconter des bobards pareils!

— Bien sûr que si.

— Mais ce n'est pas juste!

— Bienvenue dans le monde réel», dit sa mère.

6.

Greg Pechkov et son père croisèrent Dave Rouzrokh dans le hall d'entrée de l'hôtel Ritz-Carlton de Washington. Vêtu d'un costume blanc et coiffé d'un chapeau de paille, Dave les dévisagea avec répulsion. Lev le salua, mais l'autre se détourna avec mépris.

Greg savait pourquoi. Dave avait perdu de l'argent tout l'été parce que les Roseroque Theatres n'avaient pas pu obtenir de films en exclusivité. Et Dave se doutait forcément que Lev n'y était pas étranger.

La semaine précédente, Lev avait proposé à Dave quatre millions de dollars pour ses salles – la moitié de son offre initiale – et Dave avait refusé une nouvelle fois. «Le prix baisse, Dave», avait lancé Lev en guise d'avertissement.

«Je me demande ce qu'il vient faire ici, dit Greg.

« — Il a rendez-vous avec Sol Starr. Il veut lui demander pourquoi il lui refuse tous ses bons films. » De toute évidence, Lev était parfaitement informé.

« Et que va faire Mr. Starr ?

— Le mener en bateau. »

Décidément, son père savait tout et était capable de maîtriser n'importe quelle situation, songea Greg avec admiration. Il avait toujours une longueur d'avance.

Ils prirent l'ascenseur. C'était la première fois que Greg se rendait dans la suite réservée de son père dans cet hôtel de luxe. Sa mère, Marga, n'y était jamais venue.

Les interventions intempestives du gouvernement dans l'industrie cinématographique obligeaient Lev à se rendre fréquemment à Washington. Des hommes qui se prenaient pour les garants de la moralité publique s'inquiétaient beaucoup de ce qu'on montrait sur les écrans et faisaient pression sur le gouvernement pour qu'il censure les films. Lev envisageait les choses sous l'angle de la transaction – pour lui, toute la vie se résumait à des transactions – et cherchait à éviter une censure en bonne et due forme en adhérant volontairement à un code de bonne conduite, une stratégie que soutenaient Sol Starr et la plupart des gros bonnets d'Hollywood.

Ils pénétrèrent dans un salon incroyablement fastueux, bien plus chic encore que le vaste appartement de Buffalo où Greg vivait avec sa mère. Greg s'extasia intérieurement sur le mobilier, certainement français se dit-il, sur les somptueuses tentures de velours brun qui ornaient les fenêtres et sur l'énorme gramophone.

Au milieu de la pièce, il découvrit avec stupéfaction l'actrice Gladys Angelus, assise sur un canapé de soie jaune.

Certains disaient que c'était la plus belle femme du monde et Greg comprit pourquoi en la voyant. Elle avait un sex-appeal torride, depuis ses yeux aguicheurs d'un bleu profond jusqu'à ses jambes interminables croisées sous sa jupe moulante. Lorsqu'elle lui tendit la main, ses lèvres écarlates esquissèrent un sourire et ses seins ronds se balancèrent de manière voluptueuse sous son pull-over moelleux.

Il hésita une fraction de seconde avant de lui tendre la main. Il avait l'impression de trahir sa mère. Marga ne prononçait jamais le nom de Gladys Angelus, ce qui montrait bien qu'elle savait ce qu'on racontait de ses relations avec Lev. Greg s'en voulait de se montrer cordial avec la rivale de sa mère. Si Mom le savait, elle pleurerait, se dit-il.

Mais il avait été pris par surprise. S'il avait été prévenu, s'il avait eu le temps de réfléchir à ce qu'il fallait faire, il aurait pu se préparer, mettre au point une dérobade courtoise. Il ne pouvait tout de même pas se montrer grossier avec cette femme incroyablement séduisante.

Il lui serra donc la main, croisa le regard de ses yeux envoûtants et esquissa un sourire contraint.

Elle garda sa main dans la sienne en disant : «Je suis si contente de vous rencontrer enfin! Votre père m'a tellement parlé de vous – mais il m'avait caché que vous étiez aussi joli garçon!»

Elle se comportait comme si son intimité avec son père était toute naturelle, et Greg trouva cela désagréable. Cette femme avait l'air de se prendre pour quelqu'un de la famille alors que ce n'était qu'une putain qui usurpait la place de sa mère. En même temps, il ne put s'empêcher de succomber à son charme. «J'adore vos films, murmura-t-il gauchement.

— Allons, allons, ne dites pas des choses pareilles», protesta-t-elle, mais Greg eut l'impression que le compliment ne la laissait pas indifférente. «Venez vous asseoir près de moi, poursuivit-elle. Il faut que nous fassions plus amplement connaissance.»

Il obtempéra. Comment résister? Gladys lui demanda quelles études il faisait, et pendant qu'il parlait, le téléphone sonna. Il entendit vaguement son père répondre dans le combiné : «Je croyais que c'était prévu pour demain... bon, très bien, si le temps presse... comptez sur moi, je me débrouillerai.»

Lev raccrocha et interrompit Gladys. «Ta chambre est au bout du couloir, Greg, dit-il en lui tendant une clé. Tu y trouveras un cadeau de ma part. Tu devrais aller t'installer tranquillement. Nous nous retrouverons à sept heures pour le dîner.»

Le congé était un peu brutal et Gladys parut déconcertée, mais il arrivait à Lev d'être péremptoire, et mieux valait ne pas discuter. Greg prit la clé et sortit.

Il croisa dans le couloir un homme aux épaules de déménageur vêtu d'un complet bon marché. Il lui rappela Joe Brekhounov, le chef des services de sécurité de la fonderie de Buffalo. Greg esquissa un signe de tête en passant et l'homme le salua : «Bonjour, monsieur.» C'était probablement un employé de l'hôtel.

Greg entra dans sa chambre. Très agréable, elle était cependant moins luxueuse que la suite de son père. Il n'aperçut pas le cadeau mentionné par son père, mais sa valise était là et il commença à la défaire, tout en pensant à Gladys. Avait-il trahi sa mère en serrant la main de la maîtresse de Lev? Après tout, Gladys ne faisait pas autre chose que ce qu'avait fait Marga : coucher avec un homme marié. Pourtant, la situation l'embarrassait. Dirait-il à sa mère qu'il avait fait la connaissance de Gladys? Certainement pas.

Alors qu'il suspendait ses chemises, il entendit frapper à une porte qui semblait donner sur la chambre voisine. Un instant plus tard, le battant s'ouvrit et une jeune fille entra.

Elle semblait à peine plus âgée que Greg, et sa peau était de la couleur du chocolat noir. Elle était vêtue d'une robe à pois et portait une pochette à la main. Elle lui adressa un grand sourire qui révélait des dents parfaitement blanches et dit : « Bonjour, j'ai la chambre voisine de la vôtre.

— C'est ce que j'ai cru comprendre. Mais... Qui êtes-vous?

— Jacky Jakes.» Elle lui tendit la main. «Je suis actrice.»

C'était la deuxième beauté à laquelle Greg serrait la main en moins d'une heure. Jacky avait un air mutin qu'il trouva plus attrayant que le magnétisme irrésistible de Gladys. Sa bouche dessinait un arc rose sombre. «Mon père m'a dit qu'il m'avait laissé un cadeau : c'est vous?» s'étonna-t-il.

Elle pouffa. «Oui, sans doute. Il était sûr que vous me plairiez. Il a promis de m'aider à débuter au cinéma.»

Greg comprit. Son père s'était douté que la présence de Gladys mettrait son fils dans l'embarras. Jacky était là pour le remercier de ne pas faire d'histoires. Il devrait certainement refuser de se laisser acheter comme ça, mais elle était si charmante. «Vous êtes un bien joli cadeau, remarqua-t-il.

— Votre père est très généreux avec vous.

— Il est merveilleux. Vous aussi, d'ailleurs.

— Ça, c'est vraiment gentil.» Elle posa son sac sur la commode, s'approcha de Greg, se hissa sur la pointe des pieds et l'embrassa sur la bouche. Ses lèvres étaient douces et chaudes. «Vous me plaisez beaucoup», murmura-t-elle. Elle posa les mains sur ses épaules. «Vous êtes drôlement musclé.

— Je fais du hockey sur glace.

— J'aime bien ça, c'est tellement rassurant!» Elle prit ses joues entre ses mains et l'embrassa encore, plus longuement, puis elle soupira : «Oh, j'ai l'impression que nous allons vraiment bien nous amuser.

— Ah oui?» Washington était une ville du Sud, où la ségrégation n'avait pas disparu. À Buffalo, Blancs et Noirs pouvaient, en règle générale, fréquenter les mêmes restaurants et les mêmes bars, mais ici, c'était différent. Greg avait beau ignorer les détails de la loi, il était certain que dans les faits, un homme blanc accompagné d'une femme noire ne manquerait pas de s'attirer des ennuis. Il était même surprenant que Jacky puisse occuper une chambre dans un hôtel pareil : Lev avait dû arranger les choses. Mais il n'était certainement pas envisageable que Greg et Jacky se baladent tranquillement en ville en compagnie de Lev et Gladys comme deux couples. À quoi pensait Jacky en disant qu'ils allaient bien s'amuser? Une idée surprenante lui vint à l'esprit : aurait-elle l'intention de coucher avec lui?

Il posa les mains autour de sa taille pour l'attirer contre lui et l'embrasser, mais elle le repoussa : «Il faut que j'aille prendre une douche. J'en ai pour quelques minutes.» Elle pivota sur ses talons et disparut par la porte de communication qu'elle referma derrière elle.

Il s'assit sur le lit, essayant d'analyser la situation. Jacky voulait faire du cinéma et était apparemment prête à user de ses charmes pour favoriser sa carrière. Elle n'était certainement pas la première actrice, noire ou blanche, à recourir à ce stratagème. Gladys en faisait autant en couchant avec Lev. Greg et son père étaient les heureux bénéficiaires de cette stratégie éprouvée.

Il remarqua alors qu'elle avait oublié sa pochette. Il la prit et tourna la poignée de la porte de communication. Elle n'était pas fermée à clé. Il passa dans l'autre chambre.

Elle était au téléphone, vêtue d'un peignoir de bain rose. Elle dit : «Oui, au poil. Pas de problème.» Son timbre lui parut différent, plus mûr, et il se rendit compte qu'elle avait adopté pour lui parler un ton sexy de petite fille qui n'était pas sa voix naturelle. L'apercevant, elle lui sourit et reprit son gazouillis flûté : «Bloquez les appels s'il vous plaît. Je ne veux pas être dérangée. Merci. Au revoir.

— Vous avez oublié ça, dit Greg en lui tendant son sac.

— Vous vouliez simplement me voir en peignoir, voilà tout», répliqua-t-elle avec coquetterie. La ceinture n'était pas assez

156

serrée pour dissimuler entièrement sa poitrine, et il distingua une ravissante courbe de peau brune sans défaut.

Il sourit. « Non, mais ce n'est pas pour me déplaire.

— Retournez vite dans votre chambre. Je vous ai dit que je voulais prendre une douche. Je vous laisserai peut-être en voir davantage tout à l'heure.

— Ça alors ! » bégaya-t-il.

Il regagna sa chambre interloqué. *Je vous laisserai peut-être en voir davantage tout à l'heure,* se répéta-t-il tout haut. Comment une fille pouvait-elle dire une chose pareille ?

Il bandait mais hésitait à se masturber alors que de toute évidence, il pourrait avoir mieux bientôt. Pour se changer les idées, il continua à défaire ses bagages. Il avait emporté un nécessaire de rasage de luxe que sa mère lui avait offert, un rasoir et un blaireau à manches de nacre. Il les disposa dans la salle de bains, espérant qu'ils impressionneraient Jacky si elle les voyait.

Les cloisons étaient minces, et il entendait le bruit de l'eau qui coulait dans la chambre voisine. L'image du corps nu et mouillé de la jeune fille l'obsédait. Il essaya de se concentrer sur le rangement de ses sous-vêtements et de ses chaussettes dans un tiroir.

Soudain, il l'entendit crier.

Il se figea, trop étonné pour bouger. Que se passait-il ? Pourquoi hurlait-elle ? Un nouveau cri le sortit de sa stupeur. Il poussa la porte de communication et entra dans sa chambre.

Elle était nue. C'était la première femme nue qu'il voyait de sa vie. Il remarqua ses seins pointus aux mamelons brun foncé. Une touffe de poils noirs bouclés masquait son entrejambe. Elle était recroquevillée contre un mur, cherchant vainement à cacher sa nudité de ses mains.

Il reconnut avec stupeur Dave Rouzrokh debout devant Jacky, sa joue aristocratique striée de deux griffures symétriques, probablement dues aux ongles vernis de rose de la jeune fille. Il y avait une minuscule tache de sang sur le revers de son élégante veste blanche croisée.

Jacky hurla : « Faites-le sortir d'ici ! »

Le poing de Greg partit tout seul. Dave était un peu plus grand que lui, mais c'était un homme âgé et Greg un adolescent athlétique. Le coup toucha Dave au menton – plus par hasard que délibérément ; il tituba et tomba à la renverse.

La porte donnant sur le couloir s'ouvrit et l'employé à épaules de déménageur que Greg avait croisé un peu plus tôt apparut. Il devait avoir un passe, se dit Greg. «Tom Cranmer, détective de l'hôtel, déclara l'homme. Que se passe-t-il ici?

— J'ai entendu crier cette jeune fille, expliqua Greg, je suis entré et j'ai trouvé cet homme dans sa chambre.

— Il a essayé de me violer», gémit Jacky.

Dave se releva péniblement. «C'est faux, protesta-t-il. On m'a donné rendez-vous dans cette chambre pour y rencontrer Sol Starr.»

Jacky se mit à sangloter. «Et maintenant, il va m'accuser de mentir!»

Cranmer se tourna vers elle : «Couvrez-vous, mademoiselle, je vous prie.»

Jacky enfila son peignoir de bain rose.

Le détective s'approcha du téléphone de la chambre et composa un numéro : «Pouvez-vous faire venir un policier dans le hall? Il devrait y en avoir un au coin de la rue.»

Dave avait les yeux rivés sur Greg. «Vous êtes le bâtard de Pechkov ou je me trompe?»

Greg serra le poing, prêt à frapper.

«Oh, Seigneur, c'est un coup monté!» murmura Dave.

La remarque désarçonna Greg qui comprit intuitivement que Dave disait vrai. Il laissa retomber son bras. Le scénario avait dû être écrit par Lev : Dave Rouzrokh n'était pas un violeur, Jacky jouait un rôle et Greg lui-même n'était qu'un comparse. Il en avait la tête qui tournait.

«Veuillez m'accompagner, monsieur, fit Cranmer en prenant Dave fermement par le bras. Et vous deux, suivez-nous.

— Vous ne pouvez pas m'arrêter, protesta Dave.

— Bien sûr que si, monsieur, répliqua Cranmer. Je vais vous remettre entre les mains de la police.»

Greg se tourna vers Jacky : «Voulez-vous vous habiller?»

Elle secoua la tête rapidement, l'air décidé. Greg comprit que le peignoir de bain était un accessoire de son numéro.

Il donna le bras à Jacky et ils suivirent Cranmer et Dave jusqu'au bout du couloir, puis dans l'ascenseur. Un policier attendait dans le hall de l'hôtel. Il devait faire partie du plan, lui aussi, comme le détective, supposa Greg.

«J'ai entendu crier dans la chambre de cette jeune personne, expliqua Cranmer, et j'ai trouvé le vieux à l'intérieur. Elle dit qu'il a essayé de la violer. Ce jeune homme est témoin.»

Dave avait l'air abasourdi et semblait se demander si c'était un cauchemar. Greg éprouva un élan de compassion à son égard. Il avait été victime d'un piège cruel. Son père était plus machiavélique encore qu'il ne l'aurait imaginé. Une partie de lui-même l'admirait, l'autre ne pouvait s'empêcher de réprouver ces méthodes.

Le policier passa les menottes à Dave et dit : «Très bien, allons-y.

— Où m'emmenez-vous? demanda Dave.

— En ville, répondit le policier.

— Est-ce que nous devons venir, nous aussi? s'inquiéta Greg.

— Ouais.»

Cranmer s'approcha de Greg et lui chuchota à l'oreille : «Ne t'en fais pas, fiston. Tu as fait du bon boulot. On va aller au commissariat, vous ferez votre déposition, et après, tu pourras la baiser tranquillement jusqu'à Noël.»

Le policier conduisit Dave jusqu'à la porte tandis que les autres suivaient.

Au moment où ils franchissaient le seuil, le flash d'un photographe les éblouit.

7.

Woody Dewar se fit envoyer un exemplaire des *Études sur l'hystérie* de Freud par un libraire de New York. Le soir du bal du Yacht-Club – le clou des mondanités de la saison estivale de Buffalo –, il l'emballa joliment dans un papier brun autour duquel il noua un ruban rouge. «Des chocolats pour une petite veinarde?» demanda sa mère en le croisant dans le couloir. Elle n'avait qu'un œil, mais rien ne lui échappait.

«C'est un livre, rectifia-t-il. Pour Joanne Rouzrokh.

— Elle ne viendra pas au bal.

— Je sais.»

Mama s'arrêta et lui jeta un regard pénétrant. Après un instant de silence, elle remarqua : «Tu es drôlement mordu.

— Je crois que oui. Mais elle me trouve trop jeune.

159

— C'est sans doute une question d'amour propre. Ses amies lui demanderaient forcément pourquoi elle ne se trouve pas un garçon de son âge. Les filles peuvent être cruelles, tu sais.

— J'ai bien l'intention de m'obstiner jusqu'à ce qu'elle mûrisse. »

Mama sourit. « Je parie que tu la fais rire.

— Bien sûr. C'est mon plus grand atout.

— Et puis zut ! Si tu savais le temps qu'il m'a fallu pour séduire ton père !

— C'est vrai ?

— Je suis tombée amoureuse de lui au premier regard. Je me suis languie pendant des années. J'ai été condamnée à le voir s'enticher de cette godiche d'Olga Vialov, qui ne lui arrivait pas à la cheville mais qui avait deux yeux en bon état. Dieu merci, elle s'est fait sauter par son chauffeur. » Le vocabulaire de Mama pouvait être un peu vert, surtout quand Grandmama n'était pas dans les parages. Elle avait pris de mauvaises habitudes quand elle travaillait dans la presse. « Ensuite, il est parti à la guerre. Il a fallu que je le suive jusqu'en France pour arriver à mes fins ! »

Il n'échappa pas à Woody qu'elle évoquait ces souvenirs avec nostalgie mais aussi une certaine souffrance. « Mais il a fini par comprendre que tu étais la femme de sa vie.

— En définitive, oui.

— Il m'arrivera peut-être la même chose. »

Mama l'embrassa. « Bonne chance, mon fils », dit-elle.

La maison des Rouzrokh était à moins d'un kilomètre et Woody s'y rendit à pied. Aucun membre de la famille ne serait au Yacht-Club ce soir-là. Dave avait fait la une de la presse après un mystérieux incident survenu au Ritz-Carlton de Washington. Les manchettes reprenaient toutes le même refrain : UN MAGNAT DU CINÉMA ACCUSÉ PAR UNE STARLETTE. Woody avait appris récemment à se méfier des journaux. Mais les esprits crédules disaient qu'il n'y avait pas de fumée sans feu. S'il ne s'était rien passé, pourquoi la police aurait-elle arrêté Dave ?

Depuis, aucun membre de la famille n'avait plus assisté à un seul événement mondain.

Devant la maison des Rouzrokh, un gardien armé arrêta Woody. « La famille ne reçoit pas », annonça-t-il sans ménagement.

Songeant qu'il avait dû passer beaucoup de temps à éconduire les journalistes, Woody lui pardonna sa brutalité. Il se rappela le nom de la femme de chambre des Rouzrokh. «Pouvez-vous demander à miss Estella de dire à Joanne que Woody Dewar est venu lui apporter un livre?

— Vous n'avez qu'à me le laisser», rétorqua le gardien en tendant la main.

Woody se cramponna à son paquet. «Merci, mais je préférerais le lui remettre personnellement.»

L'air contrarié, le gardien conduisit tout de même Woody jusqu'au bout de l'allée et sonna. Estella ouvrit et s'écria immédiatement : «Bonjour, monsieur Woody, entrez, Joanne sera ravie de vous voir!» Woody s'autorisa un regard triomphant au gardien avant de franchir le seuil.

Estella le conduisit jusqu'à un salon désert. Elle lui proposa du lait et des biscuits, comme à un enfant, et il refusa poliment. Joanne arriva presque immédiatement. Elle avait les traits tirés et son teint naturellement hâlé paraissait étrangement délavé, mais elle lui sourit gentiment et s'assit pour bavarder avec lui.

Elle découvrit avec plaisir le livre qu'il lui avait apporté. «Maintenant, je vais être obligée de lire ce cher docteur Freud au lieu de me contenter de débiter des fadaises à son sujet, remarqua-t-elle. Tu as une bonne influence sur moi, Woody.

— Je préférerais en avoir une mauvaise.»

Elle ne releva pas. «Tu ne vas pas au bal?

— J'ai un billet, mais si tu n'y es pas, ça ne me dit rien. Veux-tu que nous allions au cinéma à la place?

— Non, merci, sincèrement.

— Ou bien nous pourrions simplement aller dîner quelque part. Dans un endroit tranquille. Si ça ne te fait rien de prendre le bus.

— Oh, Woody, ce n'est pas une question de bus! Tu es trop jeune pour moi, je te l'ai déjà dit. En plus, l'été est presque fini. Tu vas bientôt reprendre les cours, et moi, je pars pour Vassar.

— Où tu sortiras avec des garçons, évidemment.

— Je l'espère bien!»

Woody se leva. «Bon, très bien. Je vais faire vœu de célibat et entrer au monastère. Je t'en prie, surtout, ne viens pas me rendre visite, tu troublerais les autres frères.»

Elle éclata de rire. «Tu es gentil de me faire oublier un moment les ennuis de ma famille.»

C'était la première fois qu'elle évoquait ce qui était arrivé à son père. Il n'avait pas eu l'intention d'aborder le sujet, mais puisqu'elle en avait pris l'initiative, il se permit de dire : «Tu sais que nous sommes tous de votre côté. Personne ne croit un mot de ce que raconte cette actrice. Tout le monde en ville sait parfaitement qu'il s'agit d'un traquenard monté par ce salaud de Lev Pechkov, et on est tous furieux contre lui.

— Je sais. Mais cette accusation en soi est tellement ignominieuse que mon père ne s'en remet pas. Je crois que mes parents vont aller s'installer en Floride.

— Je suis vraiment désolé.

— Merci. Et maintenant, va vite au bal.

— Oui, peut-être.»

Elle le raccompagna dans l'entrée.

«Je peux t'embrasser pour te dire au revoir?»

Elle se pencha vers lui. Cela n'avait rien à voir avec leur baiser précédent, mais il eut la sagesse de ne pas la prendre dans ses bras pour presser sa bouche contre la sienne. C'était un baiser léger, leurs lèvres jointes l'espace d'un instant de douceur qui s'évanouit en un souffle. Puis elle s'écarta de lui et ouvrit la porte.

«Bonne nuit, dit Woody en sortant.

— Au revoir», répondit Joanne.

8.

Greg Pechkov était amoureux.

Il avait beau savoir que Jacky Jakes était payée par son père – sa manière de le remercier pour l'avoir aidé à piéger Dave Rouzrokh –, cela ne l'empêchait pas d'être vraiment amoureux.

Il avait perdu sa virginité quelques instants après leur retour du commissariat, et ils avaient passé le plus clair de la semaine au lit, au Ritz-Carlton. Greg n'avait pas besoin de prendre de précautions, lui avait dit Jacky, parce qu'elle avait «déjà fait le nécessaire». Il n'avait qu'une très vague idée de ce qu'elle entendait par là, mais n'avait pas insisté.

Il n'avait jamais été aussi heureux de sa vie. Il adorait Jacky, surtout quand elle renonçait à jouer la petite fille pour révéler une intelligence aiguë et un sens de l'humour caustique. Elle avait reconnu avoir séduit Greg à la demande de son père, mais avoua que, contre son gré, elle était tombée amoureuse, elle aussi. Son vrai nom était Mabel Jakes et bien qu'elle prétendît avoir dix-neuf ans, elle n'en avait que seize ; elle était l'aînée de Greg de quelques mois seulement.

Lev lui avait promis de la faire jouer dans un film, mais prétendait chercher encore un rôle à sa mesure. Dans une imitation parfaite du léger accent russe persistant de Lev, elle avait ajouté : « Mais je ne crrrois pas qu'il cherrrche très durrr.

— Il n'y a sûrement pas beaucoup de rôles écrits pour des acteurs noirs, remarqua Greg.

— Je sais bien. Je vais finir par jouer la bonne et par rouler des yeux en disant "Oui, missié". Il y a pourtant des Africains dans des pièces et des films – Cléopâtre, Hannibal, Othello, pour n'en citer que quelques-uns – mais ils sont généralement interprétés par des acteurs blancs. » Son père, décédé depuis, avait été professeur dans une université réservée aux Noirs et elle était plus forte en littérature que Greg. « Et d'ailleurs, pourquoi les Nègres devraient-ils uniquement jouer des rôles de Noirs ? Si Cléopâtre peut être interprétée par une actrice blanche, pourquoi Juliette ne pourrait-elle pas être noire ?

— Les gens trouveraient ça bizarre.

— Ils s'y feraient. Ils se font à tout. Faut-il obligatoirement être juif pour jouer le rôle de Jésus ? Tout le monde s'en fiche. »

Elle avait évidemment raison, songea Greg, et pourtant, cela n'arriverait jamais.

Quand Lev lui avait annoncé qu'ils rentraient à Buffalo – à la dernière minute, comme toujours –, Greg s'était effondré. Il avait supplié son père de pouvoir emmener Jacky, mais Lev s'était esclaffé : « Voyons mon fils, tu ne chies pas là où tu manges. Tu la retrouveras la prochaine fois que tu m'accompagneras à Washington. »

Jacky l'avait toutefois rejoint à Buffalo le lendemain de son départ et s'était installée dans un appartement bon marché, près de Canal Street.

Lev et Greg avaient eu fort à faire pendant les quinze jours qui avaient suivi le rachat des Roseroque Theatres. Dave s'était résigné à vendre ses salles pour deux millions, le quart de l'offre initiale, et l'admiration de Greg pour son père était encore montée d'un cran. Jacky avait retiré sa plainte et laissé entendre aux journaux qu'elle avait accepté une indemnité financière. Le sang-froid cynique de son père en imposait à Greg.

Et puis, il avait Jacky. Il racontait à sa mère qu'il sortait tous les soirs avec des copains, mais en réalité, il passait tout son temps libre avec la jeune fille. Il se promenait en ville avec elle, ils pique-niquaient ensemble sur la plage, et il réussit même à emprunter un hors-bord pour l'emmener faire un tour sur le lac. Personne ne fit le lien entre cette jeune Noire et la photo de presse un peu floue d'une fille sortant du Ritz-Carlton en peignoir de bain. Mais, le plus souvent, ces chaudes soirées d'été les virent s'adonner à des ébats amoureux délirants et moites, entortillant les draps usés sur l'étroit lit du petit appartement de Jacky. Ils avaient décidé de se marier dès qu'ils auraient atteint l'âge légal.

Ce soir-là, ils allaient au bal du Yacht-Club.

Greg avait eu un mal fou à obtenir des billets, mais avait fini par arriver à ses fins en versant une coquette somme à un camarade de classe.

Il avait acheté à Jacky une nouvelle robe de satin rose.

Marga ne le laissait manquer de rien et Lev adorait lui glisser cinquante dollars par-ci, par-là, de sorte qu'il avait plus d'argent qu'il ne lui en fallait.

Son cerveau tirait pourtant confusément la sonnette d'alarme. Jacky serait la seule Noire de la soirée à ne pas être une serveuse. Elle avait beaucoup hésité à y aller, et Greg avait peiné à la convaincre. Les jeunes l'envieraient, mais les vieux seraient peut-être hostiles, il le savait. Il s'attendait à ce qu'on chuchote dans leur dos. La beauté et le charme de Jacky surmonteraient bien des préjugés, pensait-il ; comment pouvait-on lui résister ? Néanmoins, si un crétin s'enivrait et l'insultait, Greg avait deux poings solides pour lui donner une bonne leçon.

À l'instant même où cette idée lui traversait l'esprit, il songea que sa mère lui reprocherait sûrement de se conduire comme un idiot... mais après tout, un homme ne pouvait pas passer sa vie à écouter sa mère.

Tout en longeant Canal Street en cravate blanche et en queue-de-pie, il se réjouissait à l'avance de la découvrir dans sa robe neuve. Peut-être la relèverait-elle assez haut pour lui faire voir sa culotte et son porte-jarretelles.

Il entra dans le bâtiment où elle habitait, une vieille demeure divisée en appartements. L'escalier était recouvert d'un tapis rouge élimé et une odeur de cuisine épicée planait dans l'air. Il pénétra dans l'appartement avec sa propre clé.

Elle n'était pas là.

C'était curieux. Où avait-elle pu aller sans lui ?

Le cœur serré d'angoisse, il ouvrit la penderie. La robe de bal de satin rose y était suspendue, seule. Tous ses autres vêtements avaient disparu.

« Non ! » cria-t-il tout haut. Que s'était-il passé ?

Il aperçut une enveloppe sur la table de pin branlante. Elle portait son nom et il reconnut, submergé par l'appréhension, l'écriture soignée et un peu scolaire de Jacky. Il déchira l'enveloppe de ses mains tremblantes et déchiffra le bref message.

Mon Greg chéri,

Ces trois dernières semaines ont été les plus heureuses de ma vie.

Je savais au fond de moi que nous ne pourrions jamais nous marier, mais c'était si bon de faire semblant.

Tu es un garçon adorable et tu deviendras un homme merveilleux si tu ne suis pas trop l'exemple de ton père.

Lev aurait-il découvert que Jacky vivait ici et l'aurait-il obligée à partir ? Non, il ne ferait jamais une chose aussi cruelle.

Au revoir, et ne m'oublie pas.

Ton cadeau,

Jacky.

Greg roula le papier en boule et fondit en larmes.

9.

« Tu es superbe, dit Eva Rothmann à Daisy Pechkov. Si j'étais un garçon, je tomberais amoureuse de toi immédiatement. »

Daisy sourit. Eva était déjà un tout petit peu amoureuse d'elle. Et Daisy était effectivement superbe, dans sa robe de bal en organdi de soie bleu métallique qui accentuait encore l'éclat de ses yeux. La jupe avait un ourlet à fanfreluches qui descendait jusqu'à la cheville sur l'avant, mais remontait de façon espiègle jusqu'à mi-mollet sur l'arrière, offrant une vision aguichante des jambes de Daisy en bas ultrafins.

Elle portait au cou un collier de saphirs appartenant à sa mère. « Ton père me l'avait acheté à l'époque où il lui arrivait encore d'être gentil, lui avait dit Olga. Mais dépêche-toi, Daisy, tu vas tous nous mettre en retard. »

Olga avait l'air d'une matrone dans sa robe bleu marine, tandis qu'Eva était fort à son avantage dans une tenue rouge qui faisait ressortir ses cheveux noirs et son teint mat.

Daisy, toute à son bonheur, descendit l'escalier sur un petit nuage.

Elles sortirent de la maison. Henry, le jardinier, qui faisait office de chauffeur pour la soirée, ouvrit les portières de la vieille Stutz noire rutilante.

C'était la grande nuit de Daisy. Ce soir, Charlie Farquharson lui ferait officiellement sa demande. Il lui offrirait une bague sertie d'un gros diamant, un bijou de famille – elle l'avait vue et approuvée, et l'anneau avait été ajusté à son doigt. Elle accepterait sa demande, et puis ils annonceraient leurs fiançailles à toute l'assistance.

Quand elle monta en voiture, elle avait l'impression d'être Cendrillon.

Eva était la seule à avoir exprimé quelques doutes : « J'aurais imaginé que tu craquerais pour quelqu'un avec qui tu serais mieux assortie.

— Tu veux dire un homme qui ne se laisserait pas mener par le bout du nez, c'est ça ? avait rétorqué Daisy.

— Non, mais quelqu'un qui te ressemblerait davantage, un homme séduisant, charmant, vraiment attirant, quoi. »

Il était rare qu'Eva s'exprime aussi franchement : cela sous-entendait que Charlie était ordinaire, dénué de charme et de séduction. Interloquée, Daisy était restée sans voix.

Sa mère s'était portée à son secours : « J'ai épousé un homme beau, charmant et attirant, qui m'a rendue affreusement malheureuse. »

Eva n'avait plus rien dit.

Comme la voiture approchait du Yacht-Club, Daisy se jura de contenir son allégresse. Son triomphe ne devait pas être trop flagrant. Elle devait faire comme s'il n'y avait rien d'étrange à ce que sa mère se soit vu proposer d'entrer dans la Société des dames de Buffalo. Et lorsqu'elle ferait voir son énorme diamant aux autres filles, elle aurait la grâce de déclarer qu'elle ne méritait vraiment pas un homme aussi merveilleux que Charlie.

Elle avait des projets pour le rendre encore plus merveilleux. Dès qu'ils seraient rentrés de voyage de noces, ils monteraient leur écurie de chevaux de course. Dans cinq ans, ils concourraient sur les plus prestigieux hippodromes du monde : Saratoga Springs, Longchamp, Ascot.

L'automne approchait et le jour déclinait déjà lorsque la voiture s'arrêta sur la jetée. « J'ai bien peur que nous ne rentrions très tard ce soir, Henry, lança Daisy gaiement.

— C'est parfait, miss Daisy », répondit-il. Il l'adorait. « Amusez-vous bien. »

À la porte, Daisy remarqua que Victor Dixon les suivait. Bien disposée à l'égard de tout le monde, elle se retourna : « Alors Victor, il paraît que ta sœur a rencontré le roi d'Angleterre ! Félicitations !

— Hum, oui », murmura-t-il d'un air gêné.

Elles entrèrent dans le club. La première personne qu'elles aperçurent fut Ursula Dewar, qui avait donné son accord à l'admission d'Olga dans son club de vieilles mondaines. Daisy lui adressa son sourire le plus chaleureux : « Bonsoir, madame. »

Ursula parut distraite. « Excusez-moi un instant », dit-elle et elle s'éloigna vers le fond du vestibule. Elle se prend pour une reine, songea Daisy, mais cela l'autorise-t-elle à faire fi des bonnes manières ? Un jour, ce serait à son tour de régner sur la haute société de Buffalo et elle se montrerait toujours aimable avec tout le monde, se jura-t-elle.

Olga, Eva et Daisy se dirigèrent vers les toilettes pour dames et s'examinèrent dans les miroirs, vérifiant que leur tenue n'avait pas souffert des vingt minutes de trajet. Dot Renshaw entra, les dévisagea et ressortit. « Quelle idiote, celle-là », murmura Daisy.

Mais sa mère était contrariée. « Que se passe-t-il ? demanda-t-elle. Nous sommes là depuis moins de cinq minutes et c'est la troisième personne qui nous snobe !

— Elles crèvent toutes de jalousie », répliqua Daisy, qui sortit la première.

Lorsqu'elle fit son entrée dans la salle de bal, Woody Dewar la salua. « Ah ! Enfin un gentleman », s'écria-t-elle.

Il lui dit tout bas : « Je tiens à ce que tu saches que je trouve vraiment injuste qu'on te reproche ce que ton père a pu faire.

— D'autant plus qu'ils se bousculaient tous pour lui acheter de l'alcool ! » répliqua-t-elle.

Elle aperçut alors sa future belle-mère dans une robe rose à ruchés peu faite pour flatter sa silhouette anguleuse. Nora

Farquharson n'était pas enchantée par la fiancée que son fils s'était choisie, mais elle avait accepté Daisy et s'était montrée charmante avec Olga quand elles s'étaient rendu réciproquement visite. « Madame Farquharson ! s'écria Daisy. Quelle jolie robe ! »

Nora Farquharson lui tourna le dos et s'éloigna.

Eva en resta bouche bée.

Un sentiment d'horreur envahit Daisy, qui se retourna vers Woody. « Ce n'est pas un problème d'alcool de contrebande, si ?

— En effet.

— Mais alors quoi ?

— Tu ferais mieux de demander à Charlie. Le voilà. »

Charlie transpirait, malgré la fraîcheur de l'air. « Que se passe-t-il ? lui demanda Daisy. Tout le monde me bat froid ! »

Il était affreusement nerveux. « Les gens sont furieux contre ta famille, dit-il.

— Mais pourquoi ? »

L'entendant élever la voix, plusieurs personnes s'arrêtèrent et tournèrent les yeux dans leur direction. Cela lui était bien égal.

« Ton père a ruiné Dave Rouzrokh, expliqua Charlie.

— Tu veux parler de cette histoire du Ritz-Carlton ? En quoi est-ce que ça me concerne ?

— Dave est très apprécié de tous, bien qu'il soit persan ou je ne sais quoi. Et personne ne le croit capable de violer qui que ce soit.

— Je n'ai jamais prétendu qu'il l'avait fait !

— Je sais bien », acquiesça Charlie, visiblement au supplice.

Les gens les regardaient sans se cacher, désormais : Victor Dixon, Dot Renshaw, Chuck Dewar.

Daisy reprit : « Mais on me le reproche quand même. C'est ça ?

— Ton père s'est affreusement mal conduit. »

Daisy sentit un frisson glacé lui parcourir l'échine. Son triomphe allait-il lui échapper au dernier moment ? « Charlie, qu'est-ce que tu veux me dire au juste ? Parle franchement, pour l'amour du ciel. »

Eva prit Daisy par la taille dans un geste de réconfort.

Charlie répondit : « Maman affirme que c'est impardonnable.

— Comment ça, impardonnable ? »

Incapable d'ajouter un mot, il lui jeta un regard désespéré.

Il en avait assez dit. Elle avait compris. «C'est fini, c'est ça? Tu me laisses tomber?»

Il hocha la tête.

Olga s'interposa : «Rentrons à la maison, Daisy.» Elle était en larmes.

Daisy parcourut la salle du regard. Relevant le menton, elle les toisa tous : Dot Renshaw avec sa petite moue malveillante et satisfaite, Victor Dixon pétri d'admiration, Chuck Dewar, la bouche ouverte de stupéfaction adolescente et son frère Woody, rempli de compassion.

«Allez vous faire voir, tous autant que vous êtes! lança-t-elle d'une voix claironnante. Je pars à Londres danser avec le roi!»

III

1936

1.

C'était un samedi après-midi ensoleillé de mai 1936 et l'année universitaire touchait à son terme quand le fascisme dressa sa tête hideuse parmi les pierres blanches des cloîtres de l'antique université de Cambridge.

Lloyd Williams était étudiant en lettres modernes à l'Emmanuel College – que tout le monde appelait l'« Emma ». Il s'était spécialisé en français et en allemand, une langue pour laquelle il avait une prédilection toute particulière. Plongé dans les chefs-d'œuvre de la culture germanique et dans la lecture de Goethe, Schiller, Heine et Thomas Mann, il levait de temps en temps les yeux de ses livres dans la paisible bibliothèque où il travaillait pour déplorer que l'Allemagne actuelle fût en train de sombrer dans la barbarie.

La section locale de l'Union des fascistes britanniques venait de faire savoir que leur chef, Sir Oswald Mosley, viendrait prononcer un discours à Cambridge. Cette nouvelle reporta Lloyd trois ans plus tôt, à Berlin. Il revit les brutes en chemise brune dévaster les locaux de la revue où travaillait Maud von Ulrich ; il réentendit la voix haineuse et discordante d'Hitler s'adressant au Parlement et écrasant la démocratie de son mépris ; et il frémit d'horreur en se rappelant les gueules ensanglantées des chiens déchiquetant Jörg coiffé d'un seau.

À présent, debout sur le quai de la gare de Cambridge, Lloyd attendait sa mère qui arrivait de Londres. Il était accompagné de Ruby Carter, une militante du parti travailliste local. Elle l'avait aidé à organiser un meeting intitulé « La vérité sur le fascisme », qui devait avoir lieu le jour même. La mère de Lloyd, Ethel Leckwith, prendrait la parole. Après avoir écrit un livre sur l'Allemagne qui avait remporté un vif succès, elle s'était représentée aux législatives de 1935 et avait été réélue députée d'Aldgate.

Lloyd était nerveux. Le nouveau parti politique de Mosley comptait désormais plusieurs milliers d'adhérents, en partie grâce au soutien fanatique du *Daily Mail,* qui n'avait pas hésité à proclamer en manchette : HOURRAH POUR LES CHEMISES NOIRES ! Orateur charismatique, Mosley allait sûrement recruter de nouveaux membres ce jour-là. Il était indispensable que le phare de la raison brille pour dénoncer ses mensonges séducteurs.

Ruby, quant à elle, était d'humeur loquace. Elle se plaignait de la médiocrité de la vie sociale à Cambridge. « Les garçons d'ici m'assomment, bougonna-t-elle. Ils n'ont qu'une idée en tête : aller au pub et se saouler la gueule. »

Lloyd fut surpris. Il avait imaginé que Ruby sortait beaucoup. Elle portait des vêtements bon marché toujours un peu étroits, qui moulaient ses formes rebondies. La plupart des hommes devaient la trouver séduisante. « Qu'est-ce que tu aimes faire ? demanda-t-il. À part organiser des meetings du parti travailliste ?

— J'adore danser.

— Ce ne sont sûrement pas les cavaliers qui manquent ! Il y a plus de dix hommes pour une femme à la fac.

— Ne le prends pas mal, mais la plupart des étudiants sont des tapettes. »

Les homosexuels étaient nombreux à l'université de Cambridge, Lloyd ne l'ignorait pas, mais il ne s'attendait pas à ce qu'elle évoque le sujet. Ruby avait beau être connue pour son franc-parler, c'était un peu choquant, même dans sa bouche. Ne sachant comment réagir, il garda le silence.

« Ce n'est pas ton cas, quand même, si ? demanda Ruby.

— Mais non ! Ne sois pas idiote.

— N'y vois pas une insulte. À part ton nez cassé, tu es assez joli garçon pour être pédé. »

Il éclata de rire. « Voilà ce qu'on appelle un compliment équivoque.

— Sans blague. Tu ressembles à Douglas Fairbanks junior, je t'assure.

— Merci, c'est gentil, mais non, je ne suis pas pédé.

— Tu as une petite amie?»

Son indiscrétion commençait à devenir pesante. «Non, pas pour le moment.» Il consulta sa montre ostensiblement, puis fit mine de chercher le train du regard.

«Pourquoi?

— Je n'ai pas encore rencontré de fille qui me plaise.

— Oh, merci beaucoup. C'est vraiment sympa», rétorqua-t-elle mi-figue, mi-raisin.

Il la regarda, mortifié qu'elle ait pris la remarque pour elle. «Je ne voulais pas dire...

— Et pourtant, tu l'as dit. Voilà le train qui arrive.»

La locomotive entra en gare et s'arrêta dans un nuage de vapeur. Les portes s'ouvrirent et les passagers descendirent sur le quai : des étudiants en vestes de tweed, des femmes de cultivateurs venues en ville faire des courses, des ouvriers en casquette. Lloyd passa la foule en revue, cherchant sa mère du regard. «Elle doit être en troisième classe. Question de principe.

— Tu viendrais à la fête que je donne pour mes vingt et un ans?

— Bien sûr, répondit Lloyd sans grande conviction.

— Mon amie a un petit appartement dans Market Street, et une logeuse dure d'oreille. On va bien s'amuser.»

La mère de Lloyd apparut alors, aussi jolie qu'un oiseau chanteur avec son manteau d'été rouge et son coquet petit chapeau. Elle le prit dans ses bras et l'embrassa. «Tu as l'air en pleine forme, mon chéri, dit-elle. Mais il faut absolument que je t'achète un nouveau costume pour le prochain trimestre.

— Celui-là va encore très bien, Mam.» Il avait une bourse qui couvrait ses droits universitaires et ses dépenses courantes, mais ses vêtements étaient évidemment à sa charge. Quand il était entré à Cambridge, sa mère avait puisé dans ses économies pour lui acheter un complet de tweed ordinaire et une tenue de soirée pour les dîners officiels. Il avait porté le complet de tweed tous les jours depuis, et cela se voyait. Soucieux de son apparence, il veillait à ce que sa chemise blanche soit toujours impeccable, sa cravate parfaitement nouée et n'oubliait jamais le mouchoir blanc plié dans sa poche de poitrine : il avait dû avoir un dandy parmi ses ancêtres. Son costume était soigneusement repassé, mais commençait à être élimé. En réalité, il aurait bien aimé en avoir un nouveau mais ne voulait pas que sa mère fasse de sacrifices pour lui.

« Nous verrons », conclut-elle. Elle se tourna vers Ruby, lui adressa un sourire chaleureux et lui tendit la main. « Je suis Eth Leckwith », dit-elle avec la grâce naturelle d'une duchesse en visite.

« Enchantée. Ruby Carter.

— Vous êtes étudiante, vous aussi, Ruby?

— Non. Je suis femme de chambre à Chimbleigh, un grand domaine des environs. » Ruby paraissait un peu gênée de faire cet aveu. « C'est à huit kilomètres de la ville, mais généralement, j'emprunte un vélo.

— Alors ça! s'écria Ethel. Quand j'avais votre âge, j'étais femme de chambre dans une propriété du pays de Galles. »

Ruby n'en revenait pas. « Vous, femme de chambre? Et vous êtes devenue députée?

— Les prodiges de la démocratie!

— Ruby et moi avons préparé la réunion d'aujourd'hui ensemble, intervint Lloyd.

— Et comment ça se présente? demanda sa mère.

— C'est complet. Nous avons même dû changer de salle et en réserver une plus grande.

— Je t'avais bien dit que ça marcherait. »

C'était Ethel qui avait eu l'idée de ce rassemblement. Ruby Carter et d'autres membres du parti travailliste avaient eu l'intention d'organiser une manifestation de protestation, un défilé à travers la ville. Dans un premier temps, Lloyd avait approuvé cette initiative. « Il ne faut pas laisser passer une occasion de s'opposer au fascisme », avait-il affirmé.

Ethel était d'un autre avis. « Si nous défilons en criant des slogans, nous faisons exactement comme eux, avait-elle expliqué. Il faut montrer que nous sommes différents. Organiser un rassemblement calme et intelligent pour discuter de la réalité du fascisme. » Lloyd était sceptique. « Je viendrai prendre la parole si tu veux », avait-elle ajouté.

Lloyd avait présenté sa proposition à la branche locale du parti. Le débat avait été animé, Ruby prenant la tête de l'opposition au projet d'Ethel, mais finalement, la perspective de faire monter à la tribune une députée, célèbre féministe de surcroît, avait eu raison de toutes les objections.

Lloyd se demandait encore s'il était judicieux d'opter pour la solution plus modérée. Il n'avait pas oublié les paroles de Maud von Ulrich à Berlin : «Il ne faut *pas* répondre à la violence par la violence.» C'était la stratégie qu'avait adoptée le parti social-démocrate allemand. Et elle avait conduit la famille von Ulrich et l'Allemagne à la catastrophe.

Ils sortirent de la gare en passant sous les arcades romanes en brique jaune et empruntèrent Station Road, une rue bordée d'arbres et de prétentieuses demeures bourgeoises construites dans le même matériau. Ethel glissa son bras sous celui de Lloyd. «Alors, comment va mon petit étudiant?»

L'adjectif le fit sourire. Il avait dix centimètres de plus que sa mère et faisait partie de l'équipe de boxe universitaire : il était si musclé qu'il aurait pu la soulever d'une main. Elle rayonnait d'orgueil. Peu de choses dans la vie lui avaient donné autant de satisfaction que l'admission de son fils à Cambridge. C'était sans doute pour cela qu'elle tenait tant à ce qu'il soit bien habillé.

«Je suis très heureux ici, tu le sais, dit-il. Et je le serai encore plus quand la fac sera pleine de fils d'ouvriers.

— Et de filles», intervint Ruby.

Ils s'engagèrent dans Hills Road, la principale artère menant au centre-ville. Depuis l'installation du chemin de fer, la ville s'était développée vers le sud en direction de la gare et l'on avait construit des églises le long de Hills Road pour les paroissiens du nouveau faubourg. Ils se dirigeaient vers un temple baptiste que le pasteur, un homme de gauche, avait mis gratuitement à leur disposition.

«J'ai passé un accord avec les fascistes, annonça Lloyd. Je leur ai fait savoir que nous nous abstiendrions de défiler s'ils s'engageaient à en faire autant.

— Ça m'étonne qu'ils aient accepté, dit Ethel. Les fascistes adorent les défilés.

— Ils ont été réticents, c'est sûr. Mais j'ai transmis ma proposition aux autorités universitaires et à la police et les fascistes ont été plus ou moins obligés de s'y résigner.

— C'était une bonne idée.

— Attends, Mam, tu ne devineras jamais qui est leur responsable local? Le vicomte d'Aberowen, Boy Fitzherbert, le fils de ton ancien employeur, le comte d'Aberowen!» Boy avait vingt et un ans, comme Lloyd. Il fréquentait Trinity College, une université aristocratique.

«Comment? Alors ça!»

Elle semblait plus ébranlée qu'il ne l'aurait pensé et il la regarda attentivement. Elle avait pâli. «Ça te choque?

— Un peu, oui!» Elle reprit contenance. «Tu sais que son père est secrétaire d'État au ministère des Affaires étrangères.» L'Angleterre avait un gouvernement de coalition dominé par les conservateurs. «Fitz doit être drôlement embarrassé.

— La plupart des conservateurs font preuve d'une indulgence coupable à l'égard du fascisme, non? Ils ne voient pas grand mal à ce qu'on tue les communistes et qu'on persécute les Juifs.

— Certains, peut-être, mais je crois que tu exagères.» Elle jeta à Lloyd un regard oblique. «Alors comme ça, tu es allé voir Boy?

— Oui.» Lloyd se rendit compte qu'Ethel attachait une importance particulière à leur rencontre, sans comprendre pourquoi. «Je l'ai trouvé parfaitement détestable. Il avait dans sa chambre de Trinity toute une caisse de scotch – tu te rends compte, douze bouteilles!

— Vous vous étiez déjà vus en fait, tu ne t'en souviens pas?

— Non. Quand ça?

— Tu n'avais pas tout à fait neuf ans. Je t'avais emmené au palais de Westminster peu après mon élection. Nous avons croisé Fitz et Boy dans l'escalier.»

Cela rappelait vaguement quelque chose à Lloyd. À l'époque comme aujourd'hui, la scène semblait avoir eu une mystérieuse signification pour sa mère. «C'était lui? Tiens, c'est marrant.

— Je le connais, coupa Ruby. C'est un cochon. Il pelote les petites bonnes.»

Lloyd fut scandalisé, mais sa mère ne parut pas surprise. «Très déplaisant, j'en conviens, mais il n'est ni le premier ni le dernier.» La tolérance coupable de sa mère rendit ce comportement encore plus abominable aux yeux de Lloyd.

Ils arrivèrent au temple et entrèrent par la porte de derrière, qui donnait sur une sorte de sacristie où ils retrouvèrent Robert von Ulrich. Celui-ci avait une allure remarquablement britannique dans un audacieux costume à carreaux vert et brun qu'il portait avec une cravate à rayures. Il se leva et Ethel le serra dans ses bras. «Ma chère Ethel, ce chapeau est absolument ravissant», lui dit-il dans un anglais impeccable.

Lloyd présenta sa mère aux femmes de la section du parti travailliste qui préparaient de grandes bouilloires de thé et des assiettes de biscuits qui seraient servies après le rassemblement. Ayant entendu Ethel se plaindre à maintes reprises que les organisateurs des manifestations politiques semblaient avoir oublié qu'il pouvait arriver aux députés de devoir aller aux toilettes, il se tourna vers Ruby : «Ruby, avant que nous commencions, est-ce que tu veux bien montrer le petit coin à ma mère?» Les deux femmes s'éloignèrent.

Lloyd s'assit à côté de Robert et demanda sur le ton de la conversation : «Comment vont les affaires?»

Robert était à présent propriétaire d'un restaurant très fréquenté par les homosexuels dont se plaignait tant Ruby. Il avait dû apprendre que le Cambridge des années 1930 était un lieu où ces gens-là étaient plutôt bien vus, exactement comme le Berlin des années 1920. Son nouveau restaurant portait le même nom que l'ancien, Bistro Robert. «Bien, merci», répondit-il. Une ombre voila son visage, une expression fugitive mais intense d'effroi. «Cette fois, j'espère pouvoir conserver ce que j'ai construit.

— Nous faisons tout ce que nous pouvons pour résister au fascisme, et des réunions de ce genre sont certainement très utiles, assura Lloyd. Votre intervention sera précieuse, elle dessillera sûrement bien des yeux.» Robert devait parler de son expérience du régime fasciste. «Il y a tant de gens qui s'imaginent que ça ne peut pas arriver ici. J'ai bien peur qu'ils se trompent.»

Robert hocha la tête et approuva tristement : «Le fascisme est un mensonge, certes, mais un mensonge séduisant.»

Le séjour de Lloyd à Berlin trois ans auparavant était encore très présent à son esprit. «Je me demande souvent ce qu'est devenu l'ancien Bistro Robert, murmura-t-il.

— J'ai reçu une lettre d'un ami, dit Robert d'une voix profondément affecté. Aucun des habitués n'y va plus. Les frères Macke ont vendu la cave aux enchères. Maintenant, la clientèle se résume essentiellement à des flics et à des petits employés de bureau.» Sa mine s'assombrit encore lorsqu'il ajouta : «Il n'y a même plus de nappes sur les tables.» Il soupira avant de changer brusquement de sujet. «Ça te dirait, d'aller au bal de Trinity?»

La plupart des universités organisaient des bals d'été pour fêter la fin des examens. Avec les réceptions et les pique-niques qui les accompagnaient, ces soirées dansantes constituaient May Week, la semaine de mai, qui sans la moindre logique avait lieu en juin. Le bal de Trinity était célèbre pour son faste. «J'aimerais bien, mais ce n'est pas dans mes moyens, se désola Lloyd. Il paraît que l'entrée est à deux guinées.

— On m'a offert un billet. Tu peux l'avoir. Ça ne me privera pas. Des centaines d'étudiants bourrés qui dansent au son d'un orchestre de jazz : voilà exactement ma vision de l'enfer.»

Lloyd était tenté. «Malheureusement, je n'ai rien à me mettre.» Les bals universitaires exigeaient cravate blanche et habit de soirée.

«Je peux te prêter un frac. Le pantalon sera trop large, mais la longueur devrait aller.

— Dans ce cas, volontiers. Merci!»

Ruby réapparut. «Ta mère est sensass, lança-t-elle à Lloyd. Je ne savais pas qu'elle avait été femme de chambre!

— Je connais Ethel depuis plus de vingt ans, confirma Robert. C'est effectivement une femme extraordinaire.

— Je comprends pourquoi tu n'as pas trouvé chaussure à ton pied, reprit Ruby en s'adressant à Lloyd. Si tu cherches quelqu'un qui lui ressemble, tu vas avoir du mal.

— Tu as raison – en ce qui concerne ta deuxième phrase en tout cas –, reconnut Lloyd. Personne ne lui arrive à la cheville.»

Le visage de Ruby se crispa dans une grimace de douleur.

«Qu'est-ce que tu as? demanda Lloyd.

— Mal aux dents.

— Tu devrais aller chez le dentiste.»

Elle le regarda comme s'il avait dit une ineptie et il se mordit les lèvres : un salaire de femme de chambre ne lui permettait évidemment pas de se payer des soins dentaires.

Il s'approcha de la porte pour jeter un coup d'œil dans la grande salle. Comme dans beaucoup d'églises non conformistes, c'était une pièce rectangulaire très sobre aux murs peints en blanc. Il faisait beau et les fenêtres de verre ordinaire étaient ouvertes. Toutes les rangées de chaises étaient occupées et le public attendait avec impatience.

Quand Ethel réapparut, Lloyd annonça : «Si tout le monde est d'accord, je vais ouvrir la séance. Robert racontera ensuite ce qui lui est arrivé, et ma mère en tirera les leçons politiques.»

Tous approuvèrent.

«Ruby, tu veux bien garder un œil sur les fascistes? Préviens-moi s'il se passe quelque chose.»

Ethel fronça les sourcils. «Tu crois vraiment que c'est nécessaire?

— Je me méfie. Je ne suis pas sûr qu'ils tiennent parole.

— Ils se réunissent plus haut dans la rue, à moins de cinq cents mètres, fit Ruby. Je peux aller y faire un saut de temps en temps.»

Elle sortit par la porte de derrière et Lloyd conduisit les autres dans l'église. Il n'y avait pas d'estrade, mais une table et trois chaises avaient été installées du côté le plus proche de la sacristie, avec un lutrin disposé latéralement. Tandis qu'Ethel et Robert s'asseyaient, Lloyd s'approcha du lutrin. De brefs applaudissements éclatèrent.

«Le fascisme est en marche, commença Lloyd. Et il est dangereusement attrayant. Il fait miroiter de faux espoirs aux chômeurs. Il affiche un patriotisme de façade, aussi caricatural que les uniformes militaires qu'endossent ses partisans.»

À la grande consternation de Lloyd, l'Angleterre s'était engagée dans une politique d'apaisement avec les régimes fascistes. Elle était gouvernée par une coalition dominée par les conservateurs qu'avaient rejoints une poignée de libéraux et quelques ministres travaillistes renégats qui avaient rompu avec leur parti. Quelques jours seulement après sa réélection au mois de novembre précédent, le ministre des Affaires étrangères avait proposé de céder une grande partie de l'Abyssinie aux Italiens conquérants et à leur dirigeant fasciste, Benito Mussolini.

Pis encore, l'Allemagne réarmait et se montrait belliqueuse. Hitler n'avait pas hésité à violer le traité de Versailles deux mois plus tôt en envoyant des troupes en Rhénanie, une zone démilitarisée, et Lloyd avait constaté avec effroi qu'aucun pays n'avait fait mine de l'en empêcher.

S'il avait espéré un temps que le fascisme ne serait qu'une aberration momentanée, il avait désormais perdu toute illusion. Lloyd estimait que les pays démocratiques comme la France et la Grande-Bretagne devaient être prêts à se battre. Il n'en dit rien, cependant, dans son discours de ce jour-là, car sa mère et la majorité du parti travailliste étaient hostiles à la course aux armements et espéraient encore que la Société des nations saurait tenir tête aux dictateurs. Ils voulaient à tout prix éviter que ne se reproduise l'affreux carnage de la Grande Guerre. Lloyd comprenait ce désir, qu'il jugeait cependant peu réaliste.

Lui-même se préparait à la guerre. Il avait suivi une préparation militaire quand il était au lycée et dès son arrivée à Cambridge, il s'était inscrit à l'Officer Training Corps, une école d'officiers réservée aux étudiants, où il était le seul élève à être issu de la classe ouvrière et certainement le seul à appartenir au parti travailliste.

Il s'assit sous des applaudissements mesurés. C'était un orateur clair et logique, mais il ne possédait pas, comme sa mère, la faculté de toucher les cœurs – pas encore en tout cas.

Robert s'approcha du lutrin. «Je suis autrichien, dit-il. J'ai été blessé pendant la guerre, je me suis fait prendre par les Russes et j'ai été envoyé dans un camp de prisonniers en Sibérie. Quand les bolcheviks ont fait la paix avec les puissances centrales, les gardiens ont ouvert les grilles et nous ont annoncé que nous pouvions rentrer chez nous. Par quel moyen? Ça, c'était notre problème, pas le leur. La Sibérie est très loin de l'Autriche : près de cinq mille kilomètres. Je n'ai pas trouvé l'arrêt de bus, alors j'ai marché.»

Des rires étonnés parcoururent la salle, accompagnés de quelques applaudissements approbateurs. Robert les avait déjà charmés, constata Lloyd.

Ruby s'approcha de lui, l'air contrarié, et lui parla à l'oreille. «Les fascistes viennent de passer. Boy Fitzherbert raccompagnait Mosley à la gare et une bande d'excités en chemises noires courait derrière la voiture en les acclamant.»

Lloyd fronça les sourcils. «Ils avaient promis de ne pas défiler. Ils vont évidemment prétendre que courir derrière une voiture n'est pas la même chose.

— Tu peux m'expliquer la différence?

— Il y a eu des violences?

— Non.

— Continue à faire le guet, s'il te plaît.»

Ruby repartit. Lloyd était inquiet. Les fascistes avaient indéniablement violé l'esprit sinon la lettre de leur accord. Ils étaient sortis dans la rue en uniforme et n'avaient pas rencontré de contre-manifestation. Tous les socialistes étaient là, dans l'église, invisibles. Le seul signe manifeste de leur prise de position était la banderole qu'ils avaient tendue devant l'église et qui annonçait LA VÉRITÉ SUR LE FASCISME en grosses lettres rouges.

Robert parlait toujours : «Je suis heureux d'être ici, honoré d'avoir été invité à prendre la parole devant vous et ravi de reconnaître dans la salle plusieurs clients du Bistro Robert. Mais il faut que je vous prévienne que ce que j'ai à vous confier est extrêmement déplaisant, et même effroyable. »

Il leur raconta comment Jörg et lui avaient été arrêtés après avoir refusé de vendre leur restaurant berlinois à un nazi. Il présenta Jörg comme son cuisinier et son associé de longue date, sans rien dire de leurs relations plus personnelles, encore que les auditeurs les plus avisés aient sans doute pu deviner ce qu'il en était réellement.

Il régnait un silence de plomb lorsqu'il commença à décrire ce qui s'était passé au camp de concentration. Lloyd entendit des hoquets d'horreur quand Robert en arriva à l'apparition des chiens affamés. Il décrivit les tortures infligées à Jörg d'une voix grave et distincte qui portait jusqu'au fond de la salle. Quand il évoqua la mort de Jörg, plusieurs personnes étaient en larmes.

En revivant ainsi la cruauté et l'angoisse de ces moments, Lloyd ne décolérait pas contre des imbéciles comme Boy Fitzherbert dont l'engouement pour les chants de marche et les uniformes élégants menaçaient de plonger l'Angleterre dans les mêmes tourments.

Robert s'assit et Ethel s'avança vers le lutrin. Au moment où elle prenait la parole, Ruby réapparut, rouge de fureur. «Je t'avais bien dit que ça ne marcherait pas, glissa-t-elle à Lloyd. Mosley est parti, mais ces abrutis chantent "Rule Britannia" devant la gare. »

Cette fois, l'accord avait incontestablement été violé, se dit Lloyd rageur. Boy n'avait pas tenu ses promesses. Voilà ce que valait la parole d'un gentleman anglais.

Ethel expliquait que le fascisme proposait de fausses solutions, simplifiant des problèmes complexes comme le chômage et la délinquance en rejetant toute la faute sur des groupes tels que les Juifs et les communistes. Elle se moqua impitoyablement du concept de «triomphe de la volonté» – développé dans un film de propagande nazie du même nom – comparant le Führer et le Duce à des petites brutes de cour d'école. Ils revendiquaient le soutien du peuple, mais interdisaient toute opposition.

Lloyd songea soudain qu'en revenant de la gare pour rejoindre le centre-ville, les fascistes passeraient obligatoirement devant leur église. Il tendit l'oreille, attentif aux bruits qui lui parvenaient par les fenêtres ouvertes. Il entendait distinctement le grondement des voitures et des camions qui descendaient Hills Road, ponctué de temps à autre par le timbre d'une sonnette de bicyclette ou des pleurs d'enfant. Il lui sembla également percevoir des cris lointains, qui ressemblaient de façon inquiétante au bruit que ferait une bande de garçons bagarreurs, encore assez jeunes pour être fiers de leurs nouvelles voix graves. Il se crispa, aux aguets. D'autres cris lui parvinrent alors. Les fascistes défilaient.

Ethel haussa le ton pour couvrir les mugissements qui enflaient au-dehors. Elle expliqua que tous les travailleurs devaient se rassembler dans les syndicats et au sein du parti travailliste pour édifier pas à pas une société plus juste, dans le respect des règles de la démocratie, en évitant le genre de soulèvements violents qui avaient si mal tourné dans la Russie communiste et dans l'Allemagne nazie.

Ruby revint. « Ils remontent Hills Road, annonça-t-elle dans un chuchotement bas et pressant. Il faut sortir et les défier.

— Non ! répliqua Lloyd tout bas. Le parti a pris une décision collective : pas de manifestation. Il faut s'y tenir. Notre mouvement doit être discipliné ! » Il savait qu'elle serait sensible à l'argument de la discipline de parti.

Les fascistes étaient tout près maintenant et braillaient des slogans. Lloyd estima qu'ils devaient être une cinquantaine ou une soixantaine. Deux jeunes gens assis dans le fond de la salle se levèrent et s'approchèrent d'une fenêtre pour regarder à l'extérieur. Ethel les exhorta à la prudence. « Ne réagissez pas à ce comportement de voyous en vous transformant vous-mêmes en voyous, dit-elle. Cela ne fera que donner à la presse de bonnes raisons de renvoyer les deux camps dos à dos. »

On entendit un fracas de verre brisé : une pierre venait de casser une vitre. Une femme hurla, et plusieurs auditeurs bondirent sur leurs pieds. « Je vous en prie, restez assis, intervint Ethel. Ils vont s'en aller, j'en suis sûre. » Elle continua à parler d'une voix calme, rassurante. Rares étaient ceux qui l'écoutaient encore. Tout le monde se retournait vers la porte de l'église, pour mieux entendre les huées et les railleries des brutes qui se trouvaient à l'extérieur. Lloyd avait bien du mal à rester assis. Il avait les yeux rivés sur sa mère, le visage figé en un masque inexpressif. Tous ses muscles étaient tendus, et il mourait d'envie de se précipiter dans la rue pour boxer quelques têtes.

Le public finit par retrouver un semblant de calme et par reporter son attention sur Ethel. Mais la salle restait turbulente et tous passaient leur temps à regarder par-dessus leur épaule. Ruby murmura, la voix chargée de mépris : « On est comme une bande de lapins, tapis dans notre terrier pendant que les renards glapissent dehors. » Lloyd ne pouvait que lui donner raison.

Mais la prédiction de sa mère était exacte et il n'y eut pas d'autres jets de pierre. Les hurlements décrurent.

« Pourquoi les fascistes veulent-ils la violence ? demanda Ethel avec emphase. Ceux qui sont là, dans Hills Road, sont peut-être de simples voyous, mais il y a quelqu'un qui les dirige, et leur tactique répond à un objectif. Au moindre combat de rues, ils prétendront que l'ordre public va à vau-l'eau et qu'il faut absolument prendre des mesures énergiques pour rétablir le règne de la loi. Ces mesures d'urgence comprendront la mise hors la loi des partis politiques démocratiques comme le parti travailliste, l'interdiction de toute action syndicale et la possibilité d'emprisonner les gens sans procès – des gens comme nous, des hommes et des femmes pacifiques dont le seul crime est de ne pas être d'accord avec le gouvernement. Vous allez me dire que c'est impensable, invraisemblable, que ça n'arrivera jamais ? Voyez ce qui s'est passé en Allemagne : c'est cette tactique que les nazis ont employée, avec le succès que vous savez. »

Elle expliqua ensuite comment il était possible de résister au fascisme : en créant des groupes de discussion, en organisant des rassemblements comme celui-ci, en écrivant aux journaux, en exploitant toutes les occasions de mettre les gens en garde contre ce péril. Mais Ethel elle-même avait du mal à faire croire que pareilles méthodes puissent être courageuses et efficaces.

Piqué au vif par la remarque de Ruby sur les lapins, Lloyd avait honte de leur lâcheté. Il était tellement frustré qu'il lui en coûtait de rester assis.

Lentement, l'atmosphère qui régnait dans la salle s'apaisa. Lloyd se tourna vers Ruby : « On dirait que les lapins sont sauvés.

— Pour le moment. Mais le renard reviendra. »

2.

«Si un garçon te plaît, tu peux le laisser t'embrasser sur la bouche», affirma Lindy Westhampton, assise au soleil sur la pelouse.

— Et s'il te plaît vraiment, il peut te toucher les seins, renchérit sa sœur jumelle Lizzie.

— Mais pas au-dessous de la ceinture.

— Non. En tout cas pas avant que vous soyez fiancés.»

Daisy était perplexe. Elle qui s'était imaginée que les jeunes Anglaises étaient prudes ! Les jumelles Westhampton étaient littéralement obsédées.

Daisy était enchantée d'avoir été invitée à Chimbleigh, la propriété de Sir Bartholomew Westhampton, que tout le monde surnommait «Bing». Elle se sentait admise dans la haute société britannique. Mais elle n'avait toujours pas rencontré le roi.

Elle se rappelait l'humiliation qu'elle avait essuyée au Yacht-Club de Buffalo, ce sentiment de honte qui l'avait comme marquée au fer rouge et continuait à lui infliger une terrible douleur alors que la brûlure était ancienne désormais. Dès que cette souffrance revenait, elle songeait à son intention bien arrêtée de danser avec le roi et les imaginait toutes – Dot Renshaw, Nora Farquharson, Ursula Dewar – penchées sur le *Buffalo Sentinel*, dévorant sa photographie des yeux, lisant attentivement chaque mot de l'article, consumées d'envie et regrettant de ne pas pouvoir dire en toute franchise qu'elles avaient toujours été ses amies.

Les choses n'avaient pas été faciles au départ. Cela faisait trois mois que Daisy était arrivée en Angleterre avec sa mère et son amie Eva. Son père leur avait donné quelques lettres de recommandation adressées à des personnes qui s'étaient révélées ne pas appartenir à proprement parler au gratin londonien. Daisy avait commencé à regretter sa sortie fracassante du bal du Yacht-Club : et si tout cela ne la menait nulle part ?

Mais Daisy était une jeune fille déterminée et ingénieuse, prête à profiter de la moindre porte entrebâillée pour s'introduire où elle voulait. Il suffisait de fréquenter des lieux de divertissement plus ou moins publics, les courses et l'Opéra par exemple, pour rencontrer des gens haut placés. Elle faisait la coquette avec les hommes et piquait la curiosité des mères en leur faisant comprendre qu'elle était riche et célibataire. De nombreuses familles de l'aristocratie anglaise avaient été ruinées par la Crise, et une héritière américaine eût été la bienvenue même si elle n'avait pas été jolie et charmante. Ils adoraient son accent, ils toléraient qu'elle tienne sa fourchette dans sa main droite et la regardaient prendre le volant avec une indulgence amusée – en Angleterre, c'étaient les hommes qui conduisaient. De nombreuses jeunes Anglaises montaient à cheval aussi bien que Daisy, mais peu faisaient preuve, en selle, d'une assurance aussi effrontée. Certaines femmes plus mûres continuaient à lui jeter des regards méfiants, mais elle finirait par les mettre dans sa poche elles aussi, elle en était certaine.

Elle n'avait pas eu grand mal à séduire Bing Westhampton. Cet homme aux traits délicats et au sourire charmeur avait l'œil pour les jolies filles et Daisy sut instinctivement que si la possibilité de quelques frôlements discrets dans la pénombre du jardin se présentait, il ne se contenterait pas de la dévorer des yeux. Ses filles tenaient de lui, de toute évidence.

La réception des Westhampton faisait partie des festivités organisées dans le Cambridgeshire à l'occasion de May Week. Tout le gotha y était invité, et notamment le comte Fitzherbert, que tout le monde appelait Fitz, et sa femme Bea. Comtesse Fitzherbert, celle-ci préférait néanmoins son titre russe de princesse. Leur fils aîné, Boy, fréquentait Trinity College.

La princesse Bea était l'une des dames de la haute société qui ne s'en laissait pas accroire par Daisy. Sans mentir à proprement parler, la jeune fille avait donné à entendre que son père était un aristocrate russe qui avait tout perdu pendant la Révolution, et non un simple ouvrier qui s'était enfui en Amérique pour échapper à la police. Bea n'avait pas été dupe. «Je ne me rappelle pas avoir connu de famille du nom de Pechkov à Saint-Pétersbourg ou à Moscou», avait-elle remarqué, feignant à peine la perplexité ; et Daisy s'était forcée à sourire comme si les souvenirs de la princesse étaient sans importance.

Il y avait trois jeunes filles du même âge que Daisy et Eva : les jumelles Westhampton et May Murray, la fille d'un général d'origine écossaise. Les bals se poursuivaient toute la nuit et tout le monde dormait jusqu'à midi, mais les après-midi étaient interminables. Les cinq filles paressaient dans le jardin ou flânaient dans les bois. Se redressant dans son hamac, Daisy demanda alors : «Et qu'est-ce qu'on peut faire *après* les fiançailles?

— Frotter son machin, répondit immédiatement Lindy.

— Jusqu'à ce qu'il gicle, ajouta sa sœur.

— Oh, c'est répugnant!» se récria May Murray, moins délurée que les jumelles.

Ces protestations ne firent que les encourager. «Ou alors, tu peux le sucer, renchérit Lindy. C'est ce qu'ils préfèrent.

— Arrêtez! protesta May. Vous racontez n'importe quoi!»

Elles cessèrent, estimant avoir suffisamment taquiné May. «Je m'ennuie à mourir, soupira Lindy. Que pourrions-nous faire?»

Un petit démon espiègle poussa Daisy à suggérer : «Et si nous nous déguisions en hommes pour le dîner?»

Elle le regretta immédiatement. Une farce de ce genre pouvait ruiner sa carrière mondaine qui venait à peine de débuter.

Sa proposition heurta du reste Eva et son sens germanique de la bienséance. «Daisy, tu n'es pas sérieuse!

— Bien sûr que non, dit-elle. C'est une idée idiote.»

Les jumelles avaient les jolis cheveux blonds de leur mère au lieu des boucles brunes de leur père, mais elles avaient hérité le caractère malicieux de celui-ci et le projet les séduisit d'emblée. «Ils seront tous en habit ce soir, nous pouvons donc leur emprunter leurs smokings, lança Lindy.

— Mais oui! approuva sa jumelle. Nous ferons ça pendant qu'ils prendront le thé.»

Daisy comprit qu'il était trop tard pour reculer.

«Nous ne pouvons tout de même pas aller au bal dans cette tenue!» protesta May Murray. Ils devaient tous assister au bal de Trinity College après le dîner.

«Nous nous changerons avant d'y aller», rétorqua Lizzie.

May était une petite créature timorée, sans doute intimidée par son militaire de père, et elle se rangeait toujours aux décisions des autres. Eva, la seule dissidente, ne put se faire entendre et la plaisanterie suivit son cours.

Quand vint l'heure de s'habiller pour le dîner, une femme de chambre apporta deux smokings dans la chambre que Daisy partageait avec Eva. La femme de chambre s'appelait Ruby. La veille, elle s'était plainte de maux de dents intolérables et Daisy lui avait donné de l'argent pour aller chez le dentiste, lequel lui avait arraché la dent coupable. Ruby, qui ne souffrait plus du tout, était rouge d'excitation. « Voilà, mesdemoiselles ! dit-elle. Le costume de Sir Bartholomew ne devrait pas être beaucoup trop grand pour vous, miss Pechkov, et celui du jeune monsieur Andrew Fitzherbert ira sûrement à miss Rothmann. »

Daisy retira sa robe et enfila la chemise. Ruby l'aida à fermer les boutons de col et de manchettes dont elle n'avait pas l'habitude. La jeune fille glissa ensuite les jambes dans le pantalon noir orné d'un galon de satin de Bing Westhampton. Elle y enfonça sa combinaison et fit passer les bretelles au-dessus de ses épaules. Elle frémit d'audace en boutonnant la braguette.

Aucune d'elles ne sachant faire de nœud de cravate, le résultat de leurs efforts fut franchement médiocre. C'est alors que Daisy eut une idée de génie. Avec un crayon à sourcils, elle se dessina une moustache. « Magnifique ! s'écria Eva. Tu es encore plus jolie comme ça ! » Daisy agrémenta les joues d'Eva de favoris.

Les cinq filles se retrouvèrent dans la chambre des jumelles. Daisy y entra d'une démarche virile qui provoqua des fous rires hystériques.

May exprima tout haut l'inquiétude qui taraudait confusément Daisy. « J'espère que nous n'allons pas avoir d'ennuis.

— Oh, et après ? » lança Lindy.

Daisy décida d'oublier ses appréhensions et de ne penser qu'à s'amuser. Elle prit la tête du petit groupe pour descendre au salon. La pièce était encore déserte. Dans une parfaite imitation de Boy Fitzherbert s'adressant au majordome, Daisy prit une voix masculine et dit avec une nonchalance affectée : « Versez-moi un whisky, Grimshaw, c'est bien, mon brave – ce champagne est infect, on dirait de la pisse. » Les autres poussèrent des petits cris offusqués et ravis.

Bing et Fitz entrèrent ensemble. En apercevant Bing dans son gilet blanc, Daisy pensa à une bergeronnette, un petit oiseau effronté, noir et blanc. Fitz était un quinquagénaire au physique séduisant, dont la moustache très brune était striée de gris. Une blessure de guerre lui avait infligé une légère claudication et il avait une paupière tombante ; mais cette preuve de bravoure au combat ne faisait qu'ajouter à sa prestance.

En apercevant les jeunes filles, Fitz cilla et s'écria : « Grand Dieu ! » Son ton était indéniablement désapprobateur.

L'espace d'un instant, Daisy fut prise de panique. Avait-elle tout gâché ? Les Anglais pouvaient être terriblement collet monté, tout le monde le savait. Allait-on la chasser de la maison ? Ce serait abominable. Dot Renshaw et Nora Farquharson pavoiseraient si elle rentrait en Amérique couverte de honte. Plutôt mourir.

Mais Bing éclata de rire. « C'est excellent, vraiment ! Avez-vous vu ça, Grimshaw ? »

Le vieux majordome, qui entrait avec une bouteille de champagne dans un seau à glace en argent, observa les jeunes filles, la mine sombre. Puis sur un ton d'une hypocrisie cinglante, il murmura : « Très amusant, Sir Bartholomew, en effet. »

Bing continuait à les inspecter avec un ravissement teinté de concupiscence et Daisy se rendit compte – trop tard – que ce genre de travestissement pouvait, à tort, faire croire à certains hommes qu'elles étaient tentées par le libertinage et les expériences sexuelles nouvelles : une suggestion qui risquait évidemment d'être source d'embarras.

Lorsque tous furent rassemblés pour le dîner, la plupart des invités suivirent l'exemple de leur hôte en traitant la farce des jeunes filles comme une gaminerie divertissante, mais il n'échappa pas à Daisy qu'ils n'étaient pas tous aussi charmés que lui. Sa propre mère, Olga, pâlit d'effroi en les voyant et s'empressa de s'asseoir, comme si ses jambes ne la portaient plus. La princesse Bea, une femme étroitement corsetée d'une bonne quarantaine d'années qui avait sans doute été jolie un jour, plissa son front poudré dans un froncement de sourcils réprobateur. Mais Lady Westhampton était une femme enjouée qui accueillait la vie, ainsi que son mari volage, d'un sourire tolérant : elle rit de bon cœur et félicita Daisy pour sa jolie moustache.

Les garçons, qui arrivèrent les derniers, apprécièrent beaucoup la plaisanterie. Le fils du général Murray, le lieutenant Jimmy Murray, moins rigide que son père, hurla de rire. Les garçons Fitzherbert, Boy et Andy, entrèrent ensemble, et la réaction de Boy fut la plus remarquable de toutes. Comme hypnotisé, il ne détachait pas les yeux des jeunes filles. Il chercha à masquer sa fascination sous la gaieté, s'esclaffant comme les autres hommes, mais de toute évidence, il était singulièrement troublé.

Au dîner, les jumelles suivirent l'exemple de Daisy en s'exprimant comme des hommes, d'une voix grave et d'un ton exubé-

rant qui fit rire tout le monde. Lindy leva son verre en disant :
«Comment trouves-tu ce bordeaux, Liz?»

— Un peu clairet, mon vieux, répondit Lizzie. À se demander si Bing ne l'aurait pas coupé.»

Daisy sentit le regard de Boy posé sur elle pendant tout le repas. Sans posséder la séduction de son père, il était plutôt joli garçon et avait les yeux bleus de sa mère. Elle finit par se sentir gênée; c'était comme s'il lorgnait ses seins. Pour alléger la tension, elle lui demanda : «Alors, vous avez passé vos examens, Boy?

— Mon Dieu, non, répondit-il.

— Il est bien trop occupé à piloter son avion pour se soucier de ses études», expliqua son père. La phrase était présentée comme une critique, mais quelque chose dans son ton donnait à penser qu'en réalité, Fitz était fier de son aîné.

Boy feignit d'être offusqué. «Pure calomnie!»

Eva était perplexe. «Pourquoi êtes-vous à l'université si vous n'avez pas envie de faire des études?

— Certains garçons se fichent pas mal d'avoir des diplômes, intervint Lindy, surtout si ce ne sont pas vraiment des intellectuels.

— Et surtout s'ils sont riches et paresseux, ajouta Lizzie.

— Mais je travaille! protesta Boy. Évidemment, je n'ai pas l'intention de me présenter réellement aux examens. Je n'ai pas à me soucier de devoir gagner ma vie comme médecin ou je ne sais quoi.»

À la mort de Fitz, Boy hériterait de l'une des plus grandes fortunes d'Angleterre. Et son heureuse épouse deviendrait la comtesse Fitzherbert.

«Ai-je bien compris? s'enquit Daisy. Vous avez vraiment un avion à vous?

— Oui. Un Hornet Moth. Je suis membre de l'aéroclub de l'université. Nous avons un petit terrain d'aviation pas très loin de la ville.

— Oh! Mais c'est merveilleux! Il faut absolument que vous m'emmeniez faire un tour!»

La mère de Daisy s'interposa : «Voyons, chérie, tu n'y penses pas!

— Vous n'auriez pas peur? demanda Boy à Daisy.

— Pas le moins du monde!

— Dans ce cas, j'en serais ravi.» Il se tourna vers Olga. «Il n'y a aucun danger, madame. Je m'engage à vous la ramener entière.»

Daisy était folle de joie.

La conversation porta ensuite sur le sujet favori de l'été : le nouveau roi d'Angleterre, l'élégant Edward VIII, et son idylle avec Wallis Simpson, une Américaine séparée de son second mari. La presse londonienne ne faisait aucun commentaire, sinon pour signaler que Mrs. Simpson figurait sur la liste des invités à telle ou telle festivité royale ; mais la mère de Daisy se faisait envoyer les journaux américains, et tous se demandaient si Wallis allait divorcer de Mr. Simpson pour épouser le roi.

«C'est évidemment hors de question, déclara Fitz d'un ton sévère. Le roi est le chef de l'Église d'Angleterre. Il ne peut en aucun cas épouser une divorcée.»

Quand les dames se retirèrent en laissant les hommes à leur porto et à leurs cigares, les filles se hâtèrent d'aller se changer. Daisy décida d'accentuer le contraste avec sa tenue précédente en soulignant sa féminité, et choisit une robe de bal en soie rose avec un semis de fleurs, accompagnée d'une veste assortie à manches ballon.

Eva portait un fourreau de soie noire sans manches d'une simplicité spectaculaire. Elle avait perdu du poids l'année passée, avait changé de coiffure et adopté – sur les conseils de Daisy – un style vestimentaire sobre et près du corps qui la flattait. Eva faisait désormais vraiment partie de la famille. Daisy la considérait comme la sœur qu'elle n'avait jamais eue et Olga prenait plaisir à lui acheter des vêtements.

Il faisait encore jour quand ils montèrent dans les automobiles et les attelages qui devaient leur faire parcourir les huit kilomètres jusqu'à la ville.

Daisy n'avait jamais vu d'endroit aussi pittoresque que Cambridge, avec ses petites rues sinueuses et ses élégants bâtiments universitaires. Ils descendirent de voiture devant Trinity College et Daisy leva les yeux vers la statue de son fondateur, le roi Henry VIII. Quand ils dépassèrent la loge de brique datant du XVIᵉ siècle, elle resta bouche bée de plaisir devant le spectacle qui s'offrait à elle : un vaste quadrilatère dont le gazon vert parfaitement tondu était traversé de sentiers pavés, avec une élégante fontaine de pierre au centre. Sur les quatre côtés, des bâtiments de pierre patinée par le temps formaient la toile de fond devant laquelle des jeunes gens en frac dansaient avec des jeunes filles en robes somptueuses, tandis que des dizaines de serveurs en tenue de soirée faisaient passer des plateaux couverts de coupes de champagne. Daisy frappa dans ses mains de joie : c'était exactement le genre de choses qu'elle adorait.

Elle dansa avec Boy, puis avec Jimmy Murray, puis avec Bing, qui la tint un peu trop serrée et laissa sa main droite s'égarer de ses reins jusqu'à la courbure de ses hanches. Elle préféra ne pas protester. L'orchestre anglais interprétait une imitation édulcorée de jazz américain, mais il jouait fort et vite, et connaissait les derniers succès.

La nuit tomba et des torches illuminèrent le rectangle de pelouse. Daisy s'interrompit un instant pour aller voir ce que faisait Eva, qui avait moins d'aplomb qu'elle et avait parfois du mal à se lier. Elle constata qu'elle n'avait aucun souci à se faire : son amie était en grande conversation avec un étudiant au physique d'acteur qui portait une queue-de-pie trop grande pour lui. Eva le lui présenta sous le nom de Lloyd Williams. «Nous parlions du fascisme en Allemagne», dit Lloyd, dans l'idée manifeste de faire participer Daisy à leur discussion.

«Oh! La barbe!» s'exclama Daisy.

Lloyd fit comme s'il ne l'avait pas entendue. «J'étais à Berlin il y a trois ans, au moment où Hitler est arrivé au pouvoir. Je n'y ai pas rencontré Eva à l'époque, mais il se trouve que nous avons des connaissances communes.»

Jimmy Murray surgit alors et proposa à Eva de danser. Visiblement déçu de la voir s'éloigner, Lloyd fit néanmoins appel à sa bonne éducation et invita aimablement Daisy. Ils se rapprochèrent de l'orchestre. «Votre amie Eva est une jeune fille vraiment intéressante, remarqua-t-il.

— En vérité, monsieur Williams, voilà exactement le genre de propos que toute jeune fille espère entendre dans la bouche de son cavalier», répliqua Daisy. Elle regretta immédiatement ses paroles, craignant de paraître grincheuse.

Mais il prit la chose avec bonne humeur. «Pardon. Vous avez raison et le reproche est mérité, convint-il avec un sourire. Il faut absolument que je m'efforce d'être plus galant.»

Il était manifestement capable de se moquer de lui-même, ce qui le rendit immédiatement sympathique aux yeux de Daisy. Cela prouvait qu'il ne manquait pas d'assurance.

«Vous logez à Chimbleigh, comme Eva? demanda-t-il.

— Oui.

— Dans ce cas, vous êtes sûrement la jeune Américaine qui a donné à Ruby Carter de l'argent pour aller se faire arracher une dent.

— Comment diable savez-vous cela?

— C'est une de mes amies.

— Y a-t-il beaucoup d'étudiants qui ont des femmes de chambre pour amies? s'étonna Daisy.

— Seigneur, que vous êtes snob! Ma mère était femme de chambre avant de devenir députée, vous savez. »

Daisy se sentit rougir. Elle détestait le snobisme et en accusait souvent les autres, surtout à Buffalo. Elle se croyait tout à fait exempte d'attitudes aussi indignes. « J'ai bien peur d'avoir pris un mauvais départ avec vous, remarqua-t-elle quand la danse s'acheva.

— Ne croyez pas cela. Vous trouvez barbant de parler du fascisme, mais vous accueillez une réfugiée allemande chez vous et vous l'invitez même à vous accompagner en Angleterre. Vous trouvez que les femmes de chambre n'ont pas à fréquenter les étudiants, mais vous donnez de l'argent à Ruby pour qu'elle puisse aller chez le dentiste. Je serais surpris qu'il y ait à cette soirée une seule fille à moitié aussi étonnante que vous.

— Je vais prendre cela pour un compliment.

— Voici votre ami fasciste, Boy Fitzherbert. Voulez-vous que je le fasse fuir? »

Daisy sentit que Lloyd ne cherchait qu'une occasion de se quereller avec Boy.

« Certainement pas! » dit-elle en se tournant vers Boy avec un sourire.

Boy adressa à Lloyd un petit signe de tête. « Bonsoir, Williams.

— Bonsoir, répondit Lloyd. J'ai été très déçu de voir vos fascistes défiler dans Hills Road samedi dernier.

— Ah oui, fit Boy. Ils se sont un peu emballés.

— Cela m'a surpris, car vous m'aviez donné votre parole qu'ils n'en feraient rien. » Daisy remarqua que Lloyd était furieux, sous son masque de froide courtoisie.

Boy refusa de prendre l'incident au sérieux. « Désolé, lança-t-il avec légèreté avant de se tourner vers Daisy. Venez, je vais vous montrer la bibliothèque. C'est Christopher Wren qui l'a construite.

— Volontiers! » répondit Daisy. Avec un petit geste d'adieu à l'adresse de Lloyd, elle accepta le bras que lui offrait Boy. Elle constata avec plaisir que Lloyd la laissait partir à regret.

Sur la face ouest du quadrilatère, un passage conduisait à une cour dont l'extrémité était occupée par un unique bâtiment d'une grande élégance. Daisy admira le cloître du rez-de-chaussée pendant que Boy lui expliquait que les livres étaient rangés à l'étage supérieur parce qu'il arrivait à la rivière, la Cam, de déborder. «Et si nous allions faire un tour sur les berges, proposa-t-il. C'est très joli de nuit.»

Daisy avait vingt ans, et malgré son manque d'expérience, elle n'ignorait pas que ce n'était pas le charme nocturne des cours d'eau qui intéressait Boy. Toutefois, son étrange réaction devant les jeunes filles travesties l'avait conduite à se demander s'il ne préférait pas les garçons. Elle devina qu'elle en aurait bientôt le cœur net.

«Est-ce que vous connaissez vraiment le roi? lui demanda-t-elle alors qu'il lui faisait traverser une seconde cour.

— Oui. Évidemment, c'est plutôt mon père qui le fréquente, mais il lui arrive de venir chez nous. Je peux même vous dire qu'il est drôlement attiré par certaines de mes idées politiques.

— J'aimerais tellement le rencontrer!» Elle avait l'air naïve et en avait pleinement conscience, mais n'avait pas l'intention de laisser passer sa chance.

Ils franchirent une porte qui donnait sur une étendue de pelouse parfaitement entretenue descendant vers un étroit cours d'eau aux berges empierrées. «Ce coin-ci s'appelle les Backs, expliqua Boy. La plupart des plus anciens collèges sont propriétaires des champs qui se trouvent sur l'autre rive.» Il passa le bras autour de sa taille alors qu'ils approchaient d'un petit pont. Sa main glissa légèrement vers le haut, comme par accident, jusqu'à ce que son index repose sous la ligne inférieure de son sein.

À l'extrémité du petit pont, deux employés de l'université montaient la garde, sans doute pour refouler les éventuels resquilleurs. L'un d'eux murmura : «Bonsoir, monsieur le vicomte», tandis que l'autre réprimait un sourire. Boy répondit par un signe de tête presque imperceptible. Daisy se demanda à combien d'autres jeunes filles il avait déjà fait traverser le petit pont.

Elle ne s'était pas trompée sur les motivations de Boy : il s'arrêta dans la pénombre et posa ses mains sur ses épaules.

«Franchement, vous étiez incroyablement ravissante, dans cette tenue, au dîner.» Il avait la voix rauque d'excitation.

«Je suis contente que cela vous ait plu.» Elle savait que le baiser approchait et en était tout émoustillée. Mais elle n'était pas encore tout à fait prête. Elle posa la main sur le plastron de Boy, la paume à plat, le tenant à distance. «Je voudrais tellement être présentée à la cour, murmura-t-elle. Croyez-vous que ce soit très difficile à obtenir?

— Mais non, pas le moins du monde. Pas pour ma famille en tout cas. Et pas pour une aussi jolie fille que vous.» Il inclina la tête vers la sienne avec ardeur.

Elle recula légèrement. «Vous feriez cela pour moi? Vous feriez en sorte que je sois présentée?

— Bien sûr!»

Elle s'approcha de lui jusqu'à sentir le renflement de son érection. Non, se dit-elle, finalement, il ne préfère pas les garçons. «C'est promis? demanda-elle.

— C'est promis, dit-il, le souffle court.

— Merci.» Elle se laissa embrasser.

3.

Ce samedi-là, à une heure de l'après-midi, ils étaient nombreux à se presser dans la petite maison de Wellington Row à Aberowen, en Galles du Sud. Le grand-père de Lloyd trônait à la table de la cuisine, entre son fils, Billy Williams, un mineur devenu député d'Aberowen, et son petit-fils, Lloyd, étudiant à l'université de Cambridge. Sa fille, elle aussi membre du Parlement, était absente. C'était la dynastie Williams. Personne n'aurait jamais dit une chose pareille – la notion de dynastie était antidémocratique, et ces gens-là croyaient en la démocratie comme le pape en Dieu –, mais Lloyd n'en soupçonnait pas moins Granda de le penser.

Le vieil ami et agent électoral d'oncle Billy, Tommy Griffiths, était assis avec eux. Lloyd était honoré de se trouver en compagnie de ces hommes. Granda était un ancien syndicaliste des houillères; l'oncle Billy était passé en cour martiale en 1919 pour avoir dénoncé la guerre secrète que la Grande-Bretagne menait contre les bolcheviks; quant à Tommy, il s'était battu au côté de Billy à la bataille de la Somme. C'était plus impressionnant que de dîner avec la famille royale.

La grand-mère de Lloyd, Cara Williams, leur avait servi du ragoût de bœuf avec du pain maison et maintenant, ils buvaient du thé en fumant. Des amis et des voisins les avaient rejoints, comme ils le faisaient chaque fois que Billy était de passage, et ils étaient une demi-douzaine adossés aux murs, en train de fumer la pipe ou des cigarettes roulées, remplissant la petite cuisine d'une odeur d'hommes et de tabac.

Billy avait la stature courtaude et les épaules larges de nombreux mineurs, mais contrairement aux autres il était bien habillé, portant un complet bleu marine avec une chemise blanche propre et une cravate rouge. Lloyd remarqua que tous utilisaient fréquemment son prénom, comme pour lui rappeler qu'il était des leurs et devait son pouvoir à leurs voix. Quant à Lloyd, ils l'appelaient « p'tit gars », afin qu'il sache bien que son statut d'étudiant ne les impressionnait guère. Mais pour eux, Granda était toujours Mr. Williams : il était le seul à leur imposer vraiment le respect.

Par la porte de derrière laissée ouverte, Lloyd apercevait le crassier de la mine, une montagne qui ne cessait de prendre de l'ampleur et atteignait désormais la ruelle, à l'arrière de la maison.

Lloyd passait ses vacances d'été à travailler pour une paie très modique comme organisateur dans un camp de travail, un chantier destiné aux mineurs au chômage. Ils avaient pour projet de retaper la bibliothèque de l'Institut des mineurs. Le travail manuel du ponçage, de la peinture et de la fabrication d'étagères le changeait agréablement de la lecture de Schiller en allemand et de Molière en français. Il aimait les plaisanteries qu'échangeaient les hommes : il avait hérité le goût de sa mère pour le sens de l'humour gallois.

Tout cela était bien beau, mais pendant ce temps, il ne combattait pas le fascisme. Il tiquait chaque fois qu'il se rappelait le jour où il était resté tapi dans le temple baptiste pendant que Boy Fitzherbert et ses brutes défilaient dans la rue en criant et en jetant des pierres par la fenêtre. Il regrettait encore de n'être pas sorti pour en découdre. Cela aurait peut-être été idiot, mais il se serait senti mieux. Il y pensait tous les soirs avant de s'endormir.

Il pensait aussi à Daisy Pechkov dans sa veste de soie rose à manches ballon.

Il l'avait revue une fois pendant May Week. Il était allé assister à un concert donné dans la chapelle de King's College parce que son voisin de chambre à Emmanuel College jouait du violoncelle. Daisy se trouvait dans les rangs du public avec les Westhampton. Elle portait un chapeau de paille au bord retroussé qui lui donnait l'air d'une petite écolière indisciplinée. Il était allé la rejoindre après et l'avait interrogée sur l'Amérique, où il n'était jamais allé. Il aurait voulu avoir quelques informations sur l'administration du président Roosevelt et savoir si l'Angleterre avait des leçons à tirer des États-Unis, mais Daisy n'avait parlé que matchs de tennis ou de polo et clubs de yacht. Ce qui ne l'avait pas empêché de retomber sous le charme. Il appréciait d'autant plus son bavardage mutin qu'il était ponctué, çà et là, de reparties inattendues pleines d'un humour caustique. Quand il lui avait dit : « Je ne voudrais pas priver vos amis de votre présence, mais j'aimerais vous poser quelques questions sur le New Deal », elle avait répliqué : « Eh bien vous, on peut dire que vous savez parler aux filles. » Mais au moment de prendre congé, elle avait lancé : « Appelez-moi donc quand vous serez à Londres : Mayfair vingt-quatre trente-quatre. »

Aujourd'hui, il s'était arrêté pour déjeuner chez ses grands-parents, sur le chemin de la gare. Les responsables du chantier lui avaient accordé quelques jours de repos et il avait décidé de retourner à Londres pour profiter de ce bref congé. Il espérait vaguement tomber sur Daisy. Comme si on pouvait croiser les gens dans les rues de Londres aussi facilement qu'à Aberowen !

Il était responsable de l'éducation politique au camp de travail, et il expliqua à son grand-père qu'il avait persuadé plusieurs professeurs de Cambridge, des hommes de gauche, de venir donner une série de conférences pour les mineurs. « Je leur ai dit que c'était l'occasion ou jamais de descendre de leurs tours d'ivoire et d'être au contact de la classe ouvrière. Il leur aurait été difficile de refuser. »

Les yeux bleu pâle de Granda se tournèrent vers lui : « J'espère que tes gars leur apprennent deux ou trois choses sur le monde réel. »

Lloyd désigna du doigt le fils de Tommy Griffiths, debout sur le seuil, l'oreille tendue. À seize ans, Lenny avait déjà le visage ombré par la barbe noire typique des Griffiths qui ne disparaissait jamais, même quand ils étaient rasés de frais. «Lenny a polémiqué contre un conférencier marxiste.

— Bien joué, Len», lança Granda. Le marxisme était populaire en Galles du Sud, que l'on surnommait parfois la «petite Moscou» en manière de plaisanterie, mais Granda avait toujours été un anticommuniste farouche.

«Raconte à Granda ce que tu lui as dit, Lenny.»

Lenny sourit et répéta ses propos : «En 1872, le leader anarchiste Mikhaïl Bakounine a averti Karl Marx que s'ils arrivaient au pouvoir, les communistes se montreraient aussi tyranniques que l'aristocratie qu'ils remplaceraient. Après ce qui s'est passé en Russie, pouvez-vous honnêtement dire que Bakounine avait tort?»

Granda applaudit. Un bon sujet de débat était toujours apprécié dans la cuisine des Williams.

La grand-mère de Lloyd se versa une nouvelle tasse de thé. Cara Williams avait les cheveux gris, le visage ridé et le dos voûté de toutes les femmes de son âge à Aberowen. Elle demanda à Lloyd : «Est-ce que tu as déjà une petite amie, mon joli?»

Les hommes échangèrent sourires et clins d'œil.

Lloyd rougit. «Je suis trop occupé par mes études, Grandmam.» L'image de Daisy Pechkov surgit cependant dans son esprit, accompagnée de son numéro de téléphone : Mayfair vingt-quatre trente-quatre.

«Et cette Ruby Carter, qui est-ce alors?» lança sa grand-mère.

Les hommes s'esclaffèrent et oncle Billy commenta : «Ha ha! Te voilà joliment fait, p'tit gars!»

De toute évidence, la mère de Lloyd avait parlé. «Ruby est responsable des adhésions à la section locale du parti travailliste de Cambridge, c'est tout, protesta Lloyd.

— Ouais, ouais, très convaincant, reprit Billy d'un ton sarcastique qui provoqua de nouveaux éclats de rire.

— Tu ne serais pas tellement contente que je sorte avec Ruby, Grandmam, remarqua Lloyd. Tu trouverais qu'elle porte des vêtements trop moulants.

— De toute façon, ce n'est pas une fille pour toi, jugea Cara. Tu es un universitaire maintenant. Tu peux trouver mieux.»

Elle n'était pas moins snob que Daisy, songea Lloyd. «Ruby

Carter est très bien, protesta-t-il. Mais je ne suis pas amoureux d'elle.

— Il faut que tu te trouves une femme instruite, une institutrice, ou bien une infirmière diplômée.»

À son corps défendant, Lloyd ne pouvait que lui donner raison. Il aimait bien Ruby, et pourtant, cela n'irait jamais plus loin. Elle était plutôt jolie, intelligente aussi, et Lloyd était aussi sensible que n'importe quel homme à une fille bien roulée, mais il savait que ce n'était pas la femme qui lui convenait. Pire, Grandmam avait posé son doigt ridé sur la raison précise de son indifférence : les perspectives de Ruby étaient limitées, son horizon borné. Elle n'était pas excitante. Contrairement à Daisy.

«Les histoires de bonnes femmes, ça suffit, coupa Granda. Billy, explique-nous un peu ce qui se passe en Espagne.

— Ça va mal», dit Billy.

Toute l'Europe avait les yeux rivés sur ce pays. Le gouvernement de gauche élu au mois de février avait essuyé une tentative de putsch militaire soutenue par les fascistes et les conservateurs, et le général rebelle, Franco, avait obtenu l'appui de l'Église catholique. La nouvelle avait ébranlé tout le continent comme un tremblement de terre. Après l'Allemagne et l'Italie, l'Espagne tomberait-elle, elle aussi, sous le joug du fascisme?

«Les insurgés étaient mal préparés, comme vous le savez sans doute, et leur tentative de coup d'État était à deux doigts d'échouer, poursuivit Billy. Mais Hitler et Mussolini se sont portés à leur secours et leur ont permis de l'emporter en assurant le transport en avion de renforts, plusieurs milliers de soldats rebelles, depuis l'Afrique du Nord.

— Quand même, les syndicats ont sauvé le gouvernement! intervint Lenny.

— C'est vrai, acquiesça Billy. Le gouvernement a été lent à réagir, mais les syndicats n'ont pas attendu : ils ont organisé la résistance et distribué aux ouvriers des armes prises dans les arsenaux militaires, sur les navires, dans les armureries, partout où ils ont pu en trouver.

— Au moins, quelqu'un riposte, observa Granda. Ces salauds de fascistes, personne n'a encore eu le courage de leur mettre des bâtons dans les roues. En Rhénanie comme en Abyssinie, il leur a suffi de faire entrer des troupes pour s'emparer de ce qu'ils voulaient. Rendons grâce à Dieu d'avoir donné au peuple espagnol le courage de dire non. »

Les hommes adossés aux murs firent entendre un murmure d'assentiment.

Lloyd pensa une nouvelle fois à ce samedi après-midi, à Cambridge. Il avait, lui aussi, laissé les fascistes agir à leur guise. Il en frémissait encore de contrariété.

« Mais peuvent-ils l'emporter ? s'inquiéta Granda. Ça va être une question d'armement, non ?

— Oui, approuva Billy. Les Allemands et les Italiens fournissent des fusils et des munitions aux rebelles, et même des avions de combat et des pilotes. En revanche, personne n'aide le gouvernement espagnol légitime.

— Et pourquoi, bordel ? » demanda Lenny furieux.

Cara se retourna depuis le coin où elle faisait la cuisine. Ses yeux noirs de Méditerranéenne lancèrent des éclairs de désapprobation, et Lloyd eut l'impression d'apercevoir la superbe jeune fille qu'elle avait été un jour. « Je n'admets pas ce genre de langage dans ma cuisine ! s'écria-t-elle.

— Excusez-moi, madame Williams. »

Billy reprit la parole : « Je vais vous dire ce qui s'est vraiment passé. » Les hommes se turent, attentifs. « Le Premier ministre français, Léon Blum – un socialiste, comme vous le savez – aurait été tout prêt à donner un coup de main au gouvernement espagnol. Il a déjà une voisine fasciste, l'Allemagne, et la dernière chose dont il ait envie, c'est de se retrouver avec un régime fasciste de plus, sur sa frontière sud. Évidemment, en envoyant des armes au gouvernement espagnol, il aurait provoqué la colère de la droite française, et même des socialistes catholiques, mais Blum aurait pu faire face à cette opposition, surtout s'il avait eu le soutien des Britanniques et avait pu expliquer que l'aide apportée à l'Espagne relevait d'une initiative internationale.

— Dans ce cas, pourquoi est-ce que ça n'a pas marché ? s'étonna Granda.

— Notre gouvernement l'en a dissuadé. Blum est venu à Londres et notre ministre des Affaires étrangères, Anthony Eden, l'a averti qu'il ne fallait pas compter sur nous. »

Granda était furieux. « Pourquoi Blum a-t-il besoin de notre soutien ? Comment un Premier ministre socialiste peut-il se laisser intimider par le gouvernement conservateur d'un autre pays?

— Parce qu'il y a aussi un risque de putsch militaire en France, expliqua Billy. La presse française est fanatiquement de droite et attise la fureur des fascistes locaux. Blum pourrait les affronter s'il avait le soutien britannique – mais peut-être pas sans.

— Autrement dit, notre gouvernement conservateur courbe l'échine devant le fascisme, comme d'habitude!

— Tous ces tories ont des investissements en Espagne – dans le vin, les textiles, le charbon, l'acier – et ils ont peur que le gouvernement de gauche ne les exproprie.

— Et les Américains? Eux au moins, ils croient à la démocratie. Ils vont certainement envoyer des fusils en Espagne.

— Ça serait logique, bien sûr. Mais il y a là-bas un puissant groupe de pression catholique dirigé par un certain Joseph Kennedy – un millionnaire – qui s'oppose à toute aide en faveur du gouvernement espagnol. Or un président démocrate a besoin du soutien des catholiques. Roosevelt ne fera rien qui risque de compromettre le New Deal.

— Eh bien, il y a quand même une chose qu'on peut faire, nous autres», lança Lenny Griffiths, dont le visage se crispa dans une expression de défi adolescent.

«Et quoi donc, mon gars? demanda Billy.

— Aller nous battre avec les Espagnols.

— Ne dis pas de bêtises, Lenny, grommela son père.

— Il y en a plein qui envisagent d'y aller, dans le monde entier, même en Amérique. Ils parlent de former des unités de volontaires pour combattre aux côtés de l'armée régulière.»

Lloyd se redressa sur sa chaise. «C'est vrai?» Il n'en avait jamais entendu parler. «Comment tu sais ça, toi?

— Je l'ai lu dans le *Daily Herald*.»

Lloyd était galvanisé. Des volontaires partaient en Espagne se battre contre les fascistes!

Tommy Griffiths s'adressa à Lenny : «Il n'est pas question que tu y ailles, c'est compris?

— Tu as oublié tous ces gars qui ont menti sur leur âge pour aller se battre pendant la Grande Guerre? Ils étaient des milliers.

— Parfaitement bons à rien, pour la plupart, objecta

200

Tommy. Je me souviens de ce gosse qui pleurait avant la Somme. Comment s'appelait-il déjà, Billy?

— Owen Bevin. Il a pris la tangente, non?

— Ouais. Pour se retrouver devant un peloton d'exécution. Les salauds l'ont fusillé pour désertion. Quinze ans, qu'il avait, le pauvre môme.

— J'en ai seize, protesta Lenny.

— Ah ouais, fit son père. Ça fait une sacrée différence, c'est sûr!»

Granda les coupa : «Lloyd n'a plus que dix minutes s'il ne veut pas rater son train pour Londres.»

Lloyd avait été tellement médusé par la révélation de Lenny qu'il n'avait pas vu l'heure passer. Il bondit sur ses pieds, embrassa sa grand-mère et ramassa sa petite valise.

«Je t'accompagne à la gare», dit Lenny.

Lloyd fit ses adieux à tout le monde et descendit la rue à grands pas. Lenny était silencieux, manifestement préoccupé. Quant à Lloyd, il préférait ne pas avoir à parler : il avait le cerveau en ébullition.

Le train était déjà en gare et Lloyd se précipita au guichet où il acheta un billet de troisième classe pour Londres. Il allait monter sur le marchepied quand Lenny lui demanda : «Dis-moi, Lloyd, comment on fait pour avoir un passeport?

— Tu n'envisages pas sérieusement d'aller en Espagne, quand même?

— Allez, quoi, grouille-toi, il faut que je sache.»

Le chef de gare siffla. Lloyd monta dans le wagon, ferma la portière et baissa la vitre. «Il faut demander un formulaire à la poste», dit-il.

— Si je vais à la poste d'Aberowen pour une histoire de passeport, soupira Lenny découragé, ma mère le saura trente secondes plus tard.

— Dans ce cas, va à Cardiff», conseilla Lloyd. Le train démarra.

Il rejoignit sa place et sortit de sa poche un exemplaire en français du *Rouge et le Noir* de Stendhal. Ses yeux restaient posés sur la page, mais il ne comprenait pas un mot. Il n'avait qu'une idée en tête : aller en Espagne.

Il aurait dû avoir peur, il le savait mais éprouvait une immense exaltation à l'idée de se battre – se battre pour de bon, au lieu de se contenter d'organiser des meetings – contre des hommes de l'espèce de ceux qui avaient déchaîné les chiens contre Jörg. La peur viendrait plus tard, sûrement. Avant un match de boxe, il ne ressentait aucune appréhension aussi longtemps qu'il était dans les vestiaires. Mais quand il montait sur le ring, qu'il voyait l'homme qui était décidé à le mettre KO, qu'il découvrait ses épaules musclées, ses poings impitoyables et son visage haineux, il avait la bouche sèche et le cœur qui battait la chamade, et devait réprimer l'instinct qui le poussait à faire demi-tour et à prendre la fuite.

Pour le moment, c'était surtout pour ses parents qu'il se faisait du souci. Bernie, qui était si fier d'avoir un beau-fils à Cambridge – il l'avait raconté à une bonne moitié de l'East End –, serait consterné si Lloyd quittait l'université avant d'avoir obtenu son dernier diplôme. Quant à Ethel, elle serait morte d'inquiétude à l'idée que son fils puisse être blessé ou tué. Ils seraient dans tous leurs états, l'un comme l'autre.

Ce n'était pas le seul problème. Comment irait-il en Espagne ? Dans quelle ville ? Comment paierait-il son voyage ? Mais en toute franchise, il n'y avait qu'un obstacle qui l'arrêtait réellement.

Daisy Pechkov.

C'était ridicule, il en avait douloureusement conscience. Il ne l'avait rencontrée que deux fois et elle ne s'intéressait pas à lui. Elle faisait bien du reste, car ils étaient on ne peut plus mal assortis. C'était la fille d'un millionnaire, une mondaine superficielle que les discussions politiques ennuyaient. Elle aimait les hommes du genre de Boy Fitzherbert : cela suffisait à prouver qu'elle n'avait rien à faire avec Lloyd. Pourtant, il n'arrivait pas à la chasser de son esprit, et la perspective de partir en Espagne et de renoncer à toute chance de la revoir l'anéantissait.

Mayfair vingt-quatre trente-quatre.

Il s'en voulait d'hésiter, surtout en songeant à la détermination de Lenny. Cela faisait des années qu'il parlait de se battre contre le fascisme. Il avait enfin l'occasion de le faire. Comment pouvait-il tergiverser ?

Il arriva à la gare londonienne de Paddington, prit le métro pour Aldgate et rejoignit à pied Nutley Street, la rue bordée de maisons contiguës, toutes identiques, où il était né. Il entra avec sa propre clé. Les lieux n'avaient pas beaucoup changé depuis son enfance, à une innovation près : le téléphone posé sur une petite table, à côté du portemanteau. C'était le seul de la rue, et les voisins le considéraient comme un service public. À côté de l'appareil, il y avait une boîte où chacun mettait l'argent des appels qu'il passait.

Sa mère était à la cuisine. Elle avait son chapeau sur la tête et était sur le point de se rendre à une réunion du parti travailliste – où d'autre aurait-elle pu aller –, mais elle mit tout de même la bouilloire à chauffer pour lui faire du thé. «Alors, quelles sont les nouvelles d'Aberowen? demanda-t-elle.

— Oncle Billy est venu pour le week-end. Tous les voisins étaient rassemblés dans la cuisine de Granda. Une vraie cour médiévale.

— Tes grands-parents vont bien?

— Granda est toujours le même. Grandmam a un peu vieilli, je trouve.» Il s'interrompit. «Lenny Griffiths veut aller en Espagne combattre les fascistes.»

Les lèvres de sa mère se pincèrent dans une moue de désapprobation. «Ah oui, vraiment?

— J'ai assez envie de partir avec lui. Qu'est-ce que tu en penses?»

Il s'attendait à ce qu'elle proteste, mais sa réaction le prit de court. «Nom de Dieu, tu ne vas pas faire une connerie pareille!» lança-t-elle d'une voix farouche. Elle ne partageait pas l'aversion de Grandmam pour les jurons. «Ne remets plus jamais ça sur le tapis, c'est compris?» Elle posa brutalement la théière sur la table. «Je t'ai donné naissance dans la douleur et la souffrance, je t'ai élevé, nourri, habillé, chaussé, envoyé à l'école. Je n'ai pas fait tout ça pour que tu bousilles ta vie dans une guerre de merde!

— Il n'est pas question de bousiller ma vie, répondit-il un peu désarçonné. Mais je pourrais la risquer pour défendre une cause en laquelle tu m'as appris à croire.»

À sa stupéfaction, elle fondit en larmes. Cela lui arrivait rarement – en fait, Lloyd ne se rappelait pas l'avoir vu pleurer un jour.

«Mam, arrête.» Il posa le bras autour de ses épaules agitées de tremblements. «Tout va bien, je ne suis pas encore parti.»

Bernie, un homme d'âge mûr, trapu, au crâne dégarni, entra dans la cuisine. «Que se passe-t-il ici? demanda-t-il, l'air soucieux.

— Je suis navré, Dad, répondit Lloyd. C'est ma faute.» Il s'écarta, et Bernie prit Ethel dans ses bras.

Elle sanglotait. « Il va partir en Espagne ! Il va se faire tuer !

— Allons, calmons-nous et discutons de tout ça avec un peu de bon sens », suggéra Bernie. C'était un homme de bon sens, qui portait en toutes circonstances un costume noir fonctionnel et des chaussures à épaisses semelles tout aussi fonctionnelles, réparées à maintes reprises. C'était évidemment à cause de son bon sens que les gens votaient pour lui : il exerçait en effet des responsabilités politiques locales et représentait Aldgate au Conseil régional de Londres. Lloyd n'avait jamais connu son propre père, mais n'imaginait pas qu'il aurait pu l'aimer plus qu'il n'aimait Bernie, lequel avait été un beau-père d'une grande douceur, prompt à consoler et à conseiller, lent à commander ou à punir. Il ne faisait aucune différence entre Lloyd et sa propre fille, Millie.

Bernie convainquit Ethel de s'asseoir avec eux, et Lloyd lui servit une tasse de thé.

« Autrefois, il y a bien longtemps, j'ai cru que mon frère était mort, balbutia Ethel, dont les larmes ruisselaient toujours. Les télégrammes adressés aux habitants de Wellington Row affluaient, et le malheureux postier devait passer d'une maison à l'autre, distribuant à tous des bouts de papier leur annonçant la mort de leur fils ou de leur mari. Pauvre facteur, comment s'appelait-il ? Geraint, je crois. Mais il n'avait pas de télégramme pour nous et, malheureuse que je suis, j'ai remercié Dieu que d'autres soient morts et que Billy soit sain et sauf !

— Tu n'as pas de reproches à te faire », la rassura Bernie en lui tapotant le dos.

La demi-sœur de Lloyd, Millie, descendit du premier étage. Elle avait seize ans, mais faisait plus que son âge, surtout habillée comme elle l'était ce soir-là, dans une tenue noire très chic agrémentée de petites boucles d'oreilles dorées. Elle avait travaillé deux ans dans une boutique de confection féminine d'Aldgate, mais étant aussi intelligente qu'ambitieuse, elle venait de trouver un nouvel emploi dans un grand magasin huppé du West End. « Mam, que se passe-t-il ? » demanda-t-elle avec un léger accent cockney en voyant le visage rougi de pleurs d'Ethel.

« Ton frère veut aller en Espagne pour se faire tuer ! » sanglota Ethel.

Millie jeta un regard furieux à son frère. « Qu'est-ce que tu es encore allé lui raconter ? » Millie était toujours prête à critiquer son grand frère, outrageusement choyé par ses parents, selon elle.

Lloyd réagit avec une tolérance affectueuse. «Lenny Griffiths d'Aberowen part se battre contre les fascistes, et j'ai annoncé à Mam que j'envisage de l'accompagner.

— C'est bien ton genre, lança Millie écœurée.

— Il faudrait déjà que tu arrives jusque-là, objecta Bernie, toujours pragmatique. Après tout, le pays est plongé dans la guerre civile.

— Je peux prendre le train jusqu'à Marseille. Barcelone n'est pas très loin de la frontière française.

— Cent trente, cent cinquante kilomètres, tout de même. Et il peut faire sacrément froid dans les Pyrénées.

— Il y a sûrement des bateaux qui partent de Marseille pour Barcelone. Par la mer, c'est moins long.

— C'est vrai.

— Arrête, Bernie! cria Ethel. On dirait que tu discutes du chemin le plus court pour aller à Piccadilly Circus. Il est question de guerre! Je ne le laisserai jamais faire ça!

— Je te rappelle qu'il a vingt et un ans, remarqua Bernie. Nous ne pouvons pas l'en empêcher.

— Je sais quel âge il a tout de même, nom de Dieu!»

Bernie regarda sa montre. «Il faut qu'on y aille, Eth. Tu es la principale oratrice de la réunion. Et rassure-toi, Lloyd ne partira pas pour l'Espagne ce soir.

— Qu'est-ce que tu en sais? demanda-t-elle. Peut-être que quand on rentrera tout à l'heure, on trouvera un mot nous annonçant qu'il a pris le train-ferry pour Paris!

— Écoutez-moi tous les deux, reprit Bernie. Lloyd, tu vas promettre à ta mère de ne pas partir avant un mois, au plus tôt. De toute façon, ça me paraît raisonnable : il faut que tu étudies la situation au lieu de te lancer comme ça, tête baissée, dans l'aventure. Tranquillise-la, pour le moment. Nous en reparlerons plus tard.»

C'était un compromis typique de Bernie, qui permettait à chacun de reculer sans céder. Lloyd hésitait pourtant à promettre quoi que ce soit. Évidemment, il ne pouvait pas sauter dans le train sur un coup de tête. Il fallait qu'il se renseigne sur les dispositions que le gouvernement espagnol avait prises pour accueillir les volontaires. Le mieux serait de partir en même temps que Lenny et d'autres jeunes qu'il connaissait. Il allait lui

falloir des visas, de l'argent étranger, de bonnes chaussures...
« Entendu, finit-il par dire. Je ne partirai pas avant un mois.

— Promets-le, insista sa mère.

— Je te le promets. »

Ethel se calma. Quelques instants plus tard, elle se poudra le visage et redevint elle-même. Elle but son thé.

Elle enfila ensuite son manteau et partit avec Bernie.

« Bon, j'y vais, moi aussi, annonça Millie.

— Où ça ? lui demanda Lloyd.

— Au Gaiety. »

C'était un music-hall de l'East End. « Ils laissent entrer les filles de seize ans, maintenant ? »

Elle lui jeta un regard malicieux. « Seize ans ? Qui a seize ans ici ? Pas moi. En plus, Dave y va, lui aussi, et il n'en a que quinze. » Elle parlait de leur cousin David Williams, le fils de l'oncle Billy et de la tante Mildred.

« Alors, amuse-toi bien. »

Elle était déjà à la porte quand elle revint sur ses pas. « Débrouille-toi pour ne pas te faire tuer en Espagne, espèce d'idiot. » Elle se jeta à son cou et le serra de toutes ses forces, puis partit sans un mot.

Il fonça sur le téléphone dès qu'il entendit la porte d'entrée claquer.

Il n'eut pas à se creuser la tête pour retrouver le numéro. Il revoyait Daisy se tourner vers lui au moment de partir et lui adresser un sourire aguichant sous son chapeau de paille en disant : « Mayfair vingt-quatre trente-quatre. »

Il prit le combiné et composa le numéro.

Qu'allait-il dire ? « Vous m'avez demandé de vous appeler, alors me voilà. » Un peu faible, comme entrée en matière. La vérité ? « Je n'ai aucune estime pour vous, mais je ne peux pas m'empêcher de penser à vous. » Il devrait l'inviter quelque part, mais où ? À une réunion du parti travailliste ?

Une voix d'homme répondit. « Ici la résidence de madame Pechkov. Bonsoir. » Son ton déférent donnait à penser qu'il s'agissait d'un majordome. La mère de Daisy avait dû louer une maison avec tout son personnel.

« Bonsoir, ici Lloyd Williams. » Il voulait ajouter une précision qui expliquerait ou justifierait son appel et dit la première chose qui lui vint à l'esprit : « ... d'Emmanuel College. » Cela n'avait pas grand sens, mais il espérait impressionner son interlocuteur. « Pourrais-je parler à miss Daisy Pechkov ?

— Je regrette, professeur, répondit le majordome, prenant Lloyd pour un enseignant. Ces dames sont à l'Opéra. »

Évidemment, se dit Lloyd, déçu. Aucune mondaine n'était chez elle à cette heure de la soirée, surtout un samedi. « C'est vrai, je m'en souviens, improvisa-t-il. Elle me l'avait dit et j'ai complètement oublié. À Covent Garden, n'est-ce pas ? » Il retint son souffle.

Le majordome n'éprouva aucun soupçon. « Oui, monsieur. Je crois qu'on donne *La Flûte enchantée*.

— Merci infiniment. » Lloyd raccrocha.

Il monta dans sa chambre pour se changer. Dans le West End, la plupart des gens se mettaient en tenue de soirée même pour aller au cinéma. Mais que ferait-il une fois sur place ? Il n'avait pas de quoi se payer un billet d'opéra, et de toute façon, le spectacle devait toucher à sa fin.

Il prit le métro. Le Royal Opera House était situé de façon incongrue juste à côté de Covent Garden, le grand marché de fruits et légumes de Londres. Les deux établissements coexistaient sans heurt, grâce à leurs horaires différents : les activités du marché commençaient à trois ou quatre heures du matin, au moment où les fêtards invétérés commençaient à rentrer chez eux ; et il fermait avant les représentations en matinée.

Lloyd passa devant les étals fermés et s'approcha des portes vitrées de l'Opéra pour jeter un coup d'œil à l'intérieur. Le hall brillamment éclairé était désert et il entendait du Mozart en sourdine. Il entra. Adoptant l'attitude dégagée d'un représentant de la haute société, il demanda à l'employé : « À quelle heure le spectacle se termine-t-il ? »

S'il avait porté son costume de tweed, on lui aurait probablement rétorqué que cela ne le regardait pas, mais grâce à l'autorité que conférait le port du smoking, il s'entendit répondre : « Dans cinq minutes environ, monsieur. »

Lloyd hocha la tête sèchement. Dire merci l'aurait trahi.

Il sortit du bâtiment et fit le tour du pâté de maisons. Tout était calme. Les clients des restaurants en étaient au café ; dans les cinémas, le grand film approchait de son point culminant et mélodramatique. Dans quelques instants, en revanche, les rues grouilleraient de gens hélant des taxis, se dirigeant vers les boîtes de nuit, s'embrassant pour se dire bonsoir aux arrêts de bus et se hâtant d'aller attraper le dernier train de banlieue.

Il retourna à l'Opéra et entra. L'orchestre s'était tu et le public commençait tout juste à sortir de la salle. Libérés de leur longue claustration, les spectateurs bavardaient avec animation, ne tarissant pas d'éloges sur les chanteurs, critiquant les costumes et se demandant où ils allaient souper.

Il aperçut Daisy presque immédiatement.

Elle était ravissante dans sa robe lavande, une petite cape de vison couleur champagne réchauffant ses épaules dénudées. Elle était accompagnée d'un groupe de jeunes gens parmi lesquels Lloyd reconnut non sans contrariété Boy Fitzherbert. Ils descendaient l'escalier côte à côte et il entendit Daisy rire gaiement aux propos que Boy lui chuchotait à l'oreille. Ils étaient suivis par cette jeune Allemande si intéressante, Eva Rothmann, escortée d'un grand jeune homme vêtu d'une tenue de soirée militaire, ce qu'on appelait une tenue de mess.

Eva reconnut Lloyd et lui sourit. Il s'adressa à elle en allemand : «Bonsoir, mademoiselle. J'espère que vous avez passé une bonne soirée.

— Oui, excellente, merci, répondit-elle dans la même langue. Je ne savais pas que vous étiez là. »

Boy lança d'un ton affable : «Eh, vous deux, parlez donc anglais.» Il avait l'air légèrement ivre. Il était séduisant dans le genre dissolu, comme un adolescent maussade, ou un chien de luxe trop gâté. D'un commerce agréable, il pouvait certainement exercer un charme ravageur quand il s'en donnait la peine.

Eva se tourna vers Boy : «Monsieur le vicomte, fit-elle en anglais, permettez-moi de vous présenter monsieur Williams.

— Nous nous connaissons déjà, répondit Boy. Il est à Emma.

— Bonsoir, Lloyd, dit alors Daisy. Nous avons l'intention d'aller nous encanailler. »

Lloyd avait déjà entendu cette expression qui voulait dire aller dans l'East End prendre un verre dans des pubs de bas étage et assister à des divertissements populaires, tels que des combats de chiens.

«Je parie que Williams ne manque pas d'endroits à nous conseiller», lança Boy.

Lloyd n'hésita qu'une fraction de seconde. Était-il prêt à supporter Boy pour avoir le plaisir d'être avec Daisy? Bien sûr! «En effet, acquiesça-t-il. Voulez-vous que je vous serve de guide?

— Ce serait épatant!»

Une dame plus âgée s'approcha et agita un index réprobateur devant Boy. «Ces jeunes filles doivent impérativement être rentrées à minuit, dit-elle avec un accent américain. Pas une seconde plus tard, n'est-ce pas?»

Lloyd devina que c'était la mère de Daisy.

Le grand jeune homme en tenue militaire répondit : «Vous pouvez faire confiance à l'armée, madame. Nous serons à l'heure.»

Mrs. Pechkov était suivie du comte Fitzherbert, accompagné d'une femme corpulente qui devait être son épouse. Lloyd aurait bien aimé interroger le comte sur la politique espagnole de son gouvernement, mais le moment était évidemment mal choisi.

Deux voitures les attendaient devant l'Opéra. Le comte, sa femme et la mère de Daisy montèrent dans une Rolls-Royce Phantom III noir et crème. Boy et sa bande s'entassèrent dans l'autre véhicule, une limousine Daimler E20 bleu foncé, la voiture préférée de la famille royale. Ils étaient sept jeunes, Lloyd compris. Eva semblait être très liée au soldat, qui se présenta à Lloyd comme le lieutenant Jimmy Murray. La troisième fille était sa sœur, May, et l'autre garçon – une version plus mince, moins exubérante de Boy – n'était autre qu'Andy Fitzherbert.

Lloyd indiqua au chauffeur comment se rendre au Gaiety.

Il remarqua que Jimmy Murray glissait discrètement son bras autour de la taille d'Eva, qui se rapprocha légèrement de lui : de toute évidence, l'attirance était réciproque. Ce n'était pas une très jolie fille, mais elle était intelligente et charmante. Il l'appréciait beaucoup et était heureux qu'elle se soit trouvé un grand et sympathique soldat. Il se demanda tout de même comment l'entourage de Jimmy réagirait s'il annonçait son intention d'épouser une Allemande à moitié juive.

Il songea alors que les autres formaient eux aussi des couples : Andy et May et – chose infiniment plus fâcheuse – Boy et Daisy. Lloyd était en surnombre. Ne voulant pas donner l'impression de les épier, il porta son attention sur les encadrements des vitres en acajou brillant.

La voiture remonta Ludgate Hill en direction de la cathédrale St Paul. «Prenez par Cheapside», dit Lloyd au chauffeur.

Boy sortit de sa poche une flasque d'argent dont il but une longue gorgée. S'essuyant les lèvres, il remarqua : «Vous avez l'air de bien connaître le coin, Williams.

— C'est ici que j'habite, expliqua Lloyd. Je suis né dans l'East End.

— Tout à fait épatant», lança Boy, et Lloyd n'aurait su dire s'il était maladroitement poli ou désagréablement sarcastique.

Au Gaiety, tous les sièges étaient occupés, mais les places debout étaient nombreuses et le public se déplaçait constamment pour saluer des amis et s'approcher du bar. Tout le monde était sur son trente et un, les femmes en robes de couleurs vives, les hommes dans leurs plus beaux costumes. L'atmosphère était chaude et enfumée, et il régnait une odeur tenace de bière renversée. Lloyd conduisit son groupe vers le fond de la salle. Leurs vêtements trahissaient des visiteurs du West End, mais ils n'étaient pas les seuls : les music-halls étaient populaires dans toutes les classes sociales.

Sur scène, une actrice un peu mûre en robe rouge et en perruque blonde faisait un numéro rempli de phrases à double sens : « "N'crois pas que j'vais t'laisser entrer dans mon p'tit couloir", que j'lui dis.» Le public hurla de rire. «Il me fait : "J'vois ça d'ici, chérie." J'lui réponds : "Tu vas sortir ton nez d'là, oui ?"» Elle feignait l'indignation. «Et voilà-t-i pas qu'il me fait : "On dirait qu'un bon nettoyage ne serait pas d'trop." Non mais, j'vous jure ! Quel toupet ! »

Lloyd remarqua que Daisy souriait franchement. Il se pencha vers elle et lui chuchota à l'oreille : «Vous avez remarqué que c'est un homme ?

— Non ! Je ne vous crois pas !

— Regardez ses mains.

— Oh mon Dieu, dit-elle, vous avez raison. »

Le cousin de Lloyd, David, passa devant eux. Apercevant Lloyd, il revint sur ses pas. «Pourquoi est-ce que vous êtes tous fringués comme ça ? » demanda-t-il avec un accent cockney. Il portait une écharpe nouée autour du cou et une casquette en tissu.

«Salut, Dave, comment ça va ?

— Je pars en Espagne avec Lenny Griffiths et toi, lui annonça Dave.

— Tu n'y penses pas ! protesta Lloyd. Tu n'as que quinze ans.

— Il y a des garçons de mon âge qui se sont battus pendant la Grande Guerre.

— Ils n'étaient bons à rien, tu sais – tu n'as qu'à demander à ton père. Et puis qui t'a dit que je partais?

— Ta sœur, Millie», répondit Dave et il poursuivit son chemin.

Boy se tourna vers Lloyd : «Que boit-on ici d'ordinaire, Williams?»

Tout en songeant que Boy avait son compte, Lloyd répondit : «Des pintes de *best bitter* pour les hommes et pour les dames du porto-citron.

— Du porto-citron?

— Du porto allongé de citronnade.

— Quelle abomination!» Boy s'éclipsa.

Sur scène, on en arrivait à la chute du sketch. «Alors j'lui dis : "Espèce d'idiot, tu t'es fourré dans l'*autre* couloir!"» Le comédien – ou la comédienne – sortit de scène sous une tempête d'applaudissements.

Millie surgit alors devant Lloyd. «Salut», dit-elle. Elle regarda Daisy. «Tu me présentes ton amie?»

Lloyd était fier de Millie, si jolie dans son élégante robe noire, avec une rangée de fausses perles et un maquillage discret. «Miss Pechkov, permettez-moi de vous présenter ma sœur, Millie Leckwith. Millie, je te présente Daisy.»

Les deux jeunes filles se serrèrent la main. Daisy dit : «Je suis très heureuse de rencontrer la sœur de Lloyd.

— Sa demi-sœur, plus exactement», précisa Millie.

Lloyd expliqua : «Mon père s'est fait tuer à la guerre. Je ne l'ai jamais connu. Ma mère s'est remariée quand j'étais tout petit.

— Amusez-vous bien», lança Millie en repartant; juste avant de s'éloigner, elle ajouta à l'adresse de Lloyd : «Je comprends maintenant pourquoi Ruby Carter n'a aucune chance.»

Lloyd gémit intérieurement. Sa mère avait manifestement raconté à toute la famille qu'il faisait la cour à Ruby.

«Qui est Ruby Carter? demanda Daisy.

— Une femme de chambre de Chimbleigh. Vous savez bien, celle à qui vous avez donné de l'argent pour aller chez le dentiste.

— Ah oui, je m'en souviens. Si je comprends bien, il y a quelque chose entre vous.

« — Dans l'imagination de ma mère, oui, mais c'est bien tout. »

Daisy rit de son embarras. « Vous n'avez pas l'intention d'épouser une femme de chambre, c'est ça ?

— Disons plutôt que je n'ai pas l'intention d'épouser Ruby.

— Elle vous conviendrait peut-être très bien. »

Lloyd la regarda droit dans les yeux. « On ne tombe pas forcément amoureux de la personne qui vous conviendrait le mieux. »

Elle se tourna vers la scène. La soirée touchait à sa fin et toute la distribution entonna en chœur une rengaine populaire. Le public se joignit aux acteurs avec enthousiasme. Les clients debout au fond de la salle se prirent par le bras et se balancèrent en mesure, et le petit groupe du West End en fit autant.

Boy n'était toujours pas revenu quand le rideau retomba. « Je vais aller le chercher, proposa Lloyd. Je pense savoir où il est. » Le Gaiety avait des toilettes pour dames, mais celles des hommes se trouvaient dans la cour et se réduisaient à une fosse d'aisances et à plusieurs bidons d'huile coupés en deux. Lloyd trouva Boy en train de vomir dans un des bidons.

Il lui tendit un mouchoir pour qu'il s'essuie la bouche, puis le prit par le bras et lui fit traverser la salle déjà presque vide pour rejoindre la Daimler, où les autres les attendaient. Ils montèrent tous en voiture et Boy s'assoupit immédiatement.

Quand ils eurent regagné le West End, Andy Fitzherbert demanda au chauffeur de se rendre d'abord chez les Murray, dans une rue modeste, proche de Trafalgar Square. Sortant de la voiture avec May, il dit : « Continuez vous autres. Je vais raccompagner May jusqu'à sa porte. Je rentrerai à pied. » Andy avait manifestement l'intention de prendre son temps pour dire un bonsoir romantique à May sur son seuil.

Ils se rendirent ensuite à Mayfair. Alors que la voiture approchait de Grosvenor Square où logeaient Daisy et Eva, Jimmy se pencha vers le chauffeur. « Arrêtez-vous juste à l'angle s'il vous plaît. » Il se tourna ensuite vers Lloyd : « Dites-moi, Williams, est-ce que ça vous ennuierait de raccompagner miss Pechkov jusqu'à sa porte ? Je vous suis dans quelques secondes avec Fräulein Rothmann.

— Bien sûr. » Jimmy voulait embrasser Eva dans la voiture,

évidemment. Boy n'en saurait rien : il ronflait. Quant au chauffeur, il ferait l'aveugle en espérant un pourboire.

Lloyd sortit de la Daimler et tendit la main à Daisy. Quand elle la saisit, il sentit un frisson lui parcourir tout le corps, comme une légère décharge électrique. Il lui prit le bras et ils remontèrent lentement le trottoir. À mi-chemin entre deux réverbères, à l'endroit où la lumière était la plus tamisée, Daisy s'arrêta. « Laissons-leur un peu de temps, murmura-t-elle.

— Je suis si content qu'Eva ait un amoureux.

— Moi aussi. »

Il prit une profonde inspiration.

« Je ne saurais en dire autant de Boy Fitzherbert et vous.

— J'ai été présentée à la cour grâce à lui ! s'enthousiasma Daisy. Et j'ai dansé avec le roi dans un night-club – tous les journaux américains en ont parlé !

— C'est pour ça que vous sortez avec lui ? demanda Lloyd, incrédule.

— Pas seulement. Nous avons les mêmes goûts, tous les deux : il aime les fêtes, les courses de chevaux, les vêtements. Et puis il est tellement amusant ! Il a même un avion à lui.

— Ça ne veut rien dire du tout, protesta Lloyd. Laissez-le tomber. Sortez plutôt avec moi. »

Elle prit l'air flattée et étouffa un petit rire. « Vous êtes fou, dit-elle. Mais je vous aime bien quand même.

— Je suis parfaitement sérieux, insista-t-il au désespoir. Je n'arrive pas à m'empêcher de penser à vous, alors que vous êtes, en toute logique, la dernière personne au monde dont je devrais tomber amoureux. »

Elle éclata de rire : « Vous êtes vraiment impossible ! Je me demande pourquoi je vous adresse encore la parole. J'imagine sans doute que votre impolitesse et votre maladresse dissimulent une grande gentillesse.

— Je ne suis pas vraiment maladroit : seulement avec vous.

— Je vous crois. Mais je n'ai aucune intention de sortir avec un socialiste sans le sou. »

Lloyd lui avait ouvert son cœur et s'était fait gentiment remettre à sa place. Inconsolable, il se retourna vers la Daimler. « Je me demande quand ils vont venir.

— Encore que je pourrais peut-être envisager d'embrasser un socialiste, juste pour voir quel effet ça fait. »

Il ne réagit pas tout de suite, prenant cela pour des paroles en l'air. Mais il se ravisa promptement : c'était une invitation, évidemment, et il avait failli être assez bête pour la laisser passer.

Il s'approcha d'elle et posa les mains autour de sa taille fine. Elle leva le visage vers lui, et sa beauté lui coupa le souffle. Il s'inclina et l'embrassa doucement sur la bouche. Elle ne baissa pas les paupières, lui non plus. Il était grisé, le regard perdu dans ses yeux bleus, effleurant ses lèvres des siennes. Elle entrouvrit la bouche et il caressa ses lèvres écartées du bout de sa langue. Un instant plus tard, il sentit sa langue répondre à la sienne. Elle le regardait toujours. Il était au septième ciel et aurait voulu que cette étreinte dure éternellement. Physiquement plus ému qu'il ne l'aurait souhaité, il craignit qu'elle ne s'en offusque et s'écarta légèrement... mais elle se pressa contre lui de plus belle et il comprit à son regard qu'elle avait envie de sentir son sexe durci contre son corps tendre. Cette pensée l'excita au-delà de toute mesure. Il était au bord de l'éjaculation, et il lui traversa l'esprit que peut-être, cela ne lui déplairait pas.

Il entendit alors la portière de la Daimler s'ouvrir et Jimmy Murray parler d'une voix exagérément sonore, comme pour les avertir. Lloyd desserra son étreinte.

«Eh bien, murmura Daisy d'un ton surpris. C'était un plaisir inattendu.

— Davantage qu'un plaisir», dit Lloyd d'une voix rauque.

Jimmy et Eva les rejoignirent et ils se dirigèrent tous les quatre vers la porte de la maison de Mrs. Pechkov. C'était une grande bâtisse précédée de quelques marches conduisant à un porche couvert. Lloyd se demanda s'il ne pourrait pas servir d'abri à un autre baiser, mais au moment même où ils gravissaient les marches, la porte s'ouvrit de l'intérieur sur un homme en tenue de soirée, sans doute le majordome auquel Lloyd avait parlé quelques heures plus tôt au téléphone. Quelle bonne idée il avait eue d'appeler !

Les deux jeunes filles prirent congé de leurs cavaliers d'un air innocent, et nul n'aurait pu soupçonner en les voyant que quelques secondes auparavant seulement, elles échangeaient, l'une et l'autre, des étreintes passionnées. La porte se referma sur elles.

Lloyd et Jimmy redescendirent les marches.

«Je vais rentrer à pied, annonça Jimmy. Voulez-vous que je demande au chauffeur de vous reconduire dans l'East End ? Nous sommes bien à cinq kilomètres de chez vous. Boy n'y verra certainement aucun inconvénient : à mon avis, il ne se réveillera pas avant l'heure du petit déjeuner.

— C'est très attentionné de votre part, Murray, et j'y suis très sensible. Mais sincèrement, je préfère marcher. Il y a beaucoup de choses auxquelles il faut que je réfléchisse.

— Comme vous voudrez. Bonsoir, dans ce cas.

— Bonsoir », dit Lloyd. L'esprit en ébullition et le sexe encore légèrement en érection, il se tourna vers l'est et prit la direction de Nutley Street.

4.

La saison londonienne s'achevait à la mi-août, et Boy Fitzherbert n'avait toujours pas demandé la main de Daisy Pechkov.

Daisy était blessée et perplexe. L'intimité de leurs relations n'était un secret pour personne. Ils se voyaient presque un jour sur deux. Le comte Fitzherbert s'adressait à Daisy comme à sa fille, et la soupçonneuse princesse Bea elle-même s'était prise d'affection pour elle. Boy ne manquait pas une occasion de l'embrasser, sans pour autant faire de projets d'avenir.

La longue succession de déjeuners et de dîners somptueux, de fêtes et de bals resplendissants, de manifestations sportives traditionnelles et de pique-niques au champagne qui avait jalonné la saison londonienne s'acheva brutalement. Un grand nombre des nouveaux amis que s'était faits Daisy quittèrent la ville du jour au lendemain. La plupart partaient pour leurs domaines où, d'après ce qu'elle avait compris, ils passeraient leur temps à chasser le renard, à traquer le cerf et à tirer des oiseaux.

Daisy et Olga restèrent à Londres pour le mariage d'Eva Rothmann. Jimmy Murray avait hâte d'épouser la femme qu'il aimait, et la cérémonie eut lieu à l'église de Chelsea, la paroisse de ses parents.

Daisy se félicitait du bonheur d'Eva. C'est elle qui avait appris à son amie à choisir des vêtements seyants, des tenues élégantes sans chichis, dans des teintes soutenues et unies qui mettaient en valeur ses cheveux noirs et ses yeux bruns. Prenant de l'assurance à son contact, Eva avait découvert comment séduire hommes et femmes grâce à sa chaleur naturelle et à sa vive intelligence. Et Jimmy était tombé amoureux d'elle. Ce n'était pas un Apollon, mais il était grand et plutôt séduisant avec son visage taillé à la serpe. De plus, il était issu d'une famille de militaires dotée d'une fortune modeste, de sorte que sans être riche, Eva pouvait être assurée de vivre dans le confort.

Les Britanniques n'avaient pas moins de préjugés que d'autres et au départ, le général et Mrs. Murray n'avaient pas été ravis à l'idée que leur fils épouse une réfugiée allemande à moitié juive. Si Eva avait rapidement fait leur conquête, un certain nombre de leurs amis continuaient à exprimer leurs réserves à mots couverts. Lors du mariage, Daisy avait ainsi entendu dire qu'Eva était « exotique », Jimmy « courageux », les Murray « remarquablement larges d'esprit », autant de façons de faire comprendre sans le dire que l'on jugeait cette union inappropriée.

Jimmy avait écrit officiellement au docteur Rothmann à Berlin et obtenu son feu vert pour demander sa main à Eva ; mais les autorités allemandes avaient refusé de laisser la famille Rothmann venir à Londres assister au mariage. Eva en avait pleuré : « Ils détestent tellement les Juifs, avait-elle lancé, qu'on pourrait imaginer qu'ils seraient heureux de les voir quitter le pays ! »

Le père de Boy, Fitz, avait surpris cette réflexion et avait abordé le sujet avec Daisy. « Vous devriez dire à votre amie Eva de ne pas trop parler de Juifs, si elle peut l'éviter, avait-il dit sur le ton de celui qui donne un conseil amical. Avoir une femme à demi juive ne va pas aider Jimmy dans sa carrière militaire, vous savez. » Daisy s'était bien gardée de transmettre à Eva ce déplaisant avertissement.

Le jeune couple partit en voyage de noces à Nice et Daisy prit conscience avec une pointe de remords qu'elle était soulagée d'être débarrassée d'Eva. Boy et ses amis politiques détestaient tant les Juifs que son intimité avec elle commençait à lui poser des problèmes. L'amitié entre Boy et Jimmy en avait déjà pâti : Boy avait refusé d'être le témoin de Jimmy.

Après le mariage, les Fitzherbert invitèrent Daisy et Olga à une partie de chasse dans leur propriété du pays de Galles. Daisy reprit espoir. Maintenant que l'obstacle d'Eva était levé, rien ne s'opposait plus à ce que Boy lui fasse sa demande.

Le comte et la princesse s'y attendaient certainement. Peut-être même avaient-ils prévu qu'il profiterait de ce week-end pour se déclarer.

Un vendredi matin, Daisy et Olga se rendirent à la gare de Paddington et prirent un train pour l'ouest. Elles traversèrent le cœur de l'Angleterre, admirant ses riches terres cultivées, ses vallons verdoyants émaillés de hameaux, ponctués par une flèche d'église en pierre qui s'élevait depuis un bosquet d'arbres centenaires. Elles étaient seules dans leur compartiment de première classe et Olga interrogea Daisy sur les intentions de Boy. «Il sait forcément que j'ai beaucoup d'affection pour lui, répondit-elle. Je l'ai laissé m'embrasser assez souvent pour qu'il n'en ignore rien.

— Aurais-tu manifesté de l'intérêt pour quelqu'un d'autre?» demanda sa mère, fine mouche.

Daisy réprima le souvenir coupable de ce bref instant de folie dans les bras de Lloyd Williams. Boy ne pouvait en aucun cas en avoir été informé et d'ailleurs, elle n'avait pas revu Lloyd ni répondu aux trois lettres qu'il lui avait adressées. «Non, non, pas le moins du monde, protesta-t-elle.

— Alors c'est à cause d'Eva, conclut Olga. Heureusement qu'elle est partie.»

Le train traversa un long tunnel sous l'estuaire de la Severn, et ressortit au pays de Galles. Des moutons hirsutes paissaient sur les collines coupées par des vallées occupées par de petites villes minières, reconnaissables aux tours de chevalement qui se dressaient sur le carreau de mine, au-dessus de quelques affreuses bâtisses industrielles.

La Rolls-Royce noir et crème du comte Fitzherbert les attendait devant la gare d'Aberowen. Daisy trouva la ville lugubre, avec ses modestes maisons de pierre grise alignées le long des versants escarpés. Ils parcourent un peu plus d'un kilomètre depuis la sortie de la ville avant d'arriver à Tŷ Gwyn.

Tŷ Gwyn était une immense demeure, fort élégante avec sa façade d'un classicisme parfait percée de longues rangées de hautes fenêtres. Elle était entourée d'un parc de toute beauté, planté de fleurs, de buissons et d'arbres rares qui faisaient certainement l'orgueil du comte lui-même. Quel plaisir ce serait que d'être la maîtresse de maison d'une telle propriété, songea Daisy. L'aristocratie anglaise ne gouvernait peut-être plus le monde, mais elle avait porté l'art de vivre à un degré de raffinement extrême et Daisy aspirait à faire partie de ce monde.

Tŷ Gwyn voulait dire « maison blanche ». Pourtant, tout était gris et Daisy comprit pourquoi quand, posant la main sur la pierre, elle vit ses doigts maculés de poussière de charbon.

On lui avait attribué une chambre appelée la chambre des gardénias.

Ce soir-là, avant le dîner, elle passa un long moment assise sur la terrasse en compagnie de Boy, à admirer le coucher du soleil derrière le sommet violet des montagnes. Boy fumait un cigare et Daisy sirotait du champagne. Ils étaient seuls, mais Boy ne parla pas mariage.

Au fil du week-end, l'inquiétude de Daisy grandit. Boy eut maintes occasions de lui parler en tête à tête – elle y avait veillé. Le samedi, les hommes allèrent à la chasse, et Daisy partit à leur rencontre en fin d'après-midi, ce qui lui permit de rentrer avec Boy à travers bois. Le dimanche matin, les Fitzherbert et la plupart de leurs invités se rendirent à l'église anglicane de la ville. Après la messe, Boy invita Daisy au pub des Deux Couronnes, où des mineurs trapus, aux épaules larges, coiffés de casquettes la dévisagèrent dans son manteau de cachemire lavande avec autant d'étonnement que si Boy leur avait amené un léopard en laisse.

Elle lui annonça qu'il allait bientôt falloir qu'elles rentrent à Buffalo, sa mère et elle. Il ne réagit pas.

Peut-être l'appréciait-il après tout, mais pas au point de l'épouser ?

Au déjeuner dominical, elle était prête à baisser les bras. Le lendemain, sa mère et elle regagneraient Londres. Si Boy ne lui avait pas fait sa demande avant leur départ, ses parents en déduiraient que ses intentions n'étaient pas sérieuses, et c'en serait fini des invitations à Tŷ Gwyn.

Cette perspective la faisait frémir d'horreur : elle était bien décidée à épouser Boy. Elle voulait être la vicomtesse d'Aberowen, et un jour la comtesse Fitzherbert. Elle avait toujours été riche, mais aspirait à jouir du respect et des égards réservés aux grands de ce monde. Elle mourait d'envie qu'on l'appelle « madame la comtesse » et couvait d'un regard plein de convoitise le diadème de diamants de la princesse Bea. Elle voulait côtoyer la famille royale.

Elle savait que Boy l'aimait bien, et quand il l'embrassait, elle ne pouvait pas douter du désir qu'elle lui inspirait. « Il faut que tu trouves un moyen de l'accrocher pour de bon », lui murmura Olga dans le petit salon où elles prenaient le café avec les autres dames après le déjeuner.

« Mais comment ?

— Il y a une chose qui marche toujours avec les hommes. »

Daisy haussa les sourcils. « Le sexe ? » Elle avait beau parler de presque tout avec sa mère, elles évitaient généralement ce sujet-là.

« Tu pourrais tomber enceinte, dit Olga. Malheureusement, ces choses-là n'arrivent que quand on ne le veut pas.

— Quoi alors ?

— Il faut lui donner un aperçu de la terre promise, sans l'y laisser entrer. »

Daisy secoua la tête. « Je n'en mettrais pas ma main au feu, mais j'ai bien l'impression qu'il a déjà découvert la terre promise avec une autre.

— Qui donc ?

— Je n'en sais rien : une domestique, une actrice, une veuve... Ce n'est qu'une hypothèse, mais il n'a pas à franchement parler l'air d'un puceau.

— Tu as raison. Il va donc falloir que tu lui offres quelque chose que les autres ne lui donnent pas. Quelque chose qui lui tienne tellement à cœur qu'il soit prêt à tout pour l'obtenir. »

Daisy se demanda un instant d'où sa mère tenait sa science, elle qui avait passé toute son existence dans une union conjugale insatisfaisante. Peut-être avait-elle réfléchi aux moyens qu'avait employés la maîtresse de Lev, Marga, pour lui voler son mari. Quoi qu'il en soit, Daisy était bien en peine d'imaginer ce qu'elle pourrait offrir à Boy qu'une autre lui refuserait.

Les dames avaient terminé leur café et rejoignaient leurs chambres pour faire la sieste. Les messieurs étaient toujours dans la salle à manger à fumer le cigare, mais ils leur emboîteraient le pas un quart d'heure après. Daisy se leva.

« Que vas-tu faire ? demanda Olga.

— Je ne sais pas. Je vais bien trouver quelque chose », répondit-elle en sortant de la pièce.

Elle avait l'intention de monter dans la chambre de Boy, mais ne voulait pas le dire à sa mère pour éviter tout risque d'objection. Quand il viendrait se reposer, il la trouverait là. À cette heure de la journée, les domestiques avaient quartier libre et il était donc peu probable que qui que ce fût entre dans la chambre.

Elle aurait Boy tout à elle. Que dirait-elle ? Que ferait-elle ? Elle n'en savait rien. Il faudrait improviser.

Elle rejoignit la chambre des gardénias, se brossa les dents, tapota de l'eau de Cologne Jean Naté sur son cou et longea à pas de loup le couloir jusqu'à la chambre de Boy.

Elle ne croisa personne.

Il avait une chambre spacieuse dont les fenêtres donnaient sur les sommets brumeux et qu'il occupait apparemment depuis de longues années. Elle était meublée de fauteuils de cuir très masculins et ses murs étaient décorés de photos d'avions et de chevaux de course. Une boîte à cigares en cèdre pleine de havanes odorants ainsi que plusieurs carafes de whisky et de brandy étaient posées sur une desserte, à côté d'un plateau de verres en cristal.

Ouvrant un tiroir, elle y trouva du papier à lettres de Tŷ Gwyn, une bouteille d'encre, des stylos et des crayons. Le papier était bleu, et orné des armoiries des Fitzherbert. Seraient-elles un jour les siennes ?

Elle se demanda ce que dirait Boy en la trouvant ici. Serait-il délicieusement surpris, la prendrait-il dans ses bras pour l'embrasser ? Ou serait-il furieux de cette intrusion et l'accuserait-il d'être venue fouiller dans ses affaires ? Le jeu en valait bien la chandelle, sans doute.

Elle se glissa dans le cabinet de toilette contigu. Le matériel de rasage de Boy était posé sur la bordure de marbre d'un petit lavabo surmonté d'un miroir. Daisy songea qu'elle aimerait bien apprendre à raser son mari. Ce serait tellement intime !

Ouvrant les portes de la penderie, elle passa sa garde-robe en revue : jaquette et pantalon rayé, tenues d'équitation, un blouson de pilote en cuir doublé de fourrure et deux fracs.

Cela lui donna une idée.

Elle n'avait pas oublié l'émoi manifeste de Boy en juin, chez Bing Westhampton, quand il avait découvert les jeunes filles déguisées en hommes. C'était ce soir-là qu'il l'avait embrassée pour la première fois. Elle ne savait pas exactement ce qui l'avait tellement émoustillé – ce genre de choses était le plus souvent inexplicable. Lizzie Westhampton prétendait même que certains hommes aimaient se faire donner la fessée. Franchement, cela dépassait l'entendement.

Et si elle enfilait les vêtements de Boy ?

Quelque chose qui lui tienne tellement à cœur qu'il soit prêt à tout pour l'obtenir, avait dit sa mère. Pourquoi pas ça ?

Elle contempla la rangée de costumes sur leurs cintres, la pile de chemises blanches soigneusement pliées, les chaussures de cuir cirées avec leurs embauchoirs en bois. Était-ce une bonne idée ? Avait-elle le temps ?

Qu'avait-elle à perdre après tout ?

Elle pouvait prendre la tenue qu'il lui fallait, l'emporter dans la chambre des gardénias, se changer puis revenir le plus vite possible, en espérant que personne ne la surprendrait en chemin...

Non. Cela prendrait trop longtemps. Boy n'allait pas mettre des heures à fumer son cigare. Elle devrait se changer ici, tout de suite – ou pas du tout.

Elle respira un grand coup et retira sa robe.

Maintenant, elle était vraiment en danger. Jusque-là, elle aurait pu justifier sa présence, de façon plus ou moins plausible, en prétendant s'être égarée dans les dédales de corridors de Tŷ Gwyn et être entrée par mégarde dans la mauvaise chambre. En revanche, une jeune fille surprise en sous-vêtements dans la chambre d'un homme était perdue de réputation.

Elle prit la première chemise de la pile. Le col devait s'attacher par un bouton, constata-t-elle avec un gémissement. Elle trouva une douzaine de cols amidonnés dans un tiroir, à côté d'une boîte de boutons, en fixa un, puis enfila la chemise par la tête.

Elle entendit les pas lourds d'un homme dans le couloir et se figea, le cœur battant ; ils s'éloignèrent.

Elle se décida pour une jaquette et un pantalon à rayures. Le pantalon n'avait pas de bretelles, mais elle en dénicha dans un autre tiroir. Elle comprit comment boutonner les bretelles au pantalon, et enfila celui-ci. La taille était assez large pour deux filles minces comme elle.

Elle glissa ses pieds couverts de bas dans une paire de chaussures noires brillantes et les laça.

Elle boutonna la chemise et choisit une cravate argent. Le nœud était de travers, mais tant pis. Ne sachant pas le faire correctement, elle le laissa tel quel.

Elle passa un gilet croisé couleur fauve et une queue-de-pie noire, puis se regarda dans le miroir en pied qui se trouvait à l'intérieur de la penderie.

Elle flottait dans ces vêtements, évidemment, mais elle était tout de même mignonne.

Puisqu'il lui restait un peu de temps, elle enfila des boutons de manchettes en or aux poignets de la chemise et glissa un mouchoir blanc dans la poche de poitrine.

Il manquait quelque chose, mais quoi ? Elle s'examina attentivement dans le miroir.

Un chapeau.

Elle ouvrit un autre placard et aperçut une rangée de cartons à chapeaux sur l'étagère supérieure. Elle trouva un haut-de-forme gris qu'elle posa très en arrière sur sa tête.

Puis elle se rappela la moustache.

Elle n'avait pas son crayon à sourcils sur elle. Elle retourna dans la chambre de Boy et se pencha au-dessus de l'âtre. On était encore en été, et il n'y avait pas de feu. Elle racla un peu de suie du bout de l'index, revint devant le miroir et dessina soigneusement une moustache sur sa lèvre supérieure.

Elle était prête.

Elle s'assit dans un des fauteuils de cuir pour l'attendre.

Son instinct lui disait qu'elle agissait finement, et pourtant, d'un point de vue rationnel, c'était saugrenu. Après tout, le désir ne s'expliquait pas. Elle-même s'était sentie tout humide quand Boy l'avait fait monter dans son avion. Il ne fallait évidemment pas penser à se peloter pendant qu'il se concentrait sur le pilotage du petit appareil, et c'était tant mieux, car l'altitude l'avait tellement excitée qu'elle l'aurait sans doute laissé faire tout ce qu'il voulait.

Elle n'ignorait cependant pas que les garçons pouvaient se montrer imprévisibles, et elle redoutait la colère de Boy. Dans ces cas-là, ses traits séduisants se crispaient dans une affreuse grimace, il tapait du pied et pouvait faire preuve d'une vraie cruauté. Un jour, un serveur boiteux s'était trompé dans sa commande et Boy l'avait rembarré vertement : « Clopinez donc jusqu'au bar et apportez-moi le scotch que je vous ai demandé : ce n'est pas parce que vous êtes infirme que vous êtes sourd, si ? » Le malheureux avait rougi d'humiliation.

Elle se demandait ce que Boy lui dirait s'il était fâché de la trouver dans sa chambre.

Il arriva cinq minutes plus tard.

L'entendant approcher, elle se rendit compte qu'elle le connaissait déjà suffisamment bien pour reconnaître son pas.

La porte s'ouvrit et il entra sans la voir.

Prenant une grosse voix, elle lança : « Salut, mon vieux, comment ça va ? »

Il sursauta : « Grands dieux ! » Puis il regarda plus attentivement : « Daisy ! »

Elle se leva. « En personne », dit-elle en reprenant son timbre habituel. Il la contemplait toujours, médusé. Elle retira son chapeau, esquissa une petite révérence et dit : « À votre service. » Elle remit le chapeau sur sa tête en l'inclinant légèrement.

Boy mit un certain temps à se remettre de sa stupéfaction, mais son visage s'épanouit alors dans un grand sourire.

Ouf ! songea-t-elle.

« Je dois avouer que ce gibus vous va à ravir », remarqua-t-il.

Elle s'approcha de lui. « Je l'ai mis pour vous plaire.

— Très sympa de votre part, franchement. »

Elle leva le visage d'un air aguicheur. Elle aimait l'embrasser. En vérité, elle aimait embrasser la plupart des hommes. Elle était presque gênée d'aimer cela à ce point. Elle avait même pris plaisir à embrasser des filles au pensionnat, où elles ne voyaient pas un garçon pendant des semaines d'affilée.

Il inclina la tête et posa ses lèvres sur les siennes. Son chapeau tomba et ils pouffèrent. Prestement, il enfonça sa langue dans sa bouche. Elle se détendit, savourant cet instant. Il mettait une grande passion dans tous les plaisirs des sens, et son empressement émoustillait Daisy.

Elle se rappela son objectif. Tout se passait fort bien, mais elle voulait qu'il lui fasse sa demande. Se contenterait-il d'un baiser ? Il fallait l'inciter à en vouloir davantage. À plusieurs reprises, quand ils avaient disposé de plus que de quelques instants dérobés, il lui avait caressé les seins.

La suite dépendait largement de la quantité de vin qu'il avait ingurgitée avec son déjeuner. Il tenait bien l'alcool, mais arrivait un moment où son appétit déclinait.

Elle se trémoussa, se pressant contre lui. Il posa la main sur sa poitrine, mais son gilet de lainage était trop grand et engloutissait ses petits seins. Il grogna de frustration.

Sa main s'égara alors sur son ventre et se glissa à l'intérieur de la ceinture très ample du pantalon.

Elle ne l'avait encore jamais laissé la toucher aussi bas.

Elle portait toujours un jupon de soie et une culotte de coton assez épaisse, de sorte qu'il ne pouvait probablement pas sentir grand-chose, mais sa main s'arrêta sur son entrejambe et appuya fermement à travers les couches de tissu. Elle éprouva un élancement de plaisir.

Elle s'écarta.

Il hésita, haletant : « Je suis allé trop loin ?

— Il vaudrait mieux fermer à clé, murmura-t-elle.

— Oh, mon Dieu ! » Il se dirigea vers la porte, donna un tour de clé et revint. Ils s'enlacèrent à nouveau, et il reprit là où il s'était interrompu. Elle posa la main sur sa braguette, sentit son sexe érigé à travers le tissu et l'empoigna fermement. Il gémit de plaisir.

Elle s'écarta encore.

Un nuage d'irritation voila son visage et un souvenir déplaisant revint à l'esprit de Daisy. Un jour où elle avait obligé un garçon, un certain Theo Coffman, à retirer la main de ses seins, il s'était emporté et l'avait traitée d'allumeuse. Elle ne l'avait plus jamais revu, mais cette insulte l'avait mortifiée plus que de raison. Elle craignit un instant que Boy ne lui adresse la même accusation.

Mais son expression s'adoucit et il balbutia : « Je suis vraiment fou de vous, vous savez. »

C'était le moment ou jamais. Lance-toi à l'eau, s'exhorta-t-elle. « Nous ne devrions pas faire ça », chuchota-t-elle d'un ton contrit qui n'était pas entièrement feint.

« Et pourquoi ?

— Nous ne sommes même pas fiancés. »

Le mot demeura un long moment en suspens. Dans la bouche d'une jeune fille, pareils propos équivalaient à une offre de mariage. Elle ne quittait pas son visage des yeux, terrifiée à l'idée qu'il ne s'effarouche, ne se détourne, ne marmonne quelques mots d'excuses et ne lui demande de partir.

Il resta silencieux.

« Je voudrais tellement vous rendre heureux, ajouta-t-elle. Mais...

— Je vous aime, Daisy », dit-il.

Ce n'était pas suffisant. Elle lui sourit : « C'est vrai ?

— Oh oui, je vous aime tant. »

Elle garda le silence, mais le dévisagea, le regard plein d'espoir.

Enfin, il se décida : « Daisy, voulez-vous m'épouser ? »

— Oh, oui ! » s'écria-t-elle et elle l'embrassa encore. La bouche contre la sienne, elle déboutonna sa braguette, glissa la main à travers ses sous-vêtements, trouva son sexe et le dégagea. La peau était soyeuse et tiède. Elle le caressa, se rappelant l'après-midi qu'elle avait passée avec les jumelles Westhampton. « Tu peux frotter son machin », avait dit Lindy et Lizzie avait ajouté : « Jusqu'à ce qu'il gicle. » Daisy était intriguée et excitée à l'idée de conduire un homme à faire une chose pareille. Elle serra un peu plus fort.

Puis elle se rappela la remarque suivante de Lindy : « Ou alors, tu peux le sucer : c'est ce qu'ils préfèrent. »

Elle écarta ses lèvres de celles de Boy et lui chuchota à l'oreille : « Je ferais n'importe quoi pour mon mari. »

Et elle s'agenouilla.

5.

C'était le mariage de l'année. Daisy et Boy s'unirent en l'église St Margaret de Westminster le samedi 3 octobre 1936. Daisy aurait bien voulu se marier à l'abbaye de Westminster, mais on lui avait expliqué que ce privilège était réservé à la famille royale.

Elle avait commandé sa robe chez Coco Chanel. En ces temps de crise économique, la mode était aux lignes simples et à la sobriété. La longue jupe de satin coupée dans le biais était surmontée d'un corsage agrémenté de ravissantes manches papillon et la courte traîne pouvait être portée par un unique petit garçon d'honneur.

Le père de Daisy, Lev Pechkov, traversa l'Atlantique pour assister à la cérémonie. Soucieuse de sauver les apparences, sa mère, Olga, accepta de s'asseoir à côté de lui à l'église et de tout faire pour donner l'impression qu'ils formaient un couple plus ou moins heureux. Daisy avait fait des cauchemars dans lesquels elle voyait Marga surgir avec Greg à son bras, mais ses inquiétudes étaient infondées.

Les jumelles Westhampton et May Murray étaient demoiselles d'honneur et Eva Murray dame d'honneur. Boy avait renâclé parce qu'Eva était à moitié juive – au départ, il ne voulait même pas l'inviter – mais Daisy avait tenu bon.

Debout sous les hautes voûtes de cette église ancienne, consciente de sa beauté enchanteresse, Daisy se donna avec bonheur, corps et âme, à Boy Fitzherbert.

Elle signa le registre «Daisy Fitzherbert, vicomtesse d'Aberowen». Cela faisait des semaines qu'elle s'exerçait, déchirant ensuite méticuleusement en fragments illisibles les bouts de papiers noircis de signatures. Maintenant, elle en avait le droit. C'était son nom.

En sortant de l'église, Fitz prit courtoisement le bras d'Olga, mais la princesse Bea laissa un bon mètre de distance entre Lev et elle.

La princesse Bea était loin d'être sympathique. Elle se montrait à peu près aimable avec la mère de Daisy, et comme Olga ne remarquait pas la lourde condescendance de son ton, leurs relations étaient cordiales. Mais Bea n'aimait pas Lev.

Daisy se rendit compte que son père était dépourvu de tout vernis de respectabilité et détonnait dans ce milieu. Il marchait et parlait, mangeait et buvait, fumait, riait et se comportait comme un gangster, se moquant éperdument de ce que les autres pensaient. Il agissait à sa guise, fort de sa position de millionnaire américain, de même que Fitz agissait à sa guise, fort de son rang de comte anglais. Daisy l'avait toujours su, mais elle en prit une conscience plus aiguë en voyant son père au milieu de tous ces aristocrates britanniques au lunch de mariage qui se tint dans la grande salle de bal du Dorchester Hotel.

Peu importait désormais. Elle était Lady Aberowen, et personne ne pourrait plus la priver de ce titre.

Néanmoins, l'hostilité opiniâtre de Bea à l'égard de Lev était embarrassante, comme une odeur légèrement nauséabonde ou un bourdonnement lointain, qui venait un peu gâcher le triomphe de Daisy. Assise près de Lev à la table d'honneur, Bea prenait soin de se détourner légèrement de lui. Quand il lui adressait la parole, elle lui répondait brièvement, sans croiser son regard. Il semblait ne pas s'en apercevoir, continuant à sourire et à boire du champagne comme si de rien n'était, mais Daisy, assise de l'autre côté de son père, savait que cela ne lui avait pas échappé. Il était fruste, mais pas idiot.

Quand les toasts furent terminés et que les hommes sortirent leurs cigares, Lev qui, en qualité de père de la jeune épouse, payait l'addition, contempla la longue table et lança : «Alors, Fitz, j'espère que vous avez bien mangé. Les vins étaient-ils à votre goût?

— Excellents, merci.

— Personnellement, j'ai trouvé que c'était un foutrement bon repas.»

Bea émit un petit hoquet désapprobateur.

Lev se tourna vers elle, tout sourire, mais Daisy connaissait bien ce petit regard dangereux. «Oh, Princesse, vous aurais-je offusquée?»

Elle regimbait à répondre, mais il la regardait d'un air insistant, sans détourner les yeux. Elle finit par céder : «Je n'aime pas les propos grossiers», déclara-t-elle.

Lev prit un cigare dans son étui. Il ne l'alluma pas tout de suite, mais le huma et le fit rouler entre ses doigts. «Permettez-moi de vous raconter une histoire», dit-il et il parcourut la table du regard pour s'assurer qu'il avait l'attention de tous. «Quand j'étais petit, mon père a été accusé d'avoir fait paître des bêtes sur les terres d'autrui. Une vétille, penserez-vous, même s'il était effectivement coupable. Mais voyez-vous, il a été arrêté et le régisseur du domaine a fait dresser un échafaud sur la prairie nord. Puis les soldats sont venus. Ils nous ont empoignés, mon frère, ma mère et moi, et nous ont conduits là-bas. Mon père était déjà sur l'échafaud, la corde autour du cou. C'est alors que le maître du domaine est arrivé.»

Daisy n'avait jamais entendu cette histoire. Elle se tourna vers sa mère. Olga avait l'air tout aussi surprise qu'elle.

Autour de la table, tout le monde se taisait.

«On nous a obligés à assister à la pendaison de mon père, poursuivit Lev, qui se tourna alors vers Bea. Et vous savez quoi? La sœur du propriétaire était là, elle aussi.» Il approcha le cigare de ses lèvres, en humecta l'extrémité, puis le ressortit de sa bouche.

Daisy constata que Bea avait pâli. Son père parlait-il d'elle?

«C'était encore une enfant, et elle était princesse», poursuivit Lev sans quitter son cigare des yeux. Daisy entendit Bea émettre un léger cri, et comprit qu'il s'agissait bien d'elle. «Elle est restée là, elle a assisté à la pendaison, froide comme la glace.»

Lev se tourna alors vers Bea et la regarda bien en face. «Si quelque chose mérite le qualificatif de grossier, c'est, me semble-t-il, une telle attitude. »

Il y eut un long moment de silence.

Puis Lev enfonça le cigare entre ses lèvres et demanda : « Quelqu'un aurait-il du feu ? »

6.

Lloyd Williams était assis à la table de la cuisine chez sa mère, à Aldgate, et étudiait attentivement un plan de Londres.

C'était le dimanche 4 octobre 1936, et la journée promettait d'être mouvementée.

La vieille ville romaine de Londres, construite sur une colline proche de la Tamise, abritait désormais le quartier financier que l'on appelait la Cité. À l'ouest de cette hauteur se trouvaient les grandes demeures des riches, ainsi que leurs théâtres, leurs boutiques et leurs cathédrales. La maison où habitait Lloyd était à gauche de la colline, à proximité des quais et des bas quartiers. C'était là que pendant des siècles, des vagues successives d'émigrants avaient débarqué, prêts à s'échiner au travail pour que leurs petits-enfants puissent un jour quitter l'East End et gagner le West End.

Le plan que Lloyd observait avec une telle attention figurait dans une édition spéciale du *Daily Worker*, le journal du parti communiste, et montrait l'itinéraire que devait emprunter ce jour-là la manifestation de l'Union des fascistes britanniques. Ceux-ci avaient l'intention de se rassembler devant la Tour de Londres – à la limite entre la Cité et l'East End – puis de marcher vers l'est.

Droit sur l'arrondissement majoritairement juif de Stepney.

À moins que Lloyd et tous ceux qui partageaient ses idées ne réussissent à les en empêcher.

Il y avait trois cent trente mille Juifs en Grande-Bretagne, à en croire le journal, et la moitié d'entre eux habitaient l'East End. La plupart étaient des réfugiés venus de Russie, de Pologne et d'Allemagne, où ils avaient vécu dans la crainte de voir la police, l'armée ou les cosaques faire un jour irruption dans leur bourgade, pillant les maigres biens de leurs familles, rossant les personnes âgées et violant les jeunes femmes, alignant pères et frères le long des murs pour les fusiller.

Ici, dans les quartiers pauvres de Londres, ces Juifs avaient enfin trouvé un lieu où ils avaient le droit de vivre comme les autres. Qu'éprouveraient-ils si, en regardant par la fenêtre, ils découvraient, défilant dans leurs propres rues, une bande de voyous en uniforme qui avaient juré de les exterminer? Pour Lloyd, c'était tout bonnement inacceptable.

Le *Worker* indiquait que depuis la Tour, il n'y avait que deux itinéraires possibles. L'un passait par Gardiner's Corner, un carrefour situé à la croisée de cinq rues et que l'on surnommait la Porte de l'East End : l'autre longeait la Royal Mint Street et l'étroite Cable Street. Un individu isolé avait évidemment de nombreuses rues latérales à sa disposition, mais il était impossible d'y faire passer tout un cortège. St George Street menait à Wapping, un quartier catholique, et non à Stepney, et ne pouvait donc pas intéresser les fascistes.

Le *Worker* invitait tous ses lecteurs à former un mur humain afin de fermer Gardiner's Corner et Cable Street et d'arrêter ainsi le défilé.

Ce journal faisait souvent des propositions qui ne débouchaient sur rien : il avait déjà appelé à la grève, à la révolution ou – plus récemment – à une alliance de tous les partis de gauche pour constituer un Front populaire. L'idée d'un mur humain était peut-être une nouvelle utopie du même genre. Il faudrait que plusieurs milliers de personnes se mobilisent pour empêcher les fascistes d'accéder à l'East End et Lloyd n'était pas sûr que les volontaires soient assez nombreux.

Il y avait en revanche une chose dont il était certain : il y aurait du grabuge.

Ses parents, Bernie et Ethel, sa sœur, Millie, ainsi que Lenny Griffiths d'Aberowen, en costume du dimanche, étaient assis avec Lloyd autour de la table. Lenny faisait partie d'un petit contingent de mineurs gallois venus à Londres participer à la contre-manifestation.

Bernie leva les yeux de son journal et s'adressa à Lenny : «Les fascistes prétendent que vos billets de train pour venir du pays de Galles à Londres ont été payés par les nababs juifs, les gros Juifs, comme ils disent.»

Lenny planta sa fourchette dans son œuf au plat. «Je ne connais pas de gros Juif, dit-il. Sauf peut-être Mrs. Levy la

Confiserie, qui est plutôt grosse, c'est vrai. En plus, je suis arrivé à Londres à l'arrière d'un camion avec soixante agneaux gallois qu'on conduisait au marché aux bestiaux de Smithfield.

— Ça explique l'odeur, lança Millie.

— Millie ! s'écria Ethel. Tu devrais avoir honte ! »

Lenny, qui partageait la chambre de Lloyd, lui avait confié qu'il n'avait pas l'intention de retourner à Aberowen après la manifestation. Dave Williams et lui partaient pour l'Espagne rejoindre les Brigades internationales qui se constituaient pour combattre l'insurrection fasciste.

« Tu as eu ton passeport ? » lui avait demandé Lloyd. Ce document n'était pas très difficile à obtenir, mais comme il fallait fournir une recommandation d'un ecclésiastique, d'un médecin, d'un avocat ou d'un autre notable, un jeune avait du mal à garder ses intentions secrètes.

« Pas besoin, avait répliqué Lenny. On va à la gare Victoria et on prend un aller-retour pour un week-end à Paris. On peut l'avoir sans passeport. »

Lloyd avait vaguement entendu parler de cela. Ces dispositions avaient été initialement mises en place pour faciliter les loisirs de la riche bourgeoisie. Les antifascistes n'hésitaient pas à en profiter. « Combien coûte le billet ?

— Trois livres et vingt-cinq schillings. »

Lloyd avait levé les sourcils. Aucun mineur au chômage ne pouvait disposer d'une somme pareille.

Lenny avait ajouté : « Mais le parti travailliste indépendant paye mon billet et le parti communiste celui de Dave. »

Ils avaient dû mentir sur leur âge. « Et quand vous serez à Paris, comment vous ferez ? avait demandé Lloyd.

— Des communistes français doivent venir nous chercher à la gare du Nord. » Il avait prononcé « gair douh nowd ». Il ne parlait pas un mot de français. « De là, on nous accompagnera jusqu'à la frontière espagnole. »

Lloyd avait retardé son propre départ. Il expliquait qu'il voulait apaiser les inquiétudes de ses parents, mais la vérité était qu'il n'arrivait pas à renoncer à Daisy. Il rêvait encore qu'elle finirait par plaquer Boy. Il n'y croyait pas vraiment – elle n'avait même pas répondu à ses lettres –, et pourtant, il ne parvenait pas à l'oublier.

Pendant ce temps, la Grande-Bretagne, la France et les États-Unis avaient décidé, en accord avec l'Allemagne et l'Italie, d'adopter une politique de non-intervention en Espagne, ce qui voulait dire qu'aucun de ces pays ne livrerait d'armes à l'un ou l'autre des deux camps. En soi, cela suffisait à exaspérer Lloyd : les démocraties n'avaient-elles pas pour devoir de soutenir le gouvernement élu ? Mais le pire était que l'Allemagne et l'Italie violaient quotidiennement cette convention ; la mère de Lloyd et l'oncle Billy l'avaient souligné lors des nombreux rassemblements publics organisés cet automne-là en Angleterre pour évoquer la situation espagnole. Le comte Fitzherbert, chargé de cette question au sein du cabinet britannique, défendait résolument sa politique, affirmant qu'il ne fallait pas armer le gouvernement espagnol, de crainte qu'il ne tombe aux mains des communistes.

C'était le meilleur moyen pour que cette prédiction se réalise, avait affirmé Ethel dans un discours cinglant. L'unique nation prête à soutenir le gouvernement espagnol était l'Union soviétique, et l'Espagne ne pourrait qu'être attirée dans l'orbite du seul pays au monde qui l'aurait aidée.

La vérité était que les conservateurs anglais estimaient que le gouvernement que l'Espagne avait élu était dangereusement de gauche. Des hommes comme Fitzherbert ne verseraient pas une larme si des extrémistes de droite le renversaient par la force. Cela mettait Lloyd en rage.

Toutefois, il avait enfin l'occasion de combattre le fascisme dans son propre pays.

« C'est ridicule, avait lancé Bernie une semaine auparavant quand on avait annoncé cette manifestation. La police de Londres doit les obliger à changer d'itinéraire. Ils ont le droit de défiler, d'accord. Mais pas dans Stepney. » Pourtant, la police avait prétendu que cette manifestation étant parfaitement légale, elle ne pouvait pas intervenir.

Bernie, Ethel et les maires de huit arrondissements de Londres avaient formé une délégation qui était allée supplier le ministre de l'Intérieur, Sir John Simon, d'interdire le défilé ou au moins de le faire passer par un autre quartier ; il avait affirmé, lui aussi, n'avoir pas le pouvoir d'agir.

Que faire ? La question avait divisé le parti travailliste, la communauté juive et la famille Williams.

Le Jewish People's Council against Fascism and Anti-Semitism, le Conseil du peuple juif contre le fascisme et l'anti-sémitisme fondé par Bernie et d'autres trois mois plus tôt, avait appelé à une contre-manifestation massive qui empêcherait les fascistes d'entrer dans les rues juives. Ils avaient adopté le slogan espagnol *No pasarán*, «Ils ne passeront pas», le cri des défenseurs antifascistes de Madrid. Malgré son nom grandiloquent, le Conseil était une organisation modeste qui occupait deux pièces à l'étage d'un bâtiment de Commercial Road et possédait pour tout équipement une ronéo et deux vieilles machines à écrire. En revanche, il disposait d'un important soutien dans l'ensemble de l'East End. En quarante-huit heures, il avait rassemblé un nombre impressionnant de signatures – cent mille! – au bas d'une pétition réclamant l'interdiction du défilé fasciste. Le gouvernement n'avait toujours pas réagi.

Un seul grand parti politique, les communistes, soutenait la contre-manifestation. Il fallait y ajouter le parti travailliste indépendant, une formation marginale à laquelle appartenait Lenny. Tous les autres mouvements y étaient hostiles.

«J'ai vu que le *Jewish Chronicle* a conseillé à ses lecteurs d'éviter de sortir aujourd'hui», annonça Ethel.

C'était bien le problème, selon Lloyd. Beaucoup de gens préféraient éviter les ennuis, laissant ainsi le champ libre aux fascistes.

Bernie, juif mais non pratiquant, répondit vertement à Ethel : «Comment peux-tu citer le *Jewish Chronicle* en ma présence? Ce journal est convaincu que les Juifs ne doivent pas s'opposer au fascisme, mais uniquement à l'antisémitisme. Tu peux m'expliquer le sens politique d'une telle attitude?

— Il paraît que le Board of Deputies of British Jews, qui est pourtant un organe représentatif des principales associations juives d'Angleterre, ne dit pas autre chose que le *Chronicle*, insista Ethel. Il semblerait qu'une proclamation en ce sens ait été lue hier dans toutes les synagogues.

— Ces soi-disant représentants des Juifs sont tous des richards de Golders Green, lança Bernie avec mépris. Ils ne se sont jamais fait insulter dans la rue par des voyous fascistes.

— Tu es membre du parti travailliste, lui rappela Ethel d'un ton accusateur. Nous avons pour politique d'éviter tout affrontement physique avec les fascistes. Que fais-tu de la solidarité de parti?

— Et ma solidarité avec les Juifs? demanda Bernie.

— Tu es juif quand ça t'arrange, un point c'est tout. Et personne ne t'a jamais insulté dans la rue, à ma connaissance.

— N'empêche que le parti travailliste a commis une erreur politique.

— Rappelle-toi, si tu cèdes aux provocations fascistes, la presse reprochera toutes les violences à la gauche, quels que soient les vrais responsables. »

Lenny lança imprudemment : « Si les gars de Mosley cherchent la bagarre, ils vont voir ce qu'ils vont voir. »

Ethel soupira : « Réfléchis un peu, Lenny : qui dans ce pays a le plus de fusils? Toi, Lloyd et le parti travailliste, ou bien les conservateurs soutenus par l'armée et la police? »

— Oh », fit Lenny. Manifestement, il n'y avait pas pensé.

Lloyd se tourna vers sa mère, furieux. « Comment peux-tu dire des choses pareilles? Tu étais à Berlin il y a trois ans, tu as été témoin de ce qui se passait. La gauche allemande a essayé de s'opposer pacifiquement au fascisme. Tu as vu ce que ça a donné. »

Bernie intervint : « Les sociaux-démocrates allemands ont été incapables de constituer un Front populaire avec les communistes. Ce qui a permis aux nazis de les écraser séparément. Ensemble, ils l'auraient peut-être emporté. »

Bernie avait été furieux que la branche locale du parti travailliste refuse la proposition des communistes suggérant de constituer une coalition contre le défilé.

« Toute alliance avec les communistes est dangereuse », observa Ethel.

Bernie et elle n'étaient pas d'accord sur ce point. En réalité, c'était une question qui déchirait le parti travailliste. Lloyd donnait raison à Bernie contre Ethel. « Tous les moyens sont bons pour écraser le fascisme », déclara-t-il avant d'ajouter diplomatiquement : « Mais Mam a raison, il serait préférable pour nous que la journée d'aujourd'hui se passe sans violences.

— Il vaudrait mieux que vous restiez à la maison, oui, et que vous vous opposiez aux fascistes par les procédures normales de la démocratie, ajouta Ethel.

— Tu as essayé d'obtenir la parité des salaires pour les femmes par les procédures normales de la démocratie, lui rappela Lloyd, et tu as échoué. » Au mois d'avril précédent, des députées travaillistes avaient présenté un projet de loi garantissant aux employées du gouvernement un salaire égal à travail égal. Il avait été repoussé par la Chambre des communes, majoritairement masculine.

« On ne renonce pas à la démocratie chaque fois qu'on essuie un échec », lança Ethel sèchement.

Le problème, Lloyd le savait, était que ces divisions risquaient d'affaiblir gravement les forces antifascistes, comme cela s'était produit en Allemagne. La journée à venir ferait figure de test. Les partis politiques pouvaient donner des directives, mais ce serait le peuple qui choisirait ce qu'il déciderait de faire. Les gens resteraient-ils chez eux, comme les y exhortaient le timide parti travailliste et le *Jewish Chronicle* ? Ou descendraient-ils dans la rue par milliers pour dire « non au fascisme » ? Ils auraient la réponse à la fin de la journée.

Ils entendirent frapper à la porte de derrière et leur voisin, Sean Dolan, entra en habits du dimanche. « Je vous rejoindrai après la messe, annonça-t-il à Bernie. Où est-ce qu'on se retrouve ?

— Gardiner's Corner, avant deux heures, répondit Bernie. Nous espérons qu'il y aura assez de monde pour empêcher les fascistes d'aller plus loin.

— Tu auras avec toi tous les dockers de l'East End, lança Sean avec enthousiasme.

— Et pourquoi ? demanda Millie. Les fascistes n'ont rien contre vous, si ?

— Tu es trop jeune pour t'en souvenir, ma petite, mais les Juifs ont toujours été de notre côté, expliqua Sean. En 1912, au moment de la grève des dockers, je n'avais que neuf ans à l'époque, et mon père n'avait plus de quoi nous nourrir. Nous avons été recueillis, mon frère et moi, par Mrs. Isaacs, la femme du boulanger de New Road, que Dieu bénisse cette âme généreuse. Plusieurs centaines d'enfants de dockers ont été pris en charge par des familles juives. Pareil en 1926. Nous n'allons certainement pas laisser ces salauds de fascistes défiler dans nos rues : pardon pour le gros mot, madame Leckwith. »

Lloyd était rasséréné. L'East End abritait des milliers de dockers : leur présence massive gonflerait de façon appréciable les rangs des contre-manifestants.

Une voix masculine amplifiée par un haut-parleur leur parvint du dehors : « Mosley, hors de Stepney. Rendez-vous tous Gardiner's Corner à deux heures. »

Lloyd but son thé et repoussa sa chaise. Il avait été chargé de jouer les espions, de vérifier la position des fascistes et d'en informer régulièrement le Conseil du peuple juif de Bernie.

Il avait les poches remplies de gros pennies bruns pour les téléphones publics. «Je ferais bien d'y aller, dit-il. Les fascistes doivent déjà être en train de se rassembler.»

Sa mère se leva et l'accompagna jusqu'à la porte. «Surtout, ne te laisse pas entraîner dans une bagarre, le supplia-t-elle. Rappelle-toi ce qui s'est passé à Berlin.

— Je serai prudent, promit Lloyd.

— Ta riche Américaine t'aimera moins si tu n'as plus de dents, ajouta-t-elle pour alléger la tension.

— De toute façon, elle ne m'aime pas.

— Je n'en crois pas un mot. Quelle fille pourrait te résister?

— Ça va aller, Mam, la rassura Lloyd, ne t'en fais pas.

— Après tout, je devrais m'estimer heureuse que tu ne partes pas pour cette satanée Espagne.

— Pas aujourd'hui, en tout cas.» Lloyd embrassa sa mère et sortit.

C'était un beau matin d'automne, et le soleil était inhabituellement chaud pour la saison. Au milieu de Nutley Street, une estrade provisoire avait été dressée par un groupe d'hommes, dont l'un parlait dans un mégaphone. «Habitants de l'East End, rien ne nous oblige à regarder sans réagir une foule d'antisémites se pavaner et nous insulter!» Lloyd reconnut dans l'orateur un responsable local du mouvement national des ouvriers au chômage. À cause de la Crise, des milliers de tailleurs juifs étaient sans emploi et pointaient tous les jours à la Bourse du travail de Settle Street.

Lloyd n'avait pas parcouru dix mètres quand Bernie le rattrapa et lui tendit un sachet en papier rempli de billes. «J'ai assisté à de nombreuses manifestations, lui dit-il. Si la police montée charge, balance ça sous les sabots des chevaux.»

Lloyd sourit. Si son beau-père était indéniablement un homme conciliant, ce n'était pas un dégonflé.

L'idée des billes était pourtant loin de le séduire. Lloyd ne connaissait pas grand-chose aux chevaux, mais ils lui faisaient l'effet de bêtes patientes et inoffensives, qu'il n'avait pas du tout envie de faire trébucher et tomber.

Son expression n'échappa pas à Bernie qui expliqua : «Je préfère voir un cheval à terre plutôt que mon garçon piétiné sous ses sabots.»

Lloyd fourra les billes dans sa poche, en se disant que rien ne l'obligeait à s'en servir.

Il constata avec satisfaction qu'il y avait déjà beaucoup de monde dans les rues et releva un autre signe encourageant. Partout où son regard se portait, le slogan «Ils ne passeront pas» avait été écrit à la craie sur les murs, en anglais et en espagnol. Les communistes étaient sortis en masse pour distribuer des tracts. De nombreuses fenêtres étaient tendues de drapeaux rouges. Un groupe d'hommes à la poitrine bardée de médailles de la Grande Guerre portait une banderole sur laquelle on pouvait lire : «Association des anciens combattants juifs». Les fascistes détestaient qu'on leur rappelle combien de Juifs s'étaient battus pour l'Angleterre. Cinq soldats juifs avaient même été décorés de la Victoria Cross, la plus haute distinction militaire britannique récompensant les actes de bravoure.

Lloyd commençait à se dire que finalement, ils seraient peut-être assez nombreux pour empêcher le défilé.

Gardiner's Corner, un vaste carrefour situé au débouché de cinq rues, devait son nom au magasin de vêtements écossais – Gardiner and Company – qui occupait un bâtiment d'angle surmonté d'un clocher caractéristique. Le spectacle que Lloyd découvrit à son arrivée révélait qu'on s'attendait à des échauffourées. Plusieurs postes de secours avaient été installés et des volontaires de l'organisation de secouristes St John's Ambulance s'étaient rassemblés par centaines. Des ambulances étaient rangées dans toutes les rues latérales. Lloyd espérait qu'il n'y aurait pas de bagarre. C'était pourtant un risque à courir : on ne pouvait pas laisser les fascistes défiler dans les rues à leur guise.

Faisant un détour, il arriva au voisinage de la Tour de Londres depuis le nord-ouest, pour éviter de se faire repérer à la sortie de l'East End. Bientôt, il entendit les premiers accents des fanfares.

La Tour, un palais situé au bord de la Tamise, avait symbolisé l'autorité et la répression pendant huit cents ans. Elle était entourée d'un long mur de vieilles pierres de couleur pâle, comme délavée par de longs siècles de pluie londonienne. À l'extérieur de cette enceinte, du côté terre, s'étendait un parc appelé Tower Gardens, les jardins de la Tour. C'était là que les fascistes s'étaient donné rendez-vous. Lloyd estima qu'ils étaient déjà près de deux mille, formant une ligne qui se prolongeait vers l'ouest jusqu'à l'intérieur du quartier de la finance. De temps à autre, ils entonnaient un chant scandé :

Un, deux, trois, quatre, cinq,
Dehors les youpins!
Les youpins! Les youpins!
Dehors les youpins!

Ils brandissaient tous des drapeaux de l'Union Jack. Pourquoi, se demanda Lloyd, ceux qui s'acharnaient à détruire tout ce qu'il y avait de bon dans leur pays étaient-ils les plus prompts à brandir le drapeau national?

Leurs larges ceinturons de cuir noir et leurs chemises noires les paraient d'une impressionnante allure martiale. Ils se rangeaient en colonnes sur la pelouse devant des officiers vêtus d'un uniforme élégant : une veste de coupe militaire, une culotte de cheval grise, des bottes cavalières, une casquette noire munie d'une visière brillante et un brassard rouge et blanc. Plusieurs motocyclistes, en uniforme eux aussi, tournaient autour en faisant vrombir leurs engins, livrant des messages assortis de saluts fascistes. D'autres manifestants arrivaient encore, dont certains dans des fourgons blindés aux vitres grillagées.

Ce n'était pas un parti politique. C'était une armée.

Sans doute cette parade avait-elle pour objectif de leur conférer une autorité de façade, songea Lloyd. Ils voulaient donner l'impression d'être habilités à interrompre les réunions et à faire évacuer des bâtiments, à faire irruption dans les foyers et les bureaux pour arrêter des gens, à les traîner en prison et dans des camps et à les tabasser, les interroger et les torturer comme les Chemises brunes le faisaient en Allemagne sous le régime nazi qu'admiraient tant Mosley et le propriétaire du *Daily Mail*, Lord Rothermere.

Ils terroriseraient la population de l'East End, des hommes et des femmes dont les parents et les grands-parents avaient fui la répression et les pogroms d'Irlande, de Pologne et de Russie.

Les habitants de l'East End descendraient-ils dans la rue pour les combattre? S'ils y renonçaient – et si le défilé d'aujourd'hui se poursuivait comme prévu –, jusqu'où irait demain l'audace des fascistes?

Il fit le tour du parc par l'extérieur, se fondant parmi la centaine de badauds qui s'était rassemblée. Plusieurs rues rayonnaient depuis les jardins. Dans l'une d'elles, il vit approcher une Rolls-Royce noir et crème qu'il connaissait bien. Le chauffeur ouvrit la portière arrière et Lloyd, atterré, vit Daisy Pechkov en sortir.

Les raisons de sa présence en ces lieux ne pouvaient faire aucun doute. Elle portait une version féminine admirablement coupée de l'uniforme fasciste, avec une longue jupe grise au lieu de la culotte de cheval, ses boucles blondes s'échappant de la casquette noire. Lloyd avait beau abhorrer cette tenue, il ne put s'empêcher de trouver Daisy irrésistible.

Il s'arrêta pour la contempler. Il n'aurait pas dû être surpris : Daisy lui avait avoué qu'elle appréciait beaucoup Boy Fitzherbert, et manifestement, les idées politiques de celui-ci ne la heurtaient pas. Mais de là à soutenir ostensiblement les fascistes dans leur agression contre les Juifs de Londres ! Décidément, elle était étrangère à tout ce qui comptait pour lui.

Il aurait dû s'éloigner, mais c'était au-dessus de ses forces. Alors qu'elle longeait le trottoir d'un pas vif, il lui bloqua le passage. « Que diable venez-vous faire ici ? » lui demanda-t-il brutalement.

Elle ne se démonta pas. « Je pourrais vous poser la même question, monsieur Williams, répliqua-t-elle. Auriez-vous l'intention de défiler avec nous ? J'en serais fort surprise !

— Vous ne comprenez donc pas qui sont ces gens ? Ils se permettent de disperser les rassemblements politiques, d'intimider les journalistes, d'emprisonner leurs adversaires politiques. Vous êtes américaine – comment pouvez-vous être hostile à la démocratie ?

— La démocratie n'est peut-être pas le régime le mieux adapté à tous les pays, ni à toutes les époques. » Elle citait sûrement la propagande de Mosley, se dit Lloyd.

« Mais les fascistes torturent et assassinent tous ceux qui ne partagent pas leurs idées ! » protesta-t-il. Il pensa à Jörg. « Je l'ai vu de mes propres yeux, à Berlin. J'ai été interné dans un de leurs camps, pendant quelques heures seulement, il est vrai, mais assez longtemps pour assister au spectacle effroyable d'un homme nu, déchiqueté à mort par des chiens affamés. Voilà le genre de choses que font vos amis fascistes.

— Pouvez-vous me dire qui a été tué par les fascistes, ici, en Angleterre, récemment ? demanda-t-elle avec aplomb.

— Les fascistes anglais ne sont pas encore au pouvoir, mais votre cher Mosley est un grand admirateur d'Hitler. Dès qu'ils en auront l'occasion, ils se conduiront exactement comme les nazis.

— Vous voulez probablement dire qu'ils élimineront le chômage et rendront au peuple fierté et espoir. »

Lloyd éprouvait pour elle une telle attirance qu'il avait le cœur brisé de l'entendre débiter de telles âneries. «Vous savez tout de même comment les nazis ont traité la famille de votre amie Eva !

— À propos d'Eva, elle s'est mariée, le saviez-vous? enchaîna Daisy avec tout l'enjouement appuyé d'une maîtresse de maison qui cherche à détourner la conversation pour aborder un sujet plus plaisant. Avec ce charmant Jimmy Murray, vous vous souvenez certainement de lui. Elle est anglaise maintenant.

— Et ses parents? »

Daisy baissa les yeux. «Je ne les connais pas.

— Mais vous savez ce que les nazis leur ont fait subir.» Eva lui en avait parlé au bal de Trinity College. «Son père n'a plus le droit d'exercer la médecine. Il travaille comme assistant dans une pharmacie. Il ne peut plus mettre les pieds dans un parc, ni dans une bibliothèque publique. Le nom du grand-père d'Eva a été effacé du monument aux morts de son village natal!» Lloyd se rendit compte qu'il avait haussé le ton. Il poursuivit plus bas : «Comment pouvez-vous faire cause commune avec des gens qui commettent de tels actes? »

Elle eut l'air troublée mais ne répondit pas à sa question. «Je suis déjà en retard. Excusez-moi, je vous prie, murmura-t-elle.

— Ce que vous faites est inexcusable. »

Le chauffeur intervint. «C'est bon, fiston, ça suffit. »

C'était un homme d'âge mur, lourdaud, qui manquait manifestement d'exercice. Lloyd ne fut pas le moins du monde intimidé, mais il ne voulait pas provoquer de bagarre. «Je m'en vais, fit-il calmement. Rien ne vous autorise pourtant à m'appeler fiston. »

Le chauffeur le prit par le bras.

«Lâchez-moi, dit Lloyd, si vous ne voulez pas que je vous flanque par terre avant de m'en aller.» Il regarda le chauffeur droit dans les yeux.

L'homme hésita. Lloyd se contracta, prêt à réagir, guettant son adversaire comme sur un ring de boxe. Si le chauffeur essayait le frapper, ce serait un grand uppercut, facile à esquiver.

L'autre dut se rendre compte qu'il avait à faire à forte partie, ou sentit le solide biceps du bras qu'il tenait : quoi qu'il en soit, il recula et desserra son étreinte en maugréant : « Pas la peine de me menacer. »

Daisy s'éloigna.

Lloyd la suivit du regard, contemplant son dos dans son uniforme parfaitement coupé alors qu'elle rejoignait les rangs des fascistes. Avec un profond soupir de contrariété, il fit demi-tour et partit en sens inverse.

Il chercha à se concentrer sur sa mission. Quel imbécile il était d'avoir joué les matamores avec le chauffeur ! S'ils s'étaient battus, il aurait probablement été arrêté et aurait passé la journée au fond d'une cellule : en quoi cela aurait-il servi la cause antifasciste ?

Il était midi et demi. Il quitta Tower Hill, trouva une cabine téléphonique, appela le Conseil du peuple juif et parla à Bernie. Après avoir entendu le compte rendu de ses observations, Bernie lui demanda d'essayer d'évaluer l'importance des effectifs de police déployés entre la Tour et Gardiner's Corner.

Lloyd rejoignit le côté est du parc et explora les rues adjacentes. Ce qu'il vit le laissa sans voix.

Il s'était attendu à trouver une centaine de policiers. Ils étaient des milliers.

Certains se tenaient en rangs sur les trottoirs, d'autres attendaient dans plusieurs dizaines de cars à l'arrêt, d'autres encore, montés sur d'énormes chevaux, formaient des lignes parfaitement droites. Il ne restait qu'un étroit passage pour les piétons. Les policiers étaient plus nombreux que les fascistes.

De l'intérieur d'un car, un agent en uniforme lui adressa le salut hitlérien.

Lloyd était désemparé. Si tous ces policiers se rangeaient aux côtés des fascistes, comment les contre-manifestants pourraient-ils leur résister ?

C'était bien pire qu'un défilé fasciste : c'était un défilé fasciste soutenu par la police. Quelle conclusion les Juifs de l'East End devaient-ils en tirer ?

Dans Mansell Street, il aperçut Henry Clarke, un agent de police qu'il connaissait. « Salut, Nobby ! » dit-il. Tous les Clarke étaient surnommés Nobby, sans que personne sache vraiment pourquoi. « Tu sais quoi ? Il y a un flic qui vient de me faire le salut hitlérien.

— Ils ne sont pas d'ici, lui chuchota Nobby, comme s'il lui

révélait un secret. Ils ne vivent pas au milieu des Juifs comme moi. J'ai beau leur dire qu'ils sont comme tout le monde, que ce sont pour l'essentiel des gens respectueux de la loi, malgré la présence, comme partout, d'un petit nombre de délinquants et de fauteurs de troubles, ils ne me croient pas.

— Mais tout de même... le salut hitlérien?

— C'était peut-être une blague. »

Lloyd fit une moue dubitative.

Il quitta Nobby et, poursuivant sa route, constata que les policiers formaient des cordons partout où les rues latérales débouchaient aux environs de Gardiner's Corner.

Il entra dans un pub équipé du téléphone – il avait repéré la veille tous les appareils disponibles – et annonça à Bernie qu'il y avait au moins cinq mille policiers dans le quartier. «Nous ne pourrons jamais résister à autant de flics, remarqua-t-il d'un ton lugubre.

— N'en sois pas si sûr, répondit Bernie. Va jeter un coup d'œil du côté de Gardiner's Corner, tu veux?»

Lloyd réussit à contourner le cordon de police et à rejoindre la contre-manifestation. Ce ne fut que lorsqu'il eut atteint le milieu d'une des rues donnant sur Gardiner's Corner qu'il put prendre toute la mesure de l'affluence.

C'était le plus grand rassemblement qu'il ait jamais vu.

Le carrefour était noir de monde, mais ce n'était qu'une infime partie de la foule qui s'étendait vers l'est, tout le long de Whitechapel High Street, aussi loin que portait le regard. Commercial Road, en direction du sud-est, grouillait de manifestants, elle aussi. Quant à Leman Street, où se trouvait le commissariat de police, elle était inaccessible.

À vue de nez, il devait y avoir une centaine de milliers de personnes. Il faillit jeter son chapeau en l'air et pousser un cri de joie. Les habitants de l'East End étaient venus en force pour repousser les fascistes. À présent, il ne pouvait plus y avoir le moindre doute sur leurs sentiments.

Au milieu du carrefour, il aperçut un tram immobilisé, abandonné par son conducteur et ses passagers.

Rien ne pourrait passer à travers pareille multitude, se dit Lloyd avec un optimisme croissant.

Il vit son voisin Sean Dolan grimper sur un réverbère et y accrocher un ruban rouge. La fanfare de la Jewish Lads' Brigade, la Brigade des jeunes Juifs, jouait, à l'insu sans doute des responsables de ce mouvement de jeunesse d'un conservatisme bon teint. Un appareil de l'armée passa dans le ciel, une sorte d'autogire, se dit Lloyd.

Près des vitrines du magasin Gardiner, il tomba sur sa sœur Millie, accompagnée de son amie, Naomi Avery. La simple idée que Millie puisse être prise dans une bagarre le fit frémir. « Dad sait que tu es ici ? lui demanda-t-il d'un ton sévère.

— Tu rigoles ? » répondit-elle avec insouciance.

Il était surpris de la trouver là. « Tu ne te passionnes pas pour la politique, d'habitude, lui dit-il. J'avais cru comprendre que ce qui t'intéressait le plus, c'était de gagner de l'argent.

— C'est vrai, acquiesça-t-elle. Mais aujourd'hui, ce n'est pas pareil. »

Lloyd imagina le chagrin de Bernie s'il arrivait quelque chose à Millie. « Tu ferais mieux de rentrer à la maison, crois-moi.

— Pourquoi ? »

Il regarda autour de lui. La foule était détendue et bon enfant. Les forces de police se trouvaient à une certaine distance, les fascistes étaient invisibles. Ils ne défileraient pas aujourd'hui, il fallait se rendre à l'évidence. Jamais les partisans de Mosley n'arriveraient à se frayer un passage à travers une masse compacte de cent mille individus bien décidés à les en empêcher, et la police ne commettrait pas la folie de les laisser essayer. Millie ne risquait probablement rien.

À l'instant même où il se faisait cette réflexion, la situation changea.

Plusieurs coups de sifflet stridents retentirent. Tournant la tête en direction du son, Lloyd vit la police montée approcher en formant une ligne menaçante. Les chevaux piaffaient et s'ébrouaient, nerveux. Les policiers tenaient de longues matraques en forme d'épées.

S'apprêtaient-ils à attaquer ? Mais non, c'était impossible !

Une seconde après, ils chargeaient.

Des cris de colère et des hurlements terrifiés s'élevèrent tandis que tout le monde se bousculait pour échapper aux immenses chevaux. La foule formait une masse compacte, mais ceux qui se trouvaient sur les bords tombèrent sous les sabots qui martelaient le sol. Les policiers frappaient à gauche et à droite avec leurs longues matraques. Lloyd se sentit poussé en arrière sans pouvoir résister.

Il était furieux. Pourquoi la police intervenait-elle ? Avait-elle la stupidité de croire qu'elle réussirait à dégager un passage pour les amis de Mosley? Qui pouvait raisonnablement imaginer que deux ou trois mille fascistes hurlant des insultes pourraient défiler au milieu de cent mille de leurs victimes désignées sans provoquer d'émeute? La police était-elle dirigée par des imbéciles, ou avait-elle échappé à tout contrôle? Il ne savait pas quelle réponse était la plus effrayante.

Les cavaliers reculèrent, faisant faire volte-face à leurs montures haletantes, et se regroupèrent sur une ligne irrégulière. Sur un nouveau coup de sifflet, ils serrèrent les talons, menant leurs chevaux dans une deuxième charge téméraire.

Millie avait oublié toutes ses rodomontades. Elle n'avait que seize ans et était terrifiée. Elle hurla de frayeur quand la foule l'accula contre la vitrine de Gardiner and Company. Les mannequins en costumes bon marché et en manteaux d'hiver jetaient des regards vides sur la foule horrifiée et sur les cavaliers belliqueux. Lloyd était assourdi par les vociférations de milliers de voix qui protestaient et criaient d'effroi. Se glissant devant Millie, il repoussa la masse de toutes ses forces, cherchant vainement à protéger sa sœur. Malgré tous ses efforts, il s'écrasa contre elle. Quarante ou cinquante personnes étaient coincées, le dos contre la vitrine, et la pression augmentait dangereusement.

Lloyd comprit avec colère que la police était bien décidée à dégager un passage, coûte que coûte.

Un instant plus tard, on entendit un épouvantable fracas de verre brisé. La vitrine avait cédé. Lloyd tomba sur Millie, et Naomi s'étala sur lui. Plusieurs dizaines de personnes criaient de douleur et de panique.

Lloyd réussit à se relever. Miraculeusement, il était indemne. Il regarda fébrilement autour de lui, cherchant sa sœur. Les êtres humains se confondaient avec les mannequins renversés. Il repéra enfin Millie au milieu d'un amas d'éclats de verre. Il la prit par les bras et la hissa sur ses pieds. Elle pleurait : « Mon dos ! »

Il la retourna. Son manteau était en lambeaux et elle était couverte de sang. Fou d'angoisse, il la prit par les épaules d'un geste protecteur. « Il y a une ambulance au coin de la rue. Tu peux marcher? »

Ils n'avaient parcouru que quelques mètres quand les sifflets retentirent à nouveau. Terrifié à l'idée d'être repoussé avec

Millie dans la vitrine du magasin, Lloyd se rappela les billes que Bernie lui avait données. Il sortit le sac de sa poche.

La police chargea.

Levant bien haut le bras au-dessus des têtes, Lloyd balança le sachet qui tomba juste devant les chevaux. Il n'était pas le seul à avoir réagi. Alors que la police montée s'approchait, on entendit un bruit de pétards. Un cheval glissa sur les billes et tomba. D'autres s'arrêtèrent net et ruèrent en entendant la pétarade. La charge tourna au chaos. Naomi Avery avait réussi à passer devant la foule, et il la vit qui faisait éclater un sac de poivre sous les naseaux d'un cheval. Celui-ci fit un écart, secouant la tête en tous sens.

La pression diminua, et Lloyd conduisit Millie jusqu'à l'angle de la rue. Elle souffrait toujours, mais ne pleurait plus.

Une queue s'était formée devant le poste de la St John's Ambulance : une fille en larmes, qui avait apparemment la main écrasée, plusieurs jeunes gens dont la tête et le visage ruisselaient de sang, une femme d'âge mûr assise par terre, tenant entre ses mains son genou enflé. Au moment où Lloyd et Millie arrivèrent, Sean Dolan s'éloignait, la tête bandée. Il replongea immédiatement dans la cohue.

Une infirmière examina le dos de Millie. « Ce n'est pas joli, dit-elle. Il faut que vous alliez à l'hôpital de Whitechapel Street. Une ambulance va vous y conduire. » Elle se tourna vers Lloyd. « Voulez-vous l'accompagner ? »

Lloyd en avait grande envie, mais il était censé téléphoner régulièrement à Bernie et hésita.

Millie résolut son dilemme avec son cran habituel. « Tu n'as pas intérêt, Lloyd. Tu ne peux rien pour moi et tu as des choses importantes à faire ici. »

Elle avait raison. Il l'aida à monter dans une ambulance. « Tu ne veux pas que je vienne ? Sûr ?

— Sûr de sûr. Tâche seulement de ne pas te retrouver à l'hosto, toi aussi. »

Il se rassura en songeant qu'il la laissait en de bonnes mains. Il lui déposa un baiser sur la joue et retourna dans la mêlée.

La police avait changé de tactique. Les manifestants avaient repoussé les charges de chevaux, mais les policiers étaient toujours décidés à dégager un passage. Alors que Lloyd jouait des coudes pour rejoindre les premiers rangs, ils chargèrent à pied, brandissant leurs matraques. Les manifestants sans armes se recroquevillaient pour éviter les coups, comme des feuilles sous le vent, avant de réapparaître dans une autre partie de la rangée.

La police commença à procéder à des interpellations, espérant peut-être affaiblir la détermination de la foule en s'emparant des meneurs. Dans l'East End, une arrestation n'était pas une simple formalité juridique. Peu de gens s'en sortaient sans un œil poché ou quelques brèches dans leur denture. Le commissariat de Leman Street avait particulièrement mauvaise réputation.

Lloyd se retrouva derrière une jeune femme véhémente qui brandissait un drapeau rouge. Il reconnut Olive Bishop, une voisine de Nutley Street. Un policier abattit sa matraque sur sa tête : «Putain juive!» Elle n'était pas juive, et encore moins putain : elle tenait l'harmonium à la chapelle évangélique du Calvaire. Mais elle avait sans doute oublié l'exhortation de Jésus à tendre l'autre joue et griffa le flic, dessinant plusieurs lignes rouges parallèles sur son visage. Deux autres agents l'empoignèrent alors par les bras et la ceinturèrent tandis que le premier recommençait à la frapper sur la tête.

Devant l'image de trois hommes solides s'attaquant à une jeune femme, Lloyd sentit la moutarde lui monter au nez. Il s'avança et envoya à l'agresseur d'Olive Bishop un crochet du droit dans lequel il mit toute sa fureur. Le coup toucha le policier à la tempe. Étourdi, il trébucha et tomba.

D'autres policiers affluèrent sur les lieux, abattant leurs matraques au hasard, frappant bras, jambes, têtes, mains. Quatre d'entre eux ramassèrent Olive, chacun la prenant par un bras ou une jambe. Elle eut beau hurler et se débattre vigoureusement, elle n'arriva pas à leur échapper.

Les spectateurs ne restèrent pas passifs. Ils se jetèrent contre les policiers qui prétendaient embarquer Olive, cherchant à écarter les hommes en uniforme. La police se précipita contre eux en hurlant «salauds de Juifs», alors que tous n'étaient pas juifs et qu'il y avait même parmi eux un marin somali à peau noire.

La police lâcha Olive, la laissant tomber brutalement sur le pavé, et entreprit de se défendre. Olive se glissa au milieu de la foule et disparut. Les flics reculèrent, sans cesser de frapper tous ceux que leurs matraques pouvaient atteindre.

Lloyd constata avec un frémissement de joie l'inefficacité de la stratégie policière. Malgré leur brutalité, les charges avaient échoué à dégager un passage. Les policiers repassèrent à l'offensive, matraque à la main, mais la foule déchaînée se précipita en avant, impatiente désormais d'en découdre.

Décidant qu'il était temps de transmettre à Bernie un nouveau communiqué, il se faufila tant bien que mal jusqu'à l'arrière de la marée humaine et trouva une cabine téléphonique. «Je ne crois pas qu'ils vont y arriver, Dad, dit-il à Bernie, plein d'enthousiasme. La police essaie de dégager un passage, mais elle n'avance pas. Nous sommes trop nombreux.

— Nous redirigeons les gens vers Cable Street, lui annonça Bernie. La police va peut-être faire une tentative de ce côté-là en espérant avoir plus de chance, alors nous envoyons des renforts. Va voir ce qui se passe et préviens-moi.

— Entendu.» Lloyd raccrocha avant de se rendre compte qu'il n'avait pas annoncé à son beau-père que Millie avait été conduite à l'hôpital. Après tout, autant ne pas l'inquiéter pour le moment.

Il risquait d'avoir du mal à rejoindre Cable Street. Depuis Gardiner's Corner, Leman Street conduisait directement au sud, vers l'extrémité la plus proche de Cable Street, à moins de huit cents mètres, mais la voie était bloquée par les manifestants qui se battaient contre la police. Lloyd dut prendre un itinéraire plus détourné. Il joua des coudes pour gagner Commercial Road, où il se trouva bloqué. Il n'y avait pas de policiers, donc pas de violences, mais la foule était presque aussi dense. Contrarié, Lloyd se consola en se disant que jamais la police ne réussirait à percer de brèche dans pareille marée humaine.

Il se demanda ce que faisait Daisy Pechkov. Elle devait être assise dans la voiture, attendant que le défilé commence, tapotant impatiemment du pied dans sa chaussure de luxe le tapis de la Rolls-Royce. L'idée qu'il contribuait à l'empêcher d'arriver à ses fins lui inspira un sentiment de satisfaction étrangement malveillant.

Avec opiniâtreté, n'hésitant pas à bousculer ceux qui se mettaient en travers de son chemin, Lloyd finit par avancer. Le chemin de fer qui longeait la partie nord de Cable Street lui barrait le passage, et il dut aller un peu plus loin pour trouver une rue latérale qui passait sous la voie ferrée. Il ressortit du tunnel et s'engagea dans Cable Street.

La foule était moins dense, mais la rue était étroite et tout aussi impraticable. Tant mieux : la police aurait plus de mal à circuler. Il releva la présence d'un autre obstacle : un camion avait été arrêté en travers de la rue et renversé sur le côté. À chaque extrémité du véhicule, on avait empilé sur toute la largeur de la rue et jusqu'à une hauteur respectable des vieilles tables et des chaises cassées, des morceaux de poutres et autre bric-à-brac.

Une barricade ! Lloyd pensa à la Révolution française. Ce n'était pourtant pas une révolution. La population de l'East End ne cherchait pas à renverser le gouvernement britannique. Elle était au contraire profondément attachée à ses élections, à ses conseils d'arrondissement et à son Parlement, au point d'être prête à défendre son système de gouvernement contre le fascisme, même s'il n'était pas prêt à le faire lui-même.

Lloyd était arrivé derrière la barrière et s'approcha pour comprendre ce qui se passait. Montant sur un mur pour mieux voir, il découvrit une scène animée. Du côté le plus éloigné de lui, les policiers s'efforçaient de démonter la barricade en soulevant les vieux meubles et en traînant les matelas éventrés. Ce n'était pas facile. Une pluie de projectiles tombait sur leurs casques, certains lancés par-dessus la barricade, d'autres depuis les fenêtres des immeubles serrés de part et d'autre de la rue : des pierres, des bouteilles de lait, des pots cassés et des briques provenant, remarqua Lloyd, d'un chantier voisin. Quelques jeunes audacieux se tenaient au sommet de la barricade, attaquant leurs adversaires avec des bâtons ; une échauffourée éclatait de temps en temps quand les policiers arrivaient à en attraper un et cherchaient à le faire tomber pour le rouer de coups de pied. Avec un sursaut d'étonnement, Lloyd reconnut deux des silhouettes qui se tenaient sur la barricade : c'étaient Dave Williams, son cousin, et Lenny Griffiths, d'Aberowen. Côte à côte, ils repoussaient les forces de l'ordre à coups de pelle.

Les minutes passant, Lloyd ne put que se rendre à l'évidence : les policiers allaient l'emporter. Ils travaillaient avec méthode, dégageant un par un les éléments composant la barricade. Du côté où se trouvait Lloyd, quelques habitants renforçaient la muraille, remplaçant au fur et à mesure ce que la police retirait, mais ils étaient moins bien organisés et ne disposaient pas d'une réserve de matériaux infinie. Lloyd avait l'impression que la police n'allait pas tarder à l'emporter. Si elle arrivait à dégager Cable Street, elle ferait passer les fascistes par là et ils défileraient devant une succession de boutiques juives.

Mais en se retournant, il vit que les organisateurs de la défense de Cable Street avaient été prévoyants. Alors même que la police démontait la première barricade, une autre commençait à s'élever une centaine de mètres plus bas dans la rue.

Lloyd recula et entreprit avec enthousiasme de participer à la construction de ce deuxième obstacle. Des dockers armés de pioches soulevaient des pavés, des ménagères allaient chercher des poubelles dans leurs cours et des boutiquiers apportaient des caisses et des cartons vides. Avec d'autres, Lloyd porta un banc de parc, avant d'arracher un panneau d'affichage devant un bâtiment municipal. Ayant tiré les leçons de l'expérience, les bâtisseurs firent du meilleur travail, utilisant leurs matériaux avec économie et veillant à la solidité de leur édifice.

Regardant encore derrière lui, Lloyd constata qu'une troisième barricade commençait à se dresser un peu plus à l'est.

Les défenseurs se retirèrent progressivement de la barricade d'origine pour se regrouper derrière la deuxième. Quelques minutes plus tard, la police perça une brèche dans la première et se précipita en avant, poursuivant les quelques jeunes gens restés sur place. Lloyd vit Dave et Lenny s'enfuir dans une ruelle dont toutes les maisons se fermèrent promptement dans des claquements de portes et de fenêtres.

Les policiers se trouvèrent ensuite bien embarrassés. Ils n'avaient pris une barricade que pour devoir en affronter une autre, plus solide, et n'avaient visiblement pas le courage de commencer à la démanteler. Ils se regroupèrent au milieu de Cable Street, échangeant des propos décousus et jetant des regards pleins de rancœur aux habitants qui les narguaient depuis les étages.

Il était encore trop tôt pour chanter victoire, mais Lloyd ne put réprimer un intense sentiment de joie : les antifascistes allaient peut-être l'emporter.

Il resta à son poste pendant un quart d'heure, mais comme la police ne bougeait pas, il finit par quitter les lieux ; il trouva une cabine et appela Bernie.

Celui-ci restait prudent. « Nous ignorons ce qui se passe, admit-il. Il semble y avoir une accalmie, mais il faut absolument que nous sachions ce que les fascistes mijotent. Penses-tu pouvoir retourner jusqu'à la Tour ? »

Il ne fallait pas songer à traverser la masse de policiers, mais Lloyd pensa à un autre moyen. « Je pourrais essayer de passer par St George Street, dit-il sans grande conviction.

— Fais de ton mieux. Je voudrais bien connaître leurs intentions. »

Lloyd se dirigea vers le sud par un dédale de ruelles. Il espérait ne pas s'être trompé à propos de St George Street. La rue se trouvait hors du secteur disputé, mais la foule avait pu s'y éparpiller.

Il constata avec soulagement que bien qu'il fût encore à portée d'oreille de la contre-manifestation et pût entendre les cris et les sifflets de la police, il n'y avait pas grand monde. Quelques ménagères bavardaient sur le trottoir et des petites filles jouaient à la corde à sauter au milieu de la rue. Lloyd se dirigea vers l'ouest au pas de gymnastique, s'attendant à apercevoir des masses de manifestants ou de policiers à chaque coin de rue. Il croisa quelques personnes qui avaient manifestement fui la mêlée – deux hommes à la tête bandée, une femme au manteau déchiré, un ancien combattant médaillé au bras en écharpe – mais pas de foule. Il courut jusqu'à l'endroit où la rue débouchait sur la Tour et put pénétrer sans difficulté dans Tower Gardens.

Les fascistes y étaient toujours.

En soi, c'était déjà un succès, se dit-il. Il était maintenant trois heures et demie : ils avaient été obligés de rester plantés là des heures durant, sans pouvoir défiler. Ils avaient perdu beaucoup de leur ardeur. Ils avaient cessé de chanter et de crier des slogans, ils étaient silencieux, sans ressort, toujours alignés mais un peu moins impeccablement, leurs banderoles pendantes, leurs fanfares muettes. Ils avaient déjà l'air vaincus.

Un changement se produisit pourtant quelques minutes plus tard. Une voiture découverte surgit d'une rue adjacente et longea les rangées fascistes. Des acclamations s'élevèrent. Les lignes se reformèrent, les officiers saluèrent, les fascistes se mirent au garde-à-vous. Lloyd reconnut sur la banquette arrière du véhicule leur chef, Sir Oswald Mosley, un homme séduisant à la moustache conquérante, portant l'uniforme fasciste au grand complet, casquette comprise. Droit comme un I, il salua à plusieurs reprises, tel un monarque passant ses troupes en revue tandis que sa voiture avançait au pas.

Sa présence revigora ses partisans et inquiéta Lloyd. Sans doute allaient-ils tout de même défiler comme prévu : pourquoi serait-il venu si telle n'était pas leur intention ? L'automobile longea les lignes fascistes jusque dans une rue latérale qui rejoignait le quartier financier. Lloyd attendit. Une demi-heure plus tard, Mosley revint, à pied cette fois, saluant toujours ses troupes et hochant la tête sous les acclamations.

Arrivé au premier rang, il bifurqua dans une rue voisine, accompagné d'un de ses officiers.

Lloyd les suivit.

Mosley s'approcha d'un groupe d'hommes plus âgés groupés sur le trottoir. Lloyd reconnut avec surprise Sir Philip Game, le préfet de police, en nœud papillon et chapeau mou. Les deux hommes s'engagèrent dans une conversation animée. Sans doute Sir Philip annonçait-il à Sir Oswald que les contre-manifestants étaient trop nombreux pour qu'on puisse les disperser. Que conseillerait-il aux fascistes ? Lloyd mourait d'envie de s'approcher suffisamment pour entendre leur discussion, mais il ne pouvait pas courir le risque de se faire arrêter et préféra donc rester à distance respectueuse.

Le préfet de police semblait monopoliser la parole, le leader fasciste se contentant de ponctuer ses propos en hochant la tête et de poser quelques questions. Les deux hommes échangèrent ensuite une poignée de main et Mosley s'éloigna.

Il regagna le parc pour s'entretenir avec ses officiers. Lloyd reconnut parmi eux Boy Fitzherbert, vêtu du même uniforme que Mosley. Il ne lui allait pas très bien : cette tenue martiale seyait mal à son corps un peu mou et à la sensualité nonchalante de son attitude.

Mosley semblait donner des ordres. Les autres saluèrent et s'éloignèrent, sans doute pour transmettre ses directives à leurs troupes. Qu'avait-il décidé ? La seule solution raisonnable était de renoncer et de rentrer chez eux. Mais s'ils avaient été raisonnables, ils n'auraient pas été fascistes.

Des coups de sifflet retentirent, des commandements résonnèrent, des fanfares éclatèrent et les hommes se mirent au garde-à-vous. Lloyd comprit qu'ils allaient se mettre en marche. La police avait dû leur indiquer un itinéraire. Lequel ?

Le défilé commença alors – en sens inverse. Au lieu de se diriger vers l'East End, ils marchèrent vers l'ouest, s'engageant dans le quartier des finances, désert en ce dimanche après-midi.

Lloyd n'en croyait pas ses yeux. «Ils se dégonflent!» s'écria-t-il tout haut et un homme, debout à côté de lui, renchérit : «On dirait bien, ma foi!»

Il resta cinq minutes à suivre du regard les colonnes qui se mettaient progressivement en branle. Quand il n'y eut plus aucun doute possible, il se précipita vers une cabine et appela Bernie. «Ils s'en vont!

— Ils entrent dans l'East End?

— Non, dans l'autre sens! Ils partent vers l'ouest, vers la Cité. Nous avons gagné!

— Bon sang!» Bernie s'adressa à ceux qui l'entouraient. «Écoutez tous! Les fascistes se dirigent vers l'ouest. Ils ont laissé tomber!»

Lloyd entendit des acclamations enthousiastes s'élever dans la pièce.

Quelques instants plus tard, Bernie lui dit : «Continue à les surveiller, et préviens-nous quand ils auront tous quitté Tower Gardens.

— Entendu.» Lloyd raccrocha.

Il fit tout le tour du parc, jubilant. Chaque minute qui passait rendait la défaite des fascistes encore plus évidente. Leurs fanfares jouaient et ils avançaient au pas, mais leur démarche manquait de ressort et ils ne scandaient plus qu'ils allaient se débarrasser des youpins. C'étaient les youpins qui s'étaient débarrassés d'eux.

En arrivant à l'extrémité de Byward Street, il aperçut Daisy.

Elle se dirigeait vers la Rolls-Royce noir et crème familière et fut obligée de passer devant lui. Lloyd ne put résister à la tentation de plastronner. «Les habitants de l'East End vous ont repoussés, vous et vos idées nauséabondes», exulta-t-il.

Elle s'arrêta et le regarda, impassible. «Une bande de voyous nous a empêchés de passer, lança-t-elle avec dédain.

— En attendant, vous défilez dans l'autre sens.

— Une bataille ne fait pas une guerre.»

Elle avait peut-être raison, se dit Lloyd, mais tout de même, c'était une sacrée bataille. «Vous ne rentrez pas à pied avec votre petit ami?

— Je préfère la voiture, répondit-elle. Et d'ailleurs, ce n'est pas mon petit ami. »

L'espoir fit bondir le cœur de Lloyd.

« C'est mon mari », acheva-t-elle.

Lloyd la regarda fixement. Il n'aurait jamais imaginé qu'elle puisse être aussi sotte. Il en resta sans voix.

« C'est vrai, insista-t-elle en voyant son expression incrédule. Vous n'avez pas vu l'annonce de nos fiançailles dans le journal ?

— Je ne lis pas les échos mondains. »

Elle lui tendit sa main gauche, ornée d'une bague de fiançailles en diamants et d'une alliance en or. « Nous nous sommes mariés hier et nous avons retardé notre voyage de noces pour pouvoir participer au défilé d'aujourd'hui. Nous partons demain pour Deauville dans l'avion de Boy. »

Elle franchit les quelques mètres qui la séparaient de la voiture et le chauffeur lui ouvrit la portière. « À la maison, je vous prie », dit-elle.

« Très bien, madame. »

Lloyd était tellement furieux qu'il aurait volontiers frappé quelqu'un.

Daisy lui jeta un coup d'œil par-dessus son épaule : « Au revoir, monsieur Williams. »

Il retrouva alors sa voix. « Au revoir, miss Pechkov.

— Mais non ! le reprit-elle. Je suis la vicomtesse d'Aberowen à présent. »

Elle s'en gargarisait, constata Lloyd désespéré. Elle avait obtenu un titre de noblesse et pour elle, c'était le bout du monde.

Elle monta en voiture et le chauffeur referma la portière.

Lloyd se détourna. Il constata avec humiliation qu'il avait les yeux humides. « Et puis merde ! » fit-il tout haut.

Il renifla, ravalant ses larmes. Il redressa les épaules et reprit la direction de l'East End d'un pas vif. Le triomphe d'aujourd'hui était désormais teinté d'amertume. Il savait qu'il n'aurait pas dû se soucier de Daisy – de toute évidence, elle ne se souciait pas de lui –, mais n'en avait pas moins le cœur brisé de savoir qu'elle était désormais la femme de Boy Fitzherbert. Quel gâchis !

Il essaya de la chasser de son esprit.

Les policiers regagnaient leurs cars et quittaient les lieux. Si Lloyd n'avait pas été surpris par leur brutalité – il avait toujours vécu dans l'East End et c'était un quartier dur –, leur antisémitisme l'avait scandalisé. Ils s'étaient permis de traiter toutes les femmes de putains juives, tous les hommes de salauds de Juifs. En Allemagne, la police avait soutenu les nazis et fait cause commune avec les Chemises brunes. En ferait-elle autant ici? C'était impensable!

Il rejoignit Gardiner's Corner où la foule avait commencé à faire la fête. La fanfare de la Brigade des jeunes Juifs jouait un air de jazz, tandis que les hommes et les femmes dansaient et que les bouteilles de whisky et de gin passaient de main en main. Lloyd décida d'aller à l'hôpital prendre des nouvelles de Millie. Ensuite, il faudrait sans doute qu'il regagne le siège du Conseil pour annoncer à Bernie que Millie avait été blessée.

Mais avant d'aller plus loin, il tomba sur Lenny Griffiths. «On a envoyé ces connards se faire foutre! lança Lenny tout excité.

— Tu l'as dit», acquiesça Lloyd avec un grand sourire.

Lenny baissa la voix: «On a battu les fascistes ici et maintenant, on va leur foutre une pile en Espagne, tu vas voir.

— Quand pars-tu?

— Demain matin. Dave et moi, on prend le train pour Paris.»

Lloyd posa le bras sur les épaules de Lenny. «Je pars avec vous», dit-il.

IV

1937

1.

Volodia Pechkov traversa le pont qui enjambait la Moskova, tête baissée pour se protéger de la neige cinglante. Avec son épais manteau, sa chapka et ses solides bottes de cuir, il était bien équipé. Une chance qui n'était pas donnée à beaucoup de Moscovites.

Lui-même avait toujours porté des chaussures de qualité. Son père, Grigori, héros de la révolution bolchevique, était commandant dans l'armée et connaissait Staline personnellement. Pour autant, ce n'était pas une personnalité en vue. Son ascension dans la carrière militaire s'était brutalement interrompue à une certaine époque, dans les années 1920. Quoi qu'il en soit, la famille n'avait jamais manqué de rien.

Volodia, quant à lui, évoluait dans les plus hautes sphères. Après l'université, il était entré à la prestigieuse Académie militaire, section Renseignement, et, dès l'année suivante, avait été affecté aux services de renseignement de l'armée Rouge, à l'état-major.

La chance de sa vie avait été de rencontrer Werner Franck à Berlin – où son père était attaché militaire à l'ambassade soviétique – et de se lier d'amitié avec lui. Le jeune Allemand fréquentait alors la même école que lui, quelques classes en dessous. Découvrant sa haine du fascisme, Volodia lui avait suggéré de travailler pour le compte de l'Union soviétique, moyen le plus efficace, selon lui, pour barrer la route au nazisme.

Werner n'avait que quatorze ans à l'époque. Âgé désormais de dix-huit ans, il était employé au ministère de l'Air et sa haine pour les nazis s'y était encore renforcée. Il possédait un puissant émetteur radio et un manuel de chiffrage. Inventif et courageux, il prenait des risques incroyables, et les renseignements qu'il faisait parvenir étaient inestimables. Son contact à Moscou était Volodia.

Les deux jeunes gens ne s'étaient pas vus depuis quatre ans, mais Volodia gardait un vif souvenir de Werner adolescent, de sa haute taille et de sa chevelure d'un remarquable blond vénitien. À quatorze ans, il faisait déjà beaucoup plus mûr, physiquement et mentalement, et faisait battre bien des cœurs.

Récemment, il avait fait savoir à Volodia qu'un certain Markus, diplomate de l'ambassade d'Allemagne à Moscou, appartenait secrètement au parti communiste. Volodia avait réussi à le recruter et, depuis plusieurs mois maintenant, il recevait de lui quantité de rapports qu'il transmettait à son chef après les avoir traduits en russe. Le dernier en date, tout à fait passionnant, expliquait comment procédaient des chefs d'entreprise américains pronazis pour contourner l'embargo décrété par le président Roosevelt et approvisionner les rebelles espagnols d'extrême droite en camions, pneumatiques et gasoil. Torkild Rieber, par exemple, PDG de Texaco et fervent admirateur d'Hitler, utilisait les pétroliers de sa compagnie pour fournir de l'essence aux partisans de Franco.

Cet après-midi-là, Volodia avait justement rendez-vous avec Markus. Avenue Koutouzov, il tourna en direction de la gare de Kiev. Ils étaient convenus de se retrouver dans un bar fréquenté par les ouvriers, situé tout près de là. Les deux hommes ne se rencontraient jamais deux fois au même endroit et décidaient des modalités du contact suivant à la fin de chaque entrevue. C'était toujours une gargote où Markus ne risquait pas de tomber sur un collègue et où Volodia n'aurait aucun mal à repérer un agent du contre-espionnage allemand, dans l'éventualité où Markus aurait éveillé les soupçons de ses supérieurs berlinois.

L'Ukraine, le bar choisi pour le rendez-vous de ce jour-là, était une bâtisse en bois comme il en existait des milliers à Moscou. À en juger par ses fenêtres recouvertes de buée, il devait y régner une douce chaleur. C'était toujours ça! Volodia se garda d'y entrer tout de suite. Réfugié dans l'entrée glacée d'un immeuble de l'autre côté de la rue, il fit le guet par une étroite fenêtre.

Markus viendrait-il? Jusque-là il n'avait manqué aucun rendez-vous, mais rien n'était jamais certain. Qu'allait-il apporter comme information? Sur la scène internationale, la question du jour était l'Espagne, mais le Renseignement soviétique s'intéressait à d'autres sujets, notamment à celui du réarmement allemand. Combien de chars d'assaut l'Allemagne produisait-elle par mois? Combien de mitrailleuses Mauser M34 par jour? Quelles étaient les qualités du nouveau bombardier Heinkel He 111? Volodia rêvait de transmettre ces renseignements à son supérieur, le commandant Lemitov.

Une demi-heure s'était écoulée et l'Allemand n'avait toujours pas montré le bout de son nez. Volodia commença à s'inquiéter. Avait-il été démasqué? En tant qu'assistant de l'ambassadeur, Markus était au courant de tout ce qui passait par le bureau de son supérieur. Mais Volodia lui avait récemment demandé de lui fournir d'autres documents, en particulier la correspondance des attachés militaires. C'était peut-être une erreur, car Markus pouvait avoir été surpris en train de fouiller dans des dépêches auxquelles il n'était pas censé avoir accès.

Il aperçut enfin au bout de la rue une silhouette en loden vert, blanchissant sous les flocons de neige. Avec son nez chaussé de lunettes, Markus avait tout du professeur. Il pénétra dans le café. Volodia laissa passer un moment, continuant à scruter la rue. Il vit entrer un autre homme derrière lui : une tête de fouine, un manteau élimé et des bottes entourées de chiffons. Un agent du contre-espionnage allemand? Non, décida Volodia. Ce type qui s'essuyait le nez sur sa manche était le type même de l'ouvrier soviétique.

Volodia traversa la rue et poussa à son tour la porte de l'établissement.

La salle était enfumée, d'une propreté douteuse et il y régnait une odeur d'hommes qui ne se lavent pas souvent. Aux murs, de vieilles aquarelles dans des cadres bon marché représentant des paysages ukrainiens. En cette heure de l'après-midi, il n'y avait pas foule. La seule femme, d'un certain âge, sans doute une prostituée, semblait mal remise d'une gueule de bois.

Markus était assis au fond de la salle, penché sur un boc de bière auquel il n'avait pas touché. Il avait la trentaine, mais sa barbe et sa moustache blondes bien taillées le faisaient paraître plus vieux. Son manteau ouvert laissait voir une doublure en fourrure. À deux tables de lui, le Russe à tête de fouine faisait rouler l'embout cartonné d'une cigarette entre ses doigts.

Dès qu'il aperçut Volodia, Markus bondit sur ses pieds et le frappa au visage en hurlant : «Espèce de porc. Salopard!»

Abasourdi, Volodia ne réagit pas tout de suite. Il avait un goût de sang dans la bouche, la lèvre tuméfiée. Instinctivement, il s'apprêta à rendre le coup, mais se contint.

Markus se jeta à nouveau sur lui violemment. Sur ses gardes cette fois, Volodia esquiva facilement.

«Pourquoi tu as fait ça? braillait Markus. Pourquoi?» Puis, tout aussi soudainement, il se ratatina et se laissa tomber sur son siège. Le visage enfoui dans ses mains, il se mit à sangloter.

«La ferme, espèce d'idiot!» jeta Volodia, les lèvres en sang. Et il lança à la cantonade : «Ce n'est rien, il est bouleversé, c'est tout.»

Les clients détournèrent le regard, l'un d'eux préféra quitter les lieux. Ne jamais se mêler des affaires d'autrui, c'était la règle à Moscou. Le simple fait d'intervenir dans une bagarre d'ivrognes pouvait être dangereux. Comment savoir si l'un des combattants n'était pas haut placé dans le Parti? Et ces deux-là étaient évidemment des hommes puissants. Il suffisait de voir leurs manteaux.

Volodia se retourna vers Markus avec colère. «Je peux savoir ce qui me vaut ça?» lança-t-il à mi-voix. Il s'était exprimé en allemand car Markus parlait très mal le russe.

«Salopard! Espèce d'ordure! Tu as fait arrêter Irina! On lui a brûlé les seins avec des cigarettes», expliqua Markus à travers ses larmes.

Volodia tressaillit. Ce qui avait pu arriver à une jeune Russe qui fréquentait un étranger était facile à imaginer. Saisi d'un affreux pressentiment, il s'assit en face de Markus.

«Je ne suis pour rien dans cette arrestation. Et je suis désolé d'apprendre qu'on lui a fait du mal. Raconte-moi ce qui s'est passé.

— Ils sont venus la cueillir au beau milieu de la nuit, c'est sa mère qui me l'a raconté. Des types qui n'ont pas dit à quels services ils appartenaient. Ce n'était pas la police, ils étaient trop bien habillés. Irina elle-même ne sait pas où elle a été emmenée. Ils lui ont posé des questions à mon sujet, ils l'ont accusée d'espionnage. Ils l'ont torturée, violée et ensuite, ils l'ont jetée à la rue.

— C'est affreux! Je n'en reviens pas.

— Tu n'en reviens pas? Et c'est toi qui dis ça, toi qui as tout manigancé? Qui veux-tu que ce soit d'autre?

— Le Renseignement militaire n'est pour rien dans cette affaire, je te le jure!

— Je m'en fous, c'est pareil! Désormais tu peux faire une croix sur moi, et moi je fais une croix sur le communisme.

— Il n'y a pas de guerre sans victimes, et nous sommes en guerre contre le capitalisme», expliqua Volodia, se rendant compte que l'argument était faible au moment même où il prononçait ces mots.

«Imbécile, tu es vraiment bouché! Tu ne comprends donc pas que le socialisme devrait justement permettre d'en finir avec ces saloperies?»

Volodia releva les yeux. Un homme massif sanglé dans un manteau de cuir venait de franchir la porte, et ce n'était pas dans l'intention de s'offrir un verre, Volodia le comprit d'instinct.

Il se tramait quelque chose. Mais quoi? Il ne pratiquait pas ce petit jeu depuis longtemps et souffrait de son inexpérience comme on peut souffrir d'un membre amputé. L'idée que sa propre vie était peut-être en danger lui traversa l'esprit. Que devait-il faire? Il n'en savait rien non plus.

Le nouveau venu s'approcha de la table qu'il occupait avec Markus.

L'ouvrier à la mine chafouine se leva pour le rejoindre : un type de son âge à peu de choses près et qui, curieusement, s'exprima du ton d'un homme instruit.

«Vous êtes tous les deux en état d'arrestation!»

Volodia laissa échapper un juron.

Markus avait bondi sur ses pieds. «Je suis attaché à l'ambassade d'Allemagne! s'écria-t-il dans un russe approximatif. Vous ne pouvez pas m'arrêter! Immunité diplomatique!»

En un clin d'œil, le café se vida de tous ses clients qui se bousculèrent vers la sortie. Seuls demeurèrent le serveur et la prostituée. Le premier se mit à astiquer frénétiquement son comptoir à l'aide d'un chiffon sale, la seconde continua à tirer sur sa cigarette, les yeux fixés sur son verre de vodka vide.

«Vous ne pouvez pas m'arrêter non plus, déclara Volodia calmement, et il sortit ses papiers de sa poche. Lieutenant Pechkov, du Renseignement militaire. Et vous êtes?

— Dvorkine, du NKVD.

— Bérézovski. Du NKVD, moi aussi», intervint l'homme en manteau de cuir.

La police secrète! Il aurait dû s'en douter. Chargés de fonctions analogues, le NKVD et le Renseignement militaire se marchaient souvent sur les pieds. Volodia en avait été averti, mais c'était la première fois qu'il en faisait directement l'expérience. Il s'adressa à Dvorkine : «Je suppose que ce sont vos services qui se sont occupés de l'amie de cet homme.»

Dvorkine s'essuya le nez sur sa manche, une manie qui, finalement, ne devait pas faire partie de sa couverture. «Elle n'avait aucune information.

— Autrement dit : des seins brûlés pour rien !

— Tant mieux pour elle. Sinon, elle aurait connu pire.

— Et vous n'avez pas eu l'idée de vérifier auprès de nos services?

— Parce que vous vérifiez, vous?

— Bon, je m'en vais! lança Markus.

— Non, reste! supplia Volodia, accablé à l'idée de perdre un précieux atout. On va faire quelque chose pour Irina, on le lui doit bien. La faire soigner dans le meilleur hôpital...

— Va te faire foutre! répliqua Markus. Tu n'es pas près de me revoir!» Sur ces mots, il sortit.

De toute évidence, Dvorkine ne savait que faire : laisser filer l'Allemand ne lui plaisait pas, mais il était difficile de l'arrêter sans avoir l'air stupide. Il s'en prit alors à Volodia.

«Vous devriez vous faire respecter. Permettre qu'on vous parle sur ce ton, c'est donner de vous l'image d'un faible.

— Abruti! Vous n'avez pas idée de ce que vous venez de faire. Un type qui nous livrait des tuyaux essentiels! Maintenant tout est foutu à cause de votre connerie.»

Dvorkine haussa les épaules.

«Comme vous le lui avez dit tout à l'heure : il n'y a pas de guerre sans victimes.

— Ça suffit!» explosa Volodia et il partit à son tour.

Il retraversa le pont dans un état nauséeux : écœuré que le NKVD puisse faire subir pareille ignominie à une innocente, abattu d'avoir perdu une source d'informations inestimable. De rang trop modeste pour avoir une voiture à disposition, il rentra à son bureau en tram. Tout au long du trajet à travers un Moscou enneigé, il ressassa la situation : comment rapporter l'incident à Lemitov de la meilleure façon? Comment lui démontrer dans le même temps qu'il n'était pour rien dans cette affaire et ne se cherchait pas de fausses excuses?

La sûreté militaire avait son commandement à l'aérodrome de Khodynka où la piste était dégagée en permanence grâce à l'incessante activité d'un chasse-neige. Sur le plan architectural, c'était un bâtiment de deux étages dont les façades sur la rue étaient dépourvues de fenêtres, construit en carré autour d'une cour au centre de laquelle s'élevait un immeuble en brique de neuf étages. Cet agencement très particulier évoquait un doigt dressé en l'air au-dessus d'un poing serré. Les briquets et les stylos individuels n'étaient pas autorisés à pénétrer à l'intérieur de ces murs, pour éviter que les détecteurs de métaux placés à l'entrée ne se déclenchent de façon intempestive. L'armée se chargeait de fournir ces deux objets à tous les employés de la base, à raison d'un exemplaire par personne. Les boucles de ceinturon posaient elles aussi un problème que la majorité des gens réglaient en portant des bretelles. Ces mesures de sécurité étaient superflues, bien sûr : aucun Moscovite sain d'esprit n'aurait eu l'idée de s'introduire dans ce bâtiment. Il aurait plutôt fait des pieds et des mains pour éviter de s'en approcher.

Volodia partageait une pièce exiguë avec trois officiers subalternes. Ils disposaient chacun d'un bureau en acier poussé contre l'un des murs. Celui de Volodia bloquait en partie l'ouverture de la porte.

«Ben dis donc, c'est le mari qui est rentré du boulot plus tôt que prévu? s'esclaffa Kamen, le blagueur de service, en voyant la lèvre tuméfiée de Volodia.

— Ne m'en parle pas!»

Une transcription émanant de la section radio l'attendait sur son bureau : un texte en allemand, écrit au crayon, les lettres bien séparées les unes des autres et surmontées de leur équivalent codé.

Le message était de Werner.

Volodia s'inquiéta immédiatement. Markus avait-il déjà fait part à Werner de l'arrestation d'Irina et l'avait-il persuadé d'abandonner l'espionnage lui aussi? La journée avait déjà été assez riche en déconvenues sans qu'un désastre de cette ampleur ne vienne la couronner.

Ses craintes étaient infondées. Werner expliquait que l'armée allemande s'apprêtait à envoyer en Espagne des espions se faisant passer pour des antifascistes désireux de combattre au côté des forces gouvernementales, mais qui, en réalité, enverraient en secret des rapports aux stations d'écoute allemandes situées dans le camp des rebelles.

En soi, c'était déjà une information capitale, mais Werner faisait encore mieux : il donnait les noms des individus en question.

Volodia dut se retenir pour ne pas crier de joie. Pareille chance n'arrivait qu'une fois dans la vie d'un agent du Renseignement. Cela compensait bien la perte de Markus. Werner était une mine d'or. La seule idée des risques que son ami avait dû prendre pour obtenir cette liste et la faire sortir clandestinement du ministère de l'Air à Berlin le fit frémir. Il faillit se précipiter sur-le-champ dans le bureau de Lemitov.

Les quatre officiers ne disposaient que d'une seule machine à écrire qui était pour l'heure posée sur le bureau de Kamen. Volodia alla la prendre et l'installa sur le sien. Le jour commençait à tomber. Il entreprit de recopier la traduction définitive du message de Werner, la tapant avec deux doigts seulement. Les puissantes lumières extérieures étaient déjà allumées quand il rangea une copie carbone du texte dans son tiroir. Muni de la première page, il monta chez son chef.

Lemitov était dans son bureau. C'était un bel homme d'une quarantaine d'années, aux cheveux noirs lissés à la brillantine. D'une grande perspicacité, il avait le chic pour avoir toujours une longueur d'avance sur les déductions de Volodia, un don d'anticipation que le jeune homme s'efforçait d'acquérir. Loin de partager la conviction bien ancrée chez les militaires que les cris et l'intimidation sont les deux fondements d'une bonne organisation, il n'en était pas moins impitoyable avec les gens incompétents. Volodia le respectait et le craignait.

« En effet, déclara Lemitov après avoir pris connaissance du document, ce renseignement pourrait être d'une extrême utilité.

— Pourrait ? s'étonna Volodia.

— Et si c'était de la désinformation ? »

La question le désarçonna, mais il devait se rendre à l'évidence : on ne pouvait écarter l'éventualité que Werner se soit fait prendre et soit devenu un agent double. Il demanda d'un ton abattu :

« De faux noms, pour nous lancer sur une mauvaise piste ?

— Par exemple. Ou bien les noms de bons et loyaux communistes et socialistes qui ont fui le nazisme pour aller se battre en Espagne au nom de la liberté. Dans ce cas-là, nous arrêterions nous-mêmes d'authentiques antifascistes.

— Sacrebleu!»

Lemitov sourit.

«Remets-toi! C'est quand même un tuyau tout à fait intéressant. Quoi qu'il en soit, nous avons déjà des espions là-bas : de jeunes soldats et officiers russes "désignés volontaires" pour partir en Espagne rejoindre les Brigades internationales. Ils mèneront l'enquête.»

De sa petite écriture précise, le commandant écrivit quelques mots au crayon rouge sur la feuille de papier.

«C'est bien», dit-il encore.

Prenant ces derniers mots pour un congé, Volodia se dirigea vers la porte.

«Tu ne devais pas rencontrer Markus aujourd'hui?»

Volodia se retourna.

«Il y a eu un problème.

— Je m'en suis douté. À voir l'état de ta lèvre.»

Volodia rapporta les faits.

«J'ai perdu une source parfaitement fiable, conclut-il. Mais je ne vois pas comment j'aurais pu faire autrement. Est-ce que j'aurais dû prévenir le NKVD, à propos de Markus, pour éviter qu'ils interviennent?

— Sûrement pas! On ne peut avoir aucune confiance en eux. Il ne faut jamais rien leur dire. Ne t'inquiète pas, Markus n'est pas perdu. Tu le récupéreras facilement.

— Et comment? Il ne veut plus entendre parler de nous.

— En arrêtant de nouveau Irina.

— Quoi? s'écria Volodia horrifié. Ce sera encore pire!

— Donnant-donnant : ou il coopère, ou elle subit d'autres interrogatoires.»

Volodia fit de son mieux pour dissimuler son dégoût. Il ne fallait surtout pas avoir l'air trop délicat. D'autant que le plan de Lemitov avait toutes les chances d'être efficace. «Oui, réussit-il à prononcer.

— Et dis-lui bien que la prochaine fois, c'est dans la chatte qu'on lui enfoncera des cigarettes allumées.»

Volodia réprima un haut-le-cœur. Il déglutit péniblement :

«Très bien, fit-il. Je m'en occupe sur-le-champ.

— Rien ne presse, Tu peux attendre demain. Quatre heures

du matin, c'est le meilleur moment pour créer un effet de surprise.

— Compris, camarade commandant. »

Volodia sortit. Dans le couloir, il resta planté devant la porte, désorienté. Comme un employé qui passait le regardait étrangement, il se reprit et s'éloigna.

Il allait donc devoir régler le problème lui-même. Oh, il ne ferait rien à Irina, évidemment, il se contenterait de la menacer. Elle ne s'attendrait pas moins au pire et serait terrifiée. À la place d'Irina, je deviendrais fou, songea-t-il. Quand il avait rejoint les rangs de l'armée Rouge, il n'avait jamais imaginé qu'il aurait à commettre de telles horreurs. Embrasser la carrière militaire, cela pouvait vous obliger à tuer des gens, certes. Mais de là à torturer des jeunes filles !

Le bâtiment commençait à se vider. Dans les bureaux, les lumières s'éteignaient et les couloirs se remplissaient d'hommes, la chapka vissée sur la tête.

De retour dans son bureau, Volodia appela la police militaire pour organiser l'arrestation d'Irina. Il convint qu'une petite escouade le retrouverait à trois heures et demie du matin. Après quoi, il enfila son manteau et rentra chez lui.

Il habitait chez ses parents, Grigori et Katerina, tout comme Ania, sa sœur de dix-neuf ans, qui était encore étudiante. Dans le tramway, il se demanda si cela valait la peine d'évoquer cette affaire avec son père. Il pouvait toujours lui demander si la torture était admissible dans une société communiste, mais il connaissait déjà la réponse : « C'est une nécessité provisoire. Pour le moment, il faut défendre la révolution contre les espions et autres éléments subversifs à la solde du capitalisme et de l'impérialisme. » Et s'il insistait pour savoir combien de temps on continuerait d'appliquer ces méthodes d'un autre âge, ni son père ni personne ne serait capable de lui indiquer une date précise.

À leur retour de Berlin, les Pechkov avaient emménagé dans la Maison du gouvernement, un grand immeuble de style constructiviste qui abritait plus de cinq cents appartements réservés à l'élite. Ce bâtiment était aussi surnommé la « maison sur le quai », car il était situé en face du Kremlin, de l'autre côté de la Moskova.

Volodia salua de la tête l'agent de la police militaire en faction à la porte et se dirigea vers l'ascenseur, à l'autre bout du hall d'entrée, tellement vaste que l'on y donnait parfois des soirées dansantes au son d'un orchestre de jazz. Leur appartement avait l'eau chaude et le téléphone, un luxe selon les normes soviétiques, mais il n'était pas aussi agréable que celui qu'ils avaient occupé à Berlin.

Sa mère, Katerina, était à la cuisine. Ce n'était pas un cordon bleu ni une maîtresse de maison accomplie, mais son père l'adorait. Il était tombé amoureux d'elle ce jour de 1914 où il l'avait arrachée aux griffes d'un policier malintentionné à Petrograd. À quarante-trois ans, elle était encore attirante, pensait Volodia, et plus élégante que la plupart des femmes russes. Il devinait que pendant ces années passées à l'étranger au sein du corps diplomatique, elle avait appris à s'habiller, tout en veillant à ne pas avoir l'air trop occidentale – un délit dans le Moscou des années 1930.

«Volodia, ta bouche! Mais qu'est-ce qui t'est arrivé? s'exclama-t-elle après avoir embrassé son fils.

— Oh, ce n'est rien. On attend quelqu'un à dîner? s'enquit Volodia en humant une odeur de poulet.

— Ania a invité un ami.

— Un camarade de fac?

— Je ne crois pas. Je ne sais pas trop ce qu'il fait.»

Volodia, qui aimait profondément sa sœur, se réjouit. Ania était loin d'être une beauté. Petite et boulotte, toujours mal fagotée dans des vêtements de couleurs ternes, elle n'avait pas beaucoup d'admirateurs. Qu'un garçon la trouve assez sympathique pour venir dîner chez elle, c'était déjà une bonne nouvelle.

Volodia se rendit dans sa chambre et retira sa veste. Puis il se lava le visage et les mains. Sa lèvre avait presque retrouvé son aspect normal : Markus ne l'avait pas frappé très fort. Il s'essuyait les mains quand un bruit de voix lui parvint : Ania et son ami étaient arrivés.

Il passa un chandail tricoté à la main pour être plus à l'aise et retourna à la cuisine. Ania était assise à table avec un petit jeune homme au visage de fouine que Volodia reconnut aussitôt.

Ilia Dvorkine! L'agent du NKVD qui avait arrêté Irina! Il avait quitté son déguisement d'ouvrier et était vêtu et chaussé normalement.

«Pechkov, bien sûr! s'exclama Ilia, étonné. Je n'avais pas fait le rapprochement.»

Volodia se tourna vers sa sœur. «Ne me dis pas que ce type est ton petit ami!

— Comment? Qu'est-ce qu'il y a? s'écria Ania, consternée.

— Figure-toi que nous nous sommes rencontrés cet après-midi. Il a fait capoter une opération militaire de la plus haute importance en fourrant son nez dans des affaires qui ne le regardaient pas.

— Je faisais mon boulot, répliqua Dvorkine, et il s'essuya le nez sur sa manche.

— Joli boulot, en vérité!

— Ah non! s'interposa Katerina. Vous n'allez pas nous assommer avec vos histoires de travail! Volodia, sers à boire à notre invité, veux-tu?

— Vraiment?

— Vraiment!» Les yeux de Katerina étincelèrent de colère.

À contrecœur, Volodia alla prendre la bouteille de vodka sur l'étagère, tandis qu'Ania sortait des petits verres d'un placard. Volodia les remplit. Katerina s'empara du sien.

«Recommençons selon les règles. Ilia, je vous présente mon fils Vladimir. Volodia, Ilia est l'ami d'Ania. Il va dîner avec nous. Serrez-vous la main!»

Il ne restait à Volodia qu'à obtempérer.

Katerina déposa les zakouskis sur la table : poisson fumé, concombre mariné, charcuterie.

«L'été, nous avons la salade de la datcha, mais en cette saison, bien sûr, rien ne pousse», expliqua-t-elle d'un ton contrit. Volodia comprit qu'elle cherchait à impressionner Ilia. Sa mère voulait-elle vraiment qu'Ania épouse ce sale type? Probablement, se dit-il.

Grigori fit alors son entrée, tout sourire, en se frottant les mains à la perspective du bon dîner qui l'attendait. Il était en uniforme de l'armée. À quarante-huit ans, il était corpulent et avait un visage rubicond. On avait du mal à se le représenter en train de prendre d'assaut le palais d'Hiver en 1917.

Il embrassa sa femme avec un plaisir manifeste. Elle avait l'air de lui être reconnaissante du désir sans bornes qu'il lui témoignait, sans pour autant le partager, songea Volodia : elle souriait quand il lui tapotait les fesses, l'étreignait quand il la serrait dans ses bras et lui rendait chacun de ses baisers, mais ce n'était jamais elle qui en prenait l'initiative. À l'évidence, elle l'aimait, le respectait, était heureuse de l'avoir pour époux, mais ne brûlait pas d'une passion dévorante pour lui.

« Ce n'est pas ce que j'attends du mariage », se dit Volodia. Le sujet n'était pas vraiment d'actualité car si le jeune homme avait eu une bonne dizaine de petites amies, il n'avait pas encore rencontré la femme qu'il souhaitait épouser.

Il remplit le verre de son père. Grigori but sa vodka d'un trait, avec bonheur, puis se servit en poisson fumé.

« Alors, Ilia, que faites-vous dans la vie ?

— Je suis au NKVD, répondit celui-ci avec fierté.

— Ah, vous avez bien de la chance de travailler pour cette remarquable institution ! »

Pure politesse, soupçonna Volodia. Son père n'en pensait certainement pas un mot. Néanmoins il aurait préféré que les siens se montrent franchement revêches envers Ilia pour le faire fuir.

« Je suppose que lorsque le reste du monde aura imité l'Union soviétique et adopté le communisme, Papa, on n'aura plus besoin de police secrète. Le NKVD n'aura plus de raison d'être. »

Grigori choisit de traiter ses propos avec désinvolture.

« Plus de police du tout ! lança-t-il d'un ton jovial. Plus de procès pour juger les criminels, plus de prisons. Plus de service de contre-espionnage, puisqu'il n'y aura plus d'espions, et plus d'armée non plus puisque tous les ennemis auront disparu de la surface de la terre ! Mais alors, de quoi vivrons-nous ? s'esclaffa-t-il de bon cœur. Enfin... ce n'est sûrement pas pour demain. »

Ilia avait pris l'air méfiant de celui qui subodore des sous-entendus subversifs sans pouvoir mettre le doigt dessus.

Katerina posa sur la table une assiette de pain noir et cinq bols fumants. Tout le monde commença à manger.

« Ah, le bortsch ! s'exclama Grigori. Quand j'étais petit, à la campagne, ma mère conservait tout l'hiver les épluchures de légumes, les trognons de pommes, les feuilles de chou trop dures pour être mangées, les pelures d'oignon, ce genre de choses, et elle mettait le tout dans un vieux tonneau qui restait à geler dehors. Au printemps, quand la neige avait fondu, elle en faisait du bortsch. Parce que c'est ça, le vrai bortsch, vous savez : de la soupe à base d'épluchures de légumes. Vous, les jeunes, vous n'avez pas idée de la chance que vous avez. »

On frappa à la porte. Comme Grigori s'étonnait, Katerina s'écria : «Ah, la fille de Konstantin devait passer! J'avais complètement oublié!

— Zoïa Vorotsintseva? demanda Grigori. Volodia, tu te souviens sûrement de sa mère Magda, la sage-femme?

— Oui, bien sûr, et de Zoïa aussi. C'était une petite gamine blonde maigrichonne, non? Toute bouclée. Je m'en souviens très bien.

— Ce n'est plus une gamine maintenant, elle a vingt-quatre ans, répliqua Katerina. C'est une scientifique.»

Elle se leva de table pour aller ouvrir.

«On ne l'a pas vue depuis la mort de sa mère, s'ébahit Grigori. Qu'est-ce qui la pousse à renouer avec nous aujourd'hui?

— Elle veut te parler, répondit sa femme.

— À moi? Et de quoi?

— De physique.»

Katerina sortit sur le palier et Grigori enchaîna fièrement : «En 1917, son père et moi, on était tous les deux délégués au soviet de Petrograd. C'est nous qui avons eu l'idée du fameux décret numéro un. Malheureusement, ajouta-t-il avec tristesse, Konstantin est mort à la fin des années révolutionnaires.

— Si jeune? Et de quoi?» s'étonna Volodia.

Grigori jeta un bref coup d'œil en direction d'Ilia. «De pneumonie», et Volodia comprit qu'il mentait.

Katerina revint, suivie d'une femme qui laissa Volodia sans voix. Une beauté russe classique : un corps mince et élancé, des cheveux blond pâle, les yeux d'un bleu si clair qu'ils en semblaient presque incolores et la peau d'une blancheur immaculée. Elle portait une robe vert d'eau dont la simplicité attirait encore l'attention sur ses formes parfaites. Elle salua l'assemblée et accepta sans façon de partager leur repas.

«Alors comme ça, Zoïa, déclara Grigori, il paraît que tu travailles pour la science?

— Je prépare mon doctorat et je donne des cours aux étudiants de premier cycle.

— Notre Volodia travaille dans les services de renseignement de l'armée Rouge, indiqua Grigori avec orgueil.

— Oh, comme c'est intéressant!» répondit la jeune fille qui, de toute évidence, n'en pensait pas un mot.

Devinant que son père voyait déjà en elle une belle-fille en puissance, Volodia espéra de tout cœur qu'il n'en ferait pas trop. Il n'avait besoin de personne pour séduire Zoïa, et certainement pas de ses parents qui risquaient plutôt de la rebuter en vantant lourdement ses mérites. Il avait déjà décidé de lui demander un rendez-vous le soir même.

« La soupe te plaît ? demanda Katerina.

— Elle est délicieuse, merci. »

Volodia apprécia le naturel de cette splendide jeune fille. Fascinant mélange que cette simplicité et cette beauté qui n'abusait pas de son pouvoir de séduction.

Ania rassembla les bols et Katerina apporta le plat de résistance : un ragoût de poulet aux pommes de terre. Zoïa se servit. Elle enfournait une bouchée, la mâchait, l'avalait et recommençait aussitôt. Comme la majorité de la population, elle ne devait pas goûter souvent une nourriture de cette qualité.

« Dans quelle branche de la science t'es-tu spécialisée, Zoïa ? » s'enquit Volodia.

La jeune femme suspendit son geste avec un regret évident.

« La physique. On essaie de percer le mystère de l'atome, de découvrir de quoi il est constitué, ce qui assure la cohésion de ses différents éléments.

— Et c'est intéressant ?

— Absolument passionnant. » Elle reposa sa fourchette. « On saura bientôt de quoi est vraiment fait l'univers. Peut-on imaginer quelque chose de plus fascinant ? »

Son regard s'illumina. Visiblement, la physique était le seul sujet capable de l'arracher à son dîner.

« Je me demande bien en quoi toutes ces théories font avancer la révolution », lâcha Ilia, prenant la parole pour la première fois.

Les yeux de Zoïa flambèrent de colère, et Volodia la trouva encore plus belle.

« Certains camarades sous-estiment la recherche fondamentale et placent la pratique au-dessus de tout, répliqua la jeune fille. C'est une erreur. En effet, tous les progrès techniques, ceux de l'aviation par exemple, reposent sur des découvertes théoriques. »

Volodia dissimula un sourire : d'une seule phrase, Zoïa avait mouché Ilia. Mais elle n'avait pas fini.

« C'est pour ça que je voulais vous voir, camarade. Nous, les physiciens, nous lisons tout ce qui est publié en Occident dans notre domaine. Figurez-vous qu'ils ont la bêtise de divulguer leurs résultats au monde entier. Nous avons constaté récemment qu'ils sont en train de faire des avancées spectaculaires et alarmantes dans la compréhension de l'atome. La science soviétique risque d'être dépassée. C'est un grave danger. Je me demande si le camarade Staline en a conscience.»

Le silence s'abattit sur la pièce. La moindre critique à l'égard du secrétaire général du Parti était un sacrilège.

«Il est au courant de la plupart des choses, déclara Grigori.

— Oh, je n'en doute pas un instant, réagit Zoïa par pur automatisme. Mais peut-être serait-il bon, de temps à autre, que de loyaux camarades tels que vous attirent son attention sur certains points importants.

— Assurément.

— Il ne fait aucun doute pour moi, intervint Ilia, que le camarade Staline considère que la science doit être compatible avec l'idéologie marxiste-léniniste.»

Volodia surprit un éclair de défi dans les prunelles de Zoïa, mais elle baissa tout de suite les yeux et ajouta humblement : «Ce en quoi il a tout à fait raison, cela va sans dire. Comme il va sans dire que notre communauté scientifique doit redoubler d'efforts.»

Bel exemple de langue de bois. Toute la tablée s'en rendit compte, mais personne ne pipa mot. Les convenances devaient être respectées.

«Assurément, répéta Grigori. J'en toucherai un mot au Secrétaire général la prochaine fois que j'aurai l'occasion de m'entretenir avec lui. Il souhaitera peut-être approfondir cette question.

— Je l'espère vivement, s'écria Zoïa. Nous tenons tant à devancer l'Occident!

— Et en dehors de ton travail, qu'est-ce que tu fais de beau, Zoïa? lança Grigori gaiement. Tu as un ami? Un fiancé peut-être?

— Papa! protesta Ania. Cela ne nous regarde pas!

— Ni fiancé, ni petit ami, avoua gentiment Zoïa, sans paraître le moins du monde gênée par la question.

— Tu ne vaux pas mieux que mon fils, alors! Volodia non plus n'a personne dans sa vie. Grand et beau comme il est, et avec tous ses diplômes, pas la moindre fiancée à l'horizon, à vingt-deux ans passés!»

L'intéressé se tortilla sur sa chaise.

«J'ai du mal à le croire!» renchérit Zoïa, et comme elle se tournait vers lui, Volodia vit que son regard pétillait d'humour.

«Assez, protesta Katerina en posant la main sur le bras de son mari. Tu embarrasses notre invitée.»

On frappa à nouveau à la porte.

«Encore! s'exclama Grigori.

— Cette fois, je ne sais vraiment pas qui c'est», dit Katerina. Elle quitta la pièce pour revenir un instant plus tard, accompagnée du commandant Lemitov.

À la vue de son supérieur, Volodia bondit sur ses pieds, abasourdi. «Bonsoir, camarade commandant. Permettez que je vous présente mon père, Grigori Pechkov. Papa, le commandant Lemitov.»

Le nouveau venu esquissa un salut militaire.

«Repos, dit Grigori. Prenez un siège, Lemitov. Vous mangerez bien un peu de poulet avec nous. Mon fils aurait-il fait des siennes? ajouta-t-il, exprimant à haute voix les craintes secrètes de Volodia.

— Non, camarade, au contraire. Je voudrais seulement m'entretenir avec vous deux.»

Volodia fut un peu rassuré. Peut-être n'y avait-il rien de grave, après tout.

«Eh bien, passons dans mon bureau, proposa Grigori en se levant. Nous avions pour ainsi dire fini de dîner.

— Vous ne seriez pas au NKVD, par hasard? lança subitement Lemitov en dévisageant Ilia.

— Si, camarade, et fier de l'être! Je me présente : Ilia Dvorkine.

— Ah! L'agent qui a voulu arrêter Volodia cet après-midi.

— Il se comportait comme un espion. Et je ne me trompais pas, semble-t-il.

— Vous devriez apprendre à arrêter les espions ennemis, pas les nôtres.» Sur cette réplique, Lemitov tourna les talons.

Volodia sourit, ravi que Dvorkine se soit fait remettre à sa place pour la deuxième fois de la soirée. Il rejoignit son père et le commandant dans le bureau de Grigori, de l'autre côté du couloir. C'était une petite pièce chichement meublée. Grigori s'installa dans l'unique fauteuil. Lemitov s'assit à une petite table. Volodia resta debout à côté de la porte, après l'avoir fermée derrière eux. Lemitov s'adressa à Volodia :

«Tu as mis ton père au courant du message que nous avons reçu de Berlin cet après-midi?

— Non, camarade commandant.

— Tu devrais lui raconter ça.»

Volodia s'exécuta. En apprenant la nouvelle, Grigori se frotta les mains. «Sensationnel, ce tuyau. À condition, bien sûr, que ce ne soit pas une manipulation. Mais j'en doute. Les nazis manquent d'imagination. Ce qui n'est pas notre cas : parce que nous, nous allons pouvoir arrêter ces espions allemands et transmettre de faux messages aux rebelles de la droite espagnole en utilisant leurs radios!»

Volodia n'y avait pas songé un instant. Papa peut jouer les idiots devant Zoïa autant qu'il veut, se dit-il, il a encore l'esprit assez vif pour travailler dans le Renseignement.

«Exactement! renchérit Lemitov.

— Drôlement courageux ce Werner, ton ancien copain de collège! Et vous, Lemitov, comment comptez-vous régler ça?

— L'idéal serait d'avoir en Espagne quelques gars très compétents pour enquêter sur ces Allemands. Des types du Renseignement, bien sûr. Ça ne devrait pas être trop difficile à mettre en place. Si les noms qui figurent sur cette liste sont vraiment ceux d'espions, on en trouvera bien la preuve : manuel de chiffrage, émetteurs radio, ne serait-ce que cela.» Il laissa sa phrase en suspens avant de poursuivre. «En fait, je suis venu vous trouver parce que j'ai l'intention d'envoyer votre fils là-bas.»

Volodia en resta bouche bée tandis que Grigori se rembrunissait. «Ah, lâcha-t-il d'un ton pensif. J'avoue que cette perspective m'inquiète, il va tellement nous manquer... Enfin, la défense de la révolution passe avant tout, bien sûr! conclut-il avec résignation.

— De plus, il est bon qu'un agent du Renseignement ait l'expérience du terrain, ajouta Lemitov. Nous l'avons l'un comme l'autre, camarade Pechkov, mais la jeune génération n'a pas connu le feu.

— C'est vrai, c'est vrai... Dans combien de temps doit-il partir?

— Dans trois jours.»

Volodia regarda son père : à l'évidence, Grigori cherchait désespérément un motif valable pour le garder auprès de lui. Volodia, pour sa part, était ravi. L'Espagne! Du vin rouge comme le sang, des filles aux cheveux noirs et aux solides jambes brunes et un soleil radieux à la place de la neige de Moscou. Ce serait dangereux, bien sûr, mais il n'avait pas choisi l'armée pour vivre dans un nid douillet.

« Qu'est-ce que tu en dis, Volodia ? »

Son père espérait évidemment qu'il présenterait une objection recevable, mais la seule qui lui venait à l'esprit pour le moment était qu'il n'aurait pas le temps de faire la cour à cette fabuleuse Zoïa. « C'est une chance remarquable, un grand honneur pour moi que d'avoir été choisi pour une telle mission.

— Dans ce cas, tout est réglé, lança Grigori.

— Un dernier détail, reprit Lemitov. Il a été décidé en haut lieu que le Renseignement militaire aurait toute autorité pour mener les enquêtes. En revanche, les arrestations seront du ressort du NKVD. » Et il précisa avec un sourire dénué d'humour : « J'ai bien peur que tu ne sois obligé de travailler avec ton cher ami Dvorkine. »

2.

Incroyable, la rapidité avec laquelle on pouvait se mettre à aimer un lieu ! se dit Lloyd Williams. Cela ne faisait que dix mois qu'il était en Espagne et il éprouvait déjà pour cette contrée une passion presque aussi forte que pour son pays de Galles natal. Il aimait ces paysages calcinés où surgissait soudain une fleur, il prenait plaisir à faire la sieste, il appréciait le vin, toujours abondant même quand il n'y avait rien à manger. Il avait découvert ici des saveurs insoupçonnées : olives, poivrons, chorizo, pour ne rien dire de cet alcool qui vous brûlait la gorge et que les Espagnols appelaient *orujo*.

Carte à la main, il scrutait les alentours du haut d'un promontoire. Quelques prairies le long d'une rivière et des arbres à flanc de coteaux dans le lointain. Entre les deux, un désert aride et sans relief fait de poussière et de rochers. « Comme couverture, on a vu mieux ! dit-il d'une voix teintée d'anxiété.

— Ouais, renchérit Lenny Griffiths, debout à côté de lui. Ça ne va pas être du gâteau. »

Lloyd consulta sa carte : la ville de Saragosse, à cheval sur l'Èbre, se trouvait à environ cent cinquante kilomètres de l'endroit où le fleuve se jetait dans la Méditerranée. Situé à la jonction de trois cours d'eau, c'était un important carrefour de communications, le point où convergeaient toutes les voies routières et ferroviaires d'Aragon. Surtout, c'était là que s'affrontaient l'armée gouvernementale espagnole et les forces rebelles antidémocratiques, séparées l'une de l'autre par un no man's land aride.

Certains désignaient les forces gouvernementales sous le nom de «républicains», et les rebelles sous celui de «nationalistes». Mais ces dénominations étaient trompeuses à deux titres : d'une part, bien des gens dans un camp comme dans l'autre étaient favorables à la République, en ce sens qu'ils ne voulaient plus être gouvernés par un roi; d'autre part, des deux côtés, les combattants étaient nationalistes dans l'âme, en ce sens qu'ils aimaient leur pays et étaient prêts à mourir pour lui. Voilà pourquoi Lloyd préférait parler d'armée du gouvernement et de rebelles.

Saragosse était alors aux mains des rebelles de Franco et c'était d'un point situé quatre-vingts kilomètres plus au sud que Lloyd regardait en direction de cette ville. «Si on prend Saragosse, on bloquera l'ennemi au nord pendant tout l'hiver, dit-il.

— Si...», laissa tomber Lenny.

Il était difficile d'être optimiste, songea Lloyd lugubrement. Le mieux qu'on pût espérer était d'arrêter la progression des rebelles. Aucune avancée réelle ne se dessinait cette année-là pour les forces du gouvernement.

Lloyd aspirait pourtant à se battre. Ce serait sa première bataille depuis son arrivée en Espagne. Jusque-là, il était resté confiné au camp de base avec pour mission d'instruire les nouvelles recrues. On l'avait affecté là dès que l'on avait su qu'il avait suivi une formation d'officier à Cambridge. Les Espagnols avaient réduit d'emblée la durée de ses classes, et il avait été promu lieutenant. Sa tâche d'instructeur consistait à entraîner les gars jusqu'à ce que l'obéissance aux ordres devienne une seconde nature, à les faire marcher jusqu'à ce que leurs pieds cessent de saigner et que leurs ampoules se transforment en durillons, à leur apprendre à démonter et nettoyer les rares fusils qu'ils avaient à leur disposition.

Mais à présent, le flot de volontaires avait considérablement diminué, et les instructeurs avaient été versés dans les unités combattantes.

Lloyd avait reçu un béret, un blouson à fermeture Éclair avec un insigne indiquant son rang grossièrement cousu sur la manche et un pantalon en velours côtelé. Il était armé d'un fusil Mauser à canon court de fabrication espagnole et de munitions de 7 mm sans doute volées dans un arsenal de la Garde civile.

Il avait été séparé de Lenny et de Dave pendant un certain temps, mais ils avaient été regroupés ensuite au sein du bataillon britannique de la 15ᵉ Brigade internationale pour la bataille à venir. Avec sa barbe noire, Lenny paraissait maintenant dix ans de plus que ses dix-sept ans. Il avait été promu sergent. Il ne portait pas l'uniforme, mais une salopette bleue et un bandana rayé qui le faisaient ressembler à un pirate.

« Cette bataille n'a pas du tout pour objectif de coincer les rebelles dans le nord, dit-il. C'est politique. Cette région a toujours été acquise aux idées anarchistes. »

L'anarchisme en action... Lloyd avait pu s'en faire une idée pendant un court séjour à Barcelone. C'était le communisme à l'état pur, sous une forme joyeuse et conviviale. Même salaire pour les officiers et la troupe. Les salles à manger des grands hôtels étaient transformées en cantines pour les ouvriers; les serveurs refusaient les pourboires en expliquant gentiment que c'était une pratique humiliante. À tous les coins de rue, des affiches dénonçaient la prostitution, exploitation inadmissible des camarades de sexe féminin. Tout cela dans une merveilleuse atmosphère de libération et de camaraderie, qui n'était pas du goût des Soviétiques, loin s'en faut.

Lenny reprit : « Et maintenant, le gouvernement a fait venir les troupes communistes de la région de Madrid et nous a tous incorporés dans la nouvelle armée de l'Est – sous commandement communiste, bien évidemment. »

Ce genre de discours plongeait toujours Lloyd dans le désespoir. Si la gauche voulait remporter la victoire, elle n'avait qu'une solution, il en était convaincu : rassembler toutes les factions. À Londres, c'est ce qui avait fini par se passer, au tout dernier moment, dans Cable Street. Mais anarchistes et communistes continuaient à se battre les uns contre les autres dans les rues de Barcelone. Il fit remarquer : « Negrín, le Premier ministre, n'est pas communiste, que je sache.

— Il pourrait tout aussi bien l'être.

— Il a simplement compris que, sans le soutien de l'Union soviétique, c'en est fini de nous.

— On devrait donc abandonner la démocratie ? Laisser les communistes s'emparer du pouvoir sans réagir ? »

Lloyd hocha la tête. Les discussions sur le gouvernement s'achevaient toujours sur cette même question : faut-il souscrire à toutes les exigences des Soviétiques sous prétexte qu'ils sont les seuls à nous vendre des armes ?

Ils redescendirent de leur promontoire. « Tu sais quoi ? lança Lenny. Je ne serais pas contre une bonne tasse de thé.

— Moi non plus ! Pour ma part, ce sera avec deux sucres. »

C'était une petite blague rituelle, car ni l'un ni l'autre n'avaient bu une goutte de thé depuis des mois.

Ils regagnèrent le camp près de la rivière. La section de Lenny avait investi un petit groupe de cabanons en pierre sèche, qui avaient dû servir d'étables autrefois, avant que les fermiers n'en aient été chassés par la guerre. Un peu plus loin en amont, un hangar à bateaux était occupé par des Allemands de la 11e Brigade internationale.

Dave Williams, le cousin de Lloyd, s'avança à leur rencontre. Comme Lenny, il avait vieilli de dix ans au cours de cette seule année. La maigreur durcissait ses traits, sa peau tannée était noire de poussière et des rides s'étaient creusées autour de ses yeux à force de plisser les paupières contre le soleil. Il portait la tenue réglementaire que bien peu de soldats possédaient au complet : tunique et pantalon kaki, ceinturon et gibecière en cuir, godillots fermés à la cheville. Il arborait un foulard en coton rouge autour du cou et tenait à la main un Moisin-Nagant, un vieux modèle de fusil russe à baïonnette à ressort, ce qui rendait l'arme plus maniable. À sa taille pendait un Luger 9 mm allemand, sans doute récupéré sur le cadavre d'un officier ennemi. De toute évidence, il était aussi précis avec un fusil qu'avec un pistolet.

« On a de la visite, leur annonça-t-il avec enthousiasme.

— Qui donc ?

— Une fille ! »

À l'ombre d'un peuplier noir difforme, une dizaine de soldats britanniques et allemands entouraient une femme d'une beauté inouïe.

« Oh, *Duw*! lâcha Lenny, passant au gallois pour invoquer le Seigneur. Je dois avoir la berlue. »

Petite, avec de grands yeux et une masse de cheveux noirs remontés sous son calot, elle devait avoir dans les vingt-cinq ans, jugea Lloyd. Son uniforme, bien trop grand pour elle, l'habillait avec autant d'élégance qu'une robe du soir.

Un volontaire du nom de Heinz interpella Lloyd en allemand, sachant qu'il comprenait sa langue : « C'est Teresa, mon lieutenant. On nous l'envoie dans le cadre de la campagne d'alphabétisation. »

Lloyd lui indiqua d'un signe de tête qu'il avait compris. Les Brigades internationales étaient composées de volontaires étrangers, mais aussi de soldats espagnols souvent illettrés. Bien que l'Église catholique leur ait fait chanter des cantiques dans leurs écoles de village, nombreux étaient les curés qui préféraient ne pas apprendre à lire aux enfants, de peur qu'ils ne se plongent plus tard dans la lecture de textes socialistes. Sous la monarchie, la moitié seulement de la population espagnole savait lire et écrire. Avec la République, proclamée en 1931, la situation s'était un peu améliorée, mais des millions d'Espagnols étaient encore analphabètes. Raison pour laquelle on avait instauré sur le front ces cours destinés aux soldats.

« Je suis illettré, mentit Dave.

— Moi aussi ! renchérit Joe Eli, qui était professeur de littérature espagnole à l'université Columbia de New York. »

À quoi Teresa répliqua d'une chaude voix de gorge : « Vous savez combien de fois j'ai déjà entendu cette blague ? » Mais elle n'avait pas l'air vraiment fâchée.

Lenny s'approcha. « Sergent Griffiths. Je ferai tout ce qui est en mon pouvoir pour vous être utile, naturellement. »

La phrase, qui pouvait s'entendre d'un point de vue strictement pratique, avait été prononcée de façon telle qu'elle parut équivoque.

Teresa le gratifia d'un sourire radieux. « Cela me sera d'un grand secours, j'en suis sûre.

— Votre présence ici me ravit, señorita », intervint Lloyd à son tour dans son meilleur espagnol. Ces dix derniers mois, il avait passé une bonne partie de son temps à étudier cette langue. « Lieutenant Williams. Je peux vous indiquer exactement qui dans notre groupe a besoin de leçons... et qui peut s'en passer.

— Sauf que le lieutenant doit aller à Bujaraloz y recevoir des ordres », intervint Lenny sur un ton sans réplique. C'était la petite ville dont ils faisaient le siège. « Pendant ce temps, je peux vous faire faire le tour du camp. Pour choisir l'endroit où se tiendront les cours. » On aurait pu croire qu'il lui proposait une balade au clair de lune.

Lloyd signifia son assentiment en souriant. De toute façon, il n'était pas d'humeur à flirter alors que Lenny était déjà sous le charme. Et pour Lloyd, il n'avait aucune chance. En face de cette jeune femme de vingt-cinq ans, belle et instruite, qui devait collectionner les succès, ce gamin de dix-sept ans qui ne s'était pas lavé depuis un mois et ne connaissait du monde que sa mine de charbon ne faisait pas le poids. Mais il n'en dit rien. L'Espagnole n'était sûrement pas née de la dernière pluie.

Quelqu'un d'autre s'avança, un jeune homme de son âge que Lloyd eut l'impression d'avoir déjà rencontré. Mieux vêtu que les soldats, il portait un pantalon de laine et une chemise en coton, et avait à la ceinture un pistolet dans un étui fermé par un bouton. Il avait le crâne tondu à ras, selon la mode en vigueur chez les Russes. Il n'était que lieutenant et pourtant, il se dégageait de lui un air d'autorité, pour ne pas dire de puissance. « Je suis à la recherche du lieutenant Garcia, dit-il dans un excellent allemand.

— Il n'est pas ici, répondit Lloyd dans la même langue. Mais je vous connais ! »

Le Russe parut à la fois surpris et méfiant, comme s'il venait de découvrir un serpent dans son sac de couchage. « Vous vous trompez, déclara-t-il fermement. Je ne vous ai jamais rencontré.

— Si, si... je vous assure », insista Lloyd. Il claqua des doigts. « Mais oui, bien sûr ! À Berlin, en 1933. On s'est fait attaquer par des Chemises brunes ! »

Le visage du Russe exprima le soulagement. À croire qu'il s'était attendu à bien pire. « Mais oui. J'étais effectivement à Berlin à cette époque-là. Vladimir Pechkov.

— C'est ça ! Volodia... Au moment de cette bagarre, vous étiez accompagné d'un certain Werner Franck. »

L'espace d'un instant, Volodia sembla saisi de panique. Non sans mal il parvint à reprendre contenance. « Non, vous devez vous tromper. Je ne connais personne de ce nom. »

Voyant son embarras, Lloyd préféra ne pas insister, devinant pourquoi Volodia était aussi nerveux. Le NKVD, la police secrète soviétique, opérait en Espagne et s'y était fait une réputation de brutalité qui terrifiait tout le monde, Russes compris. Aux yeux de ces agents, tout Soviétique un tant soit peu aimable avec un étranger était considéré comme un traître potentiel.

« Je m'appelle Lloyd Williams.

— Ah, je me souviens ! dit Volodia en laissant peser sur lui le regard pénétrant de ses yeux bleus. Comme c'est bizarre de se retrouver ici.

— Pourquoi ? Nous luttons contre les nazis partout où nous le pouvons.

— Puis-je vous dire un mot en particulier ?

— Certainement. »

Ils s'éloignèrent de quelques mètres et Pechkov murmura : « Il y a un espion dans la section de Garcia.

— Un espion ? répéta Lloyd éberlué. Qui ça ?

— Un certain Heinz Bauer, un Allemand.

— Heinz ? C'est ce type, là-bas. En chemise rouge. Un espion ? Vous en êtes sûr ? »

Pechkov ne se donna pas la peine de répondre. « Je voudrais que vous le fassiez venir dans votre casemate si vous en avez une. Ou bien ailleurs, mais dans un lieu discret... Dans une heure, ajouta-t-il en consultant sa montre, une unité spéciale doit venir l'arrêter. »

Lloyd désigna du doigt un petit hangar : « J'utilise cet endroit comme bureau. Mais je dois d'abord en référer à mon supérieur. »

Son chef de bataillon, un communiste, n'aurait certainement pas envie de se mêler de cette affaire, Lloyd le savait, mais il voulait avoir un peu de temps pour réfléchir.

« Comme vous voudrez, répondit Volodia, qui de toute évidence se moquait bien de l'opinion du commandant. L'important, c'est que cet espion soit arrêté sans que ça fasse d'histoires. J'y tiens beaucoup. Je l'ai bien expliqué à l'unité chargée de l'arrêter : il est capital d'agir en toute discrétion. » Visiblement, il avait des doutes sur la façon dont ses ordres seraient respectés. « Moins il y aura de gens au courant, mieux cela vaudra.

— Pourquoi ? s'étonna Lloyd, mais il comprit immédiatement. Vous espérez le retourner, c'est ça ? En faire un agent double, pour qu'il transmette de faux renseignements à l'ennemi ? Et si trop de monde est au courant de son arrestation, d'autres espions risquent de prévenir les rebelles et, alors, adieu la désinformation !

— Il vaudrait mieux garder vos hypothèses pour vous ! répliqua Pechkov sèchement. Allons plutôt dans votre hangar.

— Une minute, se rebiffa Lloyd. Comment savez-vous que c'est un espion ?

— Je ne peux pas vous le dire. Raison de sécurité.

— C'est un peu mince, comme explication. »

À voir son exaspération, il était clair que Pechkov n'avait pas l'habitude qu'on lui demande de se justifier. La manie de discuter les ordres, si répandue parmi les combattants, était une des caractéristiques de cette guerre civile espagnole que les Russes avaient le plus de mal à supporter.

Avant que leur conversation n'ait pu se prolonger, deux hommes apparurent et s'avancèrent vers le groupe resté sous l'arbre. Le premier arborait une veste en cuir malgré la chaleur ; le second, apparemment le chef, se distinguait par sa maigreur, son long nez et son menton fuyant.

« C'est bien trop tôt ! » rugit Pechkov à l'adresse des nouveaux arrivants et il se lança dans une violente diatribe en russe.

Le maigre fit un geste dédaigneux et lança à la cantonade dans un espagnol approximatif : « Qui de vous est Heinz Bauer ? »

Personne ne répondit. Il s'essuya le nez avec sa manche.

Soudain, Heinz esquissa un mouvement. Rapide comme l'éclair, il se jeta sur l'homme en veste de cuir, le renversa au sol et détala. Le maigre tendit la jambe. Heinz trébucha et s'affala lourdement. Il roula et dérapa sur la terre sèche où il resta allongé un instant, étourdi. Délai fatal, car les deux Russes se précipitèrent sur lui au moment précis où il cherchait à se relever et le plaquèrent au sol.

L'Allemand ne se débattit pas, ce qui n'empêcha pas les Russes de le rouer de coups. Ils avaient sorti des matraques et se relayaient pour le frapper sur la tête et le corps, leurs bras se levant et s'abaissant selon une chorégraphie horrible. En l'espace de quelques secondes, Heinz eut le visage en sang. Cherchant désespérément à s'échapper, il se redressa sur les genoux. Ils le repoussèrent à terre. Il y resta, recroquevillé, gémissant : il avait son compte, de toute évidence. Mais les deux Russes n'en avaient pas fini avec lui, et continuèrent à le matraquer encore et encore.

Lloyd entreprit de ceinturer le maigrichon en lui hurlant d'arrêter, tandis que de l'autre côté, Lenny faisait de même avec le type en veste de cuir. Lloyd souleva son homme du sol dans une étreinte irrésistible ; Lenny envoya l'autre à terre d'un coup de poing. Soudain, ils entendirent crier en anglais : «Plus un geste, ou je tire ! »

Lloyd lâcha prise et se retourna, ébahi : Volodia avait dégainé son revolver, un Nagant M1895, l'arme de poing des Russes, et était en train de l'armer. «Ça ne se passera pas comme ça, Volodia. Menacer d'une arme un officier est une infraction qui relève de la cour martiale dans toutes les armées du monde, protesta Lloyd.

— Ne soyez pas idiot ! Depuis quand juge-t-on les Russes dans cette armée ? » Il abaissa tout de même son canon.

Le type à la veste en cuir leva sa matraque comme pour en frapper Lenny. Volodia aboya : «Bas les pattes, Bérézovski ! » Le Russe obéit.

D'autres soldats s'étaient précipités sur les lieux, attirés par ce mystérieux magnétisme qui incite les hommes à se rassembler dès qu'il y a une rixe. Ils étaient bien une vingtaine à présent.

Le maigrichon pointa le doigt sur Lloyd. «Vous vous mêlez de choses qui ne vous regardent pas ! dit-il dans un anglais teinté d'un fort accent.

— De quel droit débarquez-vous ici pour tabasser les gens ? rétorqua Lloyd tout en aidant l'Allemand ensanglanté à se remettre sur ses pieds.

— Ce type est un espion trotsko-fasciste, grinça le maigrichon entre ses dents.

— La ferme, Ilia ! » lança Volodia.

Mais l'autre n'en démordait pas. «Il a photographié des documents !

— Vous avez des preuves ? » demanda Lloyd calmement.

À l'évidence, Ilia n'en avait aucune. Ou se moquait bien d'en posséder.

Volodia soupira : « Qu'on fouille son barda !

— Toi ! » fit Lloyd en adressant un signe de tête à Mario Rivera, un caporal.

Mario courut au hangar à bateaux et disparut à l'intérieur.

Lloyd eut l'affreux pressentiment que Volodia disait vrai. Il se tourna vers Ilia : «Même si vous avez raison, cela ne vous dispense pas d'y mettre les formes !

« — Les formes? Nous sommes en guerre! Pas en train de prendre le thé à l'anglaise.

— Ça vous épargnerait peut-être des affrontements inutiles. »

Ilia lâcha en russe une repartie méprisante.

Rivera ressortit du bâtiment. Il avait en main un appareil photo miniaturisé qui devait valoir une fortune ainsi qu'une liasse de documents officiels. Il remit le tout à Lloyd. Au sommet de la pile, se trouvait l'ordre du général daté de la veille, concernant le déploiement des troupes lors du prochain assaut. À la tache de vin qui maculait le papier, Lloyd reconnut avec ahurissement l'exemplaire qui lui en avait été remis personnellement. Heinz avait dû le dérober dans son abri. Il releva les yeux sur l'Allemand.

Heinz se raidit et claqua des talons. « *Heil Hitler!* » brailla-t-il en tendant le bras.

Ilia se rengorgea.

« Félicitations, Ilia, lâcha tout bas Volodia en russe. Belle victoire du NKVD. Grâce à toi, nous n'avons plus aucune chance de retourner ce prisonnier! » Et il s'éloigna.

3.

Le mardi 24 août, Lloyd participa à son tout premier combat depuis qu'il avait posé le pied en Espagne.

Son camp, celui du gouvernement légitime, disposait de quatre-vingt mille hommes; les rebelles antidémocratiques en avaient moins de la moitié. Les forces gouvernementales pouvaient également compter sur le soutien de deux cents avions, contre quinze du côté des rebelles.

Pour tirer le meilleur parti de leur avantage numérique et empêcher les rebelles de concentrer leurs effectifs limités sur un seul point, les forces gouvernementales s'étaient déployées sur un vaste front : une ligne nord-sud s'étirant sur cent kilomètres.

Sur le plan stratégique, c'était judicieux. Alors pourquoi était-ce inefficace? se demanda Lloyd deux jours plus tard.

Tout avait plutôt bien commencé. Le premier jour, les forces gouvernementales avaient pris quatre villages, deux au nord de

Saragosse et deux au sud. Le groupe de Lloyd, déployé au sud, avait réussi à s'emparer de Codo, malgré une résistance farouche. Le seul endroit où les républicains avaient essuyé un échec était au centre, en amont de la vallée de l'Èbre. Là, leur progression avait été jugulée à Fuentes de Ebro.

À Codo, avant la bataille, Lloyd avait connu la peur. Il n'avait pas fermé l'œil de la nuit, essayant, comme souvent avant un match de boxe, d'imaginer ce qui allait se passer. Mais quand le combat avait commencé, son angoisse s'était dissipée, parce qu'il avait été trop occupé pour y penser. À un moment, le pire sans doute, ils avaient dû traverser une garrigue sous le feu de défenseurs retranchés dans des bâtiments en pierre, alors qu'eux-mêmes avaient pour toute couverture des buissons rabougris. Mais pendant qu'il courait en zigzags, qu'il roulait à terre ou rampait sous des rafales meurtrières, pendant qu'il se relevait et recommençait à courir sur quelques mètres seulement, plié en deux, ce n'était plus de la peur qu'il avait ressentie mais plutôt une sorte de volonté désespérée de survivre.

Le plus grave problème était le manque de munitions : il fallait que chaque balle touche sa cible. S'ils avaient fini par prendre Codo, c'était grâce à leur supériorité numérique. Ce jour-là, ni Lloyd, ni Lenny, ni Dave n'avaient été blessés.

Les rebelles étaient résistants et courageux, tout comme les soldats des forces gouvernementales. Quant aux brigades étrangères, leur intrépidité n'était plus à démontrer : elles étaient constituées de volontaires venus spécialement en Espagne pour défendre un idéal, et ils étaient pleinement conscients qu'ils risquaient d'y laisser leur vie. Leur réputation de bravoure leur valait d'être souvent désignées pour monter à l'assaut en première ligne.

C'était le second jour que les choses s'étaient gâtées. Au nord, les forces gouvernementales n'avaient pas poursuivi leur progression, hésitant à s'avancer sous prétexte qu'elles manquaient de renseignements sur les défenses ennemies – piètre excuse, selon Lloyd. Le groupe du centre n'avait pas réussi à briser la résistance des défenseurs de Fuentes de Ebro, malgré les renforts reçus le troisième jour, et presque tous les chars engagés dans la bataille avaient été détruits, à la grande consternation de Lloyd. Quant à son propre groupe, il avait reçu l'ordre d'effectuer un mouvement tournant en direction de Quinto, un village situé au bord du fleuve, au lieu de continuer sa poussée en avant. Là encore, ils avaient dû faire face à une défense acharnée dans des combats de rues. Quand enfin l'ennemi s'était rendu, le groupe de Lloyd avait fait un millier de prisonniers.

Maintenant, dans la lumière du soir, Lloyd était assis sur le parvis d'une église détruite par les tirs d'artillerie, au milieu de ruines fumantes et de corps étrangement immobiles : les soldats morts au combat. Un groupe d'hommes épuisés s'était rassemblé autour de lui : Lenny, Dave, Joe Eli, le caporal Rivera, et aussi un Gallois, un certain Muggsy Morgan. Les Gallois étaient si nombreux en Espagne qu'on avait composé une chansonnette pour railler le fait qu'ils portaient presque tous les mêmes noms.

> *Y avait un gars qui s'appelait Price*
> *Un autre gars du nom de Price*
> *Un troisième gars du nom de Roberts*
> *Un quatrième qui s'appelait Roberts*
> *Et un cinquième, encore un Price.*

Les hommes attendaient patiemment de voir s'ils auraient à dîner ce soir-là. Ils fumaient en silence, trop exténués pour plaisanter avec Teresa. La jeune femme était restée à leurs côtés, faute de moyen de transport pour regagner l'arrière. On entendait encore des tirs sporadiques : l'opération de nettoyage se poursuivait à quelques rues de là.

« Qu'est-ce qu'on a gagné, dans tout ça ? demanda Lloyd, s'adressant à Dave. On a utilisé nos rares munitions, on a perdu quantité d'hommes et on n'a pas bougé d'un pouce. Pire, on a donné aux fascistes le temps de faire venir des renforts.

— Une belle connerie, et je vais te dire pourquoi », répondit Dave avec son accent de l'East End. Son âme s'était encore plus endurcie que son corps, il était devenu cynique et méprisant. « C'est parce que nos officiers ont plus peur de leurs commissaires politiques que de ces salauds d'ennemis. Pour un oui ou pour un non, ils se font cataloguer comme espions trotskistes à la solde du fascisme et torturer à mort. Du coup, plus une tête ne dépasse et personne n'a le courage de tenter quelque chose. L'immobilité, ils ne jurent que par ça ! Surtout, pas d'initiative, ne pas prendre de risques. Combien tu paries qu'ils n'osent même pas aller chier sans un ordre en trois exemplaires ? »

Cette analyse cinglante était-elle juste ? se demanda Lloyd. Il est vrai que les communistes réclamaient à longueur de temps plus de discipline et de sens de la hiérarchie. Autrement dit, une armée aux ordres des Russes. Malgré tout, ils n'avaient pas complètement tort, estimait Lloyd. D'un autre côté, une discipline trop stricte finissait par étouffer toute réflexion. Était-ce la raison de leur échec? Non, Lloyd se refusait à le croire.

Tout de même, tous ces communistes, ces anarchistes et ces sociaux-démocrates devaient pouvoir se battre pour la même cause sans se tirer dans les pattes. Ils détestaient tous le fascisme et croyaient en l'avènement d'une société plus juste pour tout le monde.

Il aurait bien voulu savoir ce qu'en pensait Lenny. Mais celui-ci, assis à l'écart avec Teresa, s'entretenait avec la jeune femme à voix basse, et Lloyd la vit rire à ses propos. Les affaires de Lenny semblaient en bonne voie : faire rire une fille, c'était toujours bon signe. L'Espagnole posa la main sur le bras de Lenny et lui murmura quelques mots avant de se lever. «Reviens vite», répondit-il et elle lui sourit par-dessus son épaule.

Il en avait de la chance, ce Lenny! pensa Lloyd sans jalousie. Les amourettes, ce n'était pas pour lui, ça ne l'intéressait pas. Probablement était-il trop entier. La seule fille qui l'ait jamais vraiment attiré était Daisy, et elle avait épousé Boy Fitzherbert! À ce jour, il n'avait pas encore rencontré celle qui la remplacerait dans son cœur. Cela viendrait sûrement, mais en attendant, il n'avait pas très envie de se trouver une remplaçante de fortune, fût-elle aussi séduisante que Teresa.

«Voilà les Russes qui rappliquent!» s'exclama Jasper Johnson, un Noir de Chicago, électricien de son état. Lloyd tourna la tête. Une dizaine de conseillers militaires traversaient le village d'un pas conquérant. On reconnaissait les Russes à leurs vestes de cuir et à leurs étuis de revolver à bouton. «C'est bizarre, on ne les a pas vus pendant le combat, continua Jasper sur un ton sarcastique. Probable qu'ils étaient dans un autre coin du champ de bataille.»

Lloyd regarda autour de lui pour s'assurer qu'aucun commissaire politique ne traînait dans les parages et n'avait surpris cette remarque subversive.

Parmi les Russes qui traversaient le cimetière de l'église bombardée, Lloyd repéra Ilia Dvorkine, cette fouine de la police secrète avec qui il s'était accroché la semaine précédente. Il le vit s'arrêter à hauteur de Teresa, et baragouiner quelque chose dans son mauvais espagnol à propos d'un dîner.

Elle répondit. Il insista. Elle secoua la tête, refusant manifestement sa proposition. Alors qu'elle faisait mine de s'éloigner, il la rattrapa par le bras.

Lloyd vit Lenny se redresser d'un air inquiet, les yeux fixés sur les deux silhouettes encadrées par une arche de pierre qui ne menait plus nulle part.

« Et merde ! » marmonna Lloyd.

Teresa tenta encore de se dégager mais Ilia ne la lâchait pas.

Lenny fit un geste pour se lever. Lloyd posa la main sur son épaule pour le forcer à se rasseoir. « Laisse, je vais régler ça.

— Fais gaffe, mon pote, souffla Dave tout bas. Ces salauds du NKVD, mieux vaut ne pas se frotter à eux. »

Lloyd s'approcha de Teresa et d'Ilia.

« Dégage, toi ! lui lança le Russe en espagnol en l'apercevant.

— Salut Teresa ! fit Lloyd.

— Ça va, je peux me débrouiller toute seule.

— Mais je te connais, toi ! s'écria Ilia en scrutant plus attentivement les traits de Lloyd. La semaine dernière, déjà, tu as prétendu m'empêcher d'arrêter un dangereux espion trotskiste à la solde des fascistes !

— Et cette jeune femme est une dangereuse espionne, elle aussi ? Je croyais que vous vouliez juste l'inviter à dîner ? »

L'air mauvais, Bérézovski, l'acolyte d'Ilia, vint se planter à côté de Lloyd.

Du coin de l'œil, Lloyd vit Dave porter la main au Luger suspendu à sa ceinture. Ça commençait à partir en vrille.

« Señorita, le colonel Bobrov veut vous voir au QG immédiatement. Suivez-moi, s'il vous plaît, je vais vous escorter. » Bobrov était un « conseiller » militaire russe. Il n'avait pas convoqué Teresa, mais Ilia ne pouvait pas le savoir.

L'espace d'un moment, Lloyd se demanda comment les choses allaient tourner. Mais un coup de fusil retentit tout près, peut-être dans la rue voisine, et le bruit ramena le Russe à la réalité. Teresa s'écarta et cette fois, Ilia la laissa partir. « Je te retrouverai, toi ! » dit-il à Lloyd en pointant sur lui un index belliqueux et en le quittant de façon théâtrale, avec Bérézovski qui le suivait comme un petit chien.

« Connard ! » grogna Dave.

Ilia fit celui qui n'avait pas entendu.

Tout le monde se rassit et Dave déclara : «Tu ne t'es pas fait un copain, Lloyd.

— Je n'avais pas vraiment le choix.

— Méfie-toi quand même dorénavant.

— Des disputes à cause d'une fille, il y en a des milliers par jour», répliqua Lloyd sur un ton désinvolte.

Comme la nuit tombait, une cloche appela les soldats. La cuisine roulante servit à Lloyd une gamelle de ragoût maigre accompagnée d'un quignon de pain rassis et d'une grande tasse d'un vin rouge si aigre qu'il crut que l'émail de ses dents allait se dissoudre. Il trempa son pain dans le vin, ce qui améliora un peu les deux.

Le repas s'acheva, le laissant affamé. Comme d'habitude. «Je ne serais pas contre une bonne tasse de thé, pas vous?

— Et comment! répliqua Lenny. Pour moi, avec deux sucres, s'il te plaît.»

Ils déroulèrent leurs minces couvertures et s'apprêtèrent à dormir. Lloyd partit à la recherche de latrines. N'en trouvant pas, il se soulagea dans un petit verger en bordure du village. La lune était aux trois quarts pleine, et il distinguait les feuilles poussiéreuses des oliviers qui avaient été épargnés par les bombardements.

Comme il se reboutonnait, il entendit des pas et se retourna lentement. Trop lentement. Au moment où il reconnaissait Ilia, un gourdin s'abattit sur sa tête. Il éprouva une douleur atroce et s'écroula. À moitié assommé, il releva les yeux pour découvrir Bérézovski braquant sur lui son revolver à canon court.

«Pas un geste ou tu es mort.» C'était la voix d'Ilia.

Terrifié, Lloyd se mit à secouer la tête dans l'espoir d'y voir plus clair. C'était insensé. «Mort? répéta-t-il, incrédule. Et comment expliqueras-tu l'assassinat d'un lieutenant?

— Un assassinat? Sur la ligne de front? Une balle perdue, tu veux dire! La malchance», précisa l'autre, passant de l'espagnol à l'anglais.

Évidemment, se dit Lloyd, Ilia avait raison. Quand on retrouverait son corps, on penserait qu'il avait été tué au cours de la bataille. Quelle bêtise de mourir ainsi!

«Achève-le!» ordonna Ilia.

Il entendit une violente détonation, mais ne ressentit rien. C'était donc ça, la mort? Puis Bérézovski chancela et s'effondra. Lloyd se rendit compte que le coup avait été tiré derrière lui et se retourna, ahuri. Dans le clair de lune, il reconnut Dave, son Luger volé solidement en main. Un soulagement plus violent qu'un raz de marée le submergea : il était vivant !

Ilia avait aperçu Dave, lui aussi, et avait pris ses jambes à son cou, fuyant tel un lièvre effrayé.

Dave le suivit du canon de son revolver pendant plusieurs secondes, tandis qu'en son for intérieur, Lloyd l'adjurait de tirer. Mais Ilia filait entre les oliviers avec la frénésie d'un rat pris dans un labyrinthe, et il parvint à se fondre dans l'obscurité.

Dave abaissa son arme.

Lloyd regarda Bérézovski : il ne respirait plus. « Merci, Dave.

— Je t'avais pourtant dit de surveiller tes arrières !

— Tu l'as fait pour moi. Dommage que tu n'aies pas eu Ilia parce que maintenant, toi aussi, tu es dans le collimateur du NKVD.

— Pas sûr ! Il n'aura sûrement pas envie qu'on sache que son pote s'est fait descendre à cause de lui, pour une histoire de fille en plus. Même les gars du NKVD ont la trouille du NKVD. À mon avis, il va garder ça pour lui.

— Et nous, comment est-ce qu'on va expliquer ça ? demanda Lloyd en désignant le corps.

— Tu l'as entendu, non ? On est sur la ligne de front. Pas besoin d'autre explication. »

Lloyd hocha la tête : une balle perdue... Dave et Ilia avaient tous les deux raisons. Qui donc chercherait à savoir dans quelles circonstances précises Bérézovski avait trouvé la mort ?

Ils s'en allèrent, abandonnant le cadavre à son sort. Et Dave d'ironiser : « Tu parles d'une malchance ! »

4.

L'attaque contre Saragosse était dans l'impasse. Lloyd et Lenny allèrent trouver le colonel Bobrov pour lui exposer la situation. C'était un officier aux cheveux blancs frisés coupés court, proche de la retraite, respectant l'orthodoxie marxiste au pied de la lettre. Théoriquement, les Russes n'étaient sur le terrain que pour aider et conseiller les commandants espagnols. En réalité, ils dirigeaient entièrement les opérations.

«Nous perdons du temps et de l'énergie sur de petits villages, déclara Lloyd en allemand, exprimant ainsi l'opinion générale des soldats. Les chars sont censés enfoncer les lignes de l'ennemi et progresser profondément sur son territoire. Puis vient l'infanterie qui nettoie et sécurise les lieux une fois l'ennemi dispersé.»

Volodia, debout non loin de là, semblait approuver son discours à en croire son expression. Mais il ne soufflait mot.

«Ces hameaux ne sont que de misérables poches de résistance. Ils ne devraient pas retarder notre avance, poursuivit Lloyd. On devrait les contourner et laisser la seconde ligne s'en occuper.»

Bobrov affichait l'air offusqué d'un évêque à qui Lloyd aurait demandé de se prosterner devant Bouddha. «Mais ce que vous envisagez là, c'est la théorie qui a été proposée par le maréchal Toukhatchevski, dit-il en baissant le ton. Un homme discrédité!

— Et alors?

— C'était un traître et un espion. Il a tout avoué et a été exécuté.»

Lloyd le dévisagea, incrédule. «Vous me dites que le gouvernement espagnol ne peut pas appliquer la tactique moderne d'utilisation des blindés parce qu'à Moscou, un général a été liquidé au cours d'une purge?

— Lieutenant, vous dépassez les bornes!

— Ce n'est pas parce que Toukhatchevski a été reconnu coupable que ses théories sont erronées.

— Suffit! explosa Bobrov. Le débat est clos!»

Les derniers espoirs que Lloyd pouvait conserver s'effondrèrent définitivement lorsque son bataillon reçut l'ordre de quitter Quinto pour regagner le secteur d'où il était venu. Le 1er septembre, il prit part à l'attaque contre Belchite, une ville très bien défendue, mais dénuée de tout intérêt stratégique puisqu'elle se trouvait à quarante kilomètres de leur objectif.

La bataille fut dure, là aussi.

Lloyd et sa section avaient atteint les faubourgs de Belchite sans enregistrer de pertes quand soudain, ils se trouvèrent sous le feu d'un tir nourri en provenance des fenêtres et des toits. Quelque sept mille rebelles étaient retranchés au sommet d'une colline voisine et à l'intérieur de l'église San Agustin, la plus grande de la ville.

Au sixième jour, on en était toujours au même point.

Avec la chaleur, la puanteur était insupportable : aux corps des hommes tombés au combat s'ajoutaient les dépouilles des bêtes décimées par la soif car l'alimentation en eau avait été coupée. Partout où l'on pouvait, on rassemblait les cadavres et on les aspergeait d'essence pour les faire brûler. Et l'odeur de ces chairs calcinées était pire encore que celle de la pourriture. L'air était tellement irrespirable qu'un grand nombre de soldats portaient leur masque à gaz.

C'était l'hécatombe dans les ruelles étroites entourant l'église. Lloyd avait trouvé un moyen pour passer d'une maison à l'autre sans sortir dans la rue. Grâce à Lenny qui avait déniché des outils dans un atelier, à présent, deux hommes s'employaient à percer un trou dans le mur de la maison où ils s'étaient tous mis à couvert. Joe Eli, le crâne luisant de sueur, maniait la pioche, tandis que le caporal Rivera, en chemise à rayures rouges et noires, couleurs des anarchistes, brandissait une masse. Le mur était fait de ces briques plates et jaunes typiques de la région, assemblées à l'aide d'un mortier friable. L'opération se déroulait sous la direction de Lenny qui vérifiait qu'ils ne risquaient pas de faire s'écrouler la totalité du bâtiment; en tant que mineur, il savait d'instinct quelle confiance accorder à un toit.

Une fois dégagée une ouverture assez grande pour le passage d'un homme, Lenny fit un signe de tête à Jasper, caporal lui aussi. L'Américain sortit de son étui à munitions l'une des rares grenades qui lui restaient encore, la dégoupilla et la balança dans la maison voisine, pour prévenir tout risque d'embuscade.

Immédiatement après l'explosion, Lloyd s'engouffra dans la brèche, fusil à la main. Il déboucha dans une masure identique à la précédente, aux murs blanchis à la chaux et au sol en terre battue. Il n'y avait personne. Ni morts ni vivants.

Les trente-cinq hommes de sa section le rejoignirent et fouillèrent consciencieusement les lieux. La petite maison était déserte.

Progressant ainsi, lentement mais sûrement, ils parcoururent toute une longueur de rue en direction de l'église.

Ils s'attaquaient au mur suivant quand un chef de bataillon du nom de Marquez les rejoignit en passant par la voie qu'ils avaient percée. « Arrêtez tout ! ordonna-t-il dans un anglais fortement teinté d'accent espagnol. On donne l'assaut à l'église. »

Lloyd s'immobilisa. C'était suicidaire. « C'est une idée du colonel Bobrov ?

— Oui, répondit le commandant d'un air peu convaincu. Attendez le signal : trois coups de sifflet distincts.

— On peut avoir des munitions ? demanda Lloyd. On en manque sacrément, surtout pour une opération pareille.

— Pas le temps ! » répondit l'autre et il repartit.

Lloyd était horrifié. Il avait appris bien des choses en quelques jours de combat. Notamment que le seul moyen de prendre une position bien défendue était de monter à l'assaut sous la protection d'un tir de défense nourri. Faute de quoi, les assiégés vous fauchaient comme de l'herbe.

Ses hommes allaient se rebiffer, il le lisait sur leurs visages. « Mission impossible ! » déclarait déjà le caporal Rivera.

Sachant qu'il était seul responsable du moral de ses hommes, Lloyd lui rétorqua d'un ton enjoué : « Hé, tu ne vas pas pleurnicher ! Vous êtes tous des volontaires ! Qu'est-ce que tu croyais en t'engageant ? Que la guerre, c'est une partie de plaisir ? Si c'était le cas, tes sœurs la feraient à ta place ! » Les hommes rirent de bon cœur. Le danger était écarté. Du moins pour le moment.

Lloyd s'avança vers la porte d'entrée, l'entrebâilla et glissa un œil au-dehors. Un soleil radieux éclairait une ruelle étroite, bordée des deux côtés de maisons et de boutiques du même ocre pâle que le sol, couleur de pain à peine cuit, sauf aux endroits où les bombes s'étaient enfoncées jusqu'à la terre rouge. Juste à côté de la porte, un milicien gisait, mort, un essaim de mouches festoyant autour du trou dans sa poitrine. Lloyd releva les yeux vers l'église : devant l'édifice, la rue s'élargissait pour former une place. Les tireurs dissimulés dans les deux hautes tours avaient donc une vue parfaite et n'auraient aucun mal à mettre en joue quiconque tenterait de s'approcher. D'autant que le terrain n'offrait aucune couverture hormis des débris épars, un cheval mort et une brouette.

On va tous y rester ! songea-t-il. Mais après tout, on s'en doutait en venant ici !

Il rejoignit ses hommes. Que leur dire pour ne pas les décourager ?

« Faites gaffe à bien rester plaqués contre les maisons, les gars ! Et rappelez-vous : plus vous perdrez de temps à remonter la rue, plus vous prendrez de risques. Alors, au coup de sifflet, foncez, c'est compris ! »

Trois coups de sifflet. Le signal du commandant Marquez. Il ne l'attendait pas si tôt !

« Lenny, tu pars le dernier !

— Et le premier, c'est qui ?

— Moi, bien sûr. »

Adieu, le monde ! pensa Lloyd. Au moins, je mourrai en me battant contre les fascistes.

Il ouvrit grand la porte. « En avant ! » cria-t-il, et il s'élança.

Rien n'entrava sa course vers l'église, l'effet de surprise lui ayant procuré quelques secondes de répit. Il sentait sur son visage la chaleur du soleil de midi et entendait dans son dos le martèlement des godillots de ses hommes. Il songea, avec un curieux élan de gratitude, que ces sensations signifiaient qu'il était toujours en vie. Puis des coups de feu éclatèrent comme un orage de grêle. Lloyd courut encore quelques fractions de seconde au milieu d'une pluie de balles qui sifflaient et claquaient tout autour de lui, avant d'avoir l'impression de s'être cogné violemment le bras gauche. Il tomba, sans comprendre comment.

Il avait été touché, évidemment, même s'il ne ressentait pas de douleur, seulement un engourdissement : son bras pendait inerte le long de son corps. Il réussit à rouler sur le côté jusqu'au mur le plus proche. Les tirs continuaient et il était terriblement vulnérable. Quelques mètres devant lui, il aperçut un mort : un soldat rebelle adossé à la façade d'une maison comme s'il s'était assis par terre pour prendre un instant de repos et s'était endormi. À ce détail près qu'il avait un trou dans le cou.

En se tortillant maladroitement sur le sol, son fusil dans la main droite, son bras gauche à la traîne, Lloyd parvint à s'approcher de lui. Là, il s'accroupit derrière le corps en essayant de se faire tout petit.

Le canon de son fusil posé sur l'épaule du rebelle, il visa une ouverture au sommet du clocher et tira à la file les cinq cartouches de son chargeur. Avait-il touché quelqu'un ? Il n'en savait rien.

Son regard revint vers la rue et il constata avec horreur qu'elle était jonchée de cadavres. C'étaient les hommes de sa section. Le corps immobile de Mario Rivera sous sa chemise rouge et noir ressemblait à un drapeau anarchiste roulé en boule; à côté de lui, Jasper Johnson, dont la tête crépue baignait dans le sang. Tout ce chemin depuis une usine de Chicago pour mourir dans la rue d'une bourgade espagnole, songea Lloyd, uniquement parce qu'il croyait en un monde meilleur.

Mais le spectacle le plus atroce était celui des survivants. Ils gémissaient et criaient, affalés par terre. Quelque part, quelqu'un hurlait à l'agonie, mais Lloyd ne voyait ni qui, ni où. Plusieurs de ses hommes couraient encore, mais certains tombèrent sous ses yeux ou se jetèrent volontairement au sol. Quelques secondes plus tard, plus rien ne bougeait dans la rue, sauf les blessés.

Un massacre! À cette pensée, il s'étrangla de colère et de douleur.

Où étaient passées les autres unités? Sa section ne pouvait pas être la seule à avoir été envoyée à l'attaque! D'autres avançaient peut-être dans les rues adjacentes! Pareil assaut exigeait un nombre de soldats écrasant. Avec ses trente-cinq hommes, Lloyd ne faisait pas le poids. D'ailleurs, ils avaient presque tous été tués, et les rares rescapés avaient été contraints de se mettre à couvert bien avant d'avoir atteint l'église.

Il croisa le regard de Lenny, caché derrière le cheval mort. Lui au moins était vivant! Lenny brandit son fusil avec une mimique d'impuissance : il était à court de balles, comme lui-même. Dans la minute qui suivit, on n'entendit plus tirer un seul coup de feu depuis la rue : plus personne n'avait de munitions.

La mission avait échoué, c'était terminé. S'emparer de l'église était en tout état de cause impossible. Le tenter sans munitions aurait été un suicide parfaitement inutile.

Le déluge de feu qui se déversait depuis le clocher de l'église avait diminué à mesure que les cibles les plus faciles à atteindre avaient été éliminées, mais l'ennemi continuait à tirer sporadiquement sur les soldats qui s'étaient mis à couvert. Lloyd comprit qu'ils allaient tous se faire tuer. Il fallait se replier, même s'ils risquaient aussi de se faire massacrer pendant qu'ils battraient en retraite.

Il attira de nouveau l'attention de Lenny. Agitant énergiquement le bras, il désigna l'arrière, la direction opposée à l'église.

Lenny balaya des yeux l'espace qui l'entourait et répéta le geste à l'intention des rares survivants. Ils mettraient plus de chances de leur côté en effectuant la manœuvre tous en même temps.

Quand ils eurent prévenu le plus grand nombre, Lloyd se mit debout en vacillant.

« Repli ! » hurla-t-il à pleins poumons.

Puis il s'élança.

La distance à couvrir n'excédait pas deux cents mètres, mais ce fut le plus long parcours de sa vie. Les rebelles retranchés dans l'église avaient ouvert le feu dès qu'ils avaient vu bouger les troupes gouvernementales. Tout en courant d'un pas saccadé, Lloyd, déséquilibré par son bras blessé, crut compter cinq ou six de ses gars qui suivaient son exemple. Les façades s'effritaient sur son passage. Lenny filait devant lui, apparemment indemne. Il réussit à s'engouffrer dans la maison d'où ils avaient surgi et lui tint la porte ouverte. Lloyd y pénétra, la respiration rauque et haletante et s'effondra dès qu'il fut à l'intérieur. Trois autres de leurs compagnons les rejoignirent.

Lloyd promena les yeux sur le groupe qui se tenait devant lui : Lenny, Dave, Muggsy Morgan et Joe Eli, tous hors d'haleine et essayant de reprendre leur souffle. « C'est tout ?

— Oui, répondit Lenny.

— Cinq sur trente-six, c'est impossible !

— Bobrov, le génie des conseillers militaires ! »

Subitement, son bras gauche se rappela à Lloyd, lui faisant un mal de chien. Il tenta de le bouger. Il y parvint péniblement : peut-être n'était-il pas cassé, après tout ? Baissant les yeux vers sa manche, il vit qu'elle était trempée de sang. Dave dénoua son foulard rouge et lui mit tant bien que mal le bras en écharpe.

Lenny avait été touché à la tête et son visage était couvert de sang. « Simple égratignure », affirma-t-il. Il ne semblait pas souffrir.

Quant à Dave, Muggsy et Joe Eli, ils étaient indemnes, miraculeusement.

« On ferait bien de retourner à la base prendre les ordres, décida Lloyd après qu'ils se furent reposés quelques minutes. De toute façon, on ne peut rien faire sans munitions.

— Et si nous buvions d'abord une bonne tasse de thé ? proposa Lenny.

— Impossible, répliqua Lloyd, on n'a pas de petites cuillers.

« — Tant pis, alors !

— On ne peut pas rester encore un peu ?

— On se reposera à l'arrière, décréta Lloyd. C'est plus sûr. »

Ils refirent le chemin en sens inverse, remontant la rangée de maisons en se faufilant par les trous pratiqués dans les murs à l'aller. À force de se pencher, Lloyd fut pris de vertige et il se demanda si sa faiblesse était due au sang qu'il avait perdu.

Ils ressortirent hors de vue de l'église San Agustin et s'engagèrent dans une rue latérale, soulagés d'être encore vivants. Ce soulagement, chez Lloyd, laissa rapidement place à la rage d'avoir perdu tant d'hommes inutilement.

Ils parvinrent à rejoindre les faubourgs de la ville et la grange où les forces gouvernementales avaient établi leur quartier général. Derrière une pile de caisses, le commandant Marquez distribuait des munitions. Lloyd l'apostropha avec fureur. « Pourquoi est-ce qu'on n'a pas pu en avoir, nous ? »

Marquez se contenta de hausser les épaules.

« Je ferai un rapport à Bobrov ! » lança Lloyd.

Le colonel, le visage rougi par un coup de soleil, était justement devant la grange en grande conversation avec Volodia Pechkov. Il était assis sur une chaise probablement trouvée – comme la table qui se trouvait devant lui – dans une maison du village. Lloyd marcha droit sur eux. « On nous a fait monter à l'assaut de l'église sans le moindre soutien. Et nous nous sommes trouvés à court de munitions parce que Marquez a refusé de nous en fournir ! »

Bobrov le dévisagea froidement. « Qu'est-ce que vous fichez ici ? »

Lloyd en resta ébahi. Il s'attendait à des félicitations pour son acte de bravoure, ou du moins à quelques mots compatissants.

« Je viens de vous le dire : absence totale de soutien. On ne prend pas un bâtiment fortifié avec une seule section. Nous avons fait de notre mieux, mais nous nous sommes fait massacrer. J'ai perdu trente et un hommes sur trente-six. » Il désigna ses quatre compagnons. « C'est tout ce qui reste de ma section !

— Qui vous a donné l'ordre de vous replier ? »

Lloyd luttait contre le vertige et craignait de s'écrouler, mais il devait expliquer à Bobrov avec quel courage ses hommes s'étaient battus. « Nous sommes venus aux ordres. Que pouvions-nous faire d'autre ?

— Vous battre jusqu'au dernier.

« — Avec quoi? Nous n'avions plus de balles!

— Silence! aboya Bobrov. Garde-à-vous!»

Ils obéirent comme un seul homme, par automatisme : Lenny, Dave, Muggsy, Joe et Lloyd aussi, à deux doigts de s'évanouir.

«Demi-tour!»

Ils s'exécutèrent.

Et maintenant quoi? se demanda Lloyd.

«Les blessés, sortez du rang.»

Lloyd et Lenny firent un pas en arrière.

«Les blessés capables de marcher seront transférés au service d'escorte des prisonniers», décréta le colonel.

Dans son esprit embrumé, Lloyd comprit qu'on allait probablement lui confier la garde de prisonniers à accompagner à Barcelone par le train. Il vacilla. Je ne serais même pas capable de garder des moutons, pensa-t-il.

«Se replier sous le feu sans en avoir reçu l'ordre est un acte de désertion!» déclara Bobrov.

Lloyd se retourna. Horrifié et stupéfait, il vit que le colonel avait sorti son revolver de son étui.

Bobrov s'avança jusqu'aux trois soldats toujours au garde-à-vous. Il s'arrêta juste derrière eux. «Vous êtes tous les trois reconnus coupables et condamnés à mort.» Il leva son arme, le canon à dix centimètres de la tête de Dave.

Le coup partit. Un trou apparut dans la tête de Dave, tandis que du sang et de la cervelle jaillissaient de son front.

Lloyd était pétrifié. Il n'en croyait pas ses yeux.

Muggsy, debout juste à côté de Dave, fit mine de se retourner, la bouche ouverte dans un cri. Bobrov fut plus rapide. Il visa la nuque. La balle, entrée derrière l'oreille droite, ressortit par l'œil gauche. Muggsy s'effondra.

Enfin Lloyd retrouva sa voix et hurla : «Non!»

Rugissant de colère et d'émotion, Joe Eli se retourna, prêt à empoigner Bobrov de ses bras tendus. Un autre coup partit. Joe reçut la balle dans la gorge. Le sang jaillit comme d'une fontaine, éclaboussant le colonel dans son uniforme de l'armée Rouge. Bobrov bondit en arrière en poussant un juron. Joe, gisant au sol, n'était pas mort. Le sang sortait de sa carotide par giclées, aussitôt bu par l'aride terre d'Espagne. Impuissant, Lloyd avait les yeux rivés sur lui. Joe parut vouloir dire quelque chose, mais aucun son ne sortit de ses lèvres. Puis ses yeux se fermèrent et son corps se détendit.

«Pas de pitié pour les lâches!» jeta Bobrov et il s'éloigna.

Lloyd contempla le corps de Dave à terre. Un gosse de seize ans, crasseux, maigre comme un coucou et brave comme un lion. Mort. Tué non pas par les fascistes, mais par un officier soviétique stupide et brutal. Quel gâchis! Les larmes lui vinrent aux yeux.

Un sergent sortit de la grange en courant : «Victoire! cria-t-il tout heureux. La ville s'est rendue. Ils ont hissé le drapeau blanc sur la mairie. On a pris Belchite!»

Lloyd s'évanouit, terrassé par le vertige.

5.

Il faisait froid et humide à Londres. Lloyd rentrait à la maison, chez sa mère. Il marchait le long de Nutley Street sous la pluie. Il avait encore sur lui son blouson à fermeture Éclair et son pantalon en velours côtelé de l'armée espagnole, et il portait ses godillots à même la peau. Dans son petit sac à dos, il avait du linge de rechange, une chemise et un quart en ferblanc. Autour du cou, il avait noué le foulard rouge dont Dave lui avait fait une écharpe pour son bras blessé, bras toujours douloureux mais qui n'avait plus besoin d'être soutenu.

On était en octobre, l'après-midi touchait à sa fin.

Comme il s'y attendait, on l'avait fait monter dans un train de marchandises qui s'en retournait à Barcelone, rempli de prisonniers rebelles. Trois jours de voyage pour une distance d'à peine cent soixante kilomètres. À Barcelone, il avait été séparé de Lenny et, depuis, n'avait plus aucune nouvelle de lui. Un routier qui se rendait dans le nord avait accepté de le prendre dans son camion un bout de chemin. Ensuite, il avait marché et fait de l'auto-stop; il était monté dans des wagons qui transportaient du charbon, du gravier et même une fois des caisses de vin, une chance. Il avait passé la frontière française de nuit. Il avait dormi à la belle étoile, mendié son pain, gagné quelques sous en échange de toutes sortes de petits boulots. Et pendant deux semaines fabuleuses, il avait fait les vendanges dans un vignoble bordelais, ce qui lui avait permis de payer son billet de bateau pour traverser la Manche. Maintenant, de retour au pays, il humait l'air humide et l'odeur de suie de son quartier d'Aldgate qui lui parurent délectables.

Arrivé au portillon du jardin, il s'arrêta et contempla, perdue au milieu d'une rangée de constructions identiques, la maison où il avait vu le jour vingt-deux ans plus tôt. Ils étaient là : de la lumière brillait aux fenêtres battues par la pluie. Il marcha jusqu'à la porte. Il avait encore sa clé, il l'avait gardée tout ce temps sur lui, avec son passeport. Il entra.

Dans le vestibule, il laissa tomber son sac à dos près du porte-manteau.

«Il y a quelqu'un?» lança une voix venant de la cuisine. C'était Bernie, son beau-père.

Lloyd constata avec étonnement qu'il était incapable de proférer un son.

Bernie apparut. «Qui est...? Alors ça! C'est toi!

— Bonjour, Dad.

— Mon fils! Vivant!» s'écria Bernie en l'étreignant et Lloyd le sentit fondre en larmes contre sa poitrine.

Au bout d'une bonne minute, Bernie se frotta les yeux avec la manche de son gilet et se dirigea vers le pied de l'escalier.

«Eth!

— Oui?

— Il y a de la visite pour toi.

— J'arrive!»

Un instant plus tard, elle descendait les marches, plus jolie que jamais dans sa robe bleue. Elle l'aperçut à mi-chemin et pâlit. «Oh, *Duw*, s'écria-t-elle, en passant involontairement au gallois. C'est Lloyd!» Elle dévala le reste des marches et le serra dans ses bras. «Tu es vivant!

— Je vous ai écrit de Barcelone...

— On n'a pas reçu ta lettre.

— Alors, vous ne savez pas...

— Quoi?

— Dave Williams... Il est mort.

— Oh, non!

— Tombé à la bataille de Belchite.» Lloyd avait décidé de garder pour lui les circonstances de sa mort.

«Et Lenny Griffiths?

— Je ne sais pas, on s'est perdus de vue. J'espérais le retrouver ici.

— Non, on est sans nouvelles de lui. »

Bernie demanda : « Comment c'était, là-bas ?

— Les fascistes sont en train de gagner, et c'est surtout la faute des communistes. Une seule chose les intéresse : s'en prendre aux autres partis de gauche.

— Ce n'est pas possible ! l'interrompit Bernie, choqué.

— C'est pourtant vrai. Si j'ai appris une chose en Espagne, c'est qu'il faut lutter contre les communistes avec autant de résolution que contre les fascistes. Ils ne valent pas mieux les uns que les autres. »

— Tu m'en diras tant ! » laissa tomber Ethel avec un sourire désabusé, et Lloyd comprit que sa mère était arrivée à cette conclusion depuis un bon bout de temps.

« Mais assez parlé politique, reprit-il. Comment vas-tu, Mam ?

— Oh, toujours la même. Ce n'est pas comme toi. Tu es maigre à faire peur !

— C'est qu'on n'avait pas grand-chose à se mettre sous la dent, en Espagne.

— Autrement dit, je ferais mieux d'être à mes fourneaux.

— Ne te presse pas. Ça fait douze mois que je crève de faim, je peux bien attendre quelques minutes de plus. Mais je vais te dire de quoi j'ai envie...

— Quoi donc ? Tout ce que tu voudras !

— Je ne serais pas contre une bonne tasse de thé. »

V

1939

1.

Thomas Macke faisait le guet devant l'ambassade soviétique à Berlin quand Volodia Pechkov en sortit.

Six ans plus tôt, la police secrète prussienne avait été remplacée par la Gestapo, plus moderne et plus efficace ; cependant, l'inspecteur Macke était toujours responsable de la section chargée des traîtres et des éléments subversifs à l'œuvre dans la ville de Berlin. Les plus dangereux prenaient certainement leurs ordres dans ce bâtiment du 63-65 Unter den Linden. Macke et ses hommes surveillaient donc toutes les allées et venues.

L'ambassade était une citadelle Art déco dont la pierre blanche reflétait de façon agressive la lumière crue du soleil d'août. Un lanterneau se dressait tel un veilleur au-dessus du corps principal. Les ailes, de part et d'autre, étaient percées sur toute la longueur de hautes fenêtres étroites alignées comme des sentinelles au garde-à-vous.

Macke était installé à une table de café sur le trottoir d'en face. L'avenue la plus élégante de Berlin grouillait de bicyclettes et de voitures ; les femmes faisaient leurs courses en robe et chapeau d'été ; les hommes marchaient d'un pas vif en costume ou dans de fringants uniformes. Il était difficile de croire qu'il existait encore des communistes en Allemagne. Comment pouvait-on s'opposer aux nazis ? Le pays était transformé. Hitler avait supprimé le chômage, alors qu'aucun autre gouvernement européen n'y était parvenu. Les manifestations et les grèves appartenaient désormais au passé, lointains souvenirs d'une sombre époque révolue. La police avait tous pouvoirs pour éradiquer la criminalité. L'Allemagne prospérait : les familles étaient de plus en plus nombreuses à posséder des postes de radio et elles auraient bientôt les «voitures du peuple», la *Volkswagen*, pour circuler sur les nouvelles autoroutes.

Ce n'était pas tout. L'Allemagne avait retrouvé sa puissance. L'armée était forte et bien équipée. Au cours des deux dernières années, l'Autriche et la Tchécoslovaquie avaient été annexées à la Grande Allemagne qui constituait dorénavant la puissance dominante en Europe. L'Italie de Mussolini était alliée à l'Allemagne par le pacte d'Acier. Au début de l'année, Madrid était enfin tombée aux mains des rebelles de Franco et l'Espagne avait maintenant un gouvernement favorable aux fascistes. Comment un Allemand pourrait-il vouloir détruire tout cela et placer le pays sous le joug bolchévique ?

Pour Macke, ces gens étaient la lie de la société, le rebut, la racaille, une engeance qu'il fallait débusquer et exterminer. En y pensant, un pli de colère au front, il tapait du pied sur le trottoir comme pour se préparer à écraser la vermine communiste.

C'est alors qu'il aperçut Pechkov.

Le jeune homme en costume de serge bleue portait un manteau léger plié sur son bras comme s'il craignait un changement de temps. Malgré sa tenue de civil, ses cheveux coupés court et sa démarche martiale trahissaient son appartenance à l'armée. Sa façon faussement naturelle d'examiner la rue était typique des membres du Renseignement militaire de l'armée Rouge ou du NKVD, la police secrète russe.

Le cœur de Macke se mit à battre plus fort. Ses hommes et lui connaissaient évidemment de vue tous les employés de l'ambassade. Ils avaient des dossiers avec leurs photos d'identité et passaient leur temps à les surveiller. Pourtant, il ne savait pas grand-chose de Pechkov. Il était jeune, vingt-cinq ans d'après son dossier. C'était donc probablement un sous-fifre sans importance. Ou un bon élément habile à masquer son rôle prépondérant.

Pechkov traversa Unter den Linden et se dirigea vers le café où se trouvait Macke, presque au coin de la Friedrichstrasse. En le voyant approcher, Macke remarqua qu'il était très grand, avec une carrure d'athlète. Il avait le regard vif et l'air alerte.

Macke détourna les yeux, soudain mal à l'aise. Il prit sa tasse et avala son fond de café froid en dissimulant plus ou moins son visage. Il n'avait pas envie de croiser ce regard bleu.

Pechkov s'engagea dans la Friedrichstrasse. Macke adressa un signe à Reinhold Wagner qui se tenait de l'autre côté du carrefour. Wagner suivit Pechkov. Macke se leva et leur emboîta le pas.

Les agents de Renseignement de l'armée Rouge n'étaient pas tous des barbouzes. Ils recueillaient l'essentiel de leurs informations par des voies légales, principalement par la lecture des journaux allemands. Ils ne croyaient pas forcément tout ce qu'ils lisaient, mais relevaient les éléments parlants, comme l'offre d'emploi d'une usine d'armement à la recherche de dix tourneurs expérimentés. De plus, les Russes pouvaient circuler librement sur le territoire allemand et en profiter pour observer, contrairement aux diplomates en poste en Union soviétique qui n'étaient pas autorisés à s'éloigner de Moscou sans escorte. Le jeune homme que Macke et Wagner filaient pouvait n'être qu'un obscur agent, chargé de dépouiller la presse : cela n'exigeait qu'une pratique courante de l'allemand et un peu d'esprit de synthèse.

En le suivant, ils passèrent devant le restaurant du frère de Macke. Il avait gardé le nom de Bistro Robert, mais la clientèle n'était plus la même. Finis les riches homosexuels, les hommes d'affaires juifs accompagnés de leurs maîtresses, les actrices surpayées qui réclamaient du champagne rosé. Ces gens-là se faisaient maintenant tout petits, quand ils n'étaient pas déjà dans des camps de concentration. Certains avaient quitté l'Allemagne – bon débarras, se disait Macke, même si cela signifiait aussi, malheureusement, que le restaurant ne rapportait plus autant d'argent.

Il se demanda ce qu'était devenu l'ancien propriétaire, Robert von Ulrich. Il croyait se souvenir qu'il était parti pour l'Angleterre. Il y avait peut-être ouvert un autre restaurant pour pervers.

Pechkov entra dans un bar.

Wagner lui emboîta le pas une ou deux minutes plus tard pendant que Macke surveillait l'entrée. C'était un endroit très couru. Pendant qu'il attendait Pechkov, Macke vit entrer une fille au bras d'un soldat ; deux femmes élégamment vêtues et un vieux monsieur en manteau crasseux sortirent du bar et s'éloignèrent. Wagner reparut alors, seul. Il regarda Macke en écartant les bras d'un air stupéfait.

Macke traversa la rue. Wagner semblait désemparé.

« Il n'est pas là !

— Tu as regardé partout ?

— Oui, même dans la cuisine et dans les toilettes.

— Tu as demandé si quelqu'un un était sorti par-derrière ?

— On m'a dit que non. »

Wagner était terrifié, non sans raison. Dans la nouvelle Allemagne, on ne se faisait pas simplement taper sur les doigts quand on commettait une erreur. Il risquait gros.

Pas cette fois cependant.

« Ce n'est pas grave », le rassura Macke.

Wagner ne put dissimuler son soulagement. « Vraiment ?

— Nous avons appris quelque chose d'essentiel. S'il a pu nous semer aussi habilement, c'est que c'est un espion, et un bon. »

2.

Volodia pénétra dans la gare de la Friedrichstrasse et monta dans un wagon du U-bahn, le métro berlinois. Il enleva la casquette, les lunettes et le manteau douteux qui lui avaient servi à se faire passer pour un vieil homme. Il s'assit, prit un mouchoir et essuya la poussière dont il avait couvert ses chaussures pour leur donner l'air défraîchi.

Il avait hésité pour l'imperméable. Il faisait tellement beau qu'il avait eu peur que la Gestapo ne s'en étonne et devine son manège. Mais ils n'y avaient vu que du feu. Il s'était changé rapidement aux toilettes et ensuite, personne ne l'avait suivi.

Il s'apprêtait à remplir une mission à haut risque. S'il se faisait surprendre alors qu'il entrait en contact avec un dissident allemand, il pouvait s'attendre à être expulsé en direction de Moscou et à dire adieu à sa carrière – dans le meilleur des cas. Dans le pire, le dissident et lui disparaîtraient dans les sous-sols du siège de la Gestapo de la Prinz-Albrecht-Strasse et on n'entendrait plus jamais parler d'eux. Les Soviétiques déploreraient la disparition d'un de leurs diplomates et la police allemande ferait semblant d'entreprendre des recherches qui, à son grand regret, se révéleraient infructueuses.

Volodia n'était jamais allé au siège de la Gestapo, mais il savait comment les choses s'y passaient. Le NKVD avait des locaux semblables à la Mission économique soviétique, au 11, Lietsenburgerstrasse : des portes blindées, une salle d'interrogatoire aux murs carrelés pour faciliter le nettoyage du sang, un grand bac pour découper les corps et un four électrique pour brûler les morceaux.

Volodia avait été envoyé à Berlin pour y développer le réseau d'espionnage soviétique. Le fascisme triomphait en Europe et l'Allemagne représentait plus que jamais une menace pour l'URSS. Staline avait renvoyé Litvinov, son ministre des Affaires étrangères et l'avait remplacé par Viatcheslav Molotov. Mais que pouvait faire Molotov? Il semblait que rien ne pût arrêter les fascistes. Le Kremlin était hanté par le souvenir de l'humiliation de la Grande Guerre pendant laquelle les Allemands avaient écrasé une armée russe de six millions d'hommes. Staline avait tenté des démarches pour conclure un pacte avec la France et la Grande-Bretagne, mais les trois puissances n'étaient pas parvenues à s'entendre. Les pourparlers avaient été récemment rompus.

On s'attendait à ce que la guerre éclate tôt ou tard entre l'Allemagne et l'Union soviétique. Volodia avait pour mission de recueillir tous les renseignements militaires susceptibles d'aider les Soviétiques à la gagner.

Il émergea du métro à Wedding, un quartier ouvrier pauvre au nord du centre de Berlin. Il resta devant la station pour observer les passagers qui en sortaient, en faisant mine de consulter un horaire affiché sur le mur et attendit d'être sûr que personne ne l'avait suivi avant de s'éloigner.

Il rejoignit le restaurant bon marché qu'il avait choisi comme lieu de rendez-vous. Selon son habitude, il n'entra pas tout de suite et alla se poster à l'arrêt de bus situé de l'autre côté de la rue pour surveiller l'entrée. Il était certain d'avoir semé ses éventuels poursuivants, mais devait encore s'assurer que Werner n'avait pas été filé.

Il s'était demandé s'il reconnaîtrait Werner Franck. Werner avait quatorze ans la dernière fois qu'il l'avait vu. Il en avait vingt maintenant. Werner avait éprouvé les mêmes doutes. Ils s'étaient donc mis d'accord pour avoir sous le bras l'édition du jour du *Berliner Morgenpost,* ouvert à la page des sports. Volodia lut les pronostics de la nouvelle saison de football en levant les yeux toutes les trois secondes pour guetter Werner. Depuis ses années de lycée à Berlin, Volodia suivait le Herta, la meilleure équipe de la ville. Il avait souvent scandé « Ha ! Ho ! He ! Herta B S C ! ». Le sort de l'équipe l'intéressait, mais son inquiétude l'empêchait de se concentrer et il relisait indéfiniment le même paragraphe sans en comprendre un mot.

Les deux années qu'il avait passées en Espagne n'avaient pas donné à sa carrière le coup de fouet qu'il espérait, bien au contraire. Il avait démasqué de nombreux espions nazis comme Heinz Bauer parmi les «volontaires» allemands. Malheureusement, le NKVD en avait profité pour arrêter d'authentiques volontaires qui n'avaient fait qu'exprimer un léger désaccord avec la ligne du Parti. Des centaines de jeunes idéalistes avaient été torturés et assassinés dans les prisons du NKVD. C'était à se demander parfois si les communistes n'étaient pas plus soucieux de combattre leurs alliés anarchistes que leurs ennemis fascistes.

Tout cela pour rien. La politique de Staline s'était soldée par un échec catastrophique. Elle avait entraîné l'instauration en Espagne d'une dictature de droite, la pire des situations pour l'Union soviétique. On avait fait porter le chapeau aux Russes partis se battre en Espagne alors qu'ils n'avaient fait qu'appliquer scrupuleusement les directives du Kremlin. Certains avaient disparu peu après leur retour à Moscou.

Après la chute de Madrid, Volodia était rentré au pays la peur au ventre. Il y avait trouvé bien des changements. En 1937 et 1938, Staline avait organisé des purges au sein de l'armée Rouge. Des milliers d'officiers s'étaient volatilisés, parmi lesquels un grand nombre de résidents de la Maison du gouvernement où habitaient ses parents. En revanche, beaucoup d'oubliés du pouvoir comme Grigori Pechkov avaient été promus et nommés aux places libérées par les victimes des purges. Grigori avait vu sa carrière relancée. Il était responsable de la défense de Moscou contre les raids aériens et débordait d'activité. C'était sans doute à cet avancement que Volodia devait de n'avoir pas fait partie des boucs émissaires accusés de l'échec de la politique espagnole de Staline.

L'affreux Ilia Dvorkine avait lui aussi échappé aux représailles. Il était revenu à Moscou et avait épousé la sœur de

Volodia, Ania, au grand dam de ce dernier. Il ne fallait pas chercher à comprendre les femmes. Elle était déjà enceinte et Volodia était assailli de cauchemars dans lesquels il la voyait bercer un enfant à tête de fouine.

Après une courte permission, Volodia avait été affecté à Berlin où il avait pu à nouveau montrer toute l'étendue de ses compétences.

En levant les yeux de son journal, il aperçut Werner qui s'avançait dans la rue.

Il n'avait pas beaucoup changé. Il était un peu plus grand et s'était étoffé, mais il avait toujours la même mèche de cheveux blond vénitien qui lui tombait sur le front et que les filles trouvaient irrésistible, et la même lueur amusée dans son regard bleu. Il portait un élégant costume d'été bleu clair. Des boutons de manchettes en or brillaient à ses poignets.

Il n'y avait personne dans son sillage.

Volodia traversa la rue et l'intercepta avant qu'il ne pénètre dans le café. Werner lui adressa un large sourire.

« Je ne t'aurais pas reconnu avec cette coupe de cheveux militaire, dit-il. Ça fait plaisir de te voir, après tout ce temps. »

Il n'avait rien perdu de ses manières chaleureuses ni de son charme.

« Entrons, proposa Volodia.

— Tu n'as quand même pas l'intention d'aller dans ce bouge ! Il doit être plein de plombiers en train de s'empiffrer de saucisses à la moutarde.

— Je ne veux pas rester dans la rue. N'importe qui pourrait nous voir.

— Il y a une petite ruelle un peu plus bas.

— D'accord. »

Ils firent quelques pas et s'engouffrèrent dans un étroit passage entre une épicerie et un dépôt de charbon.

« Qu'est-ce que tu as fait pendant toutes ces années ? demanda Werner.

— Je me suis battu contre les fascistes, comme toi. » Volodia hésita à lui en dire davantage. « J'étais en Espagne. »

Après tout, ce n'était pas un secret.

« Où vous n'avez pas eu plus de succès que nous ici, en Allemagne.

— Ce n'est pas encore fini.

— Je voudrais te demander quelque chose, fit alors Werner

en s'adossant au mur. Si tu jugeais le bolchévisme néfaste, est-ce que tu accepterais de faire de l'espionnage au profit d'une puissance étrangère ? »

La première réaction de Volodia fut de protester *Non, jamais de la vie !* Mais avant que les mots n'aient franchi ses lèvres, il comprit que ce serait manquer cruellement de tact, car si l'idée le révoltait, Werner ne faisait pas autre chose : il trahissait son pays au nom d'un idéal.

« Je ne sais pas, répondit-il. J'imagine que c'est très difficile pour toi de travailler contre l'Allemagne, même si tu détestes les nazis.

— Tu as raison. Qu'arrivera-t-il si la guerre éclate ? Devrai-je t'aider à tuer nos soldats et à bombarder nos villes ? »

Volodia était ennuyé. Werner avait l'air de fléchir.

« C'est la seule manière de vaincre le nazisme. Tu le sais.

— Oui. J'ai pris ma décision il y a longtemps. Et les nazis n'ont rien fait pour m'inciter à changer d'avis. C'est dur, voilà tout.

— Je comprends », compatit Volodia.

Werner reprit : « Tu m'as demandé de trouver d'autres gens susceptibles de faire la même chose que moi. »

Volodia acquiesça. « Je pensais à quelqu'un comme Willi Frunze. Tu te souviens de lui ? Le meilleur élève du lycée. Et un socialiste convaincu, en plus. C'est lui qui présidait le meeting qui a été interrompu par les SA.

Werner secoua la tête. « Il est parti en Angleterre.

— Pourquoi ? demanda Volodia, découragé.

— C'est un brillant physicien. Il poursuit ses études à Londres.

— Merde.

— Mais j'ai pensé à quelqu'un d'autre.

— Ah, très bien !

— Tu as connu Heinrich von Kessel ?

— Je ne crois pas. Il était au lycée avec nous ?

— Non, il fréquentait une école catholique. À l'époque, il ne partageait pas nos idées. Son père était un responsable du parti du Centre...

— Le parti qui a porté Hitler au pouvoir en 1933 !

— Exact. À ce moment-là, Heinrich travaillait pour son père. Depuis, le père a rejoint le parti nazi, mais le fils est rongé de remords.

— Comment tu sais ça ?

— Il l'a dit à ma sœur Frieda un jour où il avait trop bu. Elle a dix-sept ans. Je crois qu'il a le béguin pour elle. »

C'était encourageant. Volodia sentit renaître son optimisme.

« Il est communiste ?

— Non.

— Qu'est-ce qui te fait croire qu'il accepterait de travailler pour nous ?

— Je lui ai posé la question. "Si tu avais la possibilité de lutter contre les nazis en espionnant pour le compte de l'Union soviétique, est-ce que tu le ferais ?" Il a répondu oui.

— Qu'est-ce qu'il fait dans la vie ?

— Il est dans l'armée. Mais il a des problèmes respiratoires, ce qui fait qu'on le cantonne au rôle de gratte-papier. Pour nous, c'est une aubaine, d'autant qu'il travaille actuellement pour le haut commandement, au service des acquisitions et du planning économique. »

Volodia était impressionné. Voilà un homme qui saurait exactement combien l'Allemagne se procurait de camions, de chars, de mitrailleuses et de sous-marins mois après mois et où elle les déployait. Il était gagné par l'excitation.

« Quand pourrai-je le rencontrer ?

— Tout de suite. Je l'ai invité à prendre un verre à l'hôtel Adlon après le travail. »

Volodia se rembrunit. L'Adlon, sur Unter den Linden, était l'hôtel le plus chic de Berlin. Comme il était situé en plein quartier gouvernemental et diplomatique, le bar grouillait de journalistes à l'affût de commérages. Ce n'était pas l'endroit qu'il aurait choisi. Cependant l'occasion était trop belle.

« D'accord, acquiesça-t-il. Mais je ne veux pas qu'on me voie vous parler. J'entre après toi, j'identifie Heinrich. Ensuite, quand il sortira, je le suivrai et je l'aborderai.

— Entendu. Je t'emmène. Ma voiture est garée au coin de la rue. »

Ils se dirigèrent vers l'extrémité de la ruelle. Tout en marchant, Werner indiqua à Volodia les adresses et numéros de téléphone professionnels et privés d'Heinrich. Volodia les mémorisa.

« Nous y sommes, dit Werner. Monte. »

Werner avait une Mercedes 540 K Autobahn Kurier, une voiture d'une incroyable beauté avec des ailes aux courbes sensuelles, un avant plus long à lui tout seul qu'une Ford T, une ligne s'achevant en douce inclinaison à l'arrière. Le prix en était tellement élevé qu'elle n'avait été vendue qu'à quelques exemplaires.

Volodia en resta bouche bée.

«Est-ce bien raisonnable d'avoir une voiture aussi tape-à-l'œil? s'étonna-t-il, incrédule.

— C'est pour mieux tromper l'ennemi, expliqua Werner. Personne n'irait imaginer qu'un véritable espion puisse être aussi m'as-tu-vu.»

Volodia s'apprêtait à lui demander comment il pouvait se permettre un tel luxe quand il se souvint que le père de Werner était un riche industriel.

«Je ne monte pas là-dedans, déclara Volodia. Je vais prendre le métro.

— Comme tu voudras.

— Je te retrouve à l'Adlon, mais tu fais comme si tu ne me connaissais pas.

— Parfait.»

Une demi-heure plus tard, Volodia vit la voiture de Werner négligemment stationnée devant l'hôtel. Sa désinvolture lui paraissait terriblement imprudente. En même temps, cette insolence était sans doute indispensable à son courage. Peut-être Werner avait-il besoin d'une dose d'insouciance pour braver les risques considérables qu'il prenait en espionnant les nazis. S'il mesurait toute l'étendue du danger, il n'arriverait sans doute pas à l'affronter.

Le bar de l'Adlon était plein de femmes élégantes et d'hommes bien mis, certains sanglés dans des uniformes parfaitement coupés. Volodia repéra très vite Werner, attablé avec un autre jeune homme qui devait être Heinrich von Kessel. En passant près d'eux, Volodia entendit Heinrich affirmer avec conviction : «Buck Clayton est bien meilleur trompettiste que Hot Lips Page.»

Il se faufila jusqu'au comptoir, commanda une bière et observa discrètement sa recrue potentielle.

Heinrich avait le teint pâle et d'épais cheveux noirs, plutôt longs pour un militaire. Même s'il ne parlait que de jazz, un sujet sans grande importance, il s'exprimait avec ardeur, en faisant de grands gestes et en se passant continuellement la main dans les cheveux. Un livre dépassait de la poche de sa veste d'uniforme. Volodia était prêt à parier qu'il s'agissait d'un recueil de poésie.

Volodia but deux bières en faisant mine de lire le *Morgenpost* in extenso. Il essayait de ne pas trop s'emballer. Heinrich lui semblait extraordinairement prometteur, mais rien ne garantissait qu'il accepterait de coopérer.

Le recrutement d'informateurs représentait la partie la plus délicate du travail de Volodia. Il n'était pas facile de prendre des précautions tant que la cible n'avait pas encore choisi son camp. Il fallait souvent faire son offre dans des endroits inappropriés, des lieux publics dans la plupart des cas. On ne savait jamais comment réagirait le candidat : il pouvait aussi bien se mettre en colère et protester en criant que prendre peur et s'enfuir sans demander son reste. Le recruteur n'avait aucun moyen de contrôler la situation. Et il était bien obligé, à un moment ou à un autre, de poser ouvertement la question : « Voulez-vous devenir un espion ? »

Il se demandait comment aborder Heinrich. La religion constituait probablement un élément clé de sa personnalité. Volodia se rappelait que son supérieur, Lemitov, disait : « Les catholiques qui ont abandonné la religion font d'excellents agents. Ils rejettent l'autorité absolue de l'Église pour se soumettre à l'autorité absolue du parti. » Peut-être Heinrich aurait-il besoin de se faire pardonner son reniement. Irait-il pour autant jusqu'à risquer sa vie ?

Werner paya enfin l'addition et les deux hommes s'en allèrent. Volodia les suivit. Ils se séparèrent devant l'hôtel, Werner démarra dans un grand crissement de pneus tandis que Heinrich s'éloignait à pied dans le parc. Volodia lui emboîta le pas.

La nuit tombait mais le ciel était clair. Il voyait encore bien. Il y avait de nombreux promeneurs, surtout des couples qui profitaient de la douceur du soir. Volodia regarda plusieurs fois derrière lui pour s'assurer que personne ne les avait suivis, Heinrich ou lui, depuis l'hôtel. Une fois rassuré, il respira profondément, prit son courage à deux mains et rattrapa Heinrich.

Quand il fut à sa hauteur, il murmura : « Tout péché mérite miséricorde. »

Heinrich le considéra d'un air effaré, comme s'il avait affaire à un fou. « Vous êtes prêtre ?

311

— Vous pouvez vous venger du régime néfaste que vous avez contribué à mettre en place. »

Heinrich continua à marcher, mais il avait l'air inquiet.

« Qui êtes-vous ? Que savez-vous de moi ? »

Volodia continua d'ignorer ses questions.

« Les nazis seront vaincus un jour. Ce jour sera peut-être plus proche grâce à vous.

— Si vous êtes un agent de la Gestapo et si vous cherchez à me piéger, c'est peine perdue. Je suis un Allemand loyal.

— Vous n'avez pas remarqué mon accent ?

— Si... on dirait un accent russe.

— Vous connaissez beaucoup d'agents de la Gestapo qui parlent avec l'accent russe ? Ou qui auraient l'idée de l'imiter ? »

Heinrich rit nerveusement.

« J'ignore tout des agents de la Gestapo. Je n'aurais même pas dû évoquer le sujet. C'est très imprudent de ma part.

— Votre bureau établit des rapports sur les quantités d'armes et de matériel commandés par l'armée. Des copies de ces documents pourraient être extrêmement utiles aux ennemis des nazis.

— À l'armée Rouge, vous voulez dire ?

— Qui d'autre est en mesure d'abattre ce régime ?

— Toutes les copies de ces rapports sont soigneusement répertoriées. »

Volodia réprima une exclamation de triomphe. Heinrich pensait déjà aux difficultés pratiques. Il était donc prêt à donner son accord sur le principe. « Faites un carbone de plus, suggéra-t-il. Ou recopiez-les à la main. Vous pouvez aussi prendre le double de quelqu'un d'autre. Les possibilités ne manquent pas.

— Oui, bien sûr. Et elles peuvent toutes me coûter la vie.

— Si nous ne faisons rien pour lutter contre les crimes perpétrés par ce régime... la vie vaut-elle la peine d'être vécue ? »

Heinrich s'arrêta et regarda fixement Volodia. Celui-ci se demanda ce qu'il avait en tête. Obéissant à son intuition, il attendit sans rien dire. Au bout d'un long moment, Heinrich soupira et déclara : « Je vais y réfléchir. »

Je le tiens, jubila intérieurement Volodia.

« Comment puis-je vous contacter ? demanda Heinrich.

— C'est moi qui prendrai contact. »

Il effleura son chapeau et fit demi-tour.

Il exultait. Si Heinrich n'avait pas l'intention d'accepter sa proposition, il l'aurait repoussée avec fermeté. Sa promesse d'y réfléchir valait presque une approbation. Il prendrait son temps. Il calculerait les risques. Mais il finirait par le faire. Volodia en était presque certain.

Toutefois il ne fallait pas se précipiter. Il pouvait se passer tant de choses !

Malgré tout, il était plein d'espoir quand il sortit du parc et retrouva les lumières éclatantes et la succession de boutiques et de restaurants d'Unter den Linden. Il n'avait pas dîné. Mais il n'avait pas les moyens de se restaurer dans cette rue.

Il prit un tramway qui le déposa dans un quartier modeste appelé Friedrichshain et gagna un petit appartement dans un immeuble d'habitations. Une jolie blonde menue de dix-huit ans vint lui ouvrir. Elle portait un pull rose et un pantalon noir. Elle était pieds nus. Bien que très mince, elle avait une poitrine délicieusement généreuse.

« Je suis désolé de débarquer sans prévenir, s'excusa Volodia. Je te dérange ?

— Pas du tout, répondit-elle en souriant. Entre. »

Elle referma la porte derrière lui et se jeta à son cou.

« Je suis toujours ravie de te voir », dit-elle avant de l'embrasser avec effusion.

Lili Markgraf avait beaucoup d'affection à prodiguer. Volodia sortait avec elle à peu près une fois par semaine depuis son retour à Berlin. Il n'était pas amoureux d'elle et savait qu'elle fréquentait d'autres hommes, parmi lesquels Werner, mais quand ils étaient ensemble, elle se montrait toujours passionnée.

Au bout d'un moment, elle lui dit : « Tu connais la nouvelle ? C'est pour ça que tu es là ?

— Quelle nouvelle ? »

Secrétaire dans une agence de presse, Lili était toujours la première informée de tout.

« L'Union soviétique a conclu un pacte avec l'Allemagne ! »

C'était absurde. « Tu veux dire avec l'Angleterre et la France contre l'Allemagne ?

— Mais non, pas du tout ! C'est la grande surprise. Staline et Hitler se sont alliés.

— Mais... » Volodia resta sans voix. Il était déconcerté. Staline allié d'Hitler ? C'était ahurissant. Était-ce la solution imaginée par Molotov, le nouveau ministre des Affaires étrangères soviétique ? N'ayant pas réussi à endiguer la marée du fascisme mondial, l'Union soviétique baissait les bras ?

Mon père a-t-il fait la révolution pour en arriver là ?

3.

Woody Dewar ne revit Joanne Rouzrokh que quatre ans plus tard.

Aucun de ceux qui connaissaient son père ne croyait qu'il avait essayé de violer une starlette au Ritz-Carlton. La fille avait retiré sa plainte, mais la nouvelle n'ayant rien de sensationnel, les journaux n'en avaient pas fait grand cas. Dave restait donc un violeur aux yeux de la population de Buffalo. De ce fait, les parents de Joanne avaient préféré déménager à Palm Beach et Woody l'avait perdue de vue.

Ils se retrouvèrent à la Maison Blanche.

Woody était en compagnie de son père, le sénateur Gus Dewar. Ils devaient avoir une entrevue avec le Président. Woody avait déjà rencontré Franklin D. Roosevelt plusieurs fois. Le Président et son père étaient amis de longue date. Mais Woody n'avait fait que le croiser à l'occasion d'événements officiels : FDR lui avait serré la main en lui demandant des nouvelles de ses études. Ce jour-là pour la première fois, Woody allait assister à une vraie réunion politique en sa présence.

Ils entrèrent par la grande porte de l'aile ouest, traversèrent le hall et pénétrèrent dans une vaste salle d'attente. Elle était là.

Woody la contempla avec ravissement. Elle n'avait pas changé. Avec son visage étroit et orgueilleux et son nez aquilin, on aurait dit la grande prêtresse d'une religion antique. Elle portait comme toujours une tenue d'une sobriété spectaculaire : ce jour-là, elle était vêtue d'un tailleur bleu foncé en tissu léger et d'un chapeau de paille à large bord de la même couleur. Woody se réjouit d'avoir mis une chemise blanche immaculée et une cravate à rayures toute neuve.

Elle eut l'air contente de le voir. «Tu as l'air en pleine forme ! s'exclama-t-elle. Tu travailles à Washington ?

— Je donne un coup de main au bureau de mon père pendant l'été. Je suis encore à Harvard. »

Elle se tourna vers Gus et le salua respectueusement : « Bonjour, monsieur le sénateur.

— Bonjour, Joanne. »

Quelle chance de l'avoir retrouvée ! songea Woody. Elle était plus séduisante que jamais. Il aurait voulu que leur conversation se prolonge éternellement. « Qu'est-ce que tu fais ici ? lui demanda-t-il.

— Je travaille au Département d'État. »

Woody hocha la tête. Cela expliquait la déférence qu'elle témoignait à son père. Elle appartenait désormais à un monde où l'on faisait des courbettes devant le sénateur Dewar. « Qu'est-ce que tu y fais ?

— Je suis l'assistante d'un assistant. Mon patron est avec le Président en ce moment. Moi, j'ai un rang trop subalterne pour l'accompagner.

— Tu t'es toujours intéressée à la politique. Je me souviens d'une discussion à propos du lynchage.

— Buffalo me manque. Ce qu'on a pu s'amuser ! »

Se rappelant le baiser qu'ils avaient échangé au bal du Racquet-Club, Woody rougit jusqu'à la racine des cheveux.

« Transmettez mes amitiés à votre père », intervint Gus, mettant ainsi fin à leur conversation.

Woody mourait d'envie de lui demander son numéro de téléphone, mais elle le devança. « J'aimerais beaucoup te revoir, Woody », dit-elle.

Rien ne pouvait lui faire plus de plaisir. « Avec joie !

— Tu es libre ce soir ? J'ai invité quelques amis à prendre un verre.

— Merveilleux ! »

Elle lui indiqua l'adresse d'un immeuble voisin avant que Mr. Dewar n'entraîne son fils à l'autre bout de la pièce.

L'agent de sécurité fit un signe de tête à Gus et ils passèrent dans une autre salle d'attente.

« Maintenant, Woody, dit Gus, pas un mot tant que le Président ne t'adresse pas la parole. »

Woody essaya de se concentrer sur l'entrevue imminente. Un séisme politique avait ébranlé l'Europe : à la surprise générale, l'Union soviétique avait signé un traité de non-agression avec l'Allemagne nazie. Le père de Woody était un membre influent de la commission des Affaires étrangères du Sénat et le Président voulait connaître son avis.

Gus Dewar souhaitait également aborder un autre sujet. Il voulait convaincre le président de redonner vie à la Société des nations.

La tâche s'annonçait difficile. Les États-Unis n'avaient jamais adhéré à la SDN et les Américains ne la portaient pas dans leur cœur. Elle avait fait la preuve de son impuissance dans les années 1930, se montrant incapable de régler un certain nombre de crises : l'offensive du Japon en Extrême-Orient, l'impérialisme italien en Afrique, la montée du nazisme en Europe, l'anéantissement de la démocratie en Espagne. Pourtant, Gus n'avait pas renoncé. Woody savait que c'était son rêve : un conseil international qui puisse résoudre les conflits et empêcher la guerre.

Woody le soutenait à cent pour cent. Il avait même prononcé un discours sur ce thème à Harvard. Quand deux pays avaient un différend, la pire des solutions était de s'étriper. Cela lui paraissait évident. «Je comprends pourquoi cela arrive, avait-il déclaré au cours du débat. Exactement comme je comprends que des hommes qui ont trop bu puissent en venir aux mains. Cela n'en reste pas moins absurde.»

Pour le moment, cependant, Woody avait du mal à penser à la menace de guerre en Europe. Ses sentiments pour Joanne le submergeaient, intacts. Il se demandait si elle l'embrasserait encore. Ce soir, peut-être. Elle avait toujours eu de la sympathie pour lui, et apparemment, c'était encore le cas. Pourquoi l'aurait-elle invité sinon ? Avant, en 1935, elle avait refusé de sortir avec lui parce qu'il avait quinze ans et elle dix-huit. C'était compréhensible, même s'il n'était pas de cet avis à l'époque. Maintenant qu'ils avaient quatre ans de plus, la différence d'âge n'était sans doute plus aussi importante. Enfin, c'était à espérer. Il était sorti avec d'autres filles à Buffalo et à Harvard, mais n'avait jamais éprouvé pour aucune d'elles la passion dévorante que lui inspirait Joanne.

«C'est bien compris ?» demandait son père.

Woody se reprit. Son père s'apprêtait à présenter au Président une proposition susceptible d'apporter la paix dans le monde et lui n'avait qu'une idée en tête : embrasser Joanne.

«Oui, acquiesça-t-il. Je ne dirai rien tant qu'il ne s'adressera pas à moi.»

Une grande femme mince d'une quarantaine d'années, à l'air détendue et sûre d'elle, entra dans la pièce comme en pays conquis. Woody reconnut Marguerite LeHand, surnommée Missy, qui était responsable du bureau de Roosevelt. Elle avait un visage allongé, un peu masculin, avec un grand nez, et quelques fils argentés dans ses cheveux bruns. Elle adressa un sourire chaleureux à Gus.

«Quel plaisir de vous revoir, monsieur le sénateur.

— Comment allez-vous, Missy? Vous vous souvenez de mon fils, Woodrow?

— Bien sûr. Le Président est prêt à vous recevoir.»

La dévotion de Missy à Roosevelt était bien connue. Selon la rumeur, FDR lui vouait une tendresse excessive pour un homme marié. D'après les allusions voilées mais révélatrices qu'il avait surprises entre ses parents, Woody savait que la paralysie de Roosevelt n'affectait pas ses fonctions sexuelles. Sa femme Eleonor faisait chambre à part depuis plus de vingt ans, depuis la naissance de leur sixième enfant. Le Président avait sans doute le droit d'avoir une secrétaire affectueuse.

Elle leur fit franchir une nouvelle porte, traverser un étroit couloir et ils se retrouvèrent dans le Bureau ovale.

Le Président était assis à son bureau, tournant le dos aux trois grandes fenêtres formant une baie arrondie. Les volets étaient tirés pour filtrer le soleil d'août qui donnait en plein sur la façade exposée au sud. Roosevelt avait abandonné sa chaise roulante pour s'installer dans un fauteuil ordinaire. Il était vêtu d'un costume blanc et tenait un fume-cigarette entre ses doigts.

Il n'était pas franchement beau. Il avait une calvitie naissante, un menton proéminent et un pince-nez qui semblait lui rapprocher les yeux. Pourtant, il exerçait une séduction immédiate avec son sourire engageant, sa main tendue et le ton aimable avec lequel il dit alors : « Content de vous voir, Gus, entrez donc.

— Monsieur le Président, vous vous souvenez de mon fils aîné, Woodrow?

— Bien sûr. Comment ça va à Harvard, Woody?

— Très bien, merci. Je fais partie du groupe de débats.»

Il savait que les hommes politiques tenaient souvent à donner l'impression de connaître tout le monde intimement. Soit ils étaient doués d'une mémoire exceptionnelle, soit ils avaient des secrétaires très efficaces.

«J'ai moi-même fait mes études à Harvard. Asseyez-vous, asseyez-vous. »

Retirant sa cigarette du fume-cigarette, il l'écrasa dans un cendrier déjà plein.

«Alors Gus, que se passe-t-il en Europe ? »

Le Président n'en ignorait évidemment rien, se dit Woody. Tout le Département d'État était chargé de l'en informer. Mais il voulait connaître l'analyse de Gus Dewar.

«L'Allemagne et la Russie restent des ennemies mortelles, selon moi, déclara Gus.

— C'est ce que tout le monde pense. Mais alors, pourquoi ont-elles signé ce pacte ?

— Dans leur intérêt à court terme, à l'une et à l'autre. Staline a besoin de gagner du temps. Il veut renforcer l'armée Rouge pour pouvoir battre les Allemands si la situation l'exige.

— Et notre autre énergumène ?

— De toute évidence, Hitler prépare quelque chose en Pologne. La presse allemande est pleine d'anecdotes sans queue ni tête sur les mauvais traitements que les Polonais font subir à leur population germanophone. Si Hitler attise la haine, c'est qu'il a une idée derrière la tête. Quelles que soient ses intentions, il ne veut pas que les Soviétiques lui mettent des bâtons dans les roues. D'où le pacte.

— C'est à peu de choses près ce que dit Hull. – Cordell Hull était le secrétaire d'État. – Mais il ne sait pas ce qui va se passer ensuite. Staline laissera-t-il Hitler agir à sa guise ?

— À mon avis, ils se partageront la Pologne dans les semaines à venir.

— Et ensuite ?

— Il y a quelques heures, les Anglais ont signé un traité avec les Polonais leur promettant de venir à leur secours en cas d'agression.

— Que pourront-ils faire ?

— Rien, monsieur le Président. L'armée britannique, qu'il s'agisse de l'armée de terre, de l'air ou de la marine n'a aucun moyen d'empêcher les Allemands d'envahir la Pologne.

— Que devons-nous faire, d'après vous, Gus ? »

Woody se dit que son père allait tenter sa chance. Il disposait de toute l'attention du Président pour quelques minutes. C'était l'occasion ou jamais de faire avancer les choses. Il croisa discrètement les doigts.

Gus se pencha en avant. « Nous ne voulons pas que nos fils fassent la guerre comme nous avons été obligés de la faire. »

Roosevelt avait quatre garçons proches de la vingtaine et de la trentaine. Woody comprit soudain la raison de sa présence dans ce bureau : il assistait à la réunion pour rappeler au Président l'existence de ses propres fils. « Nous ne pouvons pas envoyer une nouvelle fois de jeunes Américains se faire massacrer en Europe, dit Gus d'une voix calme. Il faut que le monde soit doté d'une police.

— À quoi songez-vous exactement ? demanda le Président d'un ton neutre.

— La Société des nations n'a pas été aussi inefficace qu'on veut bien le dire. Dans les années 1920, elle a réglé un conflit frontalier entre la Finlande et la Suède, un autre entre la Turquie et l'Irak », expliqua Gus, comptant les pays sur ses doigts. Elle a empêché la Grèce et la Yougoslavie d'envahir l'Albanie et convaincu les Grecs de se retirer de Bulgarie. Elle a également envoyé un contingent pour maintenir la paix entre la Colombie et le Pérou.

— C'est vrai. Mais dans les années 1930...

— La SDN n'a pas été assez puissante pour contrer l'offensive fasciste. Cela n'a rien d'étonnant. Le Congrès a refusé de ratifier le traité constitutif et de ce fait, les États-Unis n'en ont jamais été membres. Il nous faut une version revue de cet organisme, dirigée par les États-Unis et qui ait de la poigne. » Gus s'interrompit un instant avant de reprendre. « Monsieur le Président, il est trop tôt pour renoncer à la paix dans le monde. »

Woody retint son souffle. Roosevelt hocha la tête, un geste habituel chez lui. Il était rare qu'il exprime son désaccord ouvertement. Il détestait les conflits. Woody avait entendu son père dire qu'il fallait se garder de prendre son silence pour un assentiment. Assis à côté de Gus, Woody n'osait pas le regarder, mais il le sentait tendu.

« Je crois que vous avez raison », dit enfin le Président

Woody se retint de manifester sa joie. Le Président avait accepté ! Il se tourna vers son père. Gus, généralement imperturbable, avait du mal à dissimuler sa surprise. La victoire avait été si rapide !

Gus s'empressa de la consolider. « Dans ce cas, peut-être

serait-il bon que nous rédigions, Cordell Hull et moi, une proposition à vous soumettre?

— Hull a du pain sur la planche. Adressez-vous à Welles. »

Sumner Welles, le sous-secrétaire d'État, était un homme à la fois ambitieux et hâbleur. Woody se doutait que Gus aurait préféré quelqu'un d'autre. En même temps, c'était un ami de longue date de la famille Roosevelt – il avait été garçon d'honneur au mariage de FDR.

De toute façon, à ce stade, Gus n'allait certainement pas faire de difficultés. «Entendu.

— Autre chose?»

Le congé était clair et Gus se leva, imité par Woody.

«Avez-vous de bonnes nouvelles de madame votre mère, demanda encore Gus. J'ai entendu dire dernièrement qu'elle était en France.

— Son bateau a appareillé hier, Dieu merci.

— Je suis heureux de l'apprendre.

— Merci d'être venu, dit Roosevelt. Votre amitié m'est vraiment précieuse, Gus.

— Rien ne pouvait me faire plus plaisir, monsieur le Président», répondit Gus.

Il serra la main du Président et Woody en fit autant.

Ils sortirent.

Woody espérait vaguement que Joanne serait encore là, mais elle avait disparu.

Alors qu'ils quittaient la Maison Blanche, Gus proposa : «Allons boire un verre pour fêter ça. »

Woody regarda sa montre. Il était cinq heures. «Volontiers. »

Ils se rendirent à l'Old Ebbitt's, dans F Street, près de la 15e Rue : vitres teintées, velours vert, lampes de cuivre et trophées de chasse. L'endroit était bondé : députés, sénateurs et la faune qui gravitait habituellement autour d'eux – assistants, lobbyistes et journalistes. Gus commanda un martini sec avec un zeste de citron pour lui-même et une bière pour Woody. Celui-ci sourit : il aurait peut-être aimé prendre un martini, lui aussi. En fait, non; il trouvait que cela avait un goût de gin froid. Mais il aurait apprécié que son père le lui propose. Levant son verre, il déclara : «Félicitations. Tu as obtenu ce que tu voulais.

— Ce dont le monde a besoin.

— Tu as brillamment défendu ta cause.

— Il n'en fallait pas beaucoup pour convaincre Roosevelt. C'est un libéral, mais il est pragmatique. Il sait qu'on ne peut pas tout faire, qu'il faut choisir les batailles que l'on peut gagner. Le New Deal est sa priorité absolue : remettre les chômeurs au travail. Il ne fera rien qui puisse entraver sa mission principale. Si mon projet suscite trop d'opposition parmi ses partisans, il l'abandonnera.

— Nous n'avons donc pas encore gagné.

— Nous avons fait un premier pas, ce qui n'est pas rien, répondit Gus en souriant. Mais tu as raison, nous n'avons pas encore gagné.

— Dommage qu'il t'ait imposé Welles.

— Ce n'est pas si grave. Sumner donne du poids au projet. Il est plus proche que moi du Président. Mais il est imprévisible. Il est capable de s'emparer de ce projet et de le conduire dans une tout autre direction. »

En parcourant la salle, Woody aperçut un visage familier.

« Devine qui est là. J'aurais dû m'en douter. »

Son père suivit son regard. « Debout au bar, précisa Woody. Avec deux types plus âgés en chapeau et une blonde. C'est Greg Pechkov. »

Greg avait comme toujours l'air débraillé malgré ses vêtements de luxe : sa cravate de soie était de travers, sa chemise sortait de son pantalon crème qui portait une trace de cendres de cigarette. Cela n'empêchait pas la blonde de le couver des yeux avec adoration.

« En effet, acquiesça Gus. Tu le vois beaucoup à Harvard ?

— Il est en physique, mais ne fréquente pas beaucoup les scientifiques... trop sérieux pour lui, je suppose. Il m'arrive de le croiser au *Crimson*. » Le *Harvard Crimson* était le journal des étudiants. Woody était son photographe attitré et Greg écrivait des articles. « Il fait un stage au Département d'État cet été. C'est pour ça qu'il est là.

— Au service de presse, sans doute, commenta Gus. Les deux types qui sont avec lui sont des journalistes, celui qui porte un costume marron travaille à la *Tribune* de Chicago, celui qui fume la pipe au *Plain Dealer* de Cleveland. »

Greg bavardait avec les journalistes comme avec de vieux amis, prenant le bras de l'un en se penchant pour lui parler à voix basse, tapant dans le dos de l'autre comme pour le féliciter. Ils ont l'air de l'apprécier, se dit Woody en les voyant rire aux éclats à l'une de ses plaisanteries. Woody enviait ce talent, si utile en politique... Mais peut-être n'était-il pas essentiel tout compte fait : son père n'avait pas cette facilité à se lier avec tout le monde, ce qui ne l'empêchait pas d'être l'un des hommes d'État les plus influents d'Amérique.

— Je me demande ce que sa demi-sœur, Daisy, pense des menaces de guerre. Elle est à Londres. Elle a épousé un lord anglais.

— Pour être précis, elle a épousé le fils aîné du comte Fitzherbert, que j'ai bien connu autrefois.

— Toutes les filles de Buffalo en crèvent d'envie. Le roi a assisté à son mariage.

— J'ai aussi connu la sœur de Fitzherbert, Maud... une femme merveilleuse. Elle a épousé Walter von Ulrich, un Allemand. Je l'aurais bien épousée moi-même si Walter ne m'avait pas coupé l'herbe sous le pied.

Woody haussa les sourcils. De telles confidences ne ressemblaient pas à son père.

«C'était avant que je tombe amoureux de ta mère, naturellement.

— Naturellement, répéta Woody en réprimant un sourire.

— Je n'ai plus eu aucune nouvelle de Walter et Maud depuis qu'Hitler a interdit les sociaux-démocrates. J'espère qu'ils vont bien. S'il devait y avoir la guerre... »

Woody comprit que les souvenirs de son père avaient été ranimés par l'évocation de la guerre.

«Au moins, l'Amérique n'est pas dans le coup.

— C'est ce que nous avions déjà cru la dernière fois... Tu as des nouvelles de ton petit frère? demanda Gus en passant brusquement à un autre sujet.

— Il ne changera pas d'avis, Papa, soupira Woody. Il n'ira pas à Harvard ni dans une autre université. »

Chuck avait annoncé son intention de s'engager dans la marine dès qu'il aurait dix-huit ans, provoquant ainsi un conflit familial. Sans diplôme universitaire, il serait simple soldat, sans aucun espoir de devenir un jour officier. Cette idée consternait ses parents, ambitieux pour leurs enfants.

«Il est assez intelligent pour aller à la fac, tout de même! se désola Gus.

— Il me bat aux échecs.

— Moi aussi. Alors, où est le problème?

— Il déteste les études. Et il adore les bateaux. Il veut naviguer, c'est tout ce qui l'intéresse. »

Woody jeta un coup d'œil à sa montre.

« Tu es attendu à une soirée, lui fit remarquer son père.

— Rien ne presse.

— Bien sûr que si. C'est une jeune fille charmante. Allez, file. »

Woody sourit. Son père avait parfois des intuitions surprenantes.

« Merci, Papa. » Il se leva.

Greg Pechkov partait au même moment et ils se retrouvèrent ensemble devant la porte.

« Salut, Woody, comment ça va ? » dit aimablement Greg.

Fut un temps, Woody aurait volontiers cassé la figure à Greg pour le rôle que la rumeur lui attribuait dans le traquenard tendu à Dave Rouzrokh. Son ressentiment avait fini par s'apaiser, d'autant que le vrai responsable était Lev Pechkov et non son fils, qui n'avait alors que quinze ans. Malgré tout, il se montra à peine poli.

« J'aime bien Washington, dit-il en s'engageant dans l'une des grandes avenues au tracé parisien de la ville. Et toi ?

— Moi aussi. Les gens se remettent vite de leur première réaction de surprise en entendant mon nom. » Devant l'air interrogateur de Woody, Greg expliqua : « Le Département d'État est un repaire de Smith, de Faber, de Jensen et de McAllister. Tu n'y trouves pas un Kozinski, un Cohen ou un Papadopoulos. »

Woody dut convenir qu'il avait raison. Le gouvernement était entre les mains d'un petit groupe ethnique assez fermé. Comment ne l'avait-il jamais remarqué ? Sans doute parce qu'il en allait de même à l'école, à l'église et à Harvard.

« Ils ont pourtant une certaine largeur d'esprit, poursuivit Greg. Ils sont prêts à faire une exception pour quelqu'un qui parle russe couramment et qui est issu d'une famille riche. »

Greg s'exprimait avec désinvolture, mais ses paroles dissimulaient mal une vraie amertume. De toute évidence, il en avait gros sur le cœur.

« Ils considèrent mon père comme un gangster, continua Greg. En fait, ce n'est pas vraiment le problème. La plupart des riches ont un gangster parmi leurs ancêtres.

— À t'entendre, on pourrait croire que tu détestes Washington.

— Au contraire ! Je ne voudrais être nulle part ailleurs. C'est le centre du pouvoir. »

Woody avait le sentiment d'obéir à de plus hautes motivations. « Moi, je suis ici parce que je veux agir, je veux faire bouger les choses.

— C'est pareil..., fit Greg en souriant, une question de pouvoir.

— Mmouais. » Woody n'avait jamais envisagé les choses sous cet angle.

« Tu crois qu'il va y avoir la guerre en Europe ? reprit alors Greg.

— Tu devrais le savoir, c'est toi qui es au Département d'État !

— Oui, mais au service de presse. Tout ce que je sais, ce sont les salades qu'on raconte aux journalistes. Je ne sais rien de la réalité.

— Eh bien moi non plus. Figure-toi que je viens de voir le Président et que j'ai l'impression qu'il n'en sait pas plus que nous.

— Ma sœur Daisy est là-bas, en Europe. »

Le ton de Greg avait changé. Visiblement, il était sincèrement inquiet, et Woody fut pris d'un élan de sympathie à son égard. « Je sais.

— En cas de bombardement, personne ne sera à l'abri, pas plus les femmes et les enfants que les autres. Tu crois que les Allemands bombarderont Londres ? »

S'il voulait être franc, il n'y avait qu'une réponse possible. « Je pense que oui.

— J'aurais vraiment préféré qu'elle ne reste pas là-bas !

— Il n'y aura peut-être pas de guerre, après tout. L'année dernière, Chamberlain, le Premier ministre britannique, a passé un accord de dernière minute avec Hitler au sujet de la Tchécoslovaquie...

— Une capitulation de dernière minute, oui.

— Tu as raison. Il en fera peut-être autant pour la Pologne... quoique le temps presse. »

Greg hocha la tête sombrement et changea de sujet : « Tu vas où, comme ça ?

— Chez Joanne Rouzrokh. Elle reçoit quelques amis. »

« — Oui, je sais. Je connais une des filles qui habitent avec elle. Je ne suis pas invité, tu peux t'en douter. Son immeuble est... mon Dieu ! » Greg s'interrompit au milieu de sa phrase et se figea. Woody s'arrêta, lui aussi. Greg avait les yeux fixés droit devant lui. En suivant son regard, Woody aperçut une séduisante jeune femme noire qui se dirigeait vers eux. Elle avait à peu près leur âge et était ravissante, avec une grande bouche aux lèvres brun rose qui invitait aux baisers. Elle était vêtue d'une robe noire toute simple, peut-être une tenue de serveuse, mais elle la portait avec un chapeau charmant et des chaussures dernier cri qui lui donnaient beaucoup de chic.

Elle vit les deux hommes, croisa le regard de Greg et détourna les yeux.

« Jackie ? Jackie Jakes ? » s'écria Greg.

Elle l'ignora et continua à marcher. Woody eut cependant l'impression qu'elle était gênée.

Greg insista : « Jackie, c'est moi, Greg Pechkov. »

Jackie, si c'était bien elle, ne réagit pas, mais semblait prête à fondre en larmes.

« Jackie, enfin Mabel. Tu ne me reconnais pas ? » Greg était planté au milieu du trottoir, les bras écartés dans un geste suppliant. Elle le contourna délibérément, sans un mot, sans un regard, et poursuivit son chemin.

Greg se retourna.

« Attends ! lança-t-il. Tu m'as laissé tomber du jour au lendemain il y a quatre ans. Tu me dois une explication ! »

Ce comportement ne ressemblait pas à Greg, pensa Woody. Il avait toujours montré beaucoup d'assurance avec les filles, au lycée comme à Harvard. À présent, il paraissait complètement démuni : dérouté, blessé, désespéré presque.

« Il y a quatre ans », avait-il dit. Pouvait-il s'agir de la jeune fille impliquée dans le scandale ? Cela s'était passé à Washington. Elle devait habiter ici.

Greg lui courut après. Un taxi s'était arrêté au coin de la rue. Le passager, un homme en smoking, était sorti et payait la course. Jackie sauta dans la voiture et claqua la portière.

Greg lui cria à travers la vitre : « Parle-moi, je t'en prie ! »

« — Gardez la monnaie », fit l'homme en smoking et il s'éloigna.

Le taxi démarra, laissant Greg seul sur le trottoir, suivant des yeux la voiture qui s'éloignait.

Il finit par rejoindre lentement Woody qui l'attendait, intrigué.

«Je n'y comprends rien, murmura Greg.

— On aurait dit qu'elle avait peur.

— De quoi? Je ne lui ai jamais fait aucun mal. J'étais fou d'elle.

— En tout cas, elle avait peur de quelque chose. »

Greg parut se ressaisir. «Pardon, dit-il. Ce n'est pas ton problème. Excuse-moi.

— Je t'en prie. »

Greg désigna un immeuble à quelques pas. «C'est là qu'habite Joanne. Amuse-toi bien. » Et il s'en alla.

Woody se dirigea vers l'immeuble, vaguement déconcerté. Mais il oublia vite la vie amoureuse de Greg pour se concentrer sur la sienne. Joanne avait-elle vraiment de l'affection pour lui? Même si elle ne l'embrassait pas ce soir, il pourrait peut-être lui proposer un rendez-vous.

L'immeuble était assez modeste, sans portier ni concierge. La liste affichée dans l'entrée signalait que Rouzrokh partageait un appartement avec Stewart et Fisher, deux autres filles sans doute. En montant dans l'ascenseur, Woody se rendit compte qu'il arrivait les mains vides. Il aurait dû apporter des fleurs ou des chocolats. Il envisagea de redescendre acheter quelque chose puis se dit qu'il ne fallait pas non plus tomber dans l'excès de savoir-vivre. Il sonna.

Une jeune fille d'une petite vingtaine d'années lui ouvrit.

— Bonjour, je suis..., commença Woody.

— Entre, dit-elle sans attendre les présentations. Les boissons sont dans la cuisine et il y a de quoi manger sur la table du salon, s'il reste quelque chose.» Jugeant cet accueil suffisant, elle repartit. L'appartement était petit et plein à craquer de gens qui buvaient, fumaient et s'interpellaient en criant pour couvrir la musique du phono. Joanne avait parlé de «quelques amis» et Woody avait imaginé qu'il y aurait huit ou dix personnes en train de discuter de la crise en Europe autour d'une table basse. Il était déçu. Au milieu de toute cette foule qui faisait la fête, il n'aurait pas l'occasion de montrer à Joanne à quel point il était devenu adulte.

Mais où était-elle? Il était plus grand que la moyenne, ce qui lui permettait de voir par-dessus les têtes, et pourtant, il ne l'apercevait nulle part. Il se mit à sa recherche en jouant des coudes. Une fille à la poitrine généreuse et aux jolis yeux noisette l'intercepta au passage. «Salut, le grand. Je suis Diana Taverner. Comment tu t'appelles?

— Je cherche Joanne», répondit-il.

Elle haussa les épaules. «Eh bien, bonne chance.» Elle se détourna.

Il finit par arriver dans la cuisine, où le niveau sonore était un peu plus supportable. Joanne n'y était pas. Il décida d'en profiter pour se servir un verre. Un trentenaire aux larges épaules secouait un shaker. Bien habillé, costume sombre, chemise bleu pâle et cravate bleu foncé, ce n'était manifestement pas un serveur. Il se comportait plutôt en maître des lieux. «Le whisky est là, dit-il à un autre invité. Servez-vous. Je prépare des martinis, pour ceux que ça intéresse.

— Vous avez du bourbon? demanda Woody.

— Voilà, fit l'homme en lui tendant une bouteille. Je suis Bexforth Ross.

— Woody Dewar.»

Il dénicha un verre et se versa du bourbon.

«Il y a des glaçons dans ce seau, dit Bexforth. D'où tu viens, Woody?

— Je suis stagiaire au Sénat. Et toi?

— Je travaille au Département d'État. Je suis responsable du bureau italien.»

Il se mit à servir des martinis.

Un homme en pleine ascension, de toute évidence, songea Woody. Tellement sûr de lui que c'en était agaçant.

«Je cherche Joanne.

— Elle est quelque part par là. D'où la connais-tu?»

Woody vit l'occasion de se faire mousser. «Oh, nous sommes de vieux amis, lança-t-il d'un ton dégagé. En fait, je la connais depuis toujours. Nous avons passé notre enfance ensemble à Buffalo. Et toi?»

Bexforth but une grande gorgée de martini et poussa un soupir de satisfaction. Puis il jeta à Woody un regard inquisiteur.

«Je ne connais pas Joanne depuis aussi longtemps que toi, reconnut-il. Mais je la connais probablement mieux.

— Ah oui?

— J'ai l'intention de l'épouser.»

Woody reçut la nouvelle comme une gifle. «L'épouser?

— Oui. C'est sensationnel, non?

— Elle est au courant?» demanda Woody sans pouvoir cacher son désarroi.

Bexforth éclata de rire et tapota l'épaule de Woody avec condescendance.

«Évidemment, et elle est enchantée. Je suis l'homme le plus heureux du monde. »

Bexforth avait certainement deviné que Woody était attiré par Joanne. Il s'était conduit comme un idiot.

« Félicitations, murmura-t-il sans conviction.

— Merci. Maintenant, il faut que je bouge. J'ai été content de bavarder avec toi, Woody.

— Moi aussi. »

Bexforth s'en alla.

Woody posa son verre sans y avoir touché.

« Et merde », marmonna-t-il tout bas. Et il partit.

4.

En ce premier jour de septembre, on étouffait à Berlin. Carla von Ulrich se réveilla transpirante, mal à l'aise, dans un lit en désordre dont elle avait repoussé les draps pendant la nuit. Par la fenêtre de sa chambre, elle aperçut de gros nuages gris posés sur la ville, conservant la chaleur comme un couvercle sur une marmite.

C'était un grand jour pour elle. Il allait même décider du cours de sa vie.

Elle se campa devant la glace. Elle avait hérité de sa mère les cheveux noirs et les yeux verts des Fitzherbert. Elle était plus jolie que Maud, laquelle avait un visage anguleux, plus remarquable que franchement beau. Il y avait pourtant entre elles une différence notable. Maud séduisait tous les hommes qu'elle croisait. Carla, elle, ne savait pas se rendre aguichante. Elle observait les autres filles de son âge; elle les voyait minauder, tirer leur pull-over pour mouler leur poitrine, se passer la main dans les cheveux pour leur donner du volume, battre des cils. Elle se sentait gênée. Sa mère faisait preuve de plus de subtilité, si bien que les hommes ne se rendaient même pas compte qu'elle les enjôlait. Mais c'était au fond la même comédie.

Ce jour-là, cependant, il n'était pas question de faire du charme. Il fallait au contraire avoir l'air sage, capable et efficace. Elle mit une robe de coton gris muraille qui descendait à mi-mollet, enfila ses vilaines sandales plates de tous les jours et se fit deux tresses, la coiffure recommandée pour les jeunes filles allemandes. Le miroir lui renvoya l'image de l'étudiante parfaite : classique, terne et asexuée.

Elle fut prête bien avant le reste de la famille. Ada, la domestique, était à la cuisine. Carla l'aida à mettre le couvert du petit déjeuner.

Son frère arriva bientôt. Erik, dix-neuf ans, petite moustache noire bien taillée, soutenait les nazis, à la grande fureur des autres membres de la famille. Il était étudiant à la Charité, l'école de médecine de l'université de Berlin, avec son meilleur ami, tout aussi nazi que lui, Hermann Braun. Les von Ulrich n'avaient pas de quoi payer les frais de scolarité, mais Erik avait obtenu une bourse.

Carla avait fait une demande de bourse, elle aussi, pour être admise dans le même établissement. Elle passait un entretien ce jour-là. Si elle réussissait, elle pourrait faire ses études et devenir médecin. Sinon...

Elle ne savait absolument pas ce qu'elle ferait.

L'arrivée des nazis au pouvoir avait détruit la vie de ses parents. Son père n'était plus député au Reichstag. Il avait perdu son mandat lorsque le parti social-démocrate avait été interdit en même temps que tous les autres, à l'exception du parti nazi. Aucun emploi ne lui permettait d'exploiter son expérience de politicien et de diplomate. Il gagnait tout juste de quoi faire vivre sa famille en traduisant des articles de la presse allemande pour l'ambassade de Grande-Bretagne où il conservait encore quelques amis. Quant à sa mère, elle avait été une journaliste de gauche réputée, mais les journaux n'étaient plus autorisés à publier ses articles.

Carla trouvait cela navrant. Elle était profondément attachée à sa famille, dont Ada faisait partie. La disgrâce de son père la désolait. Il avait été tellement occupé quand elle était enfant, il exerçait un vrai pouvoir politique et ce n'était plus qu'un homme déchu. Elle souffrait encore plus de voir sa mère, célèbre suffragette en Angleterre avant la guerre, tenter de faire bonne figure et de gagner quelques marks en donnant des leçons de piano.

Mais ils prétendaient pouvoir tout supporter pourvu que leurs enfants soient assurés de mener un jour une vie heureuse et épanouie.

Carla avait toujours pensé qu'elle emploierait sa vie à bâtir un monde meilleur, comme l'avaient fait ses parents. Aurait-elle préféré suivre les traces de son père en s'engageant dans la politique ou celles de sa mère en optant pour le journalisme ? Elle n'en savait rien, mais désormais, il n'en était plus question.

Que pouvait-elle envisager de faire sous un régime qui exaltait la violence et la brutalité ? Son frère l'avait mise sur la voie. Quel que soit le gouvernement, les médecins amélioraient la vie des autres. Elle avait donc décidé de faire médecine. Elle avait travaillé plus dur que toutes les autres filles de sa classe, avait réussi tous ses examens haut la main, surtout dans les matières scientifiques. Elle était plus qualifiée que son frère pour obtenir une bourse.

« Il n'y a aucune fille dans mon année », grommela Erik. Carla se dit qu'il n'avait pas envie de la voir suivre la même voie que lui. Leurs parents étaient fiers de ses résultats, malgré ses opinions politiques exécrables. Il craignait qu'elle ne lui fasse de l'ombre.

« J'ai de meilleures notes que toi partout, répliqua Carla : en chimie, en biologie, en maths...

— D'accord, d'accord.

— En principe, les filles peuvent très bien postuler à une bourse, elles aussi... j'ai vérifié. »

Leur mère entra à la fin de cet échange, vêtue d'un peignoir gris en soie moirée dont le cordon s'enroulait deux fois autour de sa taille fine. « Ils devraient appliquer les règles qu'ils ont eux-mêmes fixées, remarqua-t-elle. On est en Allemagne quand même ! » Mutter disait aimer son pays d'adoption. C'était peut-être vrai. Mais depuis que les nazis étaient au pouvoir, il lui arrivait souvent de lancer quelques remarques ironiques d'un air désabusé.

Carla trempa sa tartine dans son café au lait. « Mutti, comment est-ce que tu réagirais si l'Angleterre attaquait l'Allemagne ?

— Je serais affreusement triste, comme la dernière fois. Tu n'es pas sans savoir que j'ai épousé ton père à la veille de la Grande Guerre et que pendant quatre ans, j'ai vécu tous les jours dans la terreur qu'il se fasse tuer. »

Erik demanda d'un ton provocant : « Quel camp choisirais-tu ?

— Je suis allemande. Je me suis mariée pour le meilleur et pour le pire. Évidemment, jamais nous n'aurions imaginé qu'il pourrait exister un jour un régime aussi abject et aussi tyrannique que le régime nazi. Personne ne pouvait le prévoir. » Erik protesta tout bas, mais elle l'ignora. « Quand on s'engage, c'est pour toujours, et d'ailleurs, j'aime votre père.

— Nous ne sommes pas encore en guerre, rappela Carla.

— Pas tout à fait, approuva sa mère. Si les Polonais ont un tant soit peu de jugeote, ils céderont et donneront à Hitler ce qu'il demande.

— Ils feraient bien, confirma Erik. L'Allemagne est forte aujourd'hui. Nous pouvons prendre ce que nous voulons, que ça leur plaise ou non. »

Mutter leva les yeux au ciel. « Que Dieu ait pitié de nous. »

On entendit un avertisseur sonore dans la rue. Carla sourit. Une minute plus tard, son amie Frieda Franck entrait dans la cuisine. Elle devait accompagner Carla à son entretien pour la soutenir moralement. Elle était habillée, elle aussi, en jeune étudiante modèle, alors que, contrairement à Carla, elle avait une garde-robe remplie de tenues élégantes.

Son frère aîné surgit derrière elle. Carla trouvait Werner Franck épatant. Contrairement à tant de garçons séduisants, il était gentil, attentionné et drôle. Il avait été pendant un temps très à gauche, mais avait mis de l'eau dans son vin et prétendait ne plus avoir d'opinions politiques. Il avait eu d'innombrables petites amies, plus ravissantes les unes que les autres. Si Carla avait su flirter, elle aurait commencé par lui.

« Je t'aurais volontiers proposé du café, Werner, dit Mutter, mais nous n'avons que de l'ersatz et je sais que vous en avez du vrai chez vous.

— Voulez-vous que j'en fauche un peu pour vous dans notre cuisine, Frau von Ulrich ? proposa-t-il. Il me semble que vous le méritez bien. »

Sa mère rougit légèrement et Carla se rendit compte, non sans contrariété, qu'à quarante-huit ans, elle n'était pas insensible au charme de Werner.

Celui-ci consulta sa montre en or. « Il faut que j'y aille, annonça-t-il. C'est la frénésie au ministère de l'Air ces jours-ci.

— Merci de m'avoir déposée, lui dit Frieda.

« — Attends, coupa Carla, en s'adressant à Frieda. Si tu es venue en voiture avec Werner, où est ta bicyclette ?

— Dehors. On l'a attachée à l'arrière de la voiture. »

Les deux filles étaient membres du club cycliste Mercury et ne se déplaçaient qu'à vélo.

« Bonne chance pour ton entretien, Carla, lança Werner. Au revoir tout le monde. »

Carla termina sa tartine. Son père descendit au moment où elle allait partir. Il n'était pas rasé et n'avait pas mis de cravate. Quand Carla était petite, il était plutôt bien en chair, mais il avait beaucoup maigri. Il embrassa affectueusement sa fille.

« Nous n'avons pas écouté les nouvelles ! » s'écria Maud et elle alluma le poste de radio posé sur l'étagère.

Carla et Frieda s'en allèrent pendant que l'appareil à lampe chauffait, si bien qu'elles n'entendirent pas les informations.

L'hôpital universitaire se trouvait dans le quartier du Mitte, au centre de Berlin, comme la maison des von Ulrich. Le trajet à bicyclette fut donc de courte durée pour Frieda et Carla. Carla commençait à avoir le trac. Les émanations des pots d'échappement lui donnaient la nausée et elle regretta d'avoir pris un petit déjeuner. Elles arrivèrent à l'hôpital, un bâtiment neuf datant des années 1920, et rejoignirent le professeur Bayer, chargé d'émettre un avis sur les candidats à une bourse. Une secrétaire hautaine leur fit remarquer qu'elles étaient en avance et les pria d'attendre.

Carla songea qu'elle aurait dû mettre un chapeau et des gants. Elle aurait paru plus âgée et cela lui aurait donné un air d'autorité susceptible d'inspirer confiance aux malades. La secrétaire aurait sans doute été plus polie envers une jeune fille coiffée d'un chapeau.

L'attente fut longue, mais Carla la trouva presque trop courte quand la secrétaire lui annonça que le professeur allait la recevoir.

« Bonne chance ! » murmura Frieda.

Carla entra.

Bayer était un homme sec d'une quarantaine d'années, au visage barré d'une petite moustache grise. Assis derrière un bureau, il portait une veste en lin beige foncé sur un gilet de costume gris. Sur une photographie affichée au mur, on le voyait serrer la main d'Hitler.

Sans saluer Carla, il aboya : « Qu'est-ce qu'un nombre imaginaire ? »

Elle fut un peu interloquée par sa brusquerie, mais au moins, c'était une question facile. « La racine carrée d'un nombre réel négatif, par exemple la racine carrée de moins un, répondit-elle d'une voix tremblante. On ne peut lui attribuer de valeur numérique réelle, mais on peut néanmoins l'utiliser dans des calculs. »

Il parut surpris. Il s'attendait sans doute à la laminer d'emblée.

« Exact », admit-il après une brève hésitation.

Elle regarda autour d'elle. Il n'y avait pas de chaise. Était-elle censée rester debout pendant toute l'interrogation ?

Il lui posa quelques questions de chimie et de biologie, auxquelles elle répondit sans difficulté. Elle commençait à retrouver un peu d'assurance, quand il demanda :

« Est-ce que vous vous évanouissez à la vue du sang ?

— Non, monsieur.

— Ah ! s'écria-t-il d'un air triomphant. Et comment le savez-vous ?

— J'ai aidé une femme à accoucher quand j'avais onze ans. Il y avait beaucoup de sang.

— Vous auriez dû faire venir un médecin !

— C'est ce que j'ai fait. Mais les bébés n'attendent pas toujours l'arrivée du médecin.

— Mmm. Attendez ici », fit Bayer en se levant.

Il sortit. Carla ne bougea pas. Elle venait de subir un examen ardu, mais jusqu'à présent, elle trouvait qu'elle s'en était bien sortie. Heureusement, elle avait l'habitude des échanges verbaux avec des personnes de tous âges : chez les von Ulrich, les discussions animées faisaient partie de la vie courante. C'était un art qu'elle pratiquait depuis toujours avec ses parents et son frère.

L'absence de Bayer s'éternisait. Que faisait-il ? Était-il allé chercher un confrère pour lui présenter cette candidate exceptionnellement brillante ? Il ne fallait peut-être pas trop en demander !

Elle avait bien envie de prendre un livre dans sa bibliothèque pour lire en attendant, mais craignit de l'offenser. Elle demeura donc immobile sans rien faire.

Il revint au bout de dix minutes avec un paquet de cigarettes. Il ne l'avait tout de même pas laissée lanterner tout ce temps pour aller au bureau de tabac! Cela faisait-il partie de l'épreuve? Elle sentit la colère monter en elle.

Il alluma une cigarette en prenant son temps, comme s'il rassemblait ses idées. Rejetant la fumée, il demanda : «En tant que femme, comment vous comporteriez-vous devant un patient atteint d'une infection du pénis?»

La question était embarrassante. Elle se sentit rougir. Elle n'avait jamais abordé ce genre de sujet avec un homme. Mais elle devait évidemment être capable d'en parler sans frémir si elle voulait devenir médecin.

«De la même manière que vous, un homme, face à une infection vaginale», répondit-elle. Il eut l'air scandalisé et elle craignit de s'être montrée insolente. Elle reprit bien vite : «J'examinerais soigneusement la région contaminée, j'essaierais d'identifier la nature de l'infection et je la traiterais probablement aux sulfamides, bien que je doive reconnaître que nous n'avons pas étudié cette question en cours de biologie à mon école.»

Il la regarda d'un air sceptique : «Avez-vous déjà vu un homme nu?

— Oui.

— Mais vous n'êtes pas mariée! lança-t-il, manifestement offusqué.

— À la fin de sa vie, mon grand-père était grabataire et incontinent. J'aidais ma mère à faire sa toilette. Elle ne pouvait pas y arriver seule, il était trop lourd, expliqua-t-elle en esquissant un sourire. Les femmes font cela tout le temps, professeur, pour les tout-petits et les très âgés, les malades et les impotents. Nous y sommes habituées. Ce sont les hommes qui trouvent ces tâches dégradantes.»

Il semblait de plus en plus agacé, alors qu'elle répondait bien. Pourquoi était-il irrité? Aurait-il préféré la voir perdre ses moyens et répondre de travers?

Il posa sa cigarette dans le cendrier d'un air songeur. «Je suis au regret de vous annoncer qu'il nous est impossible de vous attribuer cette bourse», déclara-t-il.

Elle était abasourdie. Pourquoi avait-elle échoué? Elle avait répondu à toutes ses questions! «Mais pourquoi? Je pense être parfaitement qualifiée!

— Vous avez une attitude inconvenante de la part d'une femme. Vous parlez ouvertement de pénis et de vagin.

« — C'est vous qui en avez parlé! Je n'ai fait que vous répondre.

— Vous avez de toute évidence été élevée dans un environnement grossier où on vous a laissé voir la nudité de vos parents de sexe masculin.

— Parce que vous pensez que ce sont les hommes qui devraient changer les couches des vieillards? J'aimerais vous y voir!

— Pire, vous êtes irrespectueuse et impertinente.

— Vous m'avez posé des questions provocantes. Si je vous avais répondu timidement, vous m'auriez dit que je n'avais pas assez de tempérament pour devenir médecin. Je me trompe? »

Il resta un moment sans voix. Elle comprit qu'elle avait vu juste.

« Vous m'avez fait perdre mon temps, dit-elle en se dirigeant vers la porte.

— Mariez-vous, lui lança-t-il. Faites des enfants pour le Führer. C'est votre rôle. Faites votre devoir. »

Elle sortit en claquant la porte.

Frieda leva les yeux, alarmée. « Que s'est-il passé? »

Carla fonça vers la sortie sans répondre. Elle surprit le regard ravi de la secrétaire qui savait manifestement comment les choses s'étaient passées. « Vous pouvez arrêter de ricaner, vieille bique », lui cria Carla.

À sa grande satisfaction, elle la vit suffoquer d'indignation.

Lorsqu'elles furent dehors, elle expliqua à Frieda : « Il n'avait pas la moindre intention de me donner un avis favorable pour une bourse, parce que je suis une femme. Il se fichait pas mal de mes qualifications. Je me suis donné tout ce mal pour rien. » Elle éclata en sanglots.

Frieda la prit dans ses bras pour la réconforter.

« Il n'est pas question que je fasse des enfants pour cette saleté de Führer, murmura Carla un peu rassérénée.

— Comment?

— Rentrons. Je te raconterai. » Elles remontèrent sur leurs bicyclettes.

Une étrange atmosphère régnait dans la rue, mais Carla était trop préoccupée par ses propres malheurs pour s'en soucier. Les gens se regroupaient autour des haut-parleurs qui diffusaient parfois les discours d'Hitler depuis l'opéra Kroll, le bâtiment qui remplaçait le Reichstag incendié. Il n'allait sans doute pas tarder à prendre la parole.

Quand elles arrivèrent chez les von Ulrich, les parents de Carla étaient toujours à la cuisine, son père l'oreille collée à la radio, une ride de concentration sur le front.

— On m'a refusée, annonça Carla. Règlement ou non, ils n'accordent pas de bourse aux filles.

— Oh, Carla, je suis vraiment désolée, compatit sa mère.

— Qu'est-ce qu'ils disent à la radio?

— Tu ne sais pas? Nous avons envahi la Pologne ce matin. C'est la guerre. »

5.

La saison londonienne avait beau être terminée, tout le monde ou presque était resté en ville à cause de la crise. Le Parlement, habituellement en vacances à cette époque de l'année, avait été rappelé. Mais il n'y avait ni soirées, ni réceptions royales, ni bals. On se serait cru dans une station balnéaire en février, se disait Daisy. On était samedi et elle s'apprêtait à aller dîner chez son beau-père, le comte Fitzherbert. Quoi de plus ennuyeux?

Elle était assise devant sa coiffeuse, vêtue d'une robe du soir en soie couleur eau-de-nil à la jupe plissée et au décolleté en V. Elle avait des fleurs en soie dans les cheveux et une fortune en diamants autour du cou.

Boy, son mari, se préparait dans son cabinet de toilette. Elle était contente qu'il soit là. Il passait beaucoup de temps ailleurs. Ils habitaient le même hôtel particulier de Mayfair, et pourtant, il leur arrivait de ne pas se voir pendant plusieurs jours. Ce soir-là, au moins, il était rentré.

Elle tenait à la main une lettre que sa mère lui avait envoyée de Buffalo. Olga avait deviné que sa fille n'était pas heureuse en ménage. Daisy avait dû le laisser entendre à mots couverts dans les lettres qu'elle adressait à sa famille. Sa mère ne manquait pas d'intuition. «Je ne veux que ton bonheur, écrivait-elle. Alors crois-moi si je te dis de ne pas renoncer trop vite. Tu seras comtesse Fitzherbert un jour et ton fils, si tu en as un, sera comte. Tu pourrais regretter d'avoir renoncé à tout cela simplement parce que ton mari n'est pas assez attentionné.»

Elle avait peut-être raison. On l'appelait «madame la vicomtesse» depuis près de trois ans et cela lui procurait toujours le même petit frisson de plaisir, comme une bouffée de cigarette.

Mais Boy estimait apparemment que le mariage ne devait en rien modifier ses habitudes. Il partageait ses soirées avec ses amis, sillonnait le pays pour assister à des courses de chevaux et faisait rarement part de ses projets à sa femme. Daisy trouvait gênant de se rendre à une réception et d'y tomber par hasard sur son mari. Si elle voulait savoir où il allait, elle était obligée d'interroger son valet. C'était trop humiliant.

Finirait-il par mûrir et par se comporter comme doit le faire un mari ou ne changerait-il jamais?

Il passa la tête par la porte. «Viens, Daisy, nous sommes en retard.»

Elle glissa la lettre de sa mère dans un tiroir, le ferma à clé et se leva. Boy l'attendait dans l'entrée, en smoking. Fitz avait enfin cédé à la mode et autorisé les vestes courtes au lieu de la queue-de-pie pour les dîners en famille.

Ils auraient pu se rendre chez Fitz à pied, mais il pleuvait, aussi Boy avait-il fait avancer la voiture. C'était une berline Bentley Airline couleur crème aux pneus à flancs blancs. Boy partageait avec son père l'amour des belles automobiles.

Boy prit le volant. Daisy espérait qu'il la laisserait conduire au retour. Elle adorait ça. De plus, après le dîner, il était dangereux au volant, surtout quand la route était mouillée.

Londres se préparait à la guerre. Des ballons de barrage flottaient sur la ville à plus de cinq cents mètres d'altitude pour gêner les avions de bombardement. En guise de précaution supplémentaire, des sacs de sable avaient été entassés autour des bâtiments importants. Les bordures de trottoirs avaient été peintes en blanc pour être visibles des automobilistes pendant le black-out, qui avait commencé la veille. Il y avait également des bandes blanches sur les arbres, les statues et tous les obstacles susceptibles de causer des accidents.

Boy et Daisy furent accueillis par la princesse Bea. À l'approche de la cinquantaine, elle était très empâtée, ce qui ne l'empêchait pas de continuer à s'habiller comme une jeune fille. Ce soir-là, elle portait une robe rose brodée de paillettes et de perles. Elle ne parlait jamais de l'histoire qu'avait racontée le père de Daisy au mariage, mais avait cessé de faire allusion aux origines de sa bru et s'adressait désormais à elle avec courtoisie à défaut de cordialité. Daisy la traitait avec une bien-veillance prudente, comme s'il s'agissait d'une tante un peu toquée.

Le frère cadet de Boy, Andy, était là. May et lui avaient deux enfants et Daisy constata avec intérêt que May semblait en attendre un troisième.

Naturellement, Boy voulait un fils, un héritier du titre et de la fortune des Fitzherbert. Malheureusement, Daisy n'était tou-jours pas enceinte. C'était un sujet douloureux et la fécondité manifeste de May et Andy n'arrangeait rien. Ses chances auraient été plus grandes si Boy avait découché moins souvent.

Daisy fut ravie de découvrir que son amie Eva Murray était là, elle aussi – mais sans son mari : Jimmy Murray, devenu capi-taine, était avec son unité et n'avait pu se libérer. Les troupes étaient consignées dans leurs casernes et leurs officiers égale-ment. Eva faisait désormais partie de la famille. Puisque Jimmy était le frère de May, donc un beau-frère, Boy avait dû surmon-ter ses préjugés contre les Juifs et se montrer poli envers Eva.

Eva éprouvait pour Jimmy la même adoration que lorsqu'elle l'avait épousé trois ans plus tôt. Eux aussi avaient eu deux enfants en trois ans. Mais Eva avait l'air inquiète ce soir-là, ce que Daisy comprenait fort bien.

«Comment vont tes parents? lui demanda-t-elle.

— Ils ne peuvent pas quitter l'Allemagne, répondit Eva d'un air malheureux. Le gouvernement refuse de leur accorder des visas de sortie.

— Fitz ne peut pas les aider?

— Il a essayé.

— Qu'ont-ils fait pour mériter cela?

— Ils ne sont pas les seuls, tu sais. Des milliers de Juifs alle-mands sont dans la même situation. Très peu d'entre eux obtiennent des visas.

— Quelle tragédie!» Daisy était plus que désolée. Elle était mortifiée quand elle se rappelait le temps où Boy et elle soute-naient les fascistes, au tout début. Ses doutes n'avaient fait que croître au fur et à mesure de l'aggravation de la brutalité du fas-cisme en Allemagne comme à l'étranger. En fin de compte, elle avait été soulagée le jour où Fitz était venu leur dire que leurs opinions lui posaient un problème et les avait priés de quitter le parti de Mosley. Daisy se demandait à présent comment elle avait pu avoir la bêtise d'y adhérer.

Boy ne partageait pas ses remords. Il continuait à penser que les Européens blancs de la haute société constituaient une race supérieure, élue par Dieu pour gouverner le monde. Néanmoins, il avait cessé de croire aux possibilités d'appliquer cette philosophie politique. Il fulminait souvent contre la démocratie britannique, sans pourtant en prôner l'abolition.

Ils se mirent à table de bonne heure. «Neville doit faire une déclaration à la Chambre des communes à sept heures et demie», annonça Fitz. Neville Chamberlain était le Premier ministre. «Je tiens à y assister... je siégerai à la galerie des pairs. Je serai peut-être obligé de vous quitter avant le dessert.

— Qu'est-ce qui va se passer d'après vous, Père? demanda Andy

— Je n'en sais absolument rien, répondit Fitz avec une pointe d'agacement. Naturellement, nous préférerions tous éviter la guerre, mais il ne faut surtout pas donner l'impression d'hésiter.»

Cette réaction étonna Daisy. Fitz croyait aux vertus de la loyauté et critiquait rarement ses collègues du gouvernement, même de façon aussi indirecte.

«S'il y a la guerre, j'irai m'installer à Tŷ Gwyn», déclara la princesse Bea.

Fitz secoua la tête. «S'il y a la guerre, le gouvernement demandera aux propriétaires de grands domaines de les mettre à la disposition de l'armée. En tant que membre du gouvernement, je devrai donner l'exemple. Je devrai prêter Tŷ Gwyn aux Welsh Rifles, les chasseurs gallois, pour qu'ils y installent un centre d'entraînement ou un hôpital.

— Mais c'est ma maison! protesta Bea, indignée.

— Nous pourrons certainement conserver quelques pièces pour notre usage personnel.

— Je n'accepterai jamais cela! Je suis une princesse!

— Cela pourrait être tout à fait confortable. Il suffirait de transformer l'office du majordome en cuisine et le salon du petit déjeuner en salle à manger, et d'occuper trois ou quatre des plus petites chambres.

— Confortable!» Bea prit un air dégoûté, mais elle se tut.

«Nous allons probablement rejoindre les Welsh Rifles, Boy et moi», intervint Andy.

May émit un bruit de gorge qui ressemblait à un sanglot.

« Personnellement, je compte m'engager dans l'armée de l'air, rectifia Boy.

— Il n'en est pas question, s'indigna Fitz. Le vicomte d'Aberowen a toujours été dans les Welsh Rifles.

— Ils n'ont pas d'avions. La prochaine guerre se passera dans les airs. La RAF aura grand besoin de pilotes. Et j'ai de longues années de vol derrière moi. »

Fitz s'apprêtait à répliquer quand le majordome entra et annonça : « La voiture est prête, monsieur le comte. »

Fitz jeta un coup d'œil à la pendule de la cheminée. « Bigre, il faut que j'y aille. Merci, Grout. Ne prends pas de décision définitive sans que nous en ayons discuté, ajouta-t-il à l'adresse de Boy. Ça ne se fait pas.

— Très bien, Père. »

Fitz se tourna alors vers Bea. « Ma chère, pardonnez-moi de vous quitter au milieu du dîner.

— Je vous en prie. »

Fitz se leva et se dirigea vers la porte. Daisy remarqua une fois de plus sa démarche claudicante, triste souvenir de la dernière guerre.

La fin du dîner fut morose. Ils se demandaient tous si le Premier ministre allait déclarer la guerre.

Quand les femmes se levèrent pour se retirer, May demanda à Andy de lui prendre le bras. Il s'excusa auprès des deux autres hommes en expliquant : « Ma femme est dans un état intéressant. » C'était l'euphémisme habituel pour dire d'une femme qu'elle était enceinte.

« Je regrette que ma femme ne sache pas se rendre intéressante elle aussi », lança Boy.

C'était une rosserie mesquine. Daisy sentit le rouge lui monter aux joues. Elle se retint d'abord de riposter puis songea qu'elle n'avait aucune raison de se taire.

« Tu sais ce que disent les footballeurs, Boy ? demanda-t-elle à haute et intelligible voix. Il faut tirer pour marquer un but. »

Ce fut au tour de Boy de devenir écarlate. « Comment oses-tu ? » s'écria-t-il, furieux.

Andy éclata de rire. « Tu l'as cherché, mon cher frère.

— Arrêtez tous les deux, s'interposa Bea. Je souhaiterais que mes fils attendent que les dames se soient retirées pour échanger des propos aussi répugnants. » Sur ces mots, elle sortit majestueusement.

Daisy la suivit, mais arrivée au pied de l'escalier, elle faussa compagnie aux autres femmes et monta à l'étage, encore frémissante de colère. Elle voulait être seule. Comment Boy pouvait-il dire des choses pareilles ? Croyait-il vraiment qu'elle y était pour quelque chose si elle n'était pas enceinte ? Il pouvait en être tout autant responsable qu'elle ! Peut-être le savait-il et préférait-il la blâmer de crainte qu'on ne le croie stérile. C'était probablement le cas, mais ce n'était pas une raison pour l'insulter en public.

Elle gagna l'ancienne chambre de Boy. Après leur mariage, ils y avaient vécu ensemble trois mois pendant la réfection de leur propre maison. Ils occupaient la chambre de Boy et la chambre voisine, mais à cette époque, ils dormaient ensemble toutes les nuits.

Elle entra et alluma. À sa grande surprise, elle constata que Boy n'avait pas déménagé toutes ses affaires. Il y avait un rasoir sur la table de toilette et un numéro du magazine *Flight* sur la table de chevet. En ouvrant un tiroir, elle trouva une boîte de Leonard's Liver-aid, un médicament pour favoriser la digestion qu'il prenait tous les matins avant le petit déjeuner. Venait-il dormir ici quand il était trop saoul pour affronter sa femme ?

Le dernier tiroir était fermé à clé. Elle savait qu'il gardait la clé dans un pot sur la cheminée. Elle n'avait aucun scrupule à l'espionner : dans son esprit, un mari ne devait pas avoir de secrets pour son épouse. Elle l'ouvrit.

La première chose qu'elle vit fut un recueil de photographies de femmes nues. Les tableaux des musées et les clichés d'art représentaient généralement des femmes dans des poses qui dissimulaient en partie leur intimité. Les filles qu'elle avait sous les yeux faisaient tout le contraire : jambes relevées, fesses écartées, et même les lèvres de leur vagin largement offertes au regard. Daisy aurait feint d'être scandalisée si quelqu'un l'avait surprise. En réalité, elle était fascinée. Elle parcourut tout l'album avec curiosité en se comparant aux modèles : la taille et la forme de leur poitrine, la pilosité, les organes génitaux. Quelle merveilleuse diversité offraient les corps féminins !

Certaines filles se caressaient ou faisaient semblant, quelques photos les montraient à deux en train de se câliner mutuellement. Daisy n'était pas vraiment étonnée que les hommes aient du goût pour ces choses-là.

Elle avait la sensation de commettre une indélicatesse. Cela lui rappelait le jour où elle s'était glissée dans la chambre de Boy, à Tŷ Gwyn, avant leur mariage. En ce temps-là, elle voulait en savoir davantage sur lui, mieux connaître l'homme sur lequel elle avait jeté son dévolu, trouver une façon de l'amener à se déclarer. Que faisait-elle maintenant? Elle épiait un mari qui ne l'aimait plus pour tenter de comprendre quelle erreur elle avait commise.

Sous le recueil, elle trouva un sachet brun, contenant des petites enveloppes carrées en papier blanc portant une inscription en lettres rouges. Elle lut :

« Prentif » Reg. Marque déposée
SERVISPAK

NOTICE

Tenir l'enveloppe et son contenu
à l'abri des regards car leur vue
pourrait choquer

Fabriqué en Grande-Bretagne
Latex de caoutchouc naturel
Convient pour tous climats

C'était incompréhensible. Rien n'indiquait ce qu'il y avait à l'intérieur de ces petits paquets. Elle en ouvrit un.

Elle y trouva un morceau de caoutchouc, qu'elle déplia. Il avait la forme d'un tube fermé à une extrémité.

Elle n'en avait jamais vu, ce qui ne l'empêchait pas d'en avoir entendu parler. On appelait cela des capotes, mais la vraie dénomination était préservatif. Cela permettait d'éviter de tomber enceinte.

Pourquoi son mari en avait-il toute une provision? Elle ne voyait qu'une explication. Il s'en servait avec une autre.

Elle en aurait pleuré. Elle avait toujours cédé à tous ses caprices. Elle n'avait jamais prétendu être trop fatiguée pour faire l'amour, même quand c'était le cas, elle ne lui avait jamais rien refusé au lit. Elle aurait même posé comme les femmes de l'album de photos s'il le lui avait demandé.

Qu'avait-elle fait de mal?

Elle décida de lui poser la question.

Son chagrin se transforma en colère. Elle se releva. Elle allait apporter ces sachets dans la salle à manger et les lui coller sous le nez. Pourquoi devrait-elle le ménager ?

Il entra dans la chambre à cet instant.

« J'ai vu la lumière d'en bas, dit-il. Qu'est-ce que tu fais ici ? » Son regard tomba sur le tiroir de la commode ouvert et il s'emporta : « De quel droit oses-tu m'espionner ?

— Je te soupçonnais de m'être infidèle, répondit-elle en brandissant le préservatif. Et j'avais raison.

— Espèce de sale fouineuse.

— Espèce de sale coureur. »

Il leva la main. « Je devrais te battre comme un mari de l'époque victorienne. »

Elle s'empara d'un gros chandelier sur la cheminée. « Essaye un peu et je t'assomme comme une épouse du XXe siècle.

— C'est ridicule. »

Il se laissa tomber lourdement dans un fauteuil près de la porte, accablé.

Devant son air malheureux, la fureur de Daisy retomba pour faire place à la tristesse. Elle s'assit sur le lit. Mais sa curiosité était intacte.

« Qui est-ce ?

— Peu importe.

— Je veux le savoir ! »

Il se tortilla, mal à l'aise. « Tu y tiens vraiment ?

— Oui. » Elle savait qu'elle finirait par le faire avouer.

Il évitait son regard. « Quelqu'un que tu ne connais pas et que tu ne risques pas de connaître.

— Une prostituée ? »

Le mot le piqua au vif. « Non !

— Tu la payes ?

— Non. Enfin, oui. » De toute évidence, il avait trop honte pour l'admettre. « Je verse une pension. Ce n'est pas pareil.

— Pourquoi tu la payes si ce n'est pas une prostituée ?

— Pour que je leur suffise.

— Leur ? Tu as plusieurs maîtresses ?

— Non ! Deux seulement. Elles habitent à Aldgate. La mère et la fille.

— Comment ? Tu ne parles pas sérieusement ?

— Eh bien, vois-tu, un jour, Joanie, la fille... Elle avait "ses jours", comme disent les Français.

— Les Américaines disent tout simplement qu'elles ont leurs règles.

— Pearl a proposé...

— De la remplacer? C'est absolument sordide! Autrement dit, tu couches avec les deux.

— Oui. »

Elle repensa à l'album et une idée scandaleuse lui traversa l'esprit. Elle lui demanda : « Pas en même temps ?

— Ça m'arrive.

— Quelle horreur !

— Pour les maladies, tu n'as pas à t'inquiéter, dit-il en désignant le préservatif qu'elle tenait toujours à la main. Ces choses-là protègent des infections.

— Je suis confondue par tant de prévenance.

— Oh, écoute, la plupart des hommes font ça. Du moins dans notre milieu.

— Ça m'étonnerait », protesta-t-elle, avant de songer à son père qui avait une épouse, une maîtresse attitrée et trouvait encore le moyen d'avoir une liaison avec Gladys Angelus.

« Mon père non plus n'est pas un mari fidèle, reprit Boy. Il a des bâtards dans tous les coins.

— Je ne te crois pas. Il aime ta mère.

— En tout cas, il en a au moins un, c'est sûr et certain.

— Où ?

— Je ne sais pas.

— Alors comment peux-tu l'affirmer ?

— Je l'ai entendu en parler à Bing Westhampton un jour. Tu sais comment est Bing.

— Oui », reconnut Daisy. Puisqu'ils en étaient apparemment aux aveux, elle ajouta : « Il me met la main aux fesses à la moindre occasion.

— Ce vieux cochon. Toujours est-il qu'un soir où nous étions tous un peu éméchés, Bing a lancé : "Nous avons presque tous un ou deux bâtards qui traînent ici ou là, n'est-ce pas ?" À quoi Père a répondu : "Moi, je suis sûr de n'en avoir qu'un." Puis il s'est rendu compte de ce qu'il venait de dire, il a toussoté d'un air bête et a embrayé sur un autre sujet.

— Je me fiche pas mal du nombre de bâtards que peut avoir ton père. Je suis une Américaine, une femme moderne et je refuse de vivre avec un mari infidèle.

— Qu'est-ce que tu as l'intention de faire ?

— Te quitter. » Elle afficha un air de défi, mais elle était anéantie, comme s'il l'avait poignardée.

« Et rentrer à Buffalo, la queue entre les jambes ?

— Peut-être. Ou autre chose. J'ai de l'argent. » Les avocats de son père avaient veillé à ce que la fortune des Vialov-Pechkov ne tombe pas entre les mains de Boy au moment de leur mariage. « Je pourrais aller en Californie. Jouer dans un des films de mon père. Devenir une vedette de cinéma. Je peux très bien y arriver, tu sais. » Elle faisait la fière. En réalité, elle se retenait d'éclater en sanglots.

« Eh bien, quitte-moi. Va au diable, ça m'est bien égal. » Elle se demanda s'il était sincère. Son expression disait le contraire.

Ils entendirent alors une voiture. Daisy écarta légèrement le rideau fermé en raison du black-out et vit la Rolls-Royce noir et crème de Fitz, aux phares masqués par des écrans ajourés. « Ton père est rentré, annonça-t-elle. Je me demande si nous sommes en guerre.

— On ferait mieux de descendre.

— Je te suis dans un instant. »

Boy sortit et Daisy se regarda dans la glace. Elle fut étonnée de constater qu'elle n'avait pas l'air différente de celle qui était entrée dans cette pièce une demi-heure plus tôt. Sa vie venait d'être chamboulée, mais son visage n'en laissait rien paraître. Elle était accablée, avait envie de pleurer, mais elle se retint, se ressaisit, et descendit à son tour.

Fitz était dans la salle à manger, son smoking luisant de pluie. Comme il était parti avant le dessert, Grout, le majordome, lui avait apporté du fromage et des fruits. La famille était réunie autour de la table. Grout servit à Fitz un verre de bordeaux. Il en but quelques gorgées avant de laisser échapper : « Quelle épreuve effroyable !

— Que s'est-il passé ? » demanda Andy. Fitz grignota un morceau de cheddar avant de répondre.

« Neville a parlé quatre minutes en tout et pour tout. Je n'ai jamais assisté à une plus mauvaise intervention de la part d'un Premier ministre. Il a bafouillé, temporisé, déclaré que l'Allemagne allait peut-être se retirer de Pologne, ce que personne ne croit. Il n'a parlé ni de guerre, ni même d'ultimatum.

— Pourquoi ? s'étonna Andy.

— En privé, Neville prétend attendre que les Français cessent de tergiverser et se décident à déclarer la guerre en même temps que nous. Mais beaucoup pensent que ce n'est qu'un prétexte pour justifier sa lâcheté. »

Fitz but une autre gorgée de vin. « Ensuite, Arthur Greenwood a pris la parole. » Greenwood était le chef du parti travailliste. « Quand il s'est levé, Leo Amery, un conservateur comme vous le savez, a crié : "Parlez pour l'Angleterre, Arthur !" Qu'un satané socialiste puisse parler pour l'Angleterre alors qu'un Premier ministre conservateur en avait été incapable, vous imaginez la scène ! Neville était dans ses petits souliers. »

Grout remplit le verre de Fitz. « Greenwood a fait preuve de modération, mais il a tout de même dit : "Je vous le demande, combien de temps allons-nous encore hésiter ?" Les députés ont approuvé bruyamment, quel que soit leur bord. Je crois que Neville aurait disparu sous terre s'il avait pu. » Fitz prit une pêche qu'il découpa avec un couteau et une fourchette.

« Comment ça s'est terminé ? demanda Andy.

— Rien n'est réglé ! Neville est retourné au 10, Downing Street. Mais presque tous les membres du cabinet se sont cloîtrés dans le bureau de Simon à la Chambre des communes. » Sir John Simon était ministre des Finances. « Ils ont prévenu qu'ils n'en sortiraient pas tant que Neville n'aurait pas envoyé d'ultimatum aux Allemands. Pendant ce temps, le comité exécutif national travailliste est en session et les députés mécontents tiennent une réunion dans l'appartement de Winston. »

Daisy avait toujours affirmé ne pas aimer la politique, mais depuis son entrée dans la famille de Fitz, elle voyait les choses de l'intérieur et s'y intéressait. Elle trouvait le drame qui se jouait à la fois passionnant et terrifiant.

« Le Premier ministre doit agir ! s'écria-t-elle.

— Oui, c'est certain, confirma Fitz. Avant la prochaine réunion du Parlement, prévue demain à midi, Neville devra avoir déclaré la guerre ou donné sa démission. »

Le téléphone sonna dans l'entrée. Grout alla répondre et revint une minute plus tard en annonçant : « Le ministère des Affaires étrangères, monsieur le comte. Le correspondant n'a pas voulu attendre que vous veniez jusqu'au téléphone lui parler, mais a insisté pour vous laisser un message. » Le vieux majordome avait l'air aussi désorienté que si on venait de le traiter durement. « Le Premier ministre a convoqué une réunion immédiate du cabinet.

— Ça bouge ! dit Fitz. Bon.

— Le ministre souhaite votre présence si cela vous est possible », continua Grout.

Fitz n'était pas membre du cabinet, mais il arrivait qu'on invite des secrétaires d'État à participer à des réunions relevant de leur spécialité ; ils ne siégeaient pas à la table centrale, mais un peu en retrait, prêts à répondre aux questions.

Bea regarda la pendule. « Il est presque onze heures. J'imagine que vous n'avez pas le choix.

— En effet. Le "si cela vous est possible" n'est que pure courtoisie. »

Il se tamponna les lèvres avec une serviette immaculée et repartit de son pas inégal.

« Faites encore un peu de café, Grout, demanda la princesse Bea. Vous nous le servirez à côté. Nous allons sans doute veiller tard ce soir.

— Oui, Votre Altesse. »

Ils retournèrent au salon en parlant avec animation. Eva était pour la guerre : elle voulait que le régime nazi soit écrasé. Elle aurait peur pour Jimmy, bien sûr, mais elle avait épousé un soldat et savait qu'il pourrait avoir à risquer sa vie au combat. Bea était elle aussi favorable à la guerre maintenant que les Allemands s'étaient alliés aux bolcheviks qu'elle haïssait. May craignait pour la vie d'Andy et ne retenait pas ses larmes. Quant à Boy, il ne voyait pas pourquoi deux grands États comme l'Angleterre et l'Allemagne devraient se faire la guerre pour un pays désert et à moitié barbare comme la Pologne.

Dès qu'elle le put, Daisy entraîna Eva dans une autre pièce où il leur serait possible de bavarder tranquillement. « Boy a une maîtresse, annonça-t-elle sans préambule en montrant les préservatifs à Eva. Regarde ce que j'ai trouvé.

— Oh, Daisy, ma pauvre ! »

Daisy hésita à raconter à Eva tous les détails sordides. D'habitude, elles se disaient tout mais cette fois, l'humiliation était trop grande. « Je lui ai mis ça sous le nez, dit-elle simplement, et il a tout avoué.

— J'espère qu'il regrette, au moins !

— Pas vraiment. Il prétend que tous les hommes de son milieu en font autant, y compris son père.

— Pas Jimmy ! protesta Eva d'un ton affirmatif.

— Non. Tu as sûrement raison.

— Qu'est-ce que tu vas faire ?

— Je vais le quitter. Divorcer. Une autre n'a qu'à être vicomtesse à ma place.

— Tu ne peux pas faire ça s'il y a la guerre !

— Et pourquoi ?

— Ce serait trop cruel s'il est sur le champ de bataille.

— Il n'avait qu'à y penser avant d'aller coucher avec ses deux prostituées d'Aldgate.

— Ce serait lâche, tout de même. Tu ne peux pas laisser tomber un homme qui risque sa vie pour te protéger. »

Daisy dut reconnaître, à contrecœur, la justesse de ses arguments. La guerre transformerait Boy, méprisable mari adultère, en héros qui défendait sa femme, sa mère et son pays contre l'horreur d'une invasion et d'une domination étrangères. Bien sûr, si elle le quittait, tout le monde, à Londres et à Buffalo, l'accuserait de lâcheté. Mais surtout, elle-même ne se le pardonnerait pas. S'il y avait la guerre, elle voulait faire preuve de courage, sans très bien savoir ce que cela pouvait signifier.

« Tu as raison, admit-elle à son corps défendant. Je ne peux pas m'en aller si la guerre éclate. »

Un coup de tonnerre retentit. Daisy regarda la pendule. Il était minuit. Le clapotement de la pluie se changea en averse torrentielle.

Daisy et Eva retournèrent au salon. Bea s'était endormie sur un sofa. Andy enlaçait May qui reniflait toujours. Boy fumait un cigare en buvant du brandy. Daisy décida qu'elle prendrait le volant au retour.

Fitz réapparut à minuit et demi, trempé jusqu'aux os. « Finies les tergiversations, annonça-t-il. Neville enverra un ultimatum aux Allemands dans la matinée. S'ils n'ont pas retiré leurs troupes de Pologne à midi, c'est-à-dire onze heures pour nous, nous serons en guerre. »

Ils se levèrent pour prendre congé. Dans le vestibule, Daisy déclara qu'elle conduisait et Boy ne protesta pas. Ils montèrent dans la Bentley crème. Daisy alluma le moteur. Grout ferma la porte des Fitzherbert. Daisy mit l'essuie-glace en marche mais resta sur place.

« Boy, murmura-t-elle. Essayons de repartir à zéro.

— Que veux-tu dire ?

— Je n'ai pas vraiment l'intention de te quitter.

— Et moi, je ne veux pas que tu t'en ailles.

— Laisse tomber ces femmes d'Aldgate. Passe toutes tes

nuits avec moi. Essayons vraiment de faire un enfant. C'est ce que tu souhaites, non ?

— Oui, bien sûr.

— Feras-tu ce que je te demande ? »

Il y eut un long silence. « Entendu, dit-il enfin.

— Merci. »

Elle le regarda. Elle espérait un baiser, mais il resta immobile sur son siège, les yeux fixés sur le pare-brise inondé de pluie que le mouvement rythmé des essuie-glaces balayait.

6.

En ce dimanche 3 septembre, la pluie s'arrêta et le soleil illumina les rues de Londres qui semblaient avoir été lessivées à grande eau.

Dans le courant de la matinée, toute la famille Williams se rassembla petit à petit autour de la radio dans la cuisine d'Ethel à Aldgate. Ils ne s'étaient pas donné le mot : ils vinrent spontanément. Ils voulaient être ensemble si la guerre était déclarée, se dit Lloyd.

Lloyd rêvait de lutter contre le fascisme. En même temps, la perspective de la guerre le terrifiait. Il avait trop vu de souffrances et d'effusions de sang en Espagne et espérait n'avoir plus jamais à prendre part à des combats. Il avait même abandonné la boxe. Pourtant, il ne voulait surtout pas que Chamberlain capitule. Il avait vu de ses yeux les effets du fascisme en Allemagne et les rumeurs venues d'Espagne étaient tout aussi cauchemardesques : le régime de Franco assassinait par centaines et même par milliers les partisans de l'ancien gouvernement élu et les prêtres avaient repris le contrôle des établissements scolaires.

L'été précédent, son diplôme en poche, il s'était immédiatement engagé dans les Welsh Rifles où on lui avait attribué le grade de lieutenant, grâce à la formation d'officier qu'il avait suivie à Cambridge. L'armée se préparait activement à la guerre. Il avait eu beaucoup de mal à obtenir une permission de vingt-quatre heures pour aller voir sa mère pendant le week-end. Si le Premier ministre déclarait la guerre ce jour-là, Lloyd serait parmi les premiers à partir.

Billy Williams arriva quant à lui à la maison de Nutley Street après le petit déjeuner. Lloyd et Bernie étaient assis près de la radio, devant des journaux étalés sur la table de la cuisine pendant qu'Ethel préparait un jarret de porc pour le repas. L'oncle Billy eut les larmes aux yeux en voyant Lloyd en uniforme

« Je pense à notre Dave, c'est tout. Il aurait été appelé, lui aussi, s'il était revenu d'Espagne. »

Lloyd n'avait jamais dit la vérité à son oncle Billy sur les circonstances de la mort de Dave. Il avait prétendu ne pas connaître les détails, savoir seulement que Dave avait été tué au combat à Belchite et était probablement enterré là-bas. Billy avait connu la Grande Guerre et n'ignorait rien du traitement réservé aux cadavres sur les champs de bataille. Cela aggravait sûrement son chagrin. Il espérait pouvoir se rendre à Belchite un jour, quand l'Espagne serait enfin libérée, afin de rendre hommage à son fils mort pour cette grande cause.

Lenny Griffiths n'était jamais revenu d'Espagne, lui non plus. Personne n'avait la moindre idée de l'endroit où il pouvait être enterré. Il n'était pas impossible qu'il soit encore vivant, emprisonné dans un des camps de Franco.

La radio fit le compte rendu de la déclaration prononcée la veille par Chamberlain à la Chambre des communes, mais sans épiloguer.

« On ne saura jamais quelles empoignades ont eu lieu ensuite, remarqua Billy.

— La BBC ne parle jamais des empoignades, approuva Lloyd. Elle préfère rassurer les gens. »

Billy et Lloyd faisaient tous deux partie du comité exécutif national du parti travailliste, où Lloyd représentait la section jeunesse. À son retour d'Espagne en 1937, il avait pu réintégrer l'université de Cambridge, et tout en y terminant ses études, il avait fait le tour du pays : prenant la parole devant des groupes du parti travailliste, il leur avait expliqué comment le gouvernement espagnol élu avait été trahi par un gouvernement britannique complice du fascisme. C'était perdu d'avance – les rebelles antidémocrates de Franco avaient gagné –, en revanche, Lloyd était devenu un personnage connu, presque un héros, surtout chez les jeunes de gauche. D'où son élection au comité exécutif.

Lloyd et l'oncle Billy avaient donc pris part, la veille, à une réunion du comité. Ils savaient que, cédant aux pressions de son cabinet, Chamberlain avait adressé un ultimatum à Hitler. Désormais, ils attendaient fébrilement la suite des événements. À leur connaissance, Hitler n'avait pas encore réagi.

Lloyd pensa à l'amie de sa mère, Maud, et à sa famille, à Berlin. D'après ses calculs, ses deux enfants devaient avoir maintenant dix-huit et dix-neuf ans. Il se demandait s'ils étaient eux aussi collés à la radio au même moment, en train de s'interroger sur une éventuelle entrée en guerre de leur pays contre l'Angleterre.

À dix heures, la demi-sœur de Lloyd, Millie, arriva à son tour. Elle avait dix-neuf ans et avait épousé le frère de son amie Naomi Avery, Abe, marchand de cuir en gros. Elle gagnait bien sa vie comme vendeuse payée à la commission dans un magasin de confection de luxe et projetait d'ouvrir un jour sa propre boutique. Lloyd était sûr qu'elle y parviendrait. Même si ce n'était pas la carrière que Bernie avait souhaitée pour elle, il était fier de sa fille, de son intelligence, de son ambition et de son élégance.

Mais aujourd'hui, elle avait perdu sa belle assurance. «C'était horrible quand tu étais en Espagne, dit-elle à Lloyd des larmes dans la voix. Dave et Lenny ne sont jamais revenus. Et maintenant, c'est mon Abie et toi qui allez partir et nous, les femmes, nous allons attendre tous les jours de vos nouvelles en nous demandant si vous n'êtes pas morts.

— Ton cousin Keir aussi, ajouta Ethel. Il a dix-huit ans maintenant.

— Dans quel régiment était mon vrai père? demanda Lloyd à sa mère.

— Qu'est-ce que ça peut faire?»

Elle n'avait jamais très envie de parler du père de Lloyd, sans doute par respect pour Bernie. Mais Lloyd tenait à le savoir.

«Pour moi, c'est important», insista-t-il.

Elle jeta une pomme de terre épluchée dans la casserole d'eau plus violemment que nécessaire. «Il était dans les Welsh Rifles.

— Comme moi! Pourquoi est-ce que tu ne me l'as jamais dit?

— À quoi bon remuer le passé?»

Elle avait sans doute une autre raison d'être aussi réticente.

Elle avait probablement été enceinte avant de se marier. Lloyd s'en moquait, mais pour la génération de sa mère, c'était honteux. Il s'obstina tout de même : « Mon père était gallois ?

— Oui.

— D'Aberowen ?

— Non.

— D'où alors ? »

Elle soupira.

« Ses parents bougeaient beaucoup, à cause du métier de son père, je crois, mais il me semble qu'à l'origine, ils étaient de Swansea. Ça y est, tu es content ?

— Oui. »

La tante Mildred les rejoignit après la messe. C'était une femme d'âge mûr, jolie malgré ses incisives supérieures légèrement proéminentes. Elle portait un ravissant chapeau. Modiste, elle dirigeait un petit atelier. Ses deux filles d'un premier mariage, Enid et Lilian, l'une et l'autre âgées de plus de vingt ans, étaient toutes les deux mariées et avaient déjà des enfants. Le fils aîné de son deuxième mariage était le cousin Dave, qui était mort en Espagne. Le plus jeune, Keir, l'accompagnait et la suivit dans la cuisine. Mildred tenait à emmener ses enfants à l'église bien que son mari, Billy, soit hostile à toute forme de religion. « J'en ai eu ma dose quand j'étais petit, disait-il souvent. Si moi, je ne suis pas sauvé, je me demande bien qui le sera. »

Lloyd regarda autour de lui. Ces gens-là étaient sa famille : sa mère, son beau-père, sa demi-sœur, son oncle, sa tante, son cousin. Il n'avait pas envie de les quitter pour aller mourir Dieu sait où.

Il consulta sa montre, un modèle carré en acier que Bernie lui avait offert pour son diplôme. Il était onze heures. À la radio, le présentateur Alvar Liddell annonça de sa voix bien timbrée qu'on attendait une déclaration du Premier ministre d'un instant à l'autre. Suivit un morceau solennel de musique classique.

« Chut, tout le monde, recommanda alors Ethel. Je vous ferai une tasse de thé plus tard. »

Le silence se fit dans la cuisine.

Alvar Liddell annonça le Premier ministre, Neville Chamberlain.

L'homme de la politique d'apaisement face au fascisme, se dit Lloyd ; l'homme qui avait livré la Tchécoslovaquie à Hitler, qui avait obstinément refusé d'aider le gouvernement espagnol élu, alors même qu'il était flagrant que l'Allemagne et l'Italie armaient les rebelles. Allait-il se dégonfler une fois de plus ?

Lloyd remarqua que ses parents se tenaient par la main, les doigts menus d'Ethel enfouis dans la paume de Bernie.

Il jeta encore un coup d'œil à sa montre. Onze heures et quart.

La voix du Premier ministre s'éleva alors : « Je vous parle de la salle du conseil des ministres, au 10, Downing Street. »

Chamberlain avait une voix aiguë et une diction trop appuyée. On aurait cru entendre un maître d'école imbu de son savoir. Ce qu'il nous faut, c'est un guerrier, se dit Lloyd.

« Ce matin, l'ambassadeur de Grande-Bretagne à Berlin a remis au gouvernement allemand un message définitif lui faisant savoir que si le gouvernement britannique n'avait pas reçu, à onze heures, l'assurance du gouvernement allemand qu'il était disposé à retirer immédiatement ses troupes de Pologne, l'état de guerre existerait de fait entre nous. »

Lloyd était agacé par le langage ampoulé de Chamberlain. *L'état de guerre existerait de fait entre nous.* Quelle curieuse façon de s'exprimer ! Allez, s'impatientait-il. Va droit au but. C'est une question de vie ou de mort !

La voix de Chamberlain devint plus grave, son ton plus digne de sa stature d'homme d'État. Peut-être avait-il cessé de fixer le micro pour ne voir que ses millions de concitoyens, serrés près de leurs postes de radio, attendant ses paroles fatidiques.

« Je dois vous dire qu'aucun engagement de cette nature ne nous est parvenu. »

Lloyd entendit sa mère murmurer : « Mon Dieu, ayez pitié de nous. » Il se tourna vers elle. Elle avait le teint gris.

Chamberlain prononça avec une extrême lenteur les paroles suivantes, ces paroles terribles :

« ... et qu'en conséquence, notre pays est en guerre avec l'Allemagne. »

Ethel fondit en larmes.

Deuxième partie

Une saison de sang

VI

1940 (I)

1.

Aberowen avait changé. On voyait des voitures, des camions et des autobus dans les rues. Quand Lloyd enfant rendait visite à ses grands-parents dans les années 1920, les rares automobiles y attiraient une foule de curieux.

La ville était toujours dominée par les deux tours du carreau de mine et leurs roues majestueuses. Il n'y avait rien d'autre : pas d'usine, pas d'immeuble de bureaux, aucune industrie à part le charbon. Les hommes de la ville travaillaient presque tous à la mine. On comptait quelques dizaines d'exceptions : plusieurs commerçants, de nombreux hommes d'Église de confessions diverses, un employé municipal, un médecin. Chaque fois que la demande de charbon baissait, ce qui avait été le cas dans les années 1930, et que les hommes étaient licenciés, ils ne trouvaient rien d'autre à faire. C'était la raison pour laquelle le parti travailliste réclamait avec force la mise en place d'une aide aux chômeurs, afin que ces hommes ne connaissent plus jamais la douleur et l'humiliation de ne pouvoir nourrir leurs familles.

Le lieutenant Lloyd Williams arriva par le train en provenance de Cardiff un dimanche d'avril 1940. Sa petite valise à la main, il gravit la colline pour se rendre à Tŷ Gwyn. Il avait passé huit mois à former les nouvelles recrues, comme il l'avait fait en Espagne, et à entraîner l'équipe de boxe des Welsh Rifles. Mais l'armée avait fini par s'apercevoir qu'il parlait couramment allemand, l'avait transféré au service de renseignement et envoyé suivre un stage de formation.

La formation, c'était bien tout ce dont l'armée s'était occupée jusqu'à présent. Aucune troupe britannique n'avait encore eu à affronter l'ennemi au cours de combats dignes de ce nom. L'Allemagne et l'URSS avaient envahi la Pologne et se l'étaient partagée. La promesse des Alliés de garantir l'indépendance de la Pologne s'était révélée vaine.

Les Anglais appelaient cela the *Phoney War*, la drôle de guerre, et ils étaient impatients de passer aux choses sérieuses. Lloyd ne se faisait pas d'illusions romantiques sur la guerre. Il avait entendu les cris pitoyables des mourants quémandant de l'eau sur les champs de bataille espagnols. Malgré tout, il avait hâte d'affronter le fascisme pour de bon

L'armée s'attendait à envoyer des renforts en France, supposant que les Allemands envahiraient le pays. Il n'en avait rien été. En attendant, les troupes restaient sur le qui-vive et multipliaient les entraînements.

L'initiation de Lloyd aux arcanes du Renseignement militaire devait se faire dans la grande demeure qui accompagnait le destin de sa famille depuis si longtemps. Les nobles et riches propriétaires de nombreux domaines de ce genre les avaient prêtés aux forces armées, peut-être par crainte de se les voir confisquer.

L'armée avait radicalement transformé Tŷ Gwyn. Une dizaine de tristes véhicules vert olive étaient rangés sur la pelouse. Leurs roues avaient creusé des ornières dans le beau gazon du comte. L'élégant perron aux marches de granit arrondies servait désormais de dépôt de vivres. D'énormes barils de haricots secs et de lard se dressaient en piles instables là où des femmes couvertes de bijoux et des hommes en frac descendaient autrefois de leurs attelages. Lloyd sourit : il appréciait le nivellement opéré par la guerre.

Il entra dans la maison, où il fut accueilli par un officier replet à l'uniforme froissé et constellé de taches. «Vous venez pour la formation au renseignement, lieutenant?

— Oui. Je suis Lloyd Williams.

— Commandant Lowther.»

Lloyd avait entendu parler de lui. C'était le marquis de Lowther, Lowthie pour ses amis.

Lloyd regarda autour de lui. Les tableaux qui couvraient les murs étaient masqués par de grandes toiles pour les protéger de la poussière. Les cheminées de marbre sculpté avaient été intégralement recouvertes de planches grossières ne ménageant qu'un petit espace pour le foyer. Les meubles anciens en bois sombre que sa mère évoquait parfois avec tendresse avaient disparu, remplacés par des bureaux métalliques et des chaises ordinaires. « Bon sang, ça a bien changé », s'écria-t-il.

Lowther sourit. « Vous êtes déjà venu ici ? Vous connaissez la famille ?

— J'étais à Cambridge avec Boy Fitzherbert. J'y ai aussi rencontré la vicomtesse, avant leur mariage. Je suppose qu'ils ont déménagé pour la durée de votre présence ici.

— Pas entièrement. Ils ont conservé quelques pièces pour leur usage personnel. Mais ils ne nous dérangent pas du tout. Si je comprends bien, vous êtes venu ici comme invité ?

— Oh non. Je ne les connais pas assez bien pour cela. En réalité, j'ai visité la maison quand j'étais enfant, un jour où la famille était absente. Ma mère a travaillé ici autrefois.

— Vraiment ? Que faisait-elle ? Elle s'occupait de la bibliothèque, ce genre de chose ?

— Non, elle était femme de chambre. » À peine eut-il prononcé ces mots que Lloyd comprit qu'il avait commis une erreur.

L'expression de Lowther changea. « Je vois, lança-t-il d'un ton dédaigneux. Comme c'est intéressant. »

Lloyd sut qu'il venait d'être catalogué comme un prolétaire arriviste. Il serait dorénavant traité en citoyen de seconde zone pendant toute la durée de son séjour. Il aurait mieux fait de se taire et d'éviter de parler du passé de sa mère : il connaissait pourtant le snobisme de l'armée.

« Montrez sa chambre au lieutenant, sergent, dit alors Lowthie. Au grenier. »

Lloyd se vit attribuer une chambre à l'ancien étage des domestiques. Cela lui était égal. Sa mère s'en était bien contentée.

Tandis qu'ils gravissaient l'escalier de service, le sergent annonça à Lloyd qu'il avait quartier libre jusqu'à l'heure du dîner au mess. Lloyd demanda si des membres de la famille Fitzherbert étaient là actuellement, mais le sergent n'en savait rien.

Lloyd mit deux minutes à défaire sa valise. Il se peigna, enfila une chemise d'uniforme propre et partit voir ses grands-parents.

La maison de Wellington Row lui parut plus triste et plus étriquée que jamais, bien qu'il y eût maintenant l'eau chaude dans l'arrière-cuisine et une chasse d'eau dans les toilettes extérieures. Le décor était tel que dans ses souvenirs : même tapis élimé sur le sol, mêmes rideaux à motifs de cachemire défraîchis aux fenêtres, mêmes chaises dures en chêne dans l'unique pièce du rez-de-chaussée qui servait à la fois de salon et de cuisine.

En revanche, ses grands-parents avaient changé. Ils devaient avoir dans les soixante-dix ans et avaient l'air si fragiles ! Granda avait des douleurs dans les jambes et avait quitté à regret ses fonctions au syndicat des mineurs. Grandmam avait des problèmes cardiaques. Le docteur Mortimer lui avait recommandé d'allonger ses jambes en position élevée pendant un quart d'heure après chaque repas.

Ils furent tout heureux de voir Lloyd en uniforme. « Tu es lieutenant, c'est ça ? » demanda Grandmam.

Ayant défendu toute sa vie la cause ouvrière, elle ne pouvait cacher sa fierté d'avoir un petit-fils officier.

Les nouvelles allaient vite à Aberowen. L'annonce de la visite du petit-fils de Dai Syndicat avait sans doute déjà fait le tour de la ville alors que Lloyd buvait encore la première tasse de thé corsé préparé par sa grand-mère. Il ne fut donc pas vraiment surpris de voir débarquer Tommy Griffiths.

« Je suppose que mon Lenny serait lieutenant comme toi s'il était revenu d'Espagne, dit-il.

— C'est probable », répondit Lloyd. Il n'avait jamais rencontré d'officier qui ait été mineur dans la vie civile, mais tout pouvait arriver en temps de guerre. « Je peux vous dire que c'était notre meilleur sergent en Espagne.

— Vous avez subi bien des épreuves, tous les deux.

— Nous avons connu l'enfer, renchérit Lloyd. Et nous avons perdu. Mais cette fois-ci, les fascistes ne gagneront pas.

— Je bois à cela », dit Tommy. Et il vida sa tasse de thé.

Lloyd accompagna ses grands-parents à l'office du soir au temple Bethesda. La religion ne tenait pas une grande place dans sa vie et il n'avait aucune sympathie pour le dogmatisme de son grand-père. L'univers était mystérieux, pensait Lloyd, et les gens n'avaient qu'à se faire une raison. Mais ses grands-parents étaient contents de l'avoir à leurs côtés.

Les prières improvisées, où se mêlaient intimement expressions bibliques et langage ordinaire, étaient émouvantes. Le sermon fut un peu plus ennuyeux. En revanche, Lloyd fut enthousiasmé par les chants. Les fidèles gallois chantaient spontanément à quatre voix et quand ils s'y mettaient, ils pouvaient faire un boucan du diable.

En joignant sa voix aux leurs, Lloyd se dit que c'était là que battait le cœur de l'Angleterre, dans ce temple aux murs blancs. Les gens qui l'entouraient étaient pauvrement vêtus et sans instruction. Ils travaillaient dur toute leur vie, les hommes arrachant le charbon au sous-sol, les femmes élevant la prochaine génération de mineurs. Mais ils avaient le dos robuste et l'esprit vif et avaient créé par eux-mêmes une culture originale qui donnait un sens à leur existence. Ils puisaient leur espoir dans un christianisme anticonformiste et une politique de gauche, ils trouvaient leur bonheur dans le rugby et les chœurs masculins et étaient unis par la générosité dans les périodes fastes et la solidarité dans les périodes difficiles. C'est pour eux qu'il se battrait, pour cette ville, pour ces gens. S'il devait donner sa vie pour eux, il en aurait fait bon usage.

Granda prononça la prière de clôture, les yeux fermés, debout, appuyé sur une canne. «Voyez, Seigneur, votre jeune serviteur Lloyd Williams, présent parmi nous en uniforme. Nous vous prions, par votre grâce et dans votre sagesse, d'épargner sa vie lors du conflit imminent. Nous vous en supplions, Seigneur, ramenez-le-nous sain et sauf. Si telle est votre volonté, ô Seigneur. »

L'assemblée répondit par un chaleureux *amen* et Lloyd essuya une larme.

Il raccompagna ses grands-parents chez eux alors que le soleil sombrait derrière la montagne et que le crépuscule descendait sur les rangées de maisons grises. Refusant leur invitation à partager leur repas, il regagna bien vite Tŷ Gwyn, où il arriva à temps pour dîner au mess.

On leur servit du bœuf braisé, des pommes de terre bouillies et du chou. Ce n'était ni pire ni meilleur que dans la plupart des popotes militaires, et Lloyd mangea de bon appétit, sachant que cette nourriture avait été payée par des gens comme ses grands-parents, qui n'auraient que du pain trempé dans de la soupe pour leur repas du soir. Il y avait une bouteille de whisky sur la table. Lloyd en prit un peu, par convivialité. Il observa les autres stagiaires et s'efforça de mémoriser leurs noms.

En montant se coucher, il traversa la salle des sculptures, désormais dépouillée de ses œuvres d'art et meublée d'un tableau noir et de douze bureaux quelconques. Il y croisa le commandant Lowther en grande conversation avec une jeune femme. En l'observant plus attentivement, il reconnut Daisy Fitzherbert.

De surprise, il s'arrêta. Lowther regarda autour de lui d'un air excédé. Apercevant Lloyd, il marmonna sans conviction : «Vicomtesse Aberowen, je crois que vous connaissez le lieutenant Williams.»

Si elle prétend le contraire, se dit Lloyd, je lui rappellerai le long baiser que nous avons échangé un soir, dans le noir, dans une rue de Mayfair.

«Quel plaisir de vous revoir, monsieur Williams», dit-elle en lui tendant la main.

Elle avait la peau douce et tiède au toucher. Il sentit son cœur s'emballer.

«Williams me racontait tout à l'heure que sa mère a travaillé ici comme femme de chambre, glissa Lowther.

— Je sais, confirma Daisy. Il me l'a appris au bal de Trinity. Il me reprochait d'être snob. Je dois reconnaître, à mon grand regret, qu'il avait parfaitement raison.

— Vous êtes indulgente, madame, dit Lloyd, gêné. Je me demande encore pourquoi j'ai pris cette liberté.» Elle avait l'air moins impérieuse que dans son souvenir. Peut-être avait-elle mûri.

Daisy se tourna vers Lowther : «La mère de Mr. Williams est aujourd'hui députée.»

Lowther n'en revint pas.

«Et comment va Eva, votre amie juive? demanda Lloyd. Vous m'avez appris il y a quelques années qu'elle avait épousé Jimmy Murray.

— Ils ont deux enfants.

— A-t-elle pu faire sortir ses parents d'Allemagne?

— C'est gentil à vous de vous en souvenir. Non, malheureusement, les Rothmann n'ont pas pu obtenir de visas.

— Je suis désolé. Elle doit être terriblement inquiète pour eux.

— En effet.»

Lowther était manifestement agacé par cette discussion à propos de Juifs et de domestiques. «Pour en revenir à notre conversation, madame...

— Je vous souhaite le bonsoir», dit Lloyd. Il les laissa et monta l'escalier quatre à quatre.

En se préparant pour la nuit, il se surprit à fredonner le dernier cantique du service religieux.

> *Nulle tempête ne peut ébranler ma paix intérieure*
> *Tant que je m'accroche à ce rocher.*
> *Puisque l'Amour est le Dieu du ciel et de la terre*
> *Comment pourrais-je m'empêcher de chanter ?*

2.

Trois jours plus tard, Daisy terminait une lettre adressée à son demi-frère, Greg. Quand la guerre avait éclaté, il lui avait envoyé un mot plein d'affection et d'inquiétude. Depuis, ils correspondaient régulièrement, à peu près une fois par mois. Il lui avait raconté sa rencontre à Washington, dans E Street, avec son amour d'autrefois, Jacky Jakes, et lui avait demandé ce qui pouvait inciter une fille à fuir comme elle l'avait fait. Daisy n'en avait pas la moindre idée. Elle le lui écrivit, lui souhaita bonne chance et signa.

Elle regarda la pendule. Il restait une heure avant le dîner des stagiaires. Les cours étaient donc finis et elle avait de bonnes chances de trouver Lloyd dans sa chambre.

Elle monta à l'ancien étage du personnel, au grenier. Les jeunes officiers étaient assis ou allongés sur leurs lits, occupés à lire ou à écrire. Elle dénicha Lloyd dans une pièce étroite, agrémentée d'une vieille psyché. Il était assis près de la fenêtre, plongé dans un livre illustré. «C'est intéressant?» demanda-t-elle.

Il bondit sur ses pieds. «Alors ça! Quelle surprise!»

Il rougit. Il avait sans doute encore le béguin pour elle. Elle avait été vraiment cruelle de l'embrasser alors qu'elle n'avait aucune intention d'aller plus loin. Mais c'était il y a quatre ans. Ils étaient encore des gosses tous les deux. Il aurait dû s'en remettre depuis le temps.

Elle regarda le livre qu'il tenait à la main. Il était en allemand, avec des images en couleur représentant des insignes. « Nous devons apprendre à reconnaître les insignes allemands, expliqua-t-il. Une grande partie des renseignements militaires proviennent des interrogatoires de prisonniers de guerre questionnés immédiatement après leur capture. Certains refusent de parler, naturellement. Celui qui l'interroge doit donc pouvoir dire, d'après son uniforme, quel est son grade, à quelle unité il appartient, s'il est dans l'infanterie, la cavalerie, l'artillerie, ou un corps spécial, comme celui des vétérinaires, et ainsi de suite.

— C'est ça que vous apprenez ici ? demanda-t-elle d'un air sceptique. La signification des insignes allemands ? »

Il rit. « C'est une des choses que nous apprenons. Une des rares dont je puisse vous parler sans trahir de secrets militaires.

— Oh, je vois.

— Que faites-vous ici, au pays de Galles ? Je m'étonne que vous ne participiez pas à l'effort de guerre.

— Voilà que vous recommencez déjà vos leçons de morale. Quelqu'un vous aurait-il dit que c'était un bon moyen de charmer les femmes ?

— Excusez-moi, répondit-il avec raideur. Ce n'était pas un reproche.

— De toute façon, il n'y a pas d'effort de guerre. Les ballons de barrage planent dans les airs pour nous protéger d'avions allemands qui ne viennent pas.

— Au moins, à Londres, vous pourriez profiter d'un minimum de vie mondaine.

— C'était ce qui comptait le plus pour moi autrefois, c'est vrai. Ce n'est plus le cas. Je dois vieillir. »

Elle avait eu une autre raison de quitter Londres, mais n'avait pas l'intention de lui en parler.

« Je vous imaginais en uniforme d'infirmière.

— Aucun risque. Je déteste les malades. Mais avant que vous ne fronciez les sourcils de désapprobation, regardez ça. » Elle lui tendit une photographie encadrée.

Il l'examina attentivement. « Où l'avez-vous trouvée ?

— En fouillant dans une boîte de vieux clichés, dans le débarras du sous-sol. »

C'était un portrait de groupe, pris sur la pelouse est de Tŷ Gwyn un matin d'été. Le jeune comte Fitzherbert se tenait au centre, un grand chien blanc à ses pieds. La jeune fille qui se trouvait à côté de lui devait être sa sœur Maud, que Daisy n'avait jamais rencontrée. Ils étaient entourés, à droite et à gauche, par une bonne quarantaine d'hommes et de femmes alignés, portant différents uniformes de domestiques.

« Regardez la date.

— 1912 », déchiffra Lloyd.

Elle avait les yeux rivés sur lui, attentive à ses réactions. « Votre mère y est-elle ?

— Bon sang ! Probablement. » Il examina le cliché de plus près. « Je crois que oui, murmura-t-il au bout d'un moment.

— Où ça ? »

Lloyd lui désigna un visage. « Il me semble que c'est elle, là. »

Daisy découvrit une jolie jeune fille toute mince d'environ dix-neuf ans, dont les boucles noires dépassaient de sa coiffe blanche et au visage illuminé d'un sourire franchement malicieux.

« Ouah ! Elle est ravissante ! s'exclama-t-elle.

— Elle l'était en ce temps-là, en tout cas. Maintenant, les gens disent plutôt d'elle qu'elle est impressionnante.

— Vous avez déjà rencontré Lady Maud ? Vous croyez que c'est elle, là, à côté de Fitz ?

— Je la connais depuis toujours. Ma mère et elle ont été suffragettes ensemble. Je ne l'ai pas revue depuis mon séjour à Berlin en 1933, mais oui, c'est bien elle.

— Elle est moins jolie que votre mère.

— Peut-être, mais elle a beaucoup d'allure et est toujours extrêmement élégante.

— Quoi qu'il en soit, je me suis dit que vous seriez peut-être heureux d'avoir cette photo.

— Je peux la garder ?

— Bien sûr. Personne d'autre n'en veut. Sinon, on ne l'aurait pas fourrée dans une boîte au sous-sol.

— Merci !

— Pas de quoi. » Daisy se dirigea vers la porte. « Retournez à vos chères études, maintenant. »

En descendant l'escalier de service, elle espérait ne pas lui avoir donné l'impression d'avoir un peu flirté. Elle n'aurait sans doute pas dû aller le voir. Elle avait cédé à un élan de générosité. Pourvu qu'il ne se méprenne pas sur ses intentions.

Ressentant soudain une vive douleur au ventre, elle s'immobilisa sur le palier intermédiaire. Elle avait eu un peu mal au dos toute la journée, et avait attribué cela au matelas de mauvaise qualité sur lequel elle dormait. Mais cette douleur-ci était différente. Elle réfléchit à ce qu'elle avait mangé depuis le matin sans réussir à identifier ce qui aurait pu la rendre malade : pas de poulet mal cuit, pas de fruit trop vert. Pas d'huîtres non plus, c'eût été trop beau! La douleur disparut aussi soudainement qu'elle était venue et elle décida de ne plus y penser.

Elle regagna ses appartements au sous-sol. Elle habitait l'ancien logement de la gouvernante : une chambre minuscule, un salon, une petite cuisine et une salle de bains correcte avec une baignoire. Un vieux valet du nom de Morrison jouait le rôle de gardien, et une jeune fille d'Aberowen était venue lui servir de femme de chambre. Elle s'appelait Petite Maisie Owen, malgré sa taille imposante.

« Ma mère s'appelle aussi Maisie. J'ai donc toujours été la petite Maisie, bien que je sois beaucoup plus grande qu'elle maintenant », avait-elle expliqué.

Le téléphone sonna au moment où Daisy entrait. Elle décrocha et entendit la voix de son mari.

« Comment vas-tu ? demanda-t-il.

— Très bien. À quelle heure arrives-tu ? »

Il était en mission à St Athan, une importante base aérienne proche de Cardiff, et il avait promis de passer la voir et de rester la nuit.

« Je ne vais pas pouvoir venir. Je suis désolé.

— Oh, quel dommage !

— Il y a un dîner officiel à la base et je suis obligé d'y assister. »

Il n'avait pas l'air particulièrement triste de devoir renoncer à la voir et elle se sentit délaissée. « Tu vas passer un bon moment, dit-elle.

— Tu parles ! Ça va être ennuyeux à périr, mais je ne peux pas me défiler.

— Sûrement pas aussi ennuyeux que d'être ici toute seule.

— Ça ne doit pas être folichon, c'est sûr. Mais c'est encore là que tu es le mieux, dans ton état. »

Des milliers de Londoniens avaient quitté la ville après la déclaration de guerre, mais constatant que les bombardements aériens et les attaques au gaz attendus ne se concrétisaient pas, la plupart étaient rentrés chez eux depuis. Bea, May et même Eva avaient cependant décidé d'un commun accord qu'en raison de sa grossesse, Daisy devrait s'installer à Tŷ Gwyn. Quantité de bébés naissaient tous les jours à Londres sans problème, avait objecté Daisy ; seulement voilà, l'héritier du comté n'était pas n'importe quel enfant.

En réalité, elle n'était pas aussi contrariée qu'elle l'aurait cru. Peut-être la grossesse la rendait-elle étrangement amorphe. Au demeurant, la vie mondaine de Londres n'était plus ce qu'elle était depuis la déclaration de guerre ; le cœur n'y était plus, les gens donnaient l'impression de ne plus se sentir le droit de s'amuser. Ils étaient comme des pasteurs au bistrot, qui savent qu'ils sont censés se divertir mais n'arrivent pas à entrer dans le jeu.

« Si seulement j'avais ma moto ! s'écria-t-elle. Je pourrais au moins explorer le pays de Galles. »

L'essence était rationnée, mais les restrictions n'étaient pas draconiennes.

« Franchement, Daisy ! s'insurgea-t-il. Tu n'y penses pas ! Le médecin t'a strictement interdit la moto.

— En tout cas, j'ai découvert la littérature. La bibliothèque est fantastique. Quelques éditions rares et précieuses ont été emballées, mais la plupart des livres sont toujours sur les rayonnages. Figure-toi que je suis en train d'acquérir la culture que je me suis tellement acharnée à fuir quand j'étais au lycée.

— C'est parfait. Eh bien, cale-toi dans un fauteuil avec un bon roman policier et passe une bonne soirée.

— J'ai eu un peu mal au ventre tout à l'heure.

— Une indigestion, sans doute.

— J'espère que tu as raison.

— Transmets mes amitiés à ce planqué de Lowthie.

— Et toi, ne bois pas trop de porto à ton dîner. »

Au moment où elle raccrochait, un nouvel élancement lui déchira le ventre. Cette fois, le spasme dura plus longtemps. Maisie entra et s'inquiéta en voyant son visage :

«Vous allez bien, madame?

— Une crampe, ce n'est rien.

— Je venais vous demander si vous étiez prête pour le dîner.

— Je n'ai pas faim. Je crois que je vais me passer de repas, ce soir.

— Je vous avais préparé un bon hachis Parmentier, dit Maisie d'un ton de reproche.

— Couvre-le et mets-le au garde-manger. Je le prendrai demain.

— Voulez-vous que je vous fasse une tasse de thé?»

Daisy accepta pour se débarrasser d'elle.

«Oui, volontiers.»

Au bout de quatre ans, elle n'avait toujours pas réussi à s'habituer au thé des Anglais, ce thé fort avec du lait et du sucre.

La douleur s'atténua. Elle s'assit et ouvrit *Le Moulin sur la Floss*. Elle se força à boire le thé de Maisie et se sentit un peu mieux. Quand elle eut fini et que Maisie eut lavé la tasse et la sous-tasse, elle renvoya la jeune fille chez elle. Maisie devait parcourir un kilomètre et demi à pied dans le noir, mais elle avait une lampe torche et lui assura que cela ne lui faisait pas peur.

Une heure plus tard, la douleur revint, et cette fois, elle ne céda pas. Daily alla aux toilettes dans le vague espoir que cela la soulagerait. Elle découvrit avec étonnement des taches de sang sur ses sous-vêtements.

Elle se changea et gagnée par l'inquiétude, décrocha le téléphone. Elle obtint le numéro de St Athan et appela la base. «Je voudrais parler au vicomte d'Aberowen, lieutenant d'aviation.

— Nous ne pouvons transmettre les appels personnels aux officiers, lui répondit un Gallois pédant.

— C'est urgent. Il faut que je parle à mon mari.

— Il n'y a pas de téléphone dans les chambres. Nous ne sommes pas à l'hôtel Dorchester ici.» Elle se faisait peut-être des idées, mais il avait l'air ravi de ne pas pouvoir lui rendre service.

«Mon mari doit assister au dîner officiel. Je vous en prie, envoyez un officier d'ordonnance le prévenir qu'il est attendu au téléphone.

« — Je n'ai pas d'ordonnance et d'ailleurs, il n'y a pas de dîner officiel.

— Comment ça, pas de dîner ? demanda Daisy, décontenancée.

— Juste le dîner habituel du mess. Et il est terminé depuis une heure. »

Daisy raccrocha violemment. Pas de dîner officiel ? Boy lui avait bien dit qu'il devait assister à un dîner officiel à la base. Il avait donc menti. Elle avait envie de pleurer. Au lieu de venir la voir, il avait préféré aller se saouler avec ses camarades ou peut-être passer la nuit avec une femme. Quelle que fût la raison, Daisy n'était pas sa priorité.

Elle inspira profondément. Elle avait besoin d'aide. Elle ne connaissait pas le numéro de téléphone du médecin d'Aberowen, en admettant qu'il y en ait un. Que faire ?

Lors de son dernier séjour, Boy lui avait dit en partant :

« Tu auras des centaines d'officiers pour s'occuper de toi en cas de besoin. » Elle ne pouvait tout de même pas aller dire au marquis de Lowther qu'elle souffrait de saignements alarmants.

La douleur se fit plus vive. Elle sentit un liquide chaud et visqueux couler entre ses jambes et retourna à la salle de bains pour se laver. Elle remarqua la présence de caillots dans le sang. Elle n'avait pas de serviettes hygiéniques : une femme enceinte n'en avait pas besoin, s'était-elle dit. Elle découpa une bande de tissu dans un essuie-mains et la glissa dans sa culotte.

C'est alors qu'elle pensa à Lloyd Williams.

Il était gentil. Il avait été élevé par une féministe dotée d'une forte personnalité. Il adorait Daisy. Il l'aiderait.

Elle monta au rez-de-chaussée. Où était-il ? Les stagiaires avaient sans doute fini de dîner. Il devait être en haut. Elle avait tellement mal qu'elle craignit d'être incapable de grimper jusqu'au grenier.

Avec un peu de chance, il serait dans la bibliothèque. Les stagiaires s'y rendaient souvent pour étudier dans le calme. Elle trouva un sergent penché sur un atlas. « Auriez-vous l'amabilité d'aller chercher le lieutenant Lloyd Williams ? lui demanda-t-elle.

— Bien sûr, madame, dit-il en refermant le livre. Quel message dois-je lui transmettre ?

— Demandez-lui s'il peut descendre un moment au sous-sol.

— Vous allez bien, madame? Vous êtes un peu pâle.

— Ça ira. Mais tâchez de m'envoyer Williams le plus vite possible.

— Tout de suite. »

Daisy regagna son appartement. L'effort qu'elle avait dû faire pour ne rien laisser paraître l'avait épuisée et elle s'allongea sur son lit. Elle sentit bientôt le sang traverser le tissu de sa robe, mais elle avait trop mal pour s'en soucier. Elle regarda sa montre. Pourquoi Lloyd ne venait-il pas? Le sergent ne l'avait peut-être pas trouvé. La demeure était tellement grande. Peut-être allait-elle mourir ici, toute seule.

On frappa à la porte. À son grand soulagement, elle reconnut sa voix. « C'est Lloyd Williams.

— Entrez. » Il allait la voir dans un état épouvantable. Cela le dégoûterait peut-être définitivement.

Il lui parla depuis la pièce voisine : « J'ai eu du mal à trouver votre appartement. Où êtes-vous?

— Ici. »

Il pénétra dans sa chambre.

« Mon Dieu ! s'exclama-t-il. Que vous est-il arrivé?

— Faites venir quelqu'un. Y a-t-il un médecin dans cette ville?

— Bien sûr. Le docteur Mortimer. Il exerce ici depuis des siècles. Mais je ne sais pas si nous aurons le temps... Laissez-moi... » Il hésita. « C'est peut-être une hémorragie, mais il faudrait que je voie... »

Elle ferma les yeux. « Allez-y. » Elle avait tellement peur qu'elle en oubliait presque toute pudeur.

Il souleva sa jupe. « Oh, ma pauvre », s'écria-t-il. Il déchira sa culotte trempée de sang. « Je suis désolé. Y a-t-il de l'eau quelque... ?

— À la salle de bains », l'interrompit-elle avec un geste de la main.

Il franchit la porte et ouvrit un robinet. Un moment plus tard, elle sentit un linge humide et tiède parcourir son corps.

« Ce n'est qu'un mince filet, annonça-t-il. J'ai vu des hommes se vider de leur sang. Le danger n'est pas aussi grand. » Elle rouvrit les yeux au moment où il rabattait sa jupe. « Où est le téléphone?

« — Dans le salon. »

Elle l'entendit dire : « Passez-moi le docteur Mortimer, aussi vite que possible. » Il y eut un silence. « Lloyd Williams à l'appareil. Je suis à Tŷ Gwyn. Puis-je parler au docteur ?... Oh, bonsoir madame Mortimer. Quand pensez-vous qu'il sera de retour ? Il s'agit d'une jeune femme qui souffre de violentes douleurs abdominales et de saignements... Oui, je sais que cela arrive tous les mois, mais là, c'est autre chose, de toute évidence... elle a vingt-trois ans... oui, mariée... pas d'enfants... je vais lui demander. » Il haussa le ton. « Vous ne seriez pas enceinte par hasard ?

— Si, répondit Daisy. De trois mois. »

Il répéta l'information. Un long silence suivit. Finalement, il raccrocha et revint auprès d'elle.

Il s'assit au bord du lit. « Le médecin passera dès que possible. Il est en train d'opérer un mineur écrasé par une benne qui s'est détachée. Mais sa femme est sûre que vous venez de faire une fausse couche. » Il lui prit la main. « Je suis désolé pour vous, Daisy.

— Merci », murmura-t-elle.

La douleur semblait moins forte, mais Daisy était infiniment triste. L'héritier du comté n'était plus. Boy serait tellement déçu !

« Mrs. Mortimer dit que c'est très fréquent, poursuivit Lloyd. Il arrive souvent que les femmes fassent une ou deux fausses couches avant de mener une grossesse à son terme. Ce n'est pas grave, pourvu que les saignements restent modérés.

— Et si ça empire ?

— Alors, je devrai vous conduire à l'hôpital de Merthyr. Mais il ne serait pas très judicieux de vous faire faire quinze kilomètres de route dans un camion de l'armée. Il faut donc l'éviter tant que votre vie n'est pas en danger. »

Elle n'avait plus peur. « Je suis tellement contente que vous ayez été là.

— Je peux vous proposer quelque chose ?

— Certainement.

— Croyez-vous que vous puissiez faire quelques pas ?

— Je ne sais pas.

— Je vais vous faire couler un bain. Si vous pouvez aller jusqu'à la baignoire, ça vous fera certainement beaucoup de bien.

— Sûrement, oui.

— Vous pourrez peut-être improviser ensuite une sorte de couche ?

— Oui. »

Il disparut dans la salle de bains. Elle entendit couler l'eau. Elle se redressa dans son lit. Elle avait la tête qui tournait et attendit que cela passe. Elle posa les pieds par terre. Elle était assise dans une mare de sang coagulée. Elle se dégoûtait.

L'eau s'arrêta dans la salle de bains. Il revint et la prit par le bras.

« Si vous vous sentez mal, prévenez-moi. »

Il avait une force étonnante et l'accompagna au cabinet de toilette en la soutenant fermement. Sa culotte déchirée tomba à terre en chemin. Debout devant la baignoire, elle le laissa dégrafer le dos de sa robe « Vous pourrez vous débrouiller pour la suite ? » demanda-t-il.

Elle hocha la tête et il sortit.

Assise sur le panier à linge, elle retira lentement ses vêtements qu'elle abandonna sur le sol en un tas ensanglanté. Elle se glissa doucement dans la baignoire. L'eau était juste à la bonne température. Pendant qu'elle se détendait, allongée dans la baignoire, la douleur s'apaisa. Elle éprouvait une immense gratitude envers Lloyd. Il s'était montré tellement gentil qu'elle en avait les larmes aux yeux.

Quelques minutes plus tard, la porte s'entrouvrit, laissant apparaître une main qui tenait des vêtements.

— Chemise de nuit et tout le reste », annonça-t-il. Il les posa sur le panier à linge et referma la porte.

Quand l'eau commença à refroidir, elle se leva. Elle eut un nouveau vertige, mais il ne dura pas. Elle se sécha et enfila les sous-vêtements et la chemise de nuit qu'il avait apportés. Elle glissa un essuie-mains dans sa culotte pour absorber le sang qui suintait toujours.

Quand elle retourna dans sa chambre, son lit avait été refait avec des draps et des couvertures propres. Elle s'installa, s'assit bien droite et remonta les couvertures jusqu'à son cou.

Il surgit du salon. « Vous devez vous sentir mieux, remarqua-t-il. Mais vous avez l'air tellement gênée !

— Gênée n'est pas le mot. Mortifiée, plutôt, et encore, le terme est faible. » La vérité n'était pas si simple. À la seule idée du spectacle qu'elle avait offert, elle tressaillait de dégoût. Pourtant, il n'avait pas semblé écœuré.

Il se rendit dans la salle de bains ramasser les vêtements qu'elle y avait laissés. De toute évidence, le sang ne le rebutait pas.

« Qu'avez-vous fait des draps ? demanda-elle.

— J'ai trouvé un grand évier dans la pièce où l'on fait les bouquets. Je les ai mis à tremper dans l'eau froide. Je vais y ajouter vos vêtements. Je peux ? »

Elle acquiesça et il disparut à nouveau. Où avait-il appris à être aussi débrouillard ? Pendant la guerre civile espagnole sans doute, se dit-elle.

Elle l'entendit aller et venir dans la cuisine. Il revint avec deux tasses de thé.

« Je suppose que vous détestez ça, mais ça vous fera du bien. » Elle prit une tasse et but le thé chaud avec soulagement.

Elle avait toujours trouvé Lloyd plus mûr que son âge. Elle se rappelait l'assurance avec laquelle il était parti à la recherche de Boy, complètement ivre, au Gaiety Theatre. « Vous avez toujours été comme ça, remarqua-t-elle. Vraiment adulte, alors que nous, nous faisions seulement semblant. »

Son thé terminé, une douce torpeur l'envahit. Il débarrassa les tasses. « Je vais me reposer un moment, dit-elle. Vous voulez bien rester si je m'assoupis ?

— Je resterai aussi longtemps que vous voudrez. » Il ajouta quelque chose, mais sa voix se perdit dans un brouillard et elle s'endormit.

3.

Après cela, Lloyd prit l'habitude de venir passer la soirée dans le petit appartement de la gouvernante.

Pendant toute la journée, il attendait ce moment avec impatience.

Il descendait un peu après huit heures, quand le dîner au mess était terminé et que la femme de chambre de Daisy était partie. Ils s'asseyaient l'un en face de l'autre dans les deux vieux fauteuils. Lloyd apportait un livre d'étude (il avait toujours des « devoirs » à faire le soir, et des examens le lendemain matin) et Daisy lisait un roman ; mais le plus souvent, ils bavardaient. Ils évoquaient les événements de la journée, parlaient de ce qu'ils étaient en train de lire et se racontaient leur vie.

Il lui fit le récit de la bataille de Cable Street telle qu'il l'avait vécue. « Alors que la foule de manifestants était parfaitement pacifique, la police montée nous a chargés en vitupérant contre les sales Juifs. Ils nous ont matraqués en nous repoussant contre les vitrines, qui se sont brisées. »

Elle était restée enfermée avec les fascistes dans le parc de Tower Gardens et n'avait rien vu de l'affrontement. « Ce n'est pas comme ça que la presse a présenté les choses », dit-elle.

Elle avait cru les journaux qui avaient parlé d'une manifestation de rue organisée par des voyous.

Lloyd n'en fut pas surpris. « Ma mère a vu les actualités filmées à l'Aldgate Essoldo une semaine plus tard. Le commentateur a dit d'une voix doucereuse : "La police n'a reçu que des éloges de la part des observateurs impartiaux." Mam nous a raconté que la salle entière a éclaté de rire. »

Daisy était choquée par son scepticisme à l'égard de la presse. Il lui expliqua que la plupart des journaux britanniques avaient passé sous silence les atrocités commises par l'armée franquiste en Espagne et exagéré la moindre exaction des forces gouvernementales. Elle reconnut qu'elle avait admis sans discernement l'opinion du comte Fitzherbert présentant les rebelles comme de fervents chrétiens qui luttaient pour libérer l'Espagne de la menace communiste. Elle n'avait jamais entendu parler des viols, des pillages et des exécutions massives perpétrés par les hommes de Franco.

Elle n'avait apparemment jamais songé que les journaux qui appartenaient à des capitalistes pouvaient minimiser les événements susceptibles de donner une mauvaise image du gouvernement conservateur, de l'armée ou des hommes d'affaires et monter au contraire en épingle tous les actes répréhensibles commis par des syndicalistes ou des membres des partis de gauche.

Lloyd et Daisy parlèrent aussi de la guerre. Les choses bougeaient enfin. Des troupes françaises et britanniques avaient débarqué en Norvège et se battaient contre les Allemands qui avaient envahi ce pays. La presse pouvait difficilement dissimuler que les Alliés étaient en mauvaise posture.

L'attitude de Daisy envers lui avait changé. Elle ne flirtait plus. Elle était toujours contente de le voir, se plaignait quand il arrivait en retard, le taquinait parfois ; mais elle avait abandonné toute coquetterie. Elle lui dit que tout le monde avait été profondément déçu par la perte du bébé : Boy, Fitz, Bea, sa mère, à Buffalo, et même son père. Elle ne pouvait se défaire d'un sentiment irrationnel de honte et lui demanda s'il trouvait cela stupide. Il la rassura. Rien de ce qui la concernait ne pouvait lui paraître stupide.

Malgré des discussions très personnelles, ils se tenaient physiquement à distance. Lloyd ne voulait pas tirer parti de l'extraordinaire intimité qu'ils avaient partagée pendant la nuit de sa fausse couche. Il n'oublierait jamais ce moment, il en était sûr. Quand il avait lavé le sang de ses cuisses et de son ventre, le geste n'avait rien eu de très excitant, mais il était empreint d'une immense tendresse. Il s'agissait évidemment d'une urgence médicale qui ne l'autorisait en rien à se livrer à la moindre privauté ensuite. Il avait tellement peur qu'elle ne puisse se méprendre qu'il veillait soigneusement à ne jamais la toucher.

À dix heures, elle préparait un chocolat chaud, dont il raffolait. Elle prétendait aimer cela aussi, mais il se demandait si ce n'était pas par politesse. Ensuite, il lui souhaitait une bonne nuit et remontait dans sa chambre, au grenier.

Ils étaient comme de vieux amis. Ce n'était pas tout à fait ce qu'il aurait souhaité, mais elle était mariée et il savait qu'il ne pouvait en espérer davantage.

Il avait tendance à oublier le statut social de Daisy et fut très étonné quand elle lui annonça, un soir, qu'elle allait rendre visite à l'ancien majordome du comte, Peel, qui avait pris sa retraite et habitait une petite maison non loin du domaine.

« Il a quatre-vingts ans ! dit-elle. Je suis sûr que Fitz a oublié jusqu'à son existence. Il faut que je prenne de ses nouvelles. »

Lloyd marqua sa surprise en haussant les sourcils.

« Je dois m'assurer qu'il va bien, expliqua Daisy. C'est mon devoir de membre du clan Fitzherbert. Les familles riches sont tenues de veiller au bien-être de leurs vieux employés, vous ne saviez pas ça ?

— Ça m'était sorti de l'esprit.

« — Voulez-vous m'accompagner ?

— Certainement. »

Le lendemain était un dimanche. Ils y allèrent dans la matinée, profitant de ce que Lloyd n'avait pas de cours. Ils furent choqués par l'état de la petite maison. La peinture s'écaillait, le papier peint se décollait et les rideaux étaient noirs de suie. Le seul élément de décoration était un alignement de photographies découpées dans des magazines et épinglées aux murs : le roi et la reine, Fitz et Bea, d'autres membres de la noblesse. Le ménage n'avait pas été correctement fait depuis des années et il régnait une odeur d'urine, de cendre et de pourriture. Lloyd songea que cela n'avait rien d'étonnant pour un vieil homme qui devait se contenter d'une minuscule pension de retraite.

Jetant un regard à Lloyd sous ses sourcils blancs, Peel s'exclama : « Bonjour, monsieur le comte. Je vous croyais mort ! »

Lloyd sourit. « Je ne suis qu'un visiteur.

— Ah oui ? Pardonnez-moi, ma pauvre tête n'est plus ce qu'elle était. Le vieux comte est mort, il y a quoi, trente-cinq, quarante ans ? Mais qui êtes-vous, jeune homme ?

— Lloyd Williams. Vous avez connu ma mère, Ethel, il y a bien longtemps.

— Tu es le fils d'Ethel ? Dans ce cas, je comprends, évidemment...

— Qu'est-ce que vous comprenez, monsieur Peel ? demanda Daisy.

— Oh, rien, je perds la tête, je vous le disais ! »

Ils lui demandèrent s'il avait besoin de quelque chose. Il les assura qu'il ne manquait de rien. « Je ne mange pas beaucoup, je bois très peu de bière. J'ai assez d'argent pour acheter les journaux et du tabac pour ma pipe. Tu crois qu'Hitler va nous envahir, jeune Lloyd ? J'espère ne pas voir ça de mon vivant. »

Daisy nettoya un peu la cuisine. À vrai dire, les tâches ménagères n'étaient pas son fort. « Je n'arrive pas à y croire, murmura-t-elle à Lloyd. Il vit là-dedans et prétend que tout va bien... et qu'il a de la chance !

— Beaucoup d'hommes de son âge sont moins bien lotis », répliqua Lloyd.

Ils passèrent une heure à bavarder avec Peel. Juste avant leur départ, il pensa à quelque chose qu'il souhaitait leur demander. Il regarda les photos affichées sur son mur. « Une photographie a été prise aux obsèques du vieux comte. J'étais simple valet de pied à l'époque, pas encore majordome. On s'est tous alignés à côté du corbillard. Il y avait un gros appareil sur pied, recouvert d'un voile noir, pas comme les petits appareils qu'on a maintenant. C'était en 1906.

— Je crois savoir où se trouve cette photo, dit Daisy. Je vais essayer de vous la retrouver. »

De retour à Tŷ Gwyn, ils descendirent au sous-sol. Le débarras, situé près de la cave à vin, était très vaste. Il était encombré de boîtes, de coffres et d'objets inutilisés : un bateau dans une bouteille, une maquette de Tŷ Gwyn en allumettes, une commode miniature, une épée dans un fourreau travaillé.

Ils se mirent à fouiller dans les photographies et les tableaux. Daisy éternuait à cause de la poussière, mais tenait à continuer.

Ils trouvèrent enfin le cliché dont Peel leur avait parlé. La même boîte contenait une photo encore plus ancienne du comte disparu. Lloyd la contempla avec étonnement. Le tirage sépia de dix centimètres sur huit représentait un jeune homme en uniforme d'officier de l'époque victorienne.

C'était le portrait craché de Lloyd.

« Regardez, fit-il en tendant la photo à Daisy.

— Ça pourrait être vous, avec des favoris.

— Le vieux comte a peut-être eu une aventure avec une de mes ancêtres, reprit Lloyd d'un air détaché. Si elle était mariée, elle aura fait passer l'enfant du comte pour celui de son mari. Je peux vous dire que je ne serais pas très content d'apprendre que je descends d'un aristocrate par la main gauche, moi, un socialiste pur et dur !

— Lloyd, s'écria Daisy, êtes-vous vraiment aussi naïf ? »

Il ne savait pas si elle parlait sérieusement. En plus, elle avait sur le nez une traînée de poussière, tellement adorable qu'il avait envie d'y poser un baiser. « Eh bien, il m'est arrivé plus d'une fois de me ridiculiser, mais...

— Écoutez-moi. Votre mère était femme de chambre dans cette maison. Et tout d'un coup en 1914, elle part pour Londres et épouse un certain Teddy dont personne ne sait rien sinon qu'il s'appelait Williams, comme elle, ce qui lui a évité d'avoir à changer de nom. Ce mystérieux monsieur Williams est mort sans que personne ne l'ait jamais rencontré et son assurance vie a permis à votre mère d'acheter la maison qu'elle habite encore aujourd'hui.

— En effet. Mais où voulez-vous en venir ?

— Après la mort de Mr. Williams, elle donne naissance à un fils qui ressemble étrangement à feu le comte Fitzherbert. »

Il commençait à avoir une vague idée de ce qu'elle insinuait. « Continuez.

— Il ne vous est jamais venu à l'esprit que cette histoire pouvait avoir une tout autre explication ?

— Pas jusqu'à aujourd'hui...

— Que fait une famille d'aristocrates quand une de ses filles se retrouve enceinte ? Ça arrive souvent, vous savez.

— Je veux bien vous croire. Mais je serais en peine de vous répondre. Ce n'est pas le genre de choses dont on parle.

— Exactement. La fille disparaît pendant quelques mois, elle se rend en Écosse, en Bretagne ou à Genève, avec sa femme de chambre. Quand elles reviennent, la femme de chambre a un petit bébé, né pendant leur absence. La famille la traite avec une étonnante gentillesse, bien qu'elle ait admis avoir commis le péché de chair, et l'envoie vivre ailleurs avec une petite pension. »

Son histoire ressemblait à un conte de fées, sans grand rapport avec la vie réelle. Lloyd n'en était pas moins intrigué et troublé. « Vous pensez que c'est ce qui a pu m'arriver ?

— Ce que je pense, c'est que Maud Fitzherbert a eu une aventure avec un jardinier, un mineur, ou encore un charmant vaurien de Londres, et qu'elle est tombée enceinte. Elle est partie accoucher quelque part dans le plus grand secret. Votre mère a accepté de dire qu'elle était la mère du bébé, en échange de quoi les Fitzherbert lui ont offert une maison. »

Lloyd se rappela un fait qui semblait confirmer cette hypothèse. « Elle se montre toujours très évasive quand je l'interroge sur mon vrai père. » Cela lui paraissait suspect maintenant.

« Eh bien voilà ! Teddy Williams n'a jamais existé. Pour préserver sa bonne réputation, votre mère a prétendu être veuve. Elle a baptisé son défunt mari imaginaire Williams pour ne pas avoir à changer de nom. »

Incrédule, Lloyd secoua la tête : « Non, franchement, c'est tiré par les cheveux.

— Maud et elle ont toujours été amies et Maud l'a aidée à

vous élever. En 1933, Ethel vous a emmené à Berlin parce que votre vraie mère voulait vous revoir. »

Lloyd avait l'impression de rêver ou d'émerger à peine de son sommeil. « Vous croyez que je suis le fils de Maud ? » demanda-t-il sans y croire.

Daisy tapota le cadre de la photo qu'elle tenait toujours à la main. « Et vous ressemblez comme deux gouttes d'eau à votre grand-père ! »

Lloyd n'en revenait pas. C'était impossible et pourtant, assez logique.

« Je me suis fait à l'idée que Bernie n'était pas mon vrai père. Ethel ne serait donc pas non plus ma vraie mère ? »

Daisy dut lire une ombre de désarroi sur son visage, car elle se pencha vers lui et lui effleura la joue, ce qu'elle ne faisait jamais.

« Je suis désolée. J'ai peut-être été un peu brutale ? Je voulais seulement vous ouvrir les yeux. Si Peel soupçonne la vérité, ne pensez-vous pas que d'autres peuvent en faire autant ? Ce sont des choses qu'on préfère apprendre de la bouche de quelqu'un qui... d'une amie. »

Un gong résonna au loin. « Il faut que j'aille au mess. C'est l'heure du déjeuner », dit Lloyd d'une voix sans timbre.

Il sortit le cliché de son cadre et le glissa dans une poche de sa veste d'uniforme.

« Vous êtes bouleversé, constata Daisy d'un air inquiet.

— Non, non. Seulement... étonné.

— Les hommes refusent toujours d'admettre qu'ils sont bouleversés. Revenez me voir tout à l'heure, vous voulez bien ?

— Entendu.

— N'allez pas vous coucher sans m'avoir reparlé.

— Promis. »

Il sortit du débarras et gagna la grande salle à manger transformée en mess. Il mangea machinalement son bœuf en boîte, l'esprit en ébullition. Il ne prit aucune part à la discussion des convives à propos de la bataille qui faisait rage en Norvège.

« On est dans la lune, Williams ? demanda le commandant Lowther.

— Pardon, mon commandant, répondit Lloyd se hâtant d'improviser une excuse. J'essayais de me rappeler quel est le grade le plus élevé dans l'armée allemande, *Generalleutnant* ou *Generalmajor* ?

— *Generalleutnant*, répondit Lowther. Mais si j'ai un conseil à vous donner, ajouta-t-il tout bas, n'oubliez surtout pas la différence entre *meine Frau* et *deine Frau*. »

Lloyd rougit. Ainsi, son amitié avec Daisy n'était pas aussi discrète qu'il l'avait cru. La nouvelle en était arrivée jusqu'aux oreilles de Lowther. Il était furieux. Ils n'avaient rien fait de mal, Daisy et lui. Pourtant, il ne protesta pas. Il se sentait coupable, bien qu'il ne le fût pas. Il ne pouvait pas jurer, la main sur le cœur, que ses intentions étaient pures. Il savait ce qu'aurait dit Granda : « Celui qui regarde la femme d'un autre avec convoitise a déjà commis l'adultère dans son cœur. » Tel était l'enseignement sans détour de Jésus et il y avait beaucoup de vérité là-dedans.

En pensant à ses grands-parents, il se demanda s'ils savaient qui étaient ses vrais parents. Ce doute sur ses origines lui donnait une impression de vide, comme lorsqu'en rêve, on fait une chute interminable. Si on lui avait menti à ce sujet, on avait pu le tromper sur bien d'autres points.

Il décida d'aller interroger Granda et Grandmam. C'était dimanche, il pouvait le faire immédiatement. Dès qu'il put décemment se retirer, il quitta le mess et prit la direction de Wellington Row.

Il se dit que s'il leur demandait de but en blanc s'il était le fils de Maud, ils nieraient en bloc. Il obtiendrait sans doute davantage d'informations en adoptant une approche plus progressive.

Il les trouva assis à la cuisine. Pour eux, le dimanche était le jour du Seigneur, consacré à la religion : ils ne lisaient pas les journaux et n'écoutaient pas la radio. Ils furent néanmoins ravis de le voir et Grandmam prépara du thé, comme d'habitude.

Lloyd se lança : « J'aimerais bien en savoir plus long sur mon vrai père. Mam m'a dit que Teddy Williams était dans les Welsh Rifles. Vous le saviez ?

— Pourquoi veux-tu fouiller le passé ? grommela Grandmam. Ton père, c'est Bernie. »

Lloyd ne chercha pas à la contredire. « C'est vrai. Bernie Leckwith a été le meilleur des pères pour moi. »

Granda hocha la tête. « Un Juif, mais un excellent homme, ça, c'est sûr. » Il pensait se montrer extraordinairement tolérant.

Lloyd ne releva pas. « N'empêche, je suis curieux. Vous avez rencontré Teddy Williams ?

— Non, bougonna Granda. Et ça a été un grand regret pour nous.

— Il est venu à Tŷ Gwyn avec un invité dont il était le valet, enchaîna Grandmam. Nous ne savions pas que ta mère avait le béguin pour lui jusqu'à ce qu'elle parte à Londres pour l'épouser.

— Pourquoi n'êtes-vous pas allés au mariage ? »

Ils restèrent silencieux. Granda murmura enfin : « Dis-lui la vérité, Cara. Les mensonges n'apportent jamais rien de bon.

— Ta mère a succombé à la tentation, se décida Grandmam. Après le départ du valet, elle s'est aperçue qu'elle attendait un enfant. » Lloyd l'avait toujours soupçonné et s'était dit que cela expliquait les réponses évasives de sa mère. « Ton grand-père était très en colère.

— Trop, reconnut Granda. J'avais oublié la parole de Jésus : "Ne juge point et tu ne seras pas jugé." Elle avait commis le péché de luxure, et moi le péché d'orgueil. » Lloyd fut surpris de voir briller des larmes dans les yeux bleu clair de son grand-père. « Dieu lui a pardonné, mais pas moi, pendant longtemps. Et quand je l'ai fait, mon gendre était mort, tué en France. »

Lloyd était encore plus perplexe qu'auparavant. C'était une nouvelle version des faits, assez différente de celle que lui avait racontée sa mère et qui n'avait rien à voir avec la théorie de Daisy. Son grand-père pleurait-il un gendre qui n'avait jamais existé ?

« Et la famille de Teddy Williams ? insista-t-il. Mam m'a dit qu'il venait de Swansea. Il avait sûrement des parents, des frères, des sœurs...

— Ta mère n'a jamais parlé de sa famille, répondit Grandmam. Elle devait avoir honte. En tout cas, elle ne voulait pas les connaître. Et ce n'était pas à nous de nous opposer à sa volonté.

— Mais j'ai peut-être deux autres grands-parents à Swansea. Et des oncles, des tantes, des cousins que je ne connais pas.

— Oui, admit Granda. Mais nous n'en savons rien.

— Ma mère doit savoir, elle.

— Sans doute.

— Je lui poserai la question », dit Lloyd.

4.

Daisy était amoureuse.

Elle savait maintenant qu'elle n'avait jamais aimé personne avant Lloyd. Elle avait éprouvé du désir pour Boy, certes, mais ce n'était pas de l'amour. Quant au pauvre Charlie Farquharson, elle avait tout juste ressenti un peu d'affection pour lui. Elle avait cru que l'amour était un sentiment dont elle pouvait investir un homme qui lui plaisait, sa principale responsabilité étant de le choisir intelligemment. Elle comprenait maintenant qu'elle s'était lourdement trompée. L'intelligence n'avait rien à voir là-dedans, et elle n'avait pas le choix. L'amour était un séisme.

Sa vie était vide à part les deux heures qu'elle passait avec Lloyd le soir. Le reste de la journée n'était qu'attente, et la nuit, souvenir.

Lloyd était le coussin sur lequel elle reposait sa joue. Il était la serviette avec laquelle elle s'essuyait les seins au sortir du bain. Les doigts qu'elle mettait dans sa bouche et qu'elle suçait rêveusement.

Comment avait-elle pu l'ignorer pendant des années ? L'amour de sa vie avait surgi devant elle au bal de Trinity College et tout ce qu'elle avait remarqué, c'est qu'il avait l'air d'avoir emprunté son costume ! Pourquoi n'était-elle pas tombée dans ses bras, pourquoi ne l'avait-elle pas embrassé en exigeant qu'ils se marient immédiatement ?

Il l'avait su dès le début, elle en était presque sûre. Il avait dû tomber amoureux d'elle lors de leur première rencontre. Il l'avait suppliée de quitter Boy.

« Laissez-le tomber, lui avait-il dit au Gaiety. Sortez plutôt avec moi. » Elle s'était moquée de lui. Mais il avait vu la vérité à laquelle elle était restée aveugle.

Pourtant, une intuition née du plus profond de son âme l'avait incitée à l'embrasser sur le trottoir de Mayfair, entre deux réverbères. À l'époque, elle n'y avait vu qu'un caprice, alors que c'était la chose la plus intelligente qu'elle ait jamais faite, car ce baiser avait sans doute renforcé l'amour qu'il éprouvait pour elle.

Seule à Tŷ Gwyn, elle refusait d'envisager la suite. Elle vivait au jour le jour, flottant sur un nuage, souriant à tout et n'importe quoi. Elle reçut une lettre angoissée de sa mère, qui s'inquiétait de sa santé, de son moral après sa fausse couche. Elle lui envoya une réponse rassurante. Olga lui donnait aussi quelques nouvelles de Buffalo : Dave Rouzrokh était mort à Palm Beach, Muffie Dixon avait épousé Philip Renshaw, la femme du sénateur Dewar avait écrit un best-seller intitulé *Dans les coulisses de la Maison Blanche*, illustré de photographies prises par Woody. Un mois plus tôt, Daisy aurait eu le mal du pays en lisant ces lignes. Cela ne lui faisait plus ni chaud ni froid.

Elle n'était triste que quand elle pensait au bébé qu'elle avait perdu. La douleur s'était rapidement estompée et les saignements avaient cessé au bout d'une semaine, mais la perte de son enfant l'affligeait profondément. Elle ne pleurait plus, mais elle se surprenait parfois à se demander, les yeux dans le vague, si c'était une fille ou un garçon, à quoi il ou elle aurait ressemblé. Et elle était stupéfaite quand elle se rendait compte qu'elle était restée sans bouger à divaguer une heure entière.

Le printemps était arrivé. Elle se promenait, en imperméable et en bottes de caoutchouc, sur le flanc de la colline balayé par le vent. Parfois, quand elle était sûre que personne d'autre que les moutons ne pouvait l'entendre, elle criait à pleins poumons : « Je l'aime ! »

Elle était préoccupée par la réaction qu'il avait eue quand elle l'avait interrogé sur ses origines. Elle avait peut-être eu tort de soulever la question. Elle n'avait réussi qu'à le rendre malheureux. Elle avait raison pourtant : tôt ou tard, la vérité éclaterait et il valait mieux l'apprendre de la bouche de quelqu'un qui vous aimait. Sa douloureuse stupéfaction l'avait touchée au cœur et elle n'en était que plus éprise.

C'est alors qu'il lui annonça qu'il avait demandé une permission. Il comptait se rendre dans une station balnéaire du sud appelée Bournemouth pour assister au deuxième congrès annuel du parti travailliste, à la fin de la deuxième semaine de mai, au moment de la Pentecôte.

Sa mère viendrait elle aussi à Bournemouth, lui avait-il

expliqué, et il aurait ainsi l'occasion de lui poser des questions sur sa naissance. Daisy le trouva à la fois impatient et inquiet.

Lowther aurait certainement refusé de le laisser partir si Lloyd n'avait pas prévenu le colonel Ellis-Jones de son intention en mars, au moment où il avait été affecté à cette formation. Le colonel appréciait probablement Lloyd ; peut-être aussi était-il un sympathisant du parti, ou bien les deux. En tout cas, il lui avait accordé une autorisation sur laquelle Lowther ne pouvait pas revenir. Naturellement, si les Allemands envahissaient la France, il n'y aurait de permission pour personne.

Daisy s'affola soudain à l'idée que Lloyd pourrait quitter Aberowen sans savoir qu'elle l'aimait. Elle ignorait pourquoi, mais elle tenait absolument à le lui dire avant son départ.

Lloyd devait partir le mercredi et revenir six jours plus tard. Coïncidence, Boy avait annoncé sa visite pour le mercredi soir. Daisy était soulagée, sans trop savoir pourquoi, que les deux hommes ne se retrouvent pas à Tŷ Gwyn en même temps.

Elle décida d'avouer ses sentiments à Lloyd le mardi, la veille de son départ. Elle n'avait aucune idée de ce qu'elle dirait à son mari le lendemain.

En imaginant la conversation qu'elle aurait avec Lloyd, elle se dit qu'il l'embrasserait sûrement. Ils seraient alors submergés par leurs sentiments et feraient l'amour, c'était certain. Et ils passeraient la nuit lovés dans les bras l'un de l'autre.

À ce stade de sa réflexion, un souci vint interrompre sa rêverie : l'indispensable discrétion dont ils devraient faire preuve. Il ne fallait pas, dans leur intérêt à tous les deux, qu'on voie Lloyd sortir de son appartement au petit matin. Lowthie avait déjà des soupçons : elle l'avait compris à son attitude, à la fois réprobatrice et taquine, comme s'il estimait que c'était de lui, et non de Lloyd, qu'elle aurait dû tomber amoureuse.

Il fallait trouver un autre endroit pour son entrevue décisive avec Lloyd. Elle pensa aux chambres inoccupées de l'aile ouest et se surprit à retenir son souffle. Il pourrait partir à l'aube. Si quelqu'un le voyait, on ne saurait pas qu'il était avec elle. Elle s'éclipserait plus tard, tout habillée, et pourrait prétendre être à la recherche d'un objet quelconque appartenant à la famille, un tableau par exemple. En fait, se dit-elle en préparant son éventuel mensonge, elle pourrait prendre un bibelot dans le débarras et le placer dans la chambre qu'elle aurait choisie, à l'avance, prêt à servir d'alibi.

Le mardi matin à neuf heures, alors que tous les stagiaires étaient en cours, elle monta à l'étage avec un ensemble de flacons de parfum au couvercle d'argent oxydé et une glace à main assortie. Elle se sentait déjà coupable. Les tapis avaient été enlevés, ses pas résonnaient sur le paquet nu comme pour annoncer l'arrivée d'une dévergondée. Heureusement, elle ne croisa personne.

Elle opta pour la chambre des gardénias qui, si elle avait bonne mémoire, servait actuellement à entreposer le linge de maison. Quand elle y entra, le couloir était désert. Elle referma promptement la porte derrière elle. Elle était haletante. Je n'ai pourtant encore rien fait, se dit-elle.

Sa mémoire ne l'avait pas trompée : des piles parfaitement ordonnées de draps, de couvertures et d'oreillers étaient alignées contre les murs au papier peint fleuri de gardénias, enveloppées dans des toiles de coton grossier retenues par des ficelles, comme de gros colis.

La pièce sentant le renfermé, elle ouvrit une fenêtre. Le mobilier d'origine avait été conservé : un lit, une armoire, une commode, un secrétaire et une coiffeuse en forme de haricot surmontée de trois miroirs. Elle posa les flacons de parfum sur la coiffeuse et fit le lit avec des draps pris dans les piles. Ils étaient froids.

Cette fois, j'ai fait quelque chose, songea-t-elle. J'ai préparé un lit pour mon amant et moi.

Elle regarda les oreillers blancs et la couverture rose bordée de satin. Elle s'imagina enlacée à Lloyd dans une fougueuse étreinte, échangeant avec lui des baisers éperdus. Cette idée l'enflamma tellement qu'elle se sentit défaillir.

Elle entendit des pas qui claquaient sur le plancher comme les siens précédemment. Qui cela pouvait-il être ? Morrison, le vieux valet, qui allait réparer une gouttière qui fuyait ou un carreau cassé ? Elle attendit, le cœur battant, le temps que les pas se rapprochent puis s'éloignent enfin.

La frayeur calma son excitation et modéra son ardeur. Elle jeta un dernier regard à la chambre et s'en alla.

Personne dans le couloir.

Elle s'y engagea, toujours trahie par le martèlement de ses chaussures. Désormais, elle avait l'air parfaitement innocente.

Elle pouvait aller où elle voulait. Elle avait plus de raisons que n'importe qui d'autre de se trouver là, elle était chez elle. Son mari était l'héritier du domaine.

Le mari qu'elle s'apprêtait à tromper.

Elle aurait dû être paralysée par la culpabilité ; en réalité, elle était impatiente, consumée de désir.

Il lui restait à prévenir Lloyd. Il était passé chez elle la veille au soir, comme d'habitude, mais elle n'avait pas pu lui donner rendez-vous à ce moment-là, car il lui aurait demandé des explications ; elle n'aurait pas pu s'empêcher de tout lui avouer et de l'attirer dans son lit, ce qui aurait tout gâché. Il fallait absolument qu'elle puisse lui dire un mot aujourd'hui.

D'ordinaire, elle ne le voyait pas pendant la journée, à moins de tomber sur lui par hasard, dans l'entrée ou à la bibliothèque. Comment s'assurer de le rencontrer ? Elle monta au grenier par l'escalier de service. Les stagiaires n'étaient pas dans leurs mansardes, mais l'un d'eux pouvait revenir à tout moment récupérer un objet oublié. Elle devait donc faire vite.

Elle entra dans la chambre de Lloyd. Elle était pleine de son odeur, une odeur qu'elle n'aurait pas su identifier. Elle ne voyait pas de bouteille d'eau de Cologne. En revanche, il y avait un pot de lotion capillaire à côté de son rasoir. Elle l'ouvrit et respira : oui, c'était ça, épices et agrumes. Était-il coquet ? se demanda-t-elle. Peut-être un peu. Il était toujours très soigné, en tout cas, même en uniforme.

Elle comptait lui laisser un mot. Un bloc de papier à lettres était posé sur la commode. Elle l'ouvrit et chercha quelque chose pour écrire. Elle savait qu'il possédait un stylo noir avec son nom gravé dessus, mais il avait dû l'emporter pour prendre des notes en cours. Elle trouva un crayon dans le tiroir du haut.

Elle réfléchit. Il fallait être prudente, car quelqu'un d'autre pouvait lire ce message. Pour finir, elle écrivit simplement : « Bibliothèque ». Elle laissa le bloc ouvert sur la commode, bien en vue, et s'en alla.

Elle ne croisa personne.

Il remonterait forcément dans sa chambre, peut-être pour remplir son stylo à la bouteille d'encre qui se trouvait là. Il verrait alors son mot et viendrait la rejoindre.

Elle alla l'attendre dans la bibliothèque.

La matinée lui parut interminable. Elle lisait depuis quelque temps des auteurs victoriens – leurs sentiments faisaient écho aux siens –, mais ce jour-là, Mrs. Gaskell ne parvenait pas à retenir son attention. Elle passa une bonne partie du temps à regarder par la fenêtre. On était en mai. Normalement, les jardins de Tŷ Gwyn auraient dû être couverts de parterres de fleurs printanières, mais presque tous les jardiniers avaient rejoint l'armée et ceux qui restaient ne plantaient pas de fleurs, mais des légumes.

Plusieurs stagiaires investirent la bibliothèque juste avant onze heures et s'installèrent dans les fauteuils de cuir vert avec leurs cahiers. Lloyd n'était pas parmi eux.

Elle savait que le dernier cours de la matinée se terminait à midi et demi : les jeunes recrues se levèrent alors et quittèrent la bibliothèque. Toujours pas trace de Lloyd.

Il allait sûrement regagner sa chambre maintenant pour poser ses livres et se laver les mains dans le cabinet de toilette voisin.

Les minutes s'écoulèrent. Le gong sonna l'heure du déjeuner.

C'est à ce moment-là qu'il entra. Elle sentit son cœur faire un bond dans sa poitrine.

Il avait l'air inquiet. « Je viens de voir votre mot. Vous allez bien ? »

Il se préoccupait d'elle avant tout. Les ennuis qu'elle pouvait avoir n'étaient pas source de tracas pour lui, mais des occasions de l'aider dont il s'emparait aussitôt. Aucun homme n'avait jamais pris soin d'elle comme lui, pas même son père.

« Tout va bien, le rassura-t-elle. Savez-vous à quoi ressemble un gardénia ? » Elle avait répété son discours toute la matinée.

« Pas vraiment. Un peu à une rose, non ? Pourquoi ?

— Dans l'aile ouest, il y a une chambre qu'on appelle la chambre des gardénias. Un gardénia blanc est peint sur la porte et on s'en sert pour ranger le linge de maison. Pensez-vous pouvoir la trouver ?

— Oui, certainement.

— Venez m'y rejoindre ce soir au lieu de venir à l'appartement. À l'heure habituelle. »

Il la dévisagea en essayant de comprendre de quoi il retournait.

« C'est entendu. Mais pourquoi ?

— J'ai quelque chose à vous dire.

— Ah, ça m'a l'air passionnant», répondit-il, l'air toujours aussi ébahi.

Elle devinait les pensées qui se bousculaient dans sa tête. Il était galvanisé à l'idée qu'elle lui proposait un rendez-vous galant tout en se disant que c'était un rêve impossible.

«Allez vite déjeuner», lui dit-elle.

Il hésita.

«Je vous verrai ce soir, l'encouragea-t-elle.

— Je brûle d'impatience», murmura-t-il et il s'en alla.

Elle retourna à son appartement. Maisie, qui n'était pas une fine cuisinière, avait préparé un sandwich avec du jambon en boîte entre deux tranches de pain. Daisy avait l'estomac noué. Elle n'aurait rien pu avaler même si on lui avait servi de la glace à la pêche.

Elle s'allongea pour se reposer. Elle envisageait la nuit à venir avec tant de précision qu'elle en était gênée. Elle avait beaucoup appris en matière de sexe avec Boy, qui avait manifestement acquis une grande expérience auprès d'autres femmes. Elle savait ce qui plaisait aux hommes. Elle voulait tout donner à Lloyd, embrasser chaque partie de son corps, faire ce que Boy appelait le «soixante-neuf», avaler sa semence. Ces évocations étaient tellement excitantes qu'elle dut faire appel à toute sa volonté pour ne pas se donner du plaisir.

Elle prit une tasse de thé à cinq heures, puis se lava les cheveux et se plongea dans un grand bain. Elle se rasa les aisselles et tailla ses poils pubiens trop abondants. Elle se sécha et s'enduisit d'une lotion légère sur tout le corps. Après s'être parfumée, elle commença à s'habiller.

Elle enfila des sous-vêtements propres. Elle essaya toutes ses robes. Elle aimait bien celle qui avait de fines rayures bleues et blanches, mais elle se fermait devant par une série de petits boutons qu'elle mettrait un temps infini à défaire. Elle n'aurait pas la patience, elle le savait. Je raisonne comme une putain, se dit-elle, ne sachant si elle devait s'en amuser ou en avoir honte. Elle se décida finalement pour une robe à motifs cachemire vert menthe qui s'arrêtait aux genoux et mettait ses jambes en valeur.

Elle s'inspecta dans l'étroit miroir fixé à l'intérieur de la porte du placard et fut satisfaite.

Elle s'assit au bord du lit pour enfiler ses bas. Boy entra.

Daisy fut près de défaillir. Si elle n'avait pas été assise, elle se serait effondrée. Elle le regarda, stupéfaite.

« Surprise ! chantonna-t-il d'un ton joyeux. J'ai pu venir un jour plus tôt !

— Oui, dit-elle quand elle eut enfin retrouvé l'usage de la parole. Pour une surprise, c'est une surprise. »

Il se pencha sur elle et l'embrassa. Elle n'aimait pas beaucoup sentir sa langue au goût d'alcool et de cigare dans sa bouche. Sa réticence ne le gênait pas. Au contraire, il aimait forcer le passage, apparemment. Cette fois, parce qu'elle se sentait coupable, elle se laissa faire.

« Dis donc, remarqua-t-il, hors d'haleine. Quelle ardeur ! »

Tu n'imagines pas à quel point, pensa Daisy. Du moins, je l'espère.

« L'exercice a été avancé d'un jour, expliqua-t-il. Je n'ai pas eu le temps de te prévenir.

— Tu es donc là pour la nuit ?

— Oui. »

Et Lloyd qui partait le lendemain matin !

« Ça n'a pas l'air de t'enchanter », remarqua Boy. Il regarda sa robe. « Tu avais des projets ?

— De quel genre ? demanda-t-elle, cherchant à se ressaisir. Une soirée au pub des Deux Couronnes, par exemple ? ironisa-t-elle.

— À propos, si on prenait un verre ? » Il partit chercher à boire. Daisy enfouit son visage dans ses mains. Comment était-ce possible ! Son plan était à l'eau. Il fallait qu'elle trouve le moyen d'avertir Lloyd, à qui il n'était pas question d'avouer son amour entre deux portes, avec Boy dans les parages.

Le mieux était de remettre tout cela à plus tard. Ce n'était que l'affaire de quelques jours puisque Lloyd devait revenir le mardi suivant. L'attente serait insupportable, mais elle survivrait et son amour avec elle. Malgré tout, elle en aurait pleuré de dépit.

Elle finit d'enfiler ses bas et de se chausser et alla rejoindre Boy dans le petit salon.

Il avait trouvé une bouteille de scotch et deux verres. Elle l'accompagna pour se montrer aimable. « J'ai vu que la fille qui travaille ici préparait un feuilleté au poisson pour le dîner, dit-il. Je meurs de faim. Elle cuisine bien ?

« — Pas vraiment. Mais c'est mangeable, quand on a faim.

— Tant pis, on peut toujours se rabattre sur le whisky.» Il se resservit un verre.

«Qu'as-tu fait ces derniers temps? demanda-t-elle, cherchant à le faire parler pour ne pas avoir à le faire elle-même. Tu es allé en Norvège?»

Les Allemands étaient en train d'y remporter la première bataille terrestre.

«Non, heureusement. C'est un désastre. Il doit y avoir un grand débat ce soir aux Communes à ce sujet.» Il se mit à évoquer les erreurs qu'avaient commises les chefs militaires anglais et français.

Au moment de passer à table, Boy descendit à la cave chercher une bouteille de vin. Daisy y vit l'occasion de prévenir Lloyd. Où pouvait-il bien être à cette heure? Elle regarda sa montre. Sept heures et demie. Il devait être en train de dîner au mess. Elle ne pouvait tout de même pas entrer dans la salle à manger et aller lui murmurer quelque chose à l'oreille au milieu de tous les officiers. Autant proclamer haut et fort qu'ils étaient amants. Comment l'attirer dehors? Elle se tortura la cervelle, mais n'avait toujours pas trouvé la solution quand Boy revint en brandissant une bouteille de 1921 d'un air triomphant.

«Le premier millésime de Dom Pérignon, annonça-t-il, historique.»

Ils se mirent à table et attaquèrent le feuilleté au poisson de Maisie. Daisy but une coupe de champagne. Manquant d'appétit, elle repoussa la nourriture au bord de son assiette en s'efforçant de se comporter le plus normalement possible. Boy se resservit.

Pour le dessert, Maisie leur apporta des pêches en conserve arrosées de lait concentré. «La guerre n'a pas arrangé la cuisine anglaise, remarqua Boy.

— Elle n'était déjà pas extraordinaire», commenta Daisy qui s'appliquait toujours à ne rien laisser paraître.

Lloyd devait maintenant se trouver dans la chambre des gardénias. Qu'arriverait-il si elle ne parvenait pas à lui faire passer un message? Resterait-il là à l'attendre toute la nuit? Finirait-il par renoncer à minuit et par regagner sa chambre? Ou viendrait-il jusqu'ici voir ce qu'elle faisait? La situation risquait d'être embarrassante.

Boy prit un gros cigare qu'il se mit fumer avec délectation en trempant de temps en temps dans un verre d'eau-de-vie l'extrémité qu'il tenait entre ses lèvres. Daisy cherchait désespérément un prétexte pour s'absenter, en vain. Quelle raison pourrait-elle bien invoquer pour aller se promener du côté des chambres des stagiaires à cette heure du soir?

Elle n'avait encore rien tenté quand il écrasa son cigare. «Bon, il est temps d'aller se coucher. Tu veux passer à la salle de bains en premier?»

Désemparée, elle se leva et regagna la chambre. Elle retira lentement les vêtements si soigneusement choisis pour Lloyd. Elle fit sa toilette et enfila la chemise de nuit la moins aguichante qu'elle put trouver. Puis elle se coucha.

Boy était passablement ivre quand il vint s'allonger près d'elle, mais pas assez pour renoncer à faire l'amour. Cette perspective la fit frémir. «Je suis désolée, murmura-t-elle. Le docteur Mortimer a formellement déconseillé les rapports pendant trois mois.»

Ce n'était pas vrai. Le docteur Mortimer lui avait dit d'attendre la fin des saignements. Elle se sentait terriblement malhonnête. C'était avec Lloyd qu'elle avait eu l'intention de passer une folle nuit.

«Comment? s'indigna-t-il. Mais pourquoi?

— D'après lui, trop de hâte pourrait compromettre mes chances d'attendre un nouvel enfant», improvisa-t-elle.

L'argument suffit à le convaincre. Il tenait tant à avoir un héritier! «Ah, bon, grommela-t-il», et il lui tourna le dos.

Une minute plus tard, il dormait.

Daisy, elle, était bien éveillée, l'esprit en ébullition. Pourrait-elle s'éclipser maintenant? Il faudrait qu'elle s'habille : elle n'allait pas se promener en chemise de nuit. Boy avait le sommeil lourd, mais il se levait souvent la nuit pour aller aux toilettes. Qu'arriverait-il si ça le prenait en son absence et qu'il la voyait revenir tout habillée? Quelle histoire plausible pourrait-elle inventer? Il n'y avait qu'une raison qui pouvait inciter une femme à rôder dans une maison en pleine nuit, tout le monde le savait.

Elle n'avait pas le choix : elle allait devoir laisser Lloyd languir. Elle souffrait avec lui en l'imaginant seul et déçu dans la chambre qui sentait le renfermé. S'allongerait-il sur le lit en uniforme pour finir par s'endormir? Il aurait froid, à moins de tirer une couverture sur lui. Penserait-il à un empêchement de dernière minute, ou croirait-il qu'elle lui avait simplement posé un lapin? Peut-être se sentirait-il trahi et lui en voudrait-il.

Des larmes roulèrent sur ses joues. Boy ronflait et ne risquait pas de s'en apercevoir.

Elle s'assoupit au petit matin et rêva qu'elle devait prendre un train, mais était sans cesse retardée par des contretemps stupides : le taxi la conduisait à la mauvaise adresse, elle devait faire à pied un trajet plus long que prévu en traînant sa valise, elle ne retrouvait pas son billet et quand elle arrivait enfin sur le quai, elle tombait sur un vieux tortillard qui mettrait des jours à atteindre Londres.

Quand elle s'éveilla de son rêve, Boy était en tain de se raser dans la salle de bains.

Le cœur lourd, elle se leva et s'habilla. Maisie prépara le petit déjeuner. Boy prit des œufs, du bacon et des toasts beurrés. Le temps qu'il termine, il était neuf heures. Lloyd avait dit qu'il partait à neuf heures. Il se trouvait sans doute dans le vestibule, valise à la main.

Boy se leva de table et alla s'enfermer dans la salle de bains en emportant le journal. Daisy connaissait ses habitudes : il ne reparaîtrait pas avant cinq ou dix minutes. Retrouvant soudain toute son énergie, elle sortit et gravit les marches quatre à quatre pour se précipiter dans l'entrée.

Lloyd n'y était pas. Il était sans doute déjà parti, pensa-t-elle, accablée.

Il comptait sûrement se rendre à pied à la gare. Seuls les riches et les infirmes prenaient un taxi pour parcourir un kilomètre. Elle pouvait peut-être encore le rattraper. Elle franchit la porte d'entrée.

Elle l'aperçut quatre cents mètres plus bas dans l'allée, marchant d'un pas alerte en portant sa valise. Son cœur fit un bond. Oubliant toute prudence, elle courut après lui.

Un Tilly – ces camionnettes de l'armée à l'arrière bâché – descendait l'allée à vive allure devant elle. À sa grande consternation, elle le vit ralentir à la hauteur de Lloyd.

«Non!» cria Daisy, mais Lloyd était trop loin pour l'entendre. Il jeta sa valise à l'arrière et monta à côté du conducteur.

Elle continua à courir, mais c'était sans espoir. La camionnette repartit et prit de la vitesse.

Daisy s'arrêta. Elle regarda le Tilly franchir les grilles de Tŷ Gwyn et disparaître au loin. Elle se retint de pleurer.

Au bout d'un moment, elle fit demi-tour et rentra.

5.

Lloyd s'arrêta à Londres sur le trajet de Bournemouth pour y passer une nuit. Le soir de ce mercredi 8 mai, il était à la Chambre des communes, à la galerie des visiteurs, pour suivre le débat qui déciderait du sort du Premier ministre, Neville Chamberlain.

C'était un peu comme le poulailler au théâtre : on était mal assis et à l'étroit et on assistait d'une hauteur vertigineuse au drame qui se jouait tout en bas. La galerie était comble. Lloyd et son beau-père, Bernie, avaient obtenu des billets, non sans mal, grâce à l'influence d'Ethel, qui siégeait avec l'oncle Billy parmi les membres du parti travailliste dans la salle du Parlement bondée.

Lloyd n'avait pas encore eu l'occasion d'interroger ses parents sur sa véritable origine : tout le monde était trop préoccupé par la crise politique. Lloyd et Bernie souhaitaient que Chamberlain démissionne. Le champion de la politique d'apaisement n'était pas crédible en chef de guerre, et la débâcle subie en Norvège le confirmait.

Le débat avait débuté la veille au soir. Chamberlain, leur avait raconté Ethel, avait été violemment attaqué, non seulement par les travaillistes, mais par son propre parti. Le conservateur Leo Amery lui avait crié, citant Cromwell : « Vous siégez ici depuis trop longtemps pour le peu de bien que vous avez fait. Partez, vous dis-je, que nous soyons débarrassés de vous. Au nom du ciel, partez ! » C'était un discours cruel de la part d'un collègue et les applaudissements qui s'étaient élevés des bancs de l'assemblée, toutes tendances confondues, l'avaient rendu d'autant plus blessant.

La mère de Lloyd et la seconde députée s'étaient retrouvées dans le bureau qui leur était réservé au palais de Westminster et avaient décidé de déposer une motion de censure. Ne pouvant les en empêcher, les hommes avaient suivi. Au moment où elle fut présentée le mercredi, elle s'était transformée en scrutin pour ou contre Chamberlain. Le Premier ministre releva le défi en priant ses amis de le soutenir, ce que Lloyd interpréta comme un aveu de faiblesse.

Les attaques se poursuivaient : Lloyd les savourait. Il détestait Chamberlain à cause de sa politique en Espagne. Pendant deux ans, de 1937 à 1939, il avait fait appliquer la politique britannique et française de « non-intervention » pendant que l'Allemagne et l'Italie fournissaient des hommes et des armes à l'armée rebelle et que les ultraconservateurs américains vendaient de l'essence et des camions à Franco. S'il y avait un homme politique en Grande-Bretagne qui était responsable des massacres auxquels se livrait désormais Franco, c'était Neville Chamberlain.

« Et pourtant, dit Bernie à Lloyd pendant une pause, Chamberlain n'est pas vraiment responsable du désastre norvégien. Winston Churchill est Premier Lord de l'amirauté et d'après ta mère, c'est lui qui a tenu à ce débarquement. Après tout ce qu'il a fait – l'Espagne, l'Autriche, la Tchécoslovaquie –, il serait cocasse que Neville tombe à cause d'une initiative dont il est innocent.

— En dernière analyse, le Premier ministre est responsable de tout, fit remarquer Lloyd. C'est lui le chef du gouvernement, après tout. »

Bernie esquissa un petit sourire amusé. Lloyd savait ce qu'il pensait : les jeunes avaient une vision trop simpliste des choses. Mais Bernie eut le bon goût de ne pas le dire.

Le débat était tumultueux. Un grand silence se fit pourtant quand l'ancien Premier ministre, David Lloyd George, se leva. Lloyd lui devait son prénom. Fort de ses soixante-dix-sept ans et de ses cheveux blancs de doyen de la politique, il parlait avec l'autorité du vainqueur de la Grande Guerre.

Il fut sans pitié. « La question n'est pas de savoir qui sont les amis du Premier ministre, lança-t-il d'un ton cinglant. Le problème est bien plus grave. »

Une fois encore, Lloyd constata avec plaisir que les hourras montaient aussi bien des rangs des conservateurs que de l'opposition.

« Il a réclamé des sacrifices, continua Lloyd George avec son accent nasillard du nord du pays de Galles qui semblait donner encore plus de tranchant à son mépris. Il ne pourrait mieux servir la victoire dans cette guerre qu'en faisant lui-même le sacrifice de son mandat. »

L'opposition manifesta bruyamment son approbation. Lloyd vit sa mère pousser des vivats.

Churchill fut le dernier orateur. En tant que président de la Chambre, il était d'un rang égal à celui de Lloyd George. Et Lloyd craignait que son intervention ne sauve Chamberlain. Mais la Chambre se montra immédiatement hostile, elle l'interrompait, le huait si bruyamment que parfois, les clameurs couvraient sa voix.

Il conclut son discours à onze heures et on passa au vote. Le mode de scrutin était compliqué. Au lieu de lever la main ou de déposer un bulletin dans une urne, les députés devaient quitter la Chambre en empruntant un couloir – il y en avait deux, un pour les oui, l'autre pour les non –, le dénombrement se faisant au fur et à mesure. L'opération prit quinze à vingt minutes. Selon Ethel, ce système avait été inventé par des hommes qui n'avaient rien à faire. Elle était sûre qu'il serait bientôt modernisé.

Lloyd était sur des charbons ardents. La chute de Chamberlain le réjouirait au plus haut plus point, mais l'affaire était loin d'être gagnée.

Pour tromper l'attente, il se mit à penser à Daisy, ce qui était toujours un plaisir. Ses dernières vingt-quatre heures à Tŷ Gwyn avaient été des plus étranges : d'abord, ce message lapidaire, «Bibliothèque», puis cette brève conversation et l'invitation prometteuse dans la chambre des gardénias, et enfin cette nuit entière à attendre, transi et perplexe, une femme qui n'était jamais venue. Il était resté jusqu'à six heures du matin, malheureux mais incapable de renoncer à tout espoir, jusqu'au moment où il avait bien fallu qu'il aille se laver, se raser, changer de vêtements et faire sa valise.

Il s'était passé quelque chose, forcément, ou alors elle avait changé d'avis. Qu'avait-elle en tête ? Elle voulait lui parler, avait-elle dit. Était-ce une nouvelle assez renversante pour mériter toute cette mise en scène ? Ou tellement dénuée d'importance qu'elle avait fini par oublier son rendez-vous ? Il devrait attendre le mardi pour le lui demander.

Il n'avait pas parlé à sa famille de la présence de Daisy à Tŷ Gwyn. Il aurait été obligé d'expliquer ses relations avec elle, ce qu'il souhaitait d'autant moins qu'il ne les comprenait pas très bien lui-même. Était-il amoureux d'une femme mariée? Il n'en savait rien. Quels sentiments éprouvait-elle pour lui? Il ne le savait pas davantage. Daisy et lui étaient probablement, songea-t-il, deux bons amis qui avaient laissé passer leur chance de s'aimer. Mais il ne tenait pas à l'avouer à qui que ce soit car ce serait reconnaître qu'il avait renoncé à tout espoir, ce qui était insupportable.

« Qui succédera à Chamberlain, s'il s'en va? demanda-t-il à Bernie.

— Très probablement Halifax. »

Lord Halifax était alors ministre des Affaires étrangères.

« Non! s'indigna Lloyd. Nous ne pouvons tout de même pas avoir un comte au poste de Premier ministre, surtout à une heure aussi grave. En plus, il ne vaut pas mieux que Chamberlain et défend lui aussi l'apaisement.

— Je suis bien d'accord avec toi. Mais qui y a-t-il d'autre?

— Pourquoi pas Churchill?

— Tu sais ce que disait Stanley Baldwin de Churchill? » Le conservateur Baldwin avait été le prédécesseur de Chamberlain. « Quand Winston est né, les fées se sont penchées sur son berceau et l'ont comblé de dons : imagination, intelligence, faculté de travail, compétence. C'est alors qu'une autre fée est arrivée et a dit : "Il n'est pas juste qu'une seule personne ait autant de dons." Elle l'a saisi et l'a secoué si fort qu'il en a perdu toute sagesse et tout bon sens. »

Lloyd sourit. « Très amusant. Mais est-ce vrai?

— Ce n'est pas tout à fait faux. Au cours de la dernière guerre, il était responsable de la campagne des Dardanelles, une terrible défaite pour nous. Il vient de nous entraîner dans l'aventure norvégienne, un nouvel échec. C'est un brillant orateur, mais les faits démontrent qu'il a tendance à prendre ses désirs pour des réalités.

— Il a pourtant eu raison de préconiser un réarmement dans les années 1930, quand tout le monde y était hostile, travaillistes compris.

— Churchill recommanderait un réarmement au paradis, là où le loup et l'agneau font bon ménage.

— Je crois que nous avons besoin d'une personnalité agressive. Il nous faut un Premier ministre qui aboie, pas un geignard.

« — Eh bien, ton souhait sera peut-être exaucé. Voici les scrutateurs qui reviennent. »

Le résultat des votes fut annoncé : deux cent quatre-vingts « oui » contre deux cents « non ». Chamberlain avait gagné. L'annonce souleva un tumulte dans l'assemblée. Les partisans du Premier ministre manifestaient leur satisfaction tandis que d'autres réclamaient en hurlant sa démission.

Lloyd était affreusement déçu. « Comment peuvent-ils vouloir le garder après tout ce qui s'est passé ?

— Ne désespère pas trop vite », le réconforta Bernie alors que le Premier ministre quittait la salle et que le tohu-bohu s'apaisait. Il s'était mis à faire des calculs dans la marge de l'*Evening News*. « Le gouvernement dispose en général d'une majorité de deux cent quarante voix. Elle est tombée à quatre-vingts, expliqua-t-il sans cesser de griffonner des chiffres, de les additionner et de les soustraire. En évaluant grosso modo le nombre de parlementaires absents, j'estime à quarante le nombre de partisans du gouvernement qui ont voté contre Chamberlain et à soixante le nombre d'abstentions. C'est un coup terrible pour un Premier ministre : une centaine de ses alliés politiques ne lui font pas confiance.

— Est-ce suffisant pour l'obliger à démissionner ? » demanda Lloyd d'un ton agacé.

Bernie écarta les bras dans un geste d'impuissance. « Je ne sais pas. »

6.

Le lendemain, Lloyd, Ethel, Bernie et Billy prirent le train pour Bournemouth.

Le wagon était rempli de députés originaires de toute la Grande-Bretagne. Ils passèrent l'intégralité du voyage à commenter le débat de la veille et à discuter de l'avenir du Premier ministre, avec des accents allant du parler haché et rugueux de Glasgow aux inflexions chantantes du cockney. Une fois de plus, Lloyd ne put aborder avec sa mère la question qui l'obsédait.

Comme beaucoup de députés, ils ne pouvaient se payer les

luxueux hôtels du bord de mer, et descendirent dans une pension de la périphérie. Le soir, ils se rendirent dans un pub et s'installèrent à une table tranquille dans un coin. Lloyd se dit que le moment propice était venu.

Bernie commanda à boire pour tout le monde. Ethel se demanda tout haut ce que devenait son amie Maud, à Berlin. Elle n'avait plus de nouvelles d'elle; en effet, depuis la déclaration de guerre, le service postal était interrompu entre l'Allemagne et l'Angleterre.

Lloyd prit une gorgée de bière avant de se jeter à l'eau : «J'aimerais en savoir plus long sur mon vrai père, dit-il d'une voix ferme.

— Ton père, c'est Bernie », répliqua sèchement Ethel.

Elle éludait encore! Lloyd réprima la colère qui s'empara aussitôt de lui.

«Tu n'as pas besoin de me le rappeler. Et je n'ai pas besoin de dire à Bernie que je l'aime comme un père, parce qu'il le sait.»

Bernie lui donna une tape sur l'épaule, exprimant maladroitement mais sincèrement son affection.

Le ton de Lloyd se fit insistant. «Ce qui ne m'empêche pas d'avoir envie de savoir qui était Teddy Williams.

— Nous devons nous soucier de l'avenir, pas du passé, intervint Billy. Nous sommes en guerre.

— Justement, rétorqua Lloyd. Voilà pourquoi je veux des réponses à mes questions *maintenant.* Je ne peux pas attendre, parce que je vais bientôt aller me battre et que je ne veux pas mourir dans l'ignorance.» L'argument lui paraissait inattaquable.

«Tu sais tout ce qu'il y a à savoir, dit Ethel en détournant les yeux.

— Non, je regrette, s'obstina-t-il en s'efforçant de rester calme. Où sont mes autres grands-parents? Est-ce que j'ai des oncles, des tantes, des cousins?

— Teddy Williams était orphelin, riposta Ethel.

— Dans quel orphelinat a-t-il été élevé?

— Pourquoi t'entêtes-tu comme ça?» s'énerva-t-elle.

Lloyd adopta le même ton buté. «Parce que je te ressemble!»

Bernie ne put s'empêcher de sourire. «Ça, c'est bien vrai.»

Lloyd n'avait pas le cœur à rire. «Quel orphelinat?

« — S'il me l'a dit, je ne m'en souviens pas. À Cardiff peut-être.

— Tu ne vois pas que c'est un sujet sensible, Lloyd? Bois ta bière, mon garçon, et laisse tomber.

— C'est un sujet drôlement sensible pour moi aussi, oncle Billy, merci, rétorqua Lloyd exaspéré, et j'en ai plus qu'assez des mensonges.

— Allons, allons, fit Bernie. Tout de suite les grands mots.

— Je regrette, Dad, mais il faut que ce soit dit.» Lloyd leva la main pour éviter toute interruption. «La dernière fois que je l'ai interrogée, Mam m'a dit que la famille de Teddy Williams était originaire de Swansea mais qu'elle se déplaçait souvent à cause du métier de son père. Maintenant, il paraît qu'il a grandi dans un orphelinat à Cardiff. L'une de ces histoires au moins est un mensonge, sinon les deux.»

Ethel le regarda enfin droit dans les yeux. «Bernie et moi, nous t'avons nourri, habillé, envoyé à l'école et à l'université, s'indigna-t-elle. De quoi te plains-tu?

— Je vous en serai toujours reconnaissant, admit Lloyd, et je vous aimerai toujours.

— Pourquoi est-ce que tu mets cette histoire sur le tapis maintenant? demanda Billy.

— À cause de quelque chose qu'on m'a dit à Aberowen.»

Sa mère ne réagit pas, mais Lloyd vit passer une lueur d'effroi dans ses yeux. Quelqu'un au pays de Galles sait la vérité, songea-t-il, et il poursuivit, implacable : «On m'a dit qu'il était possible que Maud Fitzherbert soit tombée enceinte en 1914 et qu'on ait fait passer le bébé pour le tien, en échange de quoi on t'a donné la maison de Nutley Street.»

Ethel lâcha une exclamation de mépris.

Lloyd leva encore la main. «Cela expliquerait deux choses. Un, la curieuse amitié qui te lie à Lady Maud.» Il fouilla dans la poche de sa veste. «Deux, cette photo de moi avec des favoris.» Il leur montra la photographie.

Ethel la regarda fixement sans piper mot.

«Ça pourrait être moi, non? lança Lloyd.

— Oui, Lloyd, ça pourrait, répondit Billy avec humeur. Mais il est évident que ce n'est pas toi, alors arrête de tourner autour du pot et dis-nous qui c'est.

— C'est le père du comte Fitzherbert. Alors, maintenant,

c'est toi, oncle Billy et toi, Mam, qui allez cesser de tourner autour du pot. Suis-je le fils de Maud ?

— L'amitié qui nous unit, Maud et moi, riposta Ethel, a été avant tout une alliance politique. Nous nous sommes brouillées à la suite d'un désaccord sur la stratégie à suivre lorsque nous étions suffragettes et nous nous sommes réconciliées plus tard. Je l'aime beaucoup, elle m'a beaucoup aidée dans la vie, mais nous ne sommes liées par aucun secret. Elle ne sait pas qui est ton père.

— D'accord, Mam. Je veux bien te croire. Mais cette photo...

— L'explication de cette ressemblance... » Elle s'étrangla.

Lloyd n'avait pas l'intention d'accepter de dérobade. Il insista, sans remords : « Allez, dis-moi la vérité. »

Billy intervint à nouveau : « Tu fais fausse route, mon gars.

— Ah vraiment ? Dans ce cas, mets-moi sur la voie, toi. Pourquoi est-ce que tu ne le fais pas ?

— Ce n'est pas à moi de le faire. »

Cela équivalait presque à un aveu. « Tu admets donc que vous m'avez effectivement menti. »

Bernie était ébahi. Il s'adressa à Billy : « Est-ce que tu es en train de dire que l'histoire de Teddy Williams n'est pas vraie ? » Manifestement, il y avait toujours cru, tout comme Lloyd.

Billy ne répondit pas.

Tous les regards se tournèrent vers Ethel.

« Et puis flûte, lança-t-elle. Comme dirait mon père : "Tu peux être sûre que tes péchés te rattraperont toujours." Bon, tu veux la vérité, eh bien tu vas l'avoir, mais je te préviens qu'elle ne va pas te plaire.

— On verra bien, dit Lloyd sans se laisser démonter.

— Tu n'es pas le fils de Maud. Tu es celui de Fitz. »

7.

Le lendemain, le vendredi 10 mai, l'Allemagne envahissait la Hollande, la Belgique et le Luxembourg.

Lloyd apprit la nouvelle à la radio alors qu'il prenait son

petit déjeuner à la pension avec ses parents et l'oncle Billy. Il ne fut pas surpris : tous les militaires s'attendaient à une invasion imminente.

Il était beaucoup plus ébranlé par la révélation de la veille. Il était resté éveillé une bonne partie de la nuit, furieux d'avoir été trompé, consterné de se découvrir le fils d'un aristocrate de droite, d'un partisan de l'apaisement, qui se trouvait être de surcroît le beau-père de l'adorable Daisy.

«Comment as-tu pu tomber amoureuse de lui?» avait-il demandé à sa mère au pub.

Elle lui avait répondu sans détour. «Ne fais pas l'hypocrite. Faut-il que je te rappelle que tu étais amoureux d'une riche Américaine tellement à droite qu'elle a épousé un fasciste?»

Lloyd avait failli protester que c'était différent avant d'admettre que c'était exactement la même chose. Quelle que fût sa relation actuelle avec Daisy, il était indéniable qu'il avait été amoureux d'elle. L'amour ne répondait à aucune logique. S'il avait pu succomber à une passion irrationnelle, sa mère aussi. Elle avait son âge, vingt et un ans, quand c'était arrivé.

Il lui avait reproché de ne pas lui avoir avoué la vérité dès le début. La réponse avait fusé : «Comment aurais-tu réagi quand tu étais petit, si je t'avais dit que tu étais le fils d'un homme riche, d'un comte? Tu n'aurais pas manqué de t'en vanter auprès de tes petits camarades, à l'école. Tu imagines les moqueries? Tu sais à quel point ils t'auraient détesté à cause de ta prétendue supériorité?

— Mais plus tard...

— Je ne sais pas, avait-elle soupiré d'un air las. Ce n'était jamais le bon moment.»

Bernie avait d'abord pâli sous le choc, mais s'était vite ressaisi et avait retrouvé son flegme habituel. Il avait dit qu'il comprenait pourquoi Ethel ne lui avait pas avoué la vérité : «Un secret partagé n'est plus un secret.»

Lloyd se demandait quelles étaient désormais les relations de sa mère avec le comte. «Tu dois le voir souvent à Westminster.

— Seulement de temps en temps. Les pairs ont un secteur réservé, avec leurs propres restaurants et leurs propres bars. Quand nous les voyons, c'est en général sur rendez-vous.»

Toute la nuit, Lloyd resta sous le choc, trop bouleversé pour savoir ce qu'il ressentait. Son père était Fitz, l'aristocrate, le conservateur, le père de Boy, le beau-père de Daisy. Devait-il être triste, révolté, avoir envie de se suicider ? Cette révélation était tellement stupéfiante qu'il en était presque anesthésié. C'était comme une blessure tellement grave qu'au début, on ne sent rien.

Les nouvelles du matin lui donnèrent l'occasion de se changer les idées.

À l'aube, l'armée allemande avait fait une percée éclair à l'ouest. Même si elle était prévisible, Lloyd savait que malgré tous leurs efforts, les renseignements alliés n'avaient pas réussi à en découvrir la date à l'avance. Les armées de ces petits États avaient été prises par surprise. Cependant, elles se défendaient bravement.

« C'est sans doute vrai, commenta oncle Billy, mais quoi qu'il en soit réellement, la BBC ne dirait pas autre chose. »

Le Premier ministre Chamberlain avait convoqué un conseil des ministres qui n'était pas encore terminé. Néanmoins, l'armée française, renforcée par dix divisions britanniques déjà sur place, avait depuis longtemps élaboré un plan pour réagir en cas d'invasion et il avait été déclenché automatiquement. Les troupes alliées avaient franchi les frontières de la Belgique et de la Hollande depuis la France et se portaient à la rencontre des Allemands.

Accablée par ces informations de première importance, la famille Williams prit le bus pour se rendre au centre-ville et rejoindre le Bournemouth Pavilion où se tenait le congrès du parti.

Ils apprirent alors ce qui s'était passé à Westminster. Chamberlain s'accrochait au pouvoir. Le Premier ministre avait demandé au chef du parti travailliste, Clement Attlee, d'entrer dans le cabinet pour créer un gouvernement de coalition regroupant les trois principales formations politiques.

Cette perspective les consterna. Chamberlain, l'homme de Munich, resterait Premier ministre et le parti travailliste serait obligé de le soutenir au sein d'une coalition. C'était impensable.

« Comment a réagi Attlee ? demanda Lloyd.

— Il a dit qu'il devait consulter son comité national exécutif, répondit Billy.

« — C'est-à-dire nous. » Lloyd et Billy étaient tous deux membres du comité national exécutif qui devait se réunir à quatre heures le jour même.

« En effet, approuva Ethel. Allons faire un sondage pour savoir de quel soutien le projet de Chamberlain peut bénéficier au sein de notre comité.

— D'aucun, à mon avis, assura Lloyd.

— N'en sois pas si sûr, répliqua sa mère. Certains sont prêts à tout pour faire obstacle à Churchill. »

Lloyd passa le reste de la journée à s'activer, à s'entretenir avec les membres du comité, leurs amis, leurs assistants, dans les cafés et les bars du bâtiment du congrès et du front de mer. Il ne déjeuna pas mais but tellement de thé qu'il eut l'impression d'être transformé en outre.

Il fut déçu de constater que tout le monde ne partageait pas son point de vue sur Chamberlain et Churchill. Il y avait quelques pacifistes réchappés de la dernière guerre qui voulaient la paix à tout prix et approuvaient la politique d'apaisement de Chamberlain. Par ailleurs, certains parlementaires gallois voyaient encore en Churchill le ministre de l'Intérieur qui avait envoyé l'armée briser la grève de Tonypandy. C'était il y a trente ans, mais Lloyd s'apercevait que les souvenirs pouvaient être tenaces en politique.

À trois heures et demie, Lloyd et Billy longèrent le bord de mer balayé par une brise fraîche et pénétrèrent dans l'hôtel Highcliff où la réunion devait avoir lieu. Ils pensaient que la majorité du comité refuserait la proposition de Chamberlain, sans en être absolument certains. Lloyd s'inquiétait du résultat.

Entrant dans la salle, ils s'assirent autour de la longue table avec les autres membres du comité. Le chef du parti arriva à quatre heures tapantes.

Clement Attlee était un homme mince, calme, modeste, soigné dans sa tenue. Avec son crâne chauve et sa moustache, il ressemblait à un notaire, le métier de son père, et on avait tendance à le sous-estimer. D'un ton neutre et austère, il résuma à l'intention du comité les événements des dernières vingt-quatre heures, sans omettre la proposition de Chamberlain de constituer un gouvernement de coalition avec le parti travailliste.

Il conclut par ces mots : «J'ai deux questions à vous poser. La première : êtes-vous prêts à participer à un gouvernement de coalition avec Neville Chamberlain comme Premier ministre?»

Ceux qui se trouvaient autour de la table répondirent par un «non» sonore, d'une véhémence qui étonna Lloyd. Il s'en réjouit. Chamberlain, l'ami des fascistes, le fossoyeur de l'Espagne, était un homme fini. Il existait une justice en ce bas monde.

Il remarqua aussi avec quelle habileté Attlee avait dirigé la réunion sans jamais rien imposer. Il n'avait pas lancé de débat général. Il n'avait pas demandé : qu'allons-nous faire? Il n'avait pas laissé à ses auditeurs la possibilité d'exprimer des doutes ou des réserves. Tout en douceur, il les avait mis au pied du mur et contraints à faire un choix. Lloyd était convaincu que la réponse qu'il avait obtenue était celle qu'il espérait.

Attlee poursuivit : «La deuxième question est celle-ci : seriez-vous prêts à soutenir une coalition dirigée par un autre Premier ministre?»

La réponse fut moins tonitruante, mais ce fut un «oui». En regardant les visages réunis autour de la table, Lloyd eut le sentiment que presque tous étaient favorables à cette solution. Si certains y étaient opposés, ils ne prirent pas la peine de réclamer que l'on organise un vote.

«Dans ce cas, déclara Attlee, je vais répondre à Chamberlain que notre parti accepte de participer à un gouvernement de coalition à condition qu'il démissionne et laisse la place un autre Premier ministre.»

Un murmure d'approbation parcourut la salle.

Attlee avait finement joué en évitant de leur demander qui ils voyaient à ce poste.

«Je vais de ce pas téléphoner au 10, Downing Street», annonça-t-il.

Il sortit.

8.

Le soir même, Winston Churchill était convoqué au palais de Buckingham Palace – conformément à la tradition – où le roi lui demanda de devenir Premier ministre.

Lloyd fondait de grands espoirs sur Churchill, bien qu'il fût conservateur. Churchill prit ses dispositions pendant le week-end. Il constitua un cabinet de guerre de cinq membres, parmi lesquels Clement Attlee et Arthur Greenwood, respectivement numéro un et numéro deux du parti travailliste. Le responsable syndical Ernie Bevin fut nommé ministre du Travail. Churchill cherchait de toute évidence à constituer un authentique gouvernement d'union nationale. Lloyd prépara sa valise pour reprendre le train en direction d'Aberowen. Il escomptait recevoir une nouvelle affectation, probablement en France, peu après son retour. Il n'avait besoin que d'une heure ou deux. Il était impatient de savoir pourquoi Daisy s'était comportée aussi étrangement avant son départ. La perspective de la revoir bientôt attisait encore son envie de comprendre.

Pendant ce temps, malgré une courageuse résistance, l'armée allemande traversait la Hollande et la Belgique à une vitesse atterrante. Le dimanche soir, Billy téléphona à quelqu'un qu'il connaissait au ministère de la Guerre. Lloyd et lui empruntèrent ensuite un vieil atlas scolaire aux propriétaires de la pension et étudièrent la carte du nord-ouest de l'Europe.

Du bout du doigt, Billy traça une ligne allant de Düsseldorf à Bruxelles, puis à Lille. «Les Allemands foncent vers le point le plus faible des défenses françaises, la partie nord de la frontière belge.» Son doigt descendit sur la page. «Le sud de la Belgique est bordé par les Ardennes, un vaste territoire vallonné et boisé, quasiment infranchissable par une armée moderne motorisée. C'est ce que dit mon ami du ministère.» Le doigt toujours en mouvement sur la carte, il poursuivit sa démonstration. «Plus au sud, la frontière franco-allemande est défendue par une série de fortifications qu'on appelle la ligne Maginot et qui s'étend jusqu'à la Suisse.» Son doigt remonta jusqu'en haut de la page. «Mais il n'y a aucune ligne de défense entre la Belgique et le nord de la France.

— Et personne ne s'en est inquiété jusqu'à maintenant ? s'étonna Lloyd.

— Si bien sûr. D'ailleurs, nous avons une stratégie pour y remédier, répondit Billy. Le plan D. Ce n'est plus vraiment un secret puisque nous sommes en train de l'appliquer. Le gros de l'armée française et les troupes du corps expéditionnaire britannique déjà sur place sont en train de passer la frontière et d'entrer en Belgique. Elles formeront sur la Dyle une ligne de défense solide qui arrêtera l'avancée allemande. »

Lloyd n'était pas très rassuré. « Nous engageons une part aussi importante de nos forces dans ce plan D ?

— Il faut mettre toutes les chances de notre côté pour que ça marche.

— Ça vaudrait mieux. »

Ils furent interrompus par la patronne, qui apportait un télégramme à Lloyd.

Il ne pouvait venir que de l'armée. Il avait en effet donné cette adresse au colonel Ellis-Jones avant de partir en permission et était même surpris de n'avoir rien reçu plus tôt. Il ouvrit nerveusement l'enveloppe.

NE REVENEZ PAS À ABEROWEN – STOP – PRÉSENTEZ-VOUS EMBARCADÈRE DE SOUTHAMPTON IMMÉDIATEMENT – STOP – À BIENTÔT – SIGNÉ ELLIS-JONES.

Il ne retournerait donc pas à Tŷ Gwyn. Southampton était l'un des plus grands ports d'Angleterre, un point d'embarquement habituel pour le continent et n'était qu'à quelques kilomètres de Bournemouth sur la côte, à une heure de car ou de train.

Lloyd prit conscience, avec un pincement au cœur, qu'il ne verrait pas Daisy le lendemain. Il ne saurait peut-être jamais ce qu'elle avait voulu lui dire.

Le « À BIENTÔT » écrit en français du colonel Ellis-Jones confirmait l'évidence.

Lloyd partait pour la France.

VII

1940 (II)

1.

Erik von Ulrich passa les trois premiers jours de la bataille de France dans un embouteillage.

Avec son ami Hermann Braun, il appartenait à une unité médicale attachée à la 2ᵉ Panzerdivision. Ils traversèrent le sud de la Belgique sans voir aucun combat : rien que des kilomètres et des kilomètres d'arbres et de collines. Les Ardennes, sans doute. Ils progressaient sur des routes étroites, dont beaucoup n'étaient même pas goudronnées. Un char d'assaut en panne pouvait provoquer un bouchon de soixante-quinze kilomètres en un rien de temps. Ils étaient plus souvent coincés dans des files de véhicules immobilisés qu'en train d'avancer.

Une grimace inquiète plissa le visage couvert de taches de rousseur d'Hermann. Il murmura, à voix basse pour ne pas être entendu : « C'est stupide !

— Tu ne devrais pas dire ça. Tu as été membre de la Jeunesse hitlérienne, le reprit Erik tout bas. Fais confiance au Führer. » Sa réprobation n'allait cependant pas jusqu'à lui faire dénoncer son ami.

Quand ils roulaient enfin, ils souffraient de l'inconfort : ils étaient assis sur le dur plancher d'un camion de l'armée, qui rebondissait sur les racines d'arbres et multipliait les embardées pour contourner les ornières. Erik rêvait de bataille rien que pour pouvoir sortir de cet abominable véhicule.

Hermann demanda alors d'une voix plus forte : « Qu'est-ce qu'on fait ici ? »

Leur supérieur, le docteur Rainer Weiss, avait eu droit à un vrai siège à côté du chauffeur. «Nous obéissons aux ordres du Führer, qui sont, cela va de soi, toujours avisés.» Il prononça ces mots d'un visage impassible, mais Erik crut y déceler une certaine ironie. Il arrivait souvent au commandant Weiss, un homme élancé aux cheveux noirs, au nez chaussé de lunettes, de se laisser aller à des réflexions cyniques sur le gouvernement et l'armée, mais de façon toujours tellement détournée qu'on ne pouvait rien lui reprocher. De toute façon, l'armée ne pouvait pas se passer des services d'un bon médecin.

Il y avait deux autres infirmiers dans le camion, plus âgés qu'Erik et Hermann. L'un d'eux, Christof, suggéra une meilleure réponse à la question d'Hermann : «Peut-être que les Français ne s'attendent pas à nous voir attaquer ici, justement parce que le terrain est presque impraticable.»

Son ami Manfred ajouta : «On aura l'avantage de la surprise et les défenses seront faibles.»

Weiss commenta d'un ton sarcastique : «Merci vous deux pour cette leçon de tactique. Très instructif.» Mais il ne les contredit pas.

Au grand étonnement d'Erik, certaines personnes doutaient encore du Führer, malgré tout ce qui s'était passé. Sa propre famille restait indifférente aux victoires des nazis. Son père, qui avait été un homme important et renommé, faisait peine à voir. Au lieu de se réjouir de la conquête de la Pologne, il maugréait contre les mauvais traitements réservés aux Polonais, dont il avait sans doute entendu parler en écoutant une station de radio étrangère en toute illégalité. Ce comportement pouvait leur attirer des ennuis – même à Erik, coupable de ne pas le dénoncer à l'îlotier nazi de leur quartier.

La mère d'Erik ne valait guère mieux. Elle disparaissait de temps en temps avec des petits colis d'œufs ou de poisson fumé. Elle ne donnait aucune explication, mais Erik se doutait qu'elle les apportait à Frau Rothmann, dont le mari juif n'avait plus le droit d'exercer la médecine.

Malgré tout, Erik envoyait une grande partie de sa solde à ses parents, sachant que sans cela, ils souffriraient du froid et de la faim. Il réprouvait leurs idées politiques, ce qui ne l'empêchait pas de les aimer. Sans doute éprouvaient-ils exactement la même chose à son égard, et vis-à-vis de ses choix politiques.

La sœur d'Erik, Carla, avait voulu devenir médecin, comme lui et avait été furieuse de découvrir que, dans la nouvelle

Allemagne, ce métier était réservé aux hommes. Elle suivait une formation d'infirmière, un rôle qui convenait beaucoup mieux à une jeune Allemande. Elle aidait, elle aussi, leurs parents avec son maigre salaire.

Erik et Hermann avaient voulu intégrer l'infanterie. Dans leur esprit, la guerre consistait à foncer sur l'ennemi en tirant des coups de fusil, à tuer ou à se faire tuer pour la patrie, le Vaterland. Finalement, ils ne tueraient personne. Ils avaient tous les deux terminé leur première année de médecine et avaient ainsi acquis une formation dont l'armée n'allait pas se priver. On les avait donc nommés infirmiers militaires.

La quatrième journée qu'ils passèrent en Belgique, le lundi 13 mai, ressembla aux trois premières jusqu'en début d'après-midi. Parmi les grondements et le fracas des centaines de chars et de camions, un autre bruit, plus puissant encore, se fit entendre. Des avions volaient à basse altitude au-dessus de leurs têtes, lâchant des bombes sur une cible voisine. Erik fronça le nez quand l'odeur des explosifs parvint à ses narines.

En milieu d'après-midi, ils s'arrêtèrent sur une hauteur dominant un cours d'eau sinueux. Le commandant Weiss leur apprit qu'il s'agissait de la Meuse et qu'ils se trouvaient à l'ouest de Sedan : ils étaient entrés en France ! Les avions de la Luftwaffe passaient au-dessus d'eux en vrombissant et piquaient en direction du fleuve, bombardant et mitraillant la rive, où devaient se trouver des positions défensives françaises. Des panaches de fumée montaient des innombrables incendies qui consumaient les fermes et les maisons détruites. Le tir de barrage était incessant et Erik avait presque pitié des hommes prisonniers de cet enfer.

C'était la première opération à laquelle il assistait. Bientôt, il y prendrait part et il y aurait peut-être un jeune soldat français qui l'observerait, bien en sécurité sur une éminence quelconque, et qui se désolerait pour les Allemands tués et blessés. À cette idée exaltante, Erik sentit son cœur battre comme un tambour dans sa poitrine.

En se tournant vers l'est pour observer le paysage que la distance rendait indistinct, il discerna d'autres avions, gros comme des têtes d'épingle, et d'autres colonnes de fumée s'élever vers le ciel. Il se rendit compte que la bataille se déroulait sur plusieurs kilomètres le long du fleuve.

Soudain, le bombardement cessa. Les avions virèrent au nord

pour regagner leur base et firent osciller leurs ailes pour leur souhaiter bonne chance en passant au-dessus d'eux.

Plus près, les chars allemands entraient en action dans la plaine bordant le fleuve.

Ils étaient à trois kilomètres des lignes ennemies, mais se trouvaient déjà sous le feu des artilleurs français retranchés dans la ville. Erik était surpris qu'autant de ces hommes aient survécu au pilonnage aérien. Des éclairs de feu jaillissaient des ruines, le grondement des canons résonnait dans la vallée et les obus soulevaient des gerbes de la terre de France en atteignant le sol. Erik vit un char frappé de plein fouet exploser dans une éruption de fumée, d'éclats de métal et de corps humains. Il en eut la nausée.

Les projectiles français étaient cependant impuissants à arrêter la progression allemande. Les chars avançaient inéluctablement vers la portion de fleuve qui s'étendait à l'est d'une ville appelée Donchéry, d'après Weiss. L'infanterie suivait, à pied ou en camion.

«L'attaque aérienne n'a pas suffi, remarqua Hermann. Où est notre artillerie? Il faut qu'elle neutralise les canons de la ville pour que nos chars et notre infanterie puissent traverser le fleuve et établir une tête de pont.»

Erik lui aurait volontiers envoyé son poing dans la figure pour le faire taire. Ils s'apprêtaient à se battre! Il fallait avoir une attitude positive!

Mais Weiss abonda dans le sens d'Heinrich : «Tu as raison, Braun. Malheureusement, les munitions de notre artillerie sont coincées dans la forêt ardennaise. Nous n'avons que quarante-huit obus.»

Un commandant au visage rubicond passa au pas de course en criant : «Dégagez! Dégagez!

— Nous allons installer notre poste de secours un peu plus à l'est, dit Weiss en pointant l'index, là où vous voyez une ferme.» Erik aperçut un toit gris à environ huit cents mètres du fleuve. «Très bien, allons-y!»

Sautant dans leur camion, ils dévalèrent la colline. Arrivés en bas, ils tournèrent à gauche sur un chemin de terre. Erik se demanda ce qu'ils feraient de la famille qui habitait probablement le bâtiment qu'ils allaient transformer en hôpital de campagne. Ils la jetteraient dehors, sans doute, et passeraient tout le monde par les armes à la moindre protestation. Mais où iraient ces gens? Ils étaient au milieu d'un champ de bataille.

Il s'inquiétait pour rien : les habitants étaient déjà partis.

La ferme se trouvait à presque un kilomètre du cœur du combat. Évidemment, songea Erik, il n'aurait pas été sensé d'installer un poste de secours à portée du feu ennemi.

« Brancardiers, au travail, cria Weiss. Quand vous reviendrez, nous seront prêts. »

Erik et Hermann prirent une civière roulée et une trousse de premier secours dans le camion et s'éloignèrent en direction de l'affrontement. Christof et Manfred étaient juste devant eux. Une dizaine de leurs camarades les suivaient. Ça y est, jubilait Erik intérieurement. Voici l'occasion de devenir des héros. On va bien voir qui gardera son sang-froid au milieu des combats et qui cédera à la panique et rampera dans un trou pour se cacher.

Ils traversèrent le champ au pas de course en direction du fleuve. C'était une longue distance et elle paraîtrait encore plus longue au retour, quand ils transporteraient un blessé.

Ils dépassèrent des chars incendiés, sans trouver de survivants. Erik détourna les yeux des restes humains calcinés dispersés sur le métal tordu. Les obus, relativement peu nombreux toutefois, tombaient autour d'eux. La Meuse était faiblement défendue; de plus, l'attaque aérienne avait détruit une bonne partie des canons. C'était tout de même la première fois de sa vie qu'Erik se faisait tirer dessus. Il éprouva l'envie puérile et ridicule de mettre ses mains devant ses yeux, mais continua à courir.

Soudain, un obus s'abattit juste devant eux.

L'air fut ébranlé par un bruit sourd, terrifiant, et la terre se mit à trembler comme si un géant venait de taper du pied. Christof et Manfred furent touchés de plein fouet et Erik vit leurs corps voler dans les airs comme en apesanteur. La déflagration le projeta lui-même au sol. Allongé sur le dos, il reçut une pluie de terre, mais il ne fut pas blessé. Il se releva vaille que vaille. Les corps déchiquetés de Christof et Manfred gisaient juste devant lui. Christof ressemblait à un pantin désarticulé, aux membres disloqués. La tête de Manfred avait été arrachée et reposait près de ses pieds chaussés de godillots.

Erik resta paralysé d'horreur. À l'école de médecine, il n'avait pas eu à faire à des corps ensanglantés et estropiés.

Il avait dû disséquer des cadavres en classe d'anatomie, un pour deux étudiants, et se souvenait d'avoir partagé une vieille dame toute fripée avec Hermann. Il avait également assisté à des opérations. Mais rien ne l'avait préparé à pareil spectacle.

Il n'avait qu'une envie : prendre ses jambes à son cou.

Il fit demi-tour, l'esprit vide de toute pensée hormis la peur. Il commença à repartir en sens inverse, vers la forêt, loin de la bataille, d'un pas ferme et décidé.

Hermann le sauva. Il se planta devant lui et lui demanda : «Où tu vas comme ça ? Ne fais pas le con!»

Au lieu de s'arrêter, Erik chercha à le contourner. Hermann lui donna un violent coup de poing dans le ventre et Erik se plia en deux avant de tomber à genoux.

«Ne pars pas! dit Hermann d'un ton pressant. Tu seras fusillé pour désertion! Allons, du cran!»

Tout en essayant de reprendre son souffle, Erik retrouva ses esprits. Il ne pouvait pas fuir, il ne devait pas déserter, il fallait qu'il reste là. Peu à peu, sa volonté eut raison de sa terreur. Il se releva enfin.

Hermann l'observait d'un air méfiant.

«Désolé, s'excusa Erik. J'ai paniqué. Ça va aller.

— Alors prends le brancard et allons-y!»

Erik ramassa la civière, la jeta sur son épaule, pivota sur ses talons et reprit sa course.

S'approchant du fleuve, ils rejoignirent un groupe de fantassins. Certains manœuvraient des canots pneumatiques gonflés, qu'ils sortaient de l'arrière de camions pour les porter au bord de l'eau tandis que les chars tentaient de les couvrir en tirant contre les défenses françaises. Erik, qui avait récupéré tous ses moyens, comprit aussitôt que c'était une bataille perdue d'avance : les Français se trouvaient à l'abri de murs et dans des bâtiments alors que l'infanterie allemande était à découvert. Dès qu'elle mettait un canot à l'eau, elle était prise sous un feu nourri de mitrailleuses.

La rivière formant un coude en amont, l'infanterie aurait été obligée, pour échapper aux tirs des Français, de se replier beaucoup trop loin.

Le terrain était déjà jonché de morts et de blessés.

«Prenons celui-ci», décida Hermann d'un ton péremptoire. Erik s'exécuta. Ils déroulèrent leur brancard près d'un soldat qui gémissait. Erik lui donna de l'eau de sa gourde, comme on le lui avait appris à l'entraînement. L'homme présentait de nombreuses blessures superficielles au visage et un bras inerte. Il avait dû être touché par des balles de mitrailleuses qui n'avaient heureusement pas atteint d'organe vital. Ne constatant pas d'hémorragie, ils n'essayèrent pas de panser ses blessures. Ils allongèrent l'homme sur la civière et repartirent au pas de gymnastique vers le poste de secours.

Le blessé hurlait de douleur quand ils couraient. Mais dès qu'ils s'arrêtaient, il leur criait : « Allez-y, allez-y ! », et il serrait les dents.

Transporter un homme sur une civière était moins facile qu'Erik ne l'aurait pensé. Il avait l'impression que ses bras allaient se détacher de ses épaules alors qu'ils n'étaient qu'à mi-parcours. Mais de toute évidence, leur patient souffrait beaucoup plus que lui et il continua donc à courir.

Il remarqua avec satisfaction que les obus avaient cessé de pleuvoir autour d'eux. Les Français concentraient leur feu sur la berge pour empêcher les Allemands de traverser.

Erik et Hermann arrivèrent enfin à la ferme avec leur fardeau. Weiss avait aménagé les lieux, débarrassé les pièces du mobilier superflu, marqué au sol l'emplacement destiné aux patients, préparé la table de la cuisine pour les opérations. Il montra à Erik et Hermann où déposer le blessé, puis les envoya en chercher un autre.

Le retour au fleuve fut plus facile. Ils n'étaient pas chargés et le trajet était légèrement en descente. En approchant de la berge, Erik pria le ciel de ne pas être sujet à un nouvel accès de panique.

Il constata avec effroi que la bataille prenait une mauvaise tournure. Plusieurs canots dégonflés dérivaient sur le fleuve, les morts étaient bien plus nombreux que précédemment sur la rive – et aucun Allemand n'avait encore pris pied de l'autre côté.

« C'est une catastrophe ! lança Hermann d'une voix suraiguë. On aurait dû attendre notre artillerie ! »

« Nous aurions gâché l'effet de surprise, expliqua Erik, et les Français auraient eu le temps de faire venir des renforts. La longue traversée des Ardennes n'aurait servi à rien.

— N'empêche, on n'y arrive pas. »

Erik commençait à se demander en son for intérieur si les plans du Führer étaient vraiment infaillibles. Cette idée ébranla sa résolution et menaça de le déstabiliser entièrement. Par bonheur, il n'eut pas le temps de réfléchir. Ils s'arrêtèrent près d'un soldat dont la jambe avait été presque entièrement arrachée. Il avait à peu près leur âge, une vingtaine d'années, une peau claire parsemée de taches de son et des cheveux roux cuivré. Sa jambe droite se terminait à mi-cuisse par un moignon sanguinolent. Chose étonnante, il était conscient et les regarda comme s'ils étaient des anges de miséricorde.

Erik trouva le point de compression à l'aine et endigua l'hémorragie pendant que Hermann mettait un garrot. Ils l'installèrent sur le brancard et repartirent au galop.

Hermann était un Allemand loyal, ce qui ne l'empêchait pas de se laisser parfois aller à des jugements négatifs. S'il arrivait à Erik d'éprouver de tels sentiments, il se gardait bien de les exprimer. Ainsi, il ne sapait le moral de personne – et évitait les ennuis.

Il ne pouvait cependant pas s'empêcher de laisser libre cours à ses pensées. Apparemment, le passage par les Ardennes ne leur avait pas assuré la victoire facile escomptée. Les défenses françaises étaient peut-être réduites sur la Meuse, mais les Français ripostaient farouchement. Tout de même, se dit-il, sa première expérience des combats n'allait pas entamer sa foi dans le Führer ! Il fut saisi d'angoisse à cette idée.

Il se demandait si les forces allemandes déployées plus à l'est connaissaient un sort meilleur. La 1re et la 10e Panzerdivision avaient fait route avec celle d'Erik, la 2e, en direction de la frontière. C'étaient elles, probablement, qui attaquaient en amont.

Les muscles de ses bras le faisaient atrocement souffrir.

Ils regagnèrent le poste de secours pour la deuxième fois. Il y régnait désormais une activité fébrile, le sol était jonché de blessés qui criaient et gémissaient, des bandages ensanglantés s'accumulaient partout, Weiss et ses assistants passaient sans répit d'un corps mutilé à un autre. Erik n'aurait pas imaginé qu'autant de souffrances puissent être concentrées dans un aussi petit espace. Quand le Führer parlait de guerre, Erik n'avait jamais envisagé une chose pareille.

Il s'aperçut alors que son patient avait fermé les yeux.

Le docteur Weiss lui prit le pouls et ordonna brutalement : « Allez le mettre dans la grange et bordel, ne perdez pas votre temps à m'amener des cadavres ! »

Erik en aurait pleuré de dépit, et de douleur tant ses bras et ses jambes aussi lui faisaient mal.

Ils transportèrent le corps dans la grange où reposaient déjà une bonne dizaine de jeunes gens morts.

C'était pire que tout ce qu'il s'était figuré. Quand il avait songé au combat, c'étaient des images de courage face au danger, de stoïcisme et d'héroïsme dans l'adversité qui lui étaient venues à l'esprit. Or il ne voyait que douleur atroce, visages suppliciés, terreur aveugle, corps broyés, et doutait désormais totalement du bien-fondé de sa mission.

Ils retournèrent une fois encore au bord du fleuve. Le soleil était bas sur l'horizon et, sur le champ de bataille, la situation avait évolué. Les Français retranchés dans Donchéry se faisaient mitrailler depuis l'autre rive. Erik supposa que la 1re Panzerdivision avait eu plus de chance en amont et avait réussi à établir une tête de pont sur la rive sud. Ils se portaient maintenant à la rescousse des camarades déployés sur leurs flancs. Manifestement, ils n'avaient pas perdu leurs munitions dans la forêt, eux.

Rassérénés, Erik et Hermann ramenèrent encore un blessé. À leur retour au poste de secours, on leur servit un potage savoureux dans des bols en fer-blanc. Les dix minutes de pause pour boire sa soupe et se reposer un peu donnèrent à Erik l'envie de se coucher et de dormir jusqu'au matin. Il dut faire un effort surhumain pour se relever, prendre les poignées de la civière et regagner le champ de bataille.

Le spectacle avait changé du tout au tout. Les chars traversaient le fleuve sur des radeaux. Les Allemands qui avaient pris pied sur l'autre rive essuyaient un feu nourri, mais ripostaient, avec le soutien de la 1re Panzerdivision.

Erik se dit que, finalement, son camp avait de bonnes chances d'atteindre son objectif. Cette idée le réconforta et il s'en voulut d'avoir pu douter un instant de la sagesse du Führer.

Ils passèrent encore de longues heures, Hermann et lui, à ramasser des blessés et finirent par oublier que l'on pouvait ne pas avoir mal aux bras et aux jambes. Certains de leurs patients étaient inconscients, d'autres les remerciaient, d'autres encore les maudissaient; la plupart ne faisaient que crier; certains vivaient, d'autres mouraient.

À huit heures du soir, il y avait une tête de pont allemande de l'autre côté du fleuve. À dix heures, elle était sécurisée.

Les combats cessèrent à la tombée de la nuit. Erik et Hermann continuèrent à arpenter le champ de bataille à la recherche de blessés. Ils ramenèrent le dernier à minuit. Ils s'allongèrent alors sous un arbre et, d'épuisement, sombrèrent aussitôt dans un sommeil de plomb.

Le lendemain, avec le reste de la 2e Panzerdivision, ils firent route vers l'ouest et percèrent ce qui restait des défenses françaises.

Deux jours plus tard, ils se trouvaient à quatre-vingts kilomètres de là, sur les bords de l'Oise, et poursuivaient leur progression à vive allure sans rencontrer de résistance.

Le 20 mai, une semaine après avoir quitté les Ardennes, ils avaient atteint les côtes de la Manche.

Le commandant Weiss exposa la situation à Erik et Hermann : «L'invasion de la Belgique était une feinte, voyez-vous. Le but était d'attirer les Anglais et les Français dans un piège. Nos divisions blindées formaient les mâchoires de l'étau. Et maintenant, nous les tenons. Une bonne partie de l'armée française et l'essentiel du corps expéditionnaire britannique sont en Belgique, encerclés par l'armée allemande. Ils sont coupés de leur approvisionnement et de leurs renforts, impuissants... vaincus.

— Le Führer avait prévu ça dès le début! s'écria Erik triomphalement.

— En effet, admit Weiss. Il n'y a pas meilleur stratège que le Führer!» Une fois de plus, Erik se demanda s'il était sincère.

2.

Lloyd Williams se trouvait dans un stade de football, quelque part entre Calais et Paris, avec un millier de prisonniers de guerre britanniques. Ils n'avaient aucun moyen de se protéger de l'ardent soleil de juin mais appréciaient la douceur de la nuit, car ils n'avaient pas de couvertures. Il n'y avait ni toilettes ni eau pour se laver.

Lloyd était en train de creuser un trou à mains nues. Il avait enrôlé plusieurs mineurs gallois pour aménager des latrines à une extrémité du terrain et il travaillait avec eux pour leur donner l'exemple. N'ayant rien à faire, d'autres se joignirent à eux et ils furent bientôt une centaine. Quand un garde s'approcha pour voir ce qui se passait, Lloyd le lui expliqua.

« Vous parlez bien allemand, remarqua le gardien aimablement. Vous vous appelez comment ?

— Lloyd.

— Moi, c'est Dieter. »

Lloyd décida de tirer parti de cette petite marque d'amitié.

« Nous creuserions plus vite si nous avions des outils.

— Rien ne presse, vous savez.

— Une meilleure hygiène vous serait tout aussi profitable qu'à nous. »

Dieter haussa les épaules et s'éloigna.

Lloyd était loin de se sentir héroïque. Il ne s'était pas battu. Les Welsh Rifles avaient été envoyés en France comme troupes de réserve, pour relever les autres unités, au cours de ce qui devait être une longue bataille. Or les Allemands avaient mis à peine dix jours pour écraser l'armée alliée. Une bonne partie des troupes britanniques vaincues avaient été évacuées par Calais et Dunkerque. Un millier de soldats n'avait pas réussi à embarquer. Lloyd était du nombre.

Les Allemands poursuivaient sans doute leur progression vers le sud. À sa connaissance, les Français continuaient à résister. Mais le meilleur de leurs troupes avait été battu en Belgique et les gardiens allemands affichaient un petit air triomphant qui laissait penser qu'ils ne doutaient pas de la victoire.

Lloyd était donc prisonnier de guerre, mais pour combien de temps ? Le gouvernement britannique devait être soumis à de fortes pressions pour conclure la paix. Churchill ne l'accepterait jamais. En même temps, c'était un franc-tireur, qui occupait une place à part sur l'échiquier politique, et il pouvait être déposé. Un homme tel que Lord Halifax n'aurait aucun scrupule à signer un traité de paix avec les nazis. Pas plus, songea Lloyd amèrement, que le secrétaire d'État aux affaires étrangères, le comte Fitzherbert, qu'il savait maintenant être son père.

Si la paix était rapidement signée, il ne resterait pas longtemps prisonnier de guerre. Il passerait peut-être tout le temps de sa détention dans ce stade français et rentrerait chez lui, efflanqué et brûlé par le soleil, mais entier.

En revanche, si les Anglais continuaient à se battre, ce serait une autre histoire. La dernière guerre avait duré plus de quatre ans. Lloyd ne supportait pas l'idée de perdre quatre années de sa vie dans un camp de prisonniers. Pour éviter cela, il n'y avait qu'une solution : s'évader.

Dieter revint avec un lot de bêches.

Lloyd les distribua aux plus costauds et les travaux avancèrent plus vite.

Un jour ou l'autre, les prisonniers seraient transférés dans un camp permanent. Ce serait le bon moment pour se faire la belle. S'il en croyait son expérience espagnole, la garde des prisonniers n'était pas une priorité de l'armée. Si l'un d'entre eux tentait de fuir, soit il réussissait soit il était abattu ; dans un cas comme dans l'autre, c'était une bouche de moins à nourrir.

Ils occupèrent le reste de la journée à terminer les latrines. Tout en améliorant l'hygiène, cette entreprise avait remonté le moral des troupes. Cette nuit-là, incapable de trouver le sommeil, Lloyd contempla les étoiles en se demandant quelle autre activité collective il pourrait organiser. Il opta pour un grand concours sportif, des jeux Olympiques version camp de prisonniers.

Il n'eut pas l'occasion de mettre son projet à exécution. Dès le lendemain matin, on les fit sortir du stade.

Il eut du mal tout d'abord à comprendre quelle était leur destination, mais ils se retrouvèrent rapidement sur une route napoléonienne à deux voies qu'ils suivirent vers l'est. Selon toute probabilité, se dit Lloyd, ils étaient censés rejoindre ainsi l'Allemagne à pied. Une fois là-bas, il lui serait beaucoup plus difficile de s'évader. Il ne fallait pas laisser passer cette occasion. Le plus tôt serait le mieux. Malgré sa peur – les gardiens étaient armés –, sa décision était prise.

Il n'y avait pas beaucoup de circulation, à part quelques voitures d'officiers allemands. En revanche, la route était encombrée de piétons qui se dirigeaient en sens inverse, leurs maigres possessions entassées sur des charrettes et des brouettes, certains poussant leur bétail devant eux : c'étaient manifestement des réfugiés dont les habitations avaient été détruites au cours des combats. Lloyd y vit un signe encourageant. Un prisonnier évadé n'aurait pas de mal à se dissimuler parmi eux.

Les prisonniers n'étaient pas étroitement gardés. Dix Allemands seulement avaient été chargés de surveiller cette colonne mouvante de mille hommes. Les gardiens disposaient en tout et pour tout d'une voiture et d'une moto ; les autres allaient à pied ou avaient des bicyclettes, probablement réquisitionnées auprès de la population locale.

Malgré cela, à première vue, toute tentative d'évasion semblait impossible. Il n'y avait pas de haies telles qu'on en voit en Angleterre, et les fossés n'étaient pas assez profonds pour s'y cacher. Un homme courant pour s'échapper offrirait une cible facile à n'importe quel tireur compétent.

Ils pénétrèrent alors dans un village. Il était plus difficile pour les gardiens d'avoir l'œil sur tous leurs prisonniers. Les habitants s'écartaient et regardaient passer la colonne avec de grands yeux. Un petit troupeau de moutons leur emboîta le pas. La rue était bordée de maisons et de boutiques. Lloyd attendait un moment propice. Il fallait qu'il trouve un endroit où il pourrait se dissimuler immédiatement, une porte ouverte, une ruelle étroite entre deux rangées de maisons ou un buisson. Et il fallait qu'il passe à proximité à un moment où aucun gardien ne pourrait le voir.

Quelques minutes plus tard, ils quittaient la bourgade sans qu'il ait pu tenter quoi que ce soit.

Dépité, il s'exhortait à être patient. D'autres occasions se présenteraient forcément : la route était longue avant d'arriver en Allemagne. En même temps, chaque jour qui passait verrait les Allemands consolider leur emprise sur les territoires conquis, parfaire leur organisation, imposer des couvre-feux, installer des barrages, des postes de contrôle, contenir le déplacement des réfugiés. La cavale serait plus facile au début, et de plus en plus problématique au fil du temps.

Il faisait chaud et il enleva sa veste d'uniforme et sa cravate. Il s'en débarrasserait dès que possible. De près, il devait encore avoir l'air d'un soldat britannique avec son pantalon et sa chemise kaki. Avec un peu de chance, de loin, il pourrait passer inaperçu.

Ils traversèrent encore deux villages avant d'atteindre une petite ville où Lloyd se dit qu'il devrait trouver le moyen de fausser compagnie aux Allemands. Il s'aperçut qu'une partie de lui-même espérait qu'il n'en serait rien, qu'il n'aurait pas à s'exposer aux fusils des gardiens. Commençait-il déjà à s'habituer à la captivité ? Il serait tellement plus facile de continuer à marcher, avec des ampoules aux pieds, mais sans risque. Il fallait absolument qu'il se secoue !

La rue qui traversait la ville était malheureusement trop large. La colonne restait au centre, laissant de chaque côté un espace à franchir trop important avant de trouver un abri. Certaines boutiques étaient fermées, quelques entrées de bâtiments étaient condamnées, mais Lloyd apercevait des passages, des cafés ouverts, une église, autant de refuges possibles qu'il ne pouvait cependant pas atteindre discrètement.

Il observa les habitants qui les regardaient défiler. Étaient-ils bien disposés à leur égard ? Se souvenaient-ils que ces soldats s'étaient battus pour la France ? Ou étant, de façon bien compréhensible, terrifiés par les Allemands, refuseraient-ils de se mettre en danger ? Moitié, moitié, probablement. Certains risqueraient leur vie pour lui venir en aide, d'autres le livreraient immédiatement aux Allemands. Il ne serait fixé qu'une fois qu'il serait trop tard.

Ils arrivèrent au centre-ville. Bientôt, j'aurai laissé passer ma chance, se dit Lloyd. Il est temps d'agir.

Il aperçut un carrefour devant eux. Une file de véhicules attendait en sens inverse de pouvoir tourner à gauche après le passage de la colonne de prisonniers. Lloyd repéra une camionnette poussiéreuse et cabossée, qui devait appartenir à un maçon ou à un cantonnier. L'arrière était ouvert, mais les bords trop hauts l'empêchaient de voir l'intérieur.

Il pourrait certainement se hisser sur le côté, songea-t-il, puis sauter dedans.

Une fois qu'il serait tapi au fond, ni les passants, ni les gardiens à bicyclette ne pourraient l'apercevoir. En revanche, il serait exposé aux regards des gens penchés à leurs fenêtres. Le trahiraient-ils ?

Il s'approcha de la camionnette.

Il regarda derrière lui. Le gardien le plus proche était à deux cents mètres.

Il regarda devant lui. Un gardien à bicyclette se trouvait vingt mètres plus loin.

« Tu veux bien me tenir ça ? » demanda-t-il à son voisin. Il lui donna sa veste.

Il s'avança jusqu'à la cabine de la camionnette. Un homme en salopette et en béret était assis au volant, une cigarette pendant au coin de ses lèvres. Il avait l'air de s'ennuyer à mourir. Continuant d'avancer, Lloyd se trouva bientôt au niveau de l'arrière du véhicule. Pas le temps de vérifier où étaient les gardiens.

D'un seul mouvement, il posa les deux mains sur le rebord, se hissa, passa une jambe, puis l'autre, et se laissa tomber, atterrissant en faisant un vacarme qui lui sembla terrifiant malgré le bruit de pas du millier de paires de godillots. Il s'aplatit aussitôt et resta parfaitement immobile, guettant des cris en allemand, le rugissement d'une moto, le claquement d'un coup de fusil.

Il ne perçut que le ronflement inégal du moteur de la camionnette, le martèlement des pas des prisonniers, la rumeur familière d'une petite ville. Était-il sorti d'affaire ?

Il regarda autour de lui en levant à peine la tête. Il était entouré de seaux, de planches, d'une échelle et d'une brouette. Il avait espéré dénicher quelques sacs sous lesquels il aurait pu se dissimuler, mais il n'y en avait pas.

Il entendit approcher une moto, qui parut s'arrêter tout près. Soudain, à quelques centimètres de lui, une voix demanda en français, avec un fort accent allemand : «Où allez-vous ?» C'était un gardien qui s'adressait au conducteur de la camionnette, se dit Lloyd, le cœur battant. Pourvu que l'Allemand ne s'avise pas de jeter un coup d'œil à l'arrière !

Le conducteur répondit par un flot de paroles indignées, inintelligibles pour Lloyd. Le soldat allemand ne comprenait sans doute pas plus que lui. Il répéta sa question.

Levant les yeux, Lloyd aperçut deux femmes accoudées à une fenêtre, à un étage élevé. Elles le regardaient fixement, bouche bée. L'une d'elles le montrait du doigt, le bras tendu par la croisée ouverte.

Lloyd essaya d'accrocher son regard. Tout en restant allongé, il agita la main de droite à gauche, dans un geste qui signifiait «non». Elle comprit le message. Elle rentra vivement son bras et mit la main devant sa bouche, comme si elle venait de se rendre compte que son doigt pointé aurait pu condamner un homme à mort.

Lloyd aurait préféré que les deux femmes s'écartent de la fenêtre, mais c'était trop demander. Elles restèrent là à le regarder.

Le motocycliste renonça apparemment à poursuivre son interrogatoire. Un instant plus tard, en effet, Lloyd l'entendit s'éloigner.

Le bruit de pas diminua. Les prisonniers étaient passés. Lloyd était-il libre?

Une vitesse s'enclencha bruyamment et la camionnette s'ébranla. Il resta immobile, trop effrayé pour bouger.

Il regarda défiler les toits des bâtiments, craignant toujours que quelqu'un ne l'aperçoive. Que ferait-il dans ce cas? Il n'en savait rien. Chaque seconde l'éloignait des gardiens, se dit-il, plein d'espoir.

À son grand désarroi, la camionnette ne tarda pas à s'arrêter. Le moteur se tut, la portière du conducteur s'ouvrit et se referma en claquant. Puis plus rien. Lloyd attendit sans bouger. Le conducteur ne revenait pas.

Levant les yeux vers le ciel, il constata que soleil était déjà haut. Il devait être plus de midi. Le chauffeur devait être en train de déjeuner.

Malheureusement, on pouvait toujours le voir depuis les fenêtres des étages, des deux côtés de la rue. S'il restait là, quelqu'un le remarquerait tôt ou tard. Qu'arriverait-il alors?

Il vit bouger le rideau d'une mansarde. Cela le décida.

Se redressant, il regarda autour de lui. Un homme en costume lui adressa un regard curieux, mais passa son chemin.

Lloyd enjamba le rebord et sauta à terre. Il se trouvait devant un café-restaurant. Le conducteur était certainement à l'intérieur. Lloyd aperçut, horrifié, deux hommes en uniforme allemand attablés en terrasse, chopes de bière à la main. Par miracle, ils ne tournèrent pas les yeux dans sa direction.

Il s'éloigna sans tarder.

Il ne cessait de regarder autour de lui, aux aguets. Tous les passants qu'il croisait le dévisageaient: ils savaient parfaitement à qui ils avaient à faire. Une femme poussa un cri en le voyant et s'enfuit en courant. Il fallait qu'il troque au plus vite ses vêtements kaki contre une tenue plus typiquement française.

Un jeune homme l'empoigna alors par le bras. «Venez avec moi, dit-il en anglais avec un fort accent français. Je vais vous aider à vous cacher.»

Il l'entraîna dans une rue latérale. Lloyd n'avait aucune raison de lui faire confiance, mais il n'avait pas le temps de réfléchir. Il le suivit.

«Par ici», dit le jeune homme en le faisant entrer dans une petite maison.

Dans une cuisine dépouillée, il découvrit une jeune femme

avec un bébé. Le jeune homme fit les présentations : il s'appelait Maurice, sa femme Marcelle et leur petite fille Simone.

Lloyd fut envahi d'un sentiment de soulagement et de gratitude. Il avait échappé aux Allemands ! Il n'était pas encore hors de danger, mais momentanément à l'abri dans une maison accueillante.

Le français scolaire qu'il avait appris au collège s'était enrichi de tournures plus familières pendant sa fuite d'Espagne, en particulier pendant les deux semaines qu'il avait passées à faire les vendanges dans la région de Bordeaux.

« Vous êtes très aimables, dit-il. Merci. »

Maurice répondit en français, manifestement ravi de ne pas avoir à parler anglais. « Vous voulez manger quelque chose ? Vous devez avoir faim.

— Volontiers, oui. »

Marcelle coupa promptement quelques tranches de baguette et les posa sur la table avec un assortiment de fromages et une bouteille de vin sans étiquette. Lloyd s'assit et dévora avec appétit.

« Je vais vous donner de vieux vêtements, annonça Maurice. Vous devriez aussi essayer de changer de démarche. Vous marchiez à grands pas sans cesser de regarder autour de vous, l'air tellement inquiet et à l'affût que vous auriez aussi bien pu vous accrocher au cou une pancarte "Visiteur anglais". Vous feriez mieux de traîner des pieds, les yeux baissés. »

Lloyd répondit, la bouche pleine de pain et de fromage : « Je m'en souviendrai, merci. »

Sur une petite étagère de livres, il aperçut des traductions françaises de Marx et Lénine. Maurice surprit le regard de Lloyd et expliqua : « J'étais communiste, jusqu'au pacte germano-soviétique. Maintenant, c'est terminé. » Il fit un geste tranchant de la main. « N'empêche, il faut empêcher la victoire du fascisme.

— J'étais en Espagne, raconta Lloyd. Avant, je croyais à la possibilité de rassembler tous les partis de gauche dans un front uni. Je n'y crois plus. »

Simone se mit à pleurer. Marcelle sortit un sein généreux de son corsage et se mit à l'allaiter. Les Françaises étaient plus naturelles en ce domaine que les prudes Anglaises.

Quand Lloyd fut rassasié, Maurice le fit monter à l'étage. Dans un placard presque vide, il prit une salopette bleue, une chemise bleu clair, des chaussettes et des sous-vêtements, tous usés mais propres. Lloyd était profondément touché par la générosité de cet homme qui manifestement ne roulait pas sur l'or. Il ne savait comment le remercier.

« Laissez votre uniforme par terre, dit Maurice. Je le brûlerai. »

Lloyd aurait bien aimé se laver, mais il n'y avait pas de salle de bains.

Il enfila les vêtements de Maurice et se regarda dans la glace accrochée au mur. Le bleu lui allait mieux que le kaki militaire, mais il n'avait toujours pas l'air vraiment natif du pays.

Il redescendit.

Marcelle faisait faire un rot au bébé. « Un chapeau », dit-elle.

Maurice lui tendit un béret bleu marine, typiquement français. Lloyd le cala sur sa tête.

Maurice jeta alors un regard ennuyé aux solides godillots de l'armée en cuir noir, de trop bonne qualité, que portait Lloyd. « Ils vont vous trahir. »

Lloyd ne tenait pas du tout à s'en défaire. Il allait devoir beaucoup marcher. « Il suffit peut-être de les vieillir », suggéra-t-il.

Maurice eut l'air dubitatif. « Comment ?

— Vous avez un couteau ? »

Maurice sortit un canif de sa poche.

Lloyd retira ses chaussures. Il fit des entailles au bout, lacéra la partie montante qui couvrait les chevilles. Il défit les lacets et les renfila n'importe comment. L'opération terminée, elles avaient pris un air de vieilles godasses, mais n'en restaient pas moins confortables, avec des semelles épaisses qui résisteraient aux kilomètres.

Maurice lui demanda : « Où comptez-vous aller ?

— J'ai deux solutions. Prendre vers le nord, en direction de la côte, en espérant trouver un pêcheur qui acceptera de me faire traverser la Manche. Ou me diriger vers le sud-ouest, la frontière, pour tenter de passer en Espagne. » L'Espagne était neutre et il y avait encore des consuls britanniques dans la plupart des grandes villes. « Je connais la route de l'Espagne. Je l'ai déjà faite deux fois.

— La Manche est beaucoup plus près. Mais je crois que les Allemands vont fermer tous les ports.

— Où passe la ligne de front ?

— Les Allemands ont pris Paris. »

Lloyd en resta pantois. Paris était déjà tombé !

«Le gouvernement français s'est replié sur Bordeaux.» Maurice haussa les épaules. «Mais nous sommes vaincus. Rien ne peut plus sauver la France.

— L'Europe entière sera fasciste, murmura Lloyd.

— Sauf la Grande-Bretagne. Voilà pourquoi vous devez rentrer chez vous.»

Lloyd réfléchit. Le nord ou le sud-ouest? Il avait du mal à choisir.

«J'ai un ami, un ancien communiste, qui vend du fourrage aux fermiers, reprit Maurice. Je sais qu'il doit faire une livraison cet après-midi au sud-ouest de la ville. Si vous décidez d'aller en Espagne, il pourra vous avancer d'une trentaine de kilomètres.»

Cette proposition aida Lloyd à se décider.

«Je vais partir avec lui.»

3.

Daisy avait longtemps tourné en rond.

Quand Lloyd avait été envoyé en France, elle en avait eu le cœur brisé. Elle n'avait pas pu lui dire qu'elle l'aimait – elle ne l'avait même pas embrassé!

Peut-être ne pourrait-elle plus jamais le faire. Il avait été porté disparu depuis Dunkerque. Autrement dit, son corps n'avait pas été retrouvé et identifié, mais il n'était pas non plus recensé comme prisonnier de guerre. Il était probablement mort, son corps disloqué en fragments anonymes par un obus, ou enfoui sous les débris d'une ferme. Elle avait pleuré pendant des jours.

Elle avait passé encore un mois à traîner dans les couloirs de Tŷ Gwyn dans l'espoir d'apprendre quelque chose, mais n'avait pas eu d'autres informations à son sujet. Elle avait alors commencé à se sentir coupable. Tant de femmes se trouvaient dans la même situation qu'elle ou connaissaient un sort bien pire encore! Certaines devraient élever deux ou trois enfants sans homme pour faire vivre leur famille. Elle n'avait pas le droit de pleurer sur elle-même parce que celui avec qui elle avait envisagé de tromper son mari avait disparu.

Elle devait se ressaisir et faire quelque chose de concret. Le destin avait décidé de la séparer de Lloyd, c'était évident. Elle avait déjà un mari, lequel, qui plus est, risquait sa vie tous les jours. Il était de son devoir de s'occuper de Boy.

Elle regagna Londres. Elle rouvrit la maison de Mayfair du mieux qu'elle le put avec un nombre réduit de domestiques et en fit un foyer accueillant pour Boy quand il y viendrait en permission.

Elle devait oublier Lloyd et être une bonne épouse. Peut-être même pourrait-elle attendre un autre enfant.

De nombreuses femmes participaient à l'effort de guerre en s'engageant dans les Womens' Auxiliary Air Force, les auxiliaires féminines de la RAF, ou en partant travailler aux champs avec la Women's Land Army, pour remplacer les hommes partis au combat. D'autres participaient bénévolement aux activités du Women's Voluntary Service for Air Raid Precautions, qui informait la population des mesures à prendre en cas de raids aériens. Mais il n'y avait pas de travail pour toutes et le *Times* publiait des lettres de lecteurs dénonçant le coût exorbitant de toute cette organisation. La guerre semblait terminée sur le continent. L'Allemagne avait gagné. L'Europe était fasciste de la Pologne à la Sicile et de la Hongrie au Portugal. On ne se battait plus nulle part. Selon certaines rumeurs, le gouvernement britannique avait déjà discuté des conditions de paix.

Mais Churchill ne fit pas la paix avec Hitler. Cet été-là marqua le début de la bataille d'Angleterre.

Dans les premiers temps, l'entrée en guerre n'eut pas trop d'incidence sur la vie des civils. Les cloches des églises cessèrent de sonner : elles ne carillonneraient que pour annoncer l'invasion allemande redoutée. Appliquant les directives du gouvernement, Daisy entassa des sacs de sable et de l'eau sur tous les paliers de la maison pour combattre d'éventuels incendies, mais c'était inutile. La Luftwaffe bombardait les ports, afin de couper les voies d'approvisionnement du pays. Elle s'attaqua ensuite aux bases aériennes pour tenter d'anéantir la Royal Air Force. Boy pilotait un Spitfire et affrontait l'ennemi dans des combats aériens auxquels assistaient, bouche bée, les fermiers du Kent et du Sussex. Dans l'une de ses rares lettres, il annonçait fièrement avoir abattu trois avions allemands. Des semaines s'écoulèrent sans qu'il obtienne de permission. Daisy attendait seule dans la maison qu'elle remplissait de fleurs pour lui.

Le samedi 7 septembre au matin, Boy revint enfin pour le

week-end. Il faisait un temps superbe, chaud et ensoleillé, un regain de douceur – l'été indien, comme on disait.

Ce fut ce jour-là que la Luftwaffe changea de tactique.

Daisy embrassa son mari et s'assura qu'il avait des chemises et du linge propre dans son cabinet de toilette.

Sur la foi de ce que disaient les autres femmes, elle pensait que les hommes qui revenaient de la guerre voulaient de l'amour, de l'alcool et de bons repas, dans cet ordre.

Elle n'avait pas couché avec Boy depuis qu'elle avait perdu son bébé. Ce serait la première fois. Elle s'en voulait de ne pas se réjouir à cette idée. Mais certainement, elle ne se déroberait pas à son devoir.

Elle s'attendait plus ou moins à ce qu'il la culbute sur le lit dès son arrivée, pourtant il ne semblait pas aussi impatient. Il enleva son uniforme, prit un bain, se lava les cheveux et revêtit une tenue civile. Daisy demanda à la cuisinière de préparer un bon déjeuner sans lésiner sur les tickets de rationnement et Boy remonta de la cave un de ses plus vieux bordeaux.

À la fin du déjeuner, elle fut surprise et blessée de l'entendre annoncer : « Je vais faire un tour. Je serai là pour le dîner. »

Elle voulait bien être une bonne épouse, mais n'avait pas l'intention de se soumettre totalement à son bon vouloir.

« C'est ta première permission depuis des mois ! protesta-t-elle. Où vas-tu comme ça ?

— J'ai un cheval à voir. »

Elle n'avait rien contre. « Ah, très bien ! Je vais t'accompagner.

— Pas question. S'ils me voient arriver avec une femme, ils me prendront pour une mauviette et monteront le prix.

— J'avais toujours rêvé que nous pourrions faire ça ensemble – acheter et élever des chevaux de course, murmura-t-elle sans pouvoir dissimuler sa déception.

— Ce n'est pas un monde de femmes.

— Oh, arrête ! Je connais les chevaux aussi bien que toi.

— Peut-être, rétorqua-t-il, manifestement agacé, mais je n'ai pas envie de t'avoir dans les pattes pendant que je marchande avec ces types, un point c'est tout. »

Elle céda. « Comme tu voudras. » Elle quitta la salle à manger.

Elle était sûre qu'il mentait. Un soldat en permission ne pense pas à acheter des chevaux. Elle était bien décidée à découvrir ce qu'il mijotait. Les héros eux-mêmes doivent être fidèles à leur femme.

Elle gagna sa chambre et enfila un pantalon et des bottes. Quand Boy descendit dans l'entrée par le grand escalier, elle se précipita dans l'escalier de service, sortit par la cuisine et traversa la cour pour se rendre dans les anciennes écuries. Elle attrapa une veste de cuir, un casque et de grosses lunettes. Elle ouvrit la porte du garage donnant sur la ruelle à l'arrière de la maison et sortit sa moto, une Triumph Tiger 100, ainsi appelée parce que sa vitesse maximale était de cent miles à l'heure. Elle la démarra et roula en douceur dans la ruelle.

Elle s'était mise à la moto dès que l'essence avait été rationnée, en septembre 1939. C'était comme la bicyclette, en plus facile. Elle aimait la liberté et l'indépendance que cela lui donnait.

Elle déboucha dans la rue juste à temps pour voir la Bentley Airline crème de Boy disparaître au coin.

Elle le suivit.

Il traversa Trafalgar Square et le quartier des théâtres. Daisy restait à distance respectueuse pour ne pas être repérée. La circulation était encore dense dans le centre de Londres que sillonnaient des centaines de véhicules affectés à des missions officielles. En outre, le rationnement du carburant n'était pas draconien pour les voitures particulières, surtout pour les gens qui restaient dans le périmètre de la ville.

Boy poursuivit sa route au-delà du quartier de la finance. Les voitures étaient plus rares dans cette partie de Londres le samedi après-midi et Daisy craignit qu'il ne la repère plus aisément. Mais elle n'était pas très facile à reconnaître avec son casque et ses grosses lunettes. D'ailleurs, Boy ne prêtait guère attention à ce qui l'entourait. Il conduisait la vitre ouverte en fumant un cigare.

Il s'engagea dans Aldgate et Daisy eut la pénible impression de savoir où il allait.

Il tourna dans une des rues les moins sordides de l'East End et se gara devant une jolie maison du XVIIIe siècle. Aucune écurie en vue : ce n'était pas un lieu où l'on achetait et vendait des chevaux. Il l'avait menée en bateau, comme elle le pensait !

Daisy arrêta sa moto au bout de la rue et observa. Boy sortit de voiture et claqua la portière. Il ne regarda pas autour de lui, ne leva pas le nez pour vérifier le numéro : de toute évidence, ce n'était pas la première fois qu'il venait là. Il connaissait le chemin. Le cigare aux lèvres, il se dirigea d'un pas alerte vers la porte qu'il ouvrit avec sa clé.

Daisy faillit fondre en larmes.

Boy disparut à l'intérieur de la maison.

Quelque part à l'est de la ville, il y eut une explosion.

Daisy aperçut alors dans le ciel des avions venant de cette direction. Les Allemands avaient-ils choisi ce jour pour commencer à bombarder Londres ?

Si tel était le cas, c'était le cadet de ses soucis. Elle n'allait pas laisser Boy commettre l'adultère tranquillement. Elle remonta la rue et rangea sa moto derrière sa voiture. Elle enleva son casque et ses lunettes, s'approcha de la porte d'entrée et frappa.

Elle entendit une autre explosion, plus proche cette fois. Les sirènes entonnèrent alors leur chant funèbre.

La porte s'entrouvrit. Elle la poussa fermement. Une jeune femme en tenue de femme de chambre s'écarta dans un cri et Daisy entra. Elle se trouvait dans le vestibule d'une maison bourgeoise ordinaire, mais à la décoration exotique : tapis orientaux, lourds rideaux et un tableau représentant des femmes nues dans un bain turc.

Elle ouvrit brutalement la première porte et pénétra dans le salon. Il était plongé dans une pénombre entretenue par des tentures de velours qui masquaient la lumière du soleil. Trois personnes se trouvaient dans la pièce. La première, une femme d'une quarantaine d'années, vêtue d'un ample peignoir de soie, et pourtant soigneusement fardée, les lèvres soulignées de rouge vif, se leva en la dévisageant d'un air outré : la mère, supposa Daisy. Derrière elle, assise sur un sofa, une jeune fille d'environ seize ans, vêtue en tout et pour tout de ses dessous et de ses bas, fumait une cigarette. Boy était assis à côté d'elle, la main sur sa cuisse, au-dessus de la limite du bas. Il retira précipitamment sa main d'un air coupable. Un geste absurde, se dit Daisy. Croyait-il vraiment que cela suffirait à lui faire croire à l'innocence de cette scène ?

Daisy lutta contre les larmes.

«Tu m'avais promis de ne plus les voir ! » s'écria-t-elle. Elle aurait voulu manifester une colère froide d'ange exterminateur, mais sa voix n'exprimait que tristesse et déception.

Boy rougit, l'air affolé. «Mais enfin qu'est-ce que tu fabriques ici ? »

La plus âgée des femmes s'écria : «Merde, c'est sa femme ! »

Daisy se souvint qu'elle s'appelait Pearl et sa fille, Joanie. Penser qu'elle connaissait les prénoms de ces traînées ! Quelle horreur !

La domestique apparut dans l'embrasure de la porte.

« Je ne l'ai pas laissée entrer, se justifia-t-elle. Elle m'a bousculée, la garce ! »

Daisy se tourna vers Boy : « Je me suis donné tellement de mal pour que la maison soit belle et accueillante pour toi. Et tu préfères ça ! »

Il essaya de dire quelque chose, mais eut du mal à trouver ses mots. Il bafouilla une phrase incompréhensible. À cet instant, une énorme explosion ébranla le sol et fit vibrer les fenêtres.

La femme de chambre cria : « Vous êtes sourds ou quoi ? Y a un putain de raid aérien ! » Personne ne lui prêta attention. « Je descends à la cave. » Elle fila.

Il fallait qu'ils se mettent tous à l'abri. Mais Daisy avait quelque chose à dire à Boy avant de partir.

« Il n'est plus question que tu viennes dans mon lit, tu m'entends ? Je ne veux pas être contaminée. »

La fille assise sur le divan, Joanie, lança : « Allons chérie, on prend juste un peu de bon temps ! Tu veux pas nous rejoindre ? Tu aimerais peut-être ça ! »

Pearl, la mère, l'examina des pieds à la tête.

« Elle est plutôt bien roulée ! »

Daisy comprit que les humiliations se poursuivraient si elle les laissait faire. Les ignorant, elle s'adressa à Boy : « Tu as fait ton choix. Quant à moi, ma décision est prise. »

Elle sortit la tête haute, alors même qu'elle se sentait abandonnée et mortifiée.

Elle entendit Boy soupirer : « Et zut, quelle tuile ! »

Une tuile ? Rien de plus ?

Elle franchit la porte d'entrée.

Puis elle leva les yeux.

Le ciel était noir d'avions.

Elle se mit à trembler de peur. Ils volaient haut, peut-être à trois mille mètres, mais ils n'en semblaient pas moins masquer le soleil. Ils étaient des centaines, de gros bombardiers et des chasseurs profilés, toute une flotte qui semblait s'étirer sur une trentaine de kilomètres. À l'est, du côté des docks et de l'arsenal de Woolwich, des panaches de fumée s'élevaient depuis les points d'impact des bombes. Les explosions se succédaient par vagues, dans un grondement continu de mer déchaînée.

Daisy se souvint que, le mercredi précédent, Hitler avait prononcé un discours devant le parlement allemand, fulminant contre la cruauté des raids aériens de la RAF sur Berlin et menaçant de raser des villes anglaises en représailles. Ce n'était apparemment pas des paroles en l'air. Il semblait déterminé à écraser Londres sous les bombes.

Cette journée était déjà la plus horrible de la vie de Daisy : elle prit conscience à cet instant que ce serait peut-être aussi la dernière.

Elle ne pouvait cependant pas se résoudre à retourner dans la maison pour partager l'abri antiaérien de ces femmes. Il fallait qu'elle s'en aille. Elle voulait rentrer chez elle pour pouvoir pleurer tranquillement.

Elle remit à la hâte son casque et ses lunettes. Elle se défendit contre l'envie irrationnelle autant qu'irrésistible de se jeter derrière le premier mur venu. Enfourchant sa moto, elle démarra.

Elle n'alla pas bien loin.

Deux rues plus loin, une bombe s'abattit sur une maison juste devant elle. Elle freina brusquement. Elle vit le trou dans la toiture, sentit la vibration de l'explosion et aperçut aussitôt des flammes à l'intérieur, comme si le kérosène d'un radiateur s'était répandu et embrasé. Un instant plus tard, une petite fille d'une douzaine d'années sortit en hurlant, les cheveux en feu, et se précipita vers Daisy.

Daisy sauta de sa moto, ôta sa veste de cuir et la jeta sur la tête de la fillette, la serrant étroitement pour priver les flammes d'oxygène.

Les cris s'apaisèrent. Daisy retira sa veste. La fillette sanglotait. Elle ne souffrait plus le martyre, mais elle était chauve.

Daisy inspecta la rue. Un homme coiffé d'un casque en acier et portant un brassard de l'ARP, le service de protection des civils contre les raids aériens, les rejoignit en courant avec une mallette métallique ornée de la croix blanche des premiers secours.

La petite fille regarda Daisy, ouvrit la bouche et cria : « Ma mère est là-dedans !

— Du calme, ma petite, dit le secouriste. Laisse-moi t'examiner. »

Daisy les laissa pour courir vers le bâtiment. C'était apparemment une vieille maison divisée en petits appartements. Les étages supérieurs étaient en flammes, mais il lui était néanmoins possible de se glisser dans le hall d'entrée. Au jugé, elle se dirigea vers l'arrière du bâtiment et déboucha dans une cuisine. Une femme gisait, inconsciente, sur le sol, près d'un bébé dans un berceau. Elle saisit l'enfant et ressortit aussitôt.

La fillette aux cheveux brûlés s'écria : «C'est ma petite sœur ! »

Daisy lui fourra le bébé dans les bras et repartit vers la maison.

La femme évanouie était trop lourde pour qu'elle puisse la soulever. Daisy se cala derrière elle, la redressa en position assise, la prit par les aisselles et traversa la cuisine et l'entrée en la tirant jusque dans la rue.

Une ambulance était arrivée entre-temps, une berline transformée, dont une partie de la carrosserie avait été remplacée par une structure recouverte d'une bâche qui s'ouvrait à l'arrière. Le secouriste aida la fillette à y monter. Le conducteur se précipita pour aider Daisy. À eux deux, ils purent installer la mère dans l'ambulance.

Le conducteur demanda à Daisy : «Il y a d'autres personnes à l'intérieur ?

— Je ne sais pas ! »

Il se rua dans la maison. À cet instant, le bâtiment entier s'effondra. Les étages supérieurs en flammes s'affaissèrent sur les autres, les entraînant dans leur chute. L'ambulancier disparut dans un enfer de feu.

Daisy s'entendit hurler.

Elle plaqua sa main sur sa bouche, les yeux rivés sur le brasier pour tenter d'apercevoir l'homme, même si elle ne pouvait pas lui venir en aide. Il aurait été suicidaire d'essayer.

«Oh, mon Dieu ! gémit le secouriste. Alf a été tué ! »

Une autre explosion signala la chute d'une bombe cent mètres plus loin dans la rue.

«Je n'ai plus de chauffeur, se lamenta le secouriste. Et moi, je dois rester ici. »

Il balaya la rue du regard. De petits groupes se tenaient devant les maisons, mais la plupart des gens devaient être terrés dans les abris.

«Je peux remplacer votre chauffeur, proposa Daisy. Où dois-je aller ?

— Vous savez conduire ? »

Les Anglaises ne prenaient pas le volant en général. C'était encore une affaire d'hommes dans ce pays. « Ne posez pas de questions idiotes. À quel hôpital dois-je les emmener ?

— St Bart. Vous savez où c'est ?

— Bien sûr. » St Bartholomew était l'un des plus grands hôpitaux de Londres et Daisy habitait la ville depuis quatre ans. « West Smirthfield, ajouta-t-elle pour le convaincre.

— Les urgences sont à l'arrière du bâtiment.

— Je trouverai. » Elle sauta dans la voiture. Le moteur tournait toujours.

L'homme lui cria : « Comment vous appelez-vous ?

— Daisy Fitzherbert. Et vous ?

— Nobby Clarke. Prenez soin de l'ambulance. »

La voiture avait un levier de vitesse ordinaire. Daisy enclencha la première et s'éloigna.

Les avions continuaient à vrombir dans les airs et les bombes à tomber sans répit. Daisy voulait à tout prix déposer les blessées à l'hôpital. St Bart n'était qu'à deux kilomètres mais le trajet se révéla effroyablement difficile. Elle suivit Leadenhall Street, Poultry et Cheapside, avant de se retrouver bloquée plusieurs fois et de devoir faire demi-tour pour emprunter un autre itinéraire. Il y avait au moins un immeuble détruit dans chaque rue. Ce n'étaient que fumée et gravats, des gens en sang et des hurlements.

Elle éprouva un immense soulagement quand elle atteignit enfin l'hôpital. Elle trouva les urgences en suivant une autre ambulance. Une grande agitation régnait autour d'une dizaine de véhicules qui déchargeaient des patients blessés et brûlés, aussitôt pris en charge par des brancardiers en blouse ensanglantée. J'ai peut-être sauvé la mère de ces enfants, se dit Daisy. Je ne suis pas complètement inutile, après tout, même si mon mari ne veut plus de moi.

La fillette sans cheveux tenait toujours sa petite sœur dans ses bras. Daisy les aida à sortir de l'ambulance.

Une infirmière vint lui donner un coup de main pour transporter la mère inconsciente à l'intérieur.

Daisy se rendit compte qu'elle ne respirait plus. « Ce sont ses enfants, dit-elle à l'infirmière, consciente d'être au bord de la crise de nerfs. Et maintenant ?

« — Je vais m'en occuper, répondit l'infirmière d'un ton péremptoire. Il faut que vous retourniez là-bas.

— Vraiment?

— Ressaisissez-vous et allez-y. Il va y avoir encore beaucoup d'autres victimes avant la fin de la nuit.

— Très bien. » Daisy remonta dans l'ambulance et repartit.

4.

Par un doux après-midi d'octobre, Lloyd Williams arriva dans la ville de Perpignan baignée de soleil, à trente kilomètres de la frontière espagnole.

Il avait passé le mois de septembre dans la région de Bordeaux à faire les vendanges, comme en 1937. Il avait désormais assez d'argent en poche pour prendre le bus et le tramway et s'arrêter dans des gargotes, au lieu de se nourrir de légumes crus qu'il chapardait dans les jardins ou d'œufs subtilisés dans les poulaillers. Il reprenait en sens inverse la route qu'il avait empruntée en revenant d'Espagne trois ans plus tôt. Il était venu de Bordeaux par Toulouse et Béziers, montant parfois dans des trains de marchandises, demandant le plus souvent à des chauffeurs de camion de l'emmener.

Il s'était arrêté dans un café au bord de la grand-route qui filait vers le sud-est, reliant Perpignan à la frontière espagnole. Toujours vêtu de la salopette bleue et du béret de Maurice, il transportait un petit sac de toile contenant une truelle rouillée et un niveau à bulle couvert de croûtes de ciment afin de se faire passer pour un maçon espagnol qui rentrait chez lui. Pourvu que personne ne lui propose de travail! Il aurait été bien incapable de construire un mur.

Il se demandait avec inquiétude comment il trouverait son chemin dans la montagne. Trois mois plus tôt, en Picardie, il s'était dit un peu vite qu'il se souviendrait du trajet emprunté en 1936 avec ses guides pour franchir les Pyrénées et passer en Espagne ; chemin qu'il avait en partie repris à son retour, un an plus tard. Mais à mesure qu'il voyait les sommets pourpres et les cols verdoyants se profiler plus nettement à l'horizon, le projet lui semblait moins évident. Il avait cru que chacun de ses pas serait resté gravé dans sa mémoire, mais quand il essayait de retrouver les sentiers, les ponts et les embranchements précis, ses souvenirs devenaient flous et les détails lui échappaient.

Il termina son repas, un ragoût de poisson pimenté, et s'adressa d'un ton détaché aux camionneurs installés à la table voisine.

« Il faut que j'aille à Cerbère. » C'était le dernier village avant la frontière. « Est-ce que l'un de vous va par là ? »

Ils y allaient probablement tous. Il n'y avait pas d'autre raison qui pût expliquer leur présence sur ce tronçon de route. Il les vit hésiter. C'était la France de Vichy, théoriquement libre, en réalité sous la botte des Allemands qui occupaient l'autre moitié du pays. Personne ne se bousculait pour rendre service à un inconnu à l'accent étranger.

« Je suis maçon, reprit Lloyd en montrant son sac de toile. Je retourne chez moi, en Espagne. Je m'appelle Leandro. »

Un homme corpulent en chemise de corps leva la tête : « Je peux vous faire faire la moitié de la route.

— Merci.

— Vous êtes prêt à partir tout de suite ?

— Oui, bien sûr. »

Ils sortirent et montèrent dans une fourgonnette Renault poussiéreuse affichant le nom d'un magasin d'électricité sur ses flancs. En quittant sa place de stationnement, le conducteur demanda à Lloyd s'il était marié. Il lui posa ensuite toute une série de questions personnelles embarrassantes. Lloyd finit par comprendre que le bonhomme était fasciné par la vie sexuelle des autres. C'était sûrement pour cela qu'il avait accepté d'emmener Lloyd : il avait ainsi l'occasion de le soumettre à un interrogatoire intime en règle. Parmi ceux qui l'avaient pris en stop, Lloyd était plusieurs fois tombé sur des hommes animés des mêmes motivations malsaines.

« Je suis puceau », lui avoua Lloyd, ce qui était l'exacte vérité.

Cet aveu ne fit qu'amorcer une nouvelle discussion pesante sur les pelotages de lycée. Lloyd avait une certaine expérience en la matière, mais pas la moindre intention de la partager. Il refusa de donner des détails, tout en s'efforçant de rester poli. Son chauffeur finit par se lasser. « C'est là que je tourne », annonça-t-il.

Il s'arrêta. Lloyd le remercia et continua à pied.

Il avait appris à ne pas marcher comme un soldat et mis au

point une démarche traînante de paysan qui lui semblait assez réaliste. Il n'avait jamais de livres ni de journaux sur lui. La dernière fois qu'il s'était fait couper les cheveux, ils avaient été massacrés par un coiffeur incompétent dans le quartier le plus pauvre de Toulouse. Il ne se rasait qu'une fois par semaine, si bien qu'il avait en permanence un début de barbe étonnamment efficace pour le rendre anonyme. Ayant renoncé à se laver, il dégageait une odeur forte qui dissuadait les gens de l'approcher.

En France et en Espagne, les ouvriers et les manœuvres n'avaient pas de montre. Il avait donc dû se défaire de la montre carrée en acier que lui avait donnée Bernie pour son diplôme. Ne pouvant pas l'offrir aux Français qui l'avaient aidé, car une montre venue d'Angleterre les aurait compromis, il avait dû se résoudre, la mort dans l'âme, à la jeter dans une mare.

Il n'avait pas de papiers d'identité. C'était sa grande faiblesse.

Il avait essayé d'acheter ceux d'un homme qui lui ressemblait vaguement et projeté de voler ceux de deux autres personnes, mais les gens étaient devenus prudents, ce qui n'était pas surprenant. La seule solution était d'éviter les situations dans lesquelles il risquerait d'avoir à justifier de son identité. Il se faisait discret, marchait à travers champs plutôt que sur les routes quand il avait le choix et n'empruntait jamais les trains de voyageurs à cause des contrôles dans les gares. Jusqu'à présent, il avait eu de la chance. Un jour, un gendarme lui avait demandé ses papiers. Quand il avait expliqué qu'on les lui avait volés un soir qu'il était ivre mort dans un bar de Marseille, l'autre l'avait cru et n'avait pas insisté.

Mais cette fois, la chance l'abandonna.

Il cheminait à travers d'arides terres agricoles. Il se trouvait au pied des Pyrénées, non loin de la Méditerranée, et le sol était sablonneux. La route poudreuse traversait de petites exploitations et des villages misérables. La région était peu peuplée. Sur sa gauche, il entrevoyait les lointaines lueurs bleues de la mer derrière les coteaux.

La Citroën verte avec trois gendarmes à l'intérieur qui s'arrêta à côté de lui était bien la dernière chose qu'il s'attendait à voir.

Tout se passa très vite. Il entendit approcher la voiture – le premier bruit de moteur qu'il entendait depuis que l'électricien l'avait déposé. Il poursuivit son chemin du pas las d'un ouvrier qui rentre chez lui. De part et d'autre de la route s'étendaient des prés desséchés à la végétation rare, hérissés parfois d'arbres rabougris. Quand la voiture s'arrêta, il envisagea une seconde de filer à travers champs. Il y renonça en voyant les pistolets que les deux gendarmes jaillis du véhicule portaient à la ceinture. Ce n'était sans doute pas de bons tireurs, mais ils pouvaient avoir de la chance. Mieux valait tenter de parlementer. Ces gendarmes ruraux étaient généralement plus aimables que les brutes de la police municipale.

«Vos papiers», demanda l'un d'eux en français.

Lloyd écarta les mains dans un geste d'impuissance.

«Monsieur, c'est malheureux, mais on m'a volé mes papiers à Marseille. Je m'appelle Leandro, je suis maçon, espagnol, je vais...

— Montez.»

Lloyd hésita, mais il n'avait pas le choix. Ses chances de s'en tirer s'amenuisaient grandement.

L'un des gendarmes le saisit fermement par le bras, le poussa à l'arrière de la voiture et monta à côté de lui.

Quand la voiture démarra, son courage l'abandonna.

Le gendarme assis à côté de lui demanda : «Vous êtes anglais?

— Non, espagnol. Je suis maçon, je m'appelle...»

Le gendarme le fit taire d'un geste de la main. «Ne vous fatiguez pas.»

Lloyd se reprocha son excès d'optimisme. Un étranger sans papiers, se dirigeant vers la frontière espagnole : pour eux, les choses étaient claires, c'était un soldat britannique en cavale. S'ils avaient encore le moindre doute, celui-ci s'envolerait quand ils lui ordonneraient de se déshabiller et verraient la plaque qu'il portait au cou. Il l'avait gardée car, sans elle, il était assuré d'être fusillé comme espion.

Et voilà qu'il se retrouvait coincé dans une voiture avec trois hommes armés et sans la moindre chance de pouvoir s'échapper.

Ils roulèrent dans la direction qu'il suivait avant qu'ils ne l'interpellent. Le soleil descendait sur les sommets. Il n'y avait plus de ville importante avant la frontière. Lloyd supposa qu'il passerait la nuit dans une prison de village. Peut-être parviendrait-il à s'évader? Sinon, ils le ramèneraient le lendemain à Perpignan pour le livrer à la police. Et ensuite? L'interrogerait-on? Cette perspective le glaçait de peur. Il serait passé à tabac par la police française, torturé par la police allemande. S'il survivait, il finirait dans un camp de prisonniers où il resterait jusqu'à la fin de la guerre, à moins de mourir de malnutrition avant. Et il n'était qu'à quelques kilomètres de la frontière !

Ils arrivèrent dans une petite ville. Pouvait-il espérer leur échapper entre la voiture et la prison ? Impossible de faire le moindre projet : il ne connaissait pas le terrain. Il ne pouvait que rester sur le qui-vive, prêt à saisir la première occasion.

La voiture quitta la rue principale pour s'engager dans une ruelle bordée de boutiques. Allaient-ils le fusiller sur place et abandonner son corps quelque part ?

Ils s'arrêtèrent à l'arrière d'un restaurant. La cour était jonchée de caisses et d'énormes bidons. Par une petite fenêtre, Lloyd aperçut une cuisine brillamment éclairée.

Le gendarme qui occupait le siège du passager avant sortit de la voiture et vint ouvrir la portière de Lloyd du côté le plus proche du bâtiment. Quelles étaient ses chances ? S'il voulait filer dans la ruelle, il devait d'abord contourner le véhicule. La nuit tombait : au bout de quelques mètres, il cesserait d'être une cible facile.

Le gendarme l'empoigna par le bras et le fit sortir sans le lâcher. Son collègue suivit le mouvement immédiatement derrière Lloyd. Il devenait difficile de tenter de fuir.

Pourquoi l'avait-on amené ici ?

Ils le conduisirent dans la cuisine. Un cuisinier battait des œufs dans une jatte tandis qu'un adolescent faisait la vaisselle dans un grand évier. « C'est un Anglais, dit l'un des gendarmes. Il prétend s'appeler Leandro. »

Le cuisinier leva la tête sans s'interrompre et brailla : « Teresa ! Viens vite ! »

Lloyd se souvint d'une autre Teresa, une belle anarchiste espagnole qui apprenait aux soldats à lire et à écrire.

La porte de la cuisine s'ouvrit en grand et elle entra.

Lloyd la dévisagea avec stupeur. Pas d'erreur : il n'oublierait jamais ces grands yeux et cette masse de cheveux noirs. C'était bien elle malgré sa coiffe de coton blanc et son tablier de serveuse.

Elle ne le regarda pas tout de suite. Elle posa une pile d'assiettes à côté du jeune garçon qui faisait la plonge avant de se tourner vers les gendarmes qu'elle embrassa sur les deux joues en s'exclamant : «Pierre! Michel! Comment allez-vous?»

Alors seulement, elle se tourna vers Lloyd et dit en espagnol : «Non! Ce n'est pas possible! Lloyd? C'est vraiment toi?»

Il ne put que hocher la tête, incapable de dire un mot.

Elle le serra dans ses bras et l'embrassa lui aussi sur les deux joues.

«Bon, eh bien, voilà. C'est parfait. Il faut qu'on y aille, dit l'un des gendarmes. Bonne chance!» Il tendit son sac de toile à Lloyd et ils s'en allèrent.

Lloyd retrouva sa langue.

«Qu'est-ce que c'est que cette histoire? demanda-t-il à Teresa en espagnol. J'ai cru qu'ils me conduisaient en prison!

— Ils détestent les nazis. Alors ils nous aident.

— Qui ça, *nous*?

— Je t'expliquerai plus tard. Suis-moi.» Elle ouvrit une porte donnant sur un escalier et l'entraîna à l'étage, dans une chambre chichement meublée. «Attends-moi ici. Je vais t'apporter à manger.»

Lloyd s'allongea sur le lit et médita sur son incroyable bonne fortune. Cinq minutes plus tôt, il se préparait à être torturé et tué. Et voilà qu'il attendait qu'une femme merveilleuse vienne lui apporter son dîner.

Le vent peut tourner une nouvelle fois, tout aussi vite, se dit-il.

Elle revint une demi-heure plus tard avec une omelette et des frites sur une assiette de faïence grossière.

«On n'arrête pas en bas, expliqua-t-elle. Mais on ferme bientôt. Je suis là dans une minute.»

Il mangea rapidement son repas.

La nuit tomba. Il entendit les bavardages des clients qui sortaient du restaurant et le cliquetis de la vaisselle qu'on rangeait. Teresa réapparut avec une bouteille de vin rouge et deux verres.

Lloyd lui demanda pourquoi elle avait quitté l'Espagne.

«Des milliers d'entre nous se font massacrer. Pour ceux qu'on n'exécute pas, ils ont inventé une loi sur les responsabilités politiques qui considère comme criminels tous ceux qui ont défendu le gouvernement. On peut te confisquer tous tes biens pour t'être opposé à Franco par simple "passivité coupable". Tu n'es innocent que si tu peux apporter la preuve que tu l'as soutenu. »

Lloyd songea avec amertume à Chamberlain, qui avait assuré à la Chambre des communes, en mars, que Franco avait mis un terme aux représailles politiques. Quel sale menteur !

« Beaucoup de nos camarades sont emprisonnés dans des camps immondes, poursuivit Teresa.

— J'imagine que tu ne sais pas ce qu'est devenu mon copain, le sergent Lenny Griffiths ? »

Elle secoua la tête. « Je ne l'ai plus revu après Belchite.

— Et toi ?

— J'ai échappé aux types de Franco, je suis arrivée en France, j'ai trouvé un boulot de serveuse... et découvert qu'il y avait de quoi faire ici aussi.

— Comment ça ?

— J'aide les soldats évadés à franchir la montagne. C'est pour ça que les gendarmes t'ont conduit ici. »

Lloyd reprit courage. Il avait pensé faire le voyage seul et craint de ne pas retrouver son chemin. Peut-être pourrait-il compter sur un guide.

« J'en ai deux autres qui attendent, reprit-elle. Un artilleur britannique et un pilote canadien. Ils sont dans une ferme dans les hauteurs.

— Quand penses-tu traverser ?

— Cette nuit. Ne bois pas trop. »

Elle repartit et revint une demi-heure plus tard avec un vieux pardessus marron déchiré qu'elle lui tendit en expliquant : « Il fait froid là où nous allons. »

Ils sortirent discrètement par la cuisine et traversèrent la petite ville à la lueur des étoiles. Laissant la bourgade derrière eux, ils s'engagèrent sur un chemin de terre qui grimpait à flanc de coteau. Au bout d'une heure, ils atteignirent un hameau de bâtisses en pierre. Teresa siffla avant d'ouvrir la porte d'une grange d'où surgirent deux hommes.

« Nous utilisons toujours de faux noms, dit-elle en anglais. Je suis Maria, ces deux-là sont Fred et Tom. Notre nouvel ami s'appelle Leandro. »

Les hommes se serrèrent la main. Teresa poursuivit : « On ne parle pas, on ne fume pas. Si l'un de vous traîne, on ne l'attend pas. Vous êtes prêts ? »

À partir de là, le sentier devint plus raide. Lloyd glissait sur les pierres. Il se rattrapait aux maigres buissons de bruyère qui bordaient le chemin et se hissait en s'y accrochant. Mince et légère, Teresa imposait une cadence que les trois hommes avaient du mal à suivre. Elle s'était munie d'une lampe torche, mais refusait de l'allumer tant que les étoiles brillaient, disant qu'il fallait économiser les piles.

L'air fraîchit. Ils durent traverser un torrent glacé et Lloyd garda les pieds gelés pendant tout le reste du trajet.

Ils marchaient depuis une heure quand Teresa murmura : «Restez bien au milieu du chemin maintenant.»

En baissant les yeux, Lloyd s'aperçut qu'ils avançaient sur une corniche entre deux pentes abruptes. Quand il imagina la possible chute sans fin, il fut pris de vertige et releva aussitôt la tête pour fixer son regard sur la silhouette de Teresa. En d'autres circonstances, suivre une silhouette pareille aurait été un plaisir pour lui. Mais il était trop fatigué et transi pour savourer cet instant.

La montagne n'était pas inhabitée. À un moment, un chien aboya au loin; une autre fois, ils distinguèrent un tintement de cloche sinistre qui effraya les hommes, jusqu'à ce que Teresa leur explique qu'en montagne, les bergers accrochaient des cloches au cou de leurs bêtes pour pouvoir retrouver leur troupeau.

Lloyd songea à Daisy. Était-elle toujours à Tŷ Gwyn? Était-elle partie retrouver son mari? Il espérait qu'elle n'avait pas regagné Londres car, à en croire les journaux français, la ville était bombardée toutes les nuits. Était-elle morte ou vivante? La reverrait-il un jour? Si oui, quels seraient ses sentiments à son égard?

Ils s'arrêtaient toutes les deux heures pour se reposer, boire de l'eau et quelques gorgées de vin à la bouteille que portait Teresa.

Il se mit à pleuvoir peu avant l'aube. Le sol devint aussitôt glissant. Ils dérapaient et trébuchaient à chaque pas, mais Teresa ne ralentit pas l'allure.

«Vous pouvez être contents qu'il ne neige pas», leur lança-t-elle.

Le jour se leva sur une étendue de broussailles entrecoupées de saillies rocheuses dressées comme des mausolées. La pluie persistait. Une brume froide assombrissait le paysage.

Au bout d'un moment, Lloyd se rendit compte qu'ils

commençaient à descendre. À la pause suivante, Teresa leur annonça qu'ils étaient en Espagne. Lloyd aurait dû être soulagé, mais l'épuisement l'emportait sur tous les autres sentiments.

Le paysage s'adoucit peu à peu, à mesure que les rochers cédaient la place à une herbe drue hérissée de buissons.

Soudain Teresa se jeta à terre et se plaqua au sol.

Les trois hommes l'imitèrent aussitôt. En suivant le regard de Teresa, Lloyd aperçut deux hommes en uniforme vert, coiffés d'un chapeau à la forme bizarre : des gardes-frontières espagnols, probablement. Le fait d'être en Espagne ne signifiait pas qu'ils étaient tirés d'affaire. Ceux qui entraient illégalement dans le pays pouvaient être renvoyés en France. Ou pire, disparaître dans les geôles franquistes.

Les gardes-frontières suivaient un sentier qui se dirigeait droit vers les fugitifs. Lloyd se prépara à se défendre. Il devrait réagir rapidement pour ne pas leur laisser le temps de dégainer leurs armes. Il se demanda si ses deux compagnons savaient se battre.

Mais il avait tort de s'inquiéter. Arrivés à une limite visible d'eux seuls, les deux hommes firent demi-tour. Teresa semblait l'avoir prévu. Dès que les gardes-frontières furent hors de vue, elle se releva et ils repartirent.

Le brouillard ne tarda pas à se lever. Lloyd aperçut un village de pêcheurs au bord d'une anse sablonneuse. Il était déjà venu là lors de son séjour en Espagne en 1936. Il se rappelait même qu'il y avait une gare de chemin de fer.

Ils entrèrent dans le village. C'était une bourgade endormie, sans la moindre présence officielle : pas de police, pas de mairie, pas de soldats, pas de poste de contrôle. Sans doute était-ce pour cela que Teresa l'avait choisie.

Teresa les conduisit à la gare et leur acheta des billets, flirtant avec le guichetier comme avec un vieil ami.

Lloyd s'assit sur un banc du quai ombragé, les pieds en feu, fourbu, reconnaissant et heureux.

Une heure plus tard, ils prenaient le train pour Barcelone.

5.

Jamais encore, Daisy n'avait su ce que travailler voulait dire.

Ni ce qu'était la fatigue.

Ni l'horreur.

Elle était assise dans une salle de classe, en train de boire du thé sucré dans une tasse sans soucoupe. Elle portait un casque d'acier et des bottes de caoutchouc. Il était cinq heures de l'après-midi et elle éprouvait encore dans tous ses membres la lassitude de la nuit précédente.

Elle faisait partie de l'équipe de secours de l'ARP affectée au quartier d'Aldgate. Théoriquement, elle travaillait par roulement : huit heures de travail, huit heures de permanence, huit heures de repos. Dans les faits, elle n'arrêtait pas, aussi longtemps que duraient les raids aériens et qu'il y avait des blessés à conduire à l'hôpital.

Londres fut bombardé toutes les nuits sans exception pendant tout le mois d'octobre 1940.

Daisy travaillait toujours en équipe avec une autre femme, l'assistante conductrice, et quatre secouristes. Ils avaient établi leur quartier général dans l'école et étaient, à ce moment précis, assis aux pupitres des enfants, attendant l'arrivée des avions, le hurlement des sirènes, le fracas des bombes.

L'ambulance qu'elle conduisait était une Buick américaine aménagée. Ils avaient aussi une voiture normale pour transporter ceux qu'ils appelaient «les assis», les blessés capables de se tenir sur une barquette sans assistance le temps d'arriver à l'hôpital.

Son assistante était une certaine Naomi Avery, une cockney blonde séduisante qui aimait les hommes et appréciait la camaraderie de l'équipe. Elle était en train de badiner avec le responsable du poste, Nobby Clarke, policier à la retraite. «L'infirmier-chef est un homme, lui faisait-elle remarquer. Le préposé à la défense passive du quartier est un homme. Tu es un homme.

— J'espère bien! s'offusqua Nobby, déclenchant un éclat de rire général.

— Il y a beaucoup de femmes dans les services de l'ARP, continua Naomi. Pourquoi n'occupent-elles aucun poste à responsabilité?»

La gent masculine s'esclaffa. Un chauve à gros nez qu'on appelait le beau George y alla de son commentaire : « Ça y est, revoilà les droits de la femme. » Il était plutôt misogyne.

Daisy renchérit : « Vous ne pensez tout de même pas que vous, les hommes, vous êtes plus intelligents que les femmes ?

— En fait, observa Nobby, il y a quelques infirmières-chefs.

— Je n'en ai jamais vu, remarqua Naomi.

— C'est une question de tradition, continua Nobby. Les femmes se sont toujours occupées de leur foyer.

— Comme Catherine de Russie, Catherine la Grande ? ironisa Daisy.

— Ou la reine Elizabeth, ajouta Naomi.

— Amelia Earhart.

— Jane Austen.

— Marie Curie, la seule scientifique à avoir reçu deux fois le prix Nobel.

— Catherine la Grande ? intervint le beau George. On ne raconte pas quelque chose à son sujet, une histoire de cheval ?

— Allons, allons, il y a des dames ici, fit Nobby sur un ton de reproche. Je peux répondre à la question de Daisy. »

Daisy l'encouragea. « Voyons cela.

— Je vous accorde que certaines femmes sont aussi intelligentes que les hommes, admit-il comme s'il faisait une immense concession. Il y a pourtant une bonne raison pour que presque tous les responsables de l'ARP soient des hommes.

— Ah, oui. Et c'est quoi, cette raison, Nobby ?

— C'est très simple. Pas un homme n'accepterait de recevoir d'ordres d'une femme. »

Il se cala sur sa chaise d'un air triomphant, persuadé d'avoir eu le dernier mot.

Curieusement, lorsque les bombes pleuvaient et qu'ils fouillaient les gravats pour secourir les blessés, ils étaient égaux. La hiérarchie n'existait plus. Si Daisy criait à Nobby d'attraper l'extrémité d'une poutre pour la déplacer, il s'exécutait sans sourciller.

Daisy aimait ces hommes, même le beau George. Ils étaient prêts à donner leur vie pour elle, et elle pour eux.

Un mugissement grave s'éleva au-dehors. Il se fit de plus en plus aigu et ils reconnurent le timbre exaspérant de la sirène annonçant un raid aérien. Elle se déclenchait souvent en retard, parfois même après que les premières bombes étaient tombées.

Le téléphone sonna. Nobby décrocha.

Ils se levèrent. «Ces maudits Allemands, maugréa George, il ne leur arrive jamais de prendre un jour de congé?

— Nutley Street, annonça Nobby en raccrochant.

— Je sais où c'est», dit Naomi. Ils se précipitèrent dans la rue. «C'est la rue où habite notre députée.»

Ils sautèrent dans les véhicules. Comme Daisy faisait démarrer l'ambulance, Naomi, assise à côté d'elle, soupira : «Heureuse époque!»

Curieusement, Daisy pouvait prendre au sens littéral les propos ironiques de Naomi : elle était *effectivement* heureuse. C'était franchement bizarre, pensa-t-elle en prenant un virage sur les chapeaux de roue. Toutes les nuits, elle ne rencontrait que destruction, deuils tragiques, corps affreusement mutilés. Elle risquait de périr elle-même dans un bâtiment en flammes, cette nuit même peut-être. Pourtant, elle se sentait merveilleusement bien. Elle œuvrait et peinait pour une cause. Paradoxalement, c'était plus réjouissant que de mener une vie de plaisirs. Elle faisait partie d'un groupe de gens prêts à tout sacrifier pour aider les autres et c'était la chose la plus exaltante du monde.

Daisy n'en voulait pas aux Allemands de chercher à la tuer. Son beau-père, le comte Fitzherbert, lui avait expliqué pourquoi ils bombardaient Londres. Jusqu'en août, la Luftwaffe ne s'était attaquée qu'aux ports et aux terrains d'aviation. Il lui avait confié, dans un de ses rares moments d'abandon, que les Anglais n'avaient pas eu autant de scrupules : le gouvernement avait autorisé le bombardement de villes allemandes depuis le mois de mai et pendant toute la durée des mois de juin et de juillet, la RAF n'avait cessé de lâcher des bombes sur des immeubles qui abritaient des femmes et des enfants. L'opinion publique allemande, outrée, avait exigé des mesures de rétorsion. Le Blitz en était la conséquence.

Daisy et Boy ménageaient les apparences. En réalité, elle fermait la porte de sa chambre à clé quand il était là et il n'avait pas protesté. Leur vie conjugale était un simulacre, mais ils étaient tous deux trop occupés pour remédier à cet état de fait. Quand Daisy y pensait, c'était avec tristesse : à présent, elle avait perdu Boy et Lloyd à la fois. Heureusement, elle n'avait guère le temps de penser.

Nutley Street était en flammes. La Luftwaffe larguait des bombes incendiaires en même temps que de puissants explosifs. Le feu était responsable de l'essentiel des dégâts, mais les explosifs en décuplaient l'effet en soufflant les vitres qui, en se brisant, provoquaient un courant d'air, attisant encore le brasier.

Daisy arrêta l'ambulance dans un crissement de pneus et ils se mirent au travail.

Les blessés légers étaient dirigés vers le poste de secours le plus proche. Ceux qui étaient plus sévèrement atteints étaient conduits à l'hôpital St Bart ou à celui de Whitechapel. Daisy enchaînait les trajets. Quand la nuit tomba, elle alluma ses phares. À cause du black-out, ils étaient masqués par une sorte de couvercle fendu qui ne laissait passer qu'un filet de lumière, mais c'était une précaution parfaitement inutile quand Londres flambait comme une torche.

Le raid se poursuivit jusqu'à l'aube. En plein jour, les bombardiers constituaient des cibles trop vulnérables pour les avions de combat pilotés par Boy et ses camarades et le pilonnage cessa peu à peu. Quand la froide lumière grise du jour se leva sur la ville saccagée, Daisy et Naomi retournèrent dans Nutley Street pour constater qu'il n'y avait plus de victimes à conduire à l'hôpital.

Elles se laissèrent tomber sur les restes du mur de brique d'un jardin. Daisy enleva son casque. Elle était noire de crasse et éreintée. Je me demande ce que les filles du Yacht-Club de Buffalo penseraient de moi si elles me voyaient dans cet état, songea-t-elle, avant de constater qu'elle n'attachait plus guère d'importance à leur opinion. Le temps où leur approbation comptait plus que tout à ses yeux lui paraissait bien loin.

«Vous voulez une tasse de thé, ma belle?» demanda une voix.

Elle reconnut l'accent gallois. Levant les yeux, elle vit une jolie femme d'âge mûr chargée d'un plateau. «Oh, oui, c'est exactement ce qu'il me faut», s'écria Daisy en se servant. Elle avait fini par aimer ce breuvage, amer mais extrêmement revigorant.

La femme embrassa Naomi qui expliqua : «Nous sommes apparentées. Sa fille Millie a épousé mon frère, Abe.»

La femme fit passer le plateau à toute la petite troupe de préposés à la défense passive, aux pompiers et aux voisins. C'était sans doute une notabilité locale, se dit Daisy en la regardant :

elle avait l'air d'avoir du tempérament. En même temps, c'était certainement une femme du peuple. Elle parlait aux gens avec une familiarité chaleureuse, et tout le monde lui souriait. Elle connaissait apparemment Nobby et le beau George qu'elle salua comme de vieux amis.

Elle prit la dernière tasse du plateau et vint s'asseoir à côté de Daisy. «À votre accent, on dirait que vous êtes américaine», lui dit-elle d'un ton aimable.

Daisy acquiesça. «J'ai épousé un Anglais.

— J'habite dans cette rue. Ma maison a échappé aux bombes de cette nuit. Je suis la députée du quartier d'Aldgate. Je m'appelle Eth Leckwith.»

Daisy sentit son cœur s'arrêter de battre. C'était la célèbre mère de Lloyd! Elle lui serra la main. «Daisy Fitzherbert.»

Ethel haussa les sourcils. «Oh, vous êtes la vicomtesse d'Aberowen!»

Daisy rougit et baissa la voix. «Personne ne le sait à l'ARP.

— Je ne vous trahirai pas, soyez tranquille.

— J'ai connu votre fils, Lloyd», reprit Daisy d'un ton hésitant. Elle ne pouvait s'empêcher d'avoir les larmes aux yeux quand elle pensait à leur séjour à Tŷ Gwyn et à la gentillesse avec laquelle il s'était occupé d'elle au moment de sa fausse couche. «Il m'a été d'un grand secours un jour où j'avais besoin d'aide.

— Merci. Mais je vous en prie, ne parlez pas de lui comme s'il était mort!»

Bien que le reproche fût bienveillant, Daisy se rendit compte qu'elle avait manqué de délicatesse. «Oh, pardon! Je sais qu'il est porté disparu. Je suis vraiment la dernière des idiotes!

— Sauf qu'il n'est plus porté disparu. Il s'est évadé en passant par l'Espagne. Il est arrivé hier.

— Oh, mon Dieu!» Le cœur de Daisy battait la chamade. «Il va bien?

— Très bien. Il est même en pleine forme malgré tout ce qu'il a enduré.

— Où...» Daisy déglutit péniblement. «Où est-il?

— Quelque part par là.» Ethel regarda autour d'elle. «Lloyd!» appela-t-elle.

Daisy scruta la foule. Était-ce possible?

Un homme vêtu d'un manteau marron déchiré se retourna. «Oui, Mam?»

Daisy le dévisagea. Il avait le visage tanné par le soleil, il était maigre comme un clou, mais plus séduisant que jamais.

« Viens par ici, mon fils. »

Lloyd fit un pas en avant, et aperçut Daisy. Aussitôt, son visage fut transformé et s'éclaira d'un sourire de bonheur. « Bonjour ! » lança-t-il.

Daisy bondit sur ses pieds.

« Lloyd, dit Ethel, il y a ici quelqu'un dont tu te souviens peut-être... »

Daisy ne put se retenir. Elle courut vers Lloyd et se jeta dans ses bras, le serrant contre elle de toutes ses forces. Elle laissa ses yeux se perdre dans son regard vert, embrassa ses joues brunies, son nez anguleux et enfin sa bouche. « Je t'aime, Lloyd ! dit-elle d'une voix vibrante. Je t'aime, je t'aime, je t'aime !

— Moi aussi, je t'aime, Daisy. »

Derrière elle, Daisy entendit le commentaire sarcastique d'Ethel : « Ah oui, on dirait que tu te souviens d'elle en effet. »

6.

Lloyd mangeait du pain grillé et de la confiture quand Daisy entra dans la cuisine de la maison de Nutley Street. Elle s'assit, manifestement épuisée, et retira son casque. Elle avait le visage maculé, les cheveux couverts de cendre et de poussière et Lloyd la trouva d'une beauté irrésistible.

Elle venait presque tous les matins quand les bombardements cessaient et qu'elle avait conduit la dernière victime à l'hôpital. La mère de Lloyd lui avait dit de passer quand elle voulait, sans être invitée, et elle l'avait prise au mot.

Ethel lui servit une tasse de thé et demanda : « La nuit a été dure, ma belle ? »

Daisy hocha la tête d'un air abattu. « L'une des pires que nous ayons connues. L'immeuble Peabody d'Orange Street a entièrement brûlé.

— Oh, non ! » s'exclama Lloyd, horrifié. Il connaissait ce bâtiment : un vaste ensemble d'appartements surpeuplés, habités par des familles pauvres avec de nombreux enfants.

« C'est un très grand immeuble », remarqua Bernie.

«C'était, corrigea Daisy. Des centaines de personnes ont péri dans les flammes. Dieu seul sait combien d'enfants sont désormais orphelins. La plupart de mes blessés sont morts pendant le trajet vers l'hôpital.»

Lloyd tendit la main à travers la petite table et lui prit la main.

Elle leva les yeux de sa tasse de thé. «On ne s'y habitue pas. On croit qu'avec le temps, on va s'endurcir, mais ce n'est pas vrai.» Elle était accablée de tristesse.

Compatissante, Ethel lui posa la main sur l'épaule.

«Dire que nous faisons subir le même sort à des familles allemandes, reprit Daisy.

— Parmi lesquelles mes vieux amis, Maud, Walter et leurs enfants, probablement, ajouta Ethel.

— C'est affreux.» Daisy secoua la tête d'un air atterré. «Dans quel monde vivons-nous?

— C'est quoi, le problème de l'espèce humaine?» renchérit Lloyd.

Toujours pragmatique, Bernie annonça : «Je vais pousser jusqu'à Orange Street tout à l'heure m'assurer qu'on fait tout ce qu'il faut pour les enfants.

— J'irai avec toi», dit Ethel.

Bernie et Ethel avaient la même vision des choses et agissaient tout naturellement ensemble, semblant souvent lire dans les pensées l'un de l'autre. Depuis qu'il était revenu, Lloyd les observait attentivement. Il avait craint que leur couple n'ait été ébranlé par la révélation fracassante faite à Bernie : Teddy Williams, le prétendu premier mari d'Ethel n'avait jamais existé et Lloyd était le fils du comte Fitzherbert. Il en avait longuement parlé avec Daisy, qui connaissait désormais la vérité. Que ressentait Bernie depuis qu'il avait découvert qu'on lui avait menti pendant vingt ans! Lloyd n'avait pourtant détecté aucun changement. Bernie aimait Ethel, à sa manière prosaïque. Pour lui, elle était incapable de mal agir. Il était persuadé qu'elle ne ferait jamais rien qui puisse le blesser et il avait raison. Lloyd espérait avoir la chance de connaître lui aussi un jour une telle union.

Daisy remarqua que Lloyd était en uniforme. «Où vas-tu, ce matin?

— Je suis convoqué au ministère de la Guerre.» Il jeta un

coup d'œil à la pendule qui trônait sur la cheminée. « D'ailleurs, je ferais bien d'y aller.

— Je croyais que tu avais déjà fait ton rapport.

— Viens un instant dans ma chambre. Je t'expliquerai tout en mettant ma cravate. Emporte ta tasse de thé. »

Ils montèrent. Daisy examina les lieux avec curiosité. Il se rendit compte qu'elle n'était jamais venue dans sa chambre. Observant le lit étroit, la bibliothèque remplie de romans en allemand, français et espagnol, et la table avec sa rangée de crayons taillés, il se demanda ce qu'elle en pensait.

« Quelle jolie petite chambre ! » s'exclama-t-elle.

Elle n'était pas petite. Elle était de la même taille que toutes les autres chambres de la maison. Mais Daisy n'avait pas les mêmes critères.

Elle prit une photographie encadrée. On y voyait la famille au bord de la mer : Lloyd enfant, en short, Millie, encore bébé, en maillot de bain, Ethel, jeune, coiffée d'un grand chapeau mou, Bernie en costume gris avec une chemise blanche au col ouvert et un mouchoir noué sur la tête.

« Vacances dans le sud », expliqua Lloyd.

Il lui prit sa tasse, la posa sur la table de toilette et la serra dans ses bras, posant ses lèvres sur les siennes. Elle lui rendit son baiser, tendre et fatiguée, et lui caressa la joue en se laissant aller contre lui.

Il desserra son étreinte quelques instants plus tard. Elle était trop épuisée pour les câlins et il avait un rendez-vous.

Elle enleva ses bottes et s'allongea sur le lit.

« Le ministère de la Guerre m'a demandé de retourner le voir, dit-il en nouant sa cravate.

— Tu y as déjà passé des heures la dernière fois ! »

C'était exact. Il avait dû se torturer la mémoire pour se souvenir des moindres détails de sa cavale à travers la France. Ils voulaient connaître le grade et le régiment de tous les Allemands qu'il avait croisés. Il ne se les rappelait pas tous, évidemment, mais il avait bien étudié ses cours lors de sa formation à Tŷ Gwyn et avait pu leur donner de nombreuses indications.

Il avait été soumis à un interrogatoire classique du Renseignement militaire. Mais on lui avait également posé des questions sur son évasion, sur les routes qu'il avait empruntées et sur ceux qui l'avaient aidé. Maurice et Marcelle eux-mêmes avaient suscité l'intérêt des agents qui l'interrogeaient, et ils lui avaient reproché de ne pas leur avoir demandé leur nom de famille. Quant à Teresa, son rôle les avait captivés, car elle représentait évidemment un excellent atout pour de futurs évadés.

« Je dois voir d'autres gens aujourd'hui. » Il consulta une note tapée à la machine, posée sur sa table. « Au Metropole Hotel, Northumberland Avenue. Chambre 424. » L'adresse se situait à proximité de Trafalgar Square, dans un quartier de bureaux officiels. « Si j'ai bien compris, il s'agit d'un nouveau service qui s'occupe des prisonniers de guerre britanniques. » Il mit sa casquette à visière et s'examina dans la glace. « Je te plais comme ça ? »

Comme elle ne répondait pas, il se retourna vers le lit. Elle s'était endormie.

Il tira une couverture sur elle, lui posa un baiser sur le front et sortit.

Il dit à sa mère que Daisy dormait sur son lit. Elle lui promit d'aller jeter un coup d'œil un peu plus tard pour s'assurer qu'elle allait bien.

Il prit le métro pour se rendre au centre de Londres.

Il avait raconté à Daisy la véritable histoire de sa naissance, réfutant ainsi son hypothèse selon laquelle il serait le fils de Maud. Elle l'avait cru d'autant plus volontiers qu'elle s'était soudain souvenue que Boy lui avait parlé d'un enfant illégitime de Fitz. « C'est bizarre, avait-elle remarqué d'un air songeur. Finalement, les deux Anglais dont je suis tombée amoureuse sont demi-frères. » Elle avait jeté à Lloyd un regard appréciateur. « Tu as hérité la beauté de ton père. Boy son égoïsme, c'est tout. »

Lloyd et Daisy n'avaient pas encore fait l'amour. Pour la simple raison qu'elle n'avait jamais une nuit de libre. Et puis la seule fois où ils s'étaient retrouvés seuls ensemble, la chose ne s'était pas faite.

C'était le dimanche précédent, chez Daisy, à Mayfair. Les domestiques avaient leur dimanche après-midi. Elle l'avait entraîné dans sa chambre, dans la maison vide. Mais elle était nerveuse et mal à l'aise. Elle l'avait embrassé, puis s'était détournée. Quand il avait posé ses mains sur ses seins, elle l'avait repoussé. Il n'avait pas compris : si elle ne voulait pas qu'il se comporte ainsi, pourquoi l'avait-elle amené dans sa chambre ?

«Pardon, avait-elle fini par murmurer. Je t'aime, mais je ne peux pas faire ça. Je ne peux pas tromper mon mari dans sa propre maison.

— Il t'a bien trompée, lui.

— Mais au moins, il l'a fait ailleurs.

— Soit.

— Tu me trouves bête?»

Il avait haussé les épaules. «Après tout ce que nous avons traversé ensemble, je trouve que c'est faire preuve d'un excès de scrupules, oui. Mais bon, si c'est ce que tu éprouves, c'est comme ça. Et je serais vraiment un sale type si j'essayais de te forcer alors que tu n'es pas prête.»

Elle l'avait serré très fort dans ses bras. «Je te l'ai déjà dit. Tu es vraiment très adulte.

— Ne gâchons pas notre après-midi. Allons au cinéma, tu veux?»

Ils avaient vu *Le Dictateur* de Charlie Chaplin et ri comme des fous, après quoi elle était partie reprendre son service.

Daisy occupa agréablement l'esprit de Lloyd pendant tout le trajet jusqu'à la station Embankment. Il remonta ensuite Northumberland Avenue pour rejoindre le Metropole. L'hôtel avait été débarrassé de toutes ses copies de meubles anciens et abritait désormais des tables et des sièges fonctionnels.

Après quelques minutes d'attente, Lloyd fut conduit à un grand colonel aux manières brusques. «J'ai lu votre rapport, lieutenant. Félicitations.

— Merci, mon colonel.

— Nous aimerions que d'autres suivent votre exemple et souhaitons les aider. Nous pensons plus particulièrement aux pilotes dont les avions ont été abattus. Leur entraînement coûte cher et nous tenons à les récupérer pour qu'ils puissent repartir en mission.»

Lloyd trouva la chose un peu rude. Quand un homme a survécu au crash de son avion, a-t-on le droit de lui demander de risquer une nouvelle fois sa vie? Pourtant les blessés étaient, eux aussi, renvoyés au front dès qu'ils étaient rétablis. C'était la guerre.

Le colonel reprit : «Nous sommes en train de mettre en place une sorte de réseau de communication clandestin reliant l'Allemagne à l'Espagne. Vous parlez allemand, français et espagnol, à ce que je vois. Mais surtout, vous avez été en première ligne. Nous aimerions obtenir votre détachement dans notre service. »

Lloyd ne s'attendait pas à une telle proposition et ne savait trop qu'en penser.

« J'en suis très honoré, mon colonel. S'agit-il d'un travail de bureau ?

— Pas du tout. Nous voulons vous renvoyer en France. »

Lloyd frémit. Il n'avait pas envisagé de devoir revivre toutes ces épreuves.

Le colonel remarqua son air consterné. « Vous n'ignorez pas à quel point c'est dangereux.

— En effet, mon colonel.

— Vous pouvez évidemment refuser », ajouta sèchement le colonel.

Lloyd songea à Daisy se démenant sous le Blitz, à tous ces gens morts dans le brasier de l'immeuble Peabody, et se rendit compte qu'il n'avait pas la moindre intention de refuser.

« Si vous jugez que c'est important, mon colonel, j'y retournerai très volontiers, naturellement.

— C'est bien. »

Une demi-heure plus tard, Lloyd regagnait la station de métro dans un état second. Il faisait désormais partie d'un service appelé MI9. Il repartirait pour la France avec de faux papiers et d'importantes sommes d'argent en liquide. Des dizaines d'Allemands, de Hollandais, de Belges et de Français des territoires occupés avaient déjà été recrutés pour aider, au péril de leur vie, les pilotes de Grande-Bretagne et des pays du Commonwealth à rentrer chez eux. Il serait l'un des nombreux agents du MI9 chargés de développer le réseau.

S'il se faisait prendre, il serait torturé.

Il était tout à la fois effrayé et exalté. Il rejoindrait Madrid par la voie des airs. Ce serait la première fois qu'il prendrait l'avion. Il rentrerait en France par les Pyrénées et prendrait contact avec Teresa. Il évoluerait en terrain ennemi sous une fausse identité pour sauver des gens au nez et à la barbe de la Gestapo. Il veillerait à ce que ceux qui marcheraient sur ses traces ne connaissent pas la même solitude que lui.

De retour à la maison de Nutley Street à onze heures, il trouva un mot de sa mère : « Miss America dort comme un loir. » Après être passés sur les lieux du bombardement, Ethel avait dû se rendre à la Chambre des communes et Bernie au siège du conseil régional. Daisy et Lloyd avaient la maison pour eux.

Il monta dans sa chambre. Daisy dormait toujours. Sa veste de cuir et son gros pantalon de laine gisaient sur le sol. Elle était couchée dans son lit, en sous-vêtements. Cela n'était encore jamais arrivé.

Il enleva sa veste et sa cravate. Une voix ensommeillée s'éleva du lit. « Et le reste ? »

Il se tourna vers elle. « Comment ?

— Déshabille-toi et viens me rejoindre. »

La maison était vide. Personne ne viendrait les déranger.

Il se déchaussa, ôta son pantalon, sa chemise et ses chaussettes. Puis il hésita.

« Tu n'auras pas froid », promit-elle. Elle gigota sous les draps et lui lança une petite culotte en soie.

Il avait imaginé que cet instant serait un moment solennel de folle passion. Daisy paraissait décidée à en faire un intermède léger et amusant. Il ne demandait pas mieux que de se laisser guider.

Il retira son maillot de corps et son caleçon et se glissa sous les draps à côté d'elle. Elle était chaude et languissante. Il était affreusement nerveux : il ne lui avait jamais avoué qu'il était vierge.

Il avait toujours entendu dire que c'était à l'homme de prendre l'initiative, mais apparemment, Daisy l'ignorait. Elle l'embrassa, le caressa et soudain, posa la main sur son sexe. « Oh là, là, lança-t-elle. J'espérais bien que tu en avais un comme ça. »

Il oublia toute sa nervosité.

VIII

1941 (I)

1.

Par un froid dimanche d'hiver, Carla von Ulrich prit le train avec Ada, leur domestique, pour aller voir Kurt, le fils de cette dernière, au centre de soins pour enfants de Wannsee, situé près du lac, aux environs de Berlin. Il fallait compter une heure de trajet. Carla mettait toujours sa tenue d'infirmière lors de ces visites, car le personnel du centre parlait plus ouvertement de Kurt à quelqu'un qui était de la partie.

En été, le lac était envahi de familles et d'enfants jouant sur la plage et barbotant au bord de l'eau. Ce jour-là, il n'y avait que de rares promeneurs emmitouflés pour se protéger du froid et un nageur téméraire que sa femme attendait sur la rive d'un air inquiet.

Le centre, spécialisé dans la prise en charge d'enfants gravement déficients, était une ancienne demeure bourgeoise dont les élégantes salles de réception avaient été subdivisées en petites pièces peintes en vert pâle et meublées de lits et de berceaux d'hôpital.

Kurt avait maintenant huit ans. Il marchait et se nourrissait comme un enfant de deux ans mais ne savait pas parler et portait encore des couches. Il n'avait fait aucun progrès depuis des années. Il accueillit néanmoins Ada avec une joie manifeste. Rayonnant de bonheur, il bafouilla avec excitation et tendit les bras pour que sa mère le soulève, le serre contre elle et l'embrasse.

Il reconnut aussi Carla. Chaque fois qu'elle le voyait, elle remémorait le drame terrifiant qu'avait été sa naissance, lorsqu'elle l'avait mis au monde pendant que son frère Erik courait chercher le docteur Rothmann.

Elles jouèrent avec lui un long moment. Il aimait les trains miniatures, les petites voitures et les livres d'images aux couleurs vives. L'heure de sa sieste approchant, Ada lui chanta une berceuse jusqu'à ce qu'il s'endorme.

Au moment où elles sortaient, une infirmière s'adressa à Ada : «Frau Hempel, voulez-vous bien me suivre dans le bureau de Herr Professor Willrich. Le docteur aimerait vous parler.»

Willrich était le directeur du centre. Carla ne l'avait jamais rencontré et Ada non plus, à sa connaissance.

Ada demanda d'un air inquiet : «Il y a un problème?

— Le directeur veut sans doute vous parler des progrès de Kurt, la rassura l'infirmière.

— Fräulein von Ulrich va m'accompagner.»

Cette suggestion ne plut pas à l'infirmière. «Le professeur Willrich ne veut voir que vous.»

Mais Ada savait se montrer têtue. «Fräulein von Ulrich va m'accompagner», répéta-t-elle d'un ton ferme.

L'infirmière haussa les épaules et dit sèchement : «Suivez-moi.»

Elle les fit entrer dans un bureau agréable, une grande pièce qui n'avait pas été divisée. Un feu de cheminée ronronnait dans l'âtre. Une grande fenêtre offrait une belle vue sur le lac. Carla aperçut un voilier qui fendait les vaguelettes soulevées par une forte brise. Willrich était assis derrière un bureau recouvert de cuir, sur lequel étaient posés un pot à tabac et des pipes de formes variées rangées dans un râtelier. C'était un homme d'une cinquantaine d'années, de grande taille, à la carrure imposante. Tout semblait grand chez lui : le nez, la mâchoire carrée, les oreilles et le crâne chauve bombé. Il regarda Ada et dit : «Frau Hempel, sans doute?»

Ada hocha la tête. Willrich se tourna vers Carla. «Et vous êtes Fräulein...

— Carla von Ulrich, professeur. Je suis la marraine de Kurt.»

Il haussa les sourcils. «Vous n'êtes pas un peu jeune pour être sa marraine?

— C'est elle qui a mis Kurt au monde! s'indigna Ada. Elle n'avait que onze ans! Elle a été plus efficace que le docteur, qui lui, n'était pas là.»

Willrich ne releva pas. Sans quitter Carla des yeux, il ajouta d'un air dédaigneux : «Vous avez l'espoir de devenir infirmière, à ce que je vois?»

Carla portait l'uniforme des débutantes, mais se considérait déjà comme une infirmière à part entière. «Je suis infirmière stagiaire», précisa-t-elle. Ce Willrich ne lui plaisait pas.

«Asseyez-vous, je vous prie.» Il ouvrit un mince dossier. «Kurt a huit ans. Mais son développement mental est celui d'un enfant de deux ans.»

Il s'interrompit. Les deux femmes restèrent muettes.

«Ce n'est pas satisfaisant», décréta-t-il.

Ada regarda Carla. Celle-ci ne comprenait pas où il voulait en venir et se contenta d'un haussement d'épaules.

«Il existe de nouveaux traitements pour des cas comme le sien. Mais il faudra transférer Kurt dans un autre établissement.» Willrich referma son dossier. Son regard se reposa sur Ada et, pour la première fois, il sourit. «Je suis sûr que vous souhaitez que votre fils suive une thérapie susceptible d'améliorer son état.»

Carla n'appréciait pas ce sourire; il avait quelque chose d'effrayant. Elle demanda : «Pourriez-vous nous en dire davantage sur ce traitement, professeur?

— Je crains que cela ne dépasse vos compétences. Bien que vous soyez infirmière stagiaire.»

Carla ne s'avoua pas vaincue.

«Je suis certaine que Frau Hempel aimerait savoir si cela implique une intervention chirurgicale, l'administration de médicaments, le recours aux électrochocs, par exemple.

— Des médicaments, lâcha le médecin à contrecœur.

— Où faudrait-il qu'il aille? demanda Ada.

— L'hôpital se trouve à Akelberg, en Bavière.»

Ada n'avait que des notions rudimentaires de géographie et Carla se doutait bien qu'elle n'avait aucune idée de la distance que cela représentait. Elle précisa : «C'est à trois cents kilomètres.

— Oh, non! s'écria Ada. Mais comment vais-je faire pour aller le voir?

— Vous prendrez le train, répondit Willrich d'un ton agacé.

— Cela représente un trajet de quatre ou cinq heures, objecta Carla. Elle sera obligée de passer la nuit sur place. Et le prix du voyage?

— Cela ne me regarde pas! grommela Willrich. Je suis médecin, pas agent de voyages!»

Ada était au bord des larmes. «Si cela permet à Kurt d'aller mieux, d'apprendre à dire quelques mots et à être propre... peut-être qu'un jour, nous pourrons le ramener à la maison.

— Exactement, approuva Willrich. J'étais sûr que vous ne lui refuseriez pas la possibilité de faire des progrès par pur égoïsme.

— Parce que c'est de cela qu'il s'agit? demanda Carla. Kurt pourrait être capable de vivre normalement?

— La médecine n'offre aucune garantie. Même une infirmière stagiaire devrait le savoir.»

Carla avait appris avec ses parents à ne jamais se satisfaire de faux-fuyants.

«Je ne vous demande pas de garanties. Je vous demande un pronostic. Vous devez en avoir un, sinon, vous ne proposeriez pas ce traitement.»

Il devint écarlate. «C'est un nouveau traitement. Nous espérons qu'il pourra améliorer l'état de Kurt. Je ne peux rien vous dire d'autre.

— C'est un traitement expérimental?

— Tout est expérimental en médecine. Les thérapies sont efficaces sur certains patients, pas sur d'autres. Vous feriez mieux d'écouter ce que je vous dis : la médecine n'offre aucune garantie.»

Carla était révoltée par son arrogance, mais songea que cela faussait peut-être son jugement. D'ailleurs, elle n'était pas sûre qu'Ada ait le choix. Les médecins avaient le droit de s'opposer aux souhaits des parents s'ils estimaient que la santé de l'enfant était en jeu. En réalité, ils pouvaient faire ce qu'ils voulaient. Willrich ne demandait pas l'autorisation d'Ada. Il n'en avait pas besoin. Il ne l'avait informée que pour éviter les complications.

Carla continua : «Êtes-vous en mesure de dire à Frau Hempel au bout de combien de temps Kurt pourrait revenir d'Akelberg à Berlin?

— Assez vite.»

Ce n'était pas une réponse, mais Carla sentit qu'insister davantage ne ferait que le pousser à bout.

Ada avait l'air désemparée. Carla la comprenait. Elle-même ne savait pas quoi dire. On ne leur avait pas donné assez d'informations. Carla avait remarqué que c'était souvent le cas avec les médecins : ils donnaient l'impression de vouloir garder leur savoir pour eux. Ils cherchaient à s'en tirer par des généralités et devenaient agressifs quand on leur posait des questions.

Ada avait les larmes aux yeux. «S'il y a un espoir qu'il aille mieux...

— Voilà comment il faut prendre les choses», dit Willrich.

Pourtant Ada n'en avait pas fini. «Qu'est-ce que tu en penses, Carla ?»

Willrich fut manifestement offusqué qu'on puisse demander l'avis d'une simple infirmière.

«Je suis d'accord avec toi, admit Carla. Il faut saisir cette chance, pour le bien de Kurt, même si c'est dur pour toi.

— Voilà une parole sensée», approuva Willrich. Il se leva. «Merci d'être venues me voir.» Il se dirigea vers la porte et l'ouvrit. Carla avait la nette impression qu'il avait hâte de se débarrasser d'elles.

Elles quittèrent l'hôpital et regagnèrent la gare à pied. Au moment où leur train presque vide s'ébranlait, Carla ramassa sur la banquette un tract que quelqu'un avait laissé. Il s'intitulait COMMENT S'OPPOSER AUX NAZIS et énumérait dix comportements que les gens pouvaient adopter pour précipiter la chute du nazisme, dont l'un consistait à ralentir leur rythme de travail.

Carla avait déjà vu ce type de feuillets, assez rarement toutefois. Ils étaient distribués par un groupe de résistance clandestin.

Ada le lui arracha des mains, le froissa et le jeta par la fenêtre. «Tu peux te faire arrêter si on te prend à lire ces choses-là !» Elle avait été la nounou de Carla et il lui arrivait de se comporter comme si celle-ci était encore une enfant. Carla ne lui en voulait pas de ses accès d'autoritarisme. Elle savait que c'étaient des marques d'amour.

Dans ce cas précis, pourtant, Ada n'exagérait pas. Les gens se faisaient arrêter non seulement pour avoir lu ces pamphlets, mais pour n'avoir pas signalé qu'ils en avaient trouvé. Ada pouvait s'attirer des ennuis par le seul fait d'en avoir jeté un par la fenêtre. Heureusement, il n'y avait personne d'autre qu'elles dans leur compartiment.

Ada continuait à réfléchir à ce qu'on lui avait dit au centre. «Tu crois que nous avons bien fait ? demanda-t-elle à Carla.

— Je ne sais pas, répondit Carla avec franchise. Je pense que oui.

« — Tu es infirmière. Tu connais tout ça mieux que moi. »

Carla aimait son métier, tout en regrettant qu'on ne lui ait pas permis de devenir docteur. Maintenant que tant d'hommes jeunes partaient à l'armée, l'attitude des autorités avait changé et les femmes étaient de plus en plus nombreuses sur les bancs de la faculté de médecine. Carla aurait pu déposer une nouvelle demande de bourse. Mais sa famille était plongée dans une telle misère qu'ils avaient tous besoin de son salaire, si maigre fût-il. Son père n'avait pas d'emploi, sa mère donnait des leçons de piano et Erik leur envoyait tout ce qu'il pouvait prélever sur sa solde de l'armée. Ada n'était pas souvent payée.

Ada était d'un naturel stoïque. Quand elles arrivèrent à l'hôtel particulier des von Ulrich, elle avait surmonté son inquiétude. Elle rejoignit la cuisine, enfila son tablier et commença à préparer le dîner. La routine semblait la réconforter.

Carla ne dînait pas à la maison ce soir-là. Elle avait des projets pour la soirée. Elle se sentait un peu coupable d'abandonner Ada à son désarroi, mais pas au point de renoncer à sortir.

Elle enfila une robe de tennis s'arrêtant aux genoux qu'elle avait confectionnée elle-même : une vieille robe de sa mère dont elle avait retiré le volant pour la raccourcir. Elle n'allait pas jouer au tennis. Elle allait danser et voulait se donner un style américain. Elle se mit de la poudre et du rouge à lèvres et se coiffa sans tenir compte de la préférence du gouvernement pour les tresses.

Le miroir lui renvoya l'image d'une jeune fille moderne dotée d'un joli visage et d'un air effronté. Elle savait que sa témérité et son assurance décourageaient nombre de garçons. Elle aurait aimé parfois être aussi séduisante qu'efficace, un art que sa mère maîtrisait à la perfection, mais ce n'était pas dans sa nature. Elle avait depuis longtemps renoncé à essayer de faire du charme : elle ne réussissait qu'à se sentir stupide. Les garçons n'avaient qu'à l'accepter telle qu'elle était.

Si elle faisait peur à certains, d'autres la trouvaient attirante. Au cours des soirées, elle était souvent environnée d'un petit groupe d'admirateurs. Elle aimait les garçons, surtout quand ils cessaient de plastronner et se mettaient à parler normalement. Ceux qu'elle préférait étaient ceux qui la faisaient rire. Malgré quelques baisers à la sauvette, elle n'avait pas encore eu de vrai petit ami.

Elle compléta sa tenue par un blazer rayé qu'elle avait acheté d'occasion. Elle savait que ses parents désapprouveraient et l'inciteraient à aller se changer, en invoquant le danger qu'il y avait à heurter les préjugés des nazis. Il fallait donc qu'elle s'éclipse sans être vue. Cela ne devrait pas être trop difficile puisque Mutter donnait un cours de piano. Carla entendait le jeu hésitant de son élève. Vater devait être occupé à lire le journal non loin de là, car ils n'avaient pas les moyens de chauffer plus d'une pièce de la maison. Erik était à l'armée. Cependant, son unité était stationnée à proximité de Berlin et il était censé avoir une permission prochainement.

Elle enfila un imperméable tout à fait classique et glissa ses chaussures blanches dans sa poche.

Elle descendit, ouvrit la porte d'entrée, lança à la cantonade «Au revoir, à tout à l'heure» et sortit prestement.

Elle retrouva Frieda à la station Friedrichstrasse. Son amie était habillée dans le même style qu'elle, d'une robe à rayures sous un manteau marron, les cheveux lâchés, à cette différence près que ses vêtements étaient neufs et de bonne qualité. Sur le quai, deux garçons en uniforme de la Hitlerjugend les dévisagèrent avec un mélange de réprobation et de concupiscence.

Elles sortirent du métro à Wedding, un quartier ouvrier au nord de Berlin qui avait été en son temps un bastion de la gauche et se dirigèrent vers le Pharus Hall où les communistes tenaient autrefois leurs meetings. Naturellement, il n'y avait plus aucune activité politique. Le bâtiment était devenu le quartier général d'un mouvement qu'on appelait les «Swing Kids» ou les zazous.

Des jeunes de quinze à vingt-cinq ans se rassemblaient déjà dans les rues aux abords du local. Les garçons swing portaient des vestes à carreaux et un parapluie pour se donner l'air anglais. Ils se laissaient pousser les cheveux, manifestant ainsi leur mépris envers l'armée. Les filles swing se maquillaient outrageusement et portaient des vêtements de sport américains. Ils jugeaient que les membres de la Jeunesse hitlérienne étaient barbants et niais avec leur musique traditionnelle et leurs danses folkloriques.

Carla s'amusait de l'ironie de la situation. Quand elle était petite, les autres enfants se moquaient d'elle et la traitaient d'étrangère parce que sa mère était anglaise. Quelques années après, les mêmes, un peu plus vieux, considéraient tout ce qui était anglais comme le summum du chic.

Carla et Frieda entrèrent dans la salle qui abritait un club de jeunes classique et anodin : des filles en jupes plissées et des garçons en short jouaient au tennis de table en buvant des jus d'orange sirupeux. L'action se passait dans les pièces adjacentes.

Frieda entraîna tout de suite Carla dans un vaste entrepôt, où s'alignaient des rangées de chaises empilées contre les murs. Son frère Werner avait branché un tourne-disque. Une cinquantaine de filles et de garçons y dansaient un swing endiablé. Carla reconnut « Ma, he's making eyes at me ». Frieda et elle se mirent à danser.

Les disques de jazz étaient interdits parce que la plupart des musiciens de jazz étaient noirs. Les nazis mettaient un point d'honneur à dénigrer le talent des non-Aryens qui contredisait leur théorie de la supériorité de la race aryenne. Malheureusement pour eux, les Allemands aimaient le jazz autant que tout le monde. Les gens qui voyageaient rapportaient des disques de l'étranger et on pouvait en acheter aux marins américains de Hambourg. Le marché noir était florissant.

Werner avait des quantités de disques. Il avait tout : une voiture, des vêtements dernier cri, des cigarettes, de l'argent. Il continuait à faire battre le cœur de Carla, même s'il ne s'intéressait qu'à des filles plus âgées qu'elle, des femmes en réalité. Tout le monde pensait qu'il couchait avec elles. Carla, elle, était vierge.

L'ami de Werner, Friedrich von Kessel, s'approcha aussitôt d'elles et invita Frieda à danser. C'était un jeune homme grave, vêtu d'une veste et d'un gilet noirs, qui se donnait un air mélancolique avec sa longue chevelure noire. Il adorait Frieda. Elle l'aimait bien ; elle appréciait la conversation des hommes intelligents. Mais elle ne voulait pas sortir avec lui parce qu'il était trop vieux. Il devait avoir vingt-cinq ou vingt-six ans.

Bientôt, un garçon que Carla ne connaissait pas vint la faire danser. La soirée commençait bien.

Elle s'abandonna à la musique : le rythme irrésistiblement érotique, les paroles suggestives plus susurrées que chantées, les brillants solos de trompette, l'envol joyeux de la clarinette. Elle tournoyait et frappait du pied, laissant sa jupe virevolter à des hauteurs indécentes, tombait dans les bras de son partenaire pour s'écarter aussitôt en sautillant.

Au bout d'une heure, Werner mit un slow. Frieda et

Heinrich commencèrent à danser joue contre joue. Ne voyant aucun garçon libre avec qui elle eût envie de se lancer dans un slow langoureux, Carla sortit se chercher un Coca. L'Allemagne n'étant pas en guerre contre les États-Unis, elle importait du sirop de coca mis en bouteilles sur place.

À sa grande surprise, Werner la suivit, laissant à un autre le soin de s'occuper du tourne-disque. Elle fut flattée de constater que le jeune homme le plus séduisant de la soirée voulait passer un moment avec elle.

Elle lui parla de Kurt et de son transfert à Akelberg. Il lui dit qu'il était arrivé la même chose à son frère, Axel, qui avait quinze ans. Axel était né avec un spina-bifida.

« Est-il possible que le même traitement soit efficace pour les deux ? demanda-t-il avec une moue dubitative.

— Ça m'étonnerait, mais je n'en sais rien.

— Pourquoi ces médecins sont-ils toujours incapables d'expliquer ce qu'ils font ? » dit Werner d'un ton exaspéré.

Elle émit un rire sans joie. « Ils se disent que si les gens ordinaires comprennent mieux la médecine, ils ne vénéreront plus leurs médecins comme des héros.

— C'est le même principe que pour un prestidigitateur. Les tours sont plus impressionnants quand le public ne comprend pas comment il s'y prend. Les médecins sont aussi égocentriques que les autres.

— Plutôt plus. En tant qu'infirmière, j'en sais quelque chose. »

Elle évoqua aussi le tract qu'elle avait ramassé dans le train. Werner demanda : « Qu'en as-tu pensé ? »

Carla hésita. Il était dangereux de parler ouvertement de ces sujets. Mais elle connaissait Werner depuis toujours, il avait eu des idées de gauche, et c'était un swing kid. Elle pouvait lui faire confiance. « Je suis contente de constater qu'il y a des gens qui s'opposent aux nazis. Ça prouve que tous les Allemands ne sont pas paralysés par la peur.

— On peut faire beaucoup de choses pour lutter contre le nazisme, dit-il. Pas seulement mettre du rouge à lèvres. »

Elle supposa qu'il lui suggérait de distribuer elle aussi des tracts. Se pouvait-il qu'il soit impliqué dans ce genre d'activités ? Non, il avait tout du play-boy. Pour Heinrich, c'était peut-être différent : il avait l'air si passionné.

« Merci bien, dit-elle. J'aurais trop peur. »

Ils finirent leurs Coca et retournèrent dans la salle. Elle était tellement bondée qu'il n'y avait presque plus de place pour danser.

Carla fut étonnée que Werner lui demande de lui accorder la dernière danse. Il mit la chanson de Bing Crosby, « Only forever ». Carla était aux anges. Il la serra contre lui et ils ondulèrent, plus qu'ils ne dansèrent, au rythme lent de la ballade.

La tradition voulait qu'à la fin, quelqu'un éteigne les lumières pendant une minute pour permettre aux couples de s'embrasser. Carla était embarrassée. Elle connaissait Werner depuis toujours. En même temps, elle avait toujours été attirée par lui : elle leva alors son visage, avec ardeur. Comme elle l'espérait, il l'embrassa de façon experte. Elle lui rendit son baiser avec passion. Elle fut ravie de sentir ses mains se poser doucement sur sa poitrine. Elle l'encouragea en entrouvrant les lèvres. La lumière revint et ils se séparèrent.

« Eh bien, dit-elle, le souffle court. Pour une surprise... »

Il lui adressa un sourire enjôleur. « Je pourrai peut-être te surprendre encore. »

2.

Carla traversait le vestibule pour aller prendre son petit déjeuner à la cuisine quand le téléphone sonna. Elle souleva le combiné. « Carla von Ulrich. »

Elle entendit la voix de Frieda. « Oh, Carla, mon petit frère est mort !

— Comment ? » Carla n'en croyait pas ses oreilles. « Oh, Frieda, quel malheur ! Où est-ce arrivé ?

— Dans ce fameux hôpital. » Frieda sanglotait.

Carla se souvint que Werner lui avait appris qu'Axel avait été transféré dans le même établissement que Kurt. « De quoi est-il mort ?

— D'appendicite.

— C'est affreux. » Carla était affligée, mais aussi inquiète. Elle avait eu une mauvaise impression du professeur Willrich quand il leur avait parlé, un mois plus tôt, du nouveau traitement que devait suivre Kurt. Cette thérapie était-elle à un stade plus expérimental qu'il n'avait voulu l'admettre ? Était-elle dangereuse en réalité ? « Tu as des détails ?

— Nous n'avons reçu qu'une courte lettre. Mon père est furieux. Il a appelé l'hôpital mais il n'a pu parler à aucun des responsables.

— J'arrive. Je serai là dans quelques minutes.

— Merci. »

Carla raccrocha et gagna la cuisine.

« Axel Franck est mort à l'hôpital d'Akelberg », annonça-t-elle.

Son père, Walter, était en train d'ouvrir le courrier du matin. « Oh, s'écria-t-il, pauvre Monika ! »

Carla se rappelait que la mère d'Axel, Monika Franck, avait été amoureuse de Walter, d'après la légende familiale. Walter avait l'air si profondément peiné que Carla se demanda s'il n'avait pas eu un petit béguin pour Monika tout en étant amoureux de Maud. Décidément, l'amour était une affaire bien compliquée !

La mère de Carla, qui était devenue la meilleure amie de Monika, se désola. « Elle doit être dans tous ses états. »

Walter, qui continuait à regarder le courrier, s'exclama, surpris : « Il y a une lettre pour Ada. »

Le silence se fit dans la pièce.

Carla suivit des yeux l'enveloppe blanche quand Ada la prit.

Ada ne recevait pas souvent de courrier.

Erik était à la maison – dernier jour de sa courte permission –, ils étaient donc quatre à la regarder ouvrir l'enveloppe.

Carla retint son souffle.

Ada tira de l'enveloppe une lettre dactylographiée sur papier à en-tête. Elle la parcourut rapidement, poussa une exclamation, puis un cri strident.

« Non, dit Carla. Ce n'est pas possible ! »

Maud se leva d'un bond et serra Ada dans ses bras.

Walter prit la lettre des mains d'Ada et la lut. « Oh, mon Dieu, quelle tristesse ! Pauvre petit Kurt. » Il posa la feuille sur la table.

Ada sanglotait. « Mon petit garçon, mon petit garçon adoré. Il est mort sans sa mère. Je ne me le pardonnerai jamais ! »

Carla retenait ses larmes, abasourdie. « Axel et Kurt ? bégaya-t-elle. En même temps ? »

Elle ramassa la lettre sur la table. Elle portait l'en-tête « Institut médical d'Akelberg » et son adresse. Carla lut :

Chère Frau Hempel,
J'ai la tristesse et le regret de vous informer du décès de votre fils, Kurt Walter Hempel, âgé de huit ans. Il est mort dans cet hôpital le 4 avril des suites d'une appendicite aiguë. Tous les soins lui ont été prodigués pour le sauver, en vain. Veuillez accepter mes sincères condoléances.

Le message était signé du médecin-chef.

Carla leva les yeux. Sa mère était assise auprès d'Ada en pleurs et l'entourait de ses bras.

Malgré son chagrin Carla restait parfaitement lucide. Elle s'adressa à son père d'une voix tremblante : « Il y a quelque chose qui cloche.

— Comment ça ?

— Regarde. » Elle lui tendit la lettre. « Appendicite.

— Et alors ?

— Kurt avait déjà été opéré de l'appendicite.

— Je me souviens, en effet. On l'avait opéré d'urgence peu après son sixième anniversaire. »

De sombres soupçons se mêlaient à la peine de Carla. Kurt avait-il été tué par une dangereuse expérience que l'hôpital tentait de dissimuler ? « Pourquoi mentent-ils ? » se demanda-t-elle tout haut.

Erik frappa du poing sur la table. « Pourquoi dis-tu qu'ils mentent ? s'écria-t-il. Pourquoi accuses-tu toujours les autorités ? C'est probablement une erreur. Une dactylo se sera trompée ! »

Carla n'en était pas si sûre. « Une secrétaire d'hôpital est censée savoir ce qu'est une appendicite.

— Tu es prête à prendre jusqu'à ce drame personnel comme prétexte pour critiquer le système ? cria Erik, furieux.

— Calmez-vous tous les deux », intervint Walter.

Ils le regardèrent, frappés par l'inflexion nouvelle de sa voix. « Erik a peut-être raison, continua-t-il. Dans ce cas, l'hôpital sera tout à fait disposé à répondre à nos questions et à nous expliquer plus en détail comment sont morts Axel et Kurt.

— Bien sûr », approuva Erik.

Walter poursuivit. « En revanche, si Carla a raison, ils tenteront de se dérober, d'en dire le moins possible et d'intimider les parents des enfants décédés en suggérant que leurs questions sont injustifiées. »

Erik trouva cette hypothèse moins satisfaisante.

Une demi-heure plus tôt, Walter était un homme amoindri. Il semblait soudain revigoré. « Nous le saurons dès que nous les aurons interrogés.

— Je vais voir Frieda, annonça Carla.

— Tu n'es pas censée travailler ? demanda sa mère.

— Je suis dans l'équipe de fin de journée. »

Carla appela Frieda, lui apprit que Kurt était mort aussi et qu'elle arrivait tout de suite. Elle mit son manteau, son chapeau et ses gants et sortit sa bicyclette. Elle pédalait vite et il ne lui fallut qu'un quart d'heure pour atteindre la villa des Franck à Schöneberg.

Le majordome vint lui ouvrir et lui indiqua que la famille était dans la salle à manger. Elle était à peine entrée que le père de Frieda, Ludwig Franck, lui lança : « Qu'est-ce qu'ils t'ont dit à Wannsee ? »

Carla n'aimait pas beaucoup Ludwig. C'était un homme de droite qui avait soutenu les nazis dans les premiers temps. Sans doute avait-il évolué, c'était le cas de nombreux industriels désormais, mais il ne manifestait pas l'humilité que l'on pouvait attendre de ceux qui, comme lui, s'étaient aussi lourdement trompés.

Elle ne répondit pas tout de suite. Elle s'assit à la table et regarda les membres de la famille : Ludwig, Monika, Werner et Frieda, et le majordome qui s'activait à l'arrière-plan. Elle rassembla ses idées.

« Allons, mon petit, réponds-moi ! » insista Ludwig d'une voix impérieuse.

Il tenait à la main une lettre semblable à celle qu'avait reçue Ada et l'agitait d'un geste rageur.

Monika posa une main apaisante sur le bras de son mari. « Du calme, Ludi.

— Je veux savoir ! »

Carla considéra son visage empourpré, barré d'une petite moustache noire. Il était éperdu de chagrin, cela se voyait. En d'autres circonstances, Carla aurait refusé de répondre à un interlocuteur aussi discourtois. Mais il avait des excuses. Elle décida de passer outre. « Le directeur – le professeur Willrich – nous a dit qu'on disposait d'un nouveau traitement pour la pathologie de Kurt.

— On nous a dit la même chose. Quel genre de traitement ?

« — Je le lui ai demandé. Il m'a répondu que je ne comprendrais pas. J'ai insisté. Il a parlé de médicaments, mais n'a pas voulu m'en dire davantage. Je peux voir votre lettre, Herr Franck ? »

Ludwig lui signifia par son attitude que c'était à lui de poser les questions. Il lui tendit néanmoins la lettre.

Elle était absolument identique à celle d'Ada. Carla eut la pénible intuition que la secrétaire en avait tapé un certain nombre en se contentant de changer les noms.

« Comment deux garçons peuvent-ils mourir d'appendicite au même moment ? s'interrogea Herr Franck. Ce n'est pas une maladie contagieuse.

— Kurt n'est certainement pas mort d'appendicite, répondit Carla. Pour la bonne raison qu'il n'avait plus d'appendice. On le lui a enlevé il y a deux ans.

— Bien, lança Ludwig. Assez parlé. » Il arracha la lettre des mains de Carla. « Je vais en toucher un mot à quelqu'un du gouvernement. » Il quitta la pièce.

Monika le suivit, ainsi que le majordome.

Carla s'approcha de Frieda et lui prit la main. « Je suis de tout cœur avec toi, dit-elle.

— Merci », murmura Frieda.

Carla se dirigea vers Werner. Il se leva et la prit dans ses bras. Elle sentit une larme couler sur son front. Elle était en proie à une vive émotion, vaguement ambiguë. Elle avait le cœur lourd mais ne pouvait s'empêcher de savourer le plaisir de sentir son corps contre le sien et le doux contact de ses mains.

Au bout d'un long moment, Werner s'écarta et s'écria d'une voix vibrante de colère : « Mon père a appelé deux fois l'hôpital. La seconde fois, on lui a dit qu'il n'y avait rien à ajouter et on lui a raccroché au nez. Mais je compte bien savoir ce qui est arrivé à mon frère et on ne m'enverra pas balader, je ne me laisserai pas faire.

— Ça ne le fera pas revenir, objecta Frieda.

— Je veux quand même savoir. Au besoin j'irai à Akelberg.

— Je me demande s'il y a quelqu'un à Berlin qui pourrait nous aider, dit Carla.

— Il faudrait quelqu'un qui soit au gouvernement, précisa Werner.

— Le père d'Heinrich... », suggéra Frieda.

Werner claqua des doigts. « C'est notre homme. Il a appar-

468

tenu au parti du Centre. Maintenant, il est nazi et occupe un poste important aux Affaires étrangères.

— Tu crois qu'Heinrich obtiendrait un rendez-vous pour nous ? demanda Carla.

— Oui, si Frieda le lui demande. Heinrich ferait n'importe quoi pour elle. »

Carla le croyait volontiers. Heinrich mettait toujours tant de passion dans tout ce qu'il faisait.

« Je l'appelle tout de suite », dit Frieda.

Elle se rendit dans le vestibule. Carla et Werner se retrouvèrent assis côte à côte. Il l'entoura de son bras et elle posa la tête sur son épaule tout en se demandant s'il fallait attribuer ces marques d'affection au contrecoup du drame qui les frappait ou à autre chose.

Frieda revint en annonçant : « Le père d'Heinrich peut nous recevoir immédiatement. »

Ils s'entassèrent sur le siège avant de la voiture de sport de Werner.

« Je ne sais pas comment tu te débrouilles pour rouler avec cette voiture, remarqua Frieda alors qu'il démarrait. Même notre père n'arrive pas à obtenir d'essence pour son usage personnel.

— Je dis à mon supérieur que c'est pour mes déplacements officiels. » Werner travaillait pour un général important. « Mais je ne sais pas combien de temps ça va durer. »

Les von Kessel habitaient le même quartier et ils arrivèrent chez eux en moins de cinq minutes.

Quoique plus petite que celle des Franck, la maison était luxueuse. Heinrich les accueillit à la porte et les fit entrer dans un salon, ornementé d'une sculpture sur bois ancienne représentant un aigle, où s'alignaient des étagères chargées de livres reliés en cuir.

Frieda l'embrassa. « Merci, lui dit-elle. Cela n'a pas dû être facile. Je sais que tu ne t'entends pas très bien avec ton père. »

Heinrich rougit de plaisir.

Sa mère leur apporta un gâteau et du café. C'était une personne simple et chaleureuse. Après les avoir servis, elle s'éclipsa, comme une domestique.

Le père d'Heinrich, Gottfried, entra à son tour. Il avait la même tignasse épaisse et raide que son fils, mais argentée au lieu d'être noire.

Heinrich lui dit : «Je te présente Werner et Frieda Franck. C'est leur père qui fabrique la *Volksradio*, la radio du peuple.

— Ah, oui, acquiesça Gottfried. Je l'ai rencontré au Herrenklub.

— Et voici Carla von Ulrich. Je crois que tu connais aussi son père.

— Nous avons travaillé ensemble à l'ambassade allemande à Londres. En 1914.»

Il n'était manifestement pas très heureux qu'on lui rappelle ses liens avec un social-démocrate. Il prit une tranche de gâteau, qu'il laissa tomber maladroitement sur le tapis, essaya vainement de ramasser les miettes et finit par renoncer.

Carla se demanda «De quoi a-t-il peur?»

Heinrich alla droit au but. «Tu as dû entendre parler d'Akelberg, j'imagine.»

Carla observait attentivement Gottfried. L'espace d'un instant, une expression fugace passa sur son visage, mais il se composa très vite un air indifférent. «Une petite ville de Bavière?

— Il y a un hôpital là-bas, continua Heinrich. Pour déficients mentaux et physiques.

— Je ne savais pas.

— Nous pensons qu'il s'y passe des choses étranges et nous nous demandions si tu avais des informations à ce sujet.

— Certainement pas. Que s'y passe-t-il d'étrange?»

Ce fut Werner qui répondit.

«Mon frère est mort dans cet hôpital. D'appendicite, nous a-t-on dit. Le fils de la domestique de Herr von Ulrich est mort en même temps, dans le même hôpital, de la même chose.

— C'est très triste. Une coïncidence, probablement.

— Le fils de notre domestique n'avait plus d'appendice, intervint Carla. Il a été opéré il y a deux ans.

— Je comprends votre inquiétude, dit Gottfried. Mais il s'agit très probablement d'une erreur administrative.

— Dans ce cas, nous aimerions en être certains, insista Werner.

— Bien sûr. Avez-vous écrit à l'hôpital?

— J'avais écrit il y a quelque temps pour demander quand notre bonne pourrait aller voir son fils, dit Carla. On ne m'a jamais répondu.

— Mon père a téléphoné ce matin, ajouta Werner. Le médecin-chef lui a raccroché au nez.

« — Mon Dieu, quelles manières déplorables ! Mais, vous savez, cela ne concerne pas vraiment les Affaires étrangères. »

Werner se pencha en avant. « Herr von Kessel, est-il possible que ces deux enfants aient fait l'objet d'une expérience secrète qui aurait mal tourné ? »

Gottfried se cala dans son fauteuil. « C'est parfaitement exclu », assura-t-il. Carla eut l'impression qu'il disait la vérité. « Cela n'existe pas. » Il paraissait soulagé.

Werner n'avait apparemment plus de questions à poser. Carla, pour sa part, n'était pas satisfaite. Elle se demandait pourquoi Gottfried semblait si tranquillisé par la réponse qu'il venait de leur donner. Était-ce parce qu'il taisait une réalité bien plus affreuse encore ?

Une idée épouvantable lui traversa l'esprit, tellement effroyable qu'elle osait à peine l'envisager.

« Bon, eh bien, si nous en avons fini..., dit Gottfried.

— Vous êtes absolument certain qu'ils n'ont pas succombé à un traitement expérimental qui s'est révélé fatal ? l'interrompit Carla.

— Absolument.

— Pour pouvoir affirmer avec autant d'assurance ce qui *n'existe pas* à Akelberg, vous devez avoir une petite idée de ce qui s'y fait.

— Pas nécessairement », nia-t-il avec un regain de nervosité manifeste qui confirma à Carla qu'elle avait mis le doigt sur quelque chose.

« — Je me souviens d'une affiche nazie », continua-t-elle. C'était ce souvenir qui avait fait surgir l'idée insupportable qui lui était venue. « On y voyait un infirmier à côté d'un homme atteint d'une infirmité congénitale. Le texte était approximativement le suivant : "Soixante mille marks, voilà ce que coûte à la communauté pendant la durée de sa vie cette personne atteinte d'une maladie héréditaire. Peuple allemand, c'est ton argent !" C'était une publicité pour une revue, je crois.

— J'ai vu ces annonces », lâcha Gottfried d'un ton dédaigneux, comme si elles ne le concernaient pas.

Carla se leva. « Vous êtes catholique, monsieur, et vous avez élevé Heinrich dans la foi catholique. »

Gottfried émit un petit bruit méprisant : « Heinrich se dit athée.

« — Mais vous ne l'êtes pas. À vos yeux, la vie humaine est sacrée.

— Oui.

— Vous dites que les médecins d'Akelberg ne se livrent à aucune expérience thérapeutique risquée sur leurs patients et je vous crois.

— Merci.

— Mais ne font-ils pas autre chose? Quelque chose de bien pire?

— Mais non, voyons.

— Êtes-vous sûr qu'ils ne *tuent* pas délibérément les incurables? »

Gottfried secoua la tête en silence.

Carla s'approcha et lui parla à voix basse, comme s'ils étaient seuls dans la pièce. « En tant que catholique convaincu du caractère sacré de la vie humaine, pouvez-vous m'assurer, la main sur le cœur, qu'on ne tue pas les petits malades d'Akelberg? »

Gottfried sourit, esquissa un geste qui se voulait rassurant et ouvrit la bouche, mais il n'en sortit aucun son.

Carla s'agenouilla devant lui. « Pouvez-vous me le jurer, s'il vous plaît? Maintenant. Ici, dans votre maison, en présence de quatre jeunes Allemands, votre fils et ses amis. Dites-nous simplement la vérité. Regardez-moi dans les yeux et dites-moi que notre gouvernement ne supprime pas les enfants déficients. »

Un silence absolu régnait dans la pièce. Gottfried parut sur le point de parler, mais il se ravisa. Il ferma les yeux, une grimace déforma sa bouche et il baissa la tête. Les quatre jeunes gens considéraient, ahuris, son visage crispé.

Il rouvrit enfin les yeux, posa le regard sur chacun d'eux tour à tour, en terminant par son fils.

Puis il se leva et sortit.

3.

Le lendemain, Werner dit à Carla : « Je n'en peux plus. Cela fait vingt-quatre heures que nous ne parlons que de ça. Nous allons devenir fous si nous ne nous changeons pas les idées. Je t'emmène au cinéma. »

Ils rejoignirent le Kurfürstendamm, une rue aux nombreuses salles de spectacle et boutiques que tout le monde appelait le Ku'damm. Les meilleurs réalisateurs allemands s'étaient exilés à Hollywood depuis plusieurs années et les films locaux étaient désormais de qualité médiocre. Ils virent *Trois soldats*, qui se passait pendant l'invasion de la France.

Les trois soldats en question étaient un solide sergent nazi, un mou pleurnichard à l'air vaguement juif et un jeune homme grave. Ce dernier posait des questions naïves – comme « Est-ce que les Juifs sont vraiment nuisibles ? » – auxquelles le sergent répondait par de longs sermons assommants. Au moment de prendre part aux combats, le pleurnichard avouait être communiste, désertait et se faisait finalement tuer dans un raid aérien. Le jeune homme grave se battait vaillamment, était promu sergent et devenait un admirateur du Führer. Malgré un scénario lamentable, les scènes de batailles étaient spectaculaires.

Werner tint la main de Carla pendant toute la durée du film. Elle espérait qu'il l'embrasserait dans l'obscurité, mais il n'en fit rien.

Quand les lumières se rallumèrent, il déclara : « Bon, c'était affreusement mauvais, mais au moins, j'ai pensé à autre chose pendant deux heures. »

Ils sortirent et retournèrent à sa voiture. « Et si on allait se balader ? proposa-t-il. C'est sans doute la dernière occasion. La voiture va être mise sur cales la semaine prochaine. »

Il prit le volant en direction de Grünewald. Pendant le trajet, la conversation de la veille avec Gottfried von Kessel revint hanter les pensées de Carla. Elle avait beau la tourner et la retourner dans sa tête, elle ne pouvait balayer l'horrible conclusion à laquelle ils étaient tous arrivés. Kurt et Axel n'avaient pas été les victimes accidentelles d'une expérimentation médicale dangereuse comme elle l'avait d'abord cru. Gottfried avait catégoriquement réfuté cette possibilité. Mais il n'avait pu se résoudre à leur mentir en niant que le gouvernement assassinait volontairement les handicapés et les malades mentaux. C'était difficile à croire, même de la part d'individus aussi barbares et dénués de scrupules que les nazis. Pourtant, la réaction de Gottfried dont Carla avait été témoin révélait clairement un sentiment de culpabilité.

Une fois dans la forêt, Werner quitta la route et s'engagea dans une allée qu'il suivit jusqu'à ce qu'ils se trouvent perdus au milieu de la végétation. Carla le soupçonnait d'avoir déjà amené là d'autres filles.

Il éteignit les phares. Ils furent plongés dans le noir complet. «Je vais parler au général Dorn», dit-il. Dorn était son supérieur, un important officier de l'armée de l'air. «Et toi?

— Mon père prétend qu'il n'existe plus d'opposition politique mais que les églises ont toujours de l'influence. Aucun vrai croyant ne peut excuser pareils agissements.

— Tu es pratiquante?

— Pas vraiment. Mon père si. Pour lui, la foi protestante fait partie de l'héritage allemand auquel il est profondément attaché. Mutter l'accompagne au temple, pourtant je la soupçonne d'avoir des opinions un peu excentriques en matière de théologie. Pour ma part, je crois en Dieu, mais je suis persuadée qu'il se fiche pas mal que les gens soient catholiques ou protestants, musulmans ou bouddhistes. Et j'aime chanter des cantiques. »

Werner baissa la voix pour dire dans un murmure : «Il m'est impossible de croire en un Dieu qui permet aux nazis d'assassiner des enfants.

— Je ne peux pas t'en vouloir.

— Que va faire ton père?

— Il va en parler au pasteur.

— Bien. »

Ils restèrent silencieux un moment puis il la prit dans ses bras. «Je peux?» chuchota-t-il.

Tendue et impatiente, elle eut du mal à émettre un son. Sa réponse ne fut d'abord qu'un vague grognement. Elle se reprit pour répondre d'une voix plus claire : «Si ça peut apaiser ta tristesse..., oui. »

Il l'embrassa.

Elle lui rendit son baiser avec ferveur. Il lui caressa les cheveux, puis la poitrine. Elle eut un instant d'hésitation. Les autres filles disaient que si on laissait les choses aller plus loin, on perdait tout contrôle de soi.

Elle décida de courir ce risque.

Elle frôla sa joue en l'embrassant. Lui caressa le cou du bout des doigts en savourant la chaude douceur de sa peau. Elle glissa la main sous sa veste et la promena sur son corps, explorant son dos, ses côtes, ses omoplates.

Elle soupira au moment où elle sentit sa main sur sa cuisse, sous la jupe. Dès qu'il l'effleura entre les jambes, elle les écarta.

Les autres disaient que les garçons vous prenaient pour une fille facile quand on faisait ça. Mais c'était plus fort qu'elle.

Il posa le doigt juste au bon endroit. Il ne chercha pas à glisser sa main dans sa culotte, se contentant d'une caresse légère à travers le coton. Elle entendit des plaintes monter de sa propre gorge, doucement d'abord, puis de plus en plus fortes. Elles finirent par éclater en un cri de plaisir qu'elle assourdit en enfouissant son visage au creux de son épaule. Elle dut écarter sa main car la sensation était devenue insupportable.

Elle était haletante. Quand elle eut un peu repris son souffle, elle l'embrassa dans le cou. Il passa affectueusement sa main sur sa joue. Elle lui demanda : «Je peux faire quelque chose pour toi ?

— Seulement si tu le souhaites. »

Elle en avait tellement envie qu'elle en était gênée. «Ce qu'il y a, c'est que je n'ai jamais...

— Je sais. Je vais te montrer. »

4.

Le pasteur Ochs était un homme tranquille et corpulent, qui avait une grande maison, une gentille femme et cinq enfants. Carla craignait qu'il ne refuse de s'impliquer. C'était le sous-estimer. Il avait déjà entendu des rumeurs qui troublaient sa conscience et accepta d'accompagner Walter au centre de soins pour enfants de Wannsee. Le professeur Willrich n'éconduirait pas un homme d'Église.

Ils décidèrent d'emmener Carla puisqu'elle avait assisté à l'entretien avec Ada. Le directeur hésiterait à changer de version en sa présence.

Pendant le trajet en train, Ochs leur suggéra de le laisser mener la conversation. «Le directeur est probablement nazi», expliqua-t-il. Les hommes qui occupaient des postes importants étaient pour la plupart membres du parti. «À ses yeux, un ancien député social-démocrate sera d'emblée un ennemi. Je jouerai le rôle d'arbitre neutre. Cela devrait nous permettre d'en apprendre davantage.»

Carla n'en était pas convaincue. Elle pensait que son père

saurait mieux poser les bonnes questions. Mais Walter accepta la proposition du pasteur.

C'était le printemps et il faisait plus doux que lors de la dernière visite de Carla. Des bateaux sillonnaient le lac. Carla décida de proposer à Werner de venir prochainement y faire un pique-nique. Elle voulait profiter de lui au maximum avant qu'il ne la délaisse pour une autre.

Un feu brûlait dans la cheminée du professeur Willrich, mais une fenêtre de son bureau était ouverte, laissant entrer une brise fraîche venue du lac.

Le directeur serra la main du pasteur et de Walter. Ayant reconnu Carla, il l'ignora après lui avoir jeté un bref regard. Il les invita à s'asseoir, mais Carla sentit une hostilité agacée derrière sa courtoisie. Il n'avait manifestement pas envie d'être questionné. Il prit une de ses pipes et se mit à la tripoter nerveusement. Il était moins arrogant devant ces deux hommes mûrs qu'il ne l'avait été en présence de deux jeunes femmes.

Ochs entama la discussion. «Professeur Willrich, Herr von Ulrich et d'autres membres de ma congrégation s'inquiètent des morts mystérieuses de plusieurs jeunes malades dont ils ont eu connaissance.

— Aucun enfant n'est décédé ici de mort mystérieuse, rétorqua Willrich. En réalité, aucun enfant n'est mort ici depuis deux ans.»

Ochs se tourna vers Walter. «C'est très rassurant, Walter, vous ne trouvez pas?

— En effet.»

Ce n'était pas l'avis de Carla, mais elle préférait garder le silence pour le moment.

Ochs poursuivit d'une voix onctueuse : «Je suis certain que vous accordez toute votre attention aux enfants dont vous avez la charge.

— C'est un fait.» Willrich semblait se détendre.

«Il vous arrive néanmoins d'envoyer dans d'autres établissements les enfants qui vous ont été confiés?

— Bien sûr, lorsque d'autres institutions peuvent leur offrir des traitements dont nous ne disposons pas.

— Quand un enfant est transféré ailleurs, je suppose qu'on ne vous tient pas forcément informé des traitements qu'il suit, ni de son état de santé.

— Absolument!

— Sauf s'il revient. »

Willrich ne répondit pas.

« Certains sont-ils revenus ?

— Non. »

Ochs haussa les épaules. « Ainsi, vous ne savez pas ce qui leur est arrivé.

— C'est exact. »

Ochs s'appuya au dossier de son siège et écarta les mains en signe d'ouverture. « Vous n'avez donc rien à cacher.

— Rien du tout.

— Certains des enfants qui ont été transférés sont morts. »

Willrich garda le silence.

Ochs insista gentiment. « C'est le cas, n'est-ce pas ?

— Je ne peux pas vous répondre avec certitude, monsieur le pasteur.

— Ah ! Car même si l'un de ces enfants venait à mourir, vous n'en seriez pas informé.

— C'est ce que je vous ai dit.

— Pardonnez-moi si je me répète. Je tiens seulement à m'assurer, sans doute possible, que vous n'êtes pas en mesure de faire la lumière sur ces décès.

— C'est le cas. »

Ochs se tourna à nouveau vers Walter. « Je pense que nous commençons à y voir remarquablement clair. »

Walter acquiesça.

Carla avait envie de hurler *Nous n'y voyons pas clair du tout !*

Ochs avait déjà repris la parole. « Combien d'enfants approximativement avez-vous transférés, disons, au cours des douze derniers mois ?

— Dix, répondit Willrich. Très exactement. » Il s'accorda un sourire condescendant. « Nous autres scientifiques ne pouvons nous contenter d'approximations.

— Dix patients, sur... ?

— À ce jour, nous avons cent sept enfants ici.

— C'est une très faible proportion ! » admit Ochs.

Carla sentait la moutarde lui monter au nez. Ochs jouait le jeu de Willrich, c'était évident ! Pourquoi son père acceptait-il cette mascarade ?

Ochs poursuivit : « Ces enfants souffraient-ils tous de la même affection ou étaient-ils atteints de différentes maladies ?

— Différentes. » Willrich ouvrit un dossier posé sur son

bureau. «Crétinisme, trisomie, microcéphalie, hydrocéphalie, malformation des membres, de la boîte crânienne et de la colonne vertébrale, et paralysie.

— Ce sont les types de patients qu'on vous a demandé d'envoyer à Akelberg?»

Il y avait du progrès. C'était la première fois qu'il était question d'Akelberg et de directives des autorités supérieures. Ochs était peut-être plus malin qu'il n'en avait l'air.

Willrich ouvrit la bouche pour parler, mais Ochs le devança en lui posant une autre question. «Étaient-ils tous censés recevoir le même traitement spécial?»

Willrich retrouva son sourire. «Là encore, je n'ai pas été informé et je ne peux donc pas vous le dire.

— Vous n'avez fait que respecter...

— Les ordres que j'ai reçus, en effet.»

Ce fut au tour d'Ochs de sourire. «Vous êtes un homme avisé. Vous choisissez vos mots avec soin. Ces enfants avaient-ils tous le même âge?

— Au départ, le programme ne concernait que les enfants de moins de trois ans. Il a été élargi par la suite à tous les âges, oui.»

Carla nota au passage l'allusion à un «programme». Personne n'avait encore admis l'existence d'un programme quelconque. Carla commençait à s'apercevoir qu'Ochs était un homme très habile.

Le pasteur prononça la phrase suivante comme pour confirmer un fait déjà établi. «Tous les enfants juifs qui vous sont confiés sont concernés, quelle que soit leur infirmité.»

Il y eut un long silence. Willrich semblait paralysé. Carla se demanda comment Ochs était informé du sort des enfants juifs. Peut-être n'était-il sûr de rien et n'était-ce qu'une hypothèse.

Le silence se prolongeant, Ochs ajouta : «Les enfants juifs et les *Mischlinge*, les demi-juifs, devrais-je dire.»

Sans parler, Willrich confirma d'un bref hochement de tête.

Ochs continua : «Il est rare, de nos jours, d'accorder la préférence à des enfants juifs, n'est-ce pas?»

Willrich détourna les yeux.

Le pasteur se leva. Quand il reprit la parole, sa voix vibrait de colère. «Vous me dites que dix enfants souffrant d'affections diverses, et qui ne pouvaient donc pas tous recevoir le même traitement, ont été envoyés dans un hôpital spécial dont ils ne sont jamais revenus ; et que les Juifs y ont été transférés en priorité. Que croyiez-vous qu'il leur arrivait, professeur Willrich ? Au nom du ciel, que croyiez-vous ? »

Willrich semblait prêt à fondre en larmes.

« Vous n'avez pas de réponse à me donner, bien sûr, reprit Ochs plus calmement. Mais un jour, cette question vous sera posée par une autorité supérieure, la plus haute de toutes, en fait. »

Il tendit le bras, pointant sur lui un index vengeur.

« Et ce jour-là, mon fils, vous répondrez. »

Sur ces mots, il tourna les talons et quitta la pièce.

Carla et Walter lui emboîtèrent le pas.

5.

Le commissaire Thomas Macke affichait un sourire satisfait. Parfois, les ennemis de l'État lui mâchaient le travail. Au lieu d'agir en secret et de se cacher là où on ne les trouverait pas, ils livraient d'eux-mêmes leur identité et lui fournissaient des preuves irréfutables de leurs crimes. Ils étaient comme des poissons pour lesquels on pouvait se passer d'amorce et d'hameçon : ils sautaient de la rivière directement dans le panier du pêcheur pour passer à la casserole.

Le pasteur Ochs était de ceux-là.

Macke relut sa lettre. Elle était adressée au ministre de la Justice, Franz Gürtner.

Monsieur le ministre,

Le gouvernement a-t-il entrepris de tuer les enfants déficients physiques et mentaux ? Je vous pose la question sans détours car je veux une réponse claire et nette.

Quel imbécile ! Si la réponse était négative, sa lettre tenait de la calomnie. Si elle était positive, il se rendait coupable de trahison de secret d'État. Fallait-il être bête pour ne pas s'en rendre compte !

Ne pouvant ignorer les rumeurs qui circulaient dans ma paroisse, je me suis rendu au centre pour enfants de Wannsee où je me suis entre-

tenu avec le directeur, le professeur Willrich. Ses réponses évasives m'ont convaincu qu'un projet terrible était en cours, un projet qui constitue probablement un crime et incontestablement un péché.

Il avait le culot de parler de crimes ! Ne lui était-il pas venu à l'esprit qu'accuser le gouvernement d'actes illégaux était en soi un acte illégal ? Croyait-il vivre dans une démocratie libérale dégénérée ?

Macke savait à quoi Ochs faisait allusion. Le programme s'appelait Aktion T4, en raison de l'adresse de son siège, Tiergartenstrasse 4. Le nom officiel du service était la « Fondation caritative de traitements et soins institutionnels », mais il était supervisé par le cabinet personnel d'Hitler, la chancellerie du Führer. Il était chargé d'organiser la mise à mort en douceur des incurables qui nécessitaient des soins coûteux et vains. Il avait fait un travail fantastique au cours des deux dernières années en débarrassant le pays de dizaines de milliers de bouches inutiles.

Malheureusement, l'opinion publique allemande n'étant pas encore assez mûre pour comprendre le bien-fondé de cette mesure, le programme devait être tenu secret.

Macke était dans la confidence. Il avait été promu commissaire et récemment admis au sein de l'élite paramilitaire nazie, les Schutzstaffel, autrement dit les SS. On l'avait mis au courant du programme Aktion T4 quand on lui avait confié l'affaire Ochs. Il en était fier. Il faisait vraiment partie des initiés désormais.

Malheureusement, certains avaient manqué de prudence, et le secret de l'Aktion T4 risquait d'être éventé.

Macke était chargé de stopper les fuites.

Les premières enquêtes avaient rapidement montré qu'il y avait trois hommes à faire taire de toute urgence : Peter Ochs, Walter von Ulrich et Werner Franck.

Franck était le fils aîné d'un fabricant de radios qui avait été un important partisan nazi de la première heure. L'industriel lui-même, Ludwig Franck, avait peu de temps auparavant déposé des demandes péremptoires d'information sur la mort de son fils infirme, mais avait promptement mis fin à ses démarches quand on l'avait menacé de fermer ses usines. En revanche, le jeune Werner, brillant officier du ministère de l'Air, avait continué à poser des questions embarrassantes en cherchant à se prévaloir de l'influence de son supérieur, le général Dorn.

Le ministère de l'Air, le plus grand immeuble de bureaux d'Europe, disait-on, était un édifice ultramoderne qui occupait tout un pâté de maisons de la Wilhelmstrasse, à deux pas du siège de la Gestapo, Prinz-Albrecht-Strasse. Macke s'y rendit à pied.

Grâce à son uniforme de SS, il put se permettre d'ignorer les gardes. Au comptoir d'accueil, il aboya : « Je veux voir le lieutenant Werner Franck. Immédiatement. » Le réceptionniste le fit monter dans un ascenseur et le précéda le long d'un couloir jusqu'à une porte ouverte sur un petit bureau. Le jeune homme assis à la table ne leva pas tout de suite les yeux des papiers étalés devant lui. En l'observant, Macke jugea qu'il devait avoir vingt-deux ans. Pourquoi n'était-il pas dans une unité du front, en train de bombarder l'Angleterre ? Son père avait dû le pistonner, se dit Macke avec rancœur. Werner avait bien l'air d'un fils à papa : uniforme de bonne coupe, chevalière en or et des cheveux trop longs qui n'avaient rien de militaire. Macke le méprisa sur-le-champ.

Werner griffonna une note au crayon et leva les yeux. Son expression aimable s'effaça dès qu'il reconnut l'uniforme des SS. Macke releva, non sans satisfaction, un bref éclair de peur dans son regard. Le jeune homme tenta aussitôt de masquer sa réaction sous des dehors affables, en se levant poliment avec un sourire accueillant, mais Macke ne s'y laissa pas prendre.

« Bonjour, commissaire. Asseyez-vous, je vous en prie.

— *Heil Hitler*, dit Macke.

— *Heil Hitler*. En quoi puis-je vous être utile ?

— Asseyez-vous et taisez-vous, jeune crétin », siffla Macke.

Werner s'efforça de dissimuler sa frayeur. « Alors ça, qu'ai-je fait pour mériter tant de colère ?

— Évitez de poser des questions. Vous parlerez quand on vous le demandera.

— Comme vous voudrez.

— À partir de maintenant, vous allez cesser de vous intéresser à ce qui est arrivé à votre frère Axel. »

Macke fut étonné de voir passer sur le visage de Werner une expression qui ressemblait à du soulagement. Curieux. Avait-il craint autre chose, quelque chose de plus redoutable que l'interdiction de poser des questions sur son frère ? Werner serait-il mêlé à d'autres activités subversives ?

Probablement pas, se dit Macke après réflexion. Il était sans doute soulagé de ne pas être arrêté et conduit dans les sous-sols de la Prinz-Albrecht-Strasse.

Werner n'était pas encore complètement dompté et trouva le courage de répliquer : « Pourquoi ne devrais-je pas essayer de savoir comment mon frère est mort ?

— Je vous ai dit de ne pas me poser de questions. Mettez-vous bien ça dans la tête : vous avez droit à un traitement de faveur parce que votre père a été un précieux allié du parti nazi. Sans quoi, c'est vous qui seriez dans mon bureau, et non l'inverse. »

La menace était limpide.

« Je vous sais gré de votre indulgence, dit Werner en essayant de conserver un semblant de dignité. Mais je veux savoir qui a tué mon frère et pourquoi.

— Quoi que vous fassiez, vous n'en apprendrez pas davantage. En revanche, toute nouvelle recherche d'information sera considérée comme une trahison de votre part.

— Cet entretien m'en a suffisamment appris. Il est désormais évident que mes pires craintes étaient fondées.

— Vous avez intérêt à renoncer à ce comportement séditieux, croyez-moi. »

Werner lui jeta un regard de défi mais ne répondit pas.

Macke reprit : « Sinon, le général Dorn sera informé que votre loyauté est toute relative. »

Werner savait très bien ce que cela signifiait. Il perdrait son poste confortable à Berlin et serait envoyé dans une caserne, sur un terrain d'aviation du nord de la France.

Il avait maintenant l'air moins insolent.

Macke se leva. Il avait perdu assez de temps. « Il paraît que le général Dorn vous trouve capable et intelligent, dit-il encore. Si vous vous montrez raisonnable, vous pourrez conserver votre place. »

Il s'en alla, nerveux et insatisfait. Il n'était pas sûr d'avoir brisé la volonté de Werner. Il avait perçu un fond de résistance inébranlable.

Il reporta son attention sur le cas du pasteur Ochs. Avec lui, il faudrait s'y prendre différemment. Macke retourna au siège de la Gestapo et réunit une petite équipe : Reinhold Wagner,

Klaus Richter et Günther Schneider. Ils prirent une Mercedes 260D noire, la voiture préférée des hommes de la Gestapo, parfaitement discrète car analogue, par son modèle et sa couleur, à la plupart des taxis de Berlin. Dans les premiers temps, on les avait incités à agir ostensiblement pour que le public n'ignore pas les méthodes brutales qu'employait la Gestapo pour écraser l'opposition. Cependant, la terreur avait depuis longtemps fait son œuvre et il n'était plus nécessaire d'user de violence ouvertement. La Gestapo intervenait dorénavant discrètement, et toujours sous couvert de la légalité.

Ils se rendirent chez le pasteur, dont la maison jouxtait le grand temple protestant du Mitte, le quartier central. Tout comme Werner s'imaginait être protégé par son père, Ochs croyait sans doute être à l'abri à l'ombre de son Église. Il allait déchanter.

Macke sonna à la porte : autrefois, ils l'auraient enfoncée, juste pour le plaisir.

Une domestique vint ouvrir et il pénétra dans une vaste entrée bien éclairée, au parquet ciré revêtu d'épais tapis. Ses trois compagnons le suivirent. «Où est le maître de maison?» demanda aimablement Macke à la servante.

Il ne l'avait pas menacée, et pourtant, elle avait l'air terrorisée. «Dans son bureau, monsieur, dit-elle en désignant une porte.

— Fais descendre la femme et les enfants dans la pièce voisine», commanda Macke à Wagner.

Ochs ouvrit la porte de son bureau et passa la tête. «Que se passe-t-il?» demanda-t-il d'un ton indigné.

Macke se dirigea vers lui d'un pas décidé qui l'obligea à reculer et à le laisser entrer. C'était un petit cabinet de travail bien aménagé, avec un bureau à dessus de cuir et une bibliothèque remplie d'ouvrages de théologie. «Fermez la porte», ordonna Macke.

Ochs s'exécuta à contrecœur en disant : «J'espère que vous avez un motif valable pour justifier cette intrusion.

— Asseyez-vous et taisez-vous.»

Ochs en resta ébahi. On ne lui avait sans doute pas parlé sur ce ton depuis sa petite enfance. Les ecclésiastiques ne se faisaient généralement pas insulter, même par la police. Les nazis se moquaient bien de ces conventions débilitantes.

« C'est un affront ! » parvint enfin à articuler Ochs avant de s'asseoir.

Dans la pièce voisine, une voix féminine s'éleva : probablement l'épouse qui protestait. Ochs pâlit et se leva.

Macke le fit brutalement retomber sur sa chaise. « Restez où vous êtes. »

Ochs était un homme robuste, plus grand que Macke, mais il ne tenta pas de résister.

Macke adorait voir ces poseurs prétentieux se déballonner.

« Qui êtes-vous ? » demanda Ochs.

Macke ne le leur disait jamais. Ils pouvaient deviner, mais le doute était bien plus effrayant. Dans le cas improbable où une enquête serait engagée plus tard, tous les membres de l'équipe jureraient leurs grands dieux qu'ils avaient commencé par se présenter comme des officiers de police et montré leurs insignes.

Il sortit. Ses hommes poussaient sans ménagement des enfants dans le salon. Macke demanda à Reinhold Wagner d'aller garder un œil sur Ochs et de l'empêcher de quitter son bureau. Puis il suivit les enfants dans le salon.

Il y avait des rideaux à fleurs, des photos de famille sur le manteau de la cheminée et des fauteuils confortables recouverts de tissu à carreaux. Une agréable maison, une gentille famille. Pourquoi ne se conduisaient-ils pas en fidèles sujets du Reich et se mêlaient-ils de ce qui ne les regardait pas ?

La domestique se tenait près de la fenêtre, la main sur la bouche comme pour retenir un cri. Quatre enfants étaient regroupés autour de Frau Ochs, une femme sans beauté, à la poitrine imposante, âgée d'une trentaine d'années. Elle tenait un cinquième enfant dans ses bras, une petite blonde bouclée d'environ deux ans.

Macke tapota la tête de la fillette. « Comment s'appelle cette petite ? » demanda-t-il.

Frau Ochs était terrifiée. Elle murmura : « Liselotte. Qu'est-ce que vous nous voulez ?

— Viens voir oncle Thomas, Liselotte, dit Macke en tendant les bras.

— Non ! » cria Frau Ochs. Elle serra l'enfant contre elle et se détourna.

Liselotte se mit à pleurer.

Macke adressa un signe à Klaus Richter.

Richter attrapa Frau Ochs par-derrière, lui tirant les bras, la forçant à lâcher sa fille. Macke rattrapa Liselotte avant qu'elle ne tombe. La fillette se tortilla dans tous les sens. Il l'agrippa plus fermement, la maintenant comme un chat récalcitrant. La fillette hurla encore plus fort.

Un garçon d'une douzaine d'années se précipita sur Macke, qu'il bourra de coups de poing inoffensifs. Il était temps de lui apprendre à respecter l'autorité. Macke cala Liselotte sur sa hanche gauche ; de la main droite, il empoigna l'effronté par le devant de sa chemise et le projeta à l'autre bout de la pièce en veillant à ce qu'il atterrisse sur un fauteuil. Le garçon poussa un glapissement de frayeur. Frau Ochs cria elle aussi. Le fauteuil se renversa et l'enfant bascula avec lui. Il ne s'était pas fait très mal, mais il fondit en larmes.

Macke emmena la fillette dans l'entrée. Elle appelait sa mère en poussant des cris suraigus. Macke la posa par terre. Elle courut vers la porte du salon et tambourina dessus en poussant des hurlements de terreur. Elle n'avait pas encore appris à tourner les poignées, remarqua Macke.

Macke la laissa dans le vestibule et regagna le bureau. Wagner montait la garde près de la porte. Ochs était debout au milieu de la pièce, blanc de peur. « Qu'est-ce que vous faites à mes enfants ? Pourquoi Liselotte pleure-t-elle ?

— Vous allez écrire une lettre.

— Oui, tout ce que vous voudrez, dit Ochs en se dirigeant vers sa table recouverte de cuir.

— Pas maintenant. Plus tard.

— Très bien. »

Macke était aux anges. Ochs était complètement soumis, contrairement à Werner. « Une lettre au ministre de la Justice, précisa-t-il.

— C'était donc ça...

— Vous lui expliquerez que vous avez compris que les allégations de votre première lettre étaient totalement erronées. Vous avez été manipulé à votre insu par des communistes. Vous présenterez vos excuses au ministre pour les problèmes provoqués par vos initiatives irréfléchies et lui promettrez de ne plus jamais évoquer ce sujet avec qui que ce soit.

— Oui, oui, comptez sur moi. Que font-ils à ma femme ?

— Rien. Elle crie à l'idée de ce qui lui arrivera si vous n'écrivez pas cette lettre.

— Je veux la voir.

— Vous n'arrangerez rien avec des exigences ineptes.

— Oui, bien sûr. Je suis désolé. Je vous prie de m'excuser. »

Les ennemis du nazisme étaient d'une veulerie ! « Vous écrirez cette lettre ce soir et la posterez demain.

— C'est entendu. Dois-je vous en envoyer une copie ?

— Je l'aurai de toute façon, espèce d'idiot. Vous croyez vraiment que le ministre lit lui-même vos gribouillages débiles ?

— Non, bien sûr que non, c'est évident. »

Macke marcha vers la porte. « Et évitez les gens comme Walter von Ulrich.

— Oui, je vous le promets. »

Macke sortit en faisant signe à Wagner de le suivre. Assise par terre, Liselotte braillait à pleins poumons. Macke ouvrit la porte du salon et appela Richter et Schneider.

Ils quittèrent la maison.

« La violence est parfois superflue », observa Macke d'un air songeur en montant dans la voiture.

Wagner prit le volant. Macke lui indiqua l'adresse des von Ulrich.

« Mais dans bien des cas, c'est la méthode la plus efficace », ajouta-t-il.

Von Ulrich habitait à proximité du temple protestant. Il vivait dans un vaste hôtel particulier qu'il n'avait manifestement pas les moyens d'entretenir. La peinture s'écaillait, les balustrades étaient rouillées, une vitre cassée avait été bouchée avec du carton. Ce n'était pas rare : beaucoup de maisons étaient en mauvais état en raison des mesures d'austérité dues à la guerre.

Une domestique vint leur ouvrir. Macke supposa qu'il s'agissait de la mère de l'enfant déficient qui était à l'origine de toute cette affaire. Il ne prit pas la peine de s'en assurer. Il ne servait à rien d'arrêter les femmes.

Walter sortit d'une pièce qui donnait sur le vestibule.

Macke se souvenait de lui. C'était le cousin de ce Robert von Ulrich dont il avait racheté le restaurant avec son frère huit ans auparavant. À l'époque, c'était un homme fier et arrogant. Il portait maintenant un costume défraîchi, mais avait gardé ses manières hautaines. « Que voulez-vous ? » demanda-t-il du ton de celui qui croit encore pouvoir exiger des explications.

Macke n'avait pas l'intention de perdre son temps. « Passez-lui les menottes », ordonna-t-il.

486

Wagner s'avança.

Une grande femme séduisante surgit et vint se placer devant von Ulrich. «Dites-moi qui vous êtes et ce que voulez», lança-t-elle d'une voix autoritaire.

C'était sa femme, certainement. Elle avait une pointe d'accent étranger. Pas étonnant.

Macke la gifla brutalement. Elle recula en chancelant.

«Tournez-vous et croisez les mains dans le dos, dit Macke à von Ulrich. Sinon, je lui fais avaler ses dents.»

Von Ulrich obtempéra.

Une jolie jeune fille en tenue d'infirmière arriva en dévalant l'escalier. «Vati! cria-t-elle. Que se passe-t-il?»

Macke se demanda, avec un léger pincement d'angoisse, combien il y avait de personnes dans la maison. Une famille ordinaire ne pouvait entraver l'action d'officiers de police entraînés, mais s'ils étaient vraiment nombreux, ils pouvaient créer suffisamment de désordre pour permettre à von Ulrich de s'échapper.

Apparemment, celui-ci ne cherchait pas la bagarre. «Ne fais rien! dit-il à sa fille d'un ton suppliant. Tiens-toi à l'écart!»

Terrifiée, la jeune infirmière obéit.

«Embarquez-le», lança Macke.

Wagner poussa von Ulrich dehors.

La femme se mit à sangloter.

L'infirmière demanda: «Où l'emmenez-vous?»

Sur le seuil, Macke se tourna vers les trois femmes: la domestique, l'épouse et la fille. «Tout ça à cause d'un débile de huit ans, déclara-t-il. Je ne vous comprendrai jamais, vous autres.»

Il sortit et monta dans la voiture.

Ils franchirent la courte distance qui les séparait de la Prinz-Albrecht-Strasse. Wagner rangea la voiture à l'arrière du bâtiment de la Gestapo, derrière une file de véhicules noirs identiques. Ils descendirent.

Ils firent entrer von Ulrich par-derrière et l'emmenèrent au sous-sol, où ils l'enfermèrent dans une pièce recouverte de carreaux blancs.

Macke ouvrit un placard et y prit trois longues et lourdes matraques qui ressemblaient à des battes de base-ball américain. Il en tendit une à chacun de ses acolytes.

«Rossez-le», leur dit-il. Et il le leur abandonna.

6.

Le capitaine Volodia Pechkov, chef de la section berlinoise des services de renseignement de l'armée Rouge, rencontra Werner Franck au cimetière des Invalides, près du canal Berlin-Spandau.

C'était un bon choix. En regardant attentivement autour de lui, Volodia eut la certitude que personne ne les avait suivis à l'intérieur du cimetière. Il n'aperçut qu'une vieille femme coiffée d'un foulard noir qui, d'ailleurs, était en train de repartir.

Ils s'étaient donné rendez-vous sur la tombe du général von Scharnhorst, un grand mausolée orné d'un lion assoupi, coulé dans des canons ennemis fondus. C'était un jour ensoleillé de printemps et les deux espions ôtèrent leurs vestes pendant qu'ils déambulaient entre les sépultures de héros allemands.

Malgré la signature du pacte germano-soviétique deux ans plus tôt, l'espionnage soviétique n'avait pas désarmé en Allemagne, pas plus que la surveillance du personnel de l'ambassade soviétique. Tout le monde savait que le pacte serait provisoire, mais personne ne savait combien de temps ce provisoire durerait. Des agents du contre-espionnage continuaient donc à filer Volodia dans tous ses déplacements.

Ils devaient savoir quand il partait pour une véritable mission secrète, se disait-il, car c'était dans ces cas-là qu'il les semait. S'il sortait s'acheter des saucisses de Francfort, il se laissait suivre. Il se demanda s'ils étaient assez malins pour s'en être rendu compte.

«As-tu vu Lili Markgraf dernièrement?» demanda Werner.

Elle avait été leur petite amie à tous les deux à des périodes différentes du passé. Depuis, Volodia l'avait recrutée. Elle avait appris à chiffrer et déchiffrer les messages en code de l'armée Rouge. Mais Volodia ne voulait pas encore en parler à Werner. «Je ne l'ai pas vue depuis un moment, mentit-il. Et toi?»

Werner secoua la tête. «Mon cœur appartient à quelqu'un d'autre.» Il avait l'air tout intimidé en disant cela. Il était peut-être ennuyé de démentir sa réputation de tombeur. «À part ça, tu voulais me voir pourquoi?

« — Nous avons reçu une information fracassante. Une nouvelle qui va changer le cours de l'histoire... si elle est vraie. »

Werner parut sceptique.

Volodia continua : « Une source nous a appris que l'Allemagne avait l'intention d'envahir l'Union soviétique en juin. » Rien que de le dire, il en frissonnait encore. Cela représentait une grande victoire des services de renseignement de l'armée Rouge et une terrible menace pour l'URSS.

Werner repoussa de son front une mèche de cheveux, un geste qui avait dû faire battre bien des cœurs féminins. « Une source fiable ? » demanda-t-il.

Il s'agissait d'un journaliste en poste à Tokyo, qui avait l'oreille de l'ambassadeur d'Allemagne tout en étant secrètement communiste. Tout ce qu'il avait rapporté jusqu'à ce jour s'était vérifié. Mais Volodia ne pouvait raconter tout cela à Werner. « Fiable, répondit-il simplement.

— Donc, tu y crois ? »

Volodia hésita. C'était tout le problème. Staline n'y croyait pas. Il y voyait une manœuvre de désinformation des Alliés destinée à semer la défiance entre Hitler et lui. Le scepticisme de Staline à l'égard de ce coup de maître du Renseignement avait consterné les supérieurs de Volodia, rendant leur joie amère. « Nous vérifions encore », dit-il.

Werner regarda les arbres du cimetière qui se couvraient de leurs premières feuilles. « J'espère de toute mon âme que c'est vrai, déclara-t-il avec une ferveur soudaine. Ce serait la fin de ces maudits nazis.

— Oui. Si l'armée Rouge est prête. »

Werner lui jeta un regard surpris. « Vous n'êtes pas prêts ? »

Cette fois encore, Volodia ne pouvait lui dévoiler toute la vérité. Staline était persuadé que les Allemands n'attaqueraient pas tant qu'ils ne seraient pas venus à bout des Britanniques, pour éviter de mener la guerre sur deux fronts. Aussi longtemps que la Grande-Bretagne continuerait à défier l'Allemagne, l'Union soviétique serait en sécurité, selon lui. En conséquence, l'armée Rouge n'était absolument pas en état d'affronter une invasion allemande.

« Nous *serons* prêts, assura Volodia, si tu peux m'apporter la confirmation de ce projet d'invasion. »

Il ne put s'empêcher de savourer l'importance du moment. Son espion pouvait jouer un rôle capital.

«Malheureusement, je ne peux pas t'aider», murmura Werner.

Volodia se rembrunit. «Comment ça?

— Je ne peux t'apporter ni la confirmation de cette information ni quoi que ce soit d'autre. Je suis sur le point de me faire virer du ministère de l'Air. Je serai sans doute envoyé en France, ou, si tes informations sont exactes, sur le front soviétique.»

Volodia fut horrifié. Werner était son meilleur agent. C'était grâce à ses informations qu'il avait été promu capitaine. Le souffle coupé, il demanda : «Bon sang, mais qu'est-ce qui s'est passé?

— Mon frère est mort dans un établissement médical, en même temps que le filleul de ma petite amie. Et nous posons trop de questions.

— Pourquoi serais-tu renvoyé à cause de ça?

— Les nazis exterminent les infirmes mais c'est un programme secret.»

Volodia en oublia un instant sa mission. «Quoi? Ils les tuent purement et simplement?

— Ça m'en a tout l'air. Nous n'avons pas encore tous les détails. Mais s'ils n'avaient rien à cacher, ils ne s'en prendraient pas à nous, moi et d'autres, parce que nous cherchons à nous informer.

— Quel âge avait ton frère?

— Quinze ans.

— Bon sang! C'était encore un gosse!

— Ils ne s'en tireront pas comme ça. Je refuse de la fermer.»

Ils s'arrêtèrent devant la tombe de Manfred Richthoffen, l'as de l'aviation. C'était une immense dalle de deux mètres de haut sur deux fois autant de large. Un seul mot y était gravé en majuscules : RICHTHOFFEN. Volodia trouvait cette simplicité particulièrement émouvante.

Il essaya de reprendre ses esprits. Après tout, la police secrète soviétique tuait des gens elle aussi, en particulier ceux qu'elle soupçonnait de déloyauté. Le chef du NKVD, Lavrenti Beria, était un tortionnaire dont le passe-temps préféré, selon la rumeur, consistait à envoyer ses hommes enlever deux ou trois jolies filles dans la rue pour qu'il puisse les violer en guise de distraction nocturne. Cependant, l'idée que les communistes puissent être aussi barbares que les nazis n'était pas une consolation. Un jour, les Soviétiques se débarrasseraient de Beria et de ses semblables pour bâtir le vrai communisme. Mais avant, il fallait vaincre les nazis.

Ils atteignirent le bord du canal et restèrent là, à regarder une péniche avancer lentement sur l'eau en crachant une fumée noire de suie. Volodia réfléchissait à l'inquiétant aveu de Werner. «Qu'arriverait-il si tu cessais d'enquêter sur ces morts d'enfants? demanda-t-il.

— Je perdrais ma petite amie. Elle est aussi révoltée que moi par cette affaire.»

Volodia songea tout à coup avec effroi que Werner risquait de révéler la vérité à cette fille. «Tu ne pourrais évidemment pas lui avouer la vraie raison de ce revirement», dit-il catégoriquement.

Werner accusa le coup mais ne protesta pas.

Volodia n'ignorait pas qu'en persuadant Werner d'abandonner ce combat, il aiderait les nazis à dissimuler leurs crimes. Il écarta cette idée embarrassante. «Tu pourrais conserver ton poste auprès du général Dorn si tu promettais de laisser tomber cette affaire?

— Oui. C'est ce qu'ils veulent. Mais je ne vais quand même pas les laisser assassiner mon frère sans rien dire! Qu'ils m'envoient au front si ça leur chante, je ne me tairai pas.

— Que feront-ils à ton avis quand ils auront compris que tu ne céderas pas?

— Ils m'enverront dans un camp de détention.

— Et qu'est-ce que tu y gagneras?

— Je ne peux pas me laisser bâillonner dans une affaire pareille!»

Il fallait que Volodia rallie Werner à son point de vue, mais comment lui faire entendre raison? Werner avait réponse à tout. Ce type était remarquablement intelligent. C'était bien ce qui en faisait un espion aussi précieux.

«Et les autres? demanda Volodia.

— Quels autres?

— Il doit bien y avoir des milliers d'autres infirmes, enfants et adultes. Les nazis vont les tuer, eux aussi?

— Probablement.

— Et comment comptes-tu les en empêcher si tu es dans un camp de détention?»

Pour la première fois, Werner resta coi.

Volodia se détourna du canal pour scruter le cimetière. Un jeune homme en costume était agenouillé devant une petite pierre tombale. Les surveillait-il? Volodia l'observa attentivement. L'homme était secoué de sanglots. Il paraissait sincère. Les agents du contre-espionnage n'étaient pas d'aussi bons acteurs.

« Regarde-le, dit Volodia à Werner.

— Pourquoi?

— Il est triste. Comme toi.

— Et alors?

— Regarde.»

Au bout d'un moment, l'homme se leva, s'essuya les yeux avec un mouchoir et s'en alla.

Volodia commenta : «Maintenant, il est soulagé. Voilà à quoi ça sert de donner libre cours à sa peine. Ça ne change rien. Mais ça permet de se sentir mieux.»

Il se tourna vers Werner et le regarda droit dans les yeux. «Je ne te critique pas. Tu veux savoir la vérité et la crier haut et fort. Mais réfléchis, essaie d'être logique. La seule manière de mettre fin à cette horreur, c'est de faire tomber ce régime. Et la seule manière d'y parvenir, c'est de permettre à l'armée Rouge d'écraser les nazis.

— Peut-être.»

Werner commençait à fléchir et Volodia reprit espoir. «Peut-être? reprit-il. Tu vois une autre solution, toi? Les Anglais sont à genoux, bombardés jour et nuit par la Luftwaffe. Les Américains ne s'intéressent pas aux chamailleries européennes. Et tous les autres soutiennent les fascistes.» Il posa les deux mains sur les épaules de Werner. «L'armée Rouge est ton seul espoir, mon ami. Si nous perdons, les nazis continueront à tuer les enfants infirmes, et les Juifs, et les communistes, et les homosexuels. Leur sang continuera à couler pendant mille ans encore.

— Et merde, capitula Werner. Tu as raison.»

7.

Le dimanche, Carla se rendit au temple avec sa mère. Maud était folle d'angoisse depuis l'arrestation de Walter et cherchait désespérément à savoir où on l'avait emmené. Évidemment, la Gestapo refusait de donner la moindre information. Mais le temple du pasteur Ochs était un lieu bien fréquenté, où se pressaient les habitants des quartiers huppés et qui comptait parmi ses fidèles quelques personnages importants dont certains pourraient se renseigner.

Carla courba la tête et pria pour que son père ne soit ni battu ni torturé. Elle ne croyait pas vraiment aux vertus de la prière, mais du fond de son désespoir, elle était prête à tout essayer.

Elle remarqua avec plaisir la famille Franck, assise quelques rangs plus haut. Elle contempla le dos de Werner. Ses cheveux bouclaient légèrement sur sa nuque, contrairement à ceux de la plupart des hommes qui les portaient très courts. Elle avait effleuré ce cou, embrassé cette gorge. Il était adorable. C'était certainement le plus gentil de tous les garçons qui l'avaient embrassée. Tous les soirs, avant de s'endormir, elle revivait en pensée leur soirée dans la forêt de Grünewald.

Mais elle n'était pas amoureuse de lui, se dit-elle.

Pas encore.

Le pasteur Ochs fit son entrée ; c'était un homme brisé. Le changement était impressionnant. Il s'avança lentement vers le lutrin, la tête basse et les épaules voûtées, suscitant des murmures consternés dans l'assemblée. Il récita les prières d'une voix terne et lut son sermon dans un livre. Il y avait maintenant deux ans que Carla était infirmière. Elle reconnut immédiatement les symptômes de la dépression. Elle en déduisit qu'il avait, lui aussi, reçu la visite de la Gestapo.

Frau Ochs et leurs cinq enfants n'étaient pas à leur place habituelle, au premier rang.

En entonnant le chant final, Carla se promit de ne pas renoncer, quelle que soit sa peur. Elle avait encore des alliés : Frieda, Werner et Heinrich. Et pourtant, que pouvaient-ils faire ?

Elle aurait voulu avoir des preuves irréfutables des atrocités que commettaient les nazis. Elle était persuadée qu'ils avaient entrepris d'exterminer les personnes déficientes. Ces descentes de la Gestapo le confirmaient. Mais comment convaincre autrui sans preuves concrètes?

Comment se procurer celles-ci?

À la fin de l'office, elle sortit avec Frieda et Werner, les attira à l'écart et leur dit : «Il nous faut des preuves de ce qui se passe.»

Frieda comprit tout de suite. «Nous devrions aller à Akelberg, suggéra-t-elle. Visiter cet hôpital.»

Werner l'avait proposé dès le début, mais ils avaient décidé de commencer leurs recherches à Berlin. Carla considérait maintenant l'idée sous un nouveau jour. «Il nous faut des autorisations pour voyager.

— Comment les obtenir?»

Carla claqua dans ses doigts. «Nous appartenons toutes les deux au club cycliste Mercury. Ils peuvent obtenir des laissez-passer pour des excursions à bicyclette.» C'était le genre d'activités qui plaisait aux nazis, convaincus qu'une jeunesse saine devait aimer le sport et la nature.

«Tu crois qu'on pourra entrer dans l'hôpital?

— On peut toujours essayer.

— Vous feriez mieux de laisser tomber», intervint Werner.

Carla n'en revint pas. «Qu'est-ce que tu veux dire?

— Le pasteur Ochs a manifestement été terrorisé. C'est une affaire très dangereuse. Vous pourriez être jetées en prison, torturées. Et ça ne fera revenir ni Axel ni Kurt.»

Elle le regarda, incrédule. «Tu veux qu'on renonce?

— Vous n'avez pas le choix. Vous parlez comme si l'Allemagne était un pays libre! Vous allez vous faire tuer, toutes les deux.

— Nous devons prendre le risque, répliqua Carla, furieuse.

— Alors laissez-moi en dehors de tout ça. J'ai eu la visite de la Gestapo, moi aussi.»

La colère de Carla se transforma aussitôt en inquiétude. «Oh, Werner... qu'est-ce qui s'est passé?

— Rien que des menaces, pour le moment. Mais si je continue à poser des questions, je serai envoyé au front.

— Oh, Dieu merci. Si ce n'est que ça!

— Ce n'est pas tellement réjouissant, tu sais.»

Les filles se turent un moment, puis Frieda exprima tout haut ce que Carla pensait tout bas. «C'est tout de même plus important que ton poste, non?

« — Je ne te permets pas de me donner de leçons », rétorqua Werner. Carla prit conscience que sous sa colère apparente perçait la honte. « Ce n'est pas votre carrière qui est en jeu, reprit-il. Et vous n'avez pas encore eu affaire à la Gestapo. »

Carla était déconcertée. Elle croyait connaître Werner et n'avait pas douté un instant qu'il envisagerait les choses sous le même angle qu'elle. « En fait, si, j'ai eu affaire à eux, murmura-t-elle. Ils sont venus arrêter mon père. »

Frieda fut effarée. « Oh, Carla ! » Elle la prit dans ses bras.

« Nous n'arrivons pas à savoir où il est », ajouta Carla.

Werner ne manifesta aucune compassion. « Dans ce cas, tu devrais avoir compris ! C'est toi qu'ils auraient dû arrêter, mais le commissaire Macke s'imagine que les filles ne sont pas dangereuses. »

Carla avait envie de pleurer. Elle était sur le point de tomber amoureuse de Werner et voilà qu'elle découvrait un lâche.

« Tu veux dire que tu ne nous aideras pas, c'est ça ? demanda Frieda.

— Oui.

— Parce que tu veux garder ton poste ?

— Ça ne sert à rien. Vous ne pouvez rien contre eux ! »

Carla lui en voulait de sa veulerie et de son défaitisme. « Tu ne peux quand même pas laisser faire ça !

— C'est idiot d'essayer de s'opposer à eux de front. Il y a d'autres moyens de lutter contre eux.

— Et lesquels ? demanda Carla. En ralentissant notre rythme de travail, comme le proposent les tracts ? Ça ne les empêchera pas de continuer à tuer les enfants déficients !

— Ce que vous voulez faire est suicidaire !

— Parce qu'il vaut mieux être lâche ?

— Je refuse d'être jugé par deux gamines ! » Sur ces mots, il s'éloigna.

Carla retint ses larmes. Elle n'allait tout de même pas pleurer devant les deux cents fidèles rassemblés au soleil devant le temple. « Je n'aurais jamais cru qu'il était comme ça », murmura-t-elle.

Frieda était perplexe, elle aussi. « Il n'est *pas* comme ça, affirma-t-elle. Je le connais depuis toujours. Il y a autre chose, quelque chose qu'il ne nous dit pas. »

La mère de Carla s'approcha. Elle ne remarqua pas le désarroi de sa fille, ce qui ne lui ressemblait pas. « Personne ne sait rien! soupira-t-elle d'un air découragé. Je n'arrive pas à avoir d'informations sur l'endroit où ils ont pu emmener ton père.

— On va continuer à chercher, dit Carla. Il n'avait pas des amis à l'ambassade américaine?

— Des connaissances. Je leur ai déjà posé la question, mais personne ne sait rien.

— On leur redemandera demain.

— Oh, Seigneur, je suppose qu'il y a des millions de femmes en Allemagne dans la même situation que moi. »

Carla hocha la tête.

« Rentrons, Mutti. »

Elles repartirent en marchant lentement, silencieuses, plongées dans leurs pensées. Carla était furieuse contre Werner, et s'en voulait de s'être fait une fausse idée de lui. Comment avait-elle pu s'amouracher d'une telle lavette?

Elles arrivèrent dans leur rue. « J'irai à l'ambassade américaine dans la matinée, déclara Maud en se dirigeant vers leur maison. J'attendrai dans le hall la journée entière s'il le faut. Je les supplierai de faire quelque chose. S'ils veulent, ils peuvent lancer une enquête semi-officielle pour rechercher le beau-frère d'un ministre du gouvernement britannique. Oh! Mais pourquoi la porte est-elle ouverte? »

Carla crut tout d'abord que la Gestapo était revenue. Mais il n'y avait pas de voiture noire rangée le long du trottoir. Et la clé de la porte dépassait de la serrure.

Maud entra dans le vestibule et poussa un cri.

Carla se précipita.

Un homme gisait sur le sol, baignant dans son sang.

Carla réussit à retenir un cri. « Qui est-ce? »

Maud s'agenouilla près de l'homme. « Walter, murmura-t-elle. Oh, Walter, qu'est-ce qu'ils t'ont fait? »

C'est alors que Carla reconnut son père, si gravement blessé qu'il en était méconnaissable. Il avait un œil fermé, sa bouche enflée n'était qu'un énorme hématome et ses cheveux étaient collés par le sang coagulé. Un de ses bras formait un angle bizarre. Le devant de sa veste était maculé de vomissures.

« Walter, parle-moi, parle-moi », gémissait Maud.

Il ouvrit la bouche et émit une sorte de grognement.

Carla réprima son angoisse en retrouvant ses réflexes professionnels. Elle alla chercher un coussin et le cala sous la tête de son père. Elle prit un verre d'eau dans la cuisine et lui en versa un peu sur les lèvres. Il avala et ouvrit la bouche pour en réclamer davantage. Quand elle jugea que c'était suffisant, elle alla dans son bureau chercher un flacon de schnaps et lui en donna quelques gouttes. Il déglutit et toussa.

« Je vais chercher le docteur Rothmann, dit-elle. Lave-lui le visage et donne-lui encore un peu à boire. Surtout, n'essaie pas de le déplacer.

— Oui, oui. Dépêche-toi ! » supplia Maud.

Carla sortit sa bicyclette et s'élança. Le docteur Rothmann n'avait plus le droit d'exercer mais il soignait encore clandestinement les plus pauvres.

Carla pédala comme une furie. Comment son père était-il revenu ? On avait dû le ramener en voiture et il avait réussi à se traîner du trottoir jusqu'à la maison pour s'effondrer dans l'entrée.

Elle arriva devant la maison du médecin. Comme la leur, elle était en piteux état. Les carreaux avaient été cassés par des brutes. Frau Rothmann lui ouvrit. « Mon père a été battu, haleta Carla. La Gestapo.

— Mon mari va y aller. » Frau Rothmann se tourna vers l'escalier et cria : « Isaac ! »

Le médecin descendit aussitôt.

« C'est Herr von Ulrich », lui dit sa femme.

Le médecin saisit un cabas en toile posé près de la porte. Comme il n'était pas autorisé à exercer, il ne pouvait pas se promener avec une sacoche ressemblant à celle d'un médecin.

Ils sortirent de la maison.

« Je vous précède à bicyclette », lui dit Carla.

Quand elle arriva, elle trouva sa mère assise en pleurs sur le pas de la porte.

« Le docteur sera là dans une minute, annonça-t-elle.

— C'est trop tard, murmura Maud. Ton père est mort. »

8.

Volodia se retrouva devant le grand magasin Wertheim, tout près de l'Alexanderplatz, à deux heures et demie de l'aprèsmidi. Il arpenta plusieurs fois le trottoir, à l'affût d'individus susceptibles d'être des policiers en civil. Il était certain de ne pas avoir été suivi, pourtant il n'était pas impossible qu'un agent de la Gestapo l'ait reconnu en passant et se soit demandé ce qu'il faisait là. Les lieux très fréquentés permettaient de se fondre dans la foule, mais n'étaient jamais parfaitement sûrs.

Cette histoire d'invasion était-elle vraie ? Si c'était le cas, Volodia ne resterait plus longtemps à Berlin. Il dirait adieu à ses bonnes amies Gerda et Sabine et serait sans doute renvoyé au siège des services de renseignement de l'armée Rouge à Moscou. Il était impatient de retrouver les siens. Sa sœur Ania avait eu des jumeaux en son absence. Et un peu de repos ne serait pas pour lui déplaire. Ses activités clandestines le soumettaient à une tension permanente : semer les hommes de la Gestapo, organiser des rendez-vous secrets, recruter des agents et redouter la trahison. Une année ou deux au siège seraient les bienvenues, en admettant que l'Union soviétique survive jusque-là... Il pourrait aussi être affecté à l'étranger. Washington le tentait bien. Il avait toujours eu envie de voir l'Amérique.

Il sortit de sa poche une boulette de papier qu'il jeta dans une poubelle. À trois heures moins une, il alluma une cigarette, alors qu'il ne fumait pas. Il laissa soigneusement tomber l'allumette dans la poubelle de manière qu'elle atterrisse à proximité de la boulette de papier. Puis il s'éloigna.

Quelques secondes plus tard, une voix cria « Au feu ! ».

Alors que tout le monde regardait les flammes qui s'élevaient de la poubelle, un taxi, une Mercedes 260D noire, s'arrêta devant l'entrée du magasin. Un élégant jeune homme en uniforme de lieutenant de l'armée de l'air en sortit prestement. Pendant que le jeune officier payait le taxi, Volodia monta dans la voiture et claqua la porte.

Sur le sol du taxi, à un endroit invisible du chauffeur, gisait un exemplaire du *Neues Volk*, la revue de propagande raciste des nazis. Volodia le ramassa, mais ne le lut pas.

« Un imbécile a mis le feu à une poubelle, remarqua le chauffeur du taxi.

— Hôtel Adlon », dit Volodia et le taxi démarra.

Il feuilleta le magazine et vérifia qu'une enveloppe brune y était bien dissimulée.

Malgré son impatience il ne l'ouvrit pas.

Il descendit du taxi devant l'hôtel sans y entrer. Au lieu de cela, il franchit la porte de Brandebourg et pénétra dans le parc. Les arbres arboraient un feuillage tout neuf. Cet après-midi de printemps était doux et les promeneurs nombreux.

La revue lui brûlait les doigts. Il trouva un banc abrité des regards et s'assit.

En se cachant derrière le magazine déployé, il décacheta l'enveloppe. Il en tira un document, un carbone sur lequel le texte dactylographié était estompé, mais lisible. Il était intitulé :

Directive n° 21 : Opération Barbarossa

Frédéric Barberousse était l'empereur germanique qui avait mené la troisième croisade en 1189.

Le texte commençait ainsi : *La Wehrmacht allemande doit se préparer à écraser la Russie soviétique au cours d'une campagne rapide, avant même la fin de la guerre contre l'Angleterre.*

Volodia retint son souffle. C'était de la dynamite. L'espion de Tokyo avait eu raison et Staline tort. L'Union soviétique courait un grave danger.

Le cœur battant, Volodia se reporta à la fin du document. Il était signé *Adolf Hitler.*

Il balaya les pages du regard à la recherche d'une date. Il en trouva une. L'invasion était prévue pour le 15 mai 1941.

La date était accompagnée d'une note manuscrite de Werner Franck : *Repoussée au 22 juin.*

«Oh, bon sang, il l'a fait, dit Volodia tout haut. Il a eu confirmation de l'invasion.»

Il remit le document dans l'enveloppe et celle-ci à l'intérieur de la revue.

Voilà qui changeait tout.

Il se leva et repartit en direction de l'ambassade soviétique pour transmettre cette information capitale.

9.

Comme il n'y avait pas de gare à Akelberg, Carla et Frieda descendirent à l'arrêt le plus proche, à une quinzaine de kilomètres, et enfourchèrent leurs bicyclettes.

Elles étaient en short, pull et sandales plates et avaient natté leurs cheveux en tresses relevées sur la tête. Elles avaient l'air de membres du Bund Deutscher Mädel ou BDM, l'association des jeunes Allemandes, qui organisait de nombreuses sorties à vélo. Quant à savoir si ces jeunes filles faisaient autre chose que pédaler – en particulier au cours des soirées dans les hôtels inconfortables où elles séjournaient –, la question donnait lieu à toutes sortes de supputations. Les garçons prétendaient que BDM signifiait *Bubi drück mich*, chéri, pelote-moi.

Carla et Frieda consultèrent leur carte et prirent la direction d'Akelberg.

Carla pensait à son père à chaque heure du jour. Elle savait qu'elle n'oublierait jamais l'instant abominable où elle l'avait découvert battu à mort et agonisant. Elle avait pleuré pendant des jours. Mais sa peine s'accompagnait d'un autre sentiment : la colère. Elle n'allait certainement pas laisser la tristesse l'anéantir. Elle réagirait.

Éperdue de chagrin, Maud avait d'abord tenté de dissuader Carla d'aller à Akelberg. « Mon mari est mort, mon fils est à l'armée, je ne veux pas que ma fille mette sa vie en danger, elle aussi ! » avait-elle gémi.

Après l'enterrement de son père, quand le choc et l'horreur avaient fait place à une douleur plus sourde et plus profonde, Carla lui avait demandé ce qu'aurait souhaité Walter. Maud avait longuement réfléchi. Elle avait attendu le lendemain pour lui donner sa réponse : « Il aurait voulu que tu continues la lutte. »

Il n'était pas facile pour Maud de l'admettre, mais elles savaient toutes les deux que c'était vrai.

Frieda n'avait pas eu de discussion de ce genre avec ses parents. Sa mère, Monika, avait aimé Walter autrefois. Elle était bouleversée par sa mort. Mais elle aurait été épouvantée si elle avait su ce que projetait sa fille. Son père, Ludi, l'aurait enfermée à la cave. Ils pensaient qu'elle était partie en randonnée à bicyclette. Au pire, ils pouvaient soupçonner qu'elle était allée retrouver un petit ami peu recommandable.

La route traversait un paysage vallonné, mais elles étaient en forme et une heure plus tard, après une dernière descente, elles arrivèrent dans la petite ville d'Akelberg. Carla était angoissée à l'idée de s'engager en territoire ennemi.

Elles entrèrent dans un café. Il n'y avait pas de Coca. « On n'est pas à Berlin, ici ! » protesta la femme debout derrière le comptoir, avec la même indignation que si elles avaient demandé à ce qu'un orchestre leur donne la sérénade. Carla se demanda pourquoi quelqu'un qui détestait manifestement les étrangers tenait un café.

On leur servit des Fanta, une boisson allemande, et elles en profitèrent pour remplir leurs gourdes d'eau.

Elles ne connaissaient pas l'emplacement exact de l'hôpital. Elles devraient se renseigner, mais Carla craignait d'éveiller les soupçons. Les nazis du lieu pourraient s'intéresser à deux inconnues trop curieuses. Au moment de payer, Carla demanda : «Nous devons retrouver le reste du groupe au croisement, près de l'hôpital. C'est dans quelle direction?»

La tenancière évita son regard. «Il n'y a pas d'hôpital ici.

— L'Institut médical d'Akelberg, insista Carla en citant l'entête de la lettre.

— C'est sans doute un autre Akelberg.»

Carla était sûre qu'elle mentait. «C'est bizarre, murmura-t-elle, continuant à jouer son rôle. J'espère qu'on ne s'est pas trompées d'endroit.»

Elles suivirent la rue principale. Il n'y avait pas d'autre solution, se dit Carla. Elles allaient devoir demander leur chemin.

Un vieil homme à l'air inoffensif prenait le soleil sur un banc, devant un bar. «Où se trouve l'hôpital? lui demanda Carla en dissimulant son inquiétude sous une attitude joviale.

— De l'autre côté de la ville, au sommet de la colline, à gauche. Mais n'y entrez surtout pas..., la plupart des gens n'en ressortent pas!» Il gloussa comme s'il avait dit une bonne blague.

Ses indications étaient un peu vagues, mais sans doute suffisantes. Carla décida de ne pas attirer davantage l'attention en demandant des précisions.

Une femme coiffée d'un foulard prit le vieux par le bras. «Ne faites pas attention à lui. Il ne sait pas ce qu'il dit», marmonna-t-elle, l'air ennuyée. Elle le força à se lever et s'éloigna avec lui le long du trottoir en murmurant : «Tu ferais mieux de la fermer. Tu es complètement fou!»

Apparemment, ces gens se doutaient de ce qui se passait à leur porte. Heureusement, ils préféraient se montrer revêches et dissuasifs, évitant soigneusement de se compromettre. Ils n'allaient sans doute pas courir prévenir la police ou le parti nazi.

Carla et Frieda poursuivirent leur route et tombèrent sur l'auberge de jeunesse. Il existait des milliers d'établissements de ce genre en Allemagne, destinés à héberger le type de clients dont elles prétendaient faire partie : des jeunes, sains, vigoureux et sportifs en vacances dans la nature. Elles s'inscrivirent pour la nuit. L'installation, constituée de lits superposés à trois étages, était rudimentaire mais ce n'était pas cher.

L'après-midi était déjà bien avancé quand elles sortirent de la ville. Au bout d'un kilomètre, elles aperçurent une route sur la gauche. Il n'y avait aucun panneau, mais comme elle gravissait la colline, elles la prirent.

L'inquiétude de Carla grandissait. Plus elles s'approchaient de l'hôpital, plus il deviendrait difficile de feindre l'innocence si on les interrogeait.

Un kilomètre plus loin, elles aperçurent une grande maison au milieu d'un parc. Il n'y avait ni mur d'enceinte ni clôture. La route s'achevait devant la porte. Là encore, aucun panneau.

Inconsciemment, Carla avait imaginé un château fort, perché sur une hauteur, en pierres grises sinistres, aux fenêtres défendues par des grilles et aux portes de chêne ornées de ferrures. Or elle avait devant elle une maison de campagne bavaroise aux toits pointus à double pente, avec des balcons en bois et un petit campanile. Comment croire qu'on y assassinait des enfants ? La bâtisse semblait petite pour un hôpital. Elle remarqua alors qu'on y avait ajouté une longue annexe moderne surmontée d'une haute cheminée.

Elles descendirent de leurs bicyclettes et les appuyèrent contre le mur du bâtiment. Carla avait le cœur qui battait la chamade en montant les marches menant à l'entrée. Pourquoi n'y avait-il pas de gardiens ? Parce que personne ne risquait d'avoir l'audace de tenter de visiter les lieux ?

En l'absence de sonnette ou de marteau, Carla poussa la porte, qui s'ouvrit. Elle pénétra à l'intérieur, suivie de Frieda. Elles se retrouvèrent dans une entrée dallée de pierre, aux murs nus. Plusieurs portes donnaient sur le vestibule, mais elles étaient toutes fermées. Une femme à lunettes d'un certain âge descendait un grand escalier. Elle portait une robe grise assez élégante. « Oui ? dit-elle.

— Bonjour, lança Frieda d'un ton désinvolte.

— Qu'est-ce que vous faites ici ? L'entrée est interdite. »

Frieda et Carla avaient préparé une histoire.

«Je voulais voir l'endroit où mon frère est mort, expliqua Frieda. Il avait quinze ans...

— Ce n'est pas un établissement public! s'indigna la femme en gris.

— Mais si!» Frieda, qui avait été élevée dans une famille aisée n'était pas du genre à se laisser intimider par des employés subalternes.

Une infirmière de dix-neuf ans tout au plus surgit de l'une des pièces et les dévisagea.

La femme en gris s'adressa à elle : «König, allez chercher Herr Römer immédiatement.»

L'infirmière s'exécuta.

La femme reprit : «Vous auriez dû écrire pour nous avertir de votre visite.

— Vous n'avez pas eu ma lettre? s'étonna Frieda. J'ai écrit au médecin-chef.» C'était parfaitement faux. Frieda improvisait.

«Nous n'avons rien reçu de ce genre!» Pour elle, il était évident qu'une requête aussi extravagante ne serait pas passée inaperçue.

Carla tendait l'oreille. L'endroit était étrangement silencieux. Elle avait eu affaire à des patients, enfants ou adultes, atteints d'infirmités physiques et mentales. Ils étaient en général bruyants. Même à travers ces portes, elle aurait dû entendre des cris, des rires, des pleurs, des protestations, des discours délirants. Rien. Aucun bruit. On se serait cru dans une morgue.

Frieda tenta une nouvelle approche. «Peut-être pourriez-vous me dire où se trouve la tombe de mon frère? J'aurais bien voulu m'y recueillir.

— Il n'y a pas de tombes. Nous avons un four...» Elle s'interrompit et se reprit immédiatement. «Un crématorium.

— J'ai remarqué la cheminée», acquiesça Carla.

Frieda continua : «Où sont les cendres de mon frère?

— Elles vous seront envoyées en temps utile.

— Faites bien attention à ne pas les mélanger avec d'autres, n'est-ce pas?»

La femme en gris rougit. Carla en déduisit que c'était ce qu'ils faisaient, convaincus que personne ne viendrait les réclamer.

L'infirmière König reparut, suivie d'un homme trapu portant une tenue blanche d'infirmier.

« Ah, Römer, dit la femme. Veuillez raccompagner ces demoiselles.

— Une minute, intervint Frieda. Êtes-vous sûre de réagir comme il convient ? Je voulais simplement voir l'endroit où mon frère est mort.

— Parfaitement sûre.

— Dans ce cas, vous ne verrez pas d'inconvénient à m'indiquer votre nom. »

Elle eut une seconde d'hésitation. « Frau Schmidt. Maintenant, veuillez nous laisser, je vous prie. »

Römer s'avança d'un air menaçant.

« Nous partons, lança Frieda d'un ton glacial. Nous n'avons pas l'intention d'offrir à Herr Römer une occasion de nous malmener. »

L'homme fit demi-tour pour aller leur ouvrir la porte.

Elles sortirent, remontèrent sur leurs bicyclettes et reprirent la route.

« Tu crois qu'elle a avalé notre histoire ? demanda Frieda.

— Mais oui. Elle ne nous a même pas demandé nos noms. Si elle avait soupçonné la vérité, elle aurait tout de suite appelé la police.

— Malheureusement, nous n'avons pas appris grand-chose. Nous avons vu la cheminée. Mais nous n'avons toujours pas l'ombre d'une preuve. »

Carla était elle aussi un peu dépitée par l'échec de leur enquête.

Elles retournèrent à l'auberge de jeunesse, firent leur toilette, se changèrent et ressortirent pour trouver un endroit où manger. Le seul café-restaurant était celui de la tenancière revêche. Elles prirent des saucisses accompagnées de galettes de pommes de terre avant de se rendre au bar de la ville. Elles commandèrent des bières et essayèrent d'engager la conversation avec les autres clients, mais personne ne voulait leur parler. Ce silence leur parut suspect. Bien sûr, tout le monde se méfiait des étrangers, qui pouvaient être des mouchards de la police. Tout de même, Carla se demandait s'il existait beaucoup de villes dans lesquelles deux jeunes filles pouvaient passer une heure dans un bar sans se faire aborder.

Ayant décidé de se coucher tôt, elles regagnèrent l'auberge. Carla ne voyait pas ce qu'elles auraient pu faire d'autre. Elles rentreraient le lendemain chez elles les mains vides. Comment accepter d'être au courant de ces horribles meurtres et de ne rien pouvoir faire pour les empêcher ? Elle était tellement frustrée qu'elle en aurait hurlé.

Elle s'avisa soudain que Frau Schmidt – si c'était vraiment son nom – risquait de s'interroger sur ses visiteuses après coup. Sur le moment, elle avait pris Carla et Frieda pour ce qu'elles disaient être, mais elle pouvait parfaitement avoir eu des doutes et avoir appelé la police par acquis de conscience. Dans ce cas, elles ne seraient pas difficiles à trouver. Il n'y avait que cinq personnes à l'auberge et elles étaient les seules filles. Elle attendit, l'oreille aux aguets, le coup fatal frappé à la porte.

Si on les interrogeait, elles diraient une partie de la vérité, que le frère de Frieda et le filleul de Carla étaient morts à Akelberg et qu'elles avaient voulu voir leur tombe, ou au moins l'endroit où ils étaient morts pour y passer quelques minutes, en guise de commémoration. La police s'en contenterait peut-être. En revanche, si elle prenait la peine de vérifier auprès de la police berlinoise, elle ne tarderait pas à faire le lien avec Walter von Ulrich et Werner Franck, deux hommes qui avaient eu maille à partir avec la Gestapo pour avoir posé trop de questions. Carla et Frieda seraient alors en mauvaise posture.

Comme elles s'apprêtaient à se coucher dans les lits superposés à l'air peu accueillant, on frappa à la porte.

Le cœur de Carla fit un bond dans sa poitrine. Elle songea à ce que la Gestapo avait fait à son père. Elle savait qu'elle ne résisterait pas à la torture. Elle ne mettrait pas deux minutes à dénoncer tous les swing kids qu'elle connaissait.

Frieda, qui avait moins d'imagination, lui dit : « Ne fais pas cette tête ! » Et elle ouvrit la porte.

Ce n'était pas la Gestapo, mais une jolie fille blonde et menue. Carla mit un moment à reconnaître l'infirmière König sans son uniforme.

« Il faut que je vous parle », murmura-t-elle. Elle était bouleversée, essoufflée et avait les larmes aux yeux.

Frieda l'invita à entrer. Elle s'assit sur un lit et essuya ses yeux avec sa manche. « Je ne peux plus garder ça pour moi », poursuivit-elle.

Carla croisa le regard de Frieda. Elles pensaient la même chose.

« Garder quoi pour vous, Fräulein König ? demanda Carla.

— Je m'appelle Ilse.

« — Moi, c'est Carla et elle, c'est Frieda. De quoi veux-tu parler, Ilse ? »

Sa voix était si basse qu'elles l'entendirent à peine. « Nous les tuons. »

Carla avait le souffle court et les mots franchirent difficilement ses lèvres : « À l'hôpital ? »

Ilse hocha la tête. « Ces pauvres gens qui arrivent dans les autocars gris. Des enfants, parfois des bébés, et puis des vieux, des grands-mères. Ils sont tous plus ou moins infirmes. Certains sont affreux à regarder, ils bavent, ils font sous eux, mais ils n'y peuvent rien. D'autres sont adorables et complètement inoffensifs. Peu importe... nous les tuons, tous.

— Comment faites-vous ?

— Une injection d'un mélange de morphine et de scopolamine. »

Carla hocha la tête. C'était un anesthésique courant, mortel à trop fortes doses.

« Et le traitement spécial qu'ils sont censés recevoir ?

— Il n'y a pas de traitement spécial.

— Ilse, soyons bien claires. Est-ce qu'ils tuent tous les patients qui arrivent ?

— Tous.

— Dès leur arrivée ?

— Dans les vingt-quatre heures, quarante-huit tout au plus. »

C'était bien ce que soupçonnait Carla, mais la réalité brute n'en était pas moins terrifiante. Elle en avait la nausée.

Après un instant de silence, elle reprit : « Il y a des patients là-bas en ce moment ?

— Pas de vivants. Nous avons administré les injections cet après-midi. C'est pour ça que Frau Schmidt était dans tous ses états quand vous êtes arrivées.

— Pourquoi ne font-ils rien pour dissuader les curieux d'entrer ?

— Ils se disent que si l'hôpital est gardé et entouré de barbelés, tout le monde se doutera qu'il s'y passe des choses terribles. D'ailleurs, vous êtes les premières à avoir cherché à y entrer.

— Combien de personnes sont mortes aujourd'hui ?

— Cinquante-deux. »

Carla en eut la chair de poule. « L'hôpital a mis à mort cinquante-deux personnes cet après-midi, à peu près au moment où nous y étions ?

— Oui.

— Ils sont tous morts maintenant ? »

Ilse hocha la tête. Une idée avait germé dans l'esprit de Carla et elle était décidée à la mettre à exécution. « Je veux voir », déclara-t-elle.

Ilse eut l'air épouvantée.

« Comment ça ?

— Je veux m'introduire dans l'hôpital et voir les cadavres.

— Ils sont déjà en train de les brûler.

— Alors je veux les voir brûler. Tu peux nous faire entrer discrètement ?

— Cette nuit ?

— Tout de suite.

— Oh, mon Dieu.

— Tu n'es pas obligée. Tu as déjà été extrêmement courageuse de venir nous parler. Si tu ne veux pas en faire plus, ça ne fait rien. Mais si nous voulons empêcher que ça continue, il nous faut un témoignage irrécusable.

— Un témoignage ?

— Oui. Tu vois, le gouvernement est embarrassé : il sait que les Allemands n'accepteraient pas qu'on tue des enfants. C'est la raison pour laquelle il garde le secret sur ce programme. Il peut faire croire aux gens que ça n'existe pas. Les nazis n'ont aucun mal à écarter une rumeur, surtout si elle vient d'une jeune fille. Voilà pourquoi nous devons constater *de visu* ce qui se passe.

— Je vois. » Une sombre détermination durcit le joli visage d'Ilse. « D'accord. Je vous emmène. »

Carla se leva. « Comment tu y vas d'habitude ?

— À bicyclette. Je l'ai laissée dehors.

— Très bien, nous prendrons aussi les nôtres. »

Elles sortirent. Il faisait sombre. Le ciel était couvert de nuages qui masquaient les étoiles. Elles allumèrent les lampes de leurs vélos pour se diriger sur la route. Arrivées en vue de l'hôpital, au sommet de la colline, elles les éteignirent et continuèrent à pied, en poussant leurs bicyclettes. Ilse les entraîna sur un chemin boisé qui rejoignait l'arrière du bâtiment.

Une odeur désagréable, comparable à celle de gaz d'échappement, parvint aux narines de Carla. Elle renifla.

Ilse murmura : « Le four crématoire.

— Oh, non ! »

Elles dissimulèrent leurs bicyclettes dans des buissons et se dirigèrent vers la porte de derrière. Elle n'était pas verrouillée. Elles entrèrent.

Les couloirs étaient inondés de lumière. Pas de recoins obscurs : le lieu était aussi brillamment éclairé que l'hôpital qu'il prétendait être. Si elles croisaient quelqu'un, on ne pourrait pas ne pas les voir. Leurs vêtements les trahiraient comme des intruses. Que feraient-elles alors? Elles fuiraient à toutes jambes, sans doute. »

Ilse suivit un couloir d'un pas vif, tourna à un angle et ouvrit une porte. « Ici », chuchota-t-elle.

Elles passèrent à l'intérieur.

Frieda poussa un cri d'horreur et plaqua sa main sur sa bouche.

Carla murmura : « Oh, ce n'est pas possible ! »

Dans une grande salle où régnait une température glaciale, une trentaine de morts gisaient, allongés sur le dos, nus, sur des tables. Certains étaient gros, d'autres maigres, certains vieux et fripés, d'autres n'étaient que des enfants, et il y avait même un bébé d'environ un an. Quelques-uns étaient tordus et contrefaits, mais la plupart semblaient physiquement normaux.

Tous portaient un sparadrap à l'avant-bras gauche, là où l'aiguille avait été plantée.

Carla entendit Frieda pleurer tout bas.

Elle prit son courage à deux mains. « Où sont les autres? demanda-t-elle doucement.

— Déjà brûlés », répondit Ilse.

Des voix s'élevèrent derrière la double porte, à l'autre extrémité de la pièce.

« Il faut filer », conseilla Ilse.

Elles s'éclipsèrent dans le couloir. Carla tira la porte derrière elles, en la laissant à peine entrouverte et regarda par l'interstice. Elle vit Herr Römer et un autre homme entrer en poussant un chariot d'hôpital.

Les hommes ne regardaient pas dans sa direction. Ils parlaient football. Römer disait : « Il n'y a que neuf ans que nous avons remporté le championnat national. On a battu l'Eintracht Francfort deux à zéro.

— Oui, mais la moitié de vos meilleurs joueurs étaient juifs et ils ne sont plus là. »

Carla comprit qu'ils parlaient de l'équipe du Bayern de Munich.

« Les beaux jours reviendront, reprit Römer, mais il faut avoir une bonne tactique. »

Tout en continuant à bavarder, les deux hommes s'approchèrent d'une table sur laquelle reposait le corps d'une femme corpulente. Ils la prirent par les genoux et les épaules et, grognant sous l'effort, la balancèrent sans cérémonie sur le chariot. Ils se dirigèrent vers une autre table et jetèrent un deuxième cadavre sur le premier. Quand ils en eurent ramassé trois, ils repartirent avec le chariot.

« Je vais les suivre », annonça Carla.

Elle traversa la morgue en direction de la double porte. Frieda et Ilse lui emboîtèrent le pas. Elles débouchèrent dans une aile du bâtiment qui paraissait plus industrielle que médicale. Les murs étaient peints en brun, le sol était en béton et on y voyait des placards de rangement et des râteliers à outils.

Au bout d'un couloir, elles découvrirent une vaste pièce qui ressemblait à un garage, éclairée d'une lumière vive projetant de grandes ombres. Il y faisait chaud et il flottait une légère odeur de cuisine. Un caisson d'acier assez grand pour contenir un moteur de voiture trônait au milieu de l'espace. Il était surmonté d'un conduit métallique qui rejoignait une ouverture percée dans le toit. Carla comprit que c'était un fourneau.

Les deux hommes soulevèrent un corps et le posèrent sur un tapis roulant. Römer se dirigea vers le mur et appuya sur un bouton. Le tapis se mit en marche, un battant du caisson s'ouvrit et le corps disparut dans le four.

Ils chargèrent le deuxième corps sur le tapis roulant.

Carla en avait assez vu.

Elle se retourna et fit signe aux autres de reculer. Frieda se heurta à Ilse qui laissa échapper un cri involontaire. Elles se figèrent.

La voix de Römer leur parvint : « Qu'est-ce que c'était ?

— Un fantôme, suggéra son acolyte.

— Ne plaisante pas avec ces choses-là ! répliqua Römer d'une voix tremblante.

— Alors, tu prends l'autre bout de ce macchabée, oui ou non ?

— Tout de suite, ça vient ! »

Les trois filles regagnèrent furtivement la morgue. Devant

tous ces corps allongés, Carla sentit monter en elle une immense tristesse en songeant au petit Kurt d'Ada. Il avait été couché là, un pansement adhésif sur le bras, avant d'être jeté sur le tapis roulant et éliminé comme un sac d'ordures. Nous ne t'oublions pas, Kurt, lui dit-elle intérieurement.

Elles repartirent par le couloir. Au moment où elles allaient atteindre la porte ouvrant sur l'extérieur, elles entendirent un bruit de pas et la voix de Frau Schmidt : « Pourquoi mettent-ils tout ce temps ? »

Elles franchirent les derniers mètres au pas de course et se précipitèrent vers la sortie. La lune s'était dégagée et éclairait le parc. Carla distinguait les buissons derrière lesquels elles avaient dissimulé leurs bicyclettes, deux cents mètres plus loin, de l'autre côté de la pelouse.

Frieda sortit la dernière. Dans sa précipitation, elle laissa la porte se refermer en claquant.

Carla évalua aussitôt la situation. Frau Schmidt chercherait sûrement à savoir d'où venait ce bruit. Elles n'auraient sans doute pas le temps d'atteindre les buissons avant qu'elle n'ouvre la porte. Elles devaient se cacher. « Par ici ! » souffla-t-elle en contournant le bâtiment en courant. Les deux autres la suivirent.

Elles s'aplatirent contre le mur. Carla entendit la porte s'ouvrir. Elle retint son souffle.

Il y eut un long silence. Puis Frau Schmidt marmonna des paroles inintelligibles et la porte se referma en claquant.

Carla glissa un œil. Frau Schmidt n'était plus en vue.

Les trois filles s'élancèrent sur la pelouse et récupérèrent leurs vélos. Elles les poussèrent sur le chemin forestier et débouchèrent sur la route. Là, elles les enfourchèrent et s'éloignèrent en pédalant comme des forcenées, lumière allumée. Carla exultait : elles s'en étaient tirées.

Peu avant de regagner la ville, son sentiment de victoire laissa place à des considérations plus réalistes. Qu'avaient-elles obtenu exactement ? Qu'allaient-elles faire maintenant ?

Raconter ce qu'elles avaient vu. Mais à qui ? Il faudrait réussir à convaincre quelqu'un. Les croirait-on ? Plus elle y pensait, moins elle en était sûre.

Quand, arrivées à l'auberge, elles descendirent de vélo, Ilse soupira : « Dieu merci, c'est fini. Je n'ai jamais eu aussi peur de ma vie.

— Ce n'est pas fini, objecta Carla.

— Que veux-tu dire?

— Ce ne sera pas fini tant que nous n'aurons pas fait fermer cet hôpital et tous ceux qui se livrent aux mêmes activités.

— Comment comptes-tu faire?

— Nous avons besoin de toi. De ton témoignage.

— C'est bien ce que je craignais.

— Accepterais-tu de venir avec nous, demain, quand nous retournerons à Berlin?»

Après un long silence, Ilse acquiesça : «Je viendrai.»

10.

Volodia Pechkov était content d'être de retour chez lui. Moscou était resplendissante sous le soleil et la chaleur de l'été. Le lundi 30 juin, il réintégra le siège du service de renseignement de l'armée Rouge près de l'aérodrome de Khodynka.

Werner Franck et l'espion de Tokyo ne s'étaient pas trompés : les troupes allemandes avaient envahi l'Union soviétique le 22 juin. Volodia, ainsi que tout le personnel de l'ambassade soviétique à Berlin étaient repartis pour Moscou, en bateau et en train. Volodia était prioritaire, ce qui lui avait permis de rentrer plus vite que les autres. Certains étaient encore en route.

Volodia se rendait compte maintenant à quel point la vie à Berlin avait été déprimante. Les nazis étaient insupportables d'autosatisfaction et de triomphalisme. On aurait dit les joueurs d'une équipe de foot victorieuse après le match, de plus en plus saouls et de plus en plus pénibles, qui refusent de rentrer chez eux. Il ne pouvait plus les voir en peinture.

Certains prétendaient que l'URSS ne valait guère mieux avec sa police secrète, son orthodoxie rigide, son puritanisme à l'égard de divertissements aussi inoffensifs que la mode ou les arts abstraits. Ils avaient tort. Le communisme était un système en cours d'édification, et quelques erreurs étaient inévitables sur la voie d'une société plus juste. Le NKVD et ses chambres de torture étaient une aberration, un cancer dont le communisme guérirait un jour. Mais sans doute pas en temps de guerre.

Anticipant le déclenchement des hostilités, Volodia avait depuis longtemps équipé ses espions berlinois de radios clandestines et de manuels de chiffrage. Il était désormais plus vital que jamais que les quelques courageux résistants au nazisme continuent à transmettre des informations aux Soviétiques. Avant de partir, il avait détruit tous les documents où apparaissaient leurs noms et leurs adresses, dont la liste n'existait plus que dans sa mémoire.

Il avait trouvé ses parents en bonne forme, bien que son père fût surchargé de travail : il avait pour mission de préparer Moscou aux raids aériens. Volodia était allé voir sa sœur, Ania, son mari, Ilia Dvorkine, et leurs jumeaux, qui avaient déjà dix-huit mois : Dimitri, surnommé Dimka, et Tatiana, surnommée Tania. Malheureusement, leur père avait toujours la même tête de fouine et restait un sale type.

Après avoir passé une agréable journée chez lui et une bonne nuit de sommeil dans son ancienne chambre, il se sentait prêt à se remettre au travail.

Il passa sous le détecteur de métaux installé à l'entrée du siège des services de renseignement. Malgré le décor triste et fonctionnel, il retrouva les escaliers et les couloirs familiers avec une pointe de nostalgie. En traversant le bâtiment, il s'attendait plus ou moins à voir les gens sortir des bureaux pour le féliciter. La plupart d'entre eux devaient savoir que c'était lui qui avait apporté la confirmation du projet Barbarossa. Pourtant, il ne vit personne. Par discrétion, peut-être.

Il entra dans une vaste salle occupée par des dactylos et des employés de bureau et s'adressa à la réceptionniste, une femme d'âge mûr : «Bonjour, Nika... toujours fidèle au poste?

— Bonjour, capitaine Pechkov, répondit-elle, d'un ton moins chaleureux qu'il ne l'avait espéré. Le colonel Lemitov va vous recevoir tout de suite.»

Comme le père de Volodia, Lemitov n'avait pas été un personnage assez important pour être victime des grandes purges des années 1930. Il avait obtenu de l'avancement depuis et occupait le poste d'un ancien supérieur moins chanceux. Volodia ne savait pas grand-chose des purges, mais il avait du mal à croire qu'autant de hauts responsables aient pu faire preuve d'une déloyauté assez grave pour mériter de telles sanctions. Il ignorait aussi en quoi consistaient celles-ci. Ils étaient peut-être exilés en Sibérie, emprisonnés quelque part, ou morts. Une seule chose était sûre : ils avaient disparu de la circulation.

Nika ajouta : «Il est maintenant dans le grand bureau, au fond du couloir principal. »

Volodia franchit la porte ouverte et suivit le couloir en adressant saluts et sourires aux têtes connues, sans arriver, là encore, à se défaire du sentiment de n'être pas reçu en héros, comme il aurait dû l'être. Il frappa à la porte de Lemitov, espérant que son supérieur lui fournirait une explication.

«Entrez. »

Volodia entra, salua et referma la porte derrière lui.

«Bienvenue au pays, camarade. » Lemitov fit le tour de son bureau. «Entre nous, tu as fait du bon travail à Berlin. Merci.

— Je suis très honoré, mon colonel. Mais pourquoi "entre nous"?

— Parce que tu as donné tort à Staline. » Il leva la main pour prévenir sa réaction. «Staline ne sait pas que ça vient de toi. Malgré tout, après les purges, les gens d'ici n'ont pas envie d'être associés à quelqu'un qui s'est écarté de la ligne.

— Qu'est-ce que j'aurais dû faire? protesta Volodia, incrédule. Envoyer de fausses informations? »

Lemitov secoua énergiquement la tête. «Tu as fait exactement ce qu'il fallait, je suis parfaitement d'accord avec toi. Et je t'ai protégé. Mais ne t'attends pas à ce que tes collègues t'accueillent à bras ouverts.

— Compris», se résigna Volodia. La situation était pire qu'il ne l'avait imaginée.

«Maintenant, au moins, tu as un bureau pour toi tout seul. Trois portes plus loin. Il va te falloir une bonne journée pour te mettre au courant. »

Volodia comprit qu'il lui donnait congé. «Oui, mon colonel. » Il salua et s'en alla.

Son bureau, une petite pièce sans tapis, n'avait rien de luxueux, mais il y était chez lui. Soucieux de regagner son pays au plus vite, il n'avait pas eu le temps de se tenir au courant de la progression de l'invasion allemande. Ravalant son amertume, il s'attela à la lecture des rapports des commandants militaires sur le terrain pendant la première semaine de la guerre.

Chaque page qu'il lisait aggravait son désespoir.

L'invasion avait pris l'armée Rouge au dépourvu.

Cela paraissait impossible, et pourtant les preuves s'étalaient sur son bureau.

Le 22 juin, quand les Allemands avaient attaqué, un grand nombre d'unités de première ligne n'avaient pas de munitions.

Ce n'était pas tout. Les avions étaient soigneusement alignés sur les aérodromes sans camouflage, ce qui avait permis à la Luftwaffe d'en détruire mille deux cents dans les premières heures de l'offensive. Les troupes avaient été lancées contre les unités allemandes sans armement suffisant, sans couverture aérienne et sans information sur les positions ennemies. Elles avaient été anéanties.

Pire encore, Staline avait donné à l'armée Rouge un ordre formel : toute retraite était interdite. Chaque unité devait se battre jusqu'au dernier de ses hommes et les officiers étaient censés se tirer une balle dans la tête pour éviter d'être faits prisonniers. Les soldats n'étaient jamais autorisés à se regrouper sur de nouvelles positions défensives mieux protégées. Autrement dit, chaque défaite tournait au massacre.

L'armée Rouge subissait une véritable hémorragie en hommes et en matériel.

Staline n'avait pas tenu compte de l'avertissement de l'espion de Tokyo ni de la confirmation apportée par Werner Franck. Quand l'offensive avait débuté, il avait continué à affirmer que ce n'était qu'une opération de provocation isolée, menée par des officiers allemands à l'insu d'Hitler, qui y mettrait fin dès qu'il en serait informé.

Le temps pour Staline d'admettre qu'il ne s'agissait pas d'une provocation mais de la plus grande campagne d'invasion de l'histoire de la guerre, les Allemands avaient écrasé les avantpostes. Au bout d'une semaine, ils avaient fait une percée de cinq cents kilomètres en territoire soviétique.

C'était une catastrophe, et elle aurait pu être évitée, ce qui donnait à Volodia envie de hurler.

L'identité du coupable ne faisait aucun doute. L'Union soviétique était une autocratie. Toutes les décisions étaient prises par une seule personne : Josef Staline. Il s'était obstinément, stupidement, tragiquement enferré dans ses propres erreurs. Et maintenant, son pays courait un danger mortel.

Jusqu'alors, Volodia avait cru que le communisme soviétique était la seule vraie idéologie, qui n'était entachée que par les excès de sa police secrète, le NKVD. Il se rendait compte maintenant que les failles se situaient tout en haut. Beria et le NKVD n'existaient que parce que Staline le voulait bien. C'était Staline qui entravait la marche vers le communisme authentique.

En fin d'après-midi, alors que Volodia contemplait par la fenêtre le terrain d'aviation en ruminant tout ce qu'il venait d'apprendre, il reçut la visite de Kamen. Ils avaient été lieutenants ensemble quatre ans plus tôt, frais émoulus de l'Académie militaire, section Renseignement, et avaient partagé une chambrée avec deux autres camarades. À cette époque, Kamen était le plaisantin de la troupe, se moquant des uns et des autres, osant tourner en dérision le dogme soviétique. Il avait pris du poids et un air plus sérieux. Il s'était laissé pousser une petite moustache noire comme celle du ministre des Affaires étrangères Molotov, peut-être pour se donner l'air plus mûr.

Kamen ferma la porte derrière lui et s'assit. Il sortit un jouet de sa poche, un petit soldat de fer-blanc muni d'une clé dans le dos. Il tourna la clé et posa le soldat sur le bureau de Volodia. Le soldat se mit à balancer les bras comme au défilé pendant que le mécanisme émettait un bruit d'horloge.

Kamen déclara tout bas : « Staline est introuvable depuis deux jours. »

Volodia comprit que le jouet était destiné à brouiller les éventuels appareils d'écoute qui pourraient être cachés dans son bureau.

« Qu'est-ce que tu entends par "introuvable"?

— On ne l'a pas vu au Kremlin et il ne répond pas au téléphone. »

Volodia était stupéfait. Le chef d'une nation ne pouvait pas disparaître comme par enchantement. « Qu'est-ce qu'il fabrique?

— Personne n'en sait rien. » Le soldat s'arrêta. Kamen le remonta et le remit en marche. « Samedi soir, quand il a appris que le groupe d'armées ouest avait été encerclé par les Allemands, il a dit : "Tout est perdu. Je renonce. Lénine a fondé notre État et nous l'avons fichu en l'air." Puis il est parti pour Kountsevo. » Staline avait une datcha à proximité de Kountsevo, une ville située à la périphérie de Moscou. « Hier, il n'est pas venu au Kremlin à midi comme à son habitude. Quand on a téléphoné à Kountsevo, personne n'a répondu. Pareil aujourd'hui. »

Volodia se pencha en avant. « Souffre-t-il... » Sa voix se perdit dans un murmure : « ... de dépression nerveuse? »

Kamen eut un geste d'impuissance. « Ce ne serait pas surprenant. Il a affirmé, contre toute évidence, que l'Allemagne ne nous attaquerait pas durant l'année 1941 et tu vois ce qui s'est passé. »

Volodia hocha la tête. Cela se tenait. Staline s'était fait appeler petit père des peuples, guide, dirigeant suprême, grand transformateur de la nature, grand timonier, génie de l'humanité, plus grand génie de tous les temps. Or les événements venaient de démontrer à tous, lui-même compris, qu'il s'était trompé quand tous les autres avaient raison. Beaucoup d'hommes se suicidaient dans de telles circonstances.

La crise était encore plus grave que Volodia ne l'avait pensé. Non seulement l'Union soviétique était attaquée et en train de perdre. En plus, elle n'était plus gouvernée. Depuis la révolution, la nation n'avait pas connu plus grand danger.

Mais n'était-ce pas en même temps une occasion à saisir ? L'occasion de se débarrasser de Staline ?

La dernière fois que Staline s'était trouvé en position de faiblesse, c'était en 1924, quand le testament de Lénine l'avait déclaré inapte au pouvoir. Depuis que Staline avait survécu à cette crise, son pouvoir semblait indestructible, même lorsque ses décisions frisaient la folie : les purges, les erreurs commises en Espagne, la nomination de Beria, un vrai sadique, à la tête de la police secrète, le pacte avec Hitler. Cette situation d'urgence offrait-elle enfin une possibilité de briser son emprise ?

Volodia dissimula sa fébrilité à Kamen et aux autres. Dans le bus qui le ramenait chez lui dans la douce lumière du soir d'été, il continua à jubiler secrètement. Ils furent ralentis par un convoi de camions remorquant des canons antiaériens.

Pouvait-on chasser Staline ?

Il se demandait combien de personnes au Kremlin se posaient la même question.

Il arriva à l'appartement de ses parents, dans la Maison du gouvernement, l'immeuble de neuf étages situé en face du Kremlin. Ils étaient sortis. En revanche, sa sœur était là avec ses deux jumeaux, Dimka et Tania. Le garçon, Dimka, avait les yeux et les cheveux noirs. Armé d'un crayon rouge, il gribouillait sur un vieux journal. Sa sœur avait le même regard bleu intense que Grigori. Et que Volodia, disaient les gens. Elle lui montra aussitôt sa poupée.

Zoïa Vorotsintseva était là, elle aussi. Volodia avait vu la ravis-

516

sante physicienne pour la dernière fois quatre ans plus tôt, juste avant de partir pour l'Espagne. Ania et elle s'étaient découvert une passion commune pour la musique folklorique russe : elles allaient ensemble à des récitals et Zoïa jouait du goudok, une sorte de violon à trois cordes. N'ayant ni l'une ni l'autre les moyens de s'acheter un phonographe, elles écoutaient un enregistrement d'orchestre de balalaïkas sur celui de Grigori. Grigori n'était pas très mélomane, mais il aimait bien ce disque.

Zoïa portait une robe d'été à manches courtes du même bleu clair que ses yeux. Quand Volodia lui posa la question conventionnelle «Comment vas-tu?» elle répondit : «Je suis furieuse.»

Les Russes avaient de nombreuses raisons d'être furieux par les temps qui couraient.

«Pourquoi?

— Mes recherches en physique nucléaire ont été annulées. Tous les scientifiques avec lesquels je travaille ont été affectés à d'autres missions. Je suis moi-même chargée d'améliorer la conception des viseurs de bombardement.»

Volodia trouvait cela assez naturel. «Nous sommes en guerre, après tout.

— Tu ne comprends pas. Écoute. Quand l'uranium subit un processus appelé fission, le phénomène dégage d'énormes quantités d'énergie. Je dis bien *énormes.* Nous le savons, tout comme les chercheurs occidentaux d'ailleurs... nous avons lu leurs articles dans des revues scientifiques.

— La question des viseurs est sans doute plus urgente.»

Zoïa répondit d'un ton irrité : «Ce processus de fission pourrait être exploité pour fabriquer des bombes cent fois plus puissantes que tout ce qui existe actuellement. Une seule explosion nucléaire suffirait à effacer Moscou de la carte. Qu'arrivera-t-il si les Allemands fabriquent cette bombe et que nous ne l'avons pas? Ce sera comme s'ils avaient des armes à feu et nous, des épées!

— Y a-t-il des raisons de penser que les scientifiques d'autres pays travaillent sur la bombe atomique?

— Nous en sommes certains. Le concept de fission conduit tout droit à l'idée de bombe. Nous y avons pensé... pourquoi pas eux? Mais il y a autre chose. Ils publiaient tous leurs résultats dans les revues scientifiques et tout à coup, il y a un an, ils ont arrêté. Il n'y a pas eu un seul article sur la fission nucléaire depuis.

— Tu crois que les responsables politiques et les généraux du monde occidental ont compris le potentiel militaire de ces recherches et ont décidé de les garder secrètes?

— Ça tombe sous le sens. Or, ici, en Union soviétique, nous n'avons même pas commencé à essayer de nous procurer de l'uranium.

— Hum.» Volodia prit l'air sceptique alors même qu'il était persuadé qu'elle avait raison. Même les plus grands admirateurs de Staline, parmi lesquels le père de Volodia, Grigori, admettaient qu'il n'était pas très versé dans les sciences. Et les autocrates ont une fâcheuse tendance à négliger ce qu'ils ne maîtrisent pas.

«J'en ai parlé à ton père, continua Zoïa. Il m'écoute, mais lui, personne ne l'écoute.

— Qu'est-ce que tu vas faire alors?

— Que veux-tu que je fasse? Mettre au point un excellent viseur pour nos aviateurs en espérant que ça suffira.»

Volodia hocha la tête. Cette attitude lui plaisait. Cette fille lui plaisait. Elle était vive et intelligente... et si jolie! Il se demanda si elle accepterait d'aller au cinéma avec lui.

Cette discussion à propos de physique lui rappela Willi Frunze, qu'il avait connu à l'Académie de garçons de Berlin. D'après Werner Franck, Willi était un brillant physicien qui poursuivait actuellement ses études à Londres. Il avait peut-être des informations sur la bombe atomique qui préoccupait tant Zoïa. S'il était resté communiste, il serait peut-être disposé à dire ce qu'il savait. Volodia décida d'envoyer un télégramme au bureau du Renseignement de l'armée Rouge à leur ambassade de Londres.

Ses parents rentrèrent enfin, son père en grand uniforme, sa mère en manteau et chapeau. Ils revenaient de l'une de ces interminables cérémonies qu'affectionnait l'armée. Staline tenait à conserver ce genre de manifestations, malgré l'invasion allemande, parce qu'elles étaient bonnes pour le moral.

Ils jouèrent un moment avec les jumeaux, mais Grigori semblait préoccupé. Il marmonna quelque chose au sujet d'un coup de téléphone urgent à donner et se retira dans son bureau. Katerina commença à préparer le dîner.

Volodia resta à bavarder avec les femmes dans la cuisine, mais il était impatient de parler à son père. Il croyait deviner l'objet de son coup de fil urgent : la question du renversement ou du maintien de Staline devait être en cours de discussion, probablement même dans ce bâtiment.

Au bout d'un moment, il décida de braver l'éventuelle colère de son père et de l'interrompre. Il demanda aux femmes de l'excuser et se dirigea vers le bureau. Son père en sortait justement. «Il faut que j'aille à Kountsevo», annonça-t-il.

Volodia mourait d'envie de savoir ce qui se passait. «Pourquoi?»

Grigori ne répondit pas. «J'ai demandé la voiture, poursuivit-il, mais mon chauffeur est rentré chez lui. Tu peux me conduire?»

Volodia était aux anges. Il n'était jamais allé à la datcha de Staline. Mieux encore, il allait s'y rendre en pleine crise.

«Allez, dépêche-toi!» s'impatienta son père.

Ils lancèrent des au revoir depuis le couloir et sortirent.

Grigori avait une ZIS 101-A, la copie soviétique de la Packard américaine, avec transmission automatique à trois vitesses. Sa vitesse de pointe était d'environ cent vingt kilomètres à l'heure. Volodia s'installa au volant et démarra.

Il traversa l'Arbat, un quartier d'intellectuels et d'artisans, et rejoignit la voie rapide qui filait vers l'ouest. «Le camarade Staline t'a convoqué? demanda-t-il à son père.

— Non. Staline est injoignable depuis deux jours.

— C'est ce que j'ai entendu dire.

— Ah bon? C'est censé être un secret.

— Ce genre de choses ne peut pas rester secret bien longtemps. Qu'est-ce qui se passe actuellement?

— Quelques-uns d'entre nous se rendent à Kountsevo pour le voir.»

Volodia posa la question clé. «Dans quel but?

— Avant tout pour vérifier s'il est encore vivant.»

Se pouvait-il qu'il soit déjà mort et que personne ne soit au courant, s'étonna Volodia. Cela paraissait peu vraisemblable. «Et s'il est encore en vie?

— Je ne sais pas. Quoi qu'il advienne, je préfère être sur place qu'en être informé plus tard.»

Volodia savait que les appareils d'écoute ne fonctionnaient pas dans les voitures. Les micros ne captaient que le bruit du moteur. Il ne craignait donc pas d'être entendu. C'est néanmoins avec une certaine appréhension qu'il évoqua l'impensable. «Staline pourrait-il être renversé?»

Son père répondit d'un ton agacé : «Je te l'ai dit, je n'en sais rien.»

Volodia frémit. Pareille question aurait dû susciter une réponse fermement négative. Toute hésitation équivalait à un oui. Son père venait d'admettre la possibilité d'une destitution de Staline.

Un espoir indicible fit battre le cœur de Volodia. «Tu imagines? s'enthousiasma-t-il. Plus de purges, plus de camps de travail! Plus de police secrète pour enlever les jeunes filles dans la rue et les violer!» Il s'attendait plus ou moins à être interrompu par les protestations de son père. Grigori se contenta d'écouter, les yeux mi-clos. Volodia continua sur sa lancée. «La stupide appellation de trotsko-fasciste disparaîtrait du vocabulaire. Les troupes pourraient battre en retraite quand leurs effectifs et leur armement sont insuffisants au lieu de se sacrifier inutilement. Des décisions raisonnables seraient prises par des groupes d'hommes soucieux du bien public. Ce serait le communisme dont tu rêvais il y a trente ans!

— Foutaises! lâcha son père avec mépris. Nous serions dans un sacré pétrin si nous perdions notre chef en ce moment. Nous sommes en guerre, et l'ennemi a envahi notre pays! Notre seul objectif doit être de sauver la révolution, coûte que coûte. Nous avons besoin de Staline, aujourd'hui plus que jamais.»

Volodia eut l'impression de recevoir une gifle. Il y avait bien longtemps que son père ne lui avait plus parlé sur ce ton.

Et s'il avait raison? Si l'Union soviétique avait besoin de Staline? Tout de même, il avait pris tellement de décisions catastrophiques que Volodia voyait mal comment les choses pourraient être pires avec un autre.

Ils arrivèrent à destination. On parlait de «datcha» mais la résidence de Staline n'avait rien d'une modeste maison de campagne. C'était un long bâtiment bas percé de cinq grandes fenêtres de part et d'autre d'une entrée majestueuse, niché au milieu d'un bois de conifères et peint en vert, comme pour le dissimuler. Des centaines d'hommes en armes en gardaient les grilles et la double clôture de barbelés. Grigori désigna une batterie antiaérienne abritée sous un filet de camouflage. «C'est moi qui l'ai installée là», dit-il.

Le garde posté à l'entrée le reconnut, mais leur demanda quand même leurs papiers. Grigori avait beau être général et

Volodia capitaine du Renseignement, ils n'en furent pas moins fouillés.

Volodia roula jusqu'à la porte de la maison. Ils étaient les premiers. «Nous allons attendre les autres», décida son père.

Quelques instants plus tard, trois autres limousines ZIS apparurent. Volodia n'ignorait pas que ZIS signifiait *Zavod Imeni Stalina*, «usine nommée Staline». Les bourreaux arrivaient-ils dans des véhicules portant le nom de leur victime?

Les occupants en sortirent, huit hommes d'âge mûr en costume et chapeau qui tenaient l'avenir du pays entre leurs mains. Volodia reconnut parmi eux le ministre des Affaires étrangères Molotov et Beria, le chef de la police secrète.

«Allons-y», dit Grigori.

Volodia fut surpris. «Je vous accompagne?»

Grigori glissa la main sous son siège et lui tendit un pistolet Tokarev TT-33. «Fourre ça dans ta poche. Si ce con de Beria fait mine de m'arrêter, tu l'abats.»

Volodia s'en saisit prudemment. Le TT-33 n'avait pas de cran de sécurité. Il enfonça dans sa poche l'arme longue d'une bonne quinzaine de centimètres et descendit de voiture. Il se rappela qu'il y avait huit balles dans le chargeur.

Ils entrèrent tous dans la maison. Volodia craignait d'être soumis à une nouvelle fouille qui aurait révélé qu'il était armé mais il n'en fut rien.

Les peintures étaient de couleur sombre et la maison mal éclairée. Un officier les conduisit dans ce qui semblait être une petite salle à manger. Staline était assis dans un fauteuil.

L'homme le plus puissant de l'Est avait l'air hagard et abattu. En voyant le petit groupe, il demanda : «Pourquoi êtes-vous venus?»

Volodia se raidit. Staline pensait manifestement que ces hommes étaient là pour l'arrêter ou l'exécuter.

Il y eut un long silence et Volodia comprit qu'ils n'avaient préparé aucun plan. Comment l'auraient-ils pu, ne sachant même pas si Staline était encore vivant?

Qu'allaient-ils faire maintenant? Le tuer? L'occasion ne se présenterait sans doute plus jamais.

Molotov s'avança enfin. «Nous sommes venus vous demander de vous remettre au travail.»

Volodia réprima un cri de protestation.

Staline secoua la tête. «Puis-je être à la hauteur des attentes du peuple? Puis-je conduire le pays à la victoire?»

Volodia attendit, médusé. Allait-il refuser?

«Il y a sans doute des hommes plus capables que moi», ajouta Staline.

Il leur offrait une deuxième chance de le démettre!

Un autre membre du groupe prit la parole. Volodia reconnut le maréchal Vorochilov. «Aucun n'est plus digne que vous, camarade Staline, de diriger le pays.»

Quel intérêt? L'heure n'était pas aux flagorneries.

«C'est certain!» renchérit alors son père.

Ils n'allaient donc pas laisser Staline démissionner? Quelle bêtise!

Molotov fut le premier à prononcer des paroles raisonnables. «Nous proposons de former un cabinet de guerre qu'on appellera le Comité d'État à la Défense, une sorte de politburo spécial composé d'un très petit nombre de membres et investi de très larges pouvoirs.»

Staline réagit immédiatement. «Qui le dirigera?

— Vous, camarade Staline!»

Volodia faillit crier «Non!»

Nouveau silence.

Staline reprit alors la parole. «Très bien. Et quels seront les autres membres de ce comité?»

Beria lui présenta une liste de propositions.

C'est fini, songea Volodia, accablé de désespoir. Ils avaient laissé passer l'occasion. Ils auraient pu se débarrasser d'un tyran, mais n'en avaient pas eu le courage. Tels les enfants d'un père violent, ils avaient craint de ne pas pouvoir se passer de lui.

En réalité, c'était même pire, se dit-il, de plus en plus consterné. Peut-être Staline avait-il vraiment souffert de dépression. Son état d'abattement semblait bien réel. Et pourtant, il venait de mener avec succès une superbe manœuvre politique. Tous les hommes susceptibles de le remplacer étaient présents dans la pièce. Au moment où son manque de jugement s'était imposé aux yeux de tous en même temps que les conséquences dramatiques qu'il avait entraînées, Staline avait obligé ses rivaux à venir le supplier de reprendre sa place à leur tête. Il avait tiré un trait sur ses erreurs monumentales pour s'offrir un nouveau départ.

Staline n'était pas seulement de retour aux affaires.

Il était plus puissant que jamais.

11.

Qui aurait le courage de dénoncer publiquement ce qui se passait à Akelberg? Carla et Frieda l'avaient vu de leurs yeux et avaient un témoin en la personne d'Ilse König. Mais elles avaient besoin de quelqu'un qui défende leur cause. Il n'y avait plus de représentants élus : tous les députés du Reichstag étaient nazis. Il n'y avait plus non plus de vrais journalistes; il ne restait que des flagorneurs professionnels. Les juges étaient tous nommés par le gouvernement nazi qu'ils servaient docilement. Carla n'avait jamais pris la mesure de la protection que représentaient les politiciens, la presse et les avocats. Sans eux, le gouvernement était libre d'agir comme bon lui semblait, et même d'assassiner des gens.

Vers qui se tourner? L'admirateur de Frieda, Heinrich von Kessel, avait un ami qui était prêtre catholique. «Peter était le meilleur de la classe, leur dit-il. Mais pas le plus apprécié. Un peu coincé et collet monté. Je pense qu'il nous écoutera.»

Carla se dit que cela valait la peine d'essayer. Son pasteur protestant les avait soutenus avec bienveillance jusqu'à ce que la Gestapo le réduise au silence par la terreur. On ne pouvait exclure qu'il se passe la même chose. Mais elle ne voyait pas d'autre solution.

Heinrich emmena Carla, Frieda et Ilse à l'église de Peter dans le quartier de Schöneberg, un dimanche matin de juillet. Heinrich était très séduisant dans son costume noir. Les trois jeunes filles avaient mis leurs tenues d'infirmières, gages de crédibilité. Une porte latérale les conduisit dans une petite pièce poussiéreuse meublée de quelques vieilles chaises et d'une grande armoire. Le père Peter était seul, en prière. Il dut les entendre arriver, mais resta néanmoins agenouillé encore un moment avant de se lever pour s'avancer à leur rencontre.

Peter était grand et mince. Il avait des traits réguliers et une coupe de cheveux soignée. Il devait avoir vingt-sept ans puisqu'il avait le même âge qu'Heinrich, estima Carla. «Je me prépare pour la messe, leur dit-il d'un ton sévère. Je suis heureux de t'accueillir dans mon église, Heinrich, mais il faut me laisser maintenant. Je vous verrai tout à l'heure.

— Il s'agit d'une urgence spirituelle, Peter, insista Heinrich. Asseyons-nous un instant. Nous avons quelque chose d'important à te confier.

— Rien ne saurait être plus important que la messe.

— Si, crois-moi, Peter. Dans cinq minutes, tu me donneras raison.

— Très bien.

— Je te présente ma petite amie, Frieda Franck.»

Parce que Frieda était devenue sa «petite amie»? s'étonna Carla.

«J'avais un petit frère qui est né avec un spina-bifida, expliqua Frieda. Au début de l'année, il a été transféré dans un hôpital à Akelberg, en Bavière, pour suivre un traitement spécial. Peu après, nous avons reçu une lettre nous annonçant qu'il était mort d'appendicite.»

Elle se tourna vers Carla, qui prit la suite. «Notre domestique, Ada, avait un fils atteint de lésions cérébrales congénitales. Il a lui aussi été transféré à Akelberg. Ada a reçu la même lettre, le même jour.»

Peter écarta les mains d'un geste élusif. «J'ai déjà entendu des histoires de ce genre. C'est de la propagande antigouvernementale. L'Église ne se mêle pas de politique.»

N'importe quoi, se dit Carla. L'Église était plongée dans la politique jusqu'au cou. Mais elle ne releva pas. «Le fils d'Ada n'avait plus d'appendice, continua-t-elle. On le lui avait retiré deux ans plus tôt.

— Eh bien, dit Peter. Qu'est-ce que ça prouve?»

Carla commençait à perdre courage. Peter avait de toute évidence des a priori contre eux.

Heinrich insista : «Attends, Peter. Tu n'as pas encore tout entendu. Ilse, que voici, a travaillé à l'hôpital d'Akelberg.»

Peter lui jeta un regard interrogateur.

«J'ai été élevée dans la foi catholique, mon père», précisa Ilse.

Carla ignorait ce détail.

«Je ne suis pas une bonne catholique, poursuivit Ilse.

— Dieu est bon, l'homme ne l'est pas, ma fille.

— Je savais pourtant que ce que je faisais était un péché.

524

Je l'ai fait quand même, parce qu'on me l'a ordonné et que j'avais peur.» Elle se mit à pleurer.

«Qu'as-tu fait?

— J'ai tué des gens. Oh, mon père, Dieu me pardonnera-t-il?»

Le prêtre dévisagea la jeune infirmière. Devant cette âme tourmentée, il ne pouvait plus prétendre qu'il s'agissait de propagande. Il devint livide.

Les autres étaient muets. Carla retint son souffle.

Ilse reprit : «Les malades arrivent à l'hôpital dans des cars gris. Ils ne reçoivent pas de traitement spécial. Nous leur faisons une injection et ils meurent. Ensuite, nous les incinérons.» Elle leva les yeux vers Peter. «Dieu pourra-t-il un jour me pardonner ce que j'ai fait?»

Il ouvrit la bouche pour parler, mais les mots restèrent coincés dans sa gorge. Il toussa et dit enfin, d'une voix sourde : «Combien?

— D'habitude quatre. Quatre autocars, je veux dire. Chacun contient environ vingt-cinq passagers.

— Cent personnes?

— Oui. Chaque semaine.»

Toute la morgue de Peter s'était évanouie. Il avait le teint gris, la bouche ouverte. «Cent personnes par semaine?

— Oui, mon père.

— De quoi souffrent-ils?

— De toutes sortes d'affections mentales ou physiques. Il y a des vieillards séniles, des bébés atteints de malformations, des hommes et des femmes, paralysés, retardés mentaux ou simplement incurables.»

Il avait besoin de se l'entendre répéter. «Le personnel de l'hôpital les tue tous?

— Je regrette, je regrette, sanglota Ilse. Je savais que c'était mal.»

Carla observa Peter. La métamorphose était étonnante. Après avoir entendu pendant des années les chrétiens aisés de cette banlieue verdoyante confesser leurs menus péchés, il était soudain confronté au mal à l'état pur. Il en était ébranlé jusqu'à la moelle.

Mais que ferait-il?

Peter se leva. Il prit Ilse par la main et l'aida à se remettre debout. «Reviens dans le sein de l'Église, lui dit-il. Va te confesser au prêtre de ta paroisse. Dieu te pardonnera. Ça, je le sais.

— Merci», murmura Ilse.

Il lui lâcha la main et s'adressa à Heinrich. «Ça risque d'être moins simple pour nous», murmura-t-il.

Il leur tourna le dos, s'agenouilla et se remit à prier.

Carla interrogea Heinrich du regard. Il haussa les épaules. Ils se levèrent et sortirent, Carla entourant les épaules d'Ilse en larmes.

«Restons pour la messe, proposa Carla. Il nous reparlera peut-être après.»

Ils pénétrèrent tous les quatre dans la nef. Ilse sécha ses larmes et se calma. Frieda serra le bras d'Heinrich. Ils s'assirent au milieu des fidèles qui prenaient place sur les bancs, des hommes à l'air prospère, des femmes replètes, des enfants agités, vêtus de leurs plus beaux habits. Ces gens-là ne tueraient jamais des infirmes, songea Carla. Pourtant le gouvernement le faisait en leur nom. Comment était-ce arrivé?

Elle ne savait qu'attendre du père Peter. Il était clair qu'il avait fini par les croire. Il avait cherché à ignorer leur requête qu'il pensait entachée de motivations politiques, mais s'était laissé convaincre par la sincérité d'Ilse. Il avait été épouvanté. Toutefois il ne leur avait rien promis, sinon le pardon de Dieu pour Ilse.

Carla regarda autour d'elle. Le décor était plus coloré que dans les temples protestants qu'elle connaissait. Il y avait davantage de tableaux et de statues, plus de marbre et de dorures, d'étendards et de cierges. Les catholiques et les protestants s'étaient entretués pour des détails aussi dérisoires. Comme il semblait futile, dans un monde où l'on assassinait les enfants, qu'on puisse se préoccuper de cierges...

La messe commença, les prêtres – le père Peter dépassant les autres de sa haute taille – entrèrent, vêtus de leurs aubes. Carla se demanda comment interpréter son expression grave, empreinte d'une austère piété.

Elle écouta les cantiques et les prières avec indifférence. Elle avait prié pour son père avant de le découvrir, deux heures plus tard, battu à mort et agonisant dans l'entrée de leur maison. Il lui manquait tous les jours, à chaque heure du jour parfois. Les prières ne l'avaient pas sauvé, pas plus qu'elles ne protégeraient ceux que le gouvernement jugeait inutiles. Il fallait des actes, pas des paroles.

L'évocation de son père lui fit penser à son frère Erik. Il se trouvait quelque part en Russie. Il avait envoyé une lettre dans laquelle il se réjouissait de l'avancée rapide de l'invasion et refusait en des termes acerbes de croire que Walter avait été tué par la Gestapo. Pour lui, leur père avait été relâché sain et sauf et s'était fait attaquer dans la rue par des voyous, des communistes ou des Juifs. Erik vivait dans un monde imaginaire où la raison n'avait pas sa place.

Était-ce également le cas du père Peter ?

Celui-ci monta en chaire. Carla ne savait pas qu'il devait faire un sermon. Elle se demanda ce qu'il allait dire. S'inspirerait-il de ce qu'il venait d'entendre ? Parlerait-il de tout autre chose ? Des vertus de la pudeur ou du péché d'envie ? Ou fermerait-il les yeux pour remercier avec dévotion le Seigneur des victoires de l'Allemagne en Russie ?

Se dressant en chaire de toute sa haute taille, il balaya l'assemblée d'un regard dont on ne savait s'il était arrogant, fier ou provocant.

« Le cinquième commandement dit : "Tu ne tueras point." »

Carla croisa le regard de Heinrich.

La voix du prêtre résonnait dans la nef, et les pierres en renvoyaient l'écho. « Il y a un endroit à Akelberg, en Bavière, où notre gouvernement transgresse ce commandement cent fois par semaine ! »

Carla étouffa une exclamation. Il les avait entendus ! Il prononçait un sermon contre le programme du gouvernement ! Cela pouvait tout changer !

« Peu importe que les victimes soient infirmes, déficientes mentales, incapables de se nourrir seules ou paralysées. » Peter ne contenait pas sa colère. « Les bébés innocents et les vieillards séniles sont tous des enfants de Dieu et leur vie est aussi sacrée que la vôtre ou la mienne. » Sa voix enfla. « Tuer est un péché mortel ! » Il leva le bras et brandit son poing fermé. Sa voix vibrait d'émotion. « Je vous le dis, si nous ne faisons rien pour nous opposer à de tels agissements, notre péché est aussi grand que celui des médecins et des infirmières qui administrent les injections mortelles. Si nous nous taisons... » Il s'interrompit avant de conclure. « Si nous nous taisons, nous sommes, nous aussi, des assassins ! »

12.

Le commissaire Thomas Macke était furieux. Il passait pour un imbécile aux yeux du commissaire principal Kringelein et de tous ses supérieurs. Il leur avait juré qu'il n'y aurait pas d'autres fuites. Que le secret d'Akelberg et de tous les hôpitaux du même genre dans le reste du pays était désormais bien gardé. Il avait retrouvé les trois fauteurs de trouble, Werner Franck, le pasteur Ochs et Walter von Ulrich, et les avait réduits d'une manière ou d'une autre au silence.

Pourtant le secret avait transpiré.

À cause d'un jeune prêtre insolent appelé Peter.

Le père Peter se trouvait devant Macke, nu, lié par les mains et les chevilles à un siège conçu spécialement à cet effet. Du sang lui coulait des oreilles, du nez et de la bouche. Sa poitrine était couverte de vomissures. Des électrodes étaient reliées à ses lèvres, ses mamelons et son sexe. Une sangle entourant son front immobilisait sa tête pour empêcher son cou de se briser sous la violence des convulsions.

Un médecin assis près de lui ausculta son cœur au stéthoscope, l'air dubitatif. «Il ne tiendra plus très longtemps», déclara-t-il d'un ton neutre.

Le prêche séditieux du père Peter avait fait boule de neige. L'évêque de Münster, monseigneur von Galen, un ecclésiastique bien plus influent, avait prononcé un sermon de la même veine, dans lequel il dénonçait le programme T4. L'évêque en avait appelé à Hitler pour qu'il protège le peuple contre la Gestapo, laissant habilement entendre que le Führer ne pouvait pas avoir connaissance de ce programme et lui offrant par là même un alibi de choix.

Son sermon avait été dactylographié, recopié et distribué dans toute l'Allemagne.

La Gestapo avait arrêté toutes les personnes surprises en possession d'un exemplaire de ce texte, en vain. Pour la première et dernière fois de l'histoire du IIIe Reich, l'opinion manifesta sa réprobation contre une action du gouvernement.

La répression fut brutale, mais ne servit à rien : les copies du sermon continuèrent à circuler, les hommes d'Église furent de plus en plus nombreux à prier pour les malheureux assassinés. Il y eut même une marche de protestation à Akelberg. La situation échappait à tout contrôle.

Et la faute en revenait à Macke.

Il se pencha sur Peter. Le prêtre avait les yeux fermés et respirait faiblement, mais il était conscient. Macke lui hurla à l'oreille : « Qui t'a parlé d'Akelberg ? »

Pas de réponse.

Peter était sa seule piste. Les enquêtes menées à Akelberg n'avaient rien donné. On avait bien parlé à Reinhold Wagner de deux filles qui étaient passées à l'hôpital, mais personne ne savait qui elles étaient ; on lui avait aussi signalé une infirmière qui avait quitté sa place soudainement, en expliquant dans sa lettre de démission qu'elle devait se marier précipitamment, mais sans donner le nom du prétendu mari. Ces deux indices n'avaient mené à rien. De toute façon, Macke était persuadé qu'un tel désastre ne pouvait pas être l'œuvre de quelques gamines.

Macke fit signe au technicien qui manipulait l'appareil. Il tourna un bouton.

Peter poussa un cri de souffrance quand le courant électrique parcourut son corps, mettant ses nerfs au supplice. Il se contorsionna comme s'il souffrait d'une crise d'épilepsie. Ses cheveux se dressèrent sur sa tête.

Le technicien coupa le courant.

Macke brailla : « Dis-moi le nom de cet homme ! »

Peter ouvrit enfin la bouche.

Macke se pencha encore.

Peter murmura : « Pas un homme.

— Une femme alors ! Son nom !

— C'était un ange.

— Va chier en enfer ! » Macke saisit le bouton et le tourna. « Ça ne s'arrêtera que quand tu parleras ! » glapit-il à l'adresse de Peter qui hurlait de douleur.

La porte s'ouvrit. Un jeune policier en civil passa la tête, pâlit et adressa un signe à Macke.

Le technicien coupa le courant. Les hurlements cessèrent. Le médecin se pencha pour examiner Peter.

« Excusez-moi, commissaire Macke, dit le policier. Le commissaire principal Kringelein veut vous voir.

— Maintenant?

— C'est ce qu'il a dit, commissaire.»

Macke se tourna vers le médecin qui haussa les épaules. «Il est jeune. Il sera encore vivant quand vous reviendrez», assura-t-il.

Macke sortit et suivit le policier dans l'escalier. Le bureau de Kringelein se trouvait au rez-de-chaussée. Macke frappa et entra. «Ce foutu prêtre n'a toujours pas parlé, dit-il sans préambule. Il me faut plus de temps.»

Kringelein était un petit homme mince à lunettes, intelligent mais velléitaire. Converti tardivement au nazisme, il n'était pas membre de l'élite SS et n'avait pas la ferveur des inconditionnels comme Macke. «Laissez tomber le prêtre, ordonna-t-il. Les membres du clergé ne nous intéressent plus. Envoyez-les dans des camps et qu'on n'en parle plus.»

Macke n'en croyait pas ses oreilles. «Mais ils ont comploté contre le Führer!

— Et ils ont réussi. Alors que vous, vous avez échoué.»

Macke soupçonnait Kringelein de s'en réjouir intérieurement.

«Une décision a été prise au sommet de l'État, continua le commissaire principal. L'Aktion T4 est annulée.»

Macke n'en revenait pas. Les nazis ne se laissaient jamais dicter leurs décisions par les scrupules des ignorants. «Nous n'en sommes pas arrivés où nous en sommes en cédant à l'opinion publique! s'indigna-t-il.

— Cette fois-ci pourtant, c'est le cas.

— Pourquoi?

— Le Führer n'a pas pris la peine de m'expliquer ses raisons personnellement, répliqua Kringelein d'un ton sarcastique. Mais je peux les deviner. Ce programme a suscité des protestations particulièrement vives de la part d'une opinion ordinairement passive. Le maintenir, c'est risquer de heurter de front les Églises de toutes confessions. Ce n'est pas souhaitable. Nous ne devons pas entamer l'unité et la détermination du peuple allemand, surtout maintenant que nous sommes en guerre contre l'Union soviétique, notre plus puissant ennemi jusqu'à présent. Le programme est donc annulé.

— Bien, commissaire principal, capitula Macke en ravalant sa colère. Autre chose?

— Vous pouvez disposer.»

Macke se dirigea vers la porte.

«Macke.

— Oui, commissaire principal.

— Changez de chemise.

— De chemise ?

— Elle est tachée de sang.

— Oui, commissaire principal. Excusez-moi, commissaire principal. »

Macke reprit l'escalier en bouillant intérieurement. Il regagna la pièce du sous-sol. Le père Peter était toujours en vie.

Furieux, il lui cria encore : « Qui t'a parlé d'Akelberg ? »

Pas de réponse.

Il tourna le bouton à fond.

Le père Peter hurla longtemps avant de retomber dans un silence définitif.

13.

La villa des Franck se dressait au milieu d'un parc. Sur un talus, à deux cents mètres de la maison, se trouvait un petit pavillon ouvert aux quatre vents, équipé de sièges. Quand elles étaient petites, Carla et Frieda disaient que c'était leur maison de campagne et y jouaient pendant des heures à donner de grandes réceptions fictives, servies par des dizaines de domestiques empressés auprès de leurs invités de marque. Plus tard, elles s'y étaient retrouvées pour bavarder à l'abri des oreilles indiscrètes.

« La première fois que je me suis assise sur ce banc, mes pieds ne touchaient pas terre, remarqua Carla.

— Je regrette ce temps-là », soupira Frieda.

Elles étaient vêtues de robes sans manches pour supporter la chaleur humide et étouffante, sous le ciel couvert de l'après-midi. Elles étaient d'humeur sombre. Le père Peter était mort. D'après la police, il s'était suicidé en prison, accablé par le poids de ses crimes. Carla se demandait s'il n'avait pas plutôt été battu à mort comme son père. C'était affreusement probable.

Des dizaines d'autres prêtres croupissaient dans des cellules partout en Allemagne. Certains avaient protesté publiquement contre le meurtre des handicapés, d'autres n'avaient fait que diffuser des exemplaires du sermon de monseigneur von Galen. Carla se demandait s'ils seraient tous torturés. Et pendant combien de temps elle échapperait elle-même à ce sort.

Werner sortit de la maison avec un plateau. Il traversa la pelouse pour l'apporter au pavillon. « Une limonade, les filles ? » lança-t-il joyeusement.

Carla se détourna. « Non merci », répondit-elle sèchement. Elle ne comprenait pas comment il pouvait encore prétendre être son ami après s'être lâchement défilé.

« Moi non plus, refusa Frieda.

— J'espère que nous ne sommes pas fâchés », dit-il en regardant Carla.

Quelle question ! Bien sûr que si.

« Le père Peter est mort, Werner », lui annonça Frieda.

Carla ajouta : « Probablement torturé à mort par la Gestapo parce qu'il n'admettait pas qu'on assassine des gens comme ton frère. Mon père est mort, lui aussi, pour la même raison. Quantité d'autres sont en prison ou dans des camps. Mais toi, tu as gardé ton petit travail de bureau pépère, donc tout va bien. »

Werner parut blessé, ce qui étonna Carla. Elle s'attendait à une protestation arrogante ou au moins à une feinte indifférence. Il avait l'air sincèrement malheureux. « Tu ne crois pas que c'est à chacun de nous de trouver comment agir de son mieux ? » demanda-t-il.

L'argument manquait de poids. « Tu n'as rien fait !

— Peut-être, acquiesça-t-il tristement. Pas de limonade alors ? »

Devant le silence des deux filles, il repartit vers la maison.

Carla était furieuse et indignée, mais ne pouvait s'empêcher d'éprouver des regrets. C'était plus fort qu'elle. Avant de découvrir que Werner était un lâche, elle s'était engagée dans une histoire d'amour avec lui. Elle l'aimait beaucoup, dix fois plus que tous les garçons qu'elle avait embrassés avant lui. Elle n'avait pas à proprement parler le cœur brisé, mais elle était profondément déçue.

Frieda avait plus de chance, se dit-elle en voyant Heinrich sortir de la maison. Frieda était expansive et aimait s'amuser, Heinrich était tourmenté et sérieux, mais ils s'entendaient bien. « Tu es amoureuse de lui ? lui demanda Carla alors qu'il était encore hors de portée de voix.

— Je ne sais pas encore. Il est tellement gentil ! Je l'adore. »

Si ce n'était pas de l'amour, ça n'en était pas loin, songea Carla.

Heinrich arrivait avec des nouvelles. « Il fallait que je vienne vous l'annoncer tout de suite, dit-il. Mon père me l'a appris juste après le déjeuner.

— Quoi ? demanda Frieda.

— Le gouvernement a annulé l'opération. Elle s'appelait Aktion T4. Le meurtre des incurables. Ils arrêtent tout.

— Tu veux dire qu'on a gagné ? » demanda Carla.

Heinrich hocha la tête avec vigueur. « Mon père n'en revient pas. Il dit qu'il n'a jamais vu le Führer céder à l'opinion publique.

— Et c'est nous qui l'y avons obligé ! se réjouit Frieda.

— Heureusement que personne ne le sait ! » remarqua Heinrich gravement.

Carla insista : « Ils vont fermer les hôpitaux et mettre fin à tout le programme ?

— Pas exactement.

— Que veux-tu dire ?

— D'après mon père, les médecins et les infirmières vont tous être transférés.

— Où ça ? s'inquiéta Carla.

— En Russie. »

IX

1941 (II)

1.

Le téléphone posé sur le bureau de Greg Pechkov se mit à sonner. Il décrocha. C'était une chaude matinée de juillet. Il venait de finir son avant-dernière année à Harvard et, pour la seconde fois, effectuait un stage au Département d'État, au bureau de l'Information. Doué en physique et en maths, il avait réussi ses examens brillamment. Cependant, il n'avait pas envie de se consacrer à la science. La politique, voilà ce qui le passionnait.

« Greg Pechkov

— Bonjour, monsieur Pechkov. Tom Cranmer au téléphone. »

Le cœur de Greg se mit à battre plus vite. « Merci de me rappeler. Je vois que vous vous souvenez de moi.

— Hôtel Ritz-Carlton, 1935. La seule fois de ma vie où j'ai eu ma photo dans le journal.

— Vous êtes toujours détective dans cet hôtel ?

— J'ai quitté l'hôtellerie pour le commerce. Je travaille maintenant dans un grand magasin.

— Vous arrive-t-il d'effectuer des enquêtes pour votre propre compte ?

— Oui, bien sûr. Qu'avez-vous en tête ?

— Je suis au bureau actuellement, et j'aimerais vous parler seul à seul.

— Vous travaillez juste en face de la Maison Blanche, dans l'Old Executive Office Building, c'est bien ça ?

— Comment le savez-vous ?

— Je suis détective.

— Évidemment.

— Je suis juste à côté, au café Aroma, à l'angle de F Street et de la 19ᵉ.

— Je ne suis pas libre pour le moment, dit Greg en regardant sa montre. D'ailleurs, je devrais déjà être parti.

— Je peux vous y attendre.

— Dans une heure, alors. »

Greg descendit l'escalier au pas de course. Il arriva à l'entrée principale juste au moment où une Rolls-Royce s'arrêtait silencieusement devant le perron. Un chauffeur adipeux s'en extirpa et alla ouvrir la portière arrière, d'où sortit un bel homme élancé, à l'abondante chevelure argentée. Son costume croisé en flanelle gris perle, de coupe parfaite, l'habillait avec une élégance que seuls les tailleurs de Londres sont capables d'atteindre. Il grimpa les marches de granit menant à l'immense bâtiment, son gros chauffeur courant derrière lui, chargé de sa serviette.

C'était le sous-secrétaire d'État Sumner Welles, numéro deux du département d'État et ami personnel du président Roosevelt.

Le chauffeur était sur le point de remettre la mallette à un huissier qui attendait là quand Greg s'avança. « Bonjour, monsieur », dit-il et, d'un même geste, il s'empara du porte-documents et tint la porte à Welles, avant de pénétrer à sa suite dans le bâtiment.

Greg avait été embauché au bureau de l'Information parce qu'il avait pu présenter plusieurs articles bien écrits et solidement documentés qu'il avait rédigés pour le *Harvard Crimson*. Pour autant, il ne souhaitait pas finir dans la peau d'un journaliste officiel. Il avait de plus hautes ambitions.

Il admirait Sumner Welles, parce qu'il lui rappelait son père : la même prestance, la même élégance et le même charme dissimulant la même nature impitoyable. Welles était déterminé à prendre la succession de son patron, le secrétaire d'État Cordell Hull, et n'hésitait pas à aller parler au Président directement, derrière son dos, ce qui mettait Hull en rage. Quant à Greg, il trouvait passionnant d'être proche de quelqu'un qui avait du pouvoir et ne craignait pas de l'utiliser. C'était exactement la vie qu'il voulait mener.

Welles s'était entiché de lui, comme bien des gens, surtout quand Greg avait décidé de tout faire pour ça. Dans le cas présent, cependant, un facteur supplémentaire jouait en sa faveur :

en fait, Welles avait un faible pour les jeunes gens séduisants, bien qu'il fût marié à une riche héritière et, apparemment, heureux en ménage.

Greg était hétérosexuel jusqu'au bout des ongles. À Harvard, il entretenait une relation suivie avec une étudiante de Radcliffe du nom d'Emily Hardcastle, qui lui avait promis de mettre la main sur un moyen de contraception avant le mois de septembre, et ici, à Washington, il sortait avec Rita Lawrence, une demoiselle pulpeuse, fille du représentant du Texas au Congrès. Avec Welles, Greg marchait sur des œufs, évitant tout contact physique mais se montrant assez aimable pour ne pas perdre les bonnes grâces de son patron. En conséquence, après les cocktails, quand l'alcool avait raison des inhibitions de son aîné et qu'il commençait à avoir les mains baladeuses, Greg s'efforçait de ne pas croiser son chemin.

À dix heures, lorsque les cadres se rassemblèrent dans son bureau pour le point quotidien, Welles demanda à Greg de rester. «C'est bon pour votre instruction, mon garçon.» Le jeune homme en fut ravi. Cette réunion lui offrirait-elle l'occasion de briller? C'était son désir le plus vif : être remarqué et faire impression.

Quelques minutes plus tard, le sénateur Dewar fit son entrée, accompagné de son fils Woody. Grands et maigres tous les deux, ils avaient une grosse tête et étaient vêtus à l'identique d'un costume d'été en lin bleu marine à veston droit. Le talent artistique différenciait toutefois Woody de son père : ses photographies publiées dans le *Harvard Crimson* lui avaient valu des prix. Woody adressa un signe de tête à Bexforth Ross, le bras droit de Welles, qu'on surnommait Greg «Russki», à cause de son nom de famille.

Welles ouvrit la réunion par ces mots : «Je dois vous annoncer une nouvelle hautement confidentielle, qui ne doit en aucun cas sortir de cette pièce : le Président va rencontrer le Premier ministre britannique au début du mois prochain.»

Greg faillit pousser une exclamation et se retint juste à temps.

«Bien! déclara Gus Dewar. Où ça?

— La rencontre est prévue à bord d'un navire, quelque part au milieu de l'Atlantique, pour des raisons de sécurité évidentes, et pour éviter à Churchill un trop long voyage. Le Président tient à ce que je sois présent. Le secrétaire d'État restera ici, à Washington, pour veiller au grain. Il veut que vous soyez également du voyage, Gus.

— J'en suis très honoré, répondit celui-ci. Quel est l'ordre du jour?

— Pour le moment, les Britanniques semblent avoir écarté toute menace d'invasion, mais ils sont trop faibles pour attaquer les Allemands sur le continent – sans notre aide du moins. Churchill va donc nous demander de déclarer la guerre à l'Allemagne, ce que nous refuserons bien entendu. Cette question réglée, le Président souhaite que nos deux pays exposent leurs objectifs dans une déclaration commune.

— Des objectifs sans rapport avec la guerre, je suppose? demanda Gus.

— En effet. Pour la bonne raison que les États-Unis ne sont pas en guerre et n'ont pas l'intention d'y entrer. Ce qui ne nous empêche pas d'être – en tant que puissance non belligérante – les alliés des Britanniques : nous leur fournissons à peu près tout ce dont ils ont besoin et leur assurons un crédit illimité. Une fois la paix revenue, nous comptons bien avoir notre mot à dire sur la marche du monde.

— Cela comprendra-t-il le renforcement de la Société des nations?» demanda Gus. C'était une idée à laquelle il tenait beaucoup, comme Welles, Greg ne l'ignorait pas.

«C'est exactement ce dont je souhaitais m'entretenir avec vous, Gus. Si nous voulons mener ce projet à bien, nous devons être soigneusement préparés. Et obtenir de FDR et de Churchill un engagement en ce sens dans leur déclaration.

— En théorie, le Président est favorable à cette idée, nous le savons tous les deux, observa Gus. Ce qui l'inquiète, c'est l'opinion publique.»

Un assistant, entré discrètement, remit une note à Bexforth qui la lut et s'écria : «Oh! Mon Dieu!

— Qu'y a-t-il? lança Welles avec humeur.

— Le Conseil impérial japonais s'est réuni la semaine dernière, vous le savez, expliqua Bexforth. Nous avons obtenu certains renseignements sur le contenu de ses délibérations.»

Bexforth restait vague sur la provenance de ces renseignements, mais Greg avait compris de quoi il parlait. La Signal Intelligence Unit de l'armée américaine était capable d'intercepter et de décrypter les messages radio que le ministère des Affaires étrangères japonais adressait à ses ambassades à l'étranger. Ces décryptages avaient pour nom de code MAGIC. Greg savait bien des choses qu'il n'était pas censé savoir – si l'armée avait appris qu'il était dans le secret, il aurait même eu de sacrés ennuis !

«Les Japonais envisagent d'étendre encore leur empire», continua Bexforth. Ils avaient déjà annexé la vaste région de Mandchourie et fait pénétrer des troupes dans une grande partie du reste de la Chine, Greg en était informé. «Ils ne sont pas favorables à une poursuite de l'expansion vers l'ouest en direction de la Sibérie, car cela les entraînerait dans une guerre avec l'Union soviétique.

— Heureusement ! s'exclama Welles. Ainsi, les Russes garderont comme priorité de combattre les Allemands.

— C'est exact, monsieur. Mais les Japonais envisagent en revanche de s'étendre vers le sud, de prendre le contrôle de toute l'Indochine et de s'emparer ensuite des Indes orientales néerlandaises.»

Greg en resta abasourdi. Il s'agissait là de renseignements d'une actualité brûlante, et il était parmi les premiers à en être informé.

«Comment ? s'indigna Welles. Mais c'est une guerre impérialiste, ni plus ni moins !»

Gus s'interposa : «Pas à proprement parler, Sumner. Les Japonais ont déjà des troupes en Indochine avec l'accord en bonne et due forme de la puissance coloniale en place, à savoir la France, représentée par le gouvernement de Vichy.

— Des marionnettes entre les mains des nazis !

— J'ai bien dit "à proprement parler". Quant aux Indes néerlandaises, elles sont théoriquement sous contrôle des Pays-Bas, lesquels sont actuellement occupés par les Allemands. L'Allemagne ne peut que se réjouir de voir le Japon, son allié, étendre son contrôle sur une colonie hollandaise.

— C'est ce qu'on appelle finasser.

— Mais c'est une finasserie qui nous sera opposée. À commencer par l'ambassadeur du Japon.

— Vous avez raison, Gus, merci de me mettre en garde.»

Greg guettait l'occasion d'apporter sa contribution au débat. Impressionner ces hommes d'expérience, voilà ce qu'il voulait par-dessus tout. Mais ils en savaient tous tellement plus que lui !

«Qu'est-ce qu'ils veulent à la fin, ces Japonais ? s'exclama Welles.

— Du pétrole, du caoutchouc, de l'étain, répondit Gus. Ils veulent s'assurer un accès permanent aux ressources naturelles. Ce n'est pas étonnant puisque nous continuons à les empêcher de s'approvisionner.» Les États-Unis avaient placé sous embargo l'exportation de matières premières telles que le pétrole et le fer en direction du Japon, dans l'espoir de freiner les visées expansionnistes de ce pays en Asie.

«Pour l'efficacité avec laquelle nous appliquons nos embargos! s'écria Welles avec irritation.

— C'est vrai, mais cette menace suffit à terrifier les Japonais. Leur sol ne renferme quasiment aucune matière première.

— Il est clair que nous devons prendre des mesures plus sévères, lança Welles sèchement. Les Japonais ont beaucoup d'argent dans les banques américaines. Ne pourrait-on pas geler leurs avoirs?»

Les fonctionnaires rassemblés dans la salle prirent un air désapprobateur. C'était une proposition franchement radicale. Au bout d'un moment, Bexforth déclara : «Ce serait sans doute possible. Et plus efficace que tous les embargos du monde. Au moins, ils ne pourraient plus acheter de pétrole ni d'autres matières premières ici, aux États-Unis, faute de moyens financiers.»

Gus Dewar déclara : «Le secrétaire d'État veillera évidemment, comme d'habitude, à éviter toute action qui risquerait de déboucher sur la guerre.»

Il disait vrai. La prudence de Cordell Hull frôlait la pusillanimité, et il était souvent en conflit avec Welles, beaucoup plus agressif.

«Mr. Hull a toujours suivi cette ligne, et il a eu bien raison», déclara Welles. Tout le monde savait qu'il n'en pensait pas un mot, mais que l'étiquette exigeait ce semblant d'approbation. «Toutefois, les États-Unis doivent garder la tête haute sur la scène internationale. Prudence n'est pas synonyme de lâcheté. Cette idée du gel des avoirs mérite que je la soumette au Président.»

Greg était émerveillé. Voilà donc ce qu'était le pouvoir : en l'espace d'un instant, Welles proposait une initiative susceptible d'ébranler une nation tout entière!

Gus Dewar fronça les sourcils. «Si le Japon ne peut plus importer de pétrole, toute l'économie du pays sera paralysée et leur armée réduite à l'impuissance.

— Que demander de mieux ! déclara Welles.

— Vous croyez ? À votre avis, comment le gouvernement militaire japonais réagira-t-il à une catastrophe de cette ampleur ?

— Eh bien dites-le-moi, monsieur le sénateur ! répliqua Welles, qui n'appréciait guère la contestation.

— Je ne sais pas. Mais il me semble préférable d'avoir la réponse à cette question avant d'entreprendre quoi que ce soit. Les gens aux abois sont dangereux. Et les États-Unis ne sont pas prêts à entrer en guerre contre le Japon, je le sais. Notre marine n'est pas prête, et notre armée de l'air pas davantage. »

Greg vit là une occasion de prendre la parole et n'hésita pas un instant. « Excusez-moi, monsieur le sous-secrétaire. Savez-vous que l'opinion publique américaine est plus favorable à la guerre avec le Japon qu'à l'apaisement ? À deux contre un.

— Bonne remarque, Greg, merci. Les Américains ne veulent pas que le Japon puisse assassiner des gens impunément.

— Ils ne veulent pas non plus la guerre, pas vraiment, rétorqua Gus. N'en déplaise aux sondages. »

Welles referma le dossier posé devant lui. « Eh bien, monsieur le sénateur, nous sommes d'accord en ce qui concerne la Société des nations et nous ne sommes pas d'accord en ce qui concerne le Japon.

— Et dans les deux cas, il revient au Président d'en décider, dit Gus en se levant.

— Merci à vous d'être venus me voir. »

La réunion prit fin.

Greg était euphorique lorsqu'il sortit de la pièce. Il avait été invité à assister au débat, il avait appris des nouvelles étonnantes, et son intervention lui avait valu les remerciements de Welles. La journée commençait bien !

Il quitta discrètement le bâtiment et se dirigea vers le café Aroma.

Il n'avait jamais engagé de détective privé et avait un peu l'impression de frôler l'illégalité. Mais Cranmer était un homme respectable, et il n'y avait rien de délictueux à vouloir renouer avec une ancienne petite amie.

À l'Aroma, la clientèle se limitait à deux filles qui avaient l'air de secrétaires prenant une pause, à un couple âgé sorti faire des courses et à un homme costaud en costume de seersucker tout froissé qui tirait sur une cigarette : Cranmer. Greg se glissa dans le box qu'il occupait et commanda un café.

« Je voudrais retrouver Jacky Jakes.

— La jeune Noire ? »

Eh oui, songea Greg avec nostalgie. Elle était très jeune à l'époque. Seize ans, bien qu'elle se prétendît plus âgée. « Six ans ont passé, fit-il remarquer à Cranmer. Ce n'est plus une toute jeune fille aujourd'hui.

— Vous savez, ce n'est pas moi qui l'avais embauchée pour cette petite comédie, c'était votre père.

— Je ne veux pas m'adresser à lui. Mais vous pourrez la retrouver, n'est-ce pas ?

— Probablement, répondit Cranmer en sortant calepin et stylo. Jacky Jakes, ce n'était pas son vrai nom, si ?

— En réalité, elle s'appelle Mabel Jakes.

— Profession : actrice, c'est bien ça ?

— C'était son rêve. Je ne sais pas si elle l'a réalisé. » Elle était jolie, avec du charme à revendre, mais il n'y avait pas beaucoup de rôles pour les acteurs noirs.

« À l'évidence, elle n'est pas dans l'annuaire, sinon vous n'auriez pas besoin de moi.

— Elle est peut-être sur liste rouge, mais je pense plutôt qu'elle ne peut pas s'offrir le téléphone.

— Vous l'avez revue depuis 1935 ?

— Deux fois. La première, il y a deux ans, tout près d'ici, dans E Street. La deuxième, il y a deux semaines, à deux rues d'ici.

— Comme elle n'habite certainement pas dans ce quartier huppé, elle doit travailler dans le coin. Vous avez sa photo ?

— Non.

— Je me souviens vaguement d'elle : une jolie fille, avec la peau sombre et un grand sourire. »

Greg hocha la tête. Oui, un sourire éclatant, inoubliable. « Je voudrais juste son adresse. Pour lui écrire un mot.

— Je n'ai pas besoin de connaître vos motifs.

— Eh bien, c'est parfait », répliqua Greg. Les choses étaient-elles aussi simples que cela ?

« Je prends dix dollars par jour. Sur la base d'un forfait minimum de deux jours. Plus les frais. »

C'était moins que ce à quoi Greg s'était attendu. Sortant son portefeuille, il tendit au détective un billet de vingt dollars.

« Merci.

— Eh bien, bonne chance ! » répondit Greg.

542

2.

Ce samedi-là, comme il faisait chaud, Woody alla à la plage avec son frère Chuck.

La famille Dewar au grand complet se trouvait à Washington. Ils occupaient un appartement de neuf pièces, tout près de l'hôtel Ritz-Carlton. Chuck, qui était dans la marine, était en permission; Gus travaillait douze heures par jour à préparer cette réunion au sommet qu'il appelait déjà conférence de l'Atlantique, et Rosa était plongée dans la rédaction d'un nouveau livre sur les épouses de présidents.

Woody et Chuck, en shorts et polos, attrapèrent serviettes de bain, lunettes de soleil et journaux et prirent un train pour Rehoboth Beach, sur la côte du Delaware. Un trajet de presque deux heures, mais c'était le seul endroit où aller par un samedi d'été. Une vaste étendue de sable, une brise rafraîchissante soufflant de l'océan et un bon millier de filles en maillot de bain : que demander de plus?

Les deux frères ne se ressemblaient guère. Plus petit que Woody, Chuck était trapu et athlétique. Il avait la beauté de sa mère et son sourire conquérant. Il avait été un élève médiocre, malgré sa vive intelligence et ses idées originales, elles aussi héritées de sa mère. Il battait son frère dans tous les sports, sauf à la course où Woody l'emportait grâce à la longueur de ses jambes, et à la boxe où ses longs bras lui assuraient une meilleure défense.

Chuck n'avait pas raconté grand-chose de sa vie dans la marine à ses parents, sans doute parce qu'ils lui tenaient encore rigueur de ne pas être entré à Harvard. Mais seul avec Woody, il s'ouvrit un peu plus. «C'est chouette, Hawaï, mais franchement, je suis déçu d'avoir un poste à terre. Je suis entré dans la marine pour naviguer, moi.

— Qu'est-ce que tu fais, au juste?

— Je suis dans la Signal Intelligence Unit. On écoute les messages radio, principalement ceux de la marine impériale japonaise.

— Ils ne sont pas codés?

— Si, mais on peut apprendre pas mal de choses sans même les décoder. On appelle ça l'analyse du trafic. Une brusque augmentation des messages indique qu'il se prépare quelque chose. On finit aussi par repérer certains schémas. Les débarquements amphibies, par exemple, sont annoncés par une configuration de signaux tout à fait particulière.

— C'est fascinant. Tel que je te connais, je suis sûr que tu te débrouilles drôlement bien. »

Chuck haussa les épaules. « Je ne suis qu'un gratte-papier, chargé d'annoter et de classer les transcriptions. Mais, à force, je finis par avoir quelques bases.

— Et la vie à Hawaï, c'est comment ?

— Très amusant. Dans les bars à marins, c'est parfois assez chaud. Le Chat noir, c'est le plus sympa de tous. J'ai un bon copain, Eddie Parry, avec qui je fais du surf à Waikiki. On y va dès qu'on a un moment. Oui, je m'amuse bien, mais je regrette quand même de ne pas être en mer. »

Ils se baignèrent dans les eaux froides de l'Atlantique, s'offrirent des hot-dogs au déjeuner, se photographièrent réciproquement avec l'appareil de Woody et détaillèrent les maillots de bain, jusqu'à ce que le soleil commence à descendre. Au moment où ils repartaient, se frayant un chemin au milieu de la foule, Woody aperçut Joanne Rouzrokh.

Un coup d'œil lui suffit. Elle ne ressemblait à aucune autre fille de la plage, ni même du Delaware. Avec ses pommettes saillantes, son nez en cimeterre, son abondante chevelure noire et son teint d'une douce couleur café au lait, il était impossible de la confondre avec une autre.

D'un pas décidé, il marcha droit sur elle.

Elle était sensationnelle dans son maillot de bain noir une pièce. Les fines bretelles mettaient en valeur l'élégance de ses épaules, et sa coupe droite en haut des cuisses révélait la quasi-totalité de ses longues jambes brunes.

Dire qu'il avait tenu dans ses bras cette fabuleuse créature, qu'il l'avait embrassée comme si ce jour ne devait jamais finir !

Elle leva la tête vers lui en se protégeant les yeux du soleil. « Woody Dewar ! Je ne savais pas que tu étais à Washington ! »

Il n'avait pas besoin d'autre invitation pour s'agenouiller sur le sable. Le seul fait d'être aussi proche d'elle lui coupa le souffle. « Bonjour, Joanne. » Il jeta un bref regard à la fille bien en chair aux yeux marron installée à côté d'elle. «Ton mari n'est pas là?»

Elle éclata de rire. «Qu'est-ce qui te fait croire que je suis mariée?»

Woody se troubla. «Quand je suis venu à une soirée chez toi, il doit y avoir deux ans de ça, un été...

— Tu es venu?

— Mais oui, je me rappelle! intervint la compagne de Joanne. Je t'ai demandé ton nom et tu n'as pas voulu me le dire.»

Woody n'avait pas le moindre souvenir de cette scène. «Je suis désolé d'avoir été aussi impoli, dit-il. Je m'appelle Woody Dewar, et voici mon frère Chuck.»

La jeune fille aux yeux bruns serra la main des deux garçons. «Diana Taverner.» Chuck s'assit sur le sable à côté d'elle, ce qui parut lui plaire: Chuck était beau garçon, bien plus séduisant que Woody.

«Quoi qu'il en soit, poursuivit celui-ci, je t'ai cherchée partout, et dans la cuisine, je suis tombé sur un certain Bexforth Ross qui s'est présenté comme ton fiancé. Je vous imaginais mariés maintenant. Est-ce que ce n'est pas extraordinairement long pour des fiançailles?

— Que tu es bête! dit-elle avec une pointe d'agacement, et il se souvint qu'elle n'aimait pas beaucoup les taquineries. Bexforth disait à tout le monde que nous étions fiancés parce qu'il vivait plus ou moins chez nous.»

Woody fut désarçonné. Voulait-elle dire que Bexforth couchait dans le même appartement? Dans le lit de Joanne? Ce n'était pas rare, bien sûr, mais peu de filles l'admettaient.

«C'était lui qui parlait mariage, poursuivit-elle. Moi, je n'ai jamais eu l'intention de l'épouser.»

Autrement dit, elle était seule. Woody n'aurait pas été plus heureux s'il avait gagné à la loterie.

Il fallait rester prudent, cela ne l'empêchait pas d'avoir peut-être un petit ami. Il faudrait qu'il se renseigne. Mais enfin... un petit ami, ce n'était pas comme un mari.

«Justement, j'étais l'autre jour à une réunion à laquelle il assistait, remarqua Woody. Bexforth, c'est quelqu'un, au Département d'État.

— Il ira loin et il se trouvera une femme qui remplira mieux que moi la fonction d'épouse d'un grand manitou du Département d'État. »

À en juger par son ton, Joanne ne gardait pas un excellent souvenir de son ancien amant. Woody en fut tout réjoui, sans savoir pourquoi.

Il prit appui sur son coude. Le sable était chaud. Si elle avait un petit ami auquel elle tenait, elle trouverait bien l'occasion de parler de lui avant longtemps, il en était certain.

« À propos du Département d'État, demanda-t-il, tu y travailles toujours ?

— Oui. Je suis l'assistante du sous-secrétaire chargé des affaires européennes.

— C'est intéressant ?

— À l'heure actuelle, très. »

Les yeux rivés sur la limite inférieure de son maillot de bain en haut de ses cuisses, Woody se disait que quelle que soit la surface de peau découverte, les pensées d'un homme se focalisent toujours sur les parties cachées d'une femme. Sentant venir une érection, il roula sur le ventre pour la dissimuler.

Joanne, à qui son regard n'avait pas échappé, lui demanda : « Tu aimes bien mon maillot de bain ? » Elle allait toujours droit au but. C'était un des traits de caractère qu'il appréciait le plus en elle.

Il décida d'être tout aussi franc. « C'est *toi* que j'aime bien, Joanne. Je t'ai toujours bien aimée. »

Elle éclata de rire. « Ne tourne pas autour du pot, Woody. Dis les choses carrément ! »

Autour d'eux, les gens rangeaient leurs affaires. « On ferait bien d'y aller, déclara Diana.

— Justement, on allait rentrer, dit Woody. On pourrait faire le voyage ensemble ? »

C'était le moment ou jamais pour elle de le rembarrer poliment en disant *Non, merci, les gars. Partez devant.* Mais elle répondit : « Bien sûr, pourquoi pas ? »

Les filles enfilèrent leur robe par-dessus leur maillot, entassèrent leurs affaires dans deux ou trois sacs et ils se dirigèrent tous vers la gare.

Le train était bondé de gens qui avaient passé l'après-midi à la plage comme eux, couverts de coups de soleil et mourant de faim et de soif. Woody acheta quatre Coca-Cola à la gare et les sortit dès que le train s'ébranla. « Une fois, à Buffalo, tu m'as acheté un Coca, dit Joanne, un jour de grande chaleur. Tu te rappelles?

— Bien sûr! C'était pendant la manifestation.

— On n'était que des gosses!

— Offrir un Coca, c'est une de mes techniques habituelles avec les jolies femmes. »

Elle rit. « Et ça te réussit?

— Ça ne m'a pas encore valu un seul baiser. »

Elle leva sa bouteille comme pour porter un toast. « Persévère, ça marchera peut-être un jour! »

Il décida d'y voir un encouragement et enchaîna : « Quand on sera rentrés en ville, tu veux aller prendre un hamburger quelque part? Ou aller au ciné, peut-être? »

C'était le moment ou jamais pour elle de dire *Non merci, je dois retrouver mon copain.* Diana ne lui en laissa pas le temps.

« Ce serait chouette, s'écria-t-elle. Qu'est-ce que tu en penses, Joanne?

— Volontiers. »

Pas de petit ami donc, et en plus, un rendez-vous! Woody fit de son mieux pour dissimuler sa joie. « On pourrait aller voir *Fiancée contre remboursement*, il paraît que c'est assez drôle.

— C'est avec qui? demanda Joanne.

— James Cagney et Bette Davis.

— Ah oui, j'aimerais bien le voir.

— Moi aussi, renchérit Diana.

— Affaire conclue, lança Woody.

— Et toi, Chuck, ça te dit?..., intervint Chuck. Oh oui, grand frère, c'est super! Sympa à toi de me le proposer. »

Ce n'était pas franchement désopilant, mais Diana rit obligeamment.

Joanne s'endormit peu après, la tête sur l'épaule de Woody.

Ses cheveux bruns lui chatouillaient le cou, il sentait son souffle chaud sur sa peau juste à l'endroit où s'arrêtait la manche courte de sa chemise. Il nageait dans le bonheur.

Ils se séparèrent à Union Station pour rentrer chez eux se changer avant de se retrouver dans un restaurant chinois du centre-ville.

Là, tout en dégustant des nouilles sautées arrosées de bière, ils discutèrent du Japon. Le sujet était sur toutes les lèvres. Chuck déclara : « On ne peut pas les laisser continuer, ce sont des fascistes!

— Peut-être, dit Woody.

— Ils sont militaristes et agressifs ; ils se comportent comme des racistes vis-à-vis des Chinois. Qu'est-ce qu'il te faut de plus pour les qualifier de fascistes ?

— Je peux te répondre, intervint Joanne. La différence, c'est la vision de l'avenir. Les vrais fascistes veulent éradiquer définitivement leurs ennemis pour édifier un type de société totalement nouveau. Les Japonais en font autant, mais pour défendre des groupes de pouvoir traditionnels : la caste militaire et l'empereur. En ce sens, l'Espagne n'est pas vraiment fasciste non plus : Franco assassine des gens pour maintenir en place l'Église catholique et la vieille aristocratie, pas pour créer un monde nouveau.

— N'empêche, intervint Diana. Il faut les arrêter.

— Je ne vois pas les choses comme ça, déclara Woody.

— Okay, Woody, fit Joanne. Et tu les vois comment ? »

Comme elle s'intéressait sérieusement à la politique, elle apprécierait une réponse réfléchie, se dit Woody : « Le Japon est une nation commerçante, mais dépourvue de ressources naturelles. Il n'a ni pétrole, ni fer. Uniquement des forêts. Il n'a qu'un moyen de gagner de l'argent : le commerce. Par exemple, en important du coton brut, en le tissant sur place et en le revendant à l'Inde et aux Philippines. Mais avec la Crise, les deux grands empires économiques – l'Angleterre et les États-Unis – ont dressé des barrières tarifaires pour protéger leur industrie. Ces mesures ont frappé le Japon très durement. Elles ont marqué la fin de son commerce avec l'Empire britannique, Inde comprise, et avec les pays qui relèvent de notre zone d'influence, Philippines comprises.

— Et ça leur donne le droit de conquérir le monde ? lança Diana.

— Non, mais ça les incite à croire que le seul moyen d'assurer leur sécurité économique, c'est de posséder un empire bien à eux, comme les Britanniques. Ou, du moins, de dominer leur hémisphère, comme le font les États-Unis. Parce que alors, personne ne pourra plus entraver leur activité économique. Voilà pourquoi ils veulent faire de l'Extrême-Orient leur terrain de jeux. »

Joanne acquiesça. « Et la faiblesse de notre politique, c'est que chaque fois que nous leurs imposons des sanctions économiques pour punir leurs menées agressives, nous ne faisons que renforcer leur conviction que l'autosuffisance est vitale pour eux.

— Peut-être, déclara Chuck, mais tout de même, il va bien falloir les stopper. »

Woody haussa les épaules. Il ne savait que répondre.

Après le dîner, ils allèrent au cinéma. Le film était excellent. Woody et Chuck raccompagnèrent ensuite les jeunes filles chez elles. En chemin, Woody saisit la main de Joanne. Elle lui sourit et serra ses doigts, ce qu'il prit pour un encouragement.

Arrivé devant leur immeuble, Woody prit Joanne dans ses bras. Du coin de l'œil, il vit Chuck en faire autant avec Diana.

Joanne effleura brièvement les lèvres de Woody, presque chastement, et dit : « Le traditionnel baiser du soir.

— Il n'y avait rien de traditionnel dans notre baiser, la dernière fois », murmura-t-il et il inclina à nouveau la tête vers elle.

De l'index, elle repoussa son menton.

Woody en fut dépité. Il n'allait quand même pas se contenter de ce petit bécot !

« J'étais saoule, ce soir-là, lui rappela-t-elle.

— Je sais », répondit Woody. Il comprenait très bien : Joanne craignait qu'il ne la prenne pour une fille facile. C'est pourquoi il enchaîna : « Tu es encore plus séduisante quand tu n'as pas bu, tu sais. »

Elle resta pensive un moment. « Tu as gagné, dit-elle enfin, c'était la bonne réponse », et elle l'embrassa à nouveau, délicatement, sans hâte, non pas avec un élan passionné, mais avec une concentration pleine de tendresse.

Bien trop tôt pour son goût, Woody entendit Chuck chantonner : « Bonne nuit, Diana ! »

Joanne interrompit leur baiser.

« C'est un rapide, mon frère ! » maugréa Woody, contrarié.

Elle rit doucement. « Bonne nuit, Woody. » Puis elle se retourna et se dirigea vers l'immeuble.

Diana, déjà sur le seuil, avait l'air franchement déçue.

Woody lança : « On peut se revoir ? » Il se maudit aussitôt pour le ton suppliant de sa voix.

Joanne ne semblait pas l'avoir remarqué. « Appelle-moi », dit-elle avant d'entrer.

Woody suivit des yeux les deux jeunes filles jusqu'à ce qu'elles aient disparu. Il s'en prit ensuite à son frère plutôt vertement. «Tu ne pouvais pas l'embrasser plus longtemps, non? dit-il avec humeur. Elle a pourtant l'air sympa, Diana.

— Pas mon genre!

— Vraiment? répliqua Woody, plus surpris que contrarié. Des petits nénés bien ronds, une jolie frimousse, qu'est-ce qu'il te faut de plus? Je n'aurais pas été avec Joanne, je l'aurais embrassée sans me faire prier.

— Chacun ses goûts!»

Ils prirent le chemin du retour. «C'est quoi, ton type, alors? voulut savoir Woody.

— Avant que tu te mettes à organiser une autre sortie à quatre, il faut probablement que je t'avoue quelque chose.

— Quoi donc?»

Chuck s'arrêta, obligeant Woody à faire de même. «Mais d'abord, tu dois me jurer de ne jamais en parler aux parents, ni à Papa ni à Mama.

— Je le jure.» À la lumière jaune des réverbères, Woody scruta le visage de son frère. «C'est quoi, ce grand secret?

— Je n'aime pas les filles.

— Ce sont des emmerdeuses, d'accord, mais qu'est-ce qu'on peut y faire?

— Tu n'as pas compris. Je n'aime pas me coller contre une fille et l'embrasser.

— Quoi? Ne dis pas de conneries.

— On n'est pas tous faits pareil, Woody.

— Ouais, mais alors, il faudrait que tu sois du genre pédé.

— Justement.

— Quoi, justement?

— Justement, je suis du genre pédé.

— Tu te fous de ma gueule?

— Ce n'est pas de la blague, Woody, je suis tout à fait sérieux.

— Toi, une pédale?

— Eh oui, c'est comme ça. Je ne l'ai pas choisi. Quand on était petits et qu'on commençait à se branler, toi, tu pensais à des seins dodus et à des cons pleins de poils. Moi, je ne te l'ai jamais dit, mais c'étaient de grosses bites bien raides que je voyais dans ma tête.

— Chuck, c'est répugnant!

— Mais non! Certains hommes sont comme ça. Et ils sont bien plus nombreux que tu le crois. Dans la marine, surtout.

— Il y a des pédés dans la marine?»

Chuck hocha la tête avec force. « À la pelle !

— Ah oui... Et comment tu sais ça ?

— On se reconnaît entre nous. Un peu comme les Juifs entre eux si tu veux. Tiens, le serveur du restaurant chinois !

— Ah bon, tu crois ?

— Tu ne l'as pas entendu dire qu'il aimait bien mon veston ?

— Si, mais de là à en conclure que...

— C'est bien ce que je te disais.

— Tu crois que tu l'intéressais ?

— Je suppose.

— Pourquoi ?

— Pour la même raison que Diana, sans doute. Merde, je suis bien plus beau que toi !

— C'est bizarre.

— Allons, viens, on rentre ! »

Ils reprirent leur route. Woody était encore sous le choc. « Tu veux dire qu'il y a des pédés chinois ?

— Bien sûr ! dit Chuck et il éclata de rire.

— Je ne sais pas, mais je n'aurais jamais pensé ça d'un Chinois !

— N'oublie pas, surtout : pas un mot à qui que ce soit et surtout aux parents. Dieu sait ce que Papa dirait. »

Au bout d'un moment, Woody passa le bras autour des épaules de son frère. « Et puis qu'est-ce que ça peut foutre, après tout ! Au moins, tu n'es pas républicain. »

3.

Greg Pechkov était à bord de l'*Augusta* dans la baie de Placentia, au large des côtes de Terre-Neuve, en compagnie de Sumner Welles et du président Roosevelt. En dehors de ce croiseur lourd, le convoi se composait du cuirassé l'*Arkansas*, du croiseur *Tuscaloosa* et de dix-sept destroyers.

Les navires avaient jeté l'ancre en formant deux longues rangées parallèles de façon à ménager un large passage au centre. En ce samedi 9 août, à neuf heures du matin, il faisait un soleil radieux. Les équipages de ces vingt navires, en uniforme blanc, étaient alignés le long du bastingage pour accueillir le cuirassé britannique *Prince of Wales* avec à son bord le Premier ministre Churchill, et les trois destroyers qui constituaient son escorte.

C'était la plus impressionnante démonstration de puissance que Greg ait jamais vue. Il était ravi d'être aux premières loges.

Il s'inquiétait pourtant à l'idée que les Allemands aient pu avoir vent de cette rencontre. Que se passerait-il alors? Un U-Boot pouvait tuer les deux dirigeants de ce qui restait de la civilisation occidentale – et le tuer aussi, par la même occasion.

Avant de quitter Washington, Greg avait revu le détective Tom Cranmer, qui lui avait donné l'adresse d'un immeuble situé dans un quartier populaire, de l'autre côté de l'Union Station. «Elle est serveuse au University Women's Club, à côté du Ritz-Carlton. Ce qui explique que vous l'ayez rencontrée deux fois dans le coin, avait-il dit tout en empochant le solde de ses honoraires. Je suppose qu'elle n'a pas percé en tant qu'actrice. En tout cas, elle continue à se faire appeler Jacky Jakes. »

Greg lui avait écrit une lettre.

Chère Jacky,

Je voudrais simplement savoir pourquoi tu m'as plaqué comme ça, il y a six ans. Je croyais que nous étions heureux, je devais me tromper. La question me turlupine, voilà tout.

Tu as eu l'air effrayée de me revoir, mais tu n'as rien à craindre de moi. Je ne suis pas fâché, simplement curieux. Je ne ferai jamais rien qui puisse te blesser. Tu es la première fille que j'ai aimée.

Est-ce qu'on pourrait se voir, juste prendre un café ou autre chose, et bavarder un peu ?

Très sincèrement,

Greg Pechkov

Il avait ajouté son numéro de téléphone personnel et posté la lettre le jour même de son départ pour Terre-Neuve.

Le Président tenait absolument à ce que la conférence débouche sur une déclaration commune. Le patron de Greg, Sumner Welles, avait rédigé un projet, mais Roosevelt avait refusé de le présenter, disant qu'il valait mieux laisser Churchill soumettre la première version du texte.

Greg comprit immédiatement que Roosevelt était fin négociateur. Car la partie qui rédigerait la première ébauche du texte devrait nécessairement, par souci d'équité, évoquer certaines des exigences de la partie adverse en plus des siennes. De par leur seule mention dans le document, celles-ci deviendraient alors *de facto* une base de négociation minimale et incontournable, alors qu'aucune des revendications de la partie chargée de rédiger le texte n'aurait encore été négociée. Autrement dit, celui qui rédigeait la première mouture se trouvait toujours désavantagé. Greg se jura de ne jamais l'oublier.

Ce jour-là, le Président et le Premier ministre déjeunèrent ensemble à bord de l'*Augusta*. Le lendemain, un dimanche, ils assistèrent à un office religieux sur le pont du *Prince of Wales*. L'autel avait été drapé de rouge, de blanc et de bleu, couleurs des Stars and Stripes comme de l'Union Jack. Le lundi matin, les deux hommes, dès lors très bons amis, abordèrent les choses sérieuses.

Churchill avait élaboré un plan en cinq points qui enchanta Sumner Welles et Gus Dewar : il appelait en effet à la création d'une organisation internationale capable d'assurer efficacement la sécurité de tous les États. En d'autres termes, une Société des nations renforcée. À leur grande déception, ils découvrirent que cette proposition était trop radicale pour Roosevelt. Certes, il y était favorable, mais il craignait les isolationnistes, ceux qui croyaient encore que l'Amérique n'avait pas à s'occuper des problèmes du reste du monde. Très à l'écoute de l'opinion publique, Roosevelt mettait tout en œuvre pour ne pas susciter d'opposition.

Welles et Dewar n'abandonnèrent pas la partie, pas plus que les Britanniques. Ils se réunirent afin de trouver un compromis acceptable pour les deux dirigeants. Greg prenait des notes pour Welles. Le groupe rédigea une clause appelant au désarmement «en attendant la mise en place d'un système de sécurité globale, plus vaste et plus permanent».

Elle fut soumise aux deux hommes d'État qui l'acceptèrent.

Welles et Dewar étaient aux anges.

Greg ne comprenait pas pourquoi. «Ça paraît si peu de chose, remarqua-t-il. Tous ces efforts, les dirigeants de deux grands pays qui franchissent des milliers de kilomètres, des dizaines de collaborateurs, vingt-quatre navires et plusieurs jours de négociation, tout cela pour n'écrire que quelques mots sur une page, des mots, qui plus est, qui ne disent même pas tout à fait ce que nous voulons.

— Nous progressons pas à pas, répliqua Gus Dewar avec un sourire. C'est comme ça en politique, on ne fait jamais de grandes enjambées.»

4.

Cela faisait maintenant plus d'un mois que Woody et Joanne se voyaient régulièrement.

Le jeune homme serait volontiers sorti avec elle tous les soirs, mais il se retenait. Il avait quand même réussi à la voir quatre fois au cours de la semaine passée : dimanche à la plage, mercredi à dîner, vendredi au cinéma, et ce jour-là, samedi, ils passaient toute la journée ensemble.

Il ne se lassait pas de bavarder avec elle. Elle était drôle, intelligente, acerbe. Il aimait qu'elle ait des opinions aussi tranchées sur tout. Ils pouvaient discourir des heures entières sur ce qu'ils aimaient ou détestaient.

Les informations en provenance d'Europe étaient mauvaises. Les Allemands continuaient à tailler en pièces l'armée Rouge. À l'est de Smolensk, ils avaient anéanti les 16e et 20e armées soviétiques et fait trois cent mille prisonniers. Moscou n'était plus défendue que par des forces éparses. Pourtant ces mauvaises nouvelles ne parvenaient pas à tempérer l'allégresse de Woody.

Joanne n'éprouvait probablement pas pour lui des sentiments aussi exaltés que ceux qu'il avait pour elle, mais il était convaincu qu'elle l'aimait bien. Ils s'embrassaient toujours au moment de se quitter, et elle semblait le trouver sympathique même si elle ne manifestait pas la passion dont il la savait capable. Il faut dire qu'ils échangeaient toujours leurs baisers dans des lieux publics, au cinéma ou dans l'encoignure d'une porte d'immeuble près de chez elle. Quand ils se retrouvaient dans son appartement, il y avait toujours l'une ou l'autre de ses colocataires qui traînait au salon. Jusque-là, Joanne ne l'avait pas encore invité dans sa chambre.

Chuck avait regagné Hawaï depuis plusieurs semaines, sa permission achevée. Woody s'interrogeait toujours sur ce qu'il lui avait confié. Tantôt ces aveux le bouleversaient, tantôt il se disait qu'en réalité, cela ne faisait aucune différence. Quoi qu'il en soit, il tenait parole et n'avait rien dit à personne, pas même à Joanne.

Sur ces entrefaites, le père de Woody quitta la ville avec le Président tandis que sa mère partait passer quelques jours à Buffalo auprès de ses parents. Woody avait donc leur grand appartement de Washington, neuf pièces, pour lui tout seul pendant quelques jours. Il décida de trouver une bonne occasion d'y faire venir Joanne Rouzrokh, dans l'espoir d'obtenir enfin d'elle un vrai baiser.

Ils déjeunèrent ensemble et visitèrent une exposition intitulée « l'Art nègre », descendue en flamme par les critiques conservateurs convaincus qu'une chose pareille n'existait pas – malgré l'incomparable génie d'artistes tels que le peintre Jacob Lawrence et la sculptrice Elizabeth Catlett.

Comme ils sortaient de l'exposition, Woody demanda à Joanne : « Tu veux prendre un verre, le temps qu'on décide où on va dîner ?

— Non, merci, dit-elle du ton résolu qui était le sien. Ce dont j'ai vraiment envie, c'est d'une tasse de thé.

— Du thé ? » Où pouvait-on boire un bon thé à Washington ? Et soudain, Woody eut une illumination. « On peut aller chez moi, si tu veux, ma mère boit du thé anglais.

— D'accord. »

C'était à quelques rues de là, dans la 22ᵉ Rue NW, près de L Street. Ils pénétrèrent dans le vestibule climatisé et respirèrent tout de suite mieux. Un portier les conduisit à l'étage par l'ascenseur.

Au moment d'entrer dans l'appartement, Joanne déclara : « Je tombe tout le temps sur ton père, ici ou là à Washington, mais je n'ai pas vu ta mère depuis des années. Je serai heureuse de la féliciter pour son dernier livre.

— Elle n'est pas là pour le moment, répondit Woody. Viens, on va aller à la cuisine. »

Il remplit la bouilloire au robinet et la posa sur la cuisinière. Puis, prenant Joanne dans ses bras, il soupira : « Enfin seuls !

— Où sont tes parents ?

— Ils sont partis, tous les deux.

— Et Chuck est à Hawaï.

— Oui. »

Elle s'écarta de lui. « Woody, comment oses-tu me faire une chose pareille ?

— Comment ça ? Je te fais du thé !

« — Tu m'as entraînée ici sous de faux prétextes ! J'étais persuadée que tes parents étaient là.

— Je n'ai jamais prétendu ça.

— Pourquoi ne m'as-tu pas dit qu'ils étaient en voyage ?

— Tu ne me l'as pas demandé ! » répondit-il indigné, tout en reconnaissant qu'elle n'avait pas tout à fait tort. Il ne lui aurait jamais menti, non. Il avait simplement profité de l'occasion et ne l'avait pas prévenue qu'il n'y avait personne chez lui.

« Tu m'as fait monter ici pour me faire des avances ! Tu me prends pour une fille légère.

— Pas du tout ! Mais on n'a jamais un moment d'intimité. Tout ce j'espérais, c'est un vrai baiser. Rien de plus !

— Ne me raconte pas de salades ! »

Elle était vraiment injuste. Bien sûr qu'il espérait coucher avec elle un jour, mais sûrement pas ce jour-là. « Très bien, dit-il. Allons prendre le thé ailleurs. Le Ritz-Carlton est à deux pas. Ils en ont sûrement, avec tous les Anglais qui y descendent.

— Ça va, ne sois pas idiot. Maintenant qu'on est là, autant y rester. Tu ne me fais pas peur, je saurai me défendre. Je suis seulement furieuse contre toi. Je ne veux pas qu'un homme sorte avec moi parce qu'il me croit facile.

— Facile ? dit-il en haussant la voix. Mince alors ! J'ai attendu six ans pour que tu daignes sortir avec moi, et tout ce que je te demande, c'est un baiser ! Si c'est ça les filles faciles, qu'est-ce que ce serait si j'étais amoureux d'une fille difficile ! »

À son grand étonnement, Joanne éclata de rire.

« Qu'est-ce qu'il y a encore ? dit-il avec humeur.

— Excuse-moi, tu as raison. Si tu cherchais une fille facile, tu m'aurais laissé tomber depuis longtemps.

— Tu l'as dit !

— J'étais persuadée que tu te faisais une mauvaise image de moi parce que je t'avais embrassé ce fameux jour où j'avais trop bu. Je me disais que tu me courais après dans l'espoir de prendre un peu de plaisir à bon compte. Ces derniers temps, cette idée me tournicotait dans la tête. Pardonne-moi, je t'avais mal jugé. »

Woody était souvent déconcerté par ses rapides sautes d'humeur, mais il se dit que cette dernière phrase laissait entrevoir une amélioration. « Si tu crois que j'ai attendu de t'embrasser pour être fou de toi. Tu ne l'avais pas remarqué, je suppose.

— Je t'avais à peine remarqué *toi*.

— Ce n'est pas faute d'être grand.

— C'est bien ton seul trait physique intéressant.»

Il sourit. «Ah, ça! Je ne risque pas d'attraper la grosse tête avec toi.

— Non, pas de danger de ce côté-là!»

L'eau bouillait. Woody mit du thé dans une théière en porcelaine et versa l'eau dessus.

Joanne avait l'air pensif. «Tu as dit quelque chose tout à l'heure...

— Quoi donc?

— Tu as dit : "Qu'est-ce que ça serait si j'étais amoureux d'une fille difficile!" Tu le pensais vraiment?

— Quoi donc?

— Le fait d'être amoureux.

— Ah! Non, je ne voulais pas dire ça!» Abandonnant toute prudence, il se reprit : «Et puis flûte! Puisque tu veux savoir la vérité, oui, je suis amoureux de toi. Je crois que je t'aime depuis des années. Je t'adore. Je veux...»

Elle passa les bras autour de son cou et l'embrassa.

Un vrai baiser, cette fois. Sa bouche s'empara de la sienne avec avidité, la pointe de sa langue frôlant ses lèvres, son corps se serrant contre lui. C'était comme en 1935, sauf qu'elle ne sentait pas le whisky. C'était la jeune fille qu'il aimait, la vraie Joanne, pensa-t-il avec ravissement : une femme pleine de passion. Qui était dans ses bras et se livrait à lui sans retenue.

Elle glissa ses mains à l'intérieur de sa légère chemise de sport et caressa sa poitrine, lui enfonçant les doigts entre les côtes, lui pétrissant les mamelons de ses paumes, agrippant ses épaules comme si elle voulait pénétrer profondément dans sa chair. Il se rendit compte qu'elle était remplie du même désir refoulé que lui, un désir qui débordait maintenant comme l'eau d'un barrage qui rompt. Il lui rendit ses caresses, glissant les mains le long de ses flancs, saisissant ses seins avec un sentiment de libération et de bonheur, proche de celui de l'écolier qui se voit offrir des vacances inattendues.

Quand il introduisit entre ses cuisses une main impatiente, elle se dégagea. Mais il ne s'attendait pas à ce qu'elle lui demande : «Tu as un préservatif?

— Non! Je suis désolé...

— Ça ne fait rien. En fait, je préfère. Ça prouve que tu n'avais pas monté ce guet-apens.

— Si seulement...

— Tant pis. Je connais une femme médecin qui me donnera ce qu'il faut lundi. En attendant, on va improviser. Embrasse-moi encore.»

Pendant qu'il s'exécutait, il la sentit déboutonner son pantalon.

«Oh, s'exclama-t-elle un instant plus tard. C'est formidable!

— Exactement ce que je pensais, murmura-t-il.

— Mais je vais avoir besoin de mes deux mains.

— Comment?

— J'imagine que c'est proportionnel à la taille.

— Je ne comprends rien à ce que tu dis.

— Eh bien, je vais me taire et t'embrasser.»

Quelques minutes plus tard, elle demanda : «Un mouchoir!» Heureusement, il en avait un sur lui.

Il releva les paupières quelques instants avant la fin et vit qu'elle le regardait. Il lut dans ses yeux du désir, de l'excitation et aussi autre chose, qui pouvait bien être de l'amour.

Quand ce fut fini, il éprouva une béatitude pleine de sérénité. Je l'aime, pensa-t-il, je suis heureux. Que la vie est délicieuse! Tout haut, il dit : «C'était merveilleux. Je voudrais te faire la même chose.

— Tu veux? Vraiment?

— Plutôt deux fois qu'une!»

Ils étaient toujours debout dans la cuisine, appuyés contre la porte du réfrigérateur. Ni l'un ni l'autre n'avait envie de bouger. Elle lui prit la main, la guida sous sa robe d'été pour la glisser dans sa culotte en coton. Il sentit une peau chaude, des poils frisés et une fente humide. Il voulut enfoncer son doigt à l'intérieur. «Non», dit-elle. Elle saisit elle-même le bout de son doigt et le guida entre les lèvres souples, pour lui faire sentir, juste sous la peau, une petite protubérance toute dure, de la taille d'un pois. Elle fit remuer son doigt en cercle. «Oui, dit-elle en fermant les yeux. Comme ça.» Il étudia son visage avec adoration tandis qu'elle s'abandonnait au plaisir. Au bout d'une minute ou deux, elle poussa un petit cri, qu'elle répéta deux ou trois fois. Puis elle repoussa sa main et s'effondra contre lui.

«Ton thé va être froid», remarqua-t-il au bout d'un moment.

Elle se mit à rire. «Je t'aime, Woody.

— C'est vrai?

— J'espère que ça ne te fait pas peur.

— Non, répondit-il avec un sourire. Ça me rend très heureux.

— Je sais que les filles ne sont pas censées être aussi directes. Mais je ne sais pas faire semblant. Une fois que j'ai décidé quelque chose, c'est pour de bon.

— Oui, j'avais cru remarquer. »

5.

Greg Pechkov habitait la suite que son père louait à l'année au Ritz-Carlton. Lev y venait de temps à autre, lorsqu'il s'arrêtait quelques jours à Washington entre Buffalo et Los Angeles. Pour l'heure, Greg avait la suite pour lui tout seul, à ce détail près que Rita Lawrence, la fille bien roulée du congressiste, y avait passé la nuit. Maintenant, elle était absolument adorable, ébouriffée dans une robe de chambre masculine en soie rouge.

Un garçon leur apporta le petit déjeuner, les journaux et une enveloppe contenant un message.

La déclaration commune de Roosevelt et Churchill avait provoqué plus de bruit que Greg ne s'y attendait. Une semaine plus tard, elle faisait encore la une de la presse, qui l'avait baptisée « charte de l'Atlantique ». Aux yeux de Greg, ce communiqué n'était qu'un conglomérat de phrases prudentes et de vagues promesses, mais le monde voyait les choses autrement. La nouvelle avait été saluée par certains comme une sonnerie de clairon en faveur de la liberté, de la démocratie et du commerce mondial. Hitler, en revanche, y avait vu l'équivalent d'une déclaration de guerre de la part des États-Unis. Il en avait été ulcéré, disait-on.

Des pays qui n'avaient pas participé à la conférence souhaitaient néanmoins signer cette charte et Bexforth Ross avait suggéré que les signataires prennent le nom de « Nations unies ».

Pendant ce temps, les Allemands envahissaient l'Union soviétique. Au nord, ils s'approchaient de Leningrad et tiendraient bientôt la ville en tenaille. Au sud, ils forçaient les Russes à battre en retraite. Au prix d'un sacrifice déchirant, ceux-ci avaient fait sauter le barrage sur le Dniepr, le plus grand complexe hydroélectrique du monde qui faisait leur joie et leur fierté, pour que les conquérants ne profitent pas de l'électricité qu'il produisait. «L'armée Rouge a réussi à freiner un peu l'invasion, annonça Greg à Rita, en lisant le *Washington Post*. Mais les Allemands continuent d'avancer de presque dix kilomètres par jour. Ils prétendent avoir déjà tué trois millions et demi de soldats soviétiques. Tu te rends compte?

— Tu as de la famille en Russie?

— En fait, oui. Un jour qu'il avait un peu trop bu, mon père m'a raconté qu'il avait laissé derrière lui une fille enceinte.»

Rita fit la grimace.

«C'est lui tout craché, malheureusement, continua Greg. C'est un grand homme, et les grands hommes n'obéissent pas aux règles.»

Rita resta muette, mais son expression était limpide : elle ne partageait pas ce point de vue, mais ne voulait pas se fâcher avec lui pour si peu.

«Toujours est-il que j'ai un demi-frère russe, tout aussi illégitime que moi, poursuivit Greg. Je ne sais qu'une chose à son sujet : il s'appelle Vladimir. Il est peut-être mort à l'heure qu'il est, il a l'âge de se battre. Il fait probablement partie de ces trois millions et demi de victimes.» Il tourna la page.

La lecture du journal achevée, il lut le message apporté par le garçon d'étage.

Il était de Jacky Jakes et contenait un numéro de téléphone accompagné de ces seuls mots : *Pas entre 1 et 3.*

Tout à coup, Greg n'eut plus qu'une envie : se débarrasser de Rita. «À quelle heure es-tu attendue chez toi?» demanda-t-il sans grande délicatesse.

Elle regarda sa montre. «Oh, mon Dieu, il faut que je rentre avant que ma mère commence à me chercher partout.» La veille, elle avait dit à ses parents qu'elle restait dormir chez une amie.

Ils s'habillèrent en même temps et quittèrent l'hôtel dans deux taxis séparés.

Le numéro de téléphone indiqué par Jacky devait être celui de son lieu de travail, et les heures où elle ne voulait pas être dérangée celles où elle était particulièrement occupée. Greg décida de l'appeler en milieu de matinée.

Il se demanda pourquoi il s'emballait comme ça. Après tout, c'était pure curiosité de sa part. Rita Lawrence était une fille superbe, très attirante sexuellement. Et pourtant avec elle comme avec les autres, il n'avait jamais retrouvé la passion de sa première aventure avec Jacky. C'était sans doute parce qu'il n'avait plus quinze ans, et ne les aurait jamais plus.

Ayant rejoint son bureau dans le bâtiment de l'Old Executive Office, il s'attela à sa première tâche du jour : rédiger une note à destination des citoyens américains résidant en Afrique du Nord, où Britanniques, Italiens et Allemands se disputaient une bande côtière de trois mille kilomètres de long sur soixante de large, perdant et reprenant tour à tour une partie de ce territoire.

À dix heures et demie, il composa le numéro inscrit sur le message.

«University Women's Club», répondit une voix féminine. Greg n'y avait jamais mis les pieds. Les hommes ne se rendaient dans les cercles de femmes que sur invitation.

«Pourrais-je parler à Jacky Jakes? demanda-t-il.

— Oui, elle attend justement un appel. Un instant, je vous prie.» Greg songea qu'elle devait probablement demander l'autorisation de recevoir un coup de téléphone pendant ses heures de travail.

Quelques instants plus tard, il entendit : «Ici Jacky. Qui est à l'appareil?

— Greg Pechkov.

— Je m'en doutais. Comment as-tu eu mon adresse?

— J'ai engagé un détective privé. On peut se voir?

— J'ai l'impression que je n'ai pas le choix. Mais à une condition.

— Laquelle?

— Tu dois me jurer sur ce que tu as de plus sacré de ne jamais le dire à ton père. Jamais.

— Pourquoi?

— Je t'expliquerai plus tard.»

Il haussa les épaules. «D'accord.

— Tu le jures?

— Bien sûr.»

Elle insista. «Dis-le.

— Je le jure. Ça te va?

— Très bien. Tu peux m'inviter à déjeuner.»

Greg réfléchit. «Où est-ce qu'un Blanc et une Noire peuvent manger à la même table dans ce quartier?

— L'Electric Diner, je ne vois que ça.

— Je suis déjà passé devant. » Il avait remarqué le nom de ce café-restaurant, mais n'y était jamais entré. C'était un snack bon marché, fréquenté par les concierges et les coursiers. « À quelle heure ?

— Onze heures et demie.

— Si tôt ?

— Parce que tu crois que ça mange à une heure, les serveuses ? »

Il sourit : « Toujours aussi insolente, à ce que je vois ! »

Elle raccrocha.

Greg acheva son communiqué et apporta les pages dactylographiées dans le bureau de son patron. Les ayant déposées dans la corbeille « arrivée », il demanda : « Est-ce que ça va si je pars déjeuner de bonne heure aujourd'hui, Mike ? Disons vers onze heures et demie ?

— Ouais, pas de problème », répondit l'autre sans lever les yeux de la page des chroniques et commentaires du *New York Times.*

Greg longea la Maison Blanche inondée de soleil et arriva au lieu du rendez-vous sur les coups de onze heures vingt. Le café était presque désert, il n'y avait que quelques personnes qui prenaient une pause en cette fin de matinée. Il s'installa dans un box et commanda un café.

Il se demanda ce que Jacky lui dirait. Il avait hâte de connaître le fin mot d'une histoire dont le mystère le taraudait depuis six ans.

Elle arriva à onze heures trente-cinq, vêtue d'une robe noire et chaussée de souliers plats. Son uniforme de serveuse, apparemment, mais sans le tablier blanc. Le noir lui allait bien et il se rappela le plaisir qu'il éprouvait, jadis, à la contempler, à admirer l'arc de sa bouche et ses grands yeux bruns. Elle s'assit en face de lui et commanda une salade et un Coca. Greg reprit du café : il était trop nerveux pour avaler quoi que ce soit.

Le visage de Jacky avait perdu les rondeurs enfantines qui étaient restées gravées dans sa mémoire. Elle avait seize ans à l'époque, elle en avait donc vingt-deux à présent. Ils étaient alors des enfants qui jouaient à être grands. Maintenant, ils étaient vraiment adultes. Il déchiffra sur son visage une histoire dont il n'y avait pas encore trace six ans auparavant : déception, souffrance, pauvreté.

«Je suis dans l'équipe de jour, expliqua-t-elle. J'arrive à neuf heures, je dresse le couvert, je prépare la salle à manger. Après, je sers le déjeuner, je débarrasse et je repars à cinq heures.

— La plupart des serveuses travaillent le soir.

— J'aime avoir mes soirées libres et mes week-ends aussi.

— Toujours partante pour faire la fête !

— Non, généralement, je reste chez moi et j'écoute la radio.

— Tu dois avoir quantité de soupirants.

— Autant que je veux. »

Il lui fallut un moment pour comprendre que cela pouvait être interprété de multiples façons.

Sa commande arriva. Elle but son Coca et picora la salade.

Greg se lança : «Dis-moi, pourquoi est-ce que tu es partie comme ça sans crier gare, en 1935 ? »

Elle soupira. «Je n'ai pas envie de te le dire, parce que ça ne va pas te faire plaisir.

— Il faut que je le sache.

— Ton père est venu me trouver. »

Greg hocha la tête. «Je me doutais qu'il n'était pas étranger à l'affaire.

— Il était accompagné d'un homme de main, un certain Joe quelque chose...

— Joe Brekhounov, un gangster, lâcha Greg, saisi d'une colère grandissante. Il t'a fait du mal ?

— Ce n'était pas la peine, Greg. Rien qu'à le regarder, j'étais morte de peur. J'aurais fait tout ce que ton père voulait. »

Greg réussit à contenir sa fureur. «Et il voulait quoi ?

— Que je parte sur-le-champ. Il m'a dit que je pouvais t'écrire un mot, mais qu'il le lirait. Il m'a obligée à revenir ici, à Washington. Ça m'a brisé le cœur de devoir te quitter.

— À moi aussi», murmura Greg en se rappelant son propre désespoir. Il faillit tendre la main par-dessus la table pour saisir la sienne, mais craignit qu'elle le repousse.

«Il m'a dit qu'il me verserait de l'argent toutes les semaines, reprit-elle, simplement pour que je ne te voie plus jamais. Il me paye toujours cette pension. Ce n'est pas grand-chose, quelques dollars à peine, mais ça paie mon loyer. J'ai donc promis. Je ne sais pas comment, mais j'ai tout de même eu le courage de poser une condition.

— Laquelle ?

— Qu'il ne chercherait jamais à me faire des avances. Que s'il le faisait, je te raconterais tout.

— Il a accepté ?

— Oui.

— Les gens qui s'en tirent après l'avoir menacé se comptent sur les doigts de la main. »

Elle repoussa son assiette. « Il m'a dit ensuite que si je ne tenais pas ma promesse, il enverrait Joe me lacérer le visage. Joe a sorti son rasoir. »

À présent, tout était clair. « Et tu continues à avoir peur. »

De fait, sa peau noire était exsangue. « Tu parles que j'ai la trouille, et pas qu'un peu !

— Oh, Jacky ! fit Greg d'une voix qui n'était plus qu'un chuchotement. Je suis tellement navré. »

Elle se força à sourire. « Est-ce qu'il a eu tort, finalement ? Tu n'avais que quinze ans. Ce n'est pas un âge pour se marier.

— Si au moins il m'en avait parlé, tout aurait été différent. Mais voilà, il est comme ça, il décide de l'avenir des autres et fait en sorte que tout se passe comme il l'entend. Et personne n'a son mot à dire.

— On a quand même passé de bons moments ensemble.

— Et comment !

— J'étais ton cadeau, tu te rappelles. »

Il se mit à rire. « Le plus beau que j'aie jamais reçu.

— Et toi, qu'est-ce que tu deviens ?

— Je travaille au bureau de presse du Département d'État. Un stage d'été. »

Elle fit la grimace. « Ça n'a pas l'air folichon.

— Tu te trompes ! C'est passionnant de regarder les puissants de ce monde prendre des décisions qui vont changer le cours de l'histoire. Comme ça, assis derrière leurs bureaux. Ils dirigent le monde ! »

— Oui, dit-elle sans grande conviction, c'est sûrement mieux que d'être serveuse. »

Il commença à entrevoir la distance qui les séparait désormais. « En septembre, je retourne à Harvard. Pour ma dernière année.

— Tu dois être la coqueluche des étudiantes !

— Il y a surtout des garçons, très peu de filles.

— Mais tu t'en sors sûrement très bien quand même, je me trompe ?

— Je ne vais pas te mentir.» L'image d'Emily Hardcastle lui traversa l'esprit et il se tut.

«Tu épouseras une de ces filles, tu auras de beaux enfants et tu habiteras une maison au bord d'un lac.

— J'aimerais faire une carrière politique, être secrétaire d'État ou bien sénateur comme le père de Woody Dewar.»

Elle détourna les yeux.

Greg se représenta cette maison au bord d'un lac. C'était probablement le rêve de Jacky. Il eut de la peine pour elle.

«Tu y arriveras, reprit-elle. Je le sais. Tu as ce qu'il faut pour ça. Tu l'avais déjà à quinze ans. Tu es comme ton père.

— Comment? Arrête!»

Elle haussa les épaules. «Réfléchis un peu, Greg. Tu savais que je ne voulais pas te voir, mais ça ne t'a pas empêché d'engager un détective privé pour me retrouver. *Il décide de l'avenir des autres et fait en sorte que tout se passe comme il l'entend. Et personne n'a son mot à dire.* C'est bien comme ça que tu viens de le décrire, non?

— J'espère que je ne suis pas sa copie conforme», murmura Greg, consterné.

Elle le dévisagea comme si elle le jaugeait. «Le jury n'a pas encore rendu son verdict.»

La serveuse débarrassa son assiette. «Un dessert? La tarte aux pêches est délicieuse.»

Ni l'un ni l'autre n'en voulait. La serveuse remit l'addition à Greg.

«J'espère que ta curiosité est satisfaite, déclara Jacky.

— Oui, je te remercie. C'était vraiment gentil de ta part.

— La prochaine fois que tu me croises dans la rue, passe ton chemin.

— Si c'est ce que tu veux...»

Elle se leva. «Sortons séparément. Je serai plus à l'aise.

— Comme tu voudras.

— Bonne chance, Greg.

— Bonne chance à toi!

— N'oublie pas de laisser un pourboire à la serveuse!» Elle s'éloigna.

X

1941 (III)

1.

En ce mois d'octobre, la neige tombait et fondait aussitôt. À Moscou, les rues étaient froides et humides. En fouillant le placard de l'entrée à la recherche de ses *valenki*, ces traditionnelles bottes en feutre grâce auxquelles les Russes gardent les pieds au chaud en hiver, Volodia découvrit à sa grande surprise six caisses de vodka.

Ses parents n'étaient pas de gros buveurs. Ils se contentaient généralement d'un petit verre. Il arrivait à son père d'assister de temps à autre à l'un de ces dîners interminables donnés par Staline où l'alcool coulait à flots : il y retrouvait d'anciens camarades, et rentrait au petit matin saoul comme un Polonais. Mais à la maison, une bouteille de vodka durait au moins un mois.

Volodia entra à la cuisine, où ses parents prenaient le petit déjeuner : thé, sardines en boîte et pain noir. « Papa, demanda-t-il, pourquoi est-ce qu'on a des réserves de vodka pour six ans dans le placard ? »

Son père eut l'air étonné.

Les deux hommes se tournèrent vers Katerina qui rougit. Elle alla allumer la radio et en monta le son. Craignait-elle que l'appartement soit sur écoute ? se demanda Volodia.

D'une voix basse mais impatiente, elle déclara : « Qu'est-ce que vous aurez, comme monnaie d'échange, quand les Allemands seront là ? Nous n'appartiendrons plus à l'élite privilégiée, vous pouvez me croire ! Si nous n'avons pas de quoi acheter à manger au marché noir, nous mourrons de faim. Je suis trop vieille pour faire le tapin. La vodka vaudra plus cher que de l'or. »

Volodia fut médusé d'entendre sa mère parler ainsi. Quant à son père, il rétorqua : «Les Allemands n'arriveront jamais jusqu'ici, voyons. »

Volodia n'en était pas si sûr. Ils poursuivaient leur avance sur Moscou et les mâchoires de la tenaille se refermaient peu à peu autour de la ville. Ils étaient déjà à Kalinine au nord et à Kalouga au sud, deux villes situées à moins de deux cents kilomètres de la capitale. Les pertes dans le camp soviétique dépassaient l'imagination. Un mois plus tôt, huit cent mille hommes étaient sur le front. Aujourd'hui, il n'en restait plus que quatre-vingt-dix mille, selon les estimations parvenues à son bureau. « Qui diable va les arrêter ? demanda-t-il à son père.

— Leurs lignes de ravitaillement sont trop étirées et ils ne sont pas équipés pour nos hivers. Nous contre-attaquerons quand ils seront affaiblis.

— Dans ce cas, pourquoi le gouvernement quitte-t-il Moscou ? »

De fait, on avait commencé à transférer les administrations de la capitale à Kouïbychev, environ mille kilomètres à l'est, et le spectacle de tous ces fonctionnaires chargeant dans des camions des multitudes de cartons remplis de dossiers inquiétait grandement la population.

«Simple mesure de précaution, expliqua Grigori. Staline est toujours au Kremlin.

— Il existe pourtant une solution, fit remarquer Volodia : appeler en renfort nos centaines de milliers d'hommes qui se trouvent en Sibérie. »

Grigori secoua la tête. « On ne peut pas laisser la frontière orientale sans défense. Le Japon est toujours une menace.

— Le Japon ne nous attaquera pas, nous le savons parfaitement ! » Volodia jeta un coup d'œil à sa mère. Il n'était pas censé évoquer les questions d'espionnage devant elle, il le savait, mais passa outre. «Notre source à Tokyo, celle-là même qui nous a avertis à juste titre de l'invasion allemande imminente, nous annonce maintenant que les Japonais ne nous attaqueront pas. Nous n'allons quand même pas réitérer l'erreur de ne pas lui faire confiance !

— Évaluer la fiabilité d'un renseignement n'est jamais facile.

— Il faut faire revenir ces armées, c'est notre seule chance ! insista Volodia avec colère. Nous en avons douze là-bas, en réserve. Un million d'hommes! Si on les déploie ici, Moscou tiendra peut-être. Dans le cas contraire, tout est fini pour nous.»

Grigori parut troublé. «Ne parle pas comme ça, même en privé.

— Pourquoi? De toute façon, je serai sans doute bientôt mort.»

Sa mère fondit en larmes.

«Bravo! s'écria son père. Tu peux être fier de toi!»

Volodia sortit de la pièce. Tout en enfilant ses bottes, il se demanda ce qui l'avait poussé à s'en prendre à son père et à faire pleurer sa mère. En fait, c'était parce qu'il était désormais convaincu que l'Allemagne l'emporterait sur l'Union soviétique. Avec sa réserve de vodka, qui sous-entendait que les nazis risquaient d'occuper le pays, sa mère l'avait obligé à regarder la réalité en face. On va perdre la guerre, se dit-il. La fin de la révolution russe est proche.

Il mit son manteau et sa chapka et retourna dans la cuisine embrasser sa mère et son père.

«En quel honneur? s'étonna Grigori. Tu ne fais jamais qu'aller au bureau.

— Au cas où on ne se reverrait plus!» Et sur ces mots, il partit.

En traversant le pont pour gagner le centre-ville, Volodia constata que les transports en commun ne fonctionnaient plus. Le métro était fermé, les autobus et les trams ne circulaient pas.

Et les mauvaises nouvelles ne s'arrêtaient pas là.

Le bulletin du matin diffusé à la radio par le Sovinformburo et retransmis par les haut-parleurs noirs installés à tous les coins de rues était, pour une fois, conforme à la réalité. «Dans la nuit du 14 au 15 octobre, la situation sur le front ouest a empiré. De nombreux chars allemands ont franchi nos lignes de défense.» Tout le monde en avait conclu que la situation devait être bien plus grave, car le Sovinformburo mentait constamment.

Le centre-ville était encombré de réfugiés. Venus de l'est du pays, ils se déversaient par centaines dans la capitale, tirant des charrettes à bras contenant tous leurs biens, conduisant des troupeaux de vaches efflanquées, de cochons crasseux, de moutons trempés vers la campagne à l'est de la ville, fuyant le plus loin possible de ces Allemands que rien n'arrêtait.

Volodia essaya de faire du stop. Les civils ne circulaient plus guère en voiture, ces derniers temps. L'essence était réservée aux interminables convois militaires qui roulaient le long du Sadovoïé Koltso, le boulevard circulaire qui permettait de contourner le centre-ville.

Il réussit à monter dans un GAZ-64 flambant neuf, un véhicule tout terrain ouvert de type Jeep, depuis lequel il put découvrir une grande partie des dommages causés par les bombardements. À en croire des diplomates de retour d'Angleterre, ce n'était rien par rapport à ce que subissaient les Londoniens sous le Blitz, mais pour les Moscovites c'était largement suffisant. Il passa devant plusieurs immeubles en ruine et plusieurs dizaines de maisons en bois incendiées.

Grigori, chargé de la défense du ciel moscovite, avait fait installer des canons antiaériens sur les toits des bâtiments les plus hauts et lancé des ballons de barrage qui flottaient sous les nuages chargés de neige. Sa décision la plus insolite avait été de badigeonner les bulbes dorés des églises de peinture de camouflage verte et marron. Cela n'aurait sans doute guère d'effet sur la précision – ou l'imprécision – des tirs ennemis, avait-il admis devant Volodia, mais en tout cas, cela donnait aux citoyens l'impression d'être protégés.

Si les Allemands remportaient la guerre, si les nazis gouvernaient Moscou, alors, se disait Volodia, son neveu et sa nièce, les jumeaux de sa sœur, ne seraient pas élevés en patriotes communistes, mais en nazis serviles prompts à saluer Hitler. La Russie serait asservie comme la France, et peut-être même dirigée en partie par un gouvernement profasciste à la botte de l'envahisseur qui regrouperait les Juifs et les enverrait dans des camps de concentration. C'était une perspective qu'il se refusait à envisager. Dans l'avenir tel que Volodia se plaisait à l'imaginer, l'Union soviétique, libérée de la férule pernicieuse de Staline et de la brutalité de la police secrète, pourrait enfin édifier le vrai communisme.

Quand il arriva à son quartier général situé sur l'aérodrome de Khodynka, Volodia fut pris dans une bourrasque de flocons grisâtres qui n'étaient pas de la neige mais de la cendre : les services de renseignement de l'armée Rouge brûlaient leurs archives pour qu'elles ne tombent pas aux mains de l'ennemi.

Peu après, le colonel Lemitov entra dans son bureau. «Tu as envoyé un mémo à Londres à propos d'un physicien allemand appelé Wilhelm Frunze. C'était une excellente idée. Une piste de tout premier ordre. Bravo.»

Quelle importance, alors que les panzers n'étaient plus qu'à cent cinquante kilomètres de Moscou, pensa Volodia. Il était bien trop tard pour que les espions soient d'un quelconque secours. Il s'obligea pourtant à se concentrer. « Frunze, oui. J'étais au lycée avec lui à Berlin.

— Londres l'a contacté, il est disposé à collaborer. La rencontre s'est déroulée en lieu sûr. » Lemitov parlait tout en tripotant sa montre-bracelet. Cette agitation, tout à fait inhabituelle chez lui, montrait qu'il était tendu. Ces temps-ci, tout le monde était nerveux.

Volodia ne dit rien. À l'évidence, l'entrevue avait été fructueuse, sinon Lemitov ne lui en aurait pas parlé.

« D'après Londres, Frunze s'est d'abord montré méfiant. Il soupçonnait notre homme d'appartenir aux services secrets britanniques, ajouta Lemitov avec un sourire. En fait, après cette première rencontre, il est allé sonner à la porte de notre ambassade, à Kensington Palace Gardens, pour exiger confirmation que notre agent était bien celui qu'il prétendait être !

— Un vrai amateur, observa Volodia en souriant.

— Tu l'as dit. Un type qui aurait voulu jouer un double jeu et refiler de faux renseignements n'aurait jamais agi d'une manière aussi stupide. »

L'Union soviétique n'était pas encore vaincue, pas tout à fait. Volodia devait donc continuer à faire comme si ce Willi Frunze l'intéressait encore. « Qu'est-ce qu'il nous a donné, camarade colonel ?

— Il prétend qu'avec d'autres chercheurs, il travaille avec les Américains sur un projet de superbombe. »

Volodia tressaillit, se rappelant ce que lui avait dit Zoïa Vorotsintseva. Apparemment, les pires craintes de la jeune femme se voyaient confirmées.

« Malheureusement, nous avons un problème avec les informations qu'il nous a transmises, reprit Lemitov.

— Oui ?

— Nous les avons traduites, mais nous n'y comprenons rien. » Lemitov tendit à Volodia une liasse de feuillets dactylographiés.

« Séparation isotopique par diffusion gazeuse, lut Volodia à haute voix.

— Tu vois ce que je veux dire ?

— J'ai étudié les langues à l'université, pas la physique.

« — Tu n'as pas dit un jour que tu connaissais une physicienne? demanda Lemitov toujours souriant. Une blonde superbe qui a refusé d'aller au cinéma avec toi, si je me souviens bien. »

Volodia rougit. Il avait raconté l'histoire à Kamen et celui-ci avait dû en faire des gorges chaudes. Le problème, quand on avait un espion pour patron, c'est qu'il était toujours au courant de tout. « C'est une amie de la famille. Elle m'a parlé d'un procédé d'explosion appelé fission. Vous voulez que je l'interroge?

— Officieusement et discrètement. Je ne veux pas monter ce tuyau en épingle sans savoir auparavant de quoi il s'agit. On a peut-être affaire à un cinglé. Je ne tiens pas à être la risée de tous à cause de ce Frunze. Découvre de quoi traite ce rapport et si son contenu tient debout du point de vue scientifique. Si c'est le cas, il faudrait savoir si les Britanniques et les Américains sont vraiment en mesure de fabriquer une superbombe. Et les Allemands aussi.

— Je n'ai pas vu Zoïa depuis deux ou trois mois. »

Lemitov haussa les épaules. L'intimité des relations entre Volodia et Zoïa n'avait guère d'importance. En Union soviétique, répondre aux questions des autorités ne relevait pas d'un choix personnel.

« Je vais la retrouver. »

Lemitov hocha la tête. « Aujourd'hui même, c'est compris? » Il sortit.

Volodia réfléchit. Zoïa était sûre et certaine que les Américains fabriquaient une superbombe. Elle avait su convaincre Grigori d'en parler à Staline, mais celui-ci avait balayé le sujet d'un revers de main. À présent, un espion en Angleterre confirmait les dires de Zoïa. Elle avait donc vu juste, apparemment. Et Staline avait eu tort, une fois de plus.

Les dirigeants de l'Union soviétique avaient une fâcheuse tendance à nier l'évidence quand les nouvelles n'étaient pas bonnes. La semaine précédente encore, une mission de reconnaissance aérienne avait repéré des blindés allemands à cent trente kilomètres de Moscou. Pour que l'état-major veuille bien y croire, il avait fallu que cette observation soit confirmée par deux fois. Il avait ensuite ordonné au NKVD d'arrêter et de torturer pour « provocation » l'officier d'aviation à l'origine du premier rapport.

Difficile de réfléchir à long terme avec les Allemands quasiment aux portes de la ville. Cependant, malgré l'extrême danger, on ne pouvait fermer les yeux sur l'existence possible d'une bombe capable de rayer Moscou de la carte. Si l'Allemagne écrasait l'URSS, celle-ci pouvait fort bien se faire attaquer ensuite par la Grande-Bretagne et les États-Unis : c'était plus ou moins ce qui s'était passé après la guerre de 1914-1918. Pouvait-on laisser l'URSS sans défense face à un impérialisme capitaliste doté d'une superbombe ?

Volodia confia à son adjoint, le lieutenant Biélov, la tâche de localiser Zoïa.

En attendant de connaître son adresse, il étudia le rapport de Frunze, dans l'original anglais et dans sa traduction russe. Ne pouvant sortir ces documents du bâtiment, il s'efforça d'en mémoriser les phrases qui lui paraissaient déterminantes. Au bout d'une heure, il en avait suffisamment compris pour être capable de poser les bonnes questions.

Biélov découvrit que Zoïa n'habitait ni dans les locaux de la faculté, ni dans l'immeuble voisin, réservé aux chercheurs. À l'université, on lui apprit que tous les assistants avaient été réquisitionnés pour la construction de nouvelles lignes de défense intra-muros, et on lui indiqua où il pourrait trouver Zoïa.

Volodia mit son manteau et sortit.

Il était tout excité. Parce qu'il allait revoir Zoïa ? Parce que cette superbombe existait bel et bien ? Peut-être pour les deux raisons à la fois.

Il réussit à obtenir une ZIS de l'armée et un chauffeur.

Devant la gare de Kazan d'où partaient les trains en direction de l'est, il aperçut ce qui ressemblait fort à une émeute. Impossible, semblait-il, de pénétrer dans la gare, et encore moins de monter dans un train. Des gens chargés de bagages se battaient pour atteindre la porte d'entrée, certains n'hésitant pas à faire usage de leurs poings et de leurs pieds, sous le regard de quelques policiers impuissants. Il aurait fallu une armée pour imposer l'ordre.

La scène scandalisa Volodia. Elle bouleversa son chauffeur au point de lui arracher un commentaire, ce qui n'était pas dans l'habitude des chauffeurs de l'armée, plutôt taciturnes d'ordinaire.

« Ces salauds de lâches ! Ils se tirent et nous laissent combattre les nazis tout seuls. Regardez-les, dans leurs manteaux de fourrure à la con ! »

Volodia en fut interloqué. Il était dangereux de proférer de telles critiques à l'encontre de l'élite dirigeante. Vous pouviez être dénoncé et aller passer une ou deux semaines dans les sous-sols du NKVD, place de la Loubianka, d'où vous risquiez de ressortir infirme à vie.

Volodia avait le sentiment troublant que le système rigide de hiérarchie et de déférence qui étayait le communisme soviétique commençait à donner des signes de faiblesse et à s'effriter.

Ils découvrirent l'équipe des barricades à l'endroit indiqué. Volodia descendit de voiture et demanda au chauffeur de l'attendre, avant d'observer le travail en cours.

Tout le long d'une artère principale s'étirait une ligne de « hérissons » antichars, composés de trois tronçons de rails de chemin de fer en acier d'un mètre de long entrecroisés et soudés en leur centre de manière à former une sorte d'astérisque reposant sur trois pieds. A priori, ces hérissons étaient censés empêcher les véhicules à chenilles de passer.

Au-delà de cette ligne, un fossé antichar avait été creusé à la pioche et à la pelle, et on était en train de le consolider par un mur en sacs de sable, pourvu de meurtrières. Un étroit passage en zigzag avait été ménagé entre ces différents obstacles pour que les Moscovites puissent continuer à circuler jusqu'à l'arrivée des Allemands.

Presque toute l'équipe occupée à creuser la tranchée ou à construire le mur était composée de femmes.

Volodia découvrit Zoïa à côté d'un immense tas de sable, en train de remplir des sacs à la pelle. Il la regarda de loin pendant une bonne minute, dans son manteau sale et ses bottes en feutre, les mains protégées par des mitaines en laine. Un fichu décoloré noué sous le menton recouvrait ses cheveux blonds tirés en arrière. Malgré la boue qui lui maculait le visage, elle était toujours aussi jolie. Elle travaillait avec efficacité, maniant son outil en cadence. Le chef de groupe donna un coup de sifflet, et tout le monde s'arrêta.

Zoïa se laissa tomber sur une pile de sacs de sable et sortit de sa poche de manteau un petit paquet enveloppé dans du papier journal. Volodia s'assit à côté d'elle. « Tu aurais pu obtenir une dispense !

« — C'est ma ville. Il faut bien que je la défende !

— Autrement dit, tu ne pars pas pour l'est, toi.

— Il n'est pas question que je fuie devant ces salauds de nazis ! »

Sa véhémence le surprit. « Beaucoup le font.

— Je sais. Je te croyais d'ailleurs parti depuis longtemps.

— Je vois que tu as une bien piètre opinion de moi. Tu penses que j'appartiens à une élite égoïste, c'est ça ? »

Elle haussa les épaules. « En général, tous ceux qui le peuvent quittent la ville.

— Eh bien, tu as tort. Ma famille est toujours ici, à Moscou. Au grand complet.

— Je t'ai peut-être mal jugé. Tu veux un blini ? » Elle ouvrit son paquet. Il contenait quatre galettes ocre pâle, enveloppées dans des feuilles de chou. « Sers-toi. »

Il accepta et en prit une bouchée. Ce n'était pas franchement délicieux. « Tu fais ça avec quoi ?

— Des épluchures de pommes de terre. Tu peux en récupérer tout un seau gratuitement à la porte des cantines. Tu les râpes, tu les fais bouillir jusqu'à ce qu'elles soient tendres, tu ajoutes un peu de farine et de lait, du sel si tu en as, et tu les fais revenir dans du lard.

— Je ne savais pas que tu étais dans une situation aussi difficile, dit-il, gêné. Tu sais, tu peux toujours venir manger chez nous.

— Merci. Qu'est-ce qui t'amène ici ?

— Une question. La séparation isotopique par diffusion gazeuse, c'est quoi ? »

Elle le regarda fixement. « Oh, bon sang ! Qu'est-ce qui s'est passé ?

— Rien du tout. Je m'interroge simplement sur le sérieux de certaines informations.

— Aurions-nous enfin décidé de fabriquer une bombe atomique ? »

À sa réaction, Volodia se dit que les renseignements fournis par Frunze étaient certainement valables. Zoïa avait immédiatement compris leur importance. « Réponds-moi, s'il te plaît, dit-il sévèrement. C'est une affaire officielle, même si nous sommes amis.

— Très bien. Tu sais ce que c'est qu'un isotope ?

— Non.

— Certains éléments existent sous des formes légèrement différentes. Les atomes de carbone, par exemple, sont toujours constitués de six protons, mais certains peuvent avoir six neutrons et d'autres sept ou huit. C'est ça, les isotopes : les variantes d'un même élément qui diffèrent par leur masse atomique. On a ainsi le carbone 12, le carbone 13, le carbone 14.

— Jusque-là ça va. Même pour quelqu'un qui a fait des études de langues, déclara Volodia. Pourquoi est-ce que c'est important ?

— À cause de l'uranium. Il possède deux isotopes, l'uranium 235 et l'uranium 238. À l'état naturel, ces deux isotopes sont mélangés dans l'uranium, mais seul l'uranium 235 a des propriétés fissiles.

— Il faut donc les séparer.

— Oui. Théoriquement, on devrait pouvoir le faire par diffusion gazeuse. Quand un gaz diffuse à travers une membrane, les molécules les plus légères la traversent plus rapidement, de sorte que le gaz qui sort de la membrane est plus riche en isotope inférieur. Mais je n'ai jamais assisté à cette expérience, bien entendu. »

À en croire le rapport de Frunze, les Britanniques étaient en train de construire au pays de Galles, dans l'ouest du Royaume-Uni, une usine spécialisée dans ce processus de diffusion gazeuse, et les Américains en faisaient autant chez eux. « À quoi d'autre pourrait servir une usine de ce genre ?

— Aucune idée. » Elle secoua la tête. « À part séparer des isotopes, franchement, je ne vois pas. Pour mettre un processus pareil sur la liste des recherches prioritaires en temps de guerre, il faut être complètement cinglé, ou fabriquer une arme nouvelle. »

Volodia aperçut une KIM-10 qui s'approchait du passage ouvert à la circulation entre les barricades et commençait à en négocier les zigzags. C'était une petite voiture à deux portes, un modèle réservé aux privilégiés qui pouvait atteindre cent kilomètres à l'heure ; mais celle-ci ne dépassait sûrement pas les soixante-cinq tant elle était chargée.

Le conducteur, âgé d'une soixantaine d'années, portait un chapeau et un manteau en drap de laine de coupe occidentale. Une jeune femme en chapeau de fourrure était assise à côté de lui. La banquette arrière croulait sous les cartons et un piano avait été amarré sur le toit, en équilibre précaire.

À l'évidence, c'était un membre éminent de la classe dirigeante qui cherchait à quitter la ville avec sa femme, ou sa maîtresse, et tous les biens de valeur qu'il possédait. Un membre de la caste dans laquelle Zoïa le rangeait lui-même d'office, pensa Volodia, ce qui expliquait sans doute son refus de sortir avec lui. Si seulement elle pouvait revenir sur ses préjugés!

L'une des volontaires qui travaillaient à l'édification de la barricade saisit un hérisson qu'elle traîna devant la KIM-10. En la voyant faire, Volodia se dit qu'il y allait avoir du grabuge.

La voiture avança lentement jusqu'à ce que son pare-chocs heurte le hérisson. Le conducteur croyait peut-être pouvoir l'écarter. Plusieurs femmes s'approchèrent pour observer la scène. Mais ce dispositif avait été conçu pour résister à de plus fortes poussées. Les tronçons de rails s'enfoncèrent dans le sol, s'y ancrèrent solidement et n'en bougèrent pas. On entendit un vilain bruit de tôle froissée. Le conducteur enclencha la marche arrière et recula. Son pare-chocs était complètement embouti.

Passant la tête par la fenêtre, il cria sur le ton d'un homme habitué à être obéi: «Dégagez ça immédiatement!

— Tu n'as qu'à le faire toi-même, espèce de déserteur!» rétorqua la volontaire en croisant les bras. C'était une solide femme d'âge moyen, coiffée d'une casquette d'homme en tissu à carreaux.

Le conducteur sortit, rouge de colère et Volodia eut la surprise de reconnaître le colonel Bobrov qu'il avait côtoyé en Espagne. Un Bobrov célèbre là-bas pour avoir abattu d'une balle dans la nuque ses propres soldats qui se repliaient. Il avait pour mot d'ordre: «Pas de pitié pour les lâches!» À Belchite, Volodia l'avait vu de ses propres yeux tuer trois soldats des Brigades internationales qui avaient battu en retraite, faute de munitions. Bobrov était désormais en civil. Allait-il tirer sur la femme qui l'empêchait de passer?

Bobrov s'avança vers le hérisson et empoigna une des tiges d'acier. L'objet était plus lourd qu'il ne s'y attendait, mais il réussit péniblement à dégager le passage.

Tandis qu'il revenait vers sa voiture, la femme à casquette remit le hérisson en place.

À présent, toute l'équipe des volontaires s'était attroupée et, le sourire aux lèvres, suivait des yeux l'affrontement en échangeant des plaisanteries.

Bobrov marcha sur la femme tout en sortant son laissez-passer militaire de la poche de son manteau. «Libérez la voie! Je suis le général Bobrov.» Il devait avoir obtenu cette promotion à son retour d'Espagne.

«Un soldat, vous? ricana la femme. Ben qu'est-ce que vous fichez ici, au lieu de vous battre?»

Bobrov rougit sous l'insulte, la sachant justifiée. Volodia se demanda si c'était sa jeune épouse qui avait réussi à convaincre ce vieux militaire brutal de s'enfuir.

«Un traître, oui! poursuivait la volontaire à casquette. Essayer de se tirer avec son piano et sa poule!» Du plat de la main, elle fit voler le chapeau du général.

Volodia n'en revenait pas. Il n'avait jamais vu personne en Union soviétique défier ainsi l'autorité. À Berlin, oui. Avant l'arrivée des nazis au pouvoir, il avait été étonné de voir des Allemands ordinaires se quereller courageusement avec des policiers, mais ici, c'était nouveau.

La foule de femmes applaudit.

Bobrov avait toujours son abondante toison blanche coupée en brosse. Il suivit les virevoltes de son chapeau sur la route détrempée, esquissa un pas pour le rattraper et se ravisa.

Volodia n'avait pas envie d'intervenir. Que pouvait-il faire, tout seul, face à cette foule? De toute façon, il n'éprouvait aucune sympathie pour Bobrov. Qu'on rende au général la monnaie de sa pièce : ce n'était que justice après tout.

Une autre femme, plus âgée et enveloppée dans une couverture crasseuse, ouvrit le coffre de la voiture. «Visez-moi ça!» Il était rempli d'un monceau de bagages en cuir. Elle attrapa une valise, qu'elle exhiba avant d'en soulever le couvercle, faisant tomber son contenu : hauts en dentelle, jupons et chemises de nuit en satin, bas de soie et chemisettes, évidemment fabriqués à l'Ouest et plus délicats que tout ce que ces femmes russes avaient jamais vu et pouvaient s'offrir. Ils se répandirent dans la neige fondue et sale qui recouvrait la chaussée et y demeurèrent, éparpillés comme des pétales de fleurs sur un tas de fumier.

Certaines femmes entreprirent de les ramasser, d'autres se saisirent des bagages restants. Bobrov se précipita à l'arrière de sa voiture, bien décidé à repousser l'assaut. La situation allait dégénérer, se dit Volodia. À coup sûr, le général portait une arme et n'allait pas tarder à la sortir. Mais voilà que la vieille enveloppée d'une couverture s'empara d'une pelle qu'elle abattit dans un bruit retentissant sur le crâne de Bobrov avec toute la force d'une femme capable de creuser une tranchée. Le général s'effondra, et la femme lui balança un coup de pied.

La passagère descendit de voiture. Elle devait avoir une trentaine d'années. « Tu viens nous aider à creuser ? » l'interpella la femme à casquette. Ses compagnes s'esclaffèrent.

Baissant la tête, la compagne du général s'engagea dans le passage par lequel la voiture était arrivée. La volontaire en casquette voulut la retenir, mais elle parvint à se faufiler entre les hérissons et se mit à courir. L'autre la prit en chasse. Dans ses souliers en daim beige à talons, la jeune femme dérapa sur la neige mouillée, perdant son chapeau en fourrure dans sa chute. S'étant relevée tant bien que mal, elle reprit ses jambes à son cou. La volontaire abandonna la poursuite pour faire main basse sur le chapeau.

Tout autour de l'automobile désertée, le sol était jonché de valises ouvertes. Les femmes avaient entrepris de tirer du véhicule les cartons entassés sur la banquette arrière, qu'elles renversaient et vidaient par terre. Des couverts s'en échappèrent, de la vaisselle en porcelaine, des verres, aussitôt brisés. Draps brodés et serviettes blanches furent traînés dans la boue. De jolies chaussures, une dizaine de paires, se retrouvèrent dispersées sur la chaussée.

Comme Bobrov s'était redressé sur les genoux et tentait de se relever, la femme à la couverture lui asséna un nouveau coup de pelle. Bobrov s'écroula. Elle se jeta aussitôt sur son beau manteau de laine pour le déboutonner et le lui arracher des épaules. Bobrov résistait, se débattait. Prise de fureur, la femme frappa à tour de bras jusqu'à ce que le général ne fasse plus un mouvement, ses cheveux blancs rouges de sang. Après quoi, elle se débarrassa de sa vieille couverture et revêtit le manteau convoité.

Volodia s'avança vers le corps immobile ; les yeux fixes du général ne voyaient plus. Il s'agenouilla près de lui pour prendre son pouls et voir s'il respirait toujours. Le cœur ne battait plus. Bobrov était mort.

« Pas de pitié pour les lâches », laissa tomber Volodia. Il lui ferma tout de même les yeux.

Le piano, que certaines libérèrent de ses cordes, glissa du toit de la voiture et s'écrasa au sol dans un bruit discordant. Des femmes se mirent alors à le fracasser à qui mieux mieux, à l'aide de pioches et de pelles, tandis que d'autres se disputaient âprement les biens éparpillés. Elles s'emparaient des couverts, se faisaient des ballots de draps, déchirant la lingerie fine dans leur lutte pour se l'approprier.

Une théière en porcelaine manqua de peu la tête de Zoïa. Volodia revint vers elle à la hâte. «Ça tourne à l'émeute. J'ai une voiture de l'armée et un chauffeur, je vais te sortir d'ici.»

Elle n'hésita qu'une seconde : «Merci.» Ils s'élancèrent vers la voiture, bondirent à l'intérieur et démarrèrent sur les chapeaux de roues.

2.

L'invasion de l'Union soviétique avait justifié la foi d'Erik von Ulrich dans le Führer. Tandis que l'armée allemande traversait l'immensité russe en balayant les soldats de l'armée Rouge comme des fétus de paille, Erik s'était félicité du génie stratégique du grand chef auquel il avait fait allégeance.

Pourtant les choses n'avaient pas été faciles, loin de là. En octobre, les pluies avaient transformé la campagne en bourbier. *Raspoutitsa*, tel était le nom donné à la période de l'année où les routes disparaissaient sous la boue. La terre détrempée s'accumulait peu à peu à l'avant des véhicules et ralentissait leur progression. Erik et Hermann avaient dû descendre de voiture et dégager la voie à la pelle. Partout, l'armée allemande devait faire face au même problème et la ruée sur Moscou s'était transformée en marche au pas. De plus, ces routes inondées entravaient la circulation des camions de ravitaillement. L'armée manquait de munitions, de carburant et de nourriture. L'unité d'Erik était menacée d'une pénurie de médicaments et de matériel médical.

Au début du mois de novembre, quand le froid s'installa, Erik commença par se réjouir. Ce gel était une bénédiction. Grâce à lui, les routes étaient redevenues praticables, et l'ambulance pouvait rouler à une allure normale. Il frissonnait cependant dans sa capote d'été et ses sous-vêtements en coton. Les tenues d'hiver n'étaient pas encore arrivées d'Allemagne, pas plus que l'antigel indispensable à son ambulance et aux autres engins militaires, camions, chars, pièces d'artillerie. La nuit, il devait se lever toutes les deux heures pour faire démarrer le moteur et le laisser tourner pendant cinq bonnes minutes. C'était le seul moyen d'empêcher l'huile de figer et le liquide de refroidissement de geler. Et encore, le matin, une heure avant de reprendre la route, il devait allumer un petit feu sous le moteur pour le réchauffer.

Des centaines de véhicules tombaient en panne et étaient abandonnés sur place. Les avions de la Luftwaffe, qui passaient la nuit dehors sur des aérodromes de fortune, étaient gelés au matin et ne décollaient plus. Aussi la couverture aérienne des troupes n'était-elle plus assurée.

Malgré les déboires de l'armée allemande, les Russes continuaient à céder du terrain. Ils avaient beau se battre avec acharnement, ils ne cessaient de reculer. L'unité d'Erik devait constamment s'arrêter pour dégager la route encombrée de cadavres ennemis, et tous les morts gelés empilés le long de la chaussée formaient un remblai macabre. Sans relâche, sans pitié, l'étau allemand se resserrait autour de Moscou.

On verrait bientôt les panzers défiler majestueusement sur la place Rouge, Erik en était sûr, et les bannières à croix gammée flotter gaiement sur les tours du Kremlin.

Mais pour le moment, la température avoisinait les moins dix et n'arrêtait pas de baisser.

L'hôpital de campagne auquel Erik était affecté s'était installé dans une petite localité dont il ignorait le nom, située à proximité d'un canal gelé, au cœur d'une forêt d'épicéas. Cette petite ville avait survécu à la retraite des Russes et était restée presque intacte, alors que bien souvent, ils ne laissaient rien derrière eux. L'hôpital local était moderne. Quand les Allemands s'en étaient emparés, le docteur Weiss avait donné l'ordre aux médecins qui y travaillaient de renvoyer les malades chez eux, quel que fût leur état.

À présent, Erik examinait un soldat allemand d'environ dix-huit ans atteint d'engelures. La peau gelée de son visage, d'un jaune cireux, était dure au toucher, et il avait les bras et les jambes couverts de cloques violettes, comme Erik et Hermann purent le constater après avoir découpé son mince uniforme d'été. Dans une pathétique tentative de se protéger du froid, il avait bourré de papier journal ses bottes éculées et déchirées. Quand Erik les lui retira, l'odeur putride caractéristique de la gangrène lui envahit les narines. Ils devraient pourtant réussir à éviter l'amputation. Il savait ce qu'il convenait de faire dans des cas pareils. Ces derniers temps, avec Hermann Braun, ils soignaient plus d'engelures que de blessures reçues au combat.

Erik remplit une baignoire d'eau tiède puis, aidé d'Hermann, il y plongea le soldat.

Erik l'examina pendant que son corps se réchauffait peu à peu. L'un des pieds était noir de gangrène, l'autre n'avait que les orteils atteints.

Quand l'eau commença à refroidir, ils sortirent le soldat du bain, le séchèrent en le tapotant délicatement, l'allongèrent sur un lit de camp sous des couvertures. Enfin, ils l'entourèrent de pierres chaudes enveloppées dans des serviettes.

Le patient, qui n'avait pas perdu conscience, voulut savoir si ses pieds pourraient être sauvés.

«Seul le médecin peut vous le dire, répondit Erik par automatisme. Nous ne sommes qu'infirmiers.

— Mais vous voyez beaucoup de malades, insista l'autre. Que pensez-vous de mon état?

— À mon avis, vous devriez vous en sortir», répondit Erik. Si ce n'était pas le cas, il savait ce qui se passerait. Pour le pied le moins atteint, Weiss déciderait d'amputer les orteils, ce qu'il ferait à l'aide d'une grosse pince qui ressemblait à un coupe-boulons; quant à l'autre jambe, il ordonnerait l'amputation au niveau du genou.

Weiss arriva quelques minutes plus tard. Il examina les pieds du soldat. «Préparez-le pour l'amputation», lança-t-il.

Erik en fut navré. Encore un jeune homme costaud qui passerait le restant de sa vie en fauteuil roulant. Quel gâchis!

Mais le patient voyait les choses différemment : «Dieu soit loué, s'écria-t-il. Je ne retournerai pas au combat!»

Tout en le préparant pour l'opération, Erik réfléchit à l'attitude défaitiste de ce soldat. Tant de gens la partageaient, jusque dans sa propre famille... Erik pensait souvent à son père décédé avec un mélange de colère et de tristesse. Walter n'aurait jamais rejoint la majorité pour célébrer le triomphe du IIIe Reich, pensa-t-il amèrement. Il aurait toujours trouvé à se plaindre d'une chose ou d'une autre, mettant en doute le jugement du Führer et sapant le moral des troupes. Pourquoi s'était-il toujours révolté? Pourquoi avait-il été aussi attaché à la démocratie, une idéologie complètement dépassée? La liberté n'avait rien apporté à l'Allemagne, alors que le fascisme avait sauvé le pays!

Non, la fureur d'Erik contre son père ne s'était pas apaisée et pourtant, les larmes lui vinrent aux yeux quand il repensa à la façon dont il était mort. Au début, Erik n'avait pas voulu admettre que c'était la Gestapo qui l'avait tué; mais il avait fini par comprendre que c'était probablement la vérité. Ce n'étaient pas des enfants de chœur : ils tabassaient ceux qui racontaient des mensonges éhontés à propos du gouvernement. Son père s'était entêté à demander si le gouvernement tuait les enfants déficients. Il avait eu la sottise d'écouter son épouse anglaise et sa fille exagérément sentimentale. Erik souffrait d'autant plus de voir sa mère et sa sœur s'obstiner dans l'erreur qu'il les aimait profondément toutes les deux.

À Berlin, pendant sa permission, il était allé voir le père d'Hermann Braun. C'était cet homme qui, le premier, lui avait parlé de cette formidable philosophie nazie, alors qu'Hermann et lui étaient encore de jeunes garçons. Aujourd'hui, Herr Braun appartenait aux SS. Erik lui avait raconté que dans un bar, il avait entendu quelqu'un prétendre que le gouvernement éliminait les incurables dans des hôpitaux spéciaux. «Il est vrai qu'ils représentent un lourd fardeau financier sur la voie qui mène à la nouvelle Allemagne, lui avait expliqué Herr Braun. La race doit être purifiée, en prenant des mesures répressives contre les Juifs et autres dégénérés, et en interdisant les mariages mixtes, source d'abâtardissement. Mais l'euthanasie, non. Ça n'a jamais été la politique des nazis. Nous sommes déterminés, durs, parfois brutaux peut-être, mais nous n'assassinons personne. C'est un mensonge des communistes!»

Les accusations de Vater avaient été erronées. Ce qui n'empêchait pas Erik de le pleurer quelquefois.

Heureusement, il n'avait pas une minute à lui. Le matin était toujours marqué par une arrivée massive de patients, pour la plupart des blessés de la veille. Il y avait ensuite une courte accalmie avant un second afflux de blessés : les premiers de la journée.

En milieu de matinée, après l'opération du soldat aux pieds gelés, il prit une pause en compagnie d'Hermann et du docteur Weiss dans la salle du personnel bondée.

Levant les yeux du journal qu'il était en train de lire,

Hermann s'exclama soudain : «À Berlin, on dit que nous avons déjà gagné. Ils feraient bien de venir jeter un œil par ici!»

Avec son cynisme habituel, le docteur Weiss répondit : «Le Führer a fait un discours des plus intéressants au Sportpalast. Il a évoqué l'infériorité bestiale des Russes. Ça m'a rassuré. J'avais l'impression que c'étaient les ennemis les plus coriaces que nous ayons rencontrés jusqu'ici. Ils se battent plus longtemps et plus durement que les Polonais, les Belges, les Hollandais, les Français ou les Britanniques. Ils sont sous-équipés, mal nourris et mal commandés, mais ça ne les empêche pas de se jeter contre nos mitrailleuses en agitant leurs vieux tromblons, comme s'ils se fichaient bien de vivre ou de mourir. Je suis heureux d'apprendre que ce trait de caractère n'est que la marque de leur bestialité. Je commençais à craindre qu'ils ne soient courageux et patriotes.»

À son habitude, Weiss feignait de partager les idées du Führer pour dire exactement le contraire. Sa réponse déconcerta Hermann, mais Erik, qui avait compris l'ironie, s'emporta. «Courageux ou pas, les Russes sont en train de perdre : nous sommes à soixante-cinq kilomètres de Moscou. Ça prouve que le Führer avait raison.

— Et qu'il est bien plus intelligent que Napoléon, renchérit le docteur Weiss.

— Du temps de Napoléon, le cheval était le moyen de locomotion le plus rapide, fit remarquer Erik. Aujourd'hui, nous avons des véhicules motorisés et la TSF. Les communications modernes nous ont permis de réussir là où Napoléon avait échoué.

— Enfin, elles nous *permettront* de réussir quand nous aurons pris Moscou.

— Ce qui sera chose faite dans quelques jours, pour ne pas dire quelques heures. Vous ne pouvez guère en douter!

— Ah bon? Je crois savoir que certains de nos généraux ont proposé que nous nous arrêtions là où nous sommes pour construire une ligne de défense. Afin de sécuriser nos positions et de nous réapprovisionner pendant l'hiver, avant de reprendre l'offensive à l'arrivée du printemps.

— C'est de la lâcheté, pour ne pas dire de la trahison, si vous voulez mon avis! répliqua Erik avec chaleur.

— C'est vous qui devez avoir raison, puisque que c'est exactement ce que Berlin a répondu à ces généraux, si j'ai bien compris. Il va de soi que l'état-major a une meilleure vision des choses que les soldats du front.

— Nous avons presque éliminé l'armée Rouge !

— Sauf que Staline semble faire jaillir des armées de nulle part, comme un magicien. Au début de la campagne, nous pensions qu'il avait deux cents divisions. On estime maintenant qu'il en a plus de trois cents. Où a-t-il déniché cette centaine de divisions supplémentaire ?

— L'avenir prouvera une fois de plus que le Führer avait raison.

— Bien sûr, Erik.

— Il ne s'est encore jamais trompé !

— Un homme qui croyait pouvoir voler sauta du haut d'un immeuble de dix étages. Au cours de sa chute, alors qu'il passait devant le cinquième étage en battant vainement des bras, on l'entendit s'exclamer : "Jusqu'ici, tout va bien." »

À cet instant, un soldat fit irruption dans la salle. « Il y a eu un accident. Dans la carrière, au nord de la ville. Une collision entre trois véhicules. Plusieurs officiers SS sont blessés. »

À l'origine, les SS, les membres de la Schutzstaffel, avaient constitué la garde personnelle d'Hitler. Ils formaient à présent une puissante élite. Erik admirait leur discipline sans faille, leurs uniformes élégants et leur proximité avec Hitler.

« J'envoie une ambulance, répondit Weiss.

— Il s'agit de l'*Einsatzgruppe*, le groupe d'intervention spéciale », précisa le soldat.

Erik avait vaguement entendu parler de ces unités spéciales. Elles suivaient l'armée dans les territoires conquis et arrêtaient les fauteurs de troubles et autres saboteurs potentiels, comme les communistes. Ce groupe devait être en train d'installer un camp de prisonniers à l'extérieur de la ville.

« Combien de blessés ? demanda Weiss.

— Six ou sept. On essaie encore de les extraire des véhicules.

— Très bien. Braun, von Ulrich, allez-y ! »

Erik en fut ravi. Côtoyer les plus fervents partisans du Führer, quel bonheur ! S'il pouvait leur rendre service, sa joie serait sans borne.

Le soldat lui tendit une fiche lui indiquant comment se rendre sur les lieux de l'accident.

Erik et Hermann se hâtèrent d'avaler leur thé, écrasèrent leur cigarette et sortirent. Erik enfila le manteau en mouton retourné qu'il avait récupéré sur le cadavre d'un officier russe, en prenant soin d'en laisser les pans ouverts pour qu'on voie son uniforme. Ils filèrent au garage. Hermann s'assit au volant tandis qu'Erik lui indiquait le chemin tout en scrutant les alentours à travers le fin rideau de neige qui tombait.

À la sortie de la ville, la route se mit à serpenter à travers la forêt. Ils croisèrent plusieurs autocars et camions venant en sens inverse. La neige était tassée et glissante, ce qui ralentissait leur allure. Qu'une collision ait pu se produire n'était pas difficile à imaginer.

On était déjà l'après-midi et les journées étaient courtes en cette période de l'année. Il n'y avait de lumière qu'entre dix heures du matin et cinq heures du soir. Ce jour-là, les nuages chargés de neige ne laissaient filtrer qu'une clarté grisâtre. Les grands conifères massés des deux côtés de la route obscurcissaient encore la chaussée. Erik avait l'étrange d'impression de suivre un chemin menant au plus profond des bois, là où règne le mal, comme s'ils avaient été plongés, Hermann et lui, au cœur d'un conte de Grimm.

Ils cherchaient une bifurcation sur la gauche : elle était gardée par un soldat qui leur indiqua le lieu de l'accident. Ils cahotèrent sur un chemin creux périlleux qui serpentait entre les arbres, jusqu'à ce qu'un autre garde leur fasse signe de s'arrêter. «Roulez au pas surtout! C'est comme ça que s'est produit l'accident.»

Une minute plus tard, ils débouchèrent sur le lieu de la collision. Trois véhicules étaient comme soudés les uns aux autres : un autocar, une Jeep et une limousine Mercedes aux pneus pourtant équipés de chaînes. Erik et Hermann sautèrent de l'ambulance.

Il n'y avait personne dans l'autocar. Trois blessés étaient allongés par terre, peut-être les occupants de la Jeep. Près de la voiture prise en sandwich entre les deux autres véhicules, plusieurs soldats unissaient leurs efforts pour tenter d'extraire les passagers.

Une série de coups de fusil retentit. Erik se demanda l'espace d'un instant qui tirait, puis chassa cette pensée de son esprit pour se concentrer sur la tâche qui l'attendait.

Il examina tour à tour tous les blessés avec Hermann pour juger de leur état. Sur les trois victimes étendues au sol, l'un des hommes était mort, l'autre avait un bras cassé et le troisième ne souffrait apparemment que de contusions. À l'intérieur de la

Mercedes, un homme avait succombé à une hémorragie et un autre avait perdu connaissance. Quant au troisième passager, il hurlait de douleur. Erik lui administra une piqûre de morphine. Il attendit que le médicament ait produit son effet pour le sortir du véhicule avec Hermann et le transporter dans l'ambulance.

L'espace qu'ils avaient libéré allait permettre aux soldats de dégager l'homme inconscient des tôles déformées qui le retenaient prisonnier. Il avait une blessure à la tête qui laissait peu d'espoir, mais Erik n'en dit rien. Il reporta son attention sur les passagers de la Jeep. Pendant qu'Hermann posait une attelle à celui qui avait le bras cassé, il aida l'autre blessé à rejoindre l'ambulance et à s'y asseoir. Puis il retourna à la Mercedes.

«Attendez quelques instants! dit un capitaine. D'ici cinq ou dix minutes, on l'aura dégagé.

— D'accord», répondit Erik.

Comme une nouvelle salve de tirs retentissait, il céda à la curiosité et s'enfonça dans le sous-bois, à la recherche de l'*Einsatzgruppe*. Sous les arbres, la neige était piétinée et jonchée de mégots, de trognons de pommes, de vieux journaux et autres détritus, comme si une équipe d'ouvriers était passée par là.

Il déboucha dans une clairière, où étaient rangés des camions et des autocars. On avait apparemment transporté jusqu'ici un grand nombre de gens. Plusieurs autocars repartaient à vide en contournant le lieu de l'accident. Un autre arriva juste au moment où Erik traversait cette aire de stationnement. De l'autre côté, il découvrit un groupe d'une centaine de Russes de tous âges, des prisonniers apparemment. Chose curieuse, la plupart portaient des valises, des cartons ou des sacs auxquels ils se cramponnaient comme à leur bien le plus précieux. Un homme tenait un violon, une enfant sa poupée. À la vue de cette petite fille, Erik fut pris de malaise. Un pressentiment sinistre lui noua les tripes.

Ces prisonniers étaient sous la garde de policiers russes armés de matraques. De toute évidence, l'*Einsatzgruppe* faisait appel à des collaborateurs locaux. Les policiers le dévisagèrent mais gardèrent le silence en remarquant son uniforme allemand sous sa touloupe déboutonnée.

Il continua d'avancer dans la direction des tirs. Alors qu'il passait à la hauteur d'un prisonnier bien habillé, il s'entendit interpeller en allemand : «Monsieur, je suis le directeur de l'usine de pneumatiques de cette ville. Je n'ai jamais adhéré au communisme, ou seulement du bout des lèvres, comme tout responsable était tenu de le faire. S'il vous plaît, laissez-moi partir. Je peux vous aider, je connais tout et tout le monde ici. »

Erik passa son chemin.

Il arriva à la carrière. C'était une vaste dépression irrégulière, bordée sur son pourtour par de grands épicéas, semblables à des gardiens dont l'uniforme vert foncé disparaissait sous la neige. À une extrémité, une longue rampe menait au fond de la fosse. Une douzaine de prisonniers, marchant de front deux par deux, commençaient à descendre vers cette combe obscure, houspillés par des soldats.

Erik remarqua parmi eux trois femmes et un garçon d'une dizaine d'années. Le camp de prisonniers avait-il été installé quelque part dans cette carrière ? Mais ces détenus n'avaient plus leurs bagages. Les flocons de neige se déposaient sur leurs têtes nues comme une bénédiction.

« Sergent, qui sont ces gens ? demanda Erik à un SS debout à proximité.

— Des communistes de la ville, des commissaires politiques, de la racaille de ce genre.

— Ah bon ? Et ce petit garçon ?

— Il y a aussi des Juifs.

— Je ne comprends pas, ce sont des Juifs ou des communistes ?

— Qu'est-ce que ça change ?

— Ce n'est pas pareil.

— Quelles conneries ! La plupart des communistes sont juifs, et la plupart des Juifs sont communistes. Vous ne savez pas ça ? »

Pourtant, se dit Erik, le directeur de l'usine de pneus qui lui avait parlé n'avait l'air d'être ni l'un ni l'autre.

Les prisonniers avaient atteint le fond rocheux de la carrière. Jusque-là, ils avaient marché en silence comme un troupeau de moutons, sans regarder autour d'eux. Mais ils s'animèrent soudain, pointant le doigt vers le sol. À travers le rideau de neige, Erik distingua des formes qui ressemblaient à des corps, éparpillés au milieu des blocs de rochers, leurs vêtements saupoudrés de flocons.

C'est alors qu'il repéra douze soldats postés au bord du ravin, parmi les arbres. Douze prisonniers, douze tireurs. Il comprit.

Une incrédulité mêlée d'horreur lui monta à la gorge, amère comme de la bile.

Les soldats épaulèrent leurs fusils, les braquèrent sur les prisonniers.

«Non! cria Erik. Non, vous ne pouvez pas faire ça!» Personne ne l'entendit.

Une femme se mit à hurler. Erik la vit saisir le petit garçon et le serrer contre elle comme si ses bras pouvaient arrêter les balles. C'était sans doute sa mère.

«Feu!» cria un officier.

Les fusils claquèrent. Les prisonniers chancelèrent et s'écroulèrent. Le crépitement des balles fit tomber un peu de neige des épicéas, saupoudrant les soldats d'un blanc étincelant.

Erik vit le petit garçon et sa mère tomber ensemble, toujours enlacés. «Non, s'écria-t-il. Oh, non!»

Le sergent se tourna vers lui. «Qu'est-ce qui vous prend? demanda-t-il avec humeur. Et qui êtes-vous, d'abord?

— Infirmier du bataillon, répondit Erik sans quitter des yeux l'effroyable scène qui s'était déroulée dans le fond du ravin.

— Qu'est-ce que vous venez faire ici?

— Je suis venu avec l'ambulance chercher les officiers blessés dans l'accident.»

Douze autres prisonniers avaient été amenés et, déjà, ils descendaient la pente menant à la carrière. «Oh, mon Dieu, gémit-il. Mon père avait raison. Nous assassinons des gens.

— Vous avez fini de pleurnicher, bordel? Retournez à votre ambulance!

— Oui, sergent.»

3.

À la fin du mois de novembre, Volodia demanda à être versé dans une unité de combat. Il ne voyait plus l'intérêt de son travail dans le Renseignement militaire. L'armée Rouge n'avait pas besoin d'espions à Berlin pour connaître les intentions d'une armée allemande qui se trouvait déjà aux portes de Moscou. Ce qu'il voulait, lui, c'était défendre sa ville, les armes à la main.

Ses doutes à l'égard du gouvernement n'avaient plus guère d'importance. La stupidité de Staline, la bestialité de la police secrète, le fait que rien ne marchait comme il l'aurait fallu en Union soviétique, tout s'effaçait devant la nécessité irrépressible de repousser un envahisseur qui menaçait de brutaliser, de violer, d'affamer et de tuer sa mère, sa sœur et les jumeaux de celle-ci, Dimka et Tania, ainsi que Zoïa.

En même temps, il n'ignorait pas que si tout le monde tenait le même raisonnement que lui, les espions comme ceux qu'il recrutait deviendraient une denrée rare. Ses informateurs allemands étaient des gens convaincus que la lutte contre l'abomination nazie devait passer avant leur patriotisme, avant leur loyauté. Volodia admirait leur courage et leur moralité sans faille. Il leur en était reconnaissant mais pour sa part, il ressentait les choses différemment.

Parmi les jeunes officiers du Renseignement militaire, il n'était pas le seul à penser ainsi. Ils furent tous rassemblés et incorporés à un bataillon d'infanterie légère au début du mois de décembre. Volodia embrassa ses parents, écrivit un mot à Zoïa pour lui dire qu'il espérait s'en sortir et la revoir, et partit pour la caserne.

Après de longs atermoiements, Staline avait fini par faire venir à Moscou des renforts de l'est. Treize divisions sibériennes étaient à présent déployées face aux Allemands qui se rapprochaient de plus en plus. Sur la route du front, plusieurs d'entre elles avaient fait halte dans la capitale et les Moscovites éberlués les avaient regardées passer dans leurs tenues blanches matelassées et leurs chaudes bottes en mouton retourné, équipées de leurs skis et de leurs lunettes protectrices, montés sur de rustiques poneys des steppes. Elles arrivèrent à temps pour prendre part à la contre-offensive.

Pour l'armée Rouge, c'était la bataille de la dernière chance. Au cours des cinq derniers mois, l'Union soviétique avait lancé à plusieurs reprises des centaines de milliers d'hommes contre les envahisseurs. Chaque fois, les Allemands avaient marqué une pause pour repousser l'attaque puis avaient repris leur progression implacable. Si la tentative se soldait par un échec, il n'y en aurait plus d'autre. Les Allemands prendraient Moscou et ensuite, l'URSS serait à eux. Sa mère n'aurait plus qu'à échanger sa vodka contre du lait au marché noir, pour nourrir Dimka et Tania.

Le 4 décembre, les bataillons soviétiques sortirent de la ville par le nord, l'ouest et le sud, pour prendre position en vue de cet ultime combat. Soucieux de ne pas alerter l'ennemi, ils marchaient dans le noir. Interdiction d'allumer torche ou cigarette.

Ce soir-là, des agents du NKVD vinrent inspecter la ligne de front. Volodia n'aperçut pas la tête de fouine de son beau-frère, Ilia Dvorkine, qui devait pourtant être parmi eux. Deux types qu'il ne connaissait pas entrèrent dans son bivouac alors qu'il était en train de nettoyer son fusil en compagnie d'une dizaine d'hommes. Ils voulaient savoir s'ils avaient entendu quelqu'un critiquer le gouvernement. Que disent les soldats à propos du camarade Staline? demandèrent-ils. Qui, parmi vos camarades, s'interroge sur le bien-fondé de la stratégie et de la tactique de notre armée?

Volodia n'en croyait pas ses oreilles. Quelle importance, au point où ils en étaient? D'ici quelques jours, Moscou serait sauvée ou perdue. Les soldats râlaient contre les officiers? Et alors? Il coupa court à l'interrogatoire en affirmant que ses hommes et lui étaient tenus au silence en vertu d'un ordre impératif et que lui-même avait pour instruction de tirer sur quiconque l'enfreignait. Cependant, ajouta-t-il non sans témérité, il voulait bien fermer les yeux pour cette fois, à condition que la police secrète dégage immédiatement.

La ruse fut efficace, mais Volodia ne doutait pas que le NKVD sapait ainsi le moral des troupes sur toute la ligne de front.

Le vendredi 5 décembre au soir, l'artillerie russe donna de la voix. Le lendemain à l'aube, Volodia et son bataillon se mirent en marche dans le blizzard. Ils avaient reçu ordre de s'emparer d'une petite ville située de l'autre côté d'un canal.

Volodia ignora l'ordre d'attaquer les défenses allemandes de front, conformément à la vieille tactique russe. L'heure n'était plus à l'application obstinée de principes qui avaient fait la preuve de leur inefficacité. Avec sa compagnie de cent hommes, il remonta le canal pris par les glaces et le traversa au nord de la ville. Puis il opéra un mouvement tournant de façon à arriver sur le flanc des Allemands. Le fracas et le grondement de la bataille sur sa gauche lui indiquèrent qu'il avait effectivement dépassé les lignes ennemies.

Le blizzard était aveuglant. Au niveau du sol, la visibilité était de quelques mètres seulement même si, de temps à autre, les tirs illuminaient les nuages un court instant. Néanmoins, se dit Volodia avec optimisme, ce mauvais temps allait leur permettre de rester invisibles et de prendre les Allemands par surprise.

Il faisait un froid polaire, jusqu'à moins trente-cinq degrés par endroits. Les deux camps en souffraient, mais surtout les Allemands, insuffisamment équipés pour l'hiver.

À son grand étonnement, Volodia découvrit que leurs ennemis, d'habitude si efficaces, avaient négligé de consolider leur ligne de front. Pas de tranchées, pas de fossés antichars, pas de tranchées-abris. Leur front se limitait en fait à une série de points fortifiés espacés. Rien de plus facile que de le franchir en se glissant dans les brèches. Une fois entrés dans la petite ville, il ne restait qu'à localiser les cibles : casernes, cantines, dépôts de munitions.

Ses hommes abattirent trois sentinelles et s'emparèrent d'un terrain de football où étaient garés cinquante chars. Volodia n'en revenait pas. Cette puissance, qui avait conquis le quart de l'Union soviétique, était-elle aujourd'hui épuisée et à bout de souffle ?

Les cadavres de soldats soviétiques, tombés au cours d'escarmouches antérieures, ne portaient plus ni bottes ni capotes, dérobées sans doute par des Allemands transis.

Partout, des véhicules abandonnés, des camions aux portières ouvertes, des tanks couverts de neige aux moteurs gelés, des Jeep au capot relevé comme si des mécaniciens avaient vainement tenté de les réparer.

En traversant une grande rue, Volodia entendit un vrombissement. À travers la neige qui tombait, il distingua des phares qui se rapprochaient sur sa gauche. Il crut d'abord que c'était un véhicule soviétique qui avait franchi les lignes allemandes, mais bientôt son groupe fut pris pour cible et il cria à ses hommes de se mettre à couvert. C'était une *Kübelwagen*, une Jeep Volkswagen équipée d'une roue de secours sur le capot avant. Le système de refroidissement par air empêchait le moteur de geler. La *Kübelwagen* passa devant eux à toute vitesse, chargée d'Allemands qui tiraient depuis leurs sièges.

Volodia fut tellement ahuri qu'il en oublia de riposter. Pourquoi diable un véhicule rempli d'ennemis en armes fuyait-il la bataille ?

Il entraîna sa compagnie de l'autre côté de la rue. Il avait pensé qu'ils devraient progresser en se battant durement, immeuble après immeuble, mais ils ne rencontrèrent presque aucune résistance. Dans cette ville occupée, les bâtiments étaient fermés, volets tirés, sans lumière. Si des Russes y vivaient encore, ils se terraient sous leurs lits. C'était la seule chose sensée à faire.

D'autres véhicules passèrent. Volodia en conclut que les officiers fuyaient le champ de bataille. Il détacha une section munie d'une mitrailleuse Degtiarev DP-28 avec ordre de se mettre à couvert dans un café et de tirer sur ces voitures. Pas question que ces Allemands restent en vie et continuent à tuer des Russes !

Un peu en retrait de la rue principale, il repéra une bâtisse en brique d'un étage où des lumières brillaient derrière des rideaux étriqués. Profitant de la tempête de neige, il réussit à s'en approcher sans se faire voir de la sentinelle et à regarder à l'intérieur : des officiers allemands. C'était sûrement le quartier général du bataillon.

À voix basse, il donna ses instructions à ses sergents. Ils tirèrent dans les fenêtres avant de jeter des grenades à l'intérieur du bâtiment. Un groupe d'Allemands en sortit, les mains sur la tête. Une minute plus tard, Volodia avait pris l'immeuble.

Un autre bruit lui parvint, un bruit étrange qui le laissa perplexe. Il tendit l'oreille. On aurait dit une foule à un match de football. Il sortit sur le perron. Le bruit, de plus en plus fort, venait de la ligne de front.

Une mitrailleuse crépita. À une centaine de mètres de là, dans la grand-rue, un camion dérapa, partit en diagonale et percuta un mur de brique avant d'exploser, atteint sans doute par la DP-28 de la section que Volodia avait mise en place. Les deux véhicules qui le suivaient immédiatement parvinrent à s'esquiver.

Volodia se précipita vers le café. La mitrailleuse, en appui sur son bipied, était juchée sur une table. Cette arme était surnommée « tourne-disque » en raison du chargeur circulaire placé au-dessus du canon. Les hommes rigolaient. « Facile comme bonjour, camarade ! C'est comme de tirer les pigeons dans la cour. »

L'un d'eux avait fait une razzia dans la cuisine et découvert un grand bidon de crème glacée miraculeusement intact et, maintenant, ils l'engloutissaient à tour de rôle.

Volodia regarda par la fenêtre brisée du café. Un autre véhicule arrivait, une Jeep, lui sembla-t-il. Derrière, un groupe d'hommes qui couraient. Lorsqu'ils s'approchèrent, il reconnut des uniformes allemands. D'autres suivaient, des dizaines, des centaines peut-être. C'était donc eux qui faisaient ce bruit de match de football !

Le tireur pointa son canon sur la voiture. «Attends», ordonna Volodia en posant la main sur son épaule.

À travers la neige qui tombait sans relâche, il scruta la rue attentivement, au point d'en avoir les yeux qui piquaient. Tout ce qu'il voyait, c'était encore et encore des véhicules et un nombre toujours croissant d'hommes qui couraient. Quelques chevaux aussi.

Un soldat épaula. «Ne tire pas», fit Volodia. La foule se rapprochait. «On ne va pas pouvoir arrêter ce flot, on serait immédiatement submergé, expliqua-t-il. On va les laisser passer. Mettez-vous à couvert.» Les hommes se couchèrent au sol. Le tireur descendit le DP-28 de la table. Volodia s'assit par terre et jeta un coup d'œil au-dessus du rebord de fenêtre.

Le bruit s'était transformé en rugissement. Les hommes de tête arrivèrent à la hauteur du café et le dépassèrent. Ils couraient, trébuchant et boitant. Certains portaient des fusils, la plupart semblaient avoir perdu leurs armes ; quelques-uns avaient des capotes et des calots, d'autres ne portaient que leur tunique d'uniforme. Beaucoup étaient blessés. Volodia vit un homme à la tête bandée tomber, ramper sur quelques mètres et s'affaler. Personne n'y prêta attention. Un cavalier piétina un fantassin et poursuivit sa route au galop. Jeep et voitures de l'armée se frayaient dangereusement un chemin à travers la foule, dérapaient sur le verglas, klaxonnaient comme des forcenés, obligeant les soldats à pied à se rabattre sur les côtés.

C'était la déroute, comprit Volodia. Par milliers, des hommes passaient devant eux dans une fuite éperdue. Une vraie débandade.

Enfin, les Allemands battaient en retraite.

XI

1941 (IV)

1.

C'est à bord d'un hydravion Boeing B-314 de la Pan Am que Woody Dewar et Joanne Rouzrokh firent le voyage d'Oakland, en Californie, à Honolulu. Quatorze heures de vol.

Juste avant d'arriver, ils eurent une sérieuse dispute. Peut-être était-ce d'être resté aussi longtemps dans un espace confiné. Ce navire volant avait beau être l'un des plus grands avions au monde, les passagers y étaient répartis dans six petites cabines de deux rangées de quatre sièges se faisant face. «Je préfère le train», déclara Woody, en croisant maladroitement ses longues jambes, et Joanne eut la grâce de ne pas lui faire remarquer qu'on ne pouvait pas se rendre à Hawaï en chemin de fer.

Ce voyage était une idée des parents de Woody. Ils avaient décidé d'aller en vacances à Hawaï pour voir Chuck, leur fils cadet, stationné là-bas. Et ils avaient invité Woody et Joanne à les rejoindre pour la deuxième semaine.

Woody et Joanne étaient fiancés. Woody avait demandé Joanne en mariage à la fin de l'été, après quatre semaines d'amour passionné dans la chaleur de Washington. Joanne avait répondu que c'était trop tôt, mais Woody lui avait fait valoir qu'il était amoureux d'elle depuis six ans : n'avait-il pas suffisamment attendu? Elle s'était inclinée. Ils devaient se marier au mois de juin suivant, dès que Woody serait diplômé d'Harvard. Entre-temps, ce statut de fiancés les autorisait à prendre des vacances ensemble en famille.

Elle l'appelait Woods, il l'appelait Jo.

En arrivant en vue d'Oahu, l'île principale, l'avion amorça sa descente. On voyait déjà des montagnes boisées, quelques villages éparpillés dans les plaines, une bande de sable et des vagues. «Je me suis acheté un nouveau maillot de bain», déclara Joanne. Ils étaient assis côte à côte, et les quatre moteurs à cylindres Wright Twin Cyclone 14 étaient si bruyants que leurs voisins ne risquaient pas de les entendre.

Woody, qui était plongé dans *Les Raisins de la colère*, reposa son livre. «Je meurs d'envie de te voir dedans», dit-il avec conviction. Avec sa silhouette parfaite, une fille comme elle était un rêve pour un fabricant de maillots de bain.

Elle lui jeta un coup d'œil sous ses paupières mi-closes. «Tu crois que tes parents nous auront réservé des chambres voisines à l'hôtel?» demanda-t-elle, lui lançant un regard aguichant de ses yeux brun foncé.

Ce statut de fiancés ne les autorisait pas à passer la nuit ensemble, du moins pas officiellement, même si la mère de Woody, avec sa perspicacité habituelle, se doutait bien qu'ils étaient amants.

Woody déclara : «Je saurai te retrouver où que tu sois.
— Tu as intérêt!
— Ne me provoque pas, je t'en prie. Ce siège est déjà suffisamment inconfortable.»

Elle sourit de plaisir.

La base navale américaine était en vue. Une vaste lagune en forme de feuille de palmier offrait un abri naturel à une centaine de navires, la moitié de la flotte du Pacifique. Vus d'en haut, les réservoirs de carburant alignés sur le quai ressemblaient à des pions sur un échiquier.

Au milieu de cette rade, on apercevait une île équipée d'une piste d'atterrissage et, tout au bout à l'ouest, une bonne dizaine d'hydravions à l'amarre.

La base aérienne de Hickam se trouvait juste à droite de la lagune. Plusieurs centaines d'avions y étaient rangés sur le tarmac, aile contre aile, avec une précision toute militaire.

Prenant son virage sur l'aile, l'avion survola une plage plantée de palmiers et de gais parasols rayés – la plage de Waikiki, supposa Woody –, puis une petite ville qui devait être Honolulu, la capitale.

Joanne avait obtenu du Département d'État un congé qui lui était dû depuis longtemps, alors que Woody avait dû manquer une semaine de cours pour prendre ces vacances. «Je suis un peu surprise que ton père nous ait proposé de l'accompagner, déclara Joanne. En général, il n'est pas favorable à ce qui risque d'interrompre tes études.

— C'est vrai. Mais tu sais la vraie raison de ce voyage, Jo? Il pense que c'est peut-être la dernière fois que nous verrons Chuck vivant.

— Oh, mon Dieu, vraiment?

— Il est persuadé qu'il va y avoir la guerre. Et comme Chuck est dans la marine...

— Il a sûrement raison. La guerre est inévitable.

— D'où tires-tu cette certitude?

— Le monde entier est hostile à la liberté.» Elle désigna le livre posé sur ses genoux, un best-seller intitulé *Journal de Berlin* dont l'auteur était un journaliste de radio du nom de William Shirer. «Les nazis tiennent l'Europe, les bolcheviks la Russie et maintenant, les Japonais sont en train de mettre la main sur l'Extrême-Orient. Je ne vois pas comment l'Amérique peut survivre dans un monde pareil. Il faut bien que nous ayons des partenaires commerciaux!

— Mon père pense à peu près la même chose. Il croit que nous entrerons en guerre contre le Japon l'année prochaine... Et en Russie, tu as des informations sur la manière dont ça se passe? reprit Woody sur un ton pensif.

— Les Allemands semblent avoir du mal à prendre Moscou. Juste avant mon départ, on parlait d'une contre-offensive russe massive.

— Bonne nouvelle!»

Regardant au-dehors, Woody aperçut l'aéroport d'Honolulu et supposa que l'hydravion allait se poser dans une crique protégée, parallèle à la piste.

«J'espère qu'il ne va rien se passer de grave pendant que je suis ici, murmura Joanne.

— Pourquoi?

— Je brigue une promotion, Woods! Alors il ne faudrait pas qu'une personne brillante et prometteuse profite de mon absence pour m'éclipser.

— De l'avancement? Tu ne m'avais rien dit.

— Non, je ne t'en ai pas encore parlé, mais je vise le poste d'attachée de recherche.»

Il sourit. «Et tu veux monter jusqu'où comme ça?

« — Je me verrais bien ambassadrice, un jour. Dans un endroit compliqué et intéressant, comme Nankin ou Addis-Abeba.

— Vraiment?

— Ne fais pas cette tête! Frances Perkins est la première femme ministre du Travail, et elle fait un boulot du tonnerre. »

Woody hocha la tête. Perkins occupait ce poste depuis le début de la présidence Roosevelt, huit ans auparavant. Elle avait réussi à obtenir le soutien des syndicats pour le New Deal. À l'heure actuelle, une femme exceptionnelle pouvait aspirer à exercer presque n'importe quel métier, et Joanne était vraiment exceptionnelle. Pourtant, il était troublé de lui découvrir autant d'ambition. « Un ambassadeur, ça doit vivre à l'étranger, lui fit-il remarquer.

— Génial, non? Une culture étrangère, un climat différent, des coutumes exotiques...

— Mais... comment tu concilies ça avec le mariage?

— Pardon? » demanda-t-elle durement.

Il haussa les épaules. « Ça me semble normal de poser la question, non? »

L'expression de Joanne ne changea pas. Seules ses narines frémirent, un signe de colère imminente que Woody connaissait bien. « Est-ce que je me suis permis de te poser la question, à toi?

— Non, mais...

— Eh bien?

— Je m'interroge, Jo, c'est tout. Est-ce que tu t'attends à ce que je te suive où te conduira ta carrière?

— J'essaierai de la faire concorder avec tes impératifs. Et il me paraîtrait normal que tu en fasses autant de ton côté.

— Ce n'est pas pareil.

— Ah bon? Première nouvelle! »

Cette fois, Joanne était vraiment fâchée. Woody se demanda comment la conversation avait pu dégénérer aussi vite. Se forçant à prendre un ton à la fois conciliant et raisonnable, il déclara : « On avait parlé d'avoir des enfants, non ?

— Tu en auras, tout comme moi.

— Pas exactement de la même manière.

— Si avoir des enfants doit faire de moi une citoyenne de seconde classe dans notre vie conjugale, dans ce cas, nous n'en aurons pas!

— Ce n'est pas ce que je veux dire!

— Qu'est-ce que tu veux dire, alors?

— Si tu es nommée ambassadrice, est-ce que tu t'attends à ce que je laisse tout tomber pour te suivre je ne sais où ?

— Je m'attends à ce que tu me dises : "Ma chérie, c'est une merveilleuse chance pour toi. Tu peux compter sur moi pour ne pas te mettre des bâtons dans les roues." Est-ce déraisonnable ?

— Oui ! lâcha Woody, déconcerté et furieux. À quoi bon se marier, si ce n'est pas pour vivre ensemble ?

— Est-ce que tu t'engageras, si la guerre éclate ?

— Probablement, oui.

— Et l'armée t'enverra là où elle aura besoin de toi, en Europe, en Extrême-Orient ou ailleurs.

— Oui, évidemment.

— Et tu me laisseras à la maison pour suivre l'appel du devoir.

— S'il le faut, oui.

— Alors que moi, je ne peux pas en faire autant !

— Ça n'a rien à voir, voyons ! Tu t'en rends bien compte, non ?

— Figure-toi que ma carrière et ma volonté de servir mon pays comptent énormément pour moi. Tout autant que pour toi.

— Quelle mauvaise foi !

— Woods, je suis vraiment désolée que tu le prennes comme ça. Ce que je viens de te dire sur notre avenir commun était extrêmement sérieux, et je ne peux que m'interroger à présent sur la réalité de cet avenir.

— Comment peux-tu dire ça ! » répondit Woody. Il en aurait hurlé d'exaspération. « Mais comment en est-on arrivés là ? Comment ? »

Il y eut une secousse, des gerbes d'eau. L'hydravion s'était posé à Hawaï.

2.

Chuck Dewar était terrifié à l'idée que ses parents découvrent son secret.

À Buffalo, il n'avait jamais eu de véritable liaison, uniquement de brèves étreintes dans des ruelles obscures avec des garçons qu'il connaissait à peine. C'était une des raisons pour lesquelles il avait choisi la marine : pour vivre dans un milieu où il pourrait être lui-même sans que ses parents le sachent.

À Hawaï, tout avait été différent dès son arrivée. Ici, il faisait partie d'une communauté clandestine de gens comme lui. Dans les bars, les restaurants et les dancings où il allait, il n'avait pas besoin de faire semblant d'être hétérosexuel. Il avait eu plusieurs aventures et puis, il était tombé amoureux. Aujourd'hui, son secret n'en était plus un pour quantité de gens.

Et maintenant, ses parents étaient là.

Son père avait été convié à visiter la station HYPO, l'unité de Renseignement radio de la base navale. En sa qualité de membre de la commission des Affaires étrangères du Sénat, Gus Dewar était informé de nombreux secrets militaires. À Washington, il avait déjà visité l'Op-20-G, l'état-major du Renseignement radio.

Chuck alla le chercher à son hôtel d'Honolulu dans une limousine de la marine, une Packard LeBaron. Son père arborait un chapeau de paille blanche. Chuck lui fit faire le tour du port en voiture. «La flotte du Pacifique ! Quel spectacle magnifique, s'écria Gus avec un sifflement admiratif.

— Impressionnant, n'est-ce pas ? » acquiesça Chuck. De fait, les navires étaient magnifiques, surtout ceux de l'US Navy, qui, repeints et briqués, brillaient de tout leur éclat.

«Tous ces cuirassés parfaitement alignés ! s'émerveilla Gus.

— On appelle cette rangée de bâtiments le "Battleship Row", l'allée des cuirassés. Il y a le *Maryland,* le *Tennessee,* l'*Arizona,* le *Nevada,* l'*Oklahoma* et le *West Virginia.*» Les navires portaient le nom de différents États américains. «Le *California* et le *Pennsylvania* sont aussi au port, mais on ne les voit pas d'ici.»

En reconnaissant la voiture officielle, le fusilier marin en faction à l'entrée principale du bassin leur fit signe de passer. Ils rejoignirent la base des sous-marins et s'arrêtèrent sur le parking derrière le quartier général, l'Old Administration Building. Chuck conduisit son père dans la nouvelle aile qui venait d'être inaugurée.

Le capitaine Vandermeier les attendait.

C'était l'homme que le jeune marin redoutait le plus. Il avait pris Chuck en aversion et deviné son secret. Depuis, il le traitait à longueur de temps de gonzesse ou de tantouse. Pour peu qu'il en ait l'occasion, il se ferait un plaisir de lâcher le morceau devant son père.

Vandermeier était un petit homme trapu à la voix rocailleuse et à l'haleine fétide. Il fit le salut militaire avant de serrer la main de Gus. «Bienvenue, monsieur le sénateur. C'est un privilège pour moi de vous faire visiter l'unité de Renseignement des communications du 14ᵉ secteur de la marine. » Tel était le nom délibérément vague attribué à la cellule chargée de surveiller les signaux radio émis par la marine impériale japonaise.

«Merci, capitaine, répondit Gus.

— Tout d'abord un mot d'avertissement, monsieur. Il s'agit d'un groupe informel. Ce type de travail est souvent exécuté par des individus quelque peu excentriques réfractaires au port de l'uniforme. À en juger par sa veste en velours rouge, précisa Vandermeier avec un sourire de connivence à l'adresse du sénateur, vous pourriez penser que l'officier responsable, le commandant Rochefort, est un foutu homo. »

Chuck réprima de son mieux une grimace.

«Je n'en dirai pas plus jusqu'à ce que nous soyons à l'intérieur de la zone sécurisée, poursuivit Vandermeier.

— Très bien », approuva Gus.

Ils empruntèrent un escalier pour rejoindre le sous-sol où ils franchirent deux portes verrouillées.

La station HYPO comptait trente hommes. Elle occupait une cave sans fenêtres, éclairée au néon. En plus des bureaux et des chaises habituels, il y avait d'immenses comptoirs où déployer des cartes, des rangées d'incroyables machines IBM – imprimantes, trieuses et assembleuses –, ainsi que deux lits de camp sur lesquels les analystes pouvaient prendre un moment de repos pendant leurs marathons de séances de décryptage. Certains hommes portaient des uniformes soignés, mais d'autres, en civil comme l'avait annoncé Vandermeier, affichaient une tenue débraillée et n'étaient ni rasés ni lavés, à en juger par l'odeur.

«Comme toutes les marines du monde, la marine japonaise utilise différents codes. Elle réserve les plus simples aux messages les moins importants, tels que les rapports météorologiques, et les plus complexes aux messages à caractère sensible, expliqua Vandermeier. Ainsi, les signaux d'appel indiquant l'identité de l'expéditeur et du destinataire sont chiffrés à l'aide d'un code simple, alors que le texte lui-même peut être rédigé dans un code plus complexe. Celui des signaux d'appel a changé récemment, mais nous avons réussi à décrypter le nouveau en l'espace de quelques jours.

— Vous m'impressionnez, déclara Gus.

— Nous pouvons également déterminer la provenance d'un signal par triangulation. En nous fondant sur le lieu de l'émission et sur les signaux d'appels, nous pouvons nous faire une idée relativement précise de la position de la plupart des bâtiments, même si nous ne sommes pas capables de déchiffrer le contenu des messages.

— Autrement dit, nous savons où se trouvent les navires et dans quelle direction ils se déplacent, mais nous ignorons tout des ordres qu'ils ont reçus, résuma Gus.

— Oui, bien souvent.

— Mais s'ils voulaient passer inaperçus, il leur suffirait d'imposer le silence radio.

— C'est exact, admit Vandermeier. S'ils se taisent, notre travail perd toute utilité et on l'a vraiment dans l'os. »

Un homme en veste d'intérieur et en pantoufles s'approcha. Vandermeier le présenta comme le chef de l'unité. « Le commandant Rochefort n'est pas seulement un maître du décodage, il parle aussi japonais couramment.

— Jusqu'à ces derniers jours, nous avons fait des progrès appréciables dans le décryptage du chiffre le plus fréquemment utilisé, dit Rochefort. Mais ces salauds de Japonais viennent de le changer et tout est à refaire.

— Le capitaine Vandermeier me disait que vous pouviez déjà apprendre pas mal de choses sans vraiment lire les messages, fit remarquer Gus.

— C'est exact. » Rochefort désigna une carte murale. « À l'heure actuelle, la plus grande partie de la flotte japonaise a quitté les eaux territoriales et se dirige vers le sud.

— Mauvais signe.

— Ça, c'est sûr. Mais dites-moi, monsieur le sénateur, comment interprétez-vous les intentions du Japon ?

— Je crois qu'il va nous déclarer la guerre. À cause de l'embargo sur le pétrole qu'il subit de plein fouet. Comme les Britanniques et les Néerlandais refusent eux aussi de leur en fournir, ils essaient d'en faire venir d'Amérique du Sud. Mais ils ne pourront pas vivre comme ça indéfiniment.

— Que gagneraient-ils à nous attaquer, intervint Vandermeier. Le Japon est un si petit pays ! Ils ne peuvent pas nous envahir !

— La Grande-Bretagne est un petit pays, elle aussi. Ça ne l'a pas empêchée de dominer le monde simplement en prenant le contrôle des mers, objecta Gus. Les Japonais n'ont pas besoin de conquérir l'Amérique, il leur suffira de nous infliger une défaite navale pour contrôler le Pacifique. Après, rien ne les empêchera de faire du commerce avec qui ils veulent.

— À votre avis, quel objectif poursuivent-ils, en se dirigeant vers le sud ?

— Les Philippines sont la cible la plus probable. »

Rochefort acquiesça de la tête. « Nous avons déjà renforcé notre base là-bas. Mais une chose me tracasse : voilà maintenant plusieurs jours que le commandant de leur flotte de porte-avions n'a pas reçu le moindre signal ! »

Gus se rembrunit. « Silence radio. Cela s'est-il déjà produit dans le passé ?

— Oui. En général, les porte-avions coupent toute communication quand ils regagnent leurs eaux territoriales. C'est sans doute ce qui se passe actuellement. »

Gus hocha la tête. « Cela me paraît fondé.

— Oui, dit Rochefort. Mais je préférerais en être certain. »

3.

À Honolulu, les guirlandes de Noël illuminaient Fort Street. En cette soirée du samedi 6 décembre, la rue grouillait de marins en tenue tropicale, uniforme blanc, casquette blanche et foulard croisé noir, bien décidés à s'offrir du bon temps.

La famille Dewar déambulait au milieu de cette joyeuse cohue, Rosa au bras de Chuck, Joanne entre Gus et Woody.

Les fiancés avaient oublié leur brouille. Woody s'était excusé de s'être fait de fausses idées sur la manière dont Joanne envisageait le mariage ; Joanne, de son côté, avait reconnu qu'elle s'était emportée. Rien n'avait vraiment été réglé, mais ils s'étaient suffisamment réconciliés pour s'arracher mutuellement leurs vêtements et se précipiter au lit.

À la suite de quoi, leur querelle avait perdu de sa gravité. Une seule chose comptait : ils s'aimaient. Ils s'étaient promis de discuter à l'avenir de ces problèmes avec tendresse et tolérance.

Tandis qu'ils s'habillaient, Woody avait eu le sentiment d'avoir franchi une étape. Oui, ils s'étaient disputés, ils avaient eu une divergence d'opinion importante, mais ils avaient su passer l'éponge. C'était plutôt bon signe.

Maintenant, ils allaient tous dîner au restaurant. Woody, qui avait emporté son appareil photo, prenait des clichés tout en marchant. Ils n'avaient fait que quelques pas quand Chuck s'arrêta pour présenter un autre marin à sa famille. «Eddie Parry, un bon copain à moi. Eddie, je te présente le sénateur Dewar, Mrs. Dewar, mon frère Woody et miss Joanne Rouzrokh, sa fiancée.

— Ravie de faire votre connaissance, Eddie, dit Rosa. Chuck nous a parlé de vous dans ses lettres. Voulez-vous vous joindre à nous ? Un dîner tout simple, chez un Chinois. »

Woody s'étonna. Ce n'était pas le genre de sa mère d'inviter un inconnu à partager un repas de famille.

«Je vous remercie, madame. J'en serai très honoré », répondit Eddie. Il avait l'accent du Sud.

Ils entrèrent au restaurant Délices célestes et prirent place autour d'une table pour six. Eddie, un peu guindé, donnait à Gus du «monsieur» et du «madame» à Rosa, mais paraissait cependant plutôt à l'aise. Après qu'ils eurent passé la commande, il déclara : «J'ai tellement entendu parler de votre famille que j'ai presque l'impression de vous connaître tous. » Il avait des taches de rousseur et un grand sourire. Woody remarqua qu'il attirait tout de suite la sympathie.

Eddie interrogea Rosa sur sa première impression d'Hawaï. «Pour ne rien vous cacher, je suis un peu déçue, répondit-elle. J'ai l'impression de me trouver dans n'importe quelle petite ville américaine. Je m'attendais à découvrir quelque chose de plus asiatique.

— Je suis d'accord avec vous, déclara Eddie. Ça pullule de snacks, de motels et d'orchestres de jazz. »

Il demanda à Gus s'il allait y avoir la guerre. «Nous avons essayé par tous les moyens possibles et imaginables de trouver un modus vivendi acceptable avec le Japon», répondit le sénateur et Woody se demanda si Eddie savait ce qu'était un modus vivendi. «Au cours de l'été, poursuivit son père, le secrétaire d'État Cordell Hull a mené toute une série d'entretiens avec l'ambassadeur Nomura. Apparemment, sans résultat.

— Sur quoi butent les négociations ? s'enquit Eddie.

— Le commerce américain a besoin d'une zone de libre-échange en Extrême-Orient. Le Japon dit : d'accord, très bien, nous aussi nous aimons le libre-échange. Instaurons-le, pas seulement chez nous, mais dans le monde entier. Les États-Unis ne peuvent pas prendre cet engagement, quand bien même le voudraient-ils. Du coup, le Japon déclare : tant que d'autres pays auront leur propre zone économique, il nous en faudra une, à nous aussi.

— Je ne vois toujours pas pourquoi ils ont voulu envahir la Chine. »

Rosa, qui s'efforçait toujours d'être impartiale, déclara : « Les Japonais veulent avoir des troupes en Chine, en Indochine et dans les Indes néerlandaises pour protéger leurs intérêts, tout comme nous, les Américains, avons des troupes aux Philippines. Les Britanniques en ont en Inde, les Français en Algérie, et ainsi de suite.

— Vues sous cet angle, les exigences japonaises ne paraissent pas aussi déraisonnables !

— Elles ne sont pas déraisonnables, répliqua Joanne fermement, elles n'ont pas lieu d'être, voilà tout. Conquérir un empire est une solution du XIXᵉ siècle. Le monde change. Le temps des empires et des zones économiques fermées est révolu. Céder aux Japonais, ce serait faire un pas en arrière. »

On apporta les plats. « Avant que j'oublie, intervint Gus : demain matin, petit déjeuner sur l'*Arizona*. À huit heures précises.

— Je ne suis pas invité, dit Chuck mais j'ai été détaché pour vous conduire à bord. Je passerai vous chercher à l'hôtel à sept heures et demie et je vous conduirai à l'arsenal de la marine. Là, nous prendrons une vedette.

— Très bien. »

Woody plongea sa fourchette dans le riz frit. « C'est un délice. On devrait prévoir un repas chinois pour notre mariage. »

Gus se mit à rire. « Je ne suis pas sûr que ce soit une bonne idée.

— Pourquoi ? Ce n'est pas cher, et c'est excellent.

— Un mariage ne se résume pas à un repas, c'est une célébration. À ce sujet, Joanne, il faut que j'appelle votre mère.

— À propos du mariage ? demanda Joanne en fronçant les sourcils.

— À propos de la liste des invités. »

Joanne reposa ses baguettes. « Il y a un problème ? »

Au frémissement de ses narines, Woody comprit que l'orage menaçait.

«Oh, ce n'est pas vraiment un problème, répondit Gus. Il se trouve que j'ai un assez grand nombre d'amis et d'alliés politiques à Washington qui seraient vexés de ne pas être invités au mariage de mon fils. Je voudrais proposer à votre mère de partager les frais.»

Woody trouva que c'était délicat de la part de son père. La mère de Joanne n'avait peut-être pas les moyens d'offrir à sa fille un mariage princier. En effet, Dave, son mari, avait vendu son entreprise pour une bouchée de pain avant de mourir.

Mais l'idée que les parents puissent s'entendre sur l'organisation de son mariage sans lui demander son avis n'était pas du goût de Joanne. Et c'est sur un ton glacial qu'elle reprit : «Quand vous parlez d'amis et d'alliés, à qui pensez-vous au juste ?

— Principalement à des sénateurs et à des membres du Congrès. Il faudra inviter le Président, mais il ne viendra pas.

— Quels sénateurs et quels députés exactement ?»

Woody surprit le sourire discret de sa mère : visiblement, l'insistance de Joanne l'amusait. Peu de gens avaient le front de pousser Gus dans ses retranchements.

Le sénateur commença à dévider une liste de noms.

Joanne lui coupa la parole. «Cobb ? J'ai bien entendu ?

— Oui.

— Il a voté contre la loi antilynchage !

— C'est un type bien. Mais c'est un politicien du Mississippi. Nous vivons dans une démocratie, Joanne : nous devons représenter nos électeurs. Les gens du Sud ne soutiendront jamais une loi antilynchage... Sans vouloir vous offenser, Eddie, ajouta-t-il en se tournant vers l'ami de Chuck.

— Ne vous croyez pas obligé de prendre des gants, monsieur, répondit le marin. J'ai beau être texan, j'ai honte quand je pense à la politique en vigueur dans le Sud. Je déteste les préjugés. Un homme est un homme, quelle que soit sa couleur.»

Woody regarda son frère : Chuck se rengorgeait, très fier d'Eddie. En cet instant, il comprit qu'Eddie était plus qu'un ami pour lui.

Que c'était étrange ! Trois couples étaient réunis autour de cette table : son père et sa mère, Joanne et lui, mais aussi Chuck et Eddie.

Il regarda fixement le jeune homme. L'amant de Chuck, se dit-il.

Bizarre, quand même.

Eddie soutint son regard en souriant aimablement.

Woody détourna les yeux. Dieu merci, Papa et Mama ne se doutaient de rien!

Quoique... pour quelle raison Mama avait-elle invité Eddie à ce dîner en famille? Savait-elle quelque chose? Approuvait-elle cette liaison? Non, c'était impensable!

«Quoi qu'il en soit, Cobb n'avait pas le choix, insistait Gus. Dans tous les autres domaines en revanche, c'est un libéral.

— Il n'y a rien de démocratique là-dedans! lança Joanne avec véhémence. Cobb ne représente pas tous les gens du Sud, puisque seuls les Blancs ont le droit de vote là-bas.

— Rien n'est parfait sur cette terre, répliqua Gus. Cobb a soutenu le New Deal de Roosevelt.

— Ce n'est pas une raison pour que je l'invite à mon mariage.»

Woody s'interposa: «Papa, moi non plus je ne souhaite pas qu'il vienne, tu sais. Il a du sang sur les mains.

— C'est injuste.

— C'est comme ça que nous voyons les choses.

— Eh bien, la décision ne dépend pas entièrement de vous. C'est la mère de Joanne qui donne cette réception et j'en partagerai les frais si elle m'y autorise. Je suppose que cela nous permet d'avoir notre mot à dire sur la liste des invités!»

Woody se cala dans son fauteuil. «Zut, c'est quand même nous qui nous marions!»

Joanne se tourna vers Woody. «Nous devrions peut-être opter pour un mariage tout simple à la mairie, avec quelques amis seulement.»

Woody haussa les épaules. «Ça me convient parfaitement.

— Cela choquerait beaucoup de gens! réagit Gus d'un ton sévère

— Pas nous! répliqua Woody. La personne la plus importante ce jour-là, c'est bien la mariée. Je veux que tout se déroule comme elle l'entend.

— C'est bon, vous tous, écoutez-moi! intervint Rosa. Ne nous emballons pas. Gus, mon chéri, tu peux dire un mot à Peter Cobb, lui expliquer, délicatement, que tu as la chance d'avoir un fils idéaliste, qui va épouser une fille merveilleuse, tout aussi idéaliste, et que les jeunes mariés refusent obstinément malgré ton insistance que le député Cobb soit de la noce. Dis-lui que tu en es vraiment désolé mais que, sur ce sujet, tu ne peux pas davantage suivre tes propres inclinations que lui-même n'a pu suivre les siennes lors du vote sur le décret anti-lynchage. Il te répondra avec le sourire qu'il comprend très bien et qu'il a toujours apprécié ton franc-parler. »

Gus resta muet un long moment avant de s'avouer vaincu. Ce qu'il fit avec grâce. « Je suppose que tu as raison, ma chère. » Il ajouta avec un sourire à l'adresse de Joanne : « Je serais le dernier des imbéciles de me quereller avec ma délicieuse belle-fille à cause de Peter Cobb !

— Je vous remercie... Puis-je vous appeler Papa dès à présent ? »

Woody en fut ébahi. Quelle fille intelligente ! Elle avait trouvé exactement le mot à dire !

« Cela me ferait le plus grand plaisir », répondit Gus. Et Woody crut voir briller une larme dans l'œil de son père.

« Eh bien, merci, Papa. »

Woody n'en revenait pas. Joanne avait tenu tête à son père, et avait eu gain de cause. Quelle fille épatante !

4.

Le dimanche matin, Eddie voulut accompagner Chuck pour chercher le reste de la famille à l'hôtel.

« Je ne sais pas si c'est une bonne idée, mon chou, déclara Chuck. On est censés être amis, toi et moi. Pas inséparables. »

Ils étaient au lit dans un motel, et il faisait encore nuit noire. Ils devaient rentrer à la caserne en catimini, avant le lever du soleil.

« Tu as honte de moi, répliqua Eddie.

— Comment peux-tu dire ça ? Tu es venu dîner avec ma famille !

— Ce n'est pas toi qui en as eu l'idée, c'est ta mère. Mais j'ai l'impression d'avoir fait bon effet à ton père aussi, je me trompe ?

— Tout le monde t'a adoré. Comment pourrait-il en être autrement ? Mais ils ne savent pas que tu es un sale homo.

— Je ne suis pas un sale homo, je suis un homo très propre.

— C'est vrai.

— S'il te plaît, emmène-moi. J'ai envie de mieux les connaître. C'est vraiment important pour moi. »

Chuck soupira. « D'accord.

— Merci. » Eddie l'embrassa. « Est-ce qu'on a le temps...

— À condition de faire vite », répondit Chuck avec un grand sourire.

Deux heures plus tard, ils attendaient devant l'hôtel dans la Packard de la marine. À sept heures et demie tapantes, les quatre passagers firent leur apparition. Rosa et Joanne étaient gantées et chapeautées, Gus et Woody étaient en costume de lin blanc. Woody, son appareil photo autour du cou, tenait Joanne par la main.

« Regarde mon frère, murmura Chuck à Eddie. Regarde comme il est heureux !

— C'est une bien jolie fille. »

Ils leur tinrent les portières ouvertes. Les Dewar montèrent à l'arrière de la limousine. Woody et Joanne rabattirent les strapontins. Chuck démarra et prit la direction de la base navale.

Il faisait un temps splendide. La KGMB, la station de radio d'Hawaï, diffusait des cantiques. Le soleil brillait sur la lagune et se reflétait sur les vitres des hublots et sur les cuivres étincelants d'une centaine de navires. Chuck s'exclama : « N'est-ce pas une vue magnifique ? »

Ils pénétrèrent dans l'enceinte de la base et roulèrent jusqu'à l'arsenal. Une dizaine de navires étaient à quai ou en cale sèche pour être réparés, entretenus ou réapprovisionnés en carburant. Chuck s'arrêta devant le débarcadère des officiers. Tout le monde descendit de voiture et admira les fiers et puissants cuirassés de l'autre côté de la lagune, dans la lumière du matin. Woody les prit en photo.

Il était presque huit heures. Chuck entendit tinter les cloches des églises voisines, dans la ville de Pearl. À bord des navires, un coup de sifflet donna le signal du petit déjeuner aux hommes du quart de la matinée. Les équipes chargées d'envoyer les couleurs se rassemblaient, attendant qu'il soit huit heures précises pour hisser les pavillons. Sur le pont du *Nevada*, un orchestre jouait le « Star-Spangled Banner ».

Ils se dirigèrent vers la jetée où les attendait une vedette amarrée. Elle pouvait transporter une douzaine de passagers.

Eddie lança le moteur, qui se trouvait à la poupe, sous une trappe, tandis que Chuck donnait la main aux invités pour les aider à monter. Le petit moteur glouglouta gaiement. Chuck alla à l'avant. Eddie, resté à l'arrière, libéra les amarres et dirigea l'embarcation vers les cuirassés. La proue s'éleva sous l'effet de l'accélération et bientôt la vedette fila sur les flots, laissant derrière elle deux courbes d'écume jumelles, semblables aux ailes d'une mouette.

Un avion vrombit dans le ciel. Chuck leva les yeux. L'appareil arrivait de l'ouest et volait si bas qu'on aurait dit qu'il allait s'écraser. Il devait être sur le point de se poser sur la piste de la marine sur Ford Island.

Assis à l'avant à côté de Chuck, Woody, demanda en plissant les yeux : « C'est quoi, cet avion ? »

Chuck, qui connaissait tous les appareils de l'armée de l'air et de la marine, avait du mal à identifier celui-ci. « On dirait presque un Type 97 », dit-il. C'étaient les bombardiers-torpilleurs embarqués sur les porte-avions japonais.

Woody leva son appareil photo.

L'avion se rapprochait, Chuck aperçut de grands soleils rouges peints sous les ailes. « Un avion japonais ! »

Eddie, qui barrait à la poupe, l'entendit. « Un simulacre d'attaque, probablement, une simple manœuvre. Une bonne blague pour enquiquiner tout le monde un dimanche matin.

— Tu dois avoir raison », renchérit Chuck.

Mais un second appareil surgit dans le sillage du premier.

Puis un troisième.

Il entendit son père s'exclamer d'une voix anxieuse : « Mais qu'est-ce qui se passe, nom d'un chien ? »

Les avions amorcèrent leur virage à hauteur de l'arsenal et, dans un rugissement qui évoquait les chutes du Niagara, survolèrent la vedette à basse altitude. Chuck en dénombra au moins dix, non, vingt, non, plus même.

Vingt appareils qui fonçaient droit sur Battleship Row.

Woody qui continuait à photographier s'interrompit pour crier : « Ils ne sont pas en train de nous attaquer pour de bon, quand même ?! » Sa voix exprimait autant d'inquiétude que d'étonnement.

« Des avions japonais, c'est impossible ! lâcha Chuck interloqué. Le Japon est à plus de six mille kilomètres d'ici ! Aucun avion ne peut franchir une telle distance. »

Il se souvint alors du silence radio des porte-avions japonais depuis plusieurs jours. L'unité de Renseignement avait supposé qu'ils avaient regagné leurs eaux territoriales, mais n'avait pas pu le confirmer.

Il croisa le regard de son père et comprit que celui-ci avait eu la même idée.

Subitement, tout lui parut d'une clarté limpide. Son incrédulité se changea en peur.

L'avion de tête était en train de passer en rase-mottes au-dessus du *Nevada*, le premier bâtiment de Battleship Row. Un bruit de canon retentit. Sur le pont, les marins se dispersèrent, l'orchestre s'éparpilla dans un diminuendo de notes éperdues.

À bord de la vedette, Rosa poussa un cri.

«Dieu du ciel, s'écria Eddie, c'est vraiment une attaque.»

Chuck crut que son cœur s'arrêtait de battre : les Japonais bombardaient Pearl Harbor, et il se trouvait dans une coque de noix au beau milieu de la rade. En voyant les visages terrifiés de ses parents, de son frère et d'Eddie, il prit conscience que tous les êtres qu'il aimait sur terre se trouvaient dans la vedette avec lui.

De longues torpilles commencèrent à pleuvoir des entrailles des avions, transformant les eaux tranquilles de la lagune en geysers.

Chuck hurla : «Eddie! Fais demi-tour!» Celui-ci s'y employait déjà et le bateau prit un virage serré.

Au cours de ce mouvement tournant, Chuck aperçut un autre groupe d'avions aux ailes décorées de disques rouges au-dessus de la base aérienne de Hickham. Ces bombardiers fondaient tels des oiseaux de proie sur les avions américains parfaitement alignés sur les pistes.

Combien y en avait-il dans le ciel, de ces salauds de Japonais? À croire que la moitié de leur aviation s'était donné rendez-vous au-dessus de Pearl City!

Woody, pour sa part, continuait à prendre photo sur photo.

Chuck entendit un bruit sourd, comme une explosion souterraine, immédiatement suivi d'un autre. Il se retourna : une flamme jaillit du pont de l'*Arizona*, et tout de suite après, de la fumée s'éleva du navire.

Eddie mit les gaz, l'arrière de la vedette s'enfonça plus profondément dans l'eau. «Plus vite, plus vite!» hurla Chuck bien inutilement.

À bord d'un des bâtiments, un hululement d'alerte insistant appelait les soldats du quartier général à rejoindre les postes de combat. Chuck prit conscience qu'il s'agissait bel et bien d'une bataille et que sa famille était prise au milieu des tirs. L'instant d'après, la sirène d'alarme du terrain d'aviation de Ford Island retentit, débutant par un gémissement sourd avant de monter progressivement dans les aigus jusqu'à atteindre la stridence de son point culminant.

Une longue série d'explosions retentit depuis Battleship Row : des torpilles avaient touché leurs cibles. «Le *Wee-Vee!* hurla Eddie en désignant le *West Virginia*. Il gîte sur bâbord!»

De fait, un énorme trou s'ouvrait dans le flanc du navire le plus exposé aux attaques des avions. Des millions de tonnes d'eau avaient dû s'y engouffrer en l'espace de quelques secondes, se dit Chuck, pour qu'un bateau aussi monumental se couche à ce point.

Juste à côté, l'*Oklahoma* avait subi le même sort et Chuck vit, horrifié, les marins impuissants déraper et glisser sur le pont de plus en plus incliné, avant de passer par-dessus bord.

Les vagues provoquées par les explosions malmenaient la vedette et tout le monde se cramponnait aux rebords.

Chuck vit une pluie de bombes s'abattre sur la base des hydravions, tout au bout de Ford Island. Ces fragiles appareils étaient amarrés tout près les uns des autres, et des fragments d'ailes et de fuselages déchiquetés se mirent à voler en l'air, semblables à des feuilles d'arbres prises dans un ouragan.

Formé à l'école du Renseignement, Chuck s'efforçait d'identifier les appareils japonais. Il venait de repérer un troisième modèle, le terrible «Zéro» Mitsubishi, le meilleur avion de chasse du monde qu'un porte-avions puisse accueillir. Il ne transportait que deux petites bombes, mais était équipé de mitrailleuses jumelles et de deux canons de 20 mm. Il devait être chargé d'escorter les bombardiers et de les défendre contre les chasseurs américains. Mais ceux-ci étaient encore tous au sol et un grand nombre d'entre eux avaient déjà été détruits. Ce qui laissait aux Zéro toute liberté pour mitrailler les navires, les installations et les troupes.

Pour ne rien dire de la famille perdue au milieu de la lagune et qui essayait désespérément de regagner le rivage, se dit Chuck terrifié.

Enfin, les Américains commencèrent à riposter. Sur Ford

Island et sur les ponts des navires encore intacts, les canons antiaériens et les mitrailleuses entrèrent en action, ajoutant leur vacarme à la cacophonie meurtrière. Des obus antiaériens éclatèrent dans le ciel, telle une éclosion de fleurs noires. Presque immédiatement, un mitrailleur à terre atteignit un bombardier. Le cockpit s'enflamma et l'avion heurta l'eau dans un jaillissement d'écume. Involontairement, Chuck se mit à pousser des acclamations sauvages, brandissant les poings.

Le *West Virginia* qui gîtait revint peu à peu à l'horizontale, mais continua de s'enfoncer. Chuck se dit que le commandant avait dû ouvrir les vannes à tribord pour que le navire se redresse et que l'équipage puisse plus facilement s'en sortir. Hélas, l'*Oklahoma* ne connut pas cette chance. Stupéfaits et horrifiés, tous les passagers de la vedette regardèrent l'immense navire se retourner. «Oh, mon Dieu, murmura Joanne, l'équipage!» Dans une tentative désespérée pour sauver leur peau, des marins s'efforcèrent d'escalader le pont désormais presque vertical, ou d'agripper le bastingage à tribord. C'étaient les plus chanceux, comprit Chuck en voyant le puissant navire se retourner, coque en l'air, dans un terrible fracas et se mettre à couler. Combien d'hommes étaient pris au piège sous les ponts? Des centaines, assurément.

«Cramponnez-vous!» cria-t-il en voyant déferler la vague gigantesque produite par le chavirement de l'*Oklahoma*. Gus attrapa Rosa, Woody saisit Joanne. La vague souleva la vedette à une hauteur vertigineuse. Chuck vacilla mais tint bon, agrippé au bastingage. Leur bateau se maintint à flot. Suivirent d'autres vagues moins violentes, qui ballottèrent les passagers en tous sens, mais personne ne fut blessé. Pour autant, ils étaient encore loin d'être en sécurité. Le rivage se trouvait à quatre cents mètres au moins, constata Chuck avec consternation.

Chose étonnante, le *Nevada*, mitraillé dans les premières minutes de l'attaque, commença à s'éloigner. Un officier devait avoir eu la présence d'esprit d'ordonner à tous les bâtiments de prendre le large. S'ils arrivaient à quitter la rade et à se disperser, ils ne seraient plus aussi faciles à atteindre.

Depuis Battleship Row retentit soudain une explosion dix fois plus assourdissante que toutes celles qu'ils avaient entendues jusque-là. Le souffle fut si violent que Chuck crut recevoir un coup de poing en pleine poitrine. Heureusement, le drame se déroulait à presque six cents mètres d'eux. Des flammes jaillirent de la tourelle numéro deux de l'*Arizona* et, une fraction de seconde plus tard, l'avant du navire éclata. Les débris volèrent dans les airs, des poutres d'acier tordues et déformées, des plaques de tôle à la dérive dans un brouillard de fumée se mirent à traverser le ciel avec une lenteur cauchemardesque, comme des morceaux de papier carbonisés échappés d'un feu de joie. L'avant du navire disparut au milieu des flammes et de la fumée, et le grand mât chavira, comme pris d'ivresse, pour s'abattre vers l'avant.

« C'était quoi, ça ? s'écria Woody.

— Le magasin de munitions du navire a dû sauter », expliqua Chuck, et il songea avec un profond chagrin que des centaines de ses compagnons marins avaient sans doute péri dans cette gigantesque explosion.

Une colonne de fumée rouge sombre s'éleva dans les airs au-dessus du bateau transformé en bûcher funéraire.

On entendit un violent craquement et la frêle embarcation fit une embardée comme si elle avait été heurtée par quelque chose. Tous les passagers rentrèrent la tête. Chuck, qui était tombé à genoux, crut qu'une bombe venait de les toucher. Mais non, ce n'était pas possible puisqu'il était toujours en vie. Ayant recouvré ses esprits, il vit qu'un énorme morceau de métal d'un mètre de long s'était fiché dans le bois du pont juste au-dessus du moteur. Un miracle que personne n'ait été atteint ! En revanche, le moteur était mort.

La vedette ralentit puis s'immobilisa, ballottée sur les vagues nées de la pluie d'enfer que les avions japonais continuaient de déverser sans relâche sur la rade.

« Chuck, on ne peut pas rester ici ! lâcha Woody d'une voix angoissée.

— Je sais. » Avec Eddie, il inspecta les dommages et ils tentèrent de déloger le morceau d'acier profondément enfoncé dans le pont en teck.

« Ne perdez pas votre temps avec ça ! protesta Gus.

— D'autant que le moteur est fichu, Chuck ! » renchérit Woody.

Ils étaient encore loin du rivage, mais la vedette était équipée pour les situations d'urgence. Chuck détacha une paire de pagaies, en garda une et tendit l'autre à Eddie.

Le bateau était trop large pour leur permettre de ramer avec efficacité et ils n'avançaient pas vite. Heureusement, une accalmie se produisit. Le ciel n'était plus noir d'avions, mais des colonnes de fumée s'élevaient toujours des navires endommagés. L'une d'elles, au-dessus de l'*Arizona* mortellement atteint, était monumentale. Elle s'élevait bien jusqu'à trois cents mètres de haut. Les explosions s'étaient interrompues et le *Nevada*, avec un courage remarquable, se dirigeait maintenant vers l'embouchure du port.

Autour des bâtiments, l'eau était couverte de radeaux de sauvetage, de chaloupes à moteur, de marins qui nageaient ou s'accrochaient à des morceaux d'épave. La noyade n'était pas le seul danger qui les menaçait. En effet, le gasoil qui s'échappait des flancs perforés des navires s'était enflammé et le feu se propageait à la surface de l'eau. Les hurlements effroyables des brûlés se mêlaient maintenant aux appels à l'aide de ceux qui ne savaient pas nager.

Chuck jeta un rapide coup d'œil à sa montre. Trente minutes à peine s'étaient écoulées, alors que l'attaque lui avait paru durer des heures.

À l'instant même où il se faisait cette remarque, débuta la deuxième offensive, venue de l'est cette fois.

Des avions prirent en chasse le *Nevada*; d'autres choisirent pour cible l'arsenal de la marine, où les Dewar avaient embarqué. Presque aussitôt, le destroyer *Shaw* qui se trouvait dans un dock flottant explosa dans un jaillissement de flammes et de tourbillons de fumée. Le gasoil répandu sur l'eau s'enflamma. Et ce fut au tour du cuirassé *Pennsylvania* d'être touché dans la plus grande cale sèche. Deux destroyers amarrés dans la même cale explosèrent également, leurs magasins de munitions touchés.

Chuck et Eddie ramaient de toutes leurs forces, suant comme des chevaux de course.

Des fusiliers marins venus probablement de casernes voisines déployèrent des engins de lutte contre l'incendie.

Enfin, la vedette atteignit le quai d'embarquement des officiers. Chuck sauta à terre et noua rapidement les amarres pendant qu'Eddie aidait les passagers à sortir. Et tout le monde s'élança vers la voiture.

Chuck bondit au volant et fit démarrer le moteur. L'autoradio s'alluma automatiquement. «Tout le personnel de l'armée, de la marine et des fusiliers marins est tenu de se présenter immédiatement à son poste», annonça le speaker de la KGMB. Chuck n'avait pas encore pu se présenter où que ce soit, mais il était persuadé que sa première mission était d'assurer la sécurité des quatre civils à sa charge dont deux femmes et un sénateur.

Il démarra dès que tout le monde eut pris place dans la limousine.

La deuxième vague d'attaque semblait toucher à sa fin et la plupart des avions japonais s'éloignaient du port. Chuck accéléra tout de même : une troisième vague était toujours à craindre.

Par bonheur, la barrière de l'entrée principale était levée, ce qui évita à Chuck de la forcer.

Aucune voiture en face.

Fuyant le port à toute allure, il prit la grand-route de Kamehameha. Plus vite il s'éloignerait de Pearl Harbor, plus vite il mettrait les siens à l'abri, se disait-il.

C'est alors qu'il repéra dans le ciel un Zéro solitaire qui se dirigeait vers lui, volant à faible attitude au-dessus de la route. Chuck mit un moment à comprendre qu'il visait la voiture.

Les canons se trouvaient dans les ailes et il y avait de bonnes chances qu'ils manquent cette cible étroite. En revanche, les mitrailleuses de part et d'autre du moteur étaient très rapprochées. Si le pilote avait un peu de jugeote, il ne manquerait pas de s'en servir.

Chuck scruta fébrilement les bas-côtés. Rien que des champs de canne à sucre, à droite comme à gauche. Pas le moindre abri.

Il se mit à rouler en zigzag. Le pilote, qui ne cessait de se rapprocher, eut l'intelligence de ne pas chercher à le garder dans sa ligne de mire. La route n'était pas large, et il était impensable que Chuck pénètre dans le champ de canne, ce qui l'aurait obligé à rouler au pas. Comprenant que la vitesse était sa seule chance de survie, il appuya à fond sur l'accélérateur.

Il était trop tard. L'avion était si proche maintenant que Chuck distinguait sous ses ailes les bouches noires des canons. Comme il s'y attendait, le pilote ouvrit le feu à la mitrailleuse. Les balles, en touchant terre, firent voler la poussière.

Chuck se déporta sur la gauche, vers le milieu de la chaussée, puis au lieu de continuer dans la même direction, il donna un brutal coup de volant. Le pilote corrigea sa trajectoire. Des balles atteignirent le capot de la Packard. Le pare-brise éclata en mille morceaux. Eddie poussa un cri de douleur; à l'arrière, l'une des femmes poussa un hurlement.

Le Zéro disparut.

La voiture se mit à zigzaguer toute seule : un des pneus avant avait dû éclater. Cramponné au volant, Chuck tenta désespérément de rester sur la route. La voiture fit un tête-à-queue, dérapa sur le bitume et alla s'enfoncer dans les tiges de canne à sucre qu'elle percuta et qui l'arrêtèrent. Des flammes s'élevèrent du capot.

«Tout le monde dehors! hurla Chuck en sentant une odeur d'essence. Le réservoir va exploser!» Il bondit à l'extérieur et courut ouvrir la portière arrière. Son père sauta du véhicule, tirant sa mère derrière lui. Chuck vit les autres s'échapper par l'autre côté. «Filez!» cria-t-il encore, mais c'était superflu. Eddie se précipitait dans le champ en boitant, vraisemblablement blessé. Woody s'occupait de Joanne, la traînant et la portant tant bien que mal. Elle semblait avoir été touchée, elle aussi. Quant à ses parents, ils s'élancèrent au milieu de la canne à sucre, apparemment sains et saufs. Chuck les rejoignit. Ils coururent tous ensemble sur une centaine de mètres et se jetèrent à terre.

Il y eut un moment de silence. Le bruit des avions n'était plus qu'un bourdonnement lointain. Levant les yeux, Chuck vit des nuages de fumée épaisse s'élever dans le ciel au-dessus du port sur plusieurs centaines de mètres. Plus haut, à très haute altitude, les derniers bombardiers s'éloignaient vers le nord.

Une déflagration soudaine lui creva les tympans. Même à travers ses paupières closes, il vit l'éclair de lumière : le réservoir avait explosé. Une vague de chaleur passa au-dessus de lui.

Il releva la tête. La Packard était en flammes.

Il bondit sur ses pieds. «Mama, ça va?

— Je n'ai rien, par miracle», répondit-elle calmement tandis que son père l'aidait à se relever.

Balayant du regard le champ de canne à sucre, il repéra les autres. Eddie, assis tout droit, serrait sa cuisse entre ses mains. Il s'élança vers lui. «Tu es blessé?

— Putain, ça fait un mal de chien! Heureusement, ça ne saigne pas beaucoup.» Il réussit à sourire. «Touché en haut de la cuisse, je pense, mais aucun organe vital ne devrait être atteint.

— On va te conduire à l'hôpital.»

À ce moment-là, Chuck entendit un bruit qui le fit tressaillir.

Son frère pleurait.

Woody ne pleurait pas comme un bébé, mais comme un enfant perdu : à gros sanglots, les sanglots d'un désespoir sans fond.

Les sanglots d'un cœur brisé, comprit Chuck immédiatement.

Il se précipita vers lui. Woody était à genoux, le corps agité de frissons, la bouche grande ouverte, les yeux ruisselants de larmes. Son costume de lin blanc était couvert de sang alors que lui-même n'était apparemment pas blessé. Ses sanglots étaient entrecoupés de gémissements : « Non, non. »

Joanne gisait sur le dos devant lui.

Elle était morte, cela ne faisait aucun doute. Son corps était immobile, ses yeux ouverts fixaient le vide. Le devant de sa robe en coton rayé était imprégné d'un sang rouge vif qui, par endroits, s'assombrissait déjà. La plaie n'était pas visible, mais Chuck comprit qu'une balle avait touché Joanne à l'épaule, sectionnant l'artère axillaire. Elle avait dû mourir en quelques instants, vidée de son sang.

Il resta muet.

Les autres le rejoignirent : Rosa, Gus et Eddie. Puis Rosa s'agenouilla à côté de Woody et le prit dans ses bras. « Mon pauvre garçon », murmura-t-elle comme si c'était un enfant.

Eddie passa le bras autour des épaules de Chuck et le serra discrètement contre lui.

Gus s'accroupit près du corps et prit la main de Woody.

Les sanglots de son fils s'apaisèrent un peu.

Il dit : « Ferme-lui les yeux, Woody. »

Non sans mal, Woody réussit à contrôler le tremblement de sa main. Il tendit les doigts vers les paupières de Joanne.

Et, avec une douceur infinie, il lui ferma les yeux.

XII

1942 (I)

1.

Le premier jour de l'année 1942, Daisy reçut une lettre de son ancien fiancé, Charlie Farquharson.

Elle l'ouvrit au petit déjeuner dans sa maison de Mayfair, ayant pour seule compagnie le vieux majordome en train de lui verser son café et la soubrette de quinze ans qui lui apportait des toasts chauds de la cuisine.

Charlie n'écrivait pas de Buffalo, mais de Duxford, une base de la RAF située dans l'est de l'Angleterre. Daisy en avait entendu parler. C'était près de Cambridge, la ville où elle avait rencontré son mari Boy Fitzherbert, et aussi Lloyd Williams, l'homme qu'elle aimait.

Elle était contente de recevoir des nouvelles de Charlie. Certes il l'avait plaquée autrefois et elle lui en avait voulu, mais le temps avait passé. Elle était une autre femme aujourd'hui. En 1935, elle était miss Pechkov, une riche héritière ; à présent, elle était une aristocrate anglaise, la vicomtesse d'Aberowen. Quoi qu'il en soit, elle était contente que Charlie se souvienne d'elle. Pour une femme rien n'est pire que l'oubli.

Charlie avait écrit sa lettre à l'encre noire, avec un stylo à grosse plume. L'écriture était brouillonne, les lettres épaisses et mal formées. Elle lut :

Avant tout, je dois te présenter mes excuses pour mon comportement à ton égard, à Buffalo. J'en frémis encore de honte chaque fois que j'y repense.

Eh bien, se dit Daisy, en voilà un qui a mûri.

Que nous étions snobs, tous autant que nous étions! Et que j'étais faible, quant à moi, de laisser feue ma mère diriger ma vie.

« Feue ma mère. » Cette vieille carne était donc morte. Voilà qui expliquait peut-être le changement.

J'ai rejoint le 133ᵉ Eagle Squadron. C'est une escadrille d'avions de chasse. Pour l'heure, nous volons sur des Hurricane mais nous aurons bientôt des Spitfire.

Les Eagle Squadrons, les « escadrilles des aigles », au nombre de trois, étaient des unités de l'aviation britannique pilotées par des équipages de volontaires américains. Daisy fut surprise d'apprendre que Charlie s'était engagé. À l'époque où elle le connaissait, il ne s'intéressait qu'aux chiens et aux chevaux. Il avait vraiment mûri.

Si tu peux trouver au fond de ton cœur la force de me pardonner ou du moins d'oublier le passé, je serai ravi de te revoir et de faire la connaissance de ton mari.

La référence au mari devait être une manière délicate de lui faire comprendre que sa requête n'avait rien de sentimental.

Je serai à Londres en permission le week-end prochain. Puis-je vous inviter à dîner tous les deux ? S'il te plaît, ne refuse pas.
Avec mes sentiments les meilleurs et les plus affectueux
Charlie H.B. Farquharson.

Boy serait absent ce week-end-là, mais Daisy accepta quant à elle l'invitation. Dans ce Londres en guerre, la compagnie des hommes lui manquait affreusement, comme à bien d'autres femmes. Lloyd était parti pour l'Espagne et avait disparu. Il avait prétendu avoir été nommé attaché militaire à l'ambassade britannique de Madrid. Quand elle s'était étonnée qu'on envoie un jeune officier valide remplir des fonctions de gratte-papier en pays neutre, il lui avait expliqué qu'il fallait empêcher coûte que coûte l'Espagne d'entrer en guerre aux côtés des fascistes. Mais son sourire contrit avait été suffisamment éloquent. Daisy redoutait qu'il n'ait franchi la frontière clandestinement pour gagner la France et rejoindre la Résistance. La nuit, elle faisait des cauchemars, l'imaginait prisonnier, torturé.

Cela faisait plus d'un an qu'elle ne l'avait pas vu et elle avait l'impression d'être amputée d'une partie d'elle-même. C'était une douleur de chaque instant. À l'idée de passer une soirée avec un homme, fût-ce ce Charlie Farquharson pataud, rondouillard et peu attirant, elle était ravie.

Charlie avait réservé une table au Grill Room du Savoy.

Dans le hall de l'hôtel, tandis qu'un serveur lui prenait son manteau de vison, un homme de haute taille, vêtu d'une élégante veste du soir, s'approcha d'elle. Son visage lui rappelait vaguement quelqu'un. Il lui tendit la main en disant timidement : «Bonsoir Daisy, quel plaisir de te revoir après tant d'années.»

Elle ne le reconnut qu'au son de sa voix. «Bon sang, Charlie! Comme tu as changé!

— J'ai un peu fondu, avoua-t-il.

— Tu peux le dire!» Il avait dû perdre vingt ou vingt-cinq kilos. Ça lui allait bien. À présent, ses traits paraissaient plus anguleux que laids.

«Toi, en revanche, tu n'as pas changé du tout!» s'écria-t-il en l'examinant de haut en bas.

Elle avait fait des efforts de toilette. Elle ne s'était rien acheté depuis longtemps, à cause de l'austérité des temps. Pour l'occasion, elle avait ressorti une robe du soir en soie bleu saphir qui lui dénudait les épaules; elle l'avait achetée chez Lanvin lors d'un de ses derniers voyages à Paris avant la guerre.

«J'aurai bientôt vingt-six ans, j'ai du mal à croire que je ressemble à la jeune fille que j'étais à dix-huit ans!

— Crois-moi, tu es toujours la même», insista-t-il en rougissant après avoir glissé un regard vers son décolleté.

Ils entrèrent dans le restaurant et prirent place à leur table. «J'ai eu peur que tu n'aies changé d'avis, dit-il.

— Ma montre s'était arrêtée, je suis désolée d'être en retard.

— Vingt minutes seulement, j'aurais attendu une heure.»

Un serveur leur proposa un apéritif. «C'est l'un des rares endroits d'Angleterre où les martini sont buvables, remarqua Daisy.

— Alors deux, s'il vous plaît, demanda Charlie

— Pour moi, sec et avec une olive.

— Pour moi aussi.»

Elle l'observait, intriguée de le voir aussi changé. Sa maladresse d'antan s'était adoucie en une timidité charmante. Tout de même, elle avait du mal à l'imaginer en pilote de combat, en train d'abattre des avions allemands. À Londres, le Blitz avait pris fin depuis six mois et il n'y avait plus de combats aériens dans le sud de l'Angleterre. «Quelle sorte de missions accomplis-tu? lui demanda-t-elle.

— Des missions de jour, principalement. Ce que nous appelons des opérations circus sur le nord de la France.

— Ça consiste en quoi?

— Une attaque de bombardier soutenue par une forte escorte de chasseurs qui cherchent à attirer les avions ennemis dans un combat aérien où ils se trouveront en infériorité numérique.

— J'ai horreur des bombardiers. J'en ai trop vu pendant le Blitz. »

Surpris, il répliqua : «J'aurais cru que tu serais contente de savoir qu'on rendait aux Allemands la monnaie de leur pièce.

— Pas du tout!» Elle avait beaucoup réfléchi à la question. «Je pourrais pleurer des jours entiers sur tous ces civils innocents, ces femmes et ces enfants brûlés ou blessés pendant le Blitz. Savoir que des femmes et des enfants allemands subissent le même sort ne me fait pas plaisir du tout.

— Je n'avais pas envisagé la chose sous cet angle. »

Ils commandèrent à dîner. Selon les réglementations en vigueur, les repas devaient se limiter à trois plats et ne pas coûter plus de cinq shillings. Le menu comprenait du «simili-canard», fait de saucisse de porc, ou de la «tourte Woolton», sans un gramme de viande, recettes spécialement élaborées au Savoy en ces temps de disette.

«Quel plaisir d'entendre une femme parler américain, tu ne peux pas savoir! Je n'ai rien contre les Anglaises, j'en ai même fréquenté une, mais l'accent de chez nous me manque beaucoup.

— À moi aussi, dit-elle. Je suis ici chez moi, maintenant et je ne crois pas que je retournerai un jour en Amérique. Mais je comprends très bien ce que tu veux dire.

— Je regrette de n'avoir pas pu faire la connaissance du vicomte d'Aberowen.

— Il est pilote, comme toi. Instructeur. Il rentre de temps en temps à la maison, mais pas ce week-end. »

Daisy accueillait à nouveau Boy dans son lit quand il était de passage, bien qu'elle se soit juré de ne plus jamais coucher avec lui après l'avoir surpris avec ces abominables femmes d'Aldgate. Mais il avait insisté lourdement, lui faisant valoir qu'un combattant avait besoin de réconfort quand il rentrait chez lui. Il lui avait aussi juré de ne plus fréquenter de prostituées. Elle n'y croyait pas vraiment, mais avait cédé de guerre lasse. Ne l'avait-elle pas épousé pour le meilleur et pour le pire ?

Elle n'éprouvait cependant plus aucun plaisir à coucher avec Boy, malheureusement. Elle pouvait avoir des rapports sexuels avec lui, mais son amour pour lui n'était plus qu'un souvenir. Elle devait utiliser une crème lubrifiante pour pallier son manque de désir. Elle avait essayé de se rappeler les tendres sentiments qu'il lui avait inspirés autrefois quand elle voyait en lui un jeune aristocrate plein de gaieté qui avait le monde à ses pieds et savait tirer le meilleur de la vie. Mais elle avait dû se rendre à l'évidence : Boy n'avait pas tant de charme que cela, finalement. C'était un homme égoïste et sans grand intérêt, dont le seul atout était son titre. Quand il s'allongeait sur elle, elle ne pensait qu'à la sale maladie qu'il risquait de lui transmettre.

Charlie lui demanda alors avec doigté : « Tu n'as peut-être pas très envie de parler des Rouzrokh...

— En effet.

— ... mais as-tu appris que Joanne est morte ?

— Non, répondit-elle, bouleversée. Comment ?

— À Pearl Harbor. Elle était fiancée avec Woody Dewar, ils étaient allés voir son frère Chuck qui était en poste là-bas. Leur voiture a été attaquée par un Zéro, un chasseur japonais. Joanne a été touchée.

— Oh mon Dieu ! Pauvre Joanne, pauvre Woody ! »

On leur apporta leur repas, accompagné d'une bouteille de vin. Ils mangèrent en silence pendant un moment. Daisy constata que le similicanard n'avait pas vraiment goût de canard.

« Joanne est l'une des deux mille quatre cents personnes qui ont trouvé la mort à Pearl Harbor, reprit Charlie. Nous avons perdu huit cuirassés et dix autres navires. Ces sournois de Japonais, quels salauds quand même !

— Même si on ne le dit pas, tout le monde est bien content à Londres que les États-Unis soient entrés en guerre. Dieu seul sait pourquoi Hitler a eu la bêtise de déclarer la guerre aux États-Unis. Avec les Russes et les Américains de leur côté, les Anglais pensent maintenant qu'ils ont de bonnes chances de l'emporter.

— Les Américains sont furieux à cause de Pearl Harbor.

— Ici, les gens ne comprennent pas pourquoi.

— Les Japonais ont continué à négocier jusqu'au bout,

comme si de rien n'était, alors qu'ils avaient certainement déjà décidé de nous attaquer depuis longtemps! C'est de la duplicité pure et simple!»

Daisy cherchait à comprendre : «Je trouve ça plutôt raisonnable, moi. Si les négociations avaient abouti, ils auraient annulé l'ordre d'attaquer.

— Il n'y avait pas eu de déclaration de guerre!

— Et alors? Nous nous attendions à ce qu'ils donnent l'assaut aux Philippines. Pearl Harbor nous aurait pris par surprise de toute façon.»

Charlie écarta les mains dans un geste d'incompréhension. «Mais pourquoi nous attaquer?

— On leur avait piqué leur argent.

— Gelé leurs avoirs.

— Pour eux, cela revenait au même. Nous leur avions coupé tout approvisionnement en pétrole, nous les avions poussés à bout. Ils étaient au bord de la ruine, que pouvaient-ils faire d'autre?

— Capituler et évacuer la Chine!

— Oui, sans doute! Mais que dirais-tu si un autre pays prétendait obliger l'Amérique à faire ceci ou cela? Tu voudrais qu'on cède?

— Non, probablement pas.» Il sourit. «Tout à l'heure, j'ai prétendu que tu n'avais pas changé. Je retire ce que j'ai dit!

— Pourquoi?

— Tu ne parlais pas comme ça, avant. Tu ne parlais jamais politique.

— C'est vrai. Mais si tu ne t'intéresses pas à ce qui se passe autour de toi, alors tu es responsable de ce qui se passe!

— Je crois qu'on a tous compris la leçon.»

Ils commandèrent des desserts. «Que va-t-il advenir du monde, Charlie? demanda Daisy. Tout le continent européen est fasciste, les Allemands ont conquis une grande partie de la Russie! L'Amérique est un aigle à l'aile brisée. Parfois, je me réjouis de ne pas avoir d'enfants.

— Ne sous-estime pas les États-Unis. Nous sommes blessés, mais nous sommes encore debout. Pour le moment, le Japon parade mais viendra le jour où il versera des larmes amères pour le crime commis à Pearl Harbor.

— Puisses-tu avoir raison!

— Quant aux Allemands, les choses ne se passent plus exactement comme ils le souhaitaient. Ils n'ont pas réussi à prendre Moscou, ils battent en retraite. La bataille de Moscou a été la première vraie défaite d'Hitler, tu te rends compte ?

— Une défaite ou un simple revers ?

— Qu'importe ! Pour lui, c'est le pire échec qu'il ait essuyé à ce jour. Les bolcheviks lui ont donné une sacrée leçon. »

Charlie avait découvert le vieux porto, tant apprécié des Anglais. Traditionnellement, les hommes en buvaient une fois que les femmes avaient quitté la table. Une tradition que Daisy exécrait et qu'elle avait essayé d'abolir chez elle, sans succès. Ils en burent un verre chacun. Après le martini et le vin, Daisy se sentit un peu pompette... et très heureuse.

Ils évoquèrent leur adolescence à Buffalo et rirent des bêtises qu'ils avaient commises, les uns ou les autres. « Tu nous avais dit que tu allais à Londres danser avec le roi, et tu l'as fait ! s'exclama Charlie.

— J'espère bien que les autres en ont été vertes de jalousie !

— Et comment ! Dot Renshaw a failli en faire une attaque. »

Daisy rit joyeusement.

« Je suis content qu'on ait renoué, murmura Charlie, j'apprécie tant ta compagnie.

— Oui, ça me fait plaisir, à moi aussi. »

Ils quittèrent le restaurant et reprirent leurs manteaux. Le portier héla un taxi. « Je te raccompagne chez toi », dit Charlie.

Alors qu'ils longeaient le Strand, il passa le bras autour de ses épaules. Elle faillit protester puis se dit pourquoi pas, et se blottit contre lui.

« Quel imbécile j'ai été ! J'aurais vraiment dû t'épouser...

— Tu aurais fait un bien meilleur mari que Boy Fitzherbert », remarqua-t-elle.

Mais dans ce cas, elle n'aurait jamais rencontré Lloyd. Elle se rendit compte alors qu'elle n'avait pas parlé de lui de toute la soirée.

Au moment où le taxi bifurquait dans sa rue, Charlie l'embrassa.

Que c'était agréable d'être enlacée par un homme et de l'embrasser sur les lèvres. Bien sûr, l'alcool n'était pas étranger au plaisir qu'elle ressentait car en vérité, il n'y avait qu'un homme qu'elle eût vraiment envie d'embrasser, Lloyd. Néanmoins, elle ne repoussa Charlie que lorsque la voiture s'arrêta.

«Un dernier verre?» suggéra-t-il.

Elle fut tentée un instant. Il y avait si longtemps qu'elle n'avait touché le corps musclé d'un homme! En même temps, elle n'avait pas vraiment envie de lui. «Non, dit-elle. Je suis désolée Charlie, mais j'aime quelqu'un d'autre.

— On n'est pas obligés de coucher ensemble, murmura-t-il. On pourrait juste se caresser un peu...»

Elle descendit de voiture avec un sentiment de culpabilité. Tous les jours, Charlie risquait sa vie pour elle, et elle n'était même pas prête à lui donner un peu de plaisir. «Bonne nuit, Charlie, bonne chance.» Elle claqua la portière et entra chez elle avant d'avoir changé d'avis.

Elle monta directement dans sa chambre. Quelques minutes plus tard, seule dans son lit, elle était rongée de remords. Elle avait trompé deux hommes : Lloyd, en embrassant Charlie; Charlie, en le quittant insatisfait.

Elle passa presque tout son dimanche au lit avec la gueule de bois.

Le lendemain soir, elle reçut un coup de téléphone. «Je m'appelle Hank Bartlett, annonça une voix jeune à l'accent américain. Je suis un ami de Charlie Farquharson, à Duxford.»

Elle crut que son cœur allait s'arrêter de battre : «Pourquoi m'appelez-vous?

— Je crains d'avoir une mauvaise nouvelle à vous annoncer... Charlie est mort aujourd'hui, il a été abattu au-dessus d'Abbeville.

— Non!

— C'était sa première sortie dans son nouveau Spitfire.

— Il m'en avait parlé, balbutia-t-elle hébétée.

— J'ai voulu vous prévenir.

— Oui, merci, murmura-t-elle.

— Il vous trouvait du tonnerre.

— Vraiment?

— Vous auriez dû l'entendre parler de vous!

— Que c'est triste! Oh mon Dieu, que c'est triste...» Elle raccrocha, incapable d'ajouter un mot.

2.

Chuck Dewar lisait par-dessus l'épaule du lieutenant Bob Strong. Contrairement à tant d'autres officiers du chiffre, Strong était du genre soigneux. Il n'y avait rien d'autre sur son bureau que cette feuille où était écrit :

YO—LO—KU—TA—WA—NA

« Impossible à déchiffrer, lâcha Strong sur un ton excédé. Si cette transcription est juste, ça signifie qu'ils comptent attaquer yolokutawana. Ça ne rime à rien, ce mot n'existe pas ! »

Chuck examina les six syllabes japonaises. Malgré sa connaissance rudimentaire du japonais, il était convaincu qu'elles avaient un sens. Comme il lui échappait, il se remit à son travail.

Dans les bureaux de l'Old Administration Building, l'atmosphère était lourde.

Plusieurs semaines après le raid, la mer de Pearl Harbor était encore couverte de mazout et des cadavres boursouflés remontaient des profondeurs où gisaient les navires coulés. En même temps, les messages interceptés faisaient état d'attaques japonaises encore plus dévastatrices. Trois jours seulement après Pearl Harbor, l'aviation japonaise avait frappé la base américaine de Luzon aux Philippines et réduit à néant la réserve de torpilles de toute la flotte du Pacifique. Le même jour, dans la mer de Chine méridionale, elle avait coulé deux navires britanniques, le *Repulse* et le *Prince of Wales*, privant les Britanniques de leurs forces de défense en Extrême-Orient.

Rien ne semblait pouvoir arrêter les Japonais. Les mauvaises nouvelles se succédaient sans interruption. Ces premiers mois de l'année 1942 avaient vu le Japon écraser les troupes américaines aux Philippines, et les troupes britanniques à Hong Kong, Singapour et Rangoon, capitale de la Birmanie.

Nombre de ces lieux n'évoquaient rien pour personne, même pour des marins avertis tels que Chuck et Eddie. Pour la majorité des Américains, ces noms faisaient penser aux planètes lointaines d'un roman de science-fiction : Guam, Wake, Bataan. En revanche, les mots de retraite, soumission et reddition étaient clairs pour tout le monde.

Chuck était perplexe. Le Japon réussirait-il vraiment à vaincre les États-Unis ? Il avait du mal à le croire.

Au mois de mai, les Japonais avaient atteint leur objectif : posséder un territoire qui leur fournissait du caoutchouc, de l'étain et – chose essentielle – du pétrole. À en croire les renseignements qui arrivaient au compte-gouttes, les Japonais gouvernaient leur empire avec une brutalité qui aurait fait rougir Staline.

Néanmoins, la marine américaine continuait à leur donner du fil à retordre. Cette seule pensée remplissait Chuck de fierté. Les Japonais avaient espéré anéantir Pearl Harbor et contrôler le Pacifique : ils avaient échoué. Les porte-avions et les lourds croiseurs de l'US Navy étaient toujours opérationnels. À en croire les services de renseignement, les commandants de l'armée japonaise étaient furieux que les Américains n'aient pas baissé les bras. Après les pertes subies à Pearl Harbor, ils se trouvaient en situation d'infériorité tant en matière d'effectifs humains que d'armement. Mais au lieu de prendre la fuite, ils avaient lancé des raids éclairs contre les bâtiments japonais. Certes, ils n'avaient fait subir que des dégâts minimes à la marine impériale, mais cela avait suffi à redonner le moral aux troupes et à prouver aux Japonais que la victoire était loin d'être acquise.

Le 25 avril, des appareils avaient décollé d'un porte-avions pour aller bombarder le centre de Tokyo, infligeant une blessure profonde à l'orgueil des militaires japonais. À Hawaï, la nouvelle avait été accueillie avec enthousiasme et force réjouissances. Cette nuit-là, Chuck et Eddie s'étaient même saoulés.

Mais une autre épreuve se préparait. À l'Old Administration Building, tout le monde s'accordait à penser que les Japonais allaient lancer une grande offensive au début de l'été afin d'obliger les navires américains à sortir en force livrer une ultime bataille navale. Les Japonais comptaient sur la supériorité numérique de leur marine pour anéantir définitivement la flotte américaine du Pacifique. Les Américains ne disposaient que d'un moyen pour remporter la victoire : être mieux préparés que l'ennemi, posséder un meilleur service de renseignement, être plus mobiles et plus intelligents.

Tout au long de ces mois, la station HYPO travailla jour et nuit pour décrypter le code JN-25b, le dernier en date de la marine impériale japonaise. Aux alentours du mois de mai, des progrès avaient été faits.

La marine américaine possédait des stations d'interception

sans fil tout le long de la ceinture du Pacifique, de Seattle jusqu'en Australie. Dans ces stations, des hommes munis de casques et de récepteurs écoutaient les transmissions radio des Japonais. Les membres du «gang des Toits» – l'On The Roof Gang – comme on l'appelait, avaient pour mission de balayer les ondes et de transcrire sur des blocs-notes tout ce qu'ils entendaient.

Les signaux étaient en morse, mais les points et les traits des messages maritimes étaient retranscrits en groupes de nombres à cinq chiffres, chacun correspondant à une lettre, un mot ou une expression extraits du manuel de chiffrage.

Ces chiffres apparemment aléatoires étaient retransmis par câble sécurisé aux téléscripteurs situés au sous-sol de l'Old Administration Building. Débutait alors la phase la plus difficile : le décryptage du code.

Ils commençaient toujours par de petites choses. Comme les signaux s'achevaient souvent par le mot OWARI, qui signifiait «fin», ils recherchaient des groupes similaires à l'intérieur du texte et les remplaçaient par le mot «fin».

Une négligence, rarissime chez les Japonais, leur fournit une aide inattendue.

Comme la livraison du nouveau manuel de chiffrage pour le JN-25b à des unités stationnées très loin avait pris du retard, le haut commandement japonais transmit certains messages en utilisant simultanément les *deux* codes et ce, pendant plusieurs semaines. Les Américains, qui avaient réussi à déchiffrer une grande partie du code initial – le JN-25 –, furent ainsi en mesure de traduire ces messages grâce à l'ancienne clé. Ils purent ensuite les comparer aux messages transmis dans le nouveau code et en déduire le sens des groupes de cinq chiffres de celui-ci. Pendant un certain temps, ils progressèrent à pas de géant.

Aux huit officiers du chiffre engagés au départ vinrent s'adjoindre quelques rescapés de la fanfare du cuirassé *California* qui avait été coulé. Pour des raisons incompréhensibles, les musiciens se révélaient de bons décrypteurs.

Le moindre signal était conservé, et toutes les transcriptions classées. Comparer signaux et transcriptions était un travail primordial. Les analystes pouvaient demander à voir tous les signaux reçus au cours de telle ou telle journée, ou bien tous ceux qui avaient été envoyés à un bâtiment en particulier, ou encore tous ceux où figurait le nom d'Hawaï.

Pour leur venir en aide, Chuck et ses compagnons développèrent des systèmes de croisement de données de plus en plus complexes.

Son unité put ainsi prédire que les Japonais attaqueraient Port Moresby, la base alliée en Papouasie, au cours de la première semaine de mai. L'avenir lui donna raison, et la marine américaine fut à même d'intercepter la flotte d'invasion dans la mer de Corail. Les deux camps se déclarèrent vainqueurs, mais les Japonais ne prirent pas Port Moresby et l'amiral Nimitz, commandant en chef des forces du Pacifique, commença à faire confiance à ses décrypteurs.

Les Japonais ne désignaient pas les villes du Pacifique par leur nom habituel. Tout lieu de quelque importance était représenté par deux lettres – ou plus exactement par deux caractères, ou kanas, de l'alphabet japonais, que les Américains transcrivaient généralement par un équivalent latin, allant de A à Z. Bien souvent, dans leur sous-sol, les hommes s'arrachaient les cheveux pour comprendre ce que représentaient les deux lettres qu'ils avaient sous les yeux. Ils avançaient lentement. Ils avaient compris que MO correspondait à Port Moresby et AH à Oahu, mais combien de noms leur demeuraient inconnus !

En mai, il apparut avec évidence que les Japonais s'apprêtaient à lancer une offensive de grande envergure contre un lieu inconnu, qu'ils désignaient par les lettres AF.

De toutes les suppositions concernant cet endroit, la plus vraisemblable semblait être les îles Midway, un atoll situé à l'extrémité ouest de l'archipel qui partait d'Hawaï et s'étirait sur plus de deux mille quatre cents kilomètres à mi-chemin entre Los Angeles et Tokyo.

Mais l'amiral Nimitz n'avait que faire des suppositions. Les Japonais bénéficiant d'une évidente supériorité numérique, il avait besoin de certitudes.

Jour après jour, les compagnons de Chuck s'employaient à percer à jour le sinistre plan de bataille ennemi : de nouveaux appareils avaient été livrés aux porte-avions ; une « force d'occupation » avait été embarquée : à l'évidence, les Japonais avaient bien l'intention de conserver tous les territoires sur lesquels ils mettraient la main.

Ces préparatifs laissaient présager que la fameuse grande offensive était pour bientôt. Mais d'où l'attaque viendrait-elle ?

Un jour, les hommes parvinrent à décoder un message ennemi réclamant instamment à Tokyo d'*accélérer l'envoi des conduites de carburant*. Ils n'en furent pas peu fiers. D'abord, parce que ce message comportait un terme technique spécialisé ; ensuite, parce qu'il prouvait qu'une manœuvre majeure allait avoir lieu sous peu en plein océan.

Mais le haut commandement américain avait plutôt envisagé une attaque contre Hawaï tandis que l'armée craignait un débarquement sur la côte ouest des États-Unis. L'équipe de Pearl Harbor pour sa part croyait à une attaque contre l'île Johnston et son terrain d'aviation, à mille six cents kilomètres au sud de Midway.

Il fallait qu'ils en soient sûrs à cent pour cent.

Chuck avait bien une petite idée sur la question, mais il hésitait à dire quoi que ce soit. Les décrypteurs étaient des hommes tellement intelligents ! Lui-même n'avait jamais été bon élève. En neuvième, un de ses camarades de classe l'avait surnommé Chucky le Bêta. Et ses larmes n'avaient servi qu'à mieux ancrer ce surnom dans l'esprit de tous, lui-même compris, puisque aujourd'hui il se considérait toujours comme Chucky le Bêta.

À l'heure du déjeuner, il alla s'installer avec Eddie sur les docks, face à la rade, pour manger les sandwichs et boire le café qu'ils avaient pris à la cantine. La situation redevenait peu à peu normale. Le plus gros du mazout avait disparu et plusieurs épaves avaient été dégagées.

Pendant qu'ils mangeaient, un porte-avions endommagé apparut du côté de Hospital Point et entra lentement dans le port, laissant derrière lui une nappe de gasoil qui s'étirait jusqu'au large. Chuck reconnut le *Yorktown*. Sa coque était noire de suie et un grand trou s'ouvrait dans le pont d'envol, vraisemblablement causé par une bombe japonaise pendant la bataille de la mer de Corail. Sirènes et klaxons firent au navire un accueil triomphal tandis qu'il faisait route vers l'arsenal. Les remorqueurs se rassemblèrent pour l'escorter et l'aider à franchir les portes ouvertes de la cale sèche numéro un.

« Il paraît qu'il y en a au moins pour trois mois de boulot, mais qu'il reprendra la mer dans trois jours ! » annonça Eddie. Il travaillait dans le même bâtiment que Chuck, mais à un autre étage, au bureau du Renseignement maritime, où les ragots étaient plus nombreux.

«Et ils vont faire comment?

— Ils ont déjà commencé. Le maître charpentier est à bord : il a rejoint le bateau en avion avec toute son équipe. Et regarde la cale sèche!»

Chuck tourna la tête. La cale grouillait d'hommes et de matériel. On ne comptait plus le nombre de postes à souder alignés sur le quai.

«De toute façon, reprit Eddie, ils vont seulement le rafistoler : réparer le pont et le remettre en état de naviguer. Pour le reste, il faudra attendre.»

Quelque chose dans le nom de ce bateau troublait Chuck. Il lui revenait incessamment à l'esprit. *Yorktown*... Ce mot le titillait. Le siège de Yorktown avait été la dernière grande bataille de la guerre d'Indépendance.

Le capitaine Vandermeier passa à côté d'eux. «Allez, au boulot, les gonzesses!»

Eddie chuchota : «Un de ces jours, je vais lui casser la gueule.

— Attends que la guerre soit finie, Eddie», lui conseilla Chuck.

De retour au sous-sol, en apercevant Bob Strong toujours penché sur sa feuille, Chuck se rendit compte qu'il avait résolu son énigme.

Regardant de nouveau par-dessus l'épaule du décrypteur, il relut les mêmes six syllabes japonaises.

YO—LO—KU—TA—WA—NA

Diplomatiquement, pour donner à Strong l'impression qu'il avait résolu le problème tout seul, il s'écria : «Mais vous avez trouvé, lieutenant!

— Ah bon? répondit Strong décontenancé.

— Mais oui, c'est un nom anglais. Transcrit phonétiquement en japonais.

— Yolokutawana, c'est un nom anglais?

— Mais oui, lieutenant. C'est comme cela qu'on prononce *Yorktown* en japonais.

— Comment?» s'écria Strong. Il n'en revenait pas,

L'espace d'un moment, Chuck le Bêta se demanda avec épouvante s'il ne se trompait pas du tout au tout. Mais Strong déclara : «Oh mon Dieu, mais vous avez raison! Yolokutawana,

Yorktown avec l'accent japonais ! » Il éclata de rire, ravi. « Merci ! ajouta-t-il. Bien joué ! »

Chuck hésita un peu. Une autre idée le taraudait. Devait-il l'exprimer ? Le déchiffrage, ce n'était pas sa partie. D'un autre côté, l'Amérique était à deux doigts de la défaite. Oui, il fallait oser. « Puis-je vous suggérer autre chose ?

— Allez-y.

— C'est à propos de l'indicatif AF. Ce que nous voulons, c'est avoir la certitude que ça se rapporte à Midway, c'est bien ça ?

— Ouais.

— Et si nous expédions nous-mêmes un message suffisamment intéressant à propos de Midway pour que les Japonais le retransmettent en code ? Ensuite, au moment où nous intercepterons leur message à leur état-major, nous pourrions voir comment ils codent ce nom. »

Strong n'avait pas l'air convaincu. « Mieux vaudrait peut-être envoyer notre message en clair, pour être sûrs qu'ils l'ont bien compris.

— Éventuellement, Mais dans ce cas, il faudrait un message qui ne soit pas très confidentiel, du style : "Épidémie de chaude-pisse à Midway, envoyez des médicaments", ou quelque chose dans le genre.

— Pourquoi les Japonais retransmettraient-ils un message pareil ?

— D'accord, un renseignement d'ordre militaire, alors, mais pas hautement confidentiel. Le temps qu'il fait, par exemple.

— De nos jours, même les bulletins météo sont top secret.

— Vous pourriez évoquer une pénurie d'eau potable, intervint l'analyste assis au bureau voisin. S'ils ont l'intention d'occuper ce site, ça pourrait les intéresser.

— En effet.

— C'est sûr, ça pourrait marcher ! s'écria Strong qui commençait à s'exciter. Imaginons que Midway nous envoie ici un message en clair disant que l'usine de désalinisation est en panne.

— Et qu'Hawaï réponde qu'ils envoient une péniche d'eau ! compléta Chuck.

— Si les Japonais ont bien l'intention d'attaquer Midway, ils retransmettront forcément ce message, car il faudra bien qu'ils organisent une expédition d'eau potable.

— Et ils l'émettront en langage codé pour qu'on ne sache pas qu'ils s'intéressent à Midway. »

Strong se leva. « Venez avec moi, dit-il à Chuck. Allons proposer ça au patron et voir ce qu'il en pense. »

Les messages furent échangés le jour même.

Le lendemain, un message japonais signalait une pénurie d'eau douce sur AF.

Midway était bien la cible visée !

L'amiral Nimitz commença à tisser sa toile.

3.

Dans la soirée, alors que des milliers d'ouvriers s'activaient sur le porte-avions *Yorktown* paralysé, réparant les dégâts à la lumière de projecteurs, Chuck et Eddie se rendirent au Band Round The Hat, un bar situé dans une ruelle peu éclairée d'Hawaï. L'endroit était bondé, comme toujours. Marins et gens du cru mélangés. Presque tous les clients étaient des hommes, mais il y avait également quelques couples d'infirmières. Chuck et Eddie aimaient bien venir là, retrouver des hommes comme eux. Les lesbiennes aussi appréciaient ce lieu où les hommes ne les draguaient pas.

Rien ne se faisait au grand jour, bien sûr, car on pouvait se faire renvoyer de l'armée et jeter en prison pour homosexualité.

L'endroit n'en était pas moins sympathique. Le chef d'orchestre était maquillé et le chanteur hawaïen était si convaincant en femme que certains ne se rendaient pas compte que c'était un travesti. Quant au patron, c'était une vraie folle. Les clients pouvaient danser entre hommes et personne ne se serait fait traiter de chochotte en commandant un Vermouth.

Chuck aimait Eddie plus passionnément encore depuis la mort de Joanne. Qu'Eddie puisse mourir, il l'avait toujours su, en théorie, mais jusque-là le danger lui avait semblé abstrait. Depuis l'attaque de Pearl Harbor, il ne se passait pas un jour sans que l'image de cette jolie fille baignant dans une mare de sang et de son frère sanglotant à ses côtés ne lui revienne à l'esprit. Il aurait très bien pu être à la place de Woody, pleurant

Eddie avec un chagrin aussi inconsolable. Certes, ils avaient défié la mort ensemble le 7 décembre, mais désormais c'était vraiment la guerre. La vie ne valait pas grand-chose dans des périodes pareilles. Chaque jour passé ensemble était précieux, car ce pouvait être le dernier.

Chuck était accoudé au bar, un verre de bière à la main, Eddie était perché sur un tabouret. Ils se moquaient d'un pilote de la marine, Trevor Paxman, surnommé Trixie, qui racontait sa première nuit avec une fille. «J'ai été horrifié! disait Trixie. J'avais toujours cru que là en bas, c'était lisse et doux, comme sur les tableaux, mais figurez-vous qu'elle était plus poilue que moi!» Tout le monde se tordit de rire. «On aurait dit un gorille!» Juste à ce moment-là, Chuck aperçut du coin de l'œil la silhouette trapue du capitaine Vandermeier se dessiner sur le seuil.

Peu d'officiers fréquentaient ce genre d'endroit. Ce n'était pas interdit, mais cela ne se faisait pas, tout simplement, comme d'aller déjeuner au Ritz-Carlton dans des bottes crottées. Eddie s'empressa de se retourner en espérant que Vandermeier ne l'avait pas remarqué.

Pas de chance! Le capitaine se dirigea droit sur eux. «Alors, toutes les gonzesses sont là, à ce que je vois!»

Trixie leur tourna le dos et se fondit dans la foule.

«Où est-ce qu'il a filé, l'autre?» s'écria Vandermeier. Il était déjà assez saoul pour ne plus articuler correctement.

Chuck vit Eddie se renfrogner. Il dit sèchement : «Bonsoir, capitaine. Puis-je vous offrir une bière?

— Un scotch *onna rocks.*»

Chuck passa la commande. Vandermeier but une gorgée et dit : «Alors ici, tout se passe par-derrière, à ce que je vois. Je me trompe? ajouta-t-il en regardant Eddie.

— Je n'en sais rien, répondit froidement celui-ci.

— Allons, à d'autres! insista Vandermeier. Entre nous...» Il tapota le genou d'Eddie.

«Bas les pattes!» Eddie se leva d'un bond en repoussant son tabouret.

«Eddie, calme-toi! intervint Chuck.

— Aucune loi de la marine ne m'oblige à me laisser peloter par cette vieille tantouse!

— Tu m'as traité de quoi? marmonna Vandermeier d'une voix pâteuse.

— S'il me touche encore une fois, je jure que je lui casse la gueule !

— Capitaine Vandermeier, je connais un endroit bien plus agréable que celui-ci. Voulez-vous y aller ? »

Vandermeier parut un peu désorienté. « Quoi ?

— Une autre boîte, plus petite, plus tranquille, improvisa Chuck. Un peu comme ici, mais en plus intime. Vous voyez ce que je veux dire ?

— Ça m'a l'air sympa ! » Le capitaine vida son verre.

Saisissant le capitaine par le bras droit, Chuck fit signe à Eddie de le prendre par le bras gauche. Ensemble, ils l'entraînèrent dehors.

Par chance, un taxi stationnait dans la ruelle obscure. Chuck en ouvrit la portière.

Vandermeier en profita pour enlacer Eddie et tenter de l'embrasser en murmurant : « Je t'aime. »

Chuck s'affola. Cette histoire allait mal finir, c'était sûr.

Eddie balança un coup de poing dans l'estomac de Vandermeier. Le capitaine grogna, le souffle coupé. Eddie le frappa à nouveau, au visage cette fois. Chuck s'interposa. Il réussit à rattraper le capitaine avant qu'il ne s'écroule et l'enfourna sur le siège arrière du taxi.

Il se pencha par la vitre du chauffeur et lui donna dix dollars. « Conduisez-le chez lui et gardez la monnaie ! »

Le taxi s'éloigna.

Chuck se tourna vers Eddie. « Eh bien, ce coup-là, on est dans la merde ! »

4.

Eddie Parry ne fut jamais poursuivi pour agression contre la personne d'un officier.

Le lendemain matin, le capitaine Vandermeier arriva à l'Old Administration Office avec un œil au beurre noir, mais il n'accusa personne. Probablement aurait-il pu dire adieu à sa carrière s'il avait admis avoir pris part à une rixe au Band Around The Hat, se dit Chuck. Ce qui n'empêchait pas tout le monde de parler de son cocard. « Vandermeier prétend avoir glissé sur une flaque d'huile dans son garage et s'être rétamé sur sa tondeuse à gazon, déclara Bob Strong. Je crois plutôt que sa femme l'a tabassé. Vous l'avez vue ? On dirait un catcheur. »

Ce même jour, les déchiffreurs du sous-sol avertirent l'amiral Nimitz que les Japonais attaqueraient Midway le 4 juin. Ou, plus précisément, qu'à sept heures du matin, les forces japonaises se trouveraient à cent soixante-quinze milles au nord de l'atoll.

Ils étaient presque prêts à en mettre leur main au feu.

Eddie était d'humeur morose. « Que peut-on faire ? » demanda-t-il à Chuck quand ils se retrouvèrent pour déjeuner. Travaillant lui aussi au Renseignement maritime, il n'ignorait rien de la puissance navale japonaise grâce aux rapports des décrypteurs. « Les Japonais ont deux cents navires en mer – la quasi-totalité de leur flotte – et nous, combien en avons-nous ? Trente-cinq ! »

Chuck n'était pas aussi pessimiste. « Mais leur force de frappe ne représente que le quart de leur puissance navale. Les trois autres quarts se partagent entre forces d'occupation, forces de diversion et réserves.

— Et alors ? Le quart de leur puissance maritime, c'est déjà plus que notre flotte du Pacifique tout entière !

— Cette force de frappe japonaise ne dispose que de quatre porte-avions.

— Et nous n'en avons que trois. » De son sandwich au jambon, Eddie désigna le porte-avions noir de suie en cale sèche et les ouvriers qui s'activaient dessus. « Et encore, en comptant le *Yorktown* tout déglingué.

— Nous avons l'avantage de savoir qu'ils arrivent. Eux ne savent pas que nous sommes à l'affût.

— J'espère que ça suffira à faire la différence, comme Nimitz le pense.

— Ouais ! J'espère aussi. »

Quand Chuck retourna au sous-sol, on lui apprit qu'il n'y travaillait plus. Il avait été réaffecté... sur le *Yorktown*.

« C'est un coup de Vandermeier, sa manière à lui de me punir, déclara Eddie en larmes, ce soir-là. Il pense que tu n'en reviendras pas.

— Ne sois pas pessimiste. Rien ne dit que nous ne gagnerons pas la guerre ! » répliqua Chuck.

Quelques jours avant l'attaque, les Japonais changèrent à nouveau de code. Au sous-sol, les hommes poussèrent de gros soupirs et retroussèrent leurs manches, mais ils ne furent pas en mesure de recueillir beaucoup d'informations nouvelles avant la bataille. Nimitz dut se contenter de ce qu'il savait déjà et espérer que les Japonais n'avaient pas révisé l'ensemble de leur plan à la dernière minute.

Les Japonais s'attendaient à attaquer Midway par surprise et à s'en emparer facilement. Ils espéraient que les Américains jetteraient toutes leurs forces dans la bataille pour reprendre l'atoll. À ce moment-là, la flotte de réserve japonaise se précipiterait et anéantirait la totalité de la flotte américaine. Le Japon serait alors maître du Pacifique.

Les Américains réclameraient des pourparlers de paix.

Un beau projet. Sauf que Nimitz avait prévu de l'étouffer dans l'œuf en tendant une embuscade à la force japonaise avant qu'elle n'ait réussi à prendre Midway.

Et Chuck participait à ce guet-apens.

Il fit son sac, embrassa Eddie et ils se dirigèrent tous deux vers les docks.

Là, ils tombèrent sur Vandermeier.

« On n'a pas eu le temps de réparer les compartiments étanches. Si le bâtiment est touché, il coulera comme un cercueil de plomb », leur annonça-t-il.

Retenant Eddie par l'épaule, Chuck répliqua : « Et votre œil, capitaine ? Ça va mieux ? »

La bouche de Vandermeier se tordit en une grimace mauvaise. « Bonne chance, pédé ! » Et il s'éloigna.

Chuck échangea une poignée de main avec Eddie et embarqua.

Dès qu'il fut à bord, il oublia Vandermeier. Enfin, son rêve se réalisait : il naviguait. Et en plus, sur l'un des plus beaux bâtiments de guerre au monde !

Le *Yorktown* était le vaisseau-amiral de la flotte de porte-avions. D'une longueur égale à deux terrains de football, il nécessitait un équipage de deux mille marins. Il transportait quatre-vingts avions : de vieux bombardiers-torpilleurs Douglas Devastator, aux ailes repliables ; des Douglas Dauntless plus récents, spécialisés dans les bombardements en piqué ; et des chasseurs Grumman Wildcat, servant d'escorte aux bombardiers.

Tous les équipements étaient situés sous le pont, à l'exception du château, sorte de tour de contrôle qui s'élevait à plus de dix mètres au-dessus de la piste d'envol. Il abritait le poste de commandement du navire, cœur des communications avec le pont, la salle de radio juste en dessous, la salle des cartes et la salle d'attente des pilotes. Derrière cet îlot, trois conduits placés l'un derrière l'autre formaient la cheminée extérieure.

Quand le *Yorktown* quitta la cale sèche et sortit dans la rade de Pearl Harbor, il y avait encore des ouvriers à bord qui terminaient leur travail. Chuck frissonna d'émotion en sentant ronfler les moteurs colossaux du navire tandis qu'il prenait la mer. Quand il fut entré en eaux profondes et commença à monter et descendre au gré de la houle du Pacifique, Chuck eut l'impression de danser.

Il avait été nommé à la salle de radio, poste sensible où il pouvait mettre à profit son expérience du traitement des signaux. Le bâtiment faisait route vers son lieu de rendez-vous, au nord-est de Midway, ses pièces rafistolées et soudées crissant comme des chaussures neuves. Le bateau avait une buvette, le Gedunk, où l'on servait aussi des glaces faites sur place. C'est là, le premier jour, qu'il tomba sur Trixie Paxman et il se réjouit d'avoir un ami à bord.

Le mercredi 3 juin, veille du jour de l'attaque présumée, un bateau de reconnaissance, croisant à l'ouest de Midway, repéra un convoi de transporteurs japonais, amenant probablement les troupes qui étaient censées se déployer sur l'atoll après la bataille. La nouvelle fut retransmise à tous les bâtiments américains. Chuck, qui était dans la salle de radio du *Yorktown*, fut l'un des premiers avisés. En voyant ainsi confirmées les prédictions de ses camarades de la station HYPO, il éprouva du soulagement. Soulagement un peu paradoxal, car si les gars s'étaient trompés dans leurs pronostics et si les Japonais s'étaient trouvés ailleurs, il n'aurait pas couru un tel danger.

Cela faisait un an et demi qu'il était dans la marine, et il n'avait encore jamais pris part à une bataille. Le *Yorktown*, retapé à la hâte, allait être la cible des torpilles et des bombes japonaises. Le navire faisait route vers des adversaires décidés à tout pour l'envoyer par le fond avec son équipage, et Chuck par la même occasion. C'était une sensation étrange. La plus grande partie du temps, il éprouvait un calme bizarre, mais parfois une envie folle le prenait de plonger par-dessus bord pour regagner Hawaï à la nage.

Ce soir-là, il écrivit à ses parents, tout en sachant que sa lettre et lui risquaient de couler en même temps que le navire, le lendemain. Il le fit néanmoins. Il passa sous silence les raisons de sa nouvelle affectation. Il eut envie un instant de leur avouer qu'il était homosexuel mais se contenta de leur dire qu'il les aimait et qu'il leur était reconnaissant de tout ce qu'ils avaient fait pour lui. « Si je meurs en me battant pour un pays démocratique contre une dictature militaire cruelle, je n'aurai pas vécu en vain », écrivit-il. À la relecture, la phrase lui parut un peu pompeuse, mais il ne la supprima pas.

La nuit fut courte. Les équipages des avions furent tirés du lit à une heure trente du matin pour le petit déjeuner. En contrepartie de ce réveil aux aurores, on servit aux aviateurs un steak et des œufs. Chuck alla souhaiter bonne chance à Trixie Paxman.

Les avions montèrent par d'énormes ascenseurs depuis les hangars situés sous le pont. Ils roulèrent ensuite jusqu'à leur emplacement pour être ravitaillés en carburant et en munitions. Quelques pilotes décollèrent pour effectuer des vols de reconnaissance. Les autres, vêtus de leur combinaison, restèrent dans la salle de briefing, attendant les nouvelles.

Chuck prit son service dans la salle de radio. Un peu avant six heures, il capta un message d'un des appareils envoyés en repérage :

NOMBREUX AVIONS ENNEMIS VOLANT VERS MIDWAY.

Quelques minutes plus tard il reçut un signal partiel :

TRANSPORTEURS ENNEMIS

Les choses se précisaient.

La totalité du message arriva une minute plus tard. Il situait la force de frappe japonaise presque exactement à l'endroit prévu par les hommes du chiffre. Chuck en éprouva fierté et terreur à la fois.

Les trois porte-avions américains, le *Yorktown*, l'*Enterprise* et le *Hornet*, fixèrent un cap permettant aux avions embarqués de ne pas se trouver à portée des navires japonais.

L'amiral Frank Fletcher, un homme au long nez, âgé de cinquante-sept ans et décoré de la croix de la marine pendant la Première Guerre mondiale, arpentait la passerelle. Alors qu'il apportait un message sur le pont, Chuck l'entendit dire : « Nous n'avons pas encore aperçu d'avions japonais. Cela veut dire qu'ils ignorent encore notre présence ici. »

Chuck savait que l'avantage des Américains ne tenait qu'à cela : ils disposaient d'un meilleur service de renseignement.

À coup sûr, les Japonais s'attendaient à découvrir un atoll endormi et à rééditer leur exploit de Pearl Harbor. Mais cette fois-ci, à Midway, les choses ne se passeraient pas comme ça, grâce aux hommes du chiffre : ici, les avions américains n'étaient pas des cibles immobiles, gentiment rangées sur la piste. À l'arrivée des bombardiers japonais, ils étaient déjà tous dans les airs, prêts à en découdre.

Les officiers et les hommes présents dans la salle de radios du *Yorktown* écoutaient de toutes leurs oreilles les messages entre-coupés de grésillements provenant de Midway comme des bateaux japonais, et étaient convaincus qu'un combat gigantesque était en train de se dérouler sur ce bout d'atoll minuscule. Qui gagnait ? Ils n'en savaient rien.

Peu après, d'autres appareils américains décollèrent de Midway et attaquèrent les porte-avions japonais, portant la bataille au cœur des forces ennemies. Chuck se disait, sans être bien certain de tout comprendre, que les batteries antiaériennes jouaient un rôle capital dans les deux camps. Côté américain, elles avaient évité de gros dégâts à la base de Midway ; côté japonais, elles empêchaient presque toutes les bombes et torpilles lancées contre la flotte japonaise d'atteindre leurs cibles. Un grand nombre d'avions n'en fut pas moins abattu et les pertes furent sensiblement identiques de part et d'autre.

Chuck s'en inquiétait, sachant que les Japonais avaient d'autres forces en réserve.

Juste avant sept heures, le *Yorktown*, l'*Enterprise* et le *Hornet* durent changer de cap et se diriger vers le sud-est, ce qui les éloignait de l'ennemi car il fallait bien que les avions décollent face au vent, qui soufflait du sud-est.

Le puissant *Yorktown* tremblait de toutes parts dans le vacarme des moteurs poussés à plein régime : les avions filaient sur le pont à la suite les uns des autres et étaient catapultés dans les airs.

Chuck remarqua que les Wildcat avaient tendance à lever l'aile droite et à dévier un peu sur la gauche pendant qu'ils prenaient de la vitesse sur le pont, ce dont se plaignaient les pilotes.

À huit heures et demie, les trois porte-avions américains avaient lancé cent cinquante-cinq avions contre les forces ennemies.

Les premiers appareils atteignirent les environs de la cible juste au moment où les avions japonais, de retour de Midway, refaisaient le plein en carburant et en munitions. Synchronisation parfaite : les ponts d'envol étaient jonchés de caisses de munitions, de tuyaux d'essence enchevêtrés, le tout prêt à exploser en un instant. Il aurait dû se produire un carnage.

Celui-ci n'eut pas lieu.

Presque tous les avions américains de cette première vague d'assaut furent détruits.

Les Devastator étaient vétustes. Les Wildcat qui les escortaient étaient plus performants, mais ne soutenaient pas la comparaison avec les Zéro japonais, rapides et maniables. Les avions qui avaient réussi à lâcher leurs projectiles furent décimés par un barrage antiaérien tiré depuis les porte-avions.

Larguer une bombe d'un avion en mouvement sur une cible elle aussi en mouvement, tout comme lâcher une torpille droit sur un navire, était un exercice extrêmement difficile, d'autant plus que les pilotes essuyaient eux-mêmes des tirs venus d'en haut et d'en bas.

La plupart d'entre eux y laissèrent la vie.

Et aucun ne réussit à faire mouche.

Pas une bombe, pas une torpille américaine n'atteignit sa cible. Les trois premières vagues d'assaut lancées depuis les trois porte-avions américains ne causèrent aucun dégât à la force de frappe japonaise. Les munitions éparpillées sur les ponts d'envol n'explosèrent pas, les tuyaux de carburant ne s'enflammèrent pas. Les Japonais étaient indemnes.

Chuck, toujours à l'écoute des messages radio, commençait à désespérer.

Il saisissait avec d'autant plus d'acuité tout le génie de l'attaque contre Pearl Harbor, sept mois plus tôt. Les navires américains, à l'ancre et agglutinés les uns contre les autres formaient des cibles statiques d'autant plus faciles à atteindre que les chasseurs, censés les protéger, avaient été détruits sur leurs terrains d'aviation. Le temps que les Américains arment et déploient leurs batteries antiaériennes, l'attaque était presque terminée.

La bataille en cours continuait à faire rage. Tous les avions américains n'avaient pas encore atteint les environs de la cible. Chuck entendit un officier de l'air de l'*Enterprise* hurler à la radio : «Attaquez! Attaquez!» La réponse laconique du pilote lui parvint : «Bien reçu, dès que je repère ces salauds!»

Il y avait au moins une bonne nouvelle : le commandant japonais n'avait pas encore envoyé d'avions contre les navires américains. Il devait s'en tenir au plan établi et se concentrer sur Midway. Il avait dû comprendre désormais qu'il était attaqué par des avions décollant de porte-avions, mais n'avait sans doute pas encore déterminé où se trouvaient ces bâtiments.

C'était un avantage, et pourtant les Américains n'arrivaient pas à prendre le dessus.

Soudain, la situation changea. Une escadrille de trente-sept bombardiers Dauntless, partis de l'*Enterprise*, aperçut les Japonais. Or, dans leur combat contre la première vague d'assaut, les Zéro chargés de protéger les navires étaient presque descendus au ras de l'eau. De ce fait, les bombardiers se retrouvèrent au-dessus des chasseurs ce qui leur permit de piquer sur eux, le soleil dans le dos. Quelques minutes plus tard, dix-huit autres Dauntless, venant du *Yorktown*, atteignirent la zone de bataille ; Trixie était aux commandes de l'un d'eux.

Des voix surexcitées hurlaient dans la radio. Fermant les yeux pour mieux se concentrer, Chuck essaya de tirer un sens de tout ce brouhaha. Il ne reconnaissait pas la voix de Trixie.

Ensuite, il commença à entendre en bruit de fond le vrombissement caractéristique des bombardiers qui piquaient. L'attaque avait bel et bien commencé.

Tout à coup, pour la première fois, les pilotes se mirent à pousser des cris de triomphe.

«Je t'ai eu, mon salaud!

— Merde, j'ai cru qu'il allait exploser!

— Prends ça dans ta gueule, fils de pute!

— En plein dans le mille!

— Regarde-le, avec son cul en feu!»

Dans la salle de radio, les hommes se mirent à applaudir à tout rompre sans vraiment savoir de quoi il retournait.

Cela ne dura que quelques minutes, mais il fallut un bon moment aux opérateurs radio pour avoir une vision claire des événements. Les hurlements de victoire des pilotes euphoriques étaient complètement incohérents. Ce ne fut qu'un peu plus tard, tandis que les pilotes regagnaient leur base, un peu calmés, qu'à bord du vaisseau-amiral, on put se faire une idée de la situation.

Trixie Paxman était sain et sauf.

Cette fois-ci encore, la plupart de leurs bombes avaient raté leur cible. Cependant, quelques-unes avaient fait mouche, une dizaine environ, et ce petit nombre avait causé d'énormes dégâts. Trois imposants porte-avions japonais étaient en feu : le *Kaga*, le *Soryu* et le vaisseau-amiral l'*Akagi*. L'ennemi n'avait plus qu'un porte-avions, le *Hiryu*.

« Trois sur quatre ! s'exclama Chuck, fou de joie. Et ils ne se sont même pas encore approchés de nos navires. »

Très vite, la situation bascula de nouveau.

L'amiral Fletcher avait expédié dix Dauntless en reconnaissance, pour repérer le dernier porte-avions japonais. En fait, ce fut le radar du *Yorktown* qui détecta à quatre-vingts kilomètres de distance une escadrille ennemie, venant probablement du *Hiryu*. À midi, Fletcher fit préparer douze Wildcat pour intercepter les agresseurs. Ordre fut donné aux autres avions encore sur le pont de décoller pour ne pas être vulnérables au moment de l'attaque. En même temps, les conduites de carburant du *Yorktown* furent remplies de dioxyde de carbone, pour parer à tout risque d'incendie.

L'escadrille d'attaque comprenait quatorze « Val », des bombardiers Aichi D3A, et des chasseurs Zéro.

Ça y est ! pensa Chuck, je vais vivre mon premier combat. Il faillit en vomir et dut se forcer à déglutir.

Avant même qu'on ait aperçu les attaquants, les canonniers du *Yorktown* ouvrirent le feu. Le bateau possédait quatre paires de grosses batteries antiaériennes, pourvues de canons de treize centimètres de diamètre, capables d'envoyer des obus à plusieurs kilomètres de distance. Ayant déterminé la position de l'ennemi grâce au radar, les canonniers tirèrent une salve d'énormes obus de vingt-cinq kilos en direction des avions à l'approche, leurs minuteurs réglés pour exploser au contact de leur cible.

Les Wildcat passèrent au-dessus des attaquants et descendirent six bombardiers et trois chasseurs, à en croire les messages radio des pilotes.

Chuck courut à la passerelle avec un message annonçant que l'escadrille piquait droit sur eux. « Eh bien, réagit calmement l'amiral Fletcher, j'ai mon casque sur la tête. Qu'est-ce que je peux faire de plus ? »

Regardant par le hublot, Chuck vit des bombardiers jaillir dans un hurlement strident et fondre sur lui en dessinant un angle tellement fermé qu'ils avaient l'air de tomber à la verticale. Il dut se retenir pour ne pas se jeter au sol.

Brusquement, le navire vira à bâbord. Tout ce qui pouvait détourner de leur trajectoire ces avions d'attaque méritait d'être tenté.

La batterie antiaérienne déployée sur le pont du *Yorktown* comptait quatre « pianos de Chicago » – des armes anti-aériennes plus petites, de moindre portée et munies de quatre canons chacune. Elles ouvrirent le feu en même temps que les canons des croiseurs qui escortaient le *Yorktown*.

Chuck, resté sur la passerelle, regardait droit devant lui, terrifié, sans savoir comment se protéger. Un canonnier de pont visa un Val et le toucha. L'avion parut se casser en trois morceaux : deux tombèrent en mer, le troisième vint s'écraser sur le flanc du navire. Puis un autre Val explosa en vol. Chuck applaudit.

Il en restait six.

Et ces Val déterminés à poursuivre le vaisseau-amiral bravaient l'orage meurtrier qui jaillissait de ses canons.

Le *Yorktown* effectua un brusque virage à tribord.

Alors que les Val revenaient à la charge, les mitrailleuses placées sur les passerelles des deux côtés du poste de commandement crépitèrent à leur tour. À présent, toute l'artillerie du *Yorktown* exécutait une symphonie mortelle où les explosions graves des canons de treize centimètres répondaient aux sons plus aigus des pianos de Chicago et aux pétarades forcenées des mitrailleuses.

Chuck vit tomber la première bombe japonaise.

Nombre d'entre elles étaient munies d'un système à retardement et n'explosaient pas au moment de l'impact, mais une ou deux secondes plus tard. Elles devaient passer à travers le pont et s'écraser plus bas afin de se déclencher dans les entrailles du navire, causant un maximum de dégâts.

Or cette bombe-ci se mit à rouler sur le pont du *Yorktown*.

Chuck la suivit des yeux, pétrifié d'horreur. L'espace d'un instant, on put la croire inoffensive mais elle explosa soudain dans un fracas terrible et dans un jaillissement de flammes, pulvérisant les deux pianos de Chicago arrière. Plusieurs petits brasiers apparurent sur le pont et à l'intérieur des tourelles de la cheminée. À la stupéfaction de Chuck, les hommes debout à côté de lui n'avaient pas cillé. À croire qu'ils assistaient à une démonstration de stratégie militaire dans une salle de conférences. L'amiral Fletcher continua à donner ses ordres tout en traversant d'un pas mal assuré le pont branlant de la passerelle de commandement. Quelques instants plus tard, des équipes de secours envahirent la passerelle, les unes chargées de lances d'incendie, les autres de brancards pour évacuer les blessés par les escaliers raides descendant aux postes de secours.

Les feux n'étaient pas importants, le dioxyde de carbone contenu dans les canalisations de carburant ayant empêché leur propagation. Et la piste d'envol était déserte. Il ne restait plus un seul avion chargé de bombes susceptible d'exploser.

Un instant plus tard, un autre Val plongea sur le *Yorktown*. Une bombe toucha la cheminée. Le puissant navire trembla sous l'effet de l'explosion. Un énorme panache de fumée grasse s'échappa des conduits. Les moteurs avaient dû être endommagés, se dit Chuck, car le navire perdit de la vitesse immédiatement.

D'autres projectiles ratèrent leurs cibles et s'écrasèrent en mer en soulevant des geysers. Sur le pont, l'eau de mer se mêlait au sang des blessés.

Le *Yorktown* ralentit et s'arrêta. Le bateau désemparé n'était plus qu'un corps mort ballotté par les flots quand une troisième bombe japonaise l'atteignit, passant à travers une des cages d'ascenseur pour exploser quelque part sous le pont.

Et tout à coup, ce fut fini. Les Val encore indemnes prirent de la hauteur et disparurent dans le ciel bleu du Pacifique.

Je suis vivant! pensa Chuck.

Le bateau n'était pas perdu. Les équipes anti-incendie furent à pied d'œuvre avant même que les avions japonais soient hors de vue. En bas, les ingénieurs firent savoir qu'ils en avaient pour une heure à réparer les chaudières. Des charpentiers de marine bouchèrent le trou dans le pont d'envol à l'aide de planches en pin Douglas.

Mais les appareils de radio avaient été détruits. Désormais, l'amiral Fletcher était aveugle et sourd. Transféré avec ses plus proches collaborateurs à bord du croiseur *Astoria*, il confia le commandement tactique à Spruance, à bord de l'*Enterprise*.

« Va te faire foutre, Vandermeier, je m'en suis tiré », marmonna Chuck dans sa barbe.

Mais il avait parlé trop vite.

Les moteurs reprirent vie dans un soubresaut. À présent, sous le commandement du capitaine Buckmaster, le *Yorktown* recommença à fendre les flots du Pacifique. Plusieurs de ses avions avaient trouvé refuge sur l'*Enterprise*, d'autres étaient encore en l'air. Aussi se plaça-t-il face au vent. Les appareils se posèrent et se ravitaillèrent. Les radios étant en panne, Chuck et ses camarades organisèrent une équipe de sémaphores pour communiquer avec les autres bâtiments à l'aide des pavillons, comme on le faisait autrefois.

À deux heures et demie, le radar du croiseur qui escortait le *Yorktown* repéra des avions arrivant par l'ouest à faible altitude. Probablement une escadrille qui avait décollé du *Hiryu*. Le croiseur en informa le porte-avions. Buckmaster fit aussitôt partir une patrouille d'interception composée de douze Wildcat.

Ils furent sans doute incapables de remplir leur mission car dix bombardiers-torpilleurs surgirent au ras des flots et se dirigèrent droit sur le *Yorktown*.

Chuck les voyait parfaitement. C'étaient des Nakajima B5N, surnommés « Kate » par les Américains. Ils portaient sous leur fuselage une torpille presque aussi longue que la moitié de l'avion.

Les quatre croiseurs lourds appartenant à l'escorte du *Yorktown* se mirent à bombarder la mer tout autour du vaisseau-amiral, créant un véritable écran d'eau bouillonnante. Les pilotes japonais ne se découragèrent pas pour si peu et traversèrent le rideau d'écume.

Chuck vit l'avion de tête lâcher sa torpille. Elle s'écrasa dans l'eau, pointée sur le *Yorktown*. L'appareil survola le navire à la vitesse de l'éclair, passant si près de Chuck qu'il put voir le visage du pilote : il portait un bandeau rouge et blanc autour de la tête, ainsi que son casque de pilote. Il brandit un poing triomphant en direction de l'équipage sur le pont et disparut.

D'autres avions passèrent en rugissant. Les torpilles étaient lentes et les bâtiments parvenaient parfois à les éviter, mais le *Yorktown* éclopé était trop lourd pour arriver à zigzaguer. Un bruit terrible retentit, ébranlant le vaisseau tout entier. Les torpilles étaient bien plus puissantes que les bombes ordinaires. Chuck eut l'impression que le bateau avait été touché à l'arrière. Une autre explosion suivit de près, qui souleva littéralement le navire, projetant la moitié de l'équipage sur le pont. Les puissants moteurs faiblirent dans l'instant.

Une fois de plus, les charpentiers se mirent au travail sans attendre que les attaquants soient hors de vue. Mais cette fois-ci, les dégâts étaient irréparables. Chuck, qui s'était joint à l'équipe de pompage, vit que la coque d'acier du grand bâtiment s'était ouverte comme une boîte de conserve. Un Niagara d'eau salée se déversait dans l'entaille. En l'espace de quelques instants, Chuck sentit le pont pencher sous ses pieds. Le *Yorktown* gîtait par bâbord.

Face à la quantité d'eau qui s'engouffrait, les pompes étaient impuissantes, d'autant que les compartiments étanches, endommagés sur la mer de Corail, n'avaient pas été réparés pendant les quelques jours de cale sèche.

Combien de temps le *Yorktown* mettrait-il à chavirer?

À trois heures, Chuck entendit l'ordre tomber : «Abandonnez le navire!»

Les marins firent descendre des cordages depuis la partie supérieure du pont de plus en plus incliné. D'autres membres d'équipage, sur le pont inférieur, attrapèrent des filins et, en quelques secousses, libérèrent une averse de plusieurs milliers gilets de sauvetage arrimés au-dessus de leurs têtes. Les bâtiments d'escorte se rapprochèrent et mirent leurs chaloupes à la mer. Les marins du *Yorktown* enlevèrent leurs chaussures et se regroupèrent sur le flanc du navire, non sans avoir rangé au préalable ces centaines de paires de brodequins en lignes irréprochables, comme s'ils sacrifiaient à quelque rituel. Les blessés furent descendus dans les canots de sauvetage sur des brancards. Chuck se retrouva dans l'eau. Il se mit à nager de toute la puissance de ses membres pour s'éloigner du *Yorktown* avant qu'il ne se retourne. Une vague le prit par surprise et lui arracha son calot. Il se réjouit d'être au milieu du Pacifique, dans une eau plus chaude que celle de l'Atlantique où il serait mort de froid en attendant les secours.

Un canot de sauvetage le récupéra et continua à repêcher des hommes, comme le faisaient des dizaines d'autres bateaux. De nombreux membres d'équipage descendaient encore du pont principal, situé sous le pont d'envol. Le *Yorktown* se maintenait toujours à flot.

Dès que tout l'équipage fut en sécurité, il fut réparti à bord des navires d'escorte.

Chuck, debout sur le pont, regarda le soleil se coucher derrière le *Yorktown* toujours en train de sombrer. Il lui vint à l'esprit qu'il n'avait pas vu de la journée un seul bâtiment de la marine japonaise. La bataille s'était déroulée dans les airs, du début à la fin. Il se demanda si c'était une première dans les annales des batailles navales. Le cas échéant, les porte-avions étaient la clé de l'avenir. Rien ne pourrait les surpasser.

Trixie Paxman fut bientôt à ses côtés. Chuck fut si content de le voir vivant qu'il le serra dans ses bras.

Trixie lui apprit qu'au cours de leur dernière sortie, des bombardiers Dauntless de l'*Enterprise* et du *Yorktown* avaient mis le feu au dernier porte-avions japonais, le *Hiryu*, et l'avaient détruit.

« Si je comprends bien, les quatre porte-avions japonais sont hors de combat, résuma Chuck.

— Exactement. On les a tous eus et ils n'ont abattu qu'un seul des nôtres.

— Ça veut dire qu'on a gagné, alors ?

— On dirait bien », répondit Trixie.

5.

Après la bataille de Midway, il fallut se rendre à l'évidence : la bataille du Pacifique serait remportée par des avions décollant de haute mer. Le Japon et les États-Unis se lancèrent dans un programme intensif de construction de porte-avions.

Entre 1943 et 1944, le Japon arma sept de ces énormes vaisseaux coûteux.

Au cours de la même période, les États-Unis en mirent à l'eau quatre-vingt-dix.

XIII

1942 (II)

1.

L'infirmière Carla von Ulrich poussa un chariot dans la réserve et referma la porte derrière elle.

Elle devait se dépêcher. Si elle se faisait prendre, c'était le camp de concentration.

Dans un placard, elle fit main basse sur des pansements de différentes sortes, des bandages et un pot de pommade antiseptique, avant de passer à l'armoire où étaient conservés les médicaments. Elle tourna la clé et prit de la morphine, des sulfamides contre les infections et de l'aspirine contre la fièvre. À cela, elle ajouta une seringue hypodermique toute neuve, encore dans sa boîte.

Cela faisait plusieurs semaines déjà qu'elle reportait de fausses indications dans le registre pour donner à croire que ce qu'elle dérobait maintenant avait été utilisé de façon légitime. Mieux valait falsifier les livres avant de subtiliser quoi que ce soit plutôt que de le faire après, car en cas de contrôle, un surplus ferait croire à une négligence alors qu'un manque serait preuve de vol.

Elle avait déjà fait cela deux fois. Sa frayeur n'avait pas diminué pour autant.

Elle ressortit de la réserve en poussant son chariot de l'air innocent de l'infirmière qui apporte les fournitures nécessaires au chevet d'un malade. Du moins l'espérait-elle.

Elle entra dans la salle. À son grand désarroi, elle aperçut le docteur Ernst, assis auprès d'un patient et lui prenant le pouls.

À cette heure-là, tous les médecins étaient censés être partis déjeuner.

Trop tard pour faire demi-tour! Avec une assurance qu'elle était loin d'éprouver, elle releva la tête et traversa la salle avec son chariot.

Le docteur Ernst la suivit du regard et sourit.

Berthold Ernst faisait battre le cœur de toutes les infirmières. Chirurgien de talent, chaleureux avec les malades, grand, beau et célibataire, il avait flirté avec la plupart des jolies infirmières et – à en croire les ragots – couché avec nombre d'entre elles.

Elle le salua de la tête et s'éloigna rapidement.

Elle sortit de la salle, poussant toujours son chariot, et entra prestement dans le vestiaire des infirmières.

Son imperméable était suspendu à une patère, couvrant un panier en osier qui contenait un vieux foulard de soie, un chou et un paquet de serviettes hygiéniques dans un sac en papier brun. L'ayant vidé à la hâte, elle y déposa les articles dérobés et les recouvrit d'un foulard aux motifs géométriques bleu et or que sa mère avait dû acheter dans les années 1920. Elle y replaça ensuite le chou et les serviettes hygiéniques, puis remit le panier en place, disposant les pans de son manteau par-dessus.

Ouf, je m'en suis tirée! se dit-elle. Se rendant compte qu'elle tremblait un peu, elle prit une profonde inspiration, se ressaisit et ressortit dans le couloir, où elle tomba nez à nez avec le docteur Ernst.

L'avait-il suivie? Allait-il l'accuser de vol? Il n'avait pas l'air hostile, au contraire, même. Elle n'avait peut-être aucune raison de s'inquiéter.

«Bonjour, docteur. Puis-je faire quelque chose pour vous?»

Il lui sourit. «Comment allez-vous, mademoiselle? Tout se passe bien?

— À la perfection, je crois.» Et d'ajouter d'une voix que la culpabilité rendait doucereuse : «Mais c'est à vous, docteur, de dire si tout se passe bien.

— Pas de plainte, en ce qui me concerne», répondit-il avec condescendance.

De quoi s'agissait-il alors? se demanda Carla. Serait-il en train de jouer au chat et à la souris, en attendant le moment de m'accuser?

Elle se tut et attendit, s'efforçant de maîtriser sa peur.

Il regarda le chariot : «Pourquoi l'avez-vous emporté dans le vestiaire?

— J'avais quelque chose à chercher... dans mon manteau», improvisa-t-elle tant bien que mal. Faisant de son mieux pour réprimer le tremblement de sa voix, elle ajouta : «Un mouchoir que j'avais dans ma poche.» Cesse donc de bredouiller! se sermonna-t-elle. C'est un médecin, pas un agent de la Gestapo. Pourtant, il la terrorisait.

Le médecin avait l'air de s'amuser de sa nervosité. «Et le chariot?

— Je vais le remettre en place.

— L'ordre est une vertu essentielle. Vous êtes une excellente infirmière... Fräulein von Ulrich... Ou est-ce Frau?

— Fräulein.

— Je regrette que nous n'ayons pas davantage d'occasions de nous parler.»

Elle comprit à son sourire qu'il ne soupçonnait pas le moins du monde un vol de matériel : il allait lui demander de sortir avec lui. De quoi faire mourir de jalousie des dizaines d'infirmières, si elle acceptait.

Mais il ne l'intéressait pas. Peut-être parce qu'elle avait déjà aimé un don Juan, Werner Franck, qui s'était révélé lâche et égoïste. Elle soupçonnait Berthold Ernst d'être du même acabit.

Toutefois, ne voulant pas courir le risque de lui déplaire, elle se contenta de sourire sans rien dire.

«Vous aimez Wagner?»

Elle voyait clair dans son jeu. «Je n'ai pas de temps pour la musique, répondit-elle fermement. Je dois m'occuper de ma vieille mère.» Maud n'avait que cinquante et un ans et était en parfaite santé.

«J'ai deux billets pour un concert demain soir. On donne *Siegfried-Idyll*.

— Ah, de la musique de chambre! s'exclama-t-elle. C'est inhabituel.» Wagner était plus connu pour ses opéras grandioses.

Il eut l'air ravi. «Je vois que vous vous y connaissez en musique.»

Elle regretta ses paroles, qui n'avaient fait que l'encourager. «Nous sommes une famille de mélomanes. Ma mère donne des leçons de piano.

« — Alors, vous devez absolument m'accompagner. Je suis sûr que quelqu'un pourra s'occuper de votre mère pour un soir.

— Ce n'est vraiment pas possible. Je vous remercie tout de même pour l'invitation. » Elle vit de la colère dans ses yeux. Il n'avait pas l'habitude de s'entendre dire non. Elle s'éloigna en poussant son chariot.

« Une autre fois peut-être, alors ? lui lança-t-il.

— C'est très aimable à vous », répondit-elle sans ralentir.

Elle eut peur qu'il ne la suive. Mais sa réponse ambiguë semblait l'avoir adouci et quand elle regarda par-dessus son épaule, elle constata qu'il était parti.

Elle rangea le chariot à sa place et respira plus librement.

Elle retourna à son travail, fit la tournée de tous les malades de la salle et rédigea ses rapports. Puis il fut l'heure de passer le relais à l'équipe de nuit.

Elle enfila son imperméable, et glissa les anses de son panier sur son épaule. Il fallait maintenant quitter le bâtiment avec son butin et la peur l'envahit à nouveau.

Frieda Franck quittait l'hôpital au même moment. Elles sortirent ensemble. Frieda ne pouvait pas savoir que Carla transportait des objets dérobés et elles rejoignirent paisiblement l'arrêt de tram. Si Carla portait un manteau par ce beau soleil de juin, c'était surtout pour ne pas salir son uniforme.

Persuadée d'avoir l'air parfaitement normale, Carla fut très surprise d'entendre Frieda lui demander : « Il y a quelque chose qui te tracasse ?

— Non, pourquoi ?

— Tu as l'air inquiète.

— Non, non, tout va bien... » Pour changer de sujet, elle désigna une affiche : « Oh, tu as vu ça ? »

Le gouvernement venait d'inaugurer au Lustgarten, le parc situé en face de la cathédrale, une exposition consacrée à la vie sous le régime communiste intitulée ironiquement « Le paradis soviétique ». Le bolchevisme y était dépeint comme une ruse concoctée par les Juifs, et les Russes décrits comme des sous-hommes slaves. Mais à l'évidence, tout n'allait pas pour le mieux dans le meilleur des mondes nazi non plus, car quelqu'un avait collé dans tout Berlin des affiches satiriques sur lesquelles on pouvait lire :

Exposition permanente
LE PARADIS NAZI
Guerre Famine Mensonges Gestapo
Combien de temps encore ?

L'une d'elles avait été apposée dans l'abri du tram et sa vue réchauffa le cœur de Carla. «Qui peut bien coller ça?» demanda-t-elle.

Frieda haussa les épaules en signe d'ignorance.

«Il faut être drôlement courageux, reprit Carla. Ils risquent leur vie.» Elle se rappela ce qu'elle transportait dans son panier. Elle aussi pouvait être tuée si elle se faisait prendre.

«C'est sûr», répondit Frieda laconiquement. Elle avait l'air à son tour sur des charbons ardents. Se pouvait-il qu'elle appartienne à ce groupe de colleurs d'affiches? Probablement pas. Son petit ami, peut-être. Heinrich. Il était de ces gens passionnés et moralisateurs, capables de faire ce genre de choses. Carla demanda : «Comment va Heinrich?

— Il veut qu'on se marie.

— Pas toi?»

Frieda baissa la voix. «Je ne veux pas d'enfant.» C'était une déclaration parfaitement séditieuse, car les jeunes femmes étaient supposées se réjouir d'enfanter pour la plus grande gloire du Führer. Désignant l'affiche interdite, elle poursuivit : «Je n'ai pas envie de mettre un enfant au monde dans ce paradis-là.

— Moi non plus, certainement», renchérit Carla. C'était peut-être aussi, sans qu'elle en eût vraiment conscience, une des raisons qui l'avaient poussée à éconduire le docteur Ernst.

Le tram arriva. Une fois assise, Carla posa négligemment son panier sur ses genoux, comme si de rien n'était. Elle détailla les autres passagers et fut soulagée de ne pas apercevoir d'uniforme.

«Viens à la maison, proposa Frieda, on écoutera du jazz. On mettra les disques de Werner.

— J'aimerais bien, mais je ne peux pas, répondit Carla. Je dois voir quelqu'un. Tu te souviens des Rothmann?»

Frieda jeta autour d'elle des regards méfiants, car ce patronyme pouvait très bien être juif. Par bonheur, personne ne se trouvait assez près pour les entendre. Elle souffla : «Bien sûr, c'était notre médecin, avant.

— Il n'est plus censé exercer. Eva, sa fille, s'est installée à Londres avant la guerre. Elle a épousé un militaire écossais. Les parents ne peuvent pas quitter l'Allemagne, évidemment. Leur fils, Rudi, qui était luthier, un excellent artisan, dit-on, a perdu son travail, lui aussi. Il ne peut plus fabriquer d'instruments, il se contente de les réparer et d'accorder des pianos. » Autrefois, il venait chez les Ulrich quatre fois par an pour accorder leur Steinway de concert. « J'ai promis de passer les voir ce soir.

— Ah », dit Frieda, laissant traîner cette voyelle d'un air entendu.

Carla réagit aussitôt : « Comment ça : ah ?

— Je comprends maintenant pourquoi tu te cramponnes à ton panier comme s'il contenait le Saint Sacrement ! »

Frieda avait percé son secret ! Carla en fut pétrifiée. « Comment as-tu deviné ?

— Tu as dit qu'il n'était pas censé exercer, ce qui donne à entendre qu'il le fait quand même. »

Carla comprit qu'elle avait vendu la mèche. Elle aurait dû dire : le docteur Rothmann n'est pas *autorisé* à exercer. Heureusement, ce n'était que Frieda ! Elle se justifia : « Qu'est-ce qu'il y peut, si les gens continuent de frapper à sa porte pour le supplier de les aider. Il ne peut tout de même pas renvoyer des malades. En plus, il ne gagne pas un sou. Ce sont tous des Juifs ou de pauvres gens qui le paient en pommes de terre ou en œufs.

— Tu n'as pas besoin de plaider sa cause, dit Frieda, chuchotant toujours. Je sais qu'il est courageux. Quant à toi, tu es héroïque. C'est la première fois que tu voles du matériel médical pour lui ? »

Carla secoua la tête. « La troisième. Mais je m'en veux tellement de t'avoir laissé deviner. Quelle idiote je suis !

— Mais non. C'est simplement que je te connais trop bien. »

Le tram s'immobilisa à l'arrêt de Carla. « Souhaite-moi bonne chance ! » dit-elle en descendant.

En entrant dans la maison, elle fut accueillie par des notes de piano maladroites provenant du premier étage. Sa mère avait un élève. Carla s'en réjouit : ça lui remonterait le moral et ça rapporterait un peu d'argent à la famille.

Elle retira son imperméable et se rendit à la cuisine pour dire bonjour à Ada. Après la mort de Walter, quand Maud lui avait annoncé qu'elle n'avait plus les moyens de lui payer ses gages,

Ada avait insisté pour rester à son service. Le soir, elle faisait le ménage dans des bureaux et pendant la journée, elle travaillait chez les von Ulrich en échange du vivre et du couvert.

Carla retira ses chaussures sous la table et frotta ses pieds endoloris l'un contre l'autre. Ada lui versa une tasse d'ersatz de café.

Maud fit son entrée, l'œil brillant. « Un nouvel élève ! » Elle montra à Carla une poignée de billets. « Et il veut venir tous les jours ! » Elle lui avait demandé de faire des gammes, et c'étaient ses doigts novices qui produisaient les notes maladroites qu'on entendait et qui évoquaient un chat déambulant sur le clavier.

« Épatant, s'exclama Carla. Et qui est-ce ?

— Un nazi, forcément. Mais on ne peut pas cracher sur son argent.

— Comment s'appelle-t-il ?

— Joachim Koch. C'est un jeune homme timide. Si tu le croises, par pitié, retiens ta langue et sois polie !

— Promis. »

Maud ressortit.

Carla but son café avec plaisir. Comme presque tout le monde, elle s'était habituée à ce goût de glands grillés.

Elle bavarda tranquillement de choses et d'autres avec Ada pendant quelques minutes. Ada, qui avait été grassouillette, était toute maigre à présent. Dans l'Allemagne d'alors, les gros n'étaient pas légion, il est vrai, mais dans le cas d'Ada, les pénuries n'étaient pas seules en cause. La mort de Kurt, son fils handicapé, l'avait cruellement frappée, et plus rien ne l'intéressait. Elle effectuait son travail consciencieusement mais ensuite, elle s'asseyait près de la fenêtre et restait des heures à regarder au-dehors, le visage inexpressif. Carla, qui l'aimait beaucoup et comprenait sa douleur, ne savait comment la réconforter.

La musique s'interrompit. Peu après, deux voix se firent entendre dans l'entrée, celle de Maud et une autre, masculine. Sa mère devait raccompagner Herr Koch à la porte, se dit Carla.

Et c'est avec horreur qu'elle la vit, un instant plus tard, pénétrer dans la cuisine, suivie de près par un jeune homme en uniforme de lieutenant impeccable.

« Ma fille, lança Maud d'un ton jovial. Carla, je te présente le lieutenant Koch, un nouvel élève. »

C'était un jeune homme d'une vingtaine d'années, plutôt

séduisant mais à l'air timide. Avec sa moustache blonde, il rappela à Carla des photos de son père jeune.

Son cœur se mit à battre la chamade. Le panier contenant les fournitures médicales dérobées était là, dans la cuisine, sur la chaise à côté d'elle. Allait-elle se trahir une nouvelle fois, comme tout à l'heure avec Frieda ?

« Ravie de faire votre connaissance », bredouilla-t-elle.

Maud la dévisagea, surprise par la nervosité de sa fille. Quel mal y avait-il à faire entrer un officier dans la cuisine ? Elle ne demandait qu'une chose à Carla : d'être aimable avec ce nouvel élève pour qu'il continue à prendre des leçons.

Koch s'inclina cérémonieusement. « Tout le plaisir est pour moi.

— Et voici Ada, notre bonne. »

Celle-ci jeta un regard hostile au nouveau venu, mais il ne le remarqua pas : les domestiques ne méritaient pas son attention. Voulant paraître à l'aise, il prit appui sur une jambe et n'en parut que plus emprunté.

Il se conduisait avec une étrange puérilité, la naïveté d'un petit garçon trop couvé. Il n'en représentait pas moins un danger.

Changeant de position, il s'appuya des deux mains au dossier de la chaise sur laquelle Carla avait posé son panier. « Vous êtes infirmière à ce que je vois.

— Oui », répondit Carla en essayant de réfléchir posément. Koch savait-il qui étaient les von Ulrich ? Peut-être était-il trop jeune pour avoir entendu parler des sociaux-démocrates. Cela faisait déjà neuf ans que le parti avait été interdit. Peut-être la mort de Walter avait-elle effacé en partie l'infamie attachée au nom de von Ulrich. Koch semblait les prendre pour une famille allemande respectable, tombée dans la misère après la disparition de leur seul soutien. C'était une situation fréquente parmi les femmes de bonne éducation.

Il n'y avait aucune raison pour qu'il s'inquiète du contenu de son panier.

Carla se força à être aimable. « Comment vous en sortez-vous au piano ?

— Je crois que je fais des progrès rapides... Du moins, c'est ce qu'affirme mon professeur, ajouta-t-il en se tournant vers Maud.

« — Il n'en est qu'aux tous débuts, mais manifeste déjà un talent certain ! » déclara celle-ci.

C'était une phrase standard qu'elle répétait systématiquement à tous ses nouveaux élèves pour les encourager à revenir. Mais aujourd'hui, Carla eut l'impression qu'elle faisait assaut d'amabilité. Pourquoi pas ? se dit-elle. Sa mère avait bien le droit de faire du charme, cela faisait plus d'un an qu'elle était veuve. Mais elle ne pouvait évidemment pas éprouver de sentiment pour un jeune homme deux fois plus jeune qu'elle.

« De toute façon, j'ai décidé de ne rien dire à mes amis avant de jouer correctement, précisa Koch. Ce jour-là, ils seront drôlement épatés.

— Ce sera très amusant, en effet, approuva Maud. Lieutenant, prenez donc un siège, si vous avez un instant. » Elle désigna la chaise sur laquelle était posé le panier de Carla.

Celle-ci se précipita pour le prendre, mais Koch fut plus rapide. « Permettez ! dit-il en le soulevant. Votre dîner je suppose ? ajouta-t-il en voyant le chou.

— Oui », répondit Carla d'une voix proche du glapissement.

Il s'assit sur la chaise et posa le panier par terre à ses pieds, loin de Carla. « Je me suis toujours imaginé avoir un don pour la musique. J'ai décidé qu'il était temps de voir si c'était vrai. » Il croisa les jambes, pour les décroiser aussitôt.

Carla se demanda pourquoi il était aussi nerveux. Il n'avait rien à craindre, ici. L'idée que cette agitation puisse être d'ordre sexuel lui traversa l'esprit : il était seul au milieu de trois femmes. Comment savoir ce qui lui passait par la tête ?

Ada posa une tasse de café devant lui. Il sortit ses cigarettes. Il fumait maladroitement, comme un adolescent. Ada lui donna un cendrier.

« Le lieutenant Koch travaille au ministère de la Guerre, Bendlerstrasse, dit Maud.

— Exactement ! »

C'était le siège de l'Oberkommando, le haut commandement de la Wehrmacht, là où étaient conservés les secrets militaires de la plus haute importance. Mieux valait que le lieutenant ne parle pas là-bas de ses leçons de piano. Si Koch ignorait tout de la famille von Ulrich, certains de ses collègues se souvenaient certainement que Walter von Ulrich avait été un antinazi convaincu. Et Frau von Ulrich perdrait un élève.

« C'est un grand honneur de travailler dans ce service, ajouta Koch.

— Mon fils est en Russie, l'informa Maud. Nous sommes mortes d'inquiétude pour lui.

— Pour une mère, c'est bien naturel. Mais ne soyez pas pessimiste, s'il vous plaît ! La récente contre-offensive russe a été repoussée définitivement. »

Ce n'était que mensonge. La machine de propagande allemande n'avait pu dissimuler que les Soviétiques avaient remporté la bataille et repoussé les lignes allemandes de plus de cent cinquante kilomètres.

« À l'heure actuelle, continuait Koch, nous sommes en mesure de reprendre notre progression.

— En êtes-vous sûr ? » demanda Maud, visiblement inquiète. Carla partageait ses craintes. Elles redoutaient, l'une comme l'autre, qu'il n'arrive quelque chose à Erik.

Koch esquissa un sourire condescendant. « Croyez-moi, Frau von Ulrich, je suis sûr de ce que je dis. Je ne peux évidemment pas vous confier tout ce que je sais, mais je peux vous assurer qu'une autre offensive très agressive est planifiée.

— Je suis certaine que nos troupes ne manquent ni de nourriture ni de rien... » Elle posa la main sur le bras de Koch. « Pourtant, je ne peux m'empêcher d'être inquiète. Je ne devrais pas vous le dire, je sais, mais je sens que je peux vous faire confiance, lieutenant.

— Bien entendu.

— Cela fait des mois que je suis sans nouvelles de mon fils. Je ne sais même pas s'il est mort ou vivant. »

Koch sortit de sa poche un crayon et un petit carnet. « Je peux certainement me renseigner, proposa-t-il.

— C'est vrai ? » demanda Maud en écarquillant les yeux.

Voilà donc pourquoi sa mère se mettait en frais pour lui, pensa Carla pendant que Koch répliquait : « Mais certainement. Je suis à l'état-major, vous savez, même si je n'y tiens qu'un rôle insignifiant. » Il s'efforçait de jouer les modestes. « Je peux me renseigner au sujet de...

— Erik.

— Erik von Ulrich.

— Oh, ce serait merveilleux ! Il est infirmier. Il avait commencé ses études de médecine, voyez-vous, et s'est tout de suite porté volontaire pour se battre pour le Führer. »

C'était vrai. Erik était un nazi convaincu, bien qu'il ait donné l'impression, dans ses dernières lettres, de déchanter un peu.

Koch nota le nom dans son calepin.

« Vous êtes merveilleux, lieutenant Koch ! s'exclama Maud.

— Ce n'est rien.

— Je suis si contente que nous soyons sur le point de contre-attaquer. Vous ne pouvez évidemment pas me dire quand l'offensive aura lieu. Je meurs pourtant d'envie de le savoir, vous vous en doutez. »

Carla ne comprenait pas pourquoi sa mère cherchait à soutirer des informations à ce jeune homme. Que pouvait-elle en faire ?

Koch baissa la voix comme si un espion risquait d'être tapi sous la fenêtre ouverte. « C'est pour très bientôt ! » Il posa les yeux sur les trois femmes tour à tour, prenant manifestement plaisir à les voir tout ouïe. Peut-être ne lui arrivait-il pas souvent d'avoir des femmes suspendues à ses lèvres, se dit Carla.

« L'opération Fall Blau est imminente », lâcha-t-il enfin, après avoir visiblement savouré leur attente.

Maud darda les yeux sur lui. « L'opération Fall Blau, que c'est passionnant ! s'écria-t-elle sur le ton d'une femme qu'un homme invite à passer une semaine au Ritz, à Paris.

— Le 28 juin », ajouta-t-il dans un murmure.

Maud posa la main sur son cœur. « Déjà ! C'est merveilleux !

— Je n'aurais pas dû vous le dire. »

Maud couvrit sa main de la sienne. « Oh, je suis si contente que vous l'ayez fait, je me sens tellement mieux ! »

Il gardait le regard rivé sur la main de Maud et Carla se rendit compte qu'il n'était pas habitué aux caresses féminines. Il releva les yeux sur Maud. Elle lui souriait avec chaleur, tant de chaleur que Carla eut du mal à croire que ce sourire était entièrement feint.

Maud retira sa main. Koch écrasa sa cigarette et se leva. « Il faut que j'y aille. »

Pas trop tôt ! pensa Carla.

Il s'inclina devant elle : « J'ai été très heureux de faire votre connaissance, Fräulein.

— Au revoir, lieutenant », répondit-elle d'une voix neutre.

Maud le raccompagna jusqu'à la porte. « À demain, alors. À la même heure. »

De retour à la cuisine, elle s'écria : «Un garçon stupide qui travaille à l'état-major, c'est le gros lot!

— Je ne vois pas ce qui te met dans cet état, réagit Carla.

— Il est très beau, intervint Ada.

— Il vient de nous révéler une information secrète!

— Et ça nous sert à quoi! Nous ne sommes pas des espionnes, répliqua Carla.

— Nous connaissons la date de la prochaine offensive. Il y a sûrement un moyen de transmettre ce renseignement aux Soviétiques, non?

— Je ne vois pas comment.

— La ville est censée être truffée d'espions.

— Pure propagande. Dès que quelque chose se passe mal, on accuse les menées subversives des agents secrets judéo-bolcheviques au lieu de reconnaître l'incompétence des nazis.

— Il doit bien y avoir des espions, quand même. Des vrais.

— Comment comptes-tu entrer en contact avec eux?»

Maud réfléchit un instant. «Je demanderai à Frieda.

— À Frieda? Et pourquoi?

— Une intuition.»

Carla se remémora le silence de son amie à l'arrêt du tram, au moment où elle s'était demandé qui pouvait bien placarder ces affiches antinazies. Sa mère n'avait sans doute pas tort.

Ce n'était cependant pas la seule difficulté. «Même si nous le pouvions, accepterions-nous de trahir notre pays?»

La réponse de Maud fut catégorique : «Il faut renverser les nazis.

— Je les déteste moi aussi plus que tout au monde, mais je suis allemande.

— Je comprends ce que tu veux dire. L'idée de trahir ne me plaît pas plus qu'à toi, même si je suis anglaise de naissance. Mais le seul moyen de nous débarrasser des nazis, c'est de perdre la guerre.

— Admettons que le renseignement livré aux Russes leur permette de remporter une bataille, Erik pourrait trouver la mort dans ces combats! Ton fils, mon frère! Il pourrait mourir à cause de nous.»

Maud voulut répondre, mais les larmes l'en empêchèrent. Carla se leva et la prit dans ses bras.

Une minute plus tard, Maud murmura : «De toute façon, il risque de mourir. De mourir en se battant pour les nazis. Mieux vaut qu'il meure en perdant la bataille plutôt qu'en la gagnant. »

Carla n'en était pas convaincue.

Elle s'écarta de sa mère. « La prochaine fois, j'aimerais mieux que tu me préviennes avant de faire entrer quelqu'un de ce genre dans la cuisine. » Elle ramassa son panier. « Heureusement qu'il n'a pas cherché à savoir ce que j'avais là-dedans !

— Pourquoi ? Tu as quoi ?

— Des médicaments que j'ai volés pour le docteur Rothmann. »

Maud sourit fièrement à travers ses larmes. « Je te reconnais bien là !

— Quand il a pris le panier, j'ai failli mourir de peur.

— Je suis désolée.

— Tu ne pouvais pas deviner. Bon, je file me débarrasser de tout ça.

— Excellente idée. »

Carla remit son imperméable par-dessus son uniforme et sortit.

Elle partit à pied, d'un pas rapide. Les fenêtres de la maison des Rothmann étaient désormais barricadées et une pancarte grossière avait été clouée sur la porte : « Cabinet médical fermé. »

Le docteur comptait jadis parmi sa clientèle quelques patients fortunés, mais il soignait surtout des pauvres gens qui le payaient quand ils le pouvaient. Aujourd'hui, seuls les pauvres s'adressaient encore à lui.

Carla passa discrètement par-derrière.

Elle comprit immédiatement qu'il s'était passé quelque chose. La porte de service était restée ouverte et une guitare traînait par terre, sur le carrelage, le manche brisé. Il n'y avait personne, mais elle entendit du bruit ailleurs dans la maison.

Elle rejoignit le vestibule. Le rez-de-chaussée comportait deux pièces en plus de la cuisine : l'une servait jadis de salle d'attente, l'autre de cabinet de consultation. À présent, la salle d'attente faisait office de salon et le cabinet abritait l'atelier de Rudi. Il y avait là un établi, ses outils pour travailler le bois, et une demi-douzaine de mandolines, violons et contrebasses à divers stades de réparation. Tout l'équipement médical était rangé, invisible, dans des placards fermés à clé.

Ce n'était plus le cas aujourd'hui, comme Carla le constata depuis le seuil.

Les placards avaient été fracturés et leur contenu éparpillé sur le sol, lequel était jonché d'éclats de verre, de pilules, de poudres et de liquides. Carla reconnut un stéthoscope et un tensiomètre parmi les débris. Des morceaux d'instruments gisaient çà et là, fracassés ou écrasés.

Carla fut bouleversée. Quel gâchis! se dit-elle, dégoûtée.

Elle passa dans la pièce voisine. Rudi Rothmann y était, allongé par terre. Ce jeune homme grand et athlétique de vingt-deux ans gémissait de douleur dans un coin, les yeux fermés.

Sa mère, Hannelore, était agenouillée à côté de lui. Mme Rothmann, qui avait été une belle blonde, était aujourd'hui une femme émaciée aux cheveux tout gris.

«Que s'est-il passé?» s'écria Carla. Mais elle avait déjà compris.

«La police, expliqua Hannelore. Ils ont accusé mon mari de soigner des patients aryens. Ils l'ont emmené. Rudi a voulu s'interposer quand ils ont commencé à saccager la pièce. Ils l'ont...» Sa voix s'étrangla.

Carla posa son panier et vint s'accroupir près d'elle. «Qu'est-ce qu'ils lui ont fait?

— Ils lui ont cassé les mains», lâcha Hannelore dans un murmure.

Carla se tourna vers Rudi. Ses mains étaient rouges et affreusement tordues. Les policiers avaient dû lui briser les doigts l'un après l'autre. Il souffrait certainement le martyre. C'était un spectacle qui lui soulevait le cœur, mais Carla voyait des horreurs chaque jour et avait appris à contrôler ses sentiments pour prodiguer les soins nécessaires. «Il lui faut de la morphine!»

Hannelore désigna le fouillis qui les entourait. «Si nous en avions, il n'en reste rien.»

Carla fut folle de rage à l'idée que la police, dans son orgie de destruction, ait pu gâcher de précieux médicaments dont on manquait même dans les hôpitaux. «Je vous en ai apporté, justement.» Elle prit dans son panier une ampoule de liquide transparent et la seringue toute neuve, qu'elle dégagea de son étui et remplit adroitement. Puis elle fit une piqûre à Rudi.

L'effet fut quasi immédiat. Ses gémissements s'arrêtèrent, Rudi ouvrit les yeux et regarda Carla. «Tu es un ange!» murmura-t-il, puis il ferma les yeux et parut s'endormir.

«Il faut lui remettre les doigts en place, dit Carla, pour que les os se ressoudent correctement.» Elle toucha délicatement la main gauche de Rudi, qui ne réagit pas. Elle saisit alors sa main et la souleva. Pas de réaction.

«Je n'ai jamais réduit de fracture, fit Hannelore. Mais j'ai vu plusieurs fois comment on faisait.

— Moi aussi, reprit Carla. De toute façon, il faut essayer. Je prends la main gauche, occupez-vous de la droite. Il faut qu'on ait fini avant que la morphine cesse de faire de l'effet. Il aura déjà assez mal comme ça.

— Entendu», acquiesça Hannelore.

Carla attendit un instant, plongée dans ses réflexions. Sa mère avait raison : elles devaient faire tout ce qui était en leur pouvoir, même trahir leur pays, pour en finir avec ce régime nazi. Tous ses doutes s'étaient dissipés.

«Allons-y !» dit-elle.

Délicatement, avec un soin extrême, les deux femmes entreprirent de remettre en place les doigts brisés de Rudi.

2.

Tous les vendredis après-midi, Thomas Macke allait au bar de Tannenberg.

L'endroit n'avait rien de grandiose : au mur, la photographie du propriétaire, Fritz, en uniforme de la Première Guerre mondiale, sans sa bedaine et avec vingt ans de moins. À l'en croire, il avait tué neuf Russes à la bataille de Tannenberg. Dans la salle, quelques tables et des chaises, mais les habitués se regroupaient au bar. Le menu, sous sa reliure en cuir, était pure fiction, car on ne servait que deux plats : saucisses avec pommes de terre et saucisses sans pommes de terre.

Ce café, situé juste en face du commissariat de police de Kreuzberg, était essentiellement fréquenté par des policiers, ce qui permettait d'y enfreindre la loi en toute impunité. Le jeu s'y pratiquait ouvertement, les filles faisaient des pipes dans les toilettes, et aucun inspecteur des services sanitaires ne mettait jamais les pieds dans les cuisines. Le bar ouvrait à l'heure où Fritz se levait et il fermait une fois le dernier buveur parti.

Des années auparavant, alors qu'il n'était que policier subalterne, Macke avait travaillé au commissariat de Kreuzberg. C'était avant que les nazis ne prennent le pouvoir, offrant une seconde chance à des hommes comme lui. Au Tannenberg, il était sûr de rencontrer un ou deux visages connus, car plusieurs de ses anciens collègues venaient encore y boire un coup. Et Macke aimait bien discuter avec les vieux amis, même s'il s'était élevé bien au-dessus d'eux en devenant commissaire et membre des SS.

« Tu as fait une belle carrière, Thomas, je te l'accorde, déclara le sergent Bernhardt Engel qui, sous ce grade déjà, avait été le supérieur de Macke en 1932. Bonne chance à toi, mon vieux. » L'éternel sergent porta à ses lèvres la pinte de bière que Macke lui avait offerte.

« Je ne vais pas te contredire, répondit Macke. Mais je t'avouerai que c'est bien plus dur de travailler avec le commissaire principal Kringelein qu'avec toi.

— J'étais trop gentil avec vous, les gars », admit Bernhardt.

Un autre vieux camarade, Franz Edel, s'esclaffa non sans mépris : « Gentil ? Je ne dirais pas ça ! »

En regardant par la fenêtre, Macke vit une moto se garer. Elle était pilotée par un jeune homme en blouson bleu clair des officiers de l'armée de l'air qu'il eut l'impression d'avoir déjà rencontré. Oui, il l'avait déjà vu quelque part, ce type aux cheveux blond vénitien un peu trop longs qui retombaient sur un front patricien. Il le suivit des yeux pendant qu'il traversait le trottoir et entrait au Tannenberg.

Macke se souvint de son nom : c'était Werner Franck, le fils à papa du fabricant de radios Ludwig Franck.

Werner s'avança vers le comptoir et commanda un paquet de Kamel. Évidemment ! Un garçon pareil ne pouvait fumer que des américaines, pensa Macke, même si ce n'était qu'une imitation de fabrication allemande.

Werner paya, ouvrit le paquet, en sortit une cigarette et demanda du feu à Fritz. Se tournant pour s'éloigner, la cigarette aux lèvres d'un air canaille, il croisa le regard de Macke. « Commissaire Macke ? » lâcha-t-il après un bref instant d'hésitation.

Tous les clients regardèrent Macke, attendant sa réaction.

Celui-ci opina tranquillement. « Comment allez-vous, jeune Werner ?

« — Très bien, commissaire, merci. »

Macke apprécia le ton déférent de Werner mais fut un peu surpris. Il gardait de lui le souvenir d'un freluquet arrogant, peu respectueux de l'autorité.

«Je reviens d'une visite sur le front de l'Est en compagnie du général Dorn», ajouta Werner.

Macke sentit les policiers dresser l'oreille : un homme qui avait été sur le front de l'Est méritait le respect. Et ses anciens collègues étaient épatés de découvrir qu'il évoluait dans des cercles aussi élevés. Involontairement, il en éprouva un certain plaisir.

Werner lui tendit son paquet de cigarettes, et Macke en prit une. «Une bière», commanda Werner à Fritz, puis il se tourna vers Macke : «Puis-je vous offrir un verre, commissaire?

— La même chose, merci. »

Fritz remplit deux bocs. Werner leva le sien en disant : «Je voudrais vous remercier. »

Nouvelle surprise. «Et de quoi?» demanda Macke.

Ses amis ouvraient grand leurs oreilles.

«De la bonne leçon que vous m'avez donnée, il y a un an, répondit Werner.

— À l'époque, vous ne débordiez pas de gratitude.

— Et je m'en excuse. Mais j'ai beaucoup réfléchi à ce que vous m'avez dit, et j'ai compris que vous aviez raison. L'émotion m'avait obscurci l'esprit. Vous m'avez remis dans le droit chemin, je ne l'oublierai jamais. »

Macke fut touché. Werner lui avait inspiré une profonde antipathie, et il l'avait traité avec rudesse. Et voilà que le jeune homme avait tenu compte de ses paroles et changé d'attitude. Savoir qu'il était à l'origine d'une telle conversion lui fit chaud au cœur.

«Justement, poursuivit Werner, j'ai pensé à vous l'autre jour. Le général Dorn évoquait le problème des espions et se demandait s'il était possible de les repérer à l'aide de leurs signaux radio. Malheureusement, j'ai été bien en peine de lui répondre.

— Vous auriez dû me poser la question, c'est ma spécialité.

— Vraiment?

— Venez, on va s'asseoir. »

Ils prirent leurs verres et s'installèrent à une table d'une propreté douteuse.

«Ces hommes sont tous des policiers, chuchota Macke, mais

on ne sait jamais. Ces sujets ne sont pas censés être abordés en public.

— Bien sûr, dit Werner et il ajouta en baissant le ton : Je sais que je peux vous faire confiance. Voyez-vous, des commandants sur le terrain ont confié au général Dorn qu'ils ont souvent eu l'impression que l'ennemi était informé de nos intentions à l'avance.

— Ah ! soupira Macke, je le craignais.

— Que puis-je dire à Dorn sur la détection des signaux radio ?

— Le mot correct est goniométrie. » Macke rassembla ses idées. C'était une occasion inespérée d'impressionner un puissant général, fût-ce indirectement. Il fallait qu'il soit clair et insiste sur l'importance de ses missions, sans pour autant exagérer ses succès. Il imaginait déjà le général Dorn glissant incidemment au Führer un mot à son sujet : «Il y a un type très compétent à la Gestapo. Un certain Macke. Il n'est encore que commissaire, mais il est tout à fait remarquable... »

«Nous disposons d'un instrument qui nous indique la direction d'où vient le signal, commença-t-il. En prenant les coordonnées de trois lieux différents, assez éloignés les uns des autres, et en les reportant sur la carte, on peut tracer trois lignes. L'émetteur se trouve à l'intersection de ces lignes.

— C'est fantastique ! »

Macke leva la main dans un geste de mise en garde. «En théorie, oui. En pratique, c'est plus compliqué, car le pianiste, puisque que c'est ainsi qu'on appelle l'opérateur radio, ne reste généralement pas au même endroit assez longtemps pour que nous puissions lui mettre le grappin dessus. Un bon pianiste n'émet jamais deux fois de suite à partir du même site. Et comme notre instrument se trouve dans une camionnette munie d'une antenne sur le toit, ils nous voient arriver de loin.

— Mais avez-vous déjà réussi ?

— Bien sûr. Vous devriez nous accompagner un soir, dans la camionnette. Vous pourriez assister au déroulement des opérations et transmettre au général Dorn un rapport *de visu*.

— Quelle bonne idée ! » s'exclama Werner.

3.

À Moscou, le mois de juin était chaud et ensoleillé. À l'heure du déjeuner, Volodia attendit Zoïa près d'une fontaine dans les jardins Alexandre, au pied du Kremlin. Des centaines de badauds s'y promenaient, souvent en couple, profitant du beau temps. La vie était dure, on avait coupé l'eau des fontaines par souci d'économie, mais le ciel était bleu, les arbres couverts de feuilles et l'armée allemande à cent cinquante kilomètres.

Volodia débordait d'orgueil chaque fois qu'il pensait à la bataille de Moscou. La redoutable armée allemande, pourtant spécialisée dans les attaques éclairs, était arrivée aux portes de la ville et avait été repoussée. Les Soviétiques s'étaient battus comme des lions pour défendre leur capitale.

Malheureusement, la contre-offensive russe, qui avait permis de reconquérir un vaste territoire et de redonner confiance aux Moscovites, avait tourné court en mars. L'armée allemande avait désormais pansé ses plaies et se préparait à repartir à l'attaque.

Et Staline était encore au pouvoir.

Volodia vit Zoïa se diriger vers lui à travers la foule. Elle portait une robe à carreaux rouge et blanc. Sa démarche était pleine d'allant et ses cheveux blond pâle dansaient au rythme de ses pas. Elle attirait les regards de tous les hommes.

Volodia était sorti avec beaucoup de jolies filles avant Zoïa. Pourtant, il s'étonnait encore de sa chance. Pendant des années, elle l'avait traité avec une indifférence glaciale, ne parlant avec lui que de physique nucléaire. Et puis un jour, peu après l'émeute qui avait coûté la vie au général Bobrov, elle lui avait demandé, à sa grande surprise, de l'accompagner au cinéma.

Depuis lors, elle avait changé d'attitude à son égard, sans qu'il comprenne très bien pourquoi. Sans doute, cette expérience partagée les avait-elle rapprochés. Quoi qu'il en soit, ils étaient allés voir *Let George do it* avec l'Anglais George Formby, un joueur de banjolélé. Cette comédie britannique, à l'affiche depuis des mois, connaissait un immense succès. L'intrigue, d'un irréalisme achevé, retraçait les péripéties d'un musicien qui envoyait à son insu des messages aux U-Boots allemands par le truchement de son instrument. C'était si bête qu'ils en avaient ri aux larmes.

Depuis, ils se voyaient régulièrement.

Aujourd'hui, comme ils devaient déjeuner avec son père, Volodia avait donné rendez-vous à Zoïa près de la fontaine pour pouvoir passer un moment en tête à tête avec elle.

Elle lui adressa un sourire radieux et se haussa sur la pointe des pieds pour l'embrasser. Elle était grande, mais il était plus grand encore. Il lui rendit son baiser. Ses lèvres étaient douces et humides. Ce fut trop court à son goût.

Volodia n'était pas certain des sentiments qu'elle éprouvait pour lui. Pour le moment, ils ne faisaient que «se fréquenter», comme disait la vieille génération. Ils s'embrassaient souvent, mais ils n'avaient pas encore fait l'amour. Ils n'étaient pourtant pas trop jeunes puisqu'il avait vingt-sept ans et elle vingt-huit. Volodia savait que Zoïa ne coucherait avec lui que lorsqu'elle serait prête.

C'était un rêve auquel il ne croyait pas vraiment. Elle était trop blonde, trop intelligente, trop grande, trop sûre d'elle, trop séduisante pour se donner à lui. Il n'aurait sûrement jamais l'occasion de la regarder se déshabiller, de la contempler nue, de caresser son corps, de s'étendre sur elle...

Ils traversèrent cette place tout en longueur, bordée d'un côté par une rue très fréquentée, de l'autre par les hautes murailles derrière lesquelles se dressaient les tours du Kremlin. «Quand on voit ces murs, on serait tenté de penser que nos dirigeants y sont retenus prisonniers par la volonté du peuple, dit Volodia.

— C'est vrai, acquiesça Zoïa. Alors que c'est l'inverse.»

Il jeta un coup d'œil derrière lui pour s'assurer que personne ne l'avait entendue. Il était imprudent de s'exprimer ainsi. «Je comprends que mon père te trouve dangereuse.

— Avant, je pensais que tu étais comme lui.

— Si seulement! C'est un héros : il a pris le palais d'Hiver. Pour ma part, ça m'étonnerait que je change un jour le cours de l'histoire.

— Oh, je sais, mais il est tellement étroit d'esprit, tellement conservateur. Tu n'es pas comme ça, toi.»

Volodia trouvait qu'il ressemblait assez à son père, mais il n'avait pas envie de discuter.

«Tu es libre ce soir? demanda-t-elle, je voudrais te faire un bon petit plat.

— Et comment!» Elle ne l'avait encore jamais invité chez elle.

«J'ai un bon morceau de steak.

— Formidable!» Du bon bœuf était un régal même pour les privilégiés comme la famille de Volodia.

«Les Kovalev ne sont pas là», ajouta Zoïa.

Encore mieux! Comme beaucoup de Moscovites, Zoïa vivait dans un appartement communautaire. Elle y occupait une chambre, partageant la cuisine et la salle de bains avec un autre scientifique, Kovalev, sa femme et leur enfant. En leur absence, Zoïa et Volodia auraient donc l'appartement pour eux. Son pouls se mit à battre plus vite. «Je dois apporter ma brosse à dents?»

Elle lui adressa un sourire énigmatique et ne répondit pas.

Ils quittèrent le parc et traversèrent la rue pour rejoindre un restaurant. Un grand nombre d'établissements étaient fermés, mais comme il y avait encore beaucoup de petits bureaux dans le centre-ville et que leurs employés devaient bien déjeuner quelque part, plusieurs bars et cafés avaient survécu à l'évacuation.

Grigori était assis à une table sur le trottoir. Il aimait bien être vu dans des lieux fréquentés par le commun des mortels pour montrer qu'il ne se croyait pas au-dessus du peuple sous prétexte qu'il portait un uniforme de général. Il avait cependant choisi une table un peu à l'écart pour préserver une certaine intimité.

S'il n'approuvait pas les façons de Zoïa, il n'était pas insensible à son charme. Il se leva pour l'embrasser sur les deux joues.

Ils commandèrent des galettes de pommes de terre et de la bière. L'autre menu au choix proposait harengs marinés et vodka.

«Aujourd'hui, je ne vais pas vous parler de physique nucléaire, général, annonça Zoïa. Prenez pour acquis que je ne retire rien de ce que j'ai dit la dernière fois que nous avons évoqué le sujet. Mais je ne veux pas vous ennuyer.

— Ouf, quel soulagement!»

Elle éclata de rire, découvrant des dents blanches. «En

échange, vous pouvez peut-être me dire combien de temps encore va durer la guerre ? »

Volodia secoua la tête, feignant le désespoir. Elle ne pouvait pas s'empêcher de provoquer son père ! Tout autre que lui l'aurait déjà fait arrêter depuis longtemps ! Mais Grigori répondit : « Les nazis sont vaincus, mais ils ne l'admettront pas.

— À Moscou, tout le monde se demande ce qui va se passer cet été. Vous le savez sûrement, tous les deux !

— Si je le savais, je n'en dirais rien à ma petite amie, intervint Volodia. Même si j'en étais amoureux fou. » En dehors de toute autre considération, ça pourrait valoir à Zoïa une balle dans la tête, mais cela, il ne le dit pas.

On apporta les plats. Comme à son habitude, Zoïa se jeta sur la nourriture. Volodia adorait le plaisir évident qu'elle prenait à manger. Pour sa part, il n'aimait pas beaucoup les galettes. « Elles ont un drôle de goût, ces pommes de terre. On dirait du navet. »

Son père lui jeta un regard noir.

« Je ne m'en plains pas, loin de là ! » s'empressa d'ajouter Volodia.

Quand ils eurent fini, Zoïa se rendit aux toilettes. À peine se fut-elle éloignée que Volodia déclara : « Nous pensons que l'offensive d'été des Allemands est imminente.

— C'est aussi mon avis.

— On est prêts ?

— Bien sûr ! répondit Grigori, mais il avait l'air inquiet.

— Ils vont attaquer au sud. Pour s'emparer des champs de pétrole du Caucase. »

Grigori secoua la tête. « Non, ils vont revenir à Moscou. C'est la seule chose qui compte pour eux.

— Stalingrad est tout aussi symbolique. La ville porte le nom de notre dirigeant suprême.

— Je t'en foutrais des symboles ! S'ils prennent Moscou, la guerre est finie. Dans le cas contraire, ils n'auront pas gagné, même s'ils remportent la victoire sur d'autres fronts.

— Tu lances juste des hypothèses, lança Volodia agacé.

— Toi aussi.

— Non. J'ai des preuves. » Il regarda autour de lui : personne à proximité. « L'offensive a pour nom de code Fall Blau, et doit débuter le 28 juin. » Il tenait ce renseignement du réseau d'espions que dirigeait Werner Franck, à Berlin. « On a

672

également trouvé des détails partiels sur cette opération dans la mallette d'un officier allemand qui s'est écrasé dans son avion de reconnaissance du côté de Kharkov.

— Les officiers en mission de reconnaissance ne se promènent pas avec des plans de bataille dans un porte-documents, objecta Grigori. Le camarade Staline pense que c'est un stratagème et je l'approuve. Les Allemands essaient tout simplement de nous inciter à dégarnir notre front central et de nous faire envoyer des troupes dans le sud pour repousser cette prétendue offensive, qui ne sera en fait qu'une diversion. »

C'était toujours le même problème! pensa Volodia, excédé. Vous aviez beau détenir des renseignements parfaitement solides, les vieillards obtus qui dirigeaient le pays ne croyaient que ce qu'ils voulaient bien croire.

Zoïa traversait la terrasse dans leur direction, suivie de tous les regards. « Que faudrait-il pour te convaincre? demanda-t-il à son père avant qu'elle ne les rejoigne.

— D'autres preuves.

— De quel genre? »

Grigori réfléchit un moment, prenant la question très au sérieux. « Le plan de bataille. »

Volodia soupira. Werner Franck n'avait pas encore réussi à s'emparer de ce document. « Si j'arrive à l'avoir, est-ce que Staline reverra sa position?

— Je le lui demanderai. Encore faut-il que tu l'obtiennes!

— Marché conclu », dit Volodia.

La réponse était pour le moins hâtive, puisqu'il n'avait aucune idée de la façon dont il pourrait y parvenir. Werner, Heinrich, Lili et les autres prenaient déjà des risques insensés, et il allait devoir leur imposer une pression supplémentaire.

Zoïa avait rejoint leur table et Grigori se leva. Ils partaient tous dans des directions différentes et se dirent au revoir.

« À ce soir donc », lança Zoïa à Volodia

Il l'embrassa. « Je serai là à sept heures.

— N'oublie pas ta brosse à dents! »

Il s'éloigna, au comble du bonheur.

4.

Une fille sait toujours quand sa meilleure amie lui cache quelque chose. Elle ne sait pas forcément de quoi il s'agit, mais pour elle, ça se voit comme le nez au milieu de la figure. À ses réponses prudentes et réticentes quand elle lui pose une question parfaitement anodine, elle devine que son amie fréquente quelqu'un qu'elle ne devrait pas. Elle ignore encore le nom de ce mystérieux amant, mais elle sait déjà que c'est forcément un homme marié, un étranger à la peau trop sombre, ou une autre femme. Elle admire un collier au cou de son amie et comprend à sa réaction en demi-teinte que ce collier est lié à une action honteuse. Peut-être n'apprendra-t-elle que des années plus tard que son amie l'avait dérobé dans la boîte à bijoux de sa grand-mère sénile.

Voilà à quoi pensait Carla en songeant à Frieda.

Son amie avait un secret, et ce secret était lié à la résistance contre les nazis. Frieda participait peut-être à un mouvement qui se livrait à des actions criminelles. Peut-être fouillait-elle tous les soirs dans la mallette de son frère Werner pour recopier des documents secrets qu'elle transmettait à un espion russe. Ou, sans aller jusque-là, elle pouvait prêter son aide à l'impression et à la distribution de ces affiches interdites et de ces pamphlets qui critiquaient le gouvernement.

Oui, elle allait parler de ce Joachim Koch à Frieda. L'occasion ne se présenta pas immédiatement, car les deux amies ne travaillaient pas dans le même service de l'immense hôpital où elles étaient infirmières. Leurs emplois du temps ne coïncidaient pas toujours, elles ne se voyaient pas quotidiennement.

Alors que Joachim, lui, venait tous les jours prendre sa leçon de piano. Il n'avait pas fait d'autre révélation à Maud, mais celle-ci continuait à flirter avec lui. Carla l'avait entendue dire : «Est-ce que vous vous rendez compte que j'ai presque quarante ans?» En fait, elle en avait cinquante et un. Joachim se pâmait d'amour et Maud prenait visiblement plaisir à constater qu'elle n'avait rien perdu de son pouvoir de séduction auprès des beaux jeunes gens, fussent-ils un peu naïfs. L'idée que sa mère éprouvait peut-être des sentiments plus profonds pour ce jeune homme à la moustache blonde qui ressemblait vaguement à Walter jeune traversa bien l'esprit de Carla, mais elle la repoussa. C'était ridicule.

Joachim faisait tout ce qu'il pouvait pour lui plaire et lui apporta rapidement des nouvelles de son fils. Erik était vivant et en bonne santé. « Son unité est en Ukraine, c'est tout ce que je peux vous dire.

— J'aimerais tant qu'il ait une permission et puisse rentrer à la maison », soupira Maud avec mélancolie.

Le jeune officier hésita.

« Une mère se fait tant de soucis... Si je pouvais le voir, ne serait-ce qu'un jour, je serais tellement rassurée.

— Je pourrais peut-être arranger ça. »

Maud joua l'étonnement. « Vraiment ? Vous avez un tel pouvoir ?

— Je ne peux rien promettre, mais je peux essayer.

— Merci, ce serait déjà beaucoup ! » Elle saisit sa main et y posa les lèvres.

Une semaine s'écoula avant que Carla ne revoie Frieda. Elle lui parla alors de Joachim Koch en présentant les choses comme une anecdote amusante mais constata que Frieda ne prenait pas l'histoire à la légère. « Tu te rends compte ? enchaîna-t-elle, il nous a donné le nom de code de la prochaine opération et même sa date ! » Elle ménagea une pause pour observer la réaction de Frieda.

« Il pourrait se faire fusiller ! répondit Frieda.

— Et comment ! Si nous connaissions quelqu'un à Moscou, ça pourrait changer le cours de la guerre ! continua Carla comme si elle n'avait qu'une idée en tête : la gravité du délit commis par Joachim.

— Peut-être », acquiesça Frieda.

La preuve était faite. Normalement, une histoire pareille aurait dû inspirer à Frieda une réaction de vive surprise, un intérêt passionné. Elle aurait dû poser une foule de questions. Or elle n'avait répondu que par des phrases neutres et des acquiescements évasifs. De retour à la maison, Carla annonça à sa mère que son intuition ne l'avait pas trompée.

Le lendemain à l'hôpital, Frieda vint la trouver dans son service. « Il faut que je te parle de toute urgence ! » Elle avait l'air dans tous ses états.

Carla était en train de changer le pansement d'une jeune

femme gravement brûlée dans l'explosion d'une usine de munitions. «Va m'attendre au vestiaire, je te rejoins dès que je peux.»

Cinq minutes plus tard, elle retrouvait son amie dans la petite pièce. Elle fumait devant la fenêtre ouverte.

«Que se passe-t-il?»

Frieda éteignit sa cigarette. «C'est à propos de ton lieutenant Koch.

— Je m'en doutais.

— Tu dois lui soutirer plus d'informations!

— Je *dois*? De quoi parles-tu?

— Il a accès à tout le plan de bataille de l'opération Fall Blau. Nous savons déjà certaines choses, mais Moscou a besoin de renseignements plus précis.»

Les hypothèses échafaudées par Frieda étaient un peu improbables mais Carla ne chercha pas à la détromper. «Je peux éventuellement lui demander...

— Non. *Il faut* qu'il apporte le plan de bataille chez vous.

— Je ne vois pas comment. Il n'est pas complètement idiot. Tu ne crois pas que...»

Frieda n'écoutait même pas. «Et ensuite, tu photographieras ce plan.» Elle sortit de sa poche d'uniforme un petit boîtier métallique ressemblant à un paquet de cigarettes en un peu plus long et plus étroit. «C'est un appareil photo miniature, conçu spécialement pour photographier des documents.» Carla remarqua le nom gravé sur le côté: *Minox.* «Une pellicule te permet de prendre onze photos. Je t'en donne trois.» Elle sortit trois cassettes en forme d'haltères, assez petites pour s'insérer dans l'appareil. «Voilà comment on le charge.» Frieda fit une démonstration. «Pour prendre une photo, tu regardes par ce petit trou. Si tu n'es pas sûre, je te laisse le mode d'emploi.»

Carla n'aurait jamais imaginé que Frieda puisse se montrer aussi autoritaire. «Il faut que j'y réfléchisse, tu sais.

— On n'a pas le temps. C'est ton manteau?

— Oui, mais...»

Frieda glissa dans la poche appareil photo, pellicules et mode d'emploi. «Bon, j'y vais!» dit-elle, manifestement soulagée de s'en être débarrassée. Elle se dirigea vers la porte.

«Frieda, attends!»

Frieda s'arrêta et regarda Carla droit dans les yeux. «Qu'y a-t-il?

— Heu... je trouve que pour une amie, tu as une drôle de façon d'agir !

— C'est plus important que tout le reste.

— Tu ne me laisses même pas le choix !

— C'est toi qui l'as cherché en me parlant de ton Joachim Koch. Ne me dis pas que tu ne t'attendais pas à ce que je fasse quelque chose de cette information ! »

C'était vrai. Carla ne pouvait s'en prendre qu'à elle-même. Mais elle n'avait jamais imaginé en arriver là. « Et s'il refuse ?

— Eh bien, tu vivras probablement sous le régime nazi jusqu'à la fin de tes jours ! » Sur ces mots, Frieda sortit.

« Merde ! » s'exclama Carla.

Restée seule dans le vestiaire, elle réfléchit. Se débarrasser de l'appareil sans prendre de risques, oui, mais comment ? Elle ne pouvait quand même pas le jeter dans la poubelle de l'hôpital ! Elle allait devoir quitter les lieux avec l'appareil dans sa poche et trouver un endroit où s'en défaire discrètement.

Mais était-ce bien ce qu'elle voulait ?

Joachim avait beau être naïf, imaginer qu'il puisse accepter de sortir en douce du ministère de la Guerre une copie du plan de bataille simplement pour faire plaisir à Maud, c'était pousser le bouchon un peu loin ! D'un autre côté, si quelqu'un pouvait l'en persuader, c'était bien elle.

Carla était terrifiée. Si elle se faisait prendre, il ne lui serait accordé aucune pitié. Elle serait torturée. Elle revit Rudi Rothmann, gémissant de douleur, les mains brisées. Elle revit son père après sa libération : il avait été tellement maltraité qu'il n'avait pas survécu à ses blessures. Son crime à elle serait considéré comme bien pire que les leurs, et elle devait donc s'attendre à un châtiment encore plus inhumain. Elle serait exécutée, cela ne faisait aucun doute, mais après de très longues souffrances.

Elle se dit cependant qu'elle était prête à courir ce risque.

Mais il y avait une chose qu'elle ne pouvait accepter : provoquer la mort de son frère.

Or, il était bien là-bas, sur le front est, Joachim l'avait confirmé. Il allait donc participer à l'opération Fall Blau. Si, grâce à son intervention, les Soviétiques gagnaient la bataille et qu'Erik trouvait la mort au cours de ces combats, elle ne se le pardonnerait jamais.

Elle retourna à son travail. Elle était distraite et commit des erreurs. Heureusement, les médecins ne s'en aperçurent pas. Quant aux patients, ils n'étaient pas en état de le signaler. Enfin, son service s'acheva, et elle partit précipitamment. Elle avait l'impression que l'appareil brûlait le fond de sa poche. Hélas, elle ne trouva pas d'endroit sûr où s'en débarrasser.

Où Frieda avait-elle bien pu se le procurer ? Certes, son amie avait beaucoup d'argent, mais pour acheter un appareil de ce genre, elle aurait dû inventer toute une histoire. Sans doute lui avait-il été remis par un Russe, avant la fermeture de l'ambassade, l'année précédente.

Carla rentra chez elle, l'appareil toujours dans sa poche.

Aucune note de piano ne venait de l'étage. La leçon de Joachim devait avoir lieu plus tard ce jour-là. Sa mère était à la cuisine, le visage radieux. « Regarde qui est là ! »

Erik !

Carla dévisagea son frère : il avait beau être d'une maigreur effroyable, il était apparemment entier. Il portait un uniforme crasseux et déchiré, mais s'était lavé le visage et les mains.

Il se leva et la prit dans ses bras. Elle le serra contre elle, se moquant bien de salir son propre uniforme, immaculé. « Tu es sain et sauf », s'exclama-t-elle. Erik était tellement efflanqué qu'elle sentait ses os à travers le tissu, ses côtes, ses hanches, ses épaules, ses vertèbres.

« Pour le moment », dit-il.

Elle relâcha son étreinte. « Comment vas-tu ?

— Mieux que la plupart de mes compagnons.

— Tu avais quand même autre chose sur le dos, pendant l'hiver russe, que cet uniforme de rien du tout ?

— Oui, un manteau en mouton retourné volé sur un cadavre russe. »

Elle s'assit à la table où Ada avait déjà pris place. « Tu avais raison ! murmura Erik. Je veux dire à propos des nazis, tu avais raison.

— En quel sens ? demanda-t-elle, contente, mais se demandant à quoi il faisait allusion.

— Ils assassinent des gens, comme tu me l'avais dit ! Et Vater aussi, et puis Mutter. Quand je pense que je ne vous ai pas crus ! Je m'en veux tellement ! Excuse-moi, Ada, de n'avoir pas cru qu'ils avaient tué ton pauvre petit Kurt. Maintenant, je sais que c'est vrai ! »

Pour un revirement, il était de taille !

«Qu'est-ce qui t'a fait changer d'avis? voulut savoir Carla.

— Je les ai vus à l'œuvre en Russie. Quand ils arrivent dans une ville, ils rassemblent toutes les personnalités sous prétexte que ce sont des communistes; ils embarquent aussi les Juifs... Et pas seulement les hommes : les femmes et les enfants avec, y compris les vieux bien trop faibles pour faire du tort à qui que ce soit!» Les larmes ruisselaient sur ses joues. «Ce ne sont pas les soldats ordinaires qui font ça, mais des unités spéciales... Ils font sortir les prisonniers de la ville. Des fois, il y a une carrière ou une fosse quelconque. Quand il n'y en a pas, ils obligent les plus jeunes à creuser un grand trou, et ensuite, ils...»

Il s'étrangla.

«Ensuite quoi? insista Carla.

— Ils les tuent. Douze à la fois, deux fois six. Parfois, les maris et les femmes descendent dans la fosse en se tenant par la main, les mères portent leurs enfants. Les tireurs attendent qu'ils soient au bon endroit, et puis, ils les abattent.» Erik essuya ses larmes avec la manche de son uniforme sale. «Pan!»

Un long silence se fit dans la cuisine. Ada pleurait, Carla était atterrée. Seule Maud avait gardé un visage de pierre.

Finalement, Erik se moucha et sortit une cigarette. «J'ai été drôlement surpris d'obtenir une permission et un billet de train pour rentrer.

— Quand dois-tu repartir?

— Demain. Je ne peux passer que vingt-quatre heures à Berlin. Mais j'ai fait l'envie de tous mes camarades. Ils donneraient n'importe quoi pour passer une journée chez eux. Le docteur Weiss m'a dit que j'avais sûrement des amis haut placés.

— C'est vrai, reconnut Maud. Joachim Koch. C'est un jeune lieutenant qui travaille au ministère de la Guerre et à qui je donne des leçons de piano. Je lui ai demandé s'il pouvait t'obtenir une permission.» Elle regarda sa montre. «Il ne devrait plus tarder, d'ailleurs. Il a un petit faible pour moi. Il doit avoir besoin d'une image maternelle, sans doute.»

Mutti, arrête! pensa Carla. Il n'y avait rien de maternel dans les relations entre Maud et Joachim.

Mais celle-ci continuait : «Il est très naïf. Il nous a raconté qu'il allait y avoir une nouvelle offensive sur le front de l'Est, le 28 juin. Il nous en a même donné le nom de code : Fall Blau.

— De quoi se faire fusiller! remarqua Erik.

— Joachim n'est pas le seul à risquer sa vie, murmura Carla.

J'ai raconté à quelqu'un ce que j'avais appris et maintenant, on me demande de persuader Joachim de me donner les plans de bataille.

— Nom de Dieu! s'exclama Erik abasourdi. C'est de l'espionnage pur et simple! Tu risques bien plus gros que moi sur le front.

— Ne t'inquiète pas. Je n'imagine pas un instant que Joachim accepte de faire ça, le rassura Carla.

— N'en sois pas si sûre! » réagit Maud.

Tous les yeux se tournèrent vers elle.

« Il le ferait peut-être pour moi. Si je le lui demandais habilement.

— Il est aussi naïf que ça? » s'ébahit Erik.

Elle le défia du regard. « Il a le béguin pour moi.

— Oh. » L'idée même qu'un homme puisse être amoureux de sa mère l'embarrassait. Carla intervint : « De toute façon, on ne peut pas lui demander une chose pareille!

— Et pourquoi? demanda Erik.

— Parce que si les Russes remportaient la bataille, tu pourrais y laisser ta peau.

— Je mourrai de toute façon, c'est presque sûr.

— Mais nous aiderions les Russes à te tuer! répliqua Carla d'une voix que l'exaltation poussait dans les aigus.

— Je veux quand même que tu le fasses! » insista Erik fermement. Il fixait la toile cirée à carreaux, l'esprit à des milliers de kilomètres de cette table de cuisine.

Carla était déchirée. Si son frère l'exigeait... « Mais pourquoi?

— Je pense à tous ces gens qu'on fait descendre dans des fosses et qui se tiennent par la main. » Ses mains à lui, posées sur la table, étaient crispées dans une douloureuse étreinte. « Je suis prêt à donner ma vie pour que ça cesse. C'est même ce que je veux. Je me sentirai mieux vis-à-vis de moi-même et de mon pays. S'il te plaît Carla, si tu en as les moyens, transmets ce plan de bataille aux Russes! »

Elle hésitait encore. « Tu es sûr?

— Je t'en supplie.

— C'est bon, je le ferai. »

5.

Thomas Macke demanda à ses hommes, Wagner, Richter et Schneider, de se conduire irréprochablement. « Werner Franck n'est que lieutenant, mais il travaille pour le général Dorn. Je veux qu'il ait aussi bonne impression que possible de notre équipe et du travail que nous effectuons. Pas de jurons, pas de plaisanteries, pas de boustifaille et pas de tabassage sauf en cas d'absolue nécessité. Si on prend un espion communiste, vous pouvez lui filer un bon coup de pied, mais si on n'attrape personne, il n'est pas question de ramasser le premier venu, histoire de rigoler. » D'ordinaire, il fermait les yeux sur ce genre de dérapages qui entretenaient dans la population la peur de déplaire aux nazis. Mais allez savoir si Franck ne ferait pas le délicat ?

À l'heure dite, celui-ci arriva à moto au quartier général de la Gestapo, Prinz-Albrecht-Strasse. Ils montèrent tous à bord de la camionnette de surveillance, au toit équipé d'une antenne rotative. Avec tout l'équipement radio qui s'y trouvait déjà, ils étaient un peu à l'étroit. Richter se mit au volant et ils parcoururent les rues de la ville. On était en début de soirée. C'était apparemment l'heure préférée des espions pour envoyer leurs messages à l'ennemi. Werner s'en étonna.

« C'est parce que la plupart d'entre eux ont un emploi régulier qui leur sert de couverture, expliqua Macke. Dans la journée, ils sont au bureau ou à l'usine.

— Évidemment, je n'y avais pas pensé. »

Macke s'inquiétait à l'idée d'être bredouille ce soir-là. Sa terreur, c'était d'être blâmé pour les revers qu'essuyait l'armée allemande en Russie. Il faisait de son mieux, mais le IIIe Reich ne récompensait pas les efforts.

Certains soirs, il arrivait que son unité ne capte aucun signal. D'autres fois, elle en captait deux ou trois, et il était obligé de faire un choix. Il était convaincu qu'il existait en ville plusieurs réseaux d'espionnage distincts, qui ignoraient tout les uns des autres. Il s'efforçait d'accomplir une mission impossible et avec des moyens insuffisants.

Ils étaient tout près de la Potzdamer Platz quand ils captèrent un signal. Macke en reconnut immédiatement le son caractéristique. « Un pianiste ! » s'écria-t-il, soulagé. Au moins, il aurait démontré à Werner que le matériel fonctionnait. Quelqu'un était en train d'envoyer des signaux à cinq chiffres, l'un après l'autre. « Les services secrets soviétiques utilisent un code où les lettres sont représentées par deux chiffres, expliqua Macke en s'adressant à Werner. Par exemple, 11 peut signifier A. Transmettre les nombres par groupes de cinq n'est qu'une convention d'usage. »

L'opérateur radio, un ingénieur électricien du nom de Mann, lut à haute voix une série de coordonnées. À l'aide d'une règle et d'un crayon, Wagner traça une ligne sur une carte. Richter embraya et redémarra.

Le pianiste émettait toujours, et ses bips résonnaient bruyamment dans la camionnette. « Salopard de communiste ! s'exclama Macke, laissant libre cours à sa haine. Un de ces jours, il se retrouvera dans notre sous-sol et il me suppliera de le laisser mourir pour abréger ses souffrances. »

En voyant Werner pâlir, Macke se dit qu'il n'avait pas l'habitude du travail de la police.

Le jeune homme se ressaisit rapidement. « Tel que vous le décrivez, le code soviétique n'a pas l'air bien difficile à décrypter, dit-il pensivement.

— C'est vrai ! approuva Macke, heureux que Werner ait compris aussi vite. Mais j'ai un peu simplifié les choses. Ils ont des "astuces". Après avoir codé son message sous forme d'une série de chiffres, le pianiste ajoute à plusieurs reprises un mot clé en dessous, par exemple Kurfürstendamm, et il code. Ensuite, il soustrait les seconds chiffres des premiers et il envoie le résultat.

— Presque impossible à déchiffrer si on ne connaît pas le mot clé !

— Exactement. »

Ils s'arrêtèrent à nouveau, près des ruines incendiées du Reichstag, pour tracer une autre ligne sur la carte. Les deux lignes se croisaient à Friedrichshain, à l'est du centre-ville.

Macke demanda au chauffeur de prendre en direction du nord-est, vers un point qui leur permettrait vraisemblablement de tracer une troisième ligne à partir d'un lieu différent. « L'expérience démontre qu'il vaut mieux prendre trois positions, expliqua Macke. Le matériel manque de précision. Plus on a de mesures, plus on réduit la marge d'erreur.

« — Vous arrivez chaque fois à attraper le pianiste ? demanda Werner.

— Oh non, loin de là ! C'est même rare. Souvent, c'est parce qu'on n'est pas assez rapides. Mais il peut aussi changer de fréquence au beau milieu de son message, et alors nous le perdons. Quelquefois, il interrompt sa transmission pour la reprendre ailleurs. Il peut aussi avoir des guetteurs qui le préviennent quand ils nous voient arriver. Du coup, il prend la fuite.

— Ça fait beaucoup d'obstacles.

— Oui, mais on finit toujours par les attraper, tôt ou tard. »

Richter coupa le moteur. Macke enregistra une troisième position. Les trois lignes de crayon sur la carte de Wagner formaient un petit triangle près de l'Ostbahnhof, la gare de l'Est. Le pianiste devait se trouver quelque part entre la ligne de chemin de fer et le canal.

Macke indiqua le lieu à Richter en ajoutant : « Fonce !! »

Macke remarqua que Werner était en nage. Il faisait un peu chaud dans la camionnette, indéniablement, mais surtout, le jeune lieutenant n'était pas habitué à l'action. Il apprenait ce qu'était la vie à la Gestapo. Une bonne chose, pensa Macke.

Richter suivit la Warschauerstrasse en direction du sud, traversa la voie ferrée et s'engagea dans un quartier industriel fait de hangars, de dépôts et de petites usines. Devant une des entrées de la gare, des soldats mettaient des bardas en tas. Sans doute embarquaient-ils pour le front de l'Est. Et pendant ce temps, tapi dans une cachette toute proche, un de leurs compatriotes cherchait à les trahir, songea Macke furieux.

Wagner désigna une rue étroite qui partait de la gare. « Il se trouve dans les premières centaines de mètres, mais je ne sais pas de quel côté. Si on se rapproche, il va nous voir.

— C'est bon, les gars. Vous connaissez la musique, dit Macke. Wagner et Richter, vous prenez le côté gauche, Schneider et moi, le droit. » Chacun d'eux s'empara d'une masse à long manche. « Suivez-moi, Franck. »

Il n'y avait pas grand-monde dans la rue : un homme en casquette d'ouvrier qui se hâtait vers la gare et une vieille en vêtements miteux qui allait probablement faire le ménage dans des bureaux. En apercevant la Gestapo, l'un et l'autre accélérèrent le pas, ne voulant pas attirer son attention.

L'équipe de Macke visita un à un chacun des immeubles. Ils

progressaient en se dépassant à tour de rôle. La plupart des bureaux étant fermés, ils devaient réveiller le gardien. Si celui-ci mettait plus d'une minute à arriver, ils enfonçaient la porte. Une fois à l'intérieur, ils visitaient rapidement les étages, vérifiant toutes les pièces.

Pas de pianiste dans le premier pâté de maisons.

Au fronton du premier immeuble à droite du pâté suivant, une vieille enseigne indiquait « Fourrures à la mode ». C'était un atelier de deux étages qui s'étirait sur toute la longueur de la rue transversale. Il avait l'air désaffecté, mais était muni d'une porte d'entrée blindée et de barreaux aux fenêtres, un dispositif de protection normal pour ce type d'établissement.

Cherchant comment y pénétrer, Macke entraîna Werner dans la rue perpendiculaire. L'immeuble voisin, endommagé par une bombe, tombait en ruine. Les gravats avaient été dégagés et il y avait un panneau écrit à la main : « Danger - Défense d'entrer ». Un fragment d'enseigne laissait supposer qu'à cet endroit s'élevait auparavant un entrepôt de meubles.

Ils franchirent l'amas de pierres et de poutres aussi vite qu'ils le pouvaient, tout en regardant où ils posaient les pieds. Un mur intact cachait l'arrière du bâtiment. Macke passa derrière et découvrit un trou qui permettait d'entrer dans l'atelier de fourrures.

Il était persuadé que le pianiste se trouvait à l'intérieur.

Il se faufila par la brèche, Werner sur ses talons.

Ils débouchèrent dans une salle déserte meublée d'un vieux bureau métallique sans sa chaise et d'un classeur sur le mur d'en face. Le calendrier accroché au mur datait de 1939, la dernière année sans doute où les Berlinoises avaient encore eu les moyens de s'offrir des vêtements aussi frivoles que des manteaux de fourrure.

Macke entendit des pas à l'étage.

Il sortit son pistolet.

Werner n'avait pas d'arme.

Ils ouvrirent la porte et s'engagèrent dans un couloir. Macke remarqua plusieurs portes ouvertes, un escalier qui montait à l'étage et, en dessous, une porte qui devait mener à la cave.

Se déplaçant sans bruit, Macke s'avança le long du couloir jusqu'au pied de l'escalier. Il vit que Werner gardait les yeux rivés sur la porte de la cave.

« J'ai cru entendre du bruit en bas. » Werner tourna la poignée. La porte était munie d'une serrure bon marché. Il recula et leva le pied droit.

« Non ! fit Macke.

— Si, si ! Je les entends ! » répliqua Werner et il enfonça la porte bruyamment.

L'écho résonna à travers tout l'atelier.

Werner se jeta en avant et disparut. Une lumière révéla un escalier en pierre. « Pas un geste ! hurla Werner. Vous êtes en état d'arrestation ! »

Macke descendit derrière lui.

Il arriva au sous-sol. Werner se trouvait au pied de l'escalier, apparemment déçu.

La pièce était vide.

Elle ne contenait que des tringles suspendues au plafond auxquelles on devait autrefois accrocher les manteaux, et un énorme rouleau de papier brun dans un coin, probablement destiné aux emballages. Pas l'ombre d'une radio ni d'un espion en train de transmettre un message à Moscou.

« Espèce d'imbécile ! » lâcha Macke à l'adresse de Werner.

Il pivota sur les talons et s'empressa de remonter au rez-de-chaussée, Werner courant à sa suite, puis ils grimpèrent à l'étage.

Des rangées de tables à ouvrage s'alignaient sous une verrière. Un grand nombre d'ouvrières avaient dû travailler sur des machines à coudre dans cet atelier maintenant désert.

Une porte vitrée menait à la sortie de secours, mais elle était fermée à clé. Macke regarda dehors. Personne.

Il rangea son arme et s'appuya à un établi, le souffle court.

Par terre, il remarqua des mégots récents, dont l'un portait des traces de rouge à lèvres. « Ils étaient ici ! s'exclama Macke en montrant le plancher. Avec votre raffut, vous leur avez donné l'alerte et ils se sont enfuis.

— Quelle maladresse ! Je suis désolé, je n'ai pas l'habitude de ce genre d'opération. »

Macke s'approcha de la fenêtre d'angle. En bas, dans la rue, un jeune homme et une femme s'éloignaient à grands pas. L'homme avait sous son bras un porte-documents en cuir fauve. Macke les vit s'engouffrer à l'intérieur de la gare.

« Merde ! s'exclama-t-il.

— Vous croyez vraiment que c'étaient des espions ? » demanda Werner en désignant le plancher. Macke aperçut un préservatif chiffonné. « Utilisé, mais vide, fit remarquer Werner. Je crois que nous les avons surpris en pleine action.

— Espérons que vous avez raison. »

6.

Joachim Koch avait promis d'apporter le plan de la bataille. Le jour dit, Carla n'alla pas à l'hôpital.

Elle aurait probablement pu assurer sa garde du matin et être rentrée à temps chez elle, mais ce « probablement » était trop incertain. Un grave incendie ou un accident de la route était toujours à craindre, ce qui l'aurait obligée à rester après son service pour faire face à l'afflux de blessés. Elle préféra donc ne pas sortir de chez elle de toute la journée.

En fin de compte, Maud n'avait pas eu à demander à Joachim d'apporter le plan. Il l'avait prévenue qu'il devait annuler sa leçon, puis, incapable de résister à la tentation de se faire valoir, il avait expliqué qu'il avait été chargé de porter une copie du plan à l'autre bout de la ville. « Arrêtez-vous donc en chemin pour prendre votre leçon », avait proposé Maud, et il avait accepté.

Le déjeuner se déroula dans une atmosphère tendue. Carla et Maud avalèrent un maigre potage de pois secs agrémenté d'un os de jambon. Carla ne chercha pas à savoir ce que sa mère avait fait, ou promis de faire, pour convaincre Koch. Peut-être lui avait-elle dit qu'il faisait de remarquables progrès au piano et ne pouvait pas se permettre de rater une leçon. Peut-être avait-elle laissé entendre qu'il devait occuper un poste bien subalterne pour être surveillé en permanence. Pareille remarque l'aurait certainement piqué à vif et incité à lui démontrer le contraire, car il aimait à se faire passer pour plus important qu'il n'était. Cependant, le stratagème le plus susceptible d'avoir réussi était évidemment celui auquel Carla s'interdisait de penser : le sexe. Sa mère faisait ouvertement du charme à Koch, et celui-ci réagissait à ses avances par une dévotion d'es-clave. Carla soupçonnait que c'était cette tentation irrésistible qui avait poussé Joachim à rester sourd à la voix de la raison qui lui enjoignait de ne pas être aussi stupide.

Mais peut-être se trompait-elle. Peut-être n'était-il pas du tout tombé dans le panneau. Dans ce cas, ce n'était pas avec une copie carbone du plan de bataille dans son sac qu'il se présenterait cet après-midi-là, mais avec une escouade de la Gestapo et une paire de menottes.

Carla chargea l'appareil photo et le rangea en même temps que les deux pellicules restantes dans le tiroir d'un buffet bas de la cuisine, sous des torchons. Ce meuble se trouvant à côté de la fenêtre, elle pourrait poser le document dessus pour le photographier à la lumière.

Elle n'avait pas la moindre idée de la façon dont ces photos parviendraient à Moscou. Frieda lui avait simplement juré que ce serait fait. Carla imaginait un représentant – en produits pharmaceutiques ou en bibles allemandes, par exemple – autorisé à vendre ses marchandises en Suisse et remettant discrètement ces films à un membre de l'ambassade soviétique à Berne.

L'après-midi n'en finissait pas. Maud alla se reposer dans sa chambre, Ada fit la lessive, Carla s'installa pour lire dans la salle à manger qui ne servait quasiment plus ces derniers temps. Elle était incapable de se concentrer. Les journaux ne racontaient que des mensonges. Elle aurait dû réviser ses cours pour son prochain examen d'infirmière, mais les termes médicaux dansaient devant ses yeux. Elle lut un vieil exemplaire d'*À l'ouest, rien de nouveau*, un roman allemand sur la Première Guerre mondiale qui avait connu un grand succès mais était désormais interdit, parce que les épreuves subies par les soldats y étaient décrites de manière trop réaliste. Elle se retrouva bientôt, le livre à la main, en train de contempler par la fenêtre les toits poussiéreux de la ville dans la chaleur du soleil de juin.

Il arriva enfin. Elle entendit des pas dans l'allée et bondit sur ses pieds pour jeter un coup d'œil au-dehors. Joachim Koch était seul, sans agents de la Gestapo, dans son uniforme bien repassé et ses bottes cirées, son visage de jeune premier plein d'impatience, comme un petit garçon arrivant à une fête d'anniversaire. Il portait en bandoulière sa sacoche en toile, comme d'habitude. Avait-il tenu parole ? Contenait-elle une copie du plan de l'opération Fall Blau ?

Il sonna.

À partir de cet instant, tout avait été soigneusement préparé entre la mère et la fille. Elles avaient décidé que ce n'était pas Carla qui ouvrirait la porte. Quelques instants plus tard, elle vit sa mère traverser le couloir dans une robe d'intérieur en soie mauve, chaussée de mules à talons, et se dit, honteuse et gênée, qu'elle ressemblait presque à une prostituée. Carla entendit ensuite la porte d'entrée s'ouvrir et se refermer. Suivirent un froufrou de soie et un échange de mots doux suggérant une étreinte. La robe mauve et l'uniforme kaki passèrent devant la porte de la salle à manger et disparurent au premier étage.

Maud devait en premier lieu s'assurer que Joachim avait bien le document. Elle le regarderait, ferait part au jeune homme de son admiration, puis le reposerait. Elle conduirait ensuite Joachim au piano et plus tard, sous quelque prétexte auquel Carla préférait ne pas songer, sa mère ferait passer le lieutenant du salon au cabinet de travail contigu, une pièce beaucoup plus intime avec ses rideaux rouges et son grand canapé un peu avachi. Dès qu'ils y seraient entrés, Maud donnerait le signal à Carla.

Comme il était difficile de prévoir avec précision l'enchaîne-ment de leurs faits et gestes, elles avaient imaginé plusieurs signaux ayant tous le même sens. Le plus simple consistait à faire claquer la double porte séparant le salon du cabinet de travail, mais Maud pouvait aussi appuyer sur le bouton de son-nette, vestige de l'ancien système permettant d'appeler les servi-teurs. Situé près de la cheminée, il déclenchait une sonnerie dans la cuisine. De toute façon, n'importe quel bruit ferait l'af-faire, avaient-elles décidé. En dernier ressort, Maud pourrait toujours renverser le buste en marbre de Goethe ou briser un vase « malencontreusement ».

Carla fit un pas dans le couloir et s'arrêta, les yeux levés vers le palier supérieur. Pas un bruit.

Elle alla jeter un œil dans la cuisine. Ada était en train de laver la marmite dans laquelle elle avait fait la soupe, la frottant avec une énergie qui révélait sa nervosité. Carla lui adressa un sourire qui se voulait encourageant. Elle aurait bien voulu, et Maud aussi, dissimuler toute cette affaire à Ada, non par manque de confiance – bien au contraire, car elle était une antinazie farouche – mais pour la protéger, car le seul fait d'en être informée faisait d'elle une complice et pouvait lui valoir le châtiment suprême. Mais elles partageaient une trop grande intimité avec Ada pour pouvoir lui cacher quoi que ce soit.

Carla perçut faiblement un rire léger qu'elle connaissait

bien : le rire artificiel de sa mère poussant à l'extrême son pouvoir de séduction.

Joachim avait-il le document, oui ou non ?

Une minute plus tard, quelques notes de piano parvinrent à leurs oreilles. C'était Joachim, sans aucun doute. «ABC, die Katze lief im Schnee». Une comptine à propos d'un chat dans la neige, que son père lui avait chantée des centaines de fois. À ce souvenir, sa gorge se noua. Comment les nazis osaient-ils jouer ces airs-là, alors que tant d'enfants étaient orphelins par leur faute ?

La mélodie s'interrompit brutalement. Que se passait-il ? Carla tendit l'oreille à l'affût du moindre bruit : voix, pas, n'importe quoi. Elle n'entendait rien.

Une minute s'écoula, une autre.

Il y avait sûrement un problème, mais lequel ?

Par la porte de la cuisine, elle regarda Ada. Celle-ci s'était arrêtée de récurer sa marmite et lui fit un geste de la main signifiant *Je n'y comprends rien.*

Carla décida d'en avoir le cœur net.

Elle gravit l'escalier, marchant sans bruit sur le tapis élimé, et s'avança jusqu'à la porte du salon.

Pas un bruit ne sortait de la pièce. Ni musique, ni voix, ni mouvement.

Elle tourna la poignée aussi doucement que possible.

Glissa un œil à l'intérieur. Personne. Elle entra et regarda autour d'elle. La pièce était déserte.

Pas trace de la sacoche en toile de Joachim.

Elle regarda la double porte qui menait au cabinet de travail. Un des battants était ouvert.

Carla traversa le salon sur la pointe des pieds. Il n'y avait pas de tapis, juste un parquet ciré, et on pouvait l'entendre. Mais il fallait qu'elle prenne ce risque.

Des murmures lui parvinrent à mesure qu'elle se rapprochait de la porte.

Arrivée sur le seuil, elle s'aplatit contre le mur et s'aventura à jeter un coup d'œil à l'intérieur.

Ils étaient debout, enlacés, et s'embrassaient. Dos à la porte, Joachim ne pouvait pas la voir. Maud avait dû veiller à ce qu'il se place ainsi. Sa mère interrompit alors ce baiser, regarda par-dessus l'épaule de Joachim et aperçut Carla. Elle retira sa main posée sur la nuque du jeune homme et pointa le doigt avec insistance.

Carla repéra la sacoche sur une chaise.

En un instant, elle comprit tout. Maud avait réussi à attirer Joachim dans le cabinet de travail, mais il ne leur avait pas facilité la tâche en laissant son sac dans le salon, comme prévu. Dans son inquiétude, il l'avait emporté avec lui.

Et Carla allait devoir le récupérer !

Le cœur battant, elle fit un pas à l'intérieur de la pièce.

Maud murmura : « Oh, oui, continuez, continuez... »

Joachim gémit : « Je vous aime, ma chérie. »

Carla fit encore deux pas, attrapa le sac, fit demi-tour et sortit silencieusement de la pièce.

Le sac était léger.

Elle retraversa le salon à la hâte, dévala l'escalier, le souffle court.

Dans la cuisine, elle posa le sac sur la table et en défit les attaches. Il contenait le numéro du jour de *Der Angriff*, un journal berlinois, un paquet de cigarettes Kamel tout neuf et une chemise en carton beige. Elle la sortit d'une main tremblante et l'ouvrit. C'était le carbone d'un document.

La première page portait en titre :

DIRECTIVE N° 41

La dernière portait une ligne en pointillés destinée à la signature. Cette ligne était vierge, parce qu'il s'agissait d'une copie, bien sûr. Mais le nom dactylographié en marge de ces points était : Adolf Hitler.

Entre ces deux pages, le plan de l'opération Fall Blau.

Carla éprouva un sentiment d'allégresse, qui se mêla à l'immense tension et la peur terrible de se faire prendre qui l'étreignaient déjà.

Elle plaça le document sur le buffet bas près de la fenêtre, en ouvrit vivement le tiroir et en sortit l'appareil Minox et les deux pellicules. Ayant positionné soigneusement les pages, elle entreprit de les photographier l'une après l'autre.

Cela ne lui prit pas longtemps, le dossier ne comptant que dix pages. Elle n'eut même pas besoin de recharger l'appareil. Fini ! Elle avait volé le plan de bataille.

Je l'ai fait pour toi, Vati.

Elle remit l'appareil à sa place, referma le tiroir, glissa le document dans sa chemise en carton et celle-ci dans la sacoche en toile qu'elle referma en prenant soin d'en attacher les sangles.

Le plus doucement possible, elle rapporta le sac à l'étage.

Au moment où elle se glissait dans le salon, elle entendit la voix de Maud, haute et claire comme si elle tenait à être entendue. Carla comprit tout de suite que sa mère cherchait à la mettre en garde. «Ne t'en fais pas, disait-elle. C'est parce que tu étais trop excité. Nous l'étions tous les deux!»

La voix de Joachim répondit, sourde, gênée : «Je m'en veux tellement. Vous n'avez fait que me toucher et tout était fini.»

Carla devina ce qui s'était passé. Elle n'en avait pas personnellement fait l'expérience mais les filles bavardaient, et les conversations entre infirmières pouvaient être assez crues. Joachim avait dû avoir une éjaculation précoce. Frieda lui avait dit que c'était arrivé à Heinrich plusieurs fois au tout début de leur liaison et qu'il en avait été très mortifié. Il s'en était cependant vite remis. C'était un signe de nervosité, lui avait expliqué Frieda.

La fin prématurée des étreintes de Maud et Joachim n'allait pas lui faciliter la tâche, se dit Carla. Joachim serait à présent plus vigilant, moins sourd et aveugle à ce qui se passait autour de lui. Qu'importe, Maud allait faire son possible pour que Joachim continue à tourner le dos à la porte. Si elle parvenait à se glisser dans la pièce juste une seconde et à reposer le sac sur la chaise sans se faire voir de Joachim, elles pourraient encore s'en sortir.

Le cœur battant, Carla traversa le salon et s'arrêta près de la porte ouverte.

Maud disait d'un ton rassurant : «C'est très fréquent, tu sais. Le corps s'impatiente, ce n'est rien.»

Carla glissa la tête dans l'embrasure de la porte. Le couple était toujours à la même place, debout, enlacé.

Apercevant Carla, Maud posa la main sur la joue du jeune homme, l'obligeant à garder les yeux posés sur elle. «Embrasse-moi encore, dis-moi que tu ne me détestes pas pour ce petit incident.»

Carla franchit le seuil.

Joachim dit alors : «J'ai envie d'une cigarette.»

Comme il se retournait, elle se hâta de reculer.

Elle resta près de la porte. Avait-il des cigarettes sur lui? Devrait-il prendre le paquet neuf dans sa sacoche?

La réponse lui parvint une seconde plus tard. «Où est ma sacoche?»

Le cœur de Carla s'arrêta de battre.

La voix de Maud lui parvint distinctement. «Tu l'as laissée au salon.

— Mais non!»

Carla traversa la pièce en toute hâte, laissant tomber le sac sur une chaise au passage. Arrivée sur le palier, elle s'arrêta, aux aguets.

Elle les entendit passer du cabinet de travail dans le grand salon.

«La voilà! Tu vois bien! s'écria Maud.

— Je ne l'avais pas laissée là, s'obstina Joachim. Je m'étais juré de ne pas la lâcher des yeux; le seul moment où je l'ai perdue de vue, c'est quand nous nous sommes embrassés.

— Mon chéri, tu es contrarié à cause de ce qui s'est passé. Essaie de te détendre.

— Quelqu'un est entré dans cette pièce pendant que j'avais la tête ailleurs.

— Voyons, c'est absurde!

— Pas du tout!

— Allons nous asseoir au piano, l'un à côté de l'autre, comme tu aimes le faire, suggéra-t-elle, avec une nuance d'affolement dans la voix.

— Qui d'autre y a-t-il dans la maison?»

Devinant la suite, Carla dévala l'escalier et fila dans la cuisine. Ada la regarda, apeurée, mais elle n'avait plus le temps de lui donner d'explication.

Les marches résonnaient déjà sous les bottes de Joachim.

Il surgit dans la cuisine, brandissant sa sacoche en toile. Il avait le visage déformé par la colère. Les yeux rivés sur Carla et Ada, il déclara: «L'une de vous deux a fouillé dans mon sac!

— Je ne vois pas ce qui vous permet de dire ça, Joachim», déclara Carla de sa voix la plus calme.

Maud apparut dans le dos du jeune homme. Elle passa devant lui. «Ada, s'il vous plaît, faites-nous donc du café, dit-elle d'une voix enjouée. Joachim, vous devriez vous asseoir un instant.»

Il l'ignora et promena lentement les yeux tout autour de la cuisine. Son regard s'illumina en se posant sur le buffet près de la fenêtre. Carla s'aperçut avec consternation qu'elle avait oublié de ranger les pellicules dans le tiroir, avec l'appareil photo.

«Mais ce sont des pellicules huit millimètres! s'écria Joachim. Vous avez un appareil photo miniature?»

Tout à coup, il n'avait plus rien d'un petit garçon.

«Ah bon, c'est ça! Je me demandais ce que ça pouvait bien être, s'écria Maud. C'est un autre élève qui les a oubliées, un officier de la Gestapo, en fait.»

L'improvisation était habile, mais Joachim ne s'y laissa pas prendre. «J'imagine qu'il a aussi laissé son appareil, n'est-ce pas?» Il ouvrit le tiroir.

Le petit appareil en acier chromé était là, posé sur un torchon blanc, aussi compromettant qu'une tache de sang.

Joachim demeura pétrifié. Peut-être ne s'était-il pas réellement cru victime de trahison jusqu'à ce moment-là; peut-être avait-il seulement cherché à compenser son échec sexuel en jouant les fanfarons; maintenant la vérité s'étalait sous ses yeux. Consterné, la main sur la poignée du tiroir, il fixait l'appareil photo comme s'il était hypnotisé. En ce bref instant, Carla comprit que tous les rêves d'amour du jeune homme venaient d'être profanés et que sa colère serait implacable.

Il releva enfin les yeux. Regardant les trois femmes qui l'entouraient, il s'arrêta sur Maud. «C'est vous! Vous m'avez trompé mais vous allez le payer cher.» Il saisit appareil et pellicules et les fourra dans sa poche. «Vous êtes en état d'arrestation, Frau von Ulrich.» Il marcha sur elle et la saisit par le bras. «Vous allez me suivre au siège de la Gestapo.»

Maud se dégagea et recula d'un pas.

Joachim leva le bras et la frappa de toutes ses forces. Il était grand, fort, jeune. Le coup atteignit Maud au visage et la fit tomber.

La dominant de toute sa taille, Joachim se mit à hurler : «Vous vous êtes moquée de moi! Vous m'avez menti et moi, je vous ai crue!» Il était au bord de l'hystérie. «La Gestapo nous torturera tous les deux, nous l'avons mérité!» Il se mit à bourrer Maud de coups de pied. Elle tenta de se soustraire à ses coups mais en fut empêchée par le fourneau. La botte droite du jeune homme s'enfonçait avec un bruit sourd dans ses côtes, ses cuisses, son ventre.

Ada se rua sur Joachim et lui griffa le visage. Il l'écarta du bras et recommença à frapper Maud du pied, à la tête maintenant.

Carla intervint.

Elle avait appris que le corps pouvait se remettre de bien des contusions, mais qu'une blessure à la tête risquait de provoquer des dégâts irréversibles. Ce ne fut qu'une pensée fugace et elle agit sans réfléchir. Elle attrapa la marmite qu'Ada avait posée sur la table de la cuisine après l'avoir si bien récurée. La tenant par les poignées, elle la leva aussi haut qu'elle le pouvait et l'abattit de toutes ses forces sur la tête de Joachim.

Il chancela, assommé.

Elle le frappa à nouveau, plus fort encore.

Il s'écroula, inconscient. Maud s'écarta au moment où le corps s'affalait par terre et s'assit contre le fourneau, les mains sur la poitrine.

Carla leva à nouveau la marmite.

« Non ! Arrête ! » hurla Maud.

Carla la reposa sur la table.

Joachim remua, essaya de se lever.

Ada empoigna alors la marmite et le frappa avec fureur. Carla essaya vainement de s'interposer. En proie à une rage folle, Ada continuait de taper sur la tête du jeune homme désormais évanoui, s'acharnant sur lui encore et encore jusqu'à ne plus avoir la force de soulever la marmite qui tomba par terre avec fracas.

Se redressant tant bien que mal sur les genoux, Maud regarda Joachim. Ses yeux fixes étaient grands ouverts et il avait le nez tordu. Son crâne semblait déformé et du sang coulait d'une de ses oreilles. Apparemment, il ne respirait plus.

Carla s'agenouilla près de lui et posa le bout des doigts sur le côté de son cou. « Il est mort, dit-elle. Mon Dieu, nous l'avons tué. »

Maud fondit en larmes : « Pauvre gosse, quel petit idiot !

— Qu'est-ce qu'on fait maintenant ? » demanda Ada, encore essoufflée.

Carla comprit alors qu'elles allaient devoir se débarrasser du corps.

Maud se releva péniblement, la joue gauche tuméfiée. « Bon sang, ça fait mal ! » gémit-elle en appuyant la main sur son flanc. Elle devait avoir une côte cassée, songea Carla.

« On pourrait le cacher dans le grenier, suggéra Ada en baissant les yeux sur Joachim.

— Jusqu'à ce que les voisins se plaignent de l'odeur ! répliqua Carla.

— Alors, enterrons-le dans le jardin.

— Et que diront les gens en voyant trois femmes creuser un trou de deux mètres de long dans le jardin d'une maison berlinoise ? Que nous cherchons de l'or ?

— Il n'y a qu'à creuser de nuit.

— Tu crois que ça aurait l'air moins suspect ? »

Ada se gratta la tête.

« Il va falloir le sortir d'ici et le balancer dans un parc ou un canal, dit Carla.

— Mais comment allons-nous le porter ? demanda Ada.

— Il n'est pas bien lourd, remarqua Maud tristement. Si mince et si fort en même temps.

— Le problème, ce n'est pas le poids. À nous deux, Ada et moi, on arrivera bien à le porter. Le problème, c'est de le faire sans éveiller les soupçons.

— Si seulement on avait une voiture », soupira Maud.

Carla secoua la tête. « De toute façon, il n'y a plus d'essence. »

Le silence s'installa. Dehors la nuit tombait. Ada entoura la tête de Joachim d'une serviette pour que le sang ne tache pas le sol. Maud pleurait tout bas. Les larmes ruisselaient sur son visage crispé d'angoisse. Carla aurait bien voulu la réconforter mais il fallait d'abord régler ce problème.

« On pourrait le mettre dans une caisse », dit-elle.

À quoi Ada répondit : « La seule caisse de cette taille, c'est un cercueil.

— Et un meuble ? Un buffet ?

— Trop lourd... Il y aurait bien la penderie de ma chambre, reprit Ada après un moment de réflexion. Elle n'est pas très lourde. »

Carla approuva un peu gênée : il y avait effectivement dans la chambre d'Ada une petite penderie en bois blanc, légère car une domestique n'était pas censée posséder une vaste garde-robe et n'avait pas besoin d'une armoire en acajou. « Allons la chercher », approuva-t-elle.

Au début, Ada avait logé au sous-sol, mais cette partie de la maison ayant été transformée en abri antiaérien, elle avait désormais une chambre à l'étage. Ada et Carla y montèrent.

Ada débarrassa l'armoire de tous ses vêtements. Elle n'en avait pas beaucoup : deux tenues de service, quelques robes, un manteau d'hiver, le tout très usé. Elle les déposa soigneusement sur son lit étroit.

Carla fit basculer l'armoire et la retint pendant qu'Ada la soulevait de l'autre côté. Elle n'était pas lourde mais encombrante, et il leur fallut un moment pour arriver à la faire passer par la porte et pour la descendre au rez-de-chaussée.

Enfin, elles la couchèrent sur le sol du vestibule et Carla ouvrit la porte. La penderie ressemblait maintenant à un cercueil muni d'un couvercle à charnières.

Carla retourna dans la cuisine et se pencha sur le corps. Elle retira de la poche d'uniforme l'appareil photo et les pellicules qu'elle rangea dans le tiroir du buffet.

Les deux femmes soulevèrent Joachim, Carla par les bras, Ada par les pieds, et le sortirent de la cuisine et le portèrent jusque dans l'entrée où elles l'allongèrent à l'intérieur de l'armoire. Ada réarrangea la serviette autour de la tête de Joachim, mais il ne saignait plus.

Fallait-il lui retirer son uniforme ? se demanda Carla. Cela rendrait l'identification plus difficile ; en revanche, elles auraient alors à faire disparaître ses habits en plus du corps. Mieux valait s'en abstenir.

Elle déposa la sacoche dans l'armoire avec le cadavre.

Elle ferma à clé la porte de la penderie pour s'assurer qu'elle ne s'ouvrirait pas en chemin et glissa la clé dans la poche de sa robe.

Elle gagna la salle à manger et regarda par la fenêtre. « Il commence à faire nuit. Tant mieux. »

Maud s'inquiéta : « Que penseront les gens ?

— Que nous déménageons un meuble. Pour le vendre, par exemple. Pour avoir de quoi acheter à manger.

— Deux femmes déménageant une armoire ?

— Ce n'est pas si rare, tu sais, maintenant que tant d'hommes sont sur le front, ou morts. Difficile de trouver un camion de déménagement, il n'y a même plus d'essence !

— Mais pourquoi déménager à la tombée de la nuit ? »

Carla ne put dissimuler son exaspération. « Je n'en sais rien, Mutti. Si on nous le demande, j'inventerai quelque chose. De toute façon, ce cadavre ne peut pas rester ici.

« — Quand on le retrouvera, on saura tout de suite qu'il a été assassiné. Il suffira d'examiner les blessures. »

Cette question inquiétait également Carla. « Que veux-tu qu'on y fasse ? répliqua-t-elle.

— La police voudra savoir où il est allé aujourd'hui.

— Il nous a bien dit qu'il n'avait parlé à personne de ses leçons de piano, il voulait faire la surprise à ses amis. Avec un peu de chance, personne ne sait qu'il est venu ici. » Autrement, c'est la mort pour nous trois ! songea Carla.

« Comment expliqueront-ils cet assassinat ?

— Est-ce qu'ils trouveront des traces de sperme dans son caleçon ? »

Maud se détourna, confuse. « Oui.

— Dans ce cas, ils imagineront une rencontre sexuelle qui a mal tourné. Peut-être avec un autre homme.

— Pourvu que tu aies raison. »

Carla était loin d'en être persuadée. Mais que faire ? « Le canal », dit-elle. Le corps remonterait à la surface et serait découvert tôt ou tard ; une enquête criminelle serait ouverte. Restait à espérer que cette enquête ne conduise pas jusqu'à elles.

Carla ouvrit la porte d'entrée.

Elle se plaça devant, légèrement sur la gauche de l'armoire, Ada derrière, sur la droite. Elles se baissèrent.

Ada, qui avait indéniablement plus l'habitude que ses employeuses de soulever de lourdes charges, lui conseilla : « Incline-la un peu et glisse tes mains dessous. »

Carla obtempéra.

« Maintenant, soulève de ton côté. »

Carla obéit.

Ada glissa elle aussi les mains sous l'armoire et dit : « Plie les genoux et prends la mesure de son poids avant de te relever. »

Elles soulevèrent l'armoire à hauteur de genoux. Ada se courba et la cala sur sa hanche, Carla l'imita.

Les deux femmes se redressèrent.

Elles descendirent ainsi les marches du perron, tout le poids de l'armoire reposant sur Carla, mais c'était supportable. Arrivées dans la rue, elles prirent la direction du canal, quelques rues plus loin.

Il faisait noir, la nuit était sans lune, mais de rares étoiles projetaient une faible lueur. Grâce au couvre-feu, il y avait peu de risque que quelqu'un les aperçoive en train de faire basculer l'armoire dans l'eau. L'inconvénient, c'était que Carla voyait à peine où elle posait les pieds. Elle était terrifiée à l'idée de trébucher, de tomber, et que la penderie se brise en mille morceaux, révélant son contenu : le cadavre d'un homme assassiné !

Une ambulance passa, ses phares masqués par des écrans ajourés. Elle se rendait probablement sur le lieu d'un accident. Les collisions étaient fréquentes pendant le couvre-feu. Ce qui voulait dire qu'il y aurait des voitures de police dans le voisinage.

Carla se remémora un célèbre assassinat commis au tout début du couvre-feu : un homme avait tué sa femme et enfermé son corps dans une valise qu'il avait transportée de nuit à travers toute la ville sur sa bicyclette, pour aller la jeter dans la Havel. La police se rappellerait-elle cette affaire en voyant quelqu'un transporter un objet encombrant ?

À l'instant précis où ce souvenir lui revenait, un véhicule de police les dépassa. Un policier regarda fixement les deux femmes chargées d'une armoire, mais la voiture ne s'arrêta pas.

La penderie commençait à peser. De plus, la nuit était chaude. Carla fut bientôt en nage. Le bois lui coupait les mains. Elle aurait dû mettre un mouchoir plié ou des gants.

Bifurquant dans une rue, elles se retrouvèrent sur les lieux de l'accident.

Un camion-remorque à huit roues chargé de bois était entré en collision de plein fouet avec une berline Mercedes qu'il avait gravement endommagée. La voiture de police et l'ambulance éclairaient le sinistre de leurs gyrophares. Dans un petit cercle de lumière, un groupe d'hommes entourait le véhicule. L'accident devait s'être produit quelques minutes auparavant, car trois personnes se trouvaient encore dans la Mercedes. Penché par la portière arrière, un ambulancier examinait probablement les blessés pour s'assurer qu'ils étaient transportables.

L'espace d'un instant, Carla se figea d'effroi et de culpabilité. Puis, comme personne ne prêtait attention à elle, à Ada ou à l'armoire qu'elles transportaient, elle se dit qu'elles n'avaient qu'à tourner les talons, revenir sur leurs pas et rejoindre le canal par un autre chemin.

Elle allait faire demi-tour quand un policier vigilant braqua sa torche sur elle.

Elle faillit lâcher l'armoire et s'enfuir à toutes jambes. Mais elle garda son sang-froid.

« Qu'est-ce que vous faites là ? demanda le policier.

— Nous déménageons une armoire, monsieur. » Retrouvant ses esprits, elle dissimula sa nervosité compromettante sous une curiosité macabre. « Qu'est-ce qui s'est passé ? demanda-t-elle. Il y a des morts ? »

Étant du métier, elle savait que secouristes et policiers détestaient ces manifestations de voyeurisme malsain. Comme prévu, le policier chercha à se débarrasser d'elle : « Dégagez, il n'y a rien à voir ! » et il lui tourna le dos, braquant sa torche sur la voiture accidentée.

Il rejoignit ses collègues au milieu de la rue. Il n'y avait plus qu'elles sur le trottoir et Carla décida finalement de continuer à avancer en direction des voitures accidentées.

Elle gardait les yeux rivés sur le groupe de secouristes dans le petit halo de lumière. Ils étaient concentrés sur leur tâche. Personne ne les remarqua quand elles dépassèrent la voiture.

Elle eut l'impression qu'elles mettaient une éternité à longer le camion et sa remorque. Quand elles arrivèrent enfin au bout, Carla eut une inspiration soudaine.

Elle s'arrêta.

« Qu'est-ce qui se passe ? murmura Ada.

— Par ici. » Carla descendit sur la chaussée, juste au niveau des roues arrière du camion. « Pose l'armoire. Sans faire de bruit ! » souffla-t-elle tout bas.

Elles déposèrent précautionneusement la penderie sur les pavés.

« Tu veux la laisser ici ? » chuchota Ada.

Carla sortit la clé de sa poche et la fit tourner dans la serrure de l'armoire. Puis elle releva les yeux : apparemment, les hommes étaient toujours autour de la voiture à six ou sept mètres, de l'autre côté du camion.

Elle ouvrit la porte de l'armoire.

Joachim Koch regardait droit devant lui sans voir, la tête enveloppée d'une serviette tachée de sang.

« Fais-le tomber, dit Carla. Près des roues ! » Elles inclinèrent la penderie. Le corps roula par terre et s'arrêta contre les pneus.

Carla ramassa la serviette pleine de sang et la jeta dans le meuble. Puis elle posa la sacoche en toile près du corps allongé, bien contente de s'en débarrasser. Ayant refermé l'armoire à clé, elles la soulevèrent à nouveau et repartirent.

Elle était nettement plus facile à transporter désormais.

Elles avaient parcouru une cinquantaine de mètres quand une voix s'éleva au loin dans le noir : « Oh, mon Dieu, une autre victime ! On dirait qu'un piéton s'est fait écraser. »

Carla et Ada tournèrent au coin de la rue et un sentiment de soulagement submergea Carla tel un raz de marée. Elle s'était débarrassée du cadavre ! Si elle parvenait à rentrer à la maison sans attirer l'attention, sans que personne ne vienne regarder à l'intérieur de l'armoire et ne remarque la serviette ensanglantée, alors elle serait sauvée. Il n'y aurait pas d'enquête pour meurtre, Joachim serait un piéton fauché par un camion pendant le couvre-feu. Car si les roues du camion l'avaient traîné sur cette chaussée pavée, il aurait très bien pu avoir des blessures identiques à celles qu'Ada lui avait infligées avec la marmite. Un médecin légiste expérimenté pourrait certainement voir la différence, mais qui songerait à réclamer une autopsie ?

Carla envisagea de se débarrasser de l'armoire, puis se ravisa. Même si on en retirait la serviette, le meuble était taché de sang, ce qui pourrait attirer l'attention de la police. Non, mieux valait la rapporter à la maison et la nettoyer à fond.

Elles regagnèrent la maison sans rencontrer personne.

Elles déposèrent la penderie dans l'entrée. Ada en sortit la serviette, la mit dans l'évier de la cuisine et fit couler de l'eau froide.

Carla éprouva un sentiment d'allégresse teinté de tristesse. Elle avait réussi à dérober le plan de bataille des nazis, mais avait tué un jeune homme, plus bête que méchant. Cette pensée continuerait à la tarauder pendant des jours, peut-être des années. Il lui faudrait longtemps pour voir clair dans ses sentiments. Pour le moment, elle était trop fatiguée.

Elle raconta à sa mère leur périple avec l'armoire. Maud avait la joue gauche tellement enflée que son œil était presque fermé. Elle tenait la main contre son flanc gauche comme pour tenter d'atténuer la douleur. Elle avait une mine épouvantable.

« Tu as été vraiment courageuse, Mutti. Je t'admire infiniment pour ce que tu as fait aujourd'hui.

— Eh bien moi, je ne me sens pas admirable du tout! soupira Maud d'une voix lasse. J'ai tellement honte, je me méprise.

— Parce que tu ne l'aimais pas?

— Non, parce que je l'aimais. »

XIV

1942 (III)

1.

Greg Pechkov obtint son diplôme de Harvard avec les félicitations du jury. Il aurait très bien pu poursuivre ses études et passer son doctorat de physique, ce qui lui aurait évité le service militaire. Mais il ne voulait pas être chercheur, il ambitionnait un autre type de pouvoir. La guerre finie, une carte d'ancien combattant serait un atout de taille pour une étoile montante de la politique. Il s'engagea donc dans l'armée.

Cela dit, il ne tenait pas vraiment à se battre.

Tout en suivant la guerre en Europe avec un intérêt accru, il faisait pression sur tous les gens qu'il connaissait à Washington – et ils étaient nombreux – pour obtenir un poste de bureau au ministère de la Guerre.

Le 28 juin, les Allemands avaient lancé leur offensive d'été. Ils avaient progressé vers l'est rapidement, sans rencontrer de véritable opposition jusqu'à la ville de Stalingrad, anciennement Tsaritsyne. Là, ils avaient été arrêtés par une farouche résistance. Maintenant, ils étaient dans l'impasse. Leurs lignes de ravitaillement étaient trop étirées, et il semblait de plus en plus évident que l'armée Rouge les avait attirés dans un guet-apens.

Greg venait de commencer sa formation militaire quand il fut convoqué chez le colonel. « L'Army Corps of Engineers, le Corps des ingénieurs de l'armée, réclame un jeune et brillant officier à Washington. Personnellement, je ne vous aurais jamais placé en tête de liste, malgré tous vos stages à Washington. Regardez-vous, vous n'êtes même pas foutu de garder votre uniforme propre ! Mais il se trouve que le travail en question requiert des connaissances en physique, et dans ce domaine, la concurrence est plutôt limitée.

— Je vous remercie, mon colonel.

— Vous feriez mieux d'éviter ce genre d'ironie avec votre nouveau supérieur, le colonel Groves. J'ai fait West Point avec lui. C'est le pire fils de pute que j'aie rencontré de ma vie, à l'armée comme dans le civil. Bonne chance. »

Greg appela Mike Penfold, au bureau de presse du Département d'État et apprit que jusqu'à récemment, Leslie Groves était responsable des travaux publics pour toute l'armée américaine. Il avait dirigé notamment la construction du nouvel état-major de l'armée à Washington, un immense complexe à cinq côtés qu'on commençait à appeler le Pentagone. Depuis, il avait été transféré sur un nouveau projet dont on ne savait pas grand-chose. Les uns disaient qu'il avait si souvent offusqué ses supérieurs qu'on avait fini par le rétrograder, d'autres que sa nouvelle affectation était encore plus importante, mais ultra-secrète. Tout le monde s'accordait cependant à dire que c'était un homme égoïste, arrogant et impitoyable.

« Est-ce que vraiment *tout le monde* le déteste ? demanda Greg.

— Oh, non, répondit Mike. Seulement ceux qui l'ont rencontré. »

C'est donc empli d'appréhension que le lieutenant Greg Pechkov se présenta dans le bureau de Groves, au New War Department Building, spectaculaire palais de style Art déco de couleur ocre clair, situé à l'angle de la 21ᵉ Rue et de Virginia Avenue. Il y apprit dans l'instant qu'il ferait partie d'un groupe baptisé Manhattan Engineer District. Sous ce vocable délibérément abscons de « secteur d'ingénierie de Manhattan » se cachait une équipe de chercheurs qui essayait d'inventer un nouveau type de bombe se servant d'uranium comme explosif.

Greg était intrigué. Il savait, pour avoir lu plusieurs articles sur le sujet dans diverses revues scientifiques, que l'U-235, l'isotope léger de l'uranium, renfermait une masse d'énergie phénoménale. Mais ces deux dernières années, aucune information nouvelle n'avait été publiée sur le sujet. Il comprenait à présent pourquoi.

Il apprit que le projet n'avançait pas assez vite au gré du président Roosevelt et que celui-ci avait nommé Groves à sa tête, pour lui donner un coup de fouet.

Greg prit ses fonctions six jours après la nomination de Groves. Sa première tâche consista à aider son nouveau chef à piquer des étoiles dans le col de sa chemise kaki : Groves venait d'être promu général de brigade. « C'est surtout pour impressionner tous ces chercheurs civils avec qui nous sommes obligés de travailler, grommela Groves. Je suis attendu chez le ministre de la Guerre dans dix minutes. Vous feriez bien de venir avec moi, ça vous mettra au parfum. »

Groves était un homme massif. Il devait peser dans les cent vingt, cent trente kilos pour un mètre quatre-vingts. Il portait son pantalon d'uniforme sanglé haut, et sa bedaine dessinait une grosse bosse sous son ceinturon. Il avait des cheveux châtains qui auraient pu friser s'il les avait laissés pousser un peu, le front étroit, les mâchoires épaisses et le menton carré. Sa petite moustache était presque invisible. C'était un homme dénué de séduction à tous points de vue, et Greg n'était pas enchanté de travailler sous ses ordres.

Groves et son entourage, Greg compris, sortirent du bâtiment et descendirent Virginia Avenue en direction du National Mall. En chemin, Groves dit à Greg : « On m'a donné ce poste en me disant que ça pouvait nous faire gagner la guerre. Je ne sais pas si c'est vrai, mais je compte bien faire comme si. Je vous conseille d'en faire autant.

— Oui, mon général. »

Le Pentagone n'étant pas encore achevé, le ministère de la Guerre occupait toujours le Munitions Building, un vieux bâtiment « provisoire » tout en longueur situé sur Constitution Avenue.

Le ministre de la Guerre, Henry Stimson, appartenait au parti républicain. Il avait été nommé par Roosevelt pour empêcher ce parti de compromettre l'effort de guerre en lui mettant des bâtons dans les roues au Congrès. À soixante-quinze ans, Stimson était un politicien chevronné, un vieux monsieur soigné à la moustache blanche et aux yeux gris pétillants d'intelligence.

Cette réunion étant des plus officielles, la salle grouillait de personnalités en uniforme, parmi lesquelles George Marshall, le chef d'état-major de l'armée. Quelque peu intimidé, Greg admira le calme imperturbable de Groves qui, la veille encore, n'était que simple colonel.

Celui-ci commença son discours en expliquant comment il

comptait imposer un minimum de discipline aux centaines de scientifiques civils et dans les dizaines de laboratoires de physique impliqués dans le projet Manhattan. Il ne feignit pas un instant de s'en remettre aux sommités qui auraient pu se croire responsables de ce projet. Il exposa son programme sans s'embarrasser de formules de politesse telles que «avec votre permission» ou «si vous n'y voyez pas d'inconvénient». Au point que Greg se demanda s'il ne cherchait pas à se faire virer.

Greg apprenait tant d'informations nouvelles qu'il aurait volontiers pris des notes. Comme personne ne le faisait, il se dit que ce serait mal vu.

Quand Groves eut terminé son discours, quelqu'un demanda : «Si je ne me trompe, l'approvisionnement en uranium est un élément essentiel à la bonne marche du projet. En avons-nous suffisamment ?»

Groves répondit : «Un entrepôt de Staten Island abrite mille deux cent cinquante tonnes de pechblende. C'est le nom du minerai qui contient l'oxyde d'uranium.

— Dans ce cas, nous ferions bien d'en acheter un peu, reprit l'autre.

— J'ai acheté la totalité du stock vendredi dernier.

— Vendredi ? Au lendemain de votre nomination ?

— Oui. »

Le ministre de la Guerre réprima un sourire. Greg, tout d'abord effaré par l'arrogance de Groves, commença à admirer son sang-froid.

Un homme en tenue d'amiral prit la parole : «Quel est l'indice de priorité accordé à ce projet ? Vous devez régler cette question avec le War Production Board.

— J'ai vu Donald Nelson samedi dernier, amiral», dit Groves. C'était le responsable du Bureau de production de guerre, le WPB, dirigé par des civils. «Je lui ai demandé de le remonter d'un cran.

— Qu'a-t-il répondu ?

— Non.

— C'est un problème.

— Plus maintenant. Je lui ai dit que dans ce cas, je me verrais dans l'obligation de recommander au Président d'abandonner le projet Manhattan, parce que le War Production Board refusait de coopérer. Il nous a accordé un triple A.

— Bien », déclara le ministre de la Guerre.

Groves n'avait vraiment pas froid aux yeux, se dit Greg, de plus en plus impressionné.

Stimson intervint : «Dorénavant, vous serez placé sous le contrôle d'un comité qui en référera directement à moi. Neuf membres ont été proposés...

— Nom d'une pipe, pas question! coupa Groves.

— Pardon?» demanda le ministre de la Guerre.

Cette fois, Groves était vraiment allé trop loin, songea Greg. Son chef continuait pourtant : «Je ne peux pas être sous les ordres d'un comité de neuf membres, monsieur le Ministre. Je les aurais continuellement sur le dos.»

Stimson sourit. Il avait trop d'expérience pour s'offusquer de ce genre de discours, semblait-il. Il dit avec douceur : «Quel nombre proposez-vous, général?»

De toute évidence, Groves aurait volontiers répondu : «Zéro», mais la réponse qui sortit de ses lèvres fut : «Trois, ce serait parfait» et, à la stupéfaction de Greg, le ministre de la Guerre déclara : «Très bien. Autre chose?

— Pour l'usine d'enrichissement d'uranium et les installations annexes, nous allons avoir besoin d'un site très étendu. Environ trente mille hectares, je dirais. Il y a un endroit qui conviendrait. Oak Ridge, dans le Tennessee. C'est une vallée encaissée. En cas d'accident, l'explosion serait limitée.

— En cas d'accident? intervint l'amiral. Pareille éventualité est-elle probable?»

Groves ne chercha pas à dissimuler qu'il trouvait la question stupide. «De quoi parle-t-on, nom de Dieu? Il s'agit de fabriquer une bombe expérimentale! Une bombe si puissante qu'elle pourrait rayer de la carte une ville de taille moyenne en un clin d'œil. Il faudrait être franchement crétin pour ne pas envisager cette éventualité!»

L'amiral fit mine de protester, mais Stimson lui coupa l'herbe sous le pied : «Continuez, général.

— Les terrains sont bon marché dans le Tennessee, reprit Groves. L'électricité aussi. Notre usine va avoir besoin de quantités d'énergie considérables.

— Vous proposez donc d'acheter ce terrain.

— Je me propose d'aller le voir aujourd'hui même, répliqua Groves en regardant sa montre. En fait, il faut que je parte tout de suite si je ne veux pas rater mon train pour Knoxville.» Il se leva. «Si vous voulez bien m'excuser, messieurs, je n'ai pas de temps à perdre.»

L'assistance resta bouche bée et Stimson lui-même eut l'air ébahi. Personne à Washington n'aurait imaginé quitter le bureau d'un ministre avant que celui-ci ne lève la séance. C'était là un manquement au protocole de taille. Mais Groves ne semblait guère s'en soucier.

Son culot paya.

«Très bien, déclara Stimson. Nous ne vous retenons pas.

— Je vous remercie, monsieur», répondit Groves, et il sortit.

Greg se précipita à sa suite.

2.

Avec ses grands yeux noirs et sa bouche large et sensuelle, Margaret Cowdry était la plus jolie de toutes les secrétaires civiles qui travaillaient au ministère de la Guerre. Il suffisait de l'apercevoir derrière sa machine à écrire et de la voir lever les yeux en souriant pour avoir l'impression d'être déjà en train de faire l'amour avec elle.

Son père s'était lancé dans la pâtisserie industrielle. «Les biscuits Cowdry sont aussi croustillants que ceux de Maman!» Margaret n'avait pas besoin de gagner sa vie, mais c'était sa manière de participer à l'effort de guerre. Avant de l'inviter à déjeuner, Greg lui fit discrètement savoir qu'il était lui aussi fils de millionnaire. En général, les riches héritières préféraient sortir avec des jeunes gens fortunés; au moins, elles savaient qu'ils ne couraient pas après leur argent.

C'était le mois d'octobre et il faisait froid. Margaret portait un élégant manteau bleu marine aux épaules rembourrées et cintré à la taille. Son béret assorti lui donnait un petit air militaire.

Ils se rendirent au Ritz-Carlton. Là, en entrant dans la salle à manger, Greg aperçut son père qui déjeunait avec Gladys Angelus. Il n'avait aucune envie de se joindre à eux. Il l'expliqua à Margaret, qui répondit : «Pas de problème. Allons à l'University Women's Club, c'est au coin de la rue. Je suis membre.»

Greg n'y était jamais allé. Pourtant il avait l'impression d'avoir déjà entendu parler de cet endroit. Mais où, cela lui échappait et il chassa cette pensée de son esprit.

Au club, Margaret retira son manteau et apparut dans une robe en cachemire bleu roi qui lui allait à ravir. Elle conserva son chapeau et ses gants, comme toute femme chic qui se respectait lors d'un déjeuner au restaurant.

Greg était toujours heureux de parader en public au bras d'une jolie fille. Il n'y avait qu'une poignée d'hommes dans la salle à manger de ce cercle féminin, mais tous l'envièrent. Greg ne l'aurait probablement jamais avoué, mais ces moments lui procuraient autant de plaisir que de coucher avec une femme.

Il commanda du vin que Margaret coupa d'eau minérale, à la mode française, en expliquant : «Je ne tiens pas à passer l'après-midi à corriger mes fautes de frappe. »

Il lui parla du général Groves. «C'est un bulldozer. À certains égards, c'est la copie de mon père, en plus mal habillé.

— Tout le monde le déteste, déclara Margaret.

— Il faut dire qu'il prend les gens à rebrousse-poil.

— Votre père est comme ça?

— Ça lui arrive. Mais en général, il préfère faire du charme.

— Le mien aussi! C'est peut-être un trait commun à tous les hommes qui réussissent dans la vie. »

Le repas ne s'éternisa pas. Dans tous les restaurants de Washington, le service s'était accéléré. La nation était en guerre, les gens étaient pressés de se remettre au travail.

Une serveuse leur apporta la carte des desserts. En levant les yeux, Greg eut la surprise de reconnaître Jacky Jakes. «Bonjour, Jacky!

— Salut, Greg, tu vas bien? répondit-elle avec une familiarité qui dissimulait sa nervosité. Qu'est-ce que tu deviens? »

Greg se rappela que le détective lui avait appris qu'elle travaillait à l'University Women's Club. Voilà comment il en avait entendu parler. «Je vais très bien. Et toi?

— En pleine forme.

— Rien de neuf? demanda-t-il, cherchant à savoir par ces mots si son père lui versait toujours une allocation.

— Pas grand-chose. »

Lev avait dû charger un avocat de s'occuper de cette affaire et l'avoir complètement oubliée, se dit Greg.

«Eh bien, tant mieux.

— Puis-je vous proposer un dessert? reprit Jacky, se rappelant ses fonctions.

— Oui, volontiers. »

Margaret commanda une salade de fruits, Greg une glace.

Quand Jacky s'éloigna, Margaret se tourna vers lui d'un air interrogateur : «Elle est très jolie...

— Oui, en effet.

— Elle ne porte pas d'alliance. »

Greg soupira. Les femmes étaient vraiment trop perspicaces. «Vous vous demandez comment je peux être l'ami d'une jolie serveuse noire qui n'est pas mariée? Autant vous dire la vérité. J'ai eu une aventure avec elle quand j'avais quinze ans. J'espère que ça ne vous choque pas.

— Bien sûr que si. Je suis outrée », fit-elle mi-figue, mi-raisin. Elle n'était pas véritablement scandalisée, il en était certain, mais peut-être ne voulait-elle pas lui donner l'impression de prendre ces choses-là à la légère, du moins lors d'un premier déjeuner.

Jacky apporta les desserts et leur demanda s'ils voulaient un café. Ils n'en avaient pas le temps, l'armée n'appréciait pas les longues pauses repas. Margaret demanda l'addition en expliquant : «Dans ce cercle, les invités ne sont pas autorisés à payer. »

Lorsque Jacky fut repartie, elle enchaîna : «Visiblement, vous éprouvez encore beaucoup de tendresse pour elle. Je trouve ça bien.

— Ah bon? s'étonna Greg. Je garde de bons souvenirs, c'est vrai. Ça ne me dérangerait pas de retrouver mes quinze ans.

— Pourtant, elle a peur de vous.

— Mais non!

— Si. Elle est terrifiée.

— Ça m'étonnerait.

— Vous pouvez me croire sur parole. Les hommes sont aveugles, mais les femmes voient très bien ces choses-là. »

Quand Jacky posa la note sur la table, Greg la dévisagea attentivement. Margaret avait raison : Jacky n'était pas rassurée. Chaque fois qu'elle le revoyait, elle devait se rappeler Joe Brekhounov et son rasoir.

Cela le mit en colère. Jacky avait quand même le droit de vivre en paix.

Il allait devoir s'occuper de ça.

Fine mouche, Margaret insista : «Je crois même que vous savez parfaitement de quoi elle a peur.

— De mon père. Il lui a fichu la trouille pour qu'elle me plaque. Il craignait que je veuille l'épouser.

— Votre père est-il effrayant?

— Il aime que les choses se passent comme il l'entend.

— Le mien est pareil. Doux comme un agneau jusqu'au moment où vous vous mettez en travers de sa route. Là, il devient carrément mauvais.

— Je suis tellement heureux que vous compreniez.»

Ils retournèrent à leur travail. La colère ne quitta pas Greg de tout l'après-midi. D'une façon ou d'une autre, la menace de son père continuait à peser sur Jacky comme une malédiction. Mais que pouvait-il faire?

Que ferait son père à sa place? se demanda-t-il. Oui, c'était la bonne façon d'aborder la question. Lev n'aurait qu'une idée en tête : parvenir à ses fins, coûte que coûte! Le général Groves ferait exactement pareil. Eh bien moi, aussi, se dit Greg. Tel père, tel fils!

Un semblant de plan commença à prendre forme dans son esprit.

Il passa l'après-midi à lire et à résumer un rapport provisoire du laboratoire de métallurgie de l'université de Chicago. Cette équipe de chercheurs comptait dans ses rangs Leo Szilard, celui qui, le premier, avait conçu l'idée de réaction nucléaire en chaîne. C'était un Juif hongrois qui avait fait ses études à l'université de Berlin jusqu'à la funeste année 1933. Il y avait aussi Enrico Fermi, un physicien italien dont la femme était juive et qui avait quitté son pays après la publication du «Manifeste de la race» de Mussolini. C'était lui qui dirigeait l'équipe de recherches de Chicago.

Greg se demanda si les fascistes avaient pris conscience qu'avec leur racisme, ils avaient eux-mêmes fourni à l'ennemi une manne de brillants savants.

Il comprit sans difficulté de quoi traitait ce rapport. Selon la théorie de Fermi et Szilard, quand un neutron heurtait un atome d'uranium, la collision pouvait engendrer deux neutrons, lesquels pouvaient à leur tour entrer en collision avec d'autres atomes d'uranium et produire alors quatre neutrons, puis huit, et ainsi de suite. Szilard avait donné à ce processus le nom de réaction en chaîne, une découverte absolument géniale.

Ainsi, une tonne d'uranium pouvait produire autant d'énergie que trois millions de tonnes de charbon. Théoriquement.

En pratique, cela n'avait encore jamais été démontré.

Fermi et son équipe travaillaient à la construction d'une pile à uranium à Stagg Field, un stade de football désaffecté appartenant à l'université de Chicago. Pour éviter tout risque d'explosion spontanée, ils avaient enfermé l'uranium dans du graphite, qui absorbait les neutrons et empêchait la réaction en chaîne. Leur objectif était d'augmenter la radioactivité très progressivement jusqu'au niveau où la quantité de neutrons créés serait supérieure à la quantité absorbée – prouvant ainsi la réalité de la réaction en chaîne –, et de l'interrompre immédiatement, avant que ladite réaction n'ait fait sauter la pile, le stade, le campus et très probablement la ville de Chicago tout entière.

Jusqu'à présent, ils n'avaient pas réussi.

Greg rédigea un résumé favorable de ce rapport et demanda à Margaret Cowdry de le taper immédiatement. Il le porta ensuite à Groves.

Le général lut le premier paragraphe et demanda : «Ça va marcher?

— Eh bien, mon général...

— C'est vous le scientifique, nom de Dieu! Alors, ça va marcher, oui ou non?

— Oui, mon général, ça va marcher, répondit Greg.

— Très bien», dit Groves, et il balança le dossier dans sa corbeille à papier.

De retour dans son bureau, Greg resta un long moment le regard rivé sur le tableau périodique des éléments accroché en face de lui. Il était presque sûr que la pile nucléaire fonctionnerait. Il l'était moins de réussir à convaincre son père de laisser Jacky tranquille.

Dès le départ, il avait résolu de régler le problème à la manière de Lev. Il en était maintenant aux détails pratiques. Il allait devoir jouer une petite pièce de théâtre.

Son plan prenait forme.

Mais aurait-il le courage d'affronter son père?

Il quitta son bureau à cinq heures.

Sur le chemin du retour, il s'arrêta chez un coiffeur pour acheter un rasoir, un instrument à lame escamotable comme les couteaux à cran d'arrêt. « Avec votre barbe, vous en serez bien plus satisfait que de votre rasoir de sécurité », lui dit le coiffeur.

Greg le réservait à un autre usage.

Il vivait dans la suite que son père louait à l'année au Ritz-Carlton. Lorsqu'il arriva à l'hôtel, il tomba sur Lev et Gladys qui prenaient des cocktails.

Sa première rencontre avec Gladys, sept ans auparavant, lui revint en mémoire. Elle était assise sur ce même canapé recouvert de soie jaune. Aujourd'hui, c'était une immense vedette. Lev l'avait imposée dans quantité de films honteusement va-t-en-guerre où elle défiait des nazis sardoniques, déjouait les plans pervers de Japonais sadiques et soignait des pilotes américains à la mâchoire carrée. Elle n'était plus aussi belle qu'à vingt ans, remarqua Greg. Son teint était moins lisse, ses cheveux moins flamboyants et elle portait un soutien-gorge, ce qu'elle n'aurait certainement pas fait autrefois. Cependant, elle avait toujours ces yeux d'un bleu profond, irrésistiblement aguicheurs.

Greg accepta un martini. Allait-il vraiment défier son père ? Il ne l'avait jamais fait au cours des sept années qui s'étaient écoulées depuis qu'il avait serré la main de Gladys pour la première fois. Peut-être le temps était-il venu ?

Je vais agir exactement comme il le ferait à ma place, pensa Greg.

Il sirota son cocktail et reposa le verre sur un guéridon aux pieds fuselés. Se tournant vers Gladys, il déclara comme si de rien n'était : « Quand j'avais quinze ans, mon père m'a présenté à une actrice qui s'appelait Jacky Jakes. »

Les yeux de Lev s'écarquillèrent.

« Je ne crois pas la connaître », répondit Gladys.

Greg sortit le rasoir de sa poche, sans l'ouvrir, le tenant dans sa main comme pour en sentir le poids. « Je suis tombé amoureux d'elle.

— Pourquoi est-ce que tu nous sors cette vieille histoire ? » intervint Lev.

Gladys perçut la tension entre le père et le fils et manifesta quelques signes d'inquiétude.

Greg poursuivit : « Mon père a eu peur que je l'épouse. »

Lev partit d'un rire moqueur. « Cette putain au rabais ?

— Parce que c'était une putain au rabais ? demanda Greg en fixant Gladys. Je croyais que c'était une actrice. »

Gladys rougit sous l'insulte à peine voilée.

Greg enchaîna : «Mon père lui a rendu visite, avec un de ses collaborateurs. Joe Brekhounov. Vous le connaissez, Gladys?

— Je ne crois pas.

— Vous avez de la chance. Joe possède un rasoir identique à celui-ci.» Greg fit jaillir du manche une lame étincelante et acérée.

Gladys retint son souffle.

Lev déclara : «À quoi tu joues, on peut savoir?

— Un instant, répliqua Greg. Gladys a envie d'entendre la fin de l'histoire.» Il lui sourit. Elle avait l'air terrifiée. Il poursuivit : «Mon père a dit à Jacky que si jamais elle me revoyait, Joe lui lacérerait le visage.»

Il agita juste un peu le rasoir. Gladys poussa un petit cri.

«Ça suffit maintenant!» lança Lev et il fit un pas vers Greg. Celui-ci brandit le rasoir. Lev se figea.

Oserait-il porter la main sur son père? Il n'en savait rien. Mais Lev non plus.

«Jacky vit toujours ici, poursuivit Greg. À Washington.

— Et tu as recommencé à la baiser? demanda son père crûment.

— Non. Je ne baise personne. Mais j'ai quelqu'un en vue. Margaret Cowdry.

— L'héritière des biscuits?

— Pourquoi? Tu veux que Joe lui fiche la trouille, à elle aussi?

— Ne sois pas ridicule!

— Jacky travaille comme serveuse maintenant. Elle n'a jamais obtenu le rôle qu'elle espérait. Il m'arrive de la croiser dans la rue. Aujourd'hui, au restaurant, c'est elle qui m'a servi. Chaque fois qu'elle me voit, elle a peur de Joe et de son rasoir.

— Elle est cinglée, déclara Lev. Jusqu'à ce que tu racontes tout ça, elle m'était complètement sortie de la tête.

— Je peux le lui dire? lança Greg. Il me semble qu'elle a le droit d'avoir la paix, après tout ce temps.

— Tu peux lui dire ce que tu veux. Pour moi, elle n'existe pas.

— Eh bien, c'est parfait. Elle sera ravie de le savoir.

— Et maintenant, remballe ton putain de rasoir!

— Une chose encore. Une mise en garde.

— Une mise en garde! s'écria Lev avec colère.

« — Si jamais il devait arriver quelque chose à Jacky... N'importe quoi... » Greg fit rouler la lame d'un côté puis de l'autre.

Lev jeta avec mépris : «Tu t'en prendras à Joe Brekhounov, c'est ça?

— Non.

— À moi?» insista Lev, avec un soupçon d'inquiétude.

Greg secoua la tête.

«À qui, alors, bon sang?»

Greg regarda Gladys.

L'actrice mit un instant à comprendre l'allusion. Elle se rejeta alors en arrière dans le canapé en soie jaune, les deux mains plaquées sur ses joues comme pour se protéger. Elle poussa un petit cri strident.

«Espèce de connard!» lança Lev.

Greg referma son rasoir et se leva. «C'est comme ça que tu aurais réglé la question, mon cher père.»

Sur ces mots, il sortit.

Il claqua la porte et s'appuya contre le mur. Il était aussi essoufflé qu'après une course à pied. De toute sa vie, il n'avait jamais eu aussi peur! En même temps, il éprouvait un sentiment de triomphe. Il avait tenu tête au vieux, il lui avait rendu la monnaie de sa pièce et l'avait même légèrement effrayé.

Tout en rangeant le rasoir dans sa poche, il se dirigea vers l'ascenseur. Il respirait plus librement. Il se retourna en direction du long couloir de l'hôtel, s'attendant vaguement à voir son père arriver en courant. Mais la porte de la suite ne s'ouvrit pas. Greg entra dans l'ascenseur et descendit au rez-de-chaussée.

Au bar de l'hôtel, il commanda un martini dry.

3.

Le dimanche suivant, Greg décida d'aller voir Jacky.

Il voulait lui annoncer la bonne nouvelle. Il se souvenait de l'adresse. C'était le seul renseignement qu'il ait jamais obtenu en recourant aux services d'un détective privé. À moins qu'elle n'ait déménagé, Jacky habitait de l'autre côté d'Union Station.

Il lui avait promis de ne jamais aller chez elle, mais il pouvait lui expliquer à présent que cette prudence n'était plus nécessaire.

Il s'y rendit en taxi. Tout en traversant la ville, il se réjouit de mettre un point final à cette aventure. Certes, il éprouvait toujours une certaine tendresse pour sa première maîtresse, mais ne voulait en aucune manière être mêlé à sa vie. Il serait soulagé de ne plus avoir ce poids sur la conscience. Au moins, la prochaine fois qu'il croiserait Jacky, elle n'aurait plus cet air terrifié. Ils pourraient se dire bonjour, bavarder un moment et s'en aller chacun de son côté.

Son taxi le conduisit dans un quartier pauvre de petites maisons sans étage aux jardinets entourés de grillage. Il se demanda comment elle vivait aujourd'hui. Que faisait-elle de ses soirées, qu'elle tenait tant à garder pour elle? Elle devait aller au cinéma avec des copines. Allait-elle applaudir les Redskins, l'équipe de football de Washington, ou voir des matchs de base-ball avec l'équipe des Nats? Quand il lui avait demandé si elle avait un petit ami, elle était restée dans le vague. Peut-être était-elle mariée et n'avait pas les moyens de s'offrir une alliance. Elle devait avoir désormais vingt-quatre ans. Si elle était à la recherche du prince charmant, elle l'avait certainement trouvé à l'heure qu'il était. Pourtant, elle n'avait pas parlé de mari. Le détective non plus.

Il régla la course. La voiture s'était arrêtée devant une petite maison proprette avec une cour en ciment égayée de pots de fleurs – plus soignée que ce à quoi il s'était attendu. Dès qu'il ouvrit le portillon, il entendit un chien aboyer. Rien d'étonnant à cela : une femme seule se sentait plus en sécurité avec un chien. Il avança jusqu'au perron et sonna. Les aboiements s'intensifièrent. Un gros chien, probablement...

Personne ne vint ouvrir.

Quand le chien se tut pour reprendre son souffle, Greg reconnut le silence caractéristique d'une maison déserte.

Il y avait un banc en bois sur le perron. Il s'y assit et attendit quelques minutes. Personne ne se montra, aucun voisin serviable ne vint lui annoncer que Jacky serait absente quelques minutes, toute la journée, ou deux semaines.

Il partit acheter l'édition du dimanche du *Washington Post* à quelques rues de là et revint le lire sur le banc. Le chien, qui sentait sa présence, continuait d'aboyer par intermittence. C'était le 1er novembre, et il faisait un temps hivernal. Sa capote vert olive et sa casquette d'uniforme étaient les bienvenues. Les élections de mi-mandat devaient avoir lieu le mardi suivant. À en croire le journal, les démocrates prendraient une déculottée à cause de Pearl Harbor. Cet événement avait transformé l'Amérique ; pourtant, se dit Greg avec étonnement, il ne remontait même pas à un an. Aujourd'hui, des Américains de son âge mouraient sur une île dont personne n'avait jamais entendu parler et qui avait pour nom Guadalcanal.

Entendant le portillon s'ouvrir, il releva les yeux.

Jacky ne le remarqua pas tout de suite, ce qui lui permit de l'observer un moment. Avec son manteau sombre un peu démodé et son chapeau en feutre uni, elle avait l'air tout à fait respectable. Elle tenait à la main un gros livre à couverture noire. S'il ne l'avait pas connue, Greg aurait pu croire qu'elle revenait de l'église.

Elle était accompagnée d'un petit garçon en manteau de tweed et casquette, qui la tenait par la main. Ce fut lui qui aperçut l'inconnu assis sur le banc.

« Regarde, Mommy, un soldat ! »

En reconnaissant Greg, Jacky porta la main à sa bouche.

Il se leva tandis qu'ils montaient les marches du perron. Un enfant ! Elle lui avait caché ça. Voilà pourquoi elle voulait être chez elle le soir. Cette pensée ne lui avait pas traversé l'esprit.

« Je t'avais dit de ne pas venir ici ! protesta-t-elle en mettant la clé dans la serrure.

— Je voulais t'annoncer que tu n'avais plus rien à redouter de mon père. Je ne savais pas que tu avais un fils. »

Elle entra dans la maison avec le petit garçon. Greg demeura sur le seuil, avec l'air d'attendre quelque chose. Le chien, un berger allemand, lui montra les crocs puis tourna la tête vers Jacky en quête d'instructions. La jeune femme jeta un regard noir à Greg, manifestement prête à lui claquer la porte au nez. Au bout d'un moment, elle laissa échapper un soupir exaspéré et tourna les talons, laissant la porte ouverte.

Greg entra. Il tendit sa main gauche au chien qui la renifla avec méfiance et voulut bien lui accorder une approbation provisoire. Greg suivit Jacky à la cuisine.

« C'est la Toussaint, remarqua Greg, c'est pour ça que tu es allée à l'église ? » Il n'était pas porté sur la religion mais avait dû apprendre les noms de toutes les fêtes chrétiennes quand il était au pensionnat.

«Nous y allons tous les dimanches, répondit-elle.

— Décidément, je vais de surprise en surprise!» murmura Greg.

Elle aida le garçonnet à retirer son manteau, le fit asseoir à table et lui servit un verre de jus d'orange. Greg prit place en face de lui. «Comment tu t'appelles?

— Georgy», répondit-il tout bas mais sans crainte. Ce n'était pas un timide, pensa Greg et il l'observa plus attentivement. L'enfant était aussi beau que sa mère. Il avait la même bouche en forme d'arc de Cupidon, mais le teint plus clair, café au lait, et les yeux verts, chose inhabituelle pour un Noir. Greg lui trouva quelque chose de Daisy, sa demi-sœur. De son côté, le petit garçon le dévisageait avec un regard intense, presque intimidant.

«Et quel âge as-tu, Georgy?» demanda Greg.

Il se tourna vers sa mère comme pour lui demander de l'aide. Elle jeta un regard bizarre à Greg et dit : «Il a six ans.

— Six ans! répéta Greg. Tu es un grand garçon, dis-moi! Mais...»

Une pensée venait de lui traverser l'esprit et il s'interrompit. Georgy était né six ans plus tôt... Son aventure avec Jacky remontait à sept ans. Il sentit son cœur flancher.

Il dévisagea Jacky. «Ne me dis pas...»

Elle hocha la tête.

«Il est né en 1936, déclara Greg.

— En mai, précisa-t-elle. Huit mois et demi après mon départ de Buffalo.

— Mon père est au courant?

— Tu penses bien que non! Ça lui aurait donné encore plus de pouvoir sur moi.»

Son hostilité avait disparu, laissant apparaître toute sa vulnérabilité. Dans ses yeux, il lut une supplique mais n'aurait su dire quelle en était le sens.

Il se remit à examiner Georgy. D'un œil neuf, cette fois : sa peau claire, ses yeux verts, cette étrange ressemblance avec Daisy. Serais-tu de moi? pensa-t-il. Est-ce possible?

Il connaissait déjà la réponse.

Une curieuse émotion l'envahit. Subitement, Georgy lui apparaissait dans toute sa fragilité, comme un enfant sans défense dans un monde cruel, un enfant dont il devait absolument s'occuper, sur lequel il devait veiller pour qu'il ne lui arrive jamais rien. Il mourait d'envie de le prendre dans ses bras, mais se retint, se rendant compte que cela risquait de l'effrayer.

Georgy reposa son jus d'orange. Il descendit de sa chaise et fit le tour de la table pour s'approcher de Greg. Avec un regard direct, il demanda : « Et toi, qui tu es ? »

Faites confiance aux enfants pour poser la question à laquelle il vous est le plus difficile de répondre, pensa Greg. Que dire ? La vérité était trop brutale pour un petit garçon de six ans. Je suis un ancien ami de ta mère, c'est tout, envisagea-t-il de répliquer. Je suis passé devant chez vous et je me suis dit que j'allais vous dire bonjour. C'est tout. On se reverra peut-être, mais ce n'est pas sûr.

Se tournant vers Jacky, il lut sur son visage une prière encore plus implorante. Il comprit ce qui la bouleversait : l'idée qu'il puisse rejeter Georgy.

« Je vais te dire quelque chose », répondit Greg. Il souleva le petit garçon et le posa sur ses genoux. « Et si tu m'appelais Oncle Greg ? »

4.

Greg grelottait sur le balcon réservé aux spectateurs d'une salle de squash non chauffée. C'était ici, sous la tribune ouest de ce stade désaffecté, en bordure du campus de l'université de Chicago, que Fermi et Szilard avaient construit leur pile atomique. Greg en était à la fois impressionné et effrayé.

La pile, un cube de briques grises qui montait jusqu'au plafond, se dressait juste devant le mur du fond qui portait encore les traces de centaines de balles de squash. Cette pile avait coûté un million de dollars et pouvait faire exploser toute la ville !

Le graphite était le matériau qu'on utilisait pour fabriquer les mines de crayons. L'horrible poussière qu'il dégageait recouvrait tout, sol et murs. Quiconque séjournait un moment dans cette salle en ressortait le visage aussi noir qu'un mineur. Toutes les blouses des chercheurs étaient maculées de crasse.

Le graphite n'était pas le matériau explosif, bien au

contraire. Il servait à faire baisser le taux de radioactivité. Certaines briques de la pile avaient quand même été percées de petits trous et bourrées d'oxyde d'uranium, le matériau qui émettait les neutrons. L'intérieur de la pile était traversé de dix canaux destinés à accueillir les barres de contrôle, des tiges de huit mètres de long, fabriquées en cadmium, un métal dont les propriétés d'absorption des neutrons étaient encore supérieures à celles du graphite. Pour le moment, ces barres de contrôle maintenaient le calme dans la pile. C'était quand on les retirerait qu'on commencerait à rigoler.

L'uranium émettait déjà ses radiations mortelles, mais le graphite et le cadmium les absorbaient encore. Les radiations étaient jaugées par une batterie de compteurs qui cliquetaient de façon menaçante et par un cylindre enregistreur à stylet qui, lui, par bonheur, était silencieux. Tous ces instruments de contrôle et de mesure disposés près de Greg étaient bien les seules choses à dégager un peu de chaleur.

Un vent violent et un froid glacial régnaient à Chicago en ce mercredi 2 décembre, date de la visite de Greg. Pour la première fois ce jour-là, on devait atteindre la masse critique. Greg avait fait le déplacement pour assister à l'expérience en lieu et place de son supérieur, et il expliquait gaiement à qui voulait l'entendre que le général Groves, craignant une explosion, avait préféré l'envoyer en première ligne. En réalité, il était chargé d'une mission pernicieuse : établir une première évaluation des chercheurs, afin de déterminer si certains d'entre eux représentaient un danger pour la sûreté du pays.

Ce projet Manhattan posait en effet un problème de sécurité cauchemardesque. Les plus grands savants étaient étrangers. Quant aux autres, de gauche pour la plupart, c'étaient soit des communistes, soit des libéraux frayant avec des communistes. Si l'on devait renvoyer tous les suspects, il ne resterait plus un chercheur, ou presque, sur le projet. Greg cherchait donc à repérer les plus dangereux.

Enrico Fermi avait environ quarante ans. De petite taille, chauve et doté d'un long nez, il supervisait cette expérience terrifiante en souriant d'un air débonnaire dans son élégant costume trois-pièces.

Il donna l'ordre de démarrer le processus en milieu de matinée, demandant à un technicien de retirer toutes les barres de contrôle de la pile sauf une. «Comment! Toutes les barres à la fois?» s'exclama Greg. La décision lui semblait terriblement précipitée.

«On l'a déjà fait la nuit dernière, répliqua le chercheur qui se trouvait à côté de lui, un certain Barney McHugh. Tout a très bien marché.

— Je suis ravi de l'apprendre», dit Greg.

Ce McHugh barbu et corpulent se trouvait tout en bas sur la liste des suspects qu'avait établie Greg. Il était américain de naissance et ne s'intéressait pas du tout à la politique. Le seul grief retenu contre lui était qu'il avait épousé une étrangère, une Anglaise en l'occurrence. Si ce n'était jamais bon signe, ce n'était pas non plus, en soi, une preuve de trahison.

Greg avait supposé qu'un mécanisme sophistiqué permettait d'insérer ou de retirer les barres de contrôle. Apparemment, les scientifiques se contentaient d'un système beaucoup plus simple : un technicien juché sur une échelle appuyée contre le flanc de la pile était chargé de les retirer à la main.

McHugh poursuivit sur le ton de la conversation : «Au départ, on avait prévu de mener l'expérience dans l'Argonne Forest.

— Où est-ce?

— À une trentaine de kilomètres au sud-ouest de Chicago. Un endroit assez isolé. Moins de victimes.»

Greg frissonna. «Qu'est-ce qui vous a fait changer d'avis et convaincus de transporter l'expérience ici, dans la 57ᵉ Rue?

— Les ouvriers qu'on avait embauchés se sont mis en grève. Alors on a dû construire ce foutu machin tout seuls, et on ne pouvait pas être trop loin de nos labos.

— Et vous avez donc pris le risque de tuer toute la population de Chicago.

— Ça ne devrait pas arriver.»

Jusque-là, Greg avait été du même avis. Mais à quelques mètres de la pile, il se sentait moins rassuré.

Fermi comparait les relevés de ses moniteurs à la grille de radiation qu'il avait établie d'après ses propres calculs pour chaque étape de l'expérience. Apparemment, la première phase s'était déroulée conformément à ses prévisions car il ordonna de retirer la dernière barre jusqu'à la moitié.

Des mesures de sécurité avaient été prévues. Une barre lestée était suspendue en l'air, prête à être insérée automatiquement dans la pile si la radiation atteignait un niveau trop élevé. En cas de pépin, une autre barre, identique, était accrochée par une corde à la balustrade du balcon. Un jeune physicien, manifestement conscient du ridicule de sa position, se tenait à côté, une hache à la main, prêt à trancher la corde qui la retenait. Enfin, trois autres chercheurs – «le commando suicide», comme ils se surnommaient – avaient pris place au ras du plafond sur la plate-forme du monte-charge utilisé pour la construction de la pile, munis de grands bidons remplis d'une solution de sulfate de cadmium à verser sur la pile, comme on éteint un feu de joie.

Greg savait que les générations de neutrons se multipliaient en un millième de seconde. Toutefois, Fermi avait fait valoir que pour certains neutrons, ça pouvait prendre plus longtemps, quelques secondes peut-être. S'il avait raison, tout irait bien. S'il se trompait, l'équipe aux bidons et le physicien à la hache seraient pulvérisés en un clin d'œil.

Greg nota que les cliquetis s'accéléraient. Il jeta un regard anxieux à Fermi, qui faisait des décomptes à l'aide une règle à calcul. Il avait l'air content. De toute façon, se dit Greg, s'il y a une catastrophe, elle se produira si rapidement qu'aucun d'entre nous ne s'en rendra compte.

La cadence des cliquetis se stabilisa. Fermi sourit et ordonna de dégager la barre de quinze centimètres de plus.

D'autres chercheurs arrivèrent, gravissant l'escalier menant au balcon, vêtus de gros manteaux d'hiver, de chapeaux, d'écharpes et de gants. Greg fut consterné par l'indigence des mesures de sécurité. Personne ne demanda leurs papiers à ces hommes, dont n'importe lequel aurait parfaitement pu être un espion à la solde des Japonais.

Parmi eux, il reconnut la haute et solide silhouette de Szilard, son visage rond et ses épais cheveux bouclés. Leo Szilard était un idéaliste qui avait rêvé de voir l'énergie nucléaire libérer la race humaine du fardeau du travail. C'était d'un cœur lourd qu'il avait rejoint une équipe chargée de concevoir une bombe atomique.

Encore quinze centimètres. La cadence des cliquetis augmenta.

Greg regarda sa montre. Onze heures et demie.

Soudain, un grand fracas retentit. Tout le monde sursauta. McHugh s'écria : «Et merde!

— Que se passe-t-il? s'inquiéta Greg.

« — Oh, je vois ! soupira McHugh. C'est simplement la barre de contrôle de secours ! Le taux de radiation a dû déclencher le système de sécurité. »

Fermi annonça avec un fort accent italien : « J'ai faim. Allons déjeuner. »

Comment pouvait-on penser à manger en pareil instant ! s'étonna Greg en son for intérieur. Mais personne ne discuta. « On ne sait jamais combien de temps peut prendre une expérience, lui expliqua McHugh. Une heure ou la journée entière. Il vaut mieux manger quand on peut. » Greg en aurait hurlé d'exaspération.

Toutes les barres de contrôle furent réinsérées dans la pile et soigneusement assujetties, et tout le monde quitta les lieux.

Ils se retrouvèrent presque tous à la cantine du campus. Greg choisit un sandwich jambon-fromage grillé et s'assit pour le manger à côté d'un physicien à l'air grave, du nom de Wilhelm Frunze. La majorité des chercheurs s'habillaient n'importe comment, mais ce Frunze battait des records dans son costume vert orné d'innombrables parements en cuir fauve : aux boutonnières, au revers du col, aux coudes et jusque sur les rabats des poches. Cet Allemand qui s'était installé à Londres au milieu des années 1930, occupait une des toutes premières places sur la liste des suspects de Greg. Antinazi, il n'était pas communiste mais social-démocrate. Il avait épousé une Américaine, une artiste. En bavardant avec lui pendant le déjeuner, Greg ne vit aucune raison de le soupçonner. Apparemment, il appréciait la vie en Amérique et s'intéressait à peu de choses en dehors de son travail. Mais avec ces étrangers, il était bien difficile de savoir envers qui finalement ils étaient loyaux.

De retour dans le stade abandonné après le déjeuner, face à ces gradins déserts, Greg se mit à penser à Georgy. Il n'avait confié à personne qu'il avait un fils, pas même à Margaret Cowdry avec qui il entretenait désormais de délicieuses relations charnelles. Il avait terriblement envie d'en parler à sa mère. Il éprouvait une étrange fierté, alors qu'il n'avait rien fait pour mettre Georgy au monde, sinon coucher avec Jacky. Ce qui était sans doute une des choses les plus faciles qu'il ait jamais faites. Il n'en était pas moins fou de joie. Il était au seuil d'une sorte d'aventure : Georgy grandirait, s'instruirait, changerait, et deviendrait un homme un jour et Greg suivrait toutes ces étapes, émerveillé.

Les chercheurs se rassemblèrent à deux heures. À présent, il y avait bien une quarantaine de personnes sur ce balcon où étaient installés les appareils de mesure. L'expérience reprit exactement là où ils l'avaient laissée, Fermi vérifiant constamment ses instruments. « Cette fois, on retire la barre de trente centimètres », annonça-t-il.

Les cliquetis s'accélérèrent. Greg s'attendait à ce que la cadence se stabilise, comme auparavant, mais ce fut le contraire qui se produisit : ils se firent de plus en plus rapides jusqu'à devenir un grondement continu.

Le niveau de radiations avait dépassé le maximum indiqué par les compteurs. Greg s'en rendit compte en voyant que tout le monde avait les yeux braqués sur le cylindre enregistreur. La graduation étant réglable, on la modifiait à mesure que le niveau montait, encore et encore.

Fermi leva la main. Tout le monde se tut. « La pile a dépassé le seuil critique », dit-il. Il sourit... et ne fit rien.

Greg faillit hurler : « Éteignez donc cette saloperie de machine ! » Mais Fermi, immobile et muet, observait le stylet avec une telle autorité que personne ne protesta. La réaction en chaîne se produisait, mais tout était sous contrôle. Il laissa l'expérience se poursuivre pendant une minute entière, puis une autre.

« Nom de Dieu ! » lâcha McHugh dans un murmure.

Greg n'avait aucune envie de mourir. Il voulait devenir sénateur. Il voulait coucher encore avec Margaret Cowdry. Il voulait voir Georgy entrer à l'université. Je n'en suis même pas à la moitié de ma vie, pensa-t-il.

Enfin Fermi ordonna de réinsérer les barres de contrôle.

Le bruit des compteurs redevint un cliquetis et ralentit peu à peu avant de s'arrêter enfin.

Greg recommença à respirer normalement.

McHugh ne se tenait plus de joie. « Ça y est ! On l'a prouvé ! La réaction en chaîne est une réalité !

— Et on peut la contrôler, ce qui est encore mieux ! renchérit Greg.

— Oui, c'est sans doute mieux. D'un point de vue pratique, s'entend. »

Greg sourit. C'était bien une remarque de scientifique ! À

Harvard, il avait eu le temps de les connaître! Pour eux, la réalité, c'était la théorie et le monde, un modèle plutôt imprécis.

Quelqu'un fit surgir une bouteille de vin italien entourée d'un panier d'osier ainsi que des gobelets en carton. Les chercheurs ne firent qu'y tremper les lèvres. Ces gens-là ne savaient pas faire la fête. Encore une raison qui avait dissuadé Greg d'embrasser une carrière scientifique.

Quelqu'un demanda à Fermi de signer le panier. Il s'exécuta et tous les autres l'imitèrent.

Les techniciens éteignirent les moniteurs, et tout le monde commença à s'éparpiller. Greg resta sur place, à observer ce qui se passait. Au bout d'un moment, il se retrouva seul sur le balcon en compagnie de Fermi et de Szilard. Il vit ces deux géants intellectuels – un grand costaud au visage rond et un petit homme à la stature d'elfe – se serrer la main, et l'image de Laurel et Hardy s'imposa à lui.

Puis il entendit Szilard s'exclamer : «Mon ami, je pense que ce jour est à marquer d'une pierre noire dans l'histoire de l'humanité.»

Greg se demanda ce qu'il voulait dire.

5.

Greg voulait que ses parents fassent bon accueil à Georgy.

Ce ne serait pas facile. Ils ne seraient certainement pas ravis qu'on leur ait caché pendant six ans qu'ils avaient un petit-fils. Ils seraient peut-être même furieux et risquaient de regarder Jacky de haut. Ils étaient pourtant mal placés pour jouer les moralisateurs, se dit Greg avec ironie, ayant eux-mêmes engendré un bâtard. Mais les gens n'étaient pas rationnels.

Greg était incapable de dire si le fait que Georgy fût noir pèserait pour beaucoup dans leur réaction. Ses parents étaient tolérants, il ne les avait jamais entendus proférer d'horreurs sur les nègres ou les youpins comme d'autres membres de leur génération. Mais de là à accueillir un Noir dans leur famille...

Devinant que la conversation serait plus difficile avec son père, Greg décida d'annoncer d'abord la nouvelle à sa mère.

Ayant obtenu une permission de quelques jours pour Noël, il

alla la voir à Buffalo. Marga possédait un grand appartement dans le plus bel immeuble de la ville. Elle y vivait seule la plupart du temps, mais avait une cuisinière, deux bonnes et un chauffeur, un coffre-fort rempli de bijoux et une garde-robe grande comme un garage pour deux voitures. Toutefois, elle n'avait pas de mari.

Lev était à Buffalo lui aussi, mais traditionnellement, c'était avec Olga qu'il passait le réveillon de Noël. Ils étaient toujours légalement mari et femme, même si Lev n'avait pas passé une nuit sous le toit de son épouse légitime depuis des années. Ils n'avaient que haine l'un pour l'autre, mais pour une raison quelconque continuaient à se voir une fois par an.

Ce soir-là, Greg et Marga dînèrent ensemble dans l'appartement. Il revêtit un smoking pour lui faire plaisir car elle disait souvent : «J'aime voir mes hommes sur leur trente et un.» Ils mangèrent de la soupe de poisson, du poulet rôti et de la tarte aux pêches, le dessert préféré de Greg quand il était enfant.

«J'ai une nouvelle à t'annoncer, Maman», lança-t-il pendant que la bonne versait le café. Il était dans ses petits souliers. Ce n'était pas pour lui qu'il avait peur mais pour Georgy, et il se demanda si le fait d'être parent ne consistait pas à s'inquiéter davantage pour autrui que pour soi-même.

«Une bonne nouvelle?»

Elle s'était un peu empâtée ces dernières années, mais était encore superbe à quarante-six ans. Si des fils d'argent parsemaient ses cheveux noirs, ils avaient été soigneusement camouflés par son coiffeur. Ce soir-là, elle portait une robe noire très sobre et un collier de diamants.

«Très bonne, mais un peu inattendue sans doute. Alors, s'il te plaît, ne monte pas sur tes grands chevaux.»

Elle haussa un sourcil, mais ne dit rien.

Il plongea la main dans la poche intérieure de son veston de smoking et en sortit une photo. Elle représentait Georgy juché sur un vélo rouge au guidon décoré d'un ruban. La roue arrière était munie de deux stabilisateurs. Le visage du petit garçon était tout illuminé de joie. Accroupi à côté de lui, Greg débordait de fierté.

Il tendit la photo à sa mère.

Elle l'examina d'un air pensif avant de déclarer : «Je suppose que c'est toi qui as offert cette bicyclette à ce petit garçon pour Noël.

— Oui. »

Elle releva les yeux. « Est-ce que tu es en train de me dire que tu as un fils ? »

Greg fit oui de la tête. « Il s'appelle Georgy.

— Tu es marié ?

— Non. »

Elle posa brutalement la photo sur la table. « Pour l'amour du ciel ! s'écria-t-elle avec colère. Mais qu'est-ce que vous avez, vous autres, les Pechkov ?

— Qu'est-ce qui te prend ? demanda Greg, consterné.

— Encore un enfant illégitime ! Encore une femme qui devra l'élever seule ! »

Il se rendit compte qu'elle se revoyait elle-même en Jacky. « Maman, j'avais quinze ans...

— Vous ne pouvez pas vous conduire normalement ? s'emporta-t-elle. Pour l'amour de Dieu, qu'y a-t-il de mal à avoir une famille normale ? »

Greg baissa les yeux. « Rien du tout. »

Il avait honte. Jusqu'à cet instant, il s'était considéré comme un acteur passif de ce drame, une victime même. Tout ce qui s'était passé avait été orchestré par son père et Jacky. À l'évidence, sa mère ne voyait pas les choses ainsi et il ne pouvait que lui donner raison. Il n'avait pas réfléchi à deux fois avant de coucher avec Jacky ; il ne l'avait pas interrogée quand elle lui avait dit d'un ton désinvolte qu'il n'avait pas à s'inquiéter de contraception ; et il n'avait pas affronté son père quand Jacky était partie. Il était très jeune, certes, mais assez âgé pour coucher avec elle. Assez âgé pour être responsable de ses actes et de leurs conséquences.

Sa mère fulminait toujours. « Ne me dis pas que tu as oublié que tu pleurnichais sans cesse quand tu étais petit : "Où il est mon papa ? Pourquoi est-ce qu'il ne dort pas ici ? Pourquoi est-ce qu'on ne peut pas aller avec lui chez Daisy ?" Et plus tard, toutes tes bagarres à l'école, quand les autres garçons te traitaient de bâtard. Et ta fureur quand tu n'as pas été accepté dans ce fichu Yacht-Club.

— Je m'en souviens, bien sûr ! »

Elle donna un coup de poing sur la table de sa main alourdie de bagues, faisant trembler les verres en cristal. « Alors, comment peux-tu imposer les mêmes tourments à un autre petit garçon ?

« — Il y a deux mois encore, j'ignorais tout de son existence. Papa a terrorisé sa mère pour qu'elle ne me donne plus signe de vie.

— Qui est-ce ?

— Elle s'appelle Jacky Jakes. Elle est serveuse. » Il sortit une deuxième photo.

Sa mère soupira. « Une jolie Noire. » Elle commençait à se calmer.

« Elle espérait être actrice, mais je crois qu'elle y a renoncé à cause de Georgy. »

Marga hocha la tête. « Un bébé ruine une carrière plus vite qu'une chaude-pisse. »

Sa mère croyait probablement qu'une actrice devait coucher avec les gens qu'il fallait pour obtenir des rôles. Qu'en savait-elle, d'abord ? Il se rappela alors qu'elle était chanteuse de cabaret à l'époque où son père l'avait rencontrée...

Il garda le silence, préférant ne pas s'engager sur cette voie.

Elle reprit : « Qu'est-ce que tu lui as offert pour Noël ?

— Une assurance médicale.

— C'est très bien. C'est mieux qu'un colifichet. »

Greg entendit des pas dans le vestibule. Son père était rentré. « Maman, tu voudras bien voir Jacky ? demanda-t-il précipitamment. Accepteras-tu Georgy comme ton petit-fils ? »

Elle porta la main à sa bouche. « Oh, mon Dieu, je suis grand-mère ! » Elle ne savait pas si elle devait s'en réjouir ou s'en offusquer.

Greg se pencha en avant. « Je ne veux pas que Papa le rejette. Je t'en prie ! »

Lev entra dans la salle à manger avant qu'elle n'ait eu le temps de lui répondre.

« Bonjour, mon chéri, dit Marga, comment s'est passée ta soirée ? »

Il s'assit à la table d'un air grincheux. « J'ai eu droit à la liste détaillée de tous mes défauts. Je suppose donc que c'est ce qu'on appelle une soirée fructueuse.

— Mon pauvre. Est-ce que tu as assez mangé, au moins ? Je peux te faire une omelette si tu veux.

— Côté nourriture, il n'y a rien à redire. »

Les photographies étaient toujours sur la table, mais Lev ne les avait pas encore remarquées.

La bonne entra. « Voulez-vous un café, monsieur ?

— Non, merci.

— Apportez la vodka, dit Marga. Peut-être monsieur aura-t-il envie d'un verre plus tard.

— Bien, madame.»

Voyant sa mère aussi attentive au confort et au plaisir de son père, Greg songea que cette sollicitude expliquait qu'il ait toujours préféré passer la nuit là plutôt que chez Olga.

La domestique apporta une bouteille et trois petits verres sur un plateau d'argent. Lev buvait toujours la vodka à la russe, pure et à température ambiante.

«Papa, commença Greg, tu connais Jacky Jakes...

— Encore elle? lança Lev irrité.

— Oui, il y a une chose que tu ne sais pas à son sujet.»

La phrase retint l'attention de Lev. Il détestait ignorer ce que d'autres savaient. «Quoi donc?

— Elle a un enfant.» Greg poussa les photographies à travers la table vernie.

«Il est de toi?

— Il a six ans. À ton avis?

— Elle a drôlement bien tenu sa langue.

— Tu l'avais terrorisée.

— Qu'est-ce qu'elle pensait que j'allais lui faire, à son moutard? Le passer à la broche et le bouffer?

— Je ne sais pas, Papa. Pour ce qui est de terrifier les gens, c'est toi l'expert.»

Lev lui jeta un regard dur. «Tu marches sur mes traces, on dirait.»

Il voulait parler de la scène du rasoir. Et Greg ne put s'empêcher de se dire que peut-être, en effet, il en avait pris de la graine.

«Je peux savoir pourquoi tu me montres ces photos? enchaîna Lev.

— Je me disais que tu serais peut-être content de savoir que tu as un petit-fils.

— D'une actrice de pacotille qui rêvait de piéger un type plein aux as!

— Chéri, je t'en prie! intervint Marga. Rappelle-toi! Moi aussi j'ai été une chanteuse de pacotille qui rêvait de piéger un type plein aux as.»

La fureur se peignit sur les traits de Lev et il jeta un regard noir à Marga. Puis son expression changea. «Tu sais quoi? Tu as raison. Qui suis-je pour juger Jacky Jakes, d'abord?»

Greg et Marga le regardèrent, abasourdis par cette soudaine humilité.

«Je suis comme elle après tout. Je n'étais qu'un voyou des bas quartiers de Saint-Pétersbourg avant d'épouser Olga Vialov, la fille de mon patron.»

Greg croisa le regard de sa mère qui esquissa un haussement d'épaules presque imperceptible, l'air de dire : «Avec lui, il faut s'attendre à tout.»

Lev baissa les yeux vers la photo. «À part la couleur, il me rappelle mon frère Grigori. Et moi qui croyais que tous ces négrillons avaient la même bouille! Pour une surprise, c'est une surprise.»

Greg retint son souffle. «Tu veux le voir, Papa? Tu m'accompagnerais pour faire la connaissance de ton petit-fils?

— Plutôt deux fois qu'une!» Lev déboucha la bouteille, remplit les trois verres de vodka et en tendit un à chacun. «Comment s'appelle-t-il, à propos?

— Georgy.»

Lev leva son verre. «À Georgy!»

Ils trinquèrent tous.

XV

1943 (I)

1.

Lloyd Williams fermait la marche derrière un groupe de fugitifs aux abois qui gravissaient un étroit sentier escarpé.

Son souffle était régulier. Il était rompu à cet exercice. Cela faisait plusieurs fois qu'il passait les Pyrénées. Il était chaussé d'espadrilles dont les semelles de corde qui lui assuraient une meilleure adhérence sur le terrain rocailleux et portait un lourd manteau au-dessus de son bleu de travail. Pour le moment, le soleil était chaud, mais plus tard, lorsque le soir tomberait et qu'ils prendraient de l'altitude, la température descendrait au-dessous de zéro.

Devant lui s'avançaient deux robustes chevaux, trois habitants de la région et huit rescapés débraillés et épuisés, tous chargés d'un lourd paquetage. Il y avait là trois aviateurs américains, survivants de l'équipage d'un bombardier B-24 Liberator abattu au-dessus de la Belgique, deux officiers britanniques évadés de l'Oflag 65, près de Strasbourg, auxquels s'ajoutaient un communiste tchèque, une violoniste juive et un énigmatique Anglais du nom de Watermill, probablement un espion.

Tous avaient fait un long chemin et subi quantité d'épreuves. Cette étape était la dernière de leur périple, la plus périlleuse aussi. S'ils se faisaient prendre, ils seraient soumis à des tortures qui les obligeraient à trahir les femmes et les hommes courageux qui les avaient aidés à arriver jusque-là.

Teresa ouvrait la marche. L'ascension était dure pour ceux qui n'avaient pas l'habitude, mais ils ne devaient pas traîner, de crainte de se faire repérer et, ainsi que Lloyd l'avait constaté, les réfugiés avaient moins tendance à lambiner lorsque c'était une femme, menue et jolie, qui les menait.

Le sentier cessa de monter au débouché d'une petite clairière. Soudain, une voix cria «Halte!» dans un français fortement teinté d'allemand.

La colonne se figea.

Deux soldats allemands surgirent de derrière un rocher. Chacun d'eux était armé d'une carabine Mauser à verrou, dont le magasin contenait cinq cartouches.

Instinctivement, Lloyd porta la main sur le Luger 9 mm chargé dissimulé dans la poche de son manteau.

Il était de plus en plus difficile de fuir l'Europe et sa tâche devenait sans cesse plus dangereuse. L'année précédente, les Allemands avaient occupé la moitié sud de la France sans tenir compte du gouvernement de Vichy, révélant aux yeux de tous le piètre simulacre qu'il avait toujours été. Les quinze kilomètres bordant la frontière espagnole avaient été décrétés zone interdite. Or, Lloyd et sa bande se trouvaient à présent justement dans ce secteur.

Teresa s'adressa aux soldats en français. «Bonjour, messieurs. Tout va comme vous voulez?» Lloyd, qui la connaissait bien, perçut un frémissement d'inquiétude dans sa voix, mais il espérait que les deux sentinelles ne le remarqueraient pas.

Les rangs de la police française comptaient quantité de fascistes et de rares communistes, mais aucun n'était zélé au point de traquer les réfugiés dans les cols glacials des Pyrénées. On ne pouvait pas en dire autant des Allemands. Ceux-ci avaient envoyé dans les villes frontalières des troupes chargées de patrouiller sur les sentiers que Lloyd et Teresa utilisaient pour franchir la frontière. Rien à voir avec les soldats d'élite dépêchés sur le front russe, qui avaient récemment dû capituler devant Stalingrad à l'issue de combats meurtriers. Il s'agissait le plus souvent de vieillards, d'adolescents et d'invalides. Mais ils n'en semblaient que plus décidés à prouver leur valeur. Contrairement aux Français, ils n'étaient pas du genre à fermer les yeux.

L'aîné des deux, un type à la moustache grise d'une maigreur cadavérique, demanda à Teresa : «Où allez-vous?

— À Lamont. Nous avons des provisions pour vos camarades et vous.»

Une unité allemande avait investi ce village de montagne

reculé, en chassant tous les habitants. Les soldats avaient ensuite pris conscience des difficultés d'approvisionnement et Teresa avait eu une idée de génie en décidant de leur livrer de la nourriture moyennant finances, ce qui lui permettait de circuler dans une zone théoriquement interdite.

Le soldat examina d'un œil soupçonneux les hommes lourdement chargés. «Toutes ces provisions sont pour les Allemands?

— J'espère bien, répliqua Teresa. Il n'y a personne d'autre à qui les vendre.» Elle sortit un feuillet de sa poche. «Voici notre laissez-passer, signé par le sergent Eisenstein.»

L'homme l'examina avec soin et le lui rendit. Puis il dévisagea le lieutenant-colonel Will Donelly, un pilote américain au visage rougeaud. «C'est un Français, lui?»

Lloyd serra la main sur la crosse de son pistolet.

L'aspect des fugitifs était parfois problématique. Dans cette partie de l'Europe, on trouvait surtout des hommes petits et noirauds, Français comme Espagnols. Et tout le monde était maigre. Lloyd et Teresa correspondaient tous deux à ce physique, ainsi que le Tchèque et la violoniste. Mais les Britanniques étaient blonds et pâles, les Américains immenses.

«Guillaume est né en Normandie, expliqua Teresa. Il a été nourri au beurre et à la crème fraîche!»

Le cadet des deux soldats, un jeune homme blafard portant des lunettes, lui adressa un sourire. Elle attirait toujours la sympathie. «Vous avez du vin? demanda-t-il.

— Bien sûr.»

Le visage des deux sentinelles s'épanouit.

«Vous en voulez un peu? demanda Teresa.

— C'est qu'il fait chaud en plein soleil», dit le plus âgé.

Lloyd ouvrit un panier porté par un des chevaux, en sortit quatre bouteilles de vin blanc du Roussillon et les tendit aux Allemands. Chacun en prit deux. Soudain, ce ne fut plus que sourires et poignées de main. «Passez, les amis», dit l'aîné.

Les fugitifs se remirent en marche. Lloyd n'avait pas eu vraiment peur qu'il y ait un problème, mais on n'était jamais sûr de rien et il était ravi d'avoir franchi cet obstacle.

Il leur fallut deux heures de plus pour rallier Lamont. Ce hameau misérable, composé d'une poignée de bâtisses et d'enclos à moutons déserts, était situé au bord d'un petit plateau où l'herbe printanière commençait tout juste à pousser. Lloyd avait pitié des gens qui avaient vécu là. Ils ne possédaient presque rien, et leurs maigres biens eux-mêmes leur avaient été confisqués.

Le petit groupe gagna la place du village et tous se défirent de leur paquetage en soupirant de soulagement. Ils étaient entourés de soldats allemands.

C'était le moment le plus risqué aux yeux de Lloyd.

Le sergent Eisenstein commandait une section d'une vingtaine d'hommes, qui les aidèrent tous à décharger les provisions : pain, saucisses, poisson frais, lait concentré, conserves. Les soldats étaient ravis d'avoir de quoi manger et de voir de nouvelles têtes. Ils tentèrent d'engager la conversation avec leurs bienfaiteurs.

Les fugitifs devaient en dire le moins possible. Le moindre faux pas aurait pu les trahir. Certains Allemands maîtrisaient suffisamment le français pour repérer un accent anglais ou américain. Et même ceux dont la prononciation était passable, comme Teresa et Lloyd, n'étaient pas à l'abri d'une faute de grammaire. Jamais un Français ne dirait *sur le table* au lieu de *sur la table*, par exemple.

Pour compenser, les Français du groupe se donnaient du mal pour faire preuve de volubilité. Chaque fois qu'un soldat s'adressait à un fugitif, l'un d'eux s'empressait de se mêler à la conversation.

Teresa présenta une facture au sergent, qui l'examina longuement avant de compter ses billets.

Enfin ils purent reprendre la route, leur cargaison livrée et le cœur léger.

Ils redescendirent vers la vallée sur sept ou huit cents mètres puis se séparèrent. Teresa poursuivit avec les Français et les chevaux. Lloyd et les fugitifs empruntèrent un sentier conduisant vers la montagne.

Les sentinelles qu'ils avaient croisées seraient sans doute trop éméchées pour se rendre compte qu'ils étaient moins nombreux au retour qu'à l'aller. Si elles posaient des questions, Teresa leur répondrait que quelques-uns de leurs compagnons jouaient aux cartes avec les soldats et redescendraient plus tard. Une fois que les sentinelles auraient été relevées, tout le monde aurait oublié ce détail.

Lloyd imposa à son petit groupe une marche forcée de deux heures, puis lui accorda une pause de dix minutes. Chacun des fugitifs s'était vu remettre une bouteille d'eau et des figues sèches. On les avait dissuadés d'emporter autre chose. Par expérience, Lloyd savait que les livres, l'argenterie, les bijoux et les disques auraient été jetés dans un ravin bien avant que les voyageurs épuisés n'aient franchi le col.

Le plus dur les attendait. À partir de là, il allait faire plus froid, plus sombre et le chemin serait plus rocailleux.

Juste avant les neiges éternelles, il leur conseilla de remplir leurs gourdes à un ruisseau limpide et glacial.

La nuit tomba, mais ils poursuivirent leur route. Il aurait été dangereux de les laisser dormir car ils risquaient de mourir de froid. Sous l'effet de la fatigue, ils ne cessaient de glisser et de trébucher sur les rochers gelés. Leur allure se ralentit, ce qui était inévitable. Lloyd devait les surveiller de près : celui qui s'écartait du groupe pouvait s'égarer, voire tomber dans une crevasse. Jusqu'à présent, il n'avait jamais eu de perte à déplorer.

La plupart des fugitifs étant des officiers, il n'était pas rare qu'ils contestent son autorité à cette étape du voyage, refusant tout net de poursuivre leur route. On l'avait promu au grade de commandant pour lui éviter ce genre de désagrément.

Au cœur de la nuit, alors que le moral de tous était au plus bas, Lloyd leur annonça : «Vous êtes en Espagne, en pays neutre!» et il eut droit à quelques vivats. En fait, il ignorait l'emplacement exact de la frontière et faisait toujours cette déclaration quand il estimait que ses protégés avaient besoin d'un coup de fouet.

L'aube leur redonna courage. Il y avait encore du chemin à faire, mais le sentier descendait et le soleil réchauffait leurs membres engourdis.

Au lever du jour, ils contournèrent un village surmonté d'une église couleur de poussière juché au sommet d'une colline. Un peu plus loin, ils trouvèrent une grange en bord de route. Elle abritait un camion Ford vert équipé d'une bâche crasseuse. Il était suffisamment spacieux pour que tous y prennent place. Il était conduit par le capitaine Silva, un quadragénaire anglais d'origine espagnole qui travaillait avec Lloyd.

À sa grande surprise, était également présent sur les lieux le commandant Lowther, le responsable de la formation des officiers de Renseignement à Tŷ Gwyn, qui avait semblé désapprouver son amitié avec Daisy – à moins qu'il n'ait été tout simplement jaloux.

Lloyd, qui savait que Lowthie était affecté à l'ambassade d'Angleterre à Madrid, se doutait qu'il travaillait pour le MI6, les services secrets, mais jamais il n'aurait imaginé le croiser aussi loin de la capitale.

Lowther était vêtu d'un coûteux costume de flanelle blanc froissé et sali. Il se tenait campé près du camion avec des airs de propriétaire. «À partir d'ici, c'est moi qui prends les choses en main, Williams.» Il examina les fugitifs. «Lequel d'entre vous est Watermill?»

Il pouvait s'agir d'un patronyme aussi bien que d'un nom de code.

Le mystérieux Anglais s'avança d'un pas et lui serra la main.

«Commandant Lowther. Je vous conduis directement à Madrid.» Se tournant vers Lloyd, il ajouta : «J'ai bien peur que votre groupe ne doive se diriger vers la gare la plus proche.

— Un instant, fit Lloyd. Ce camion appartient à mon réseau.» Il l'avait acheté avec les fonds fournis par le MI9, le service chargé d'aider les prisonniers évadés. «Et son chauffeur travaille pour moi.

— J'en suis navré, répliqua sèchement Lowther, mais Watermill est prioritaire.»

Les agents des services secrets se considéraient toujours comme prioritaires. «Je proteste, insista Lloyd. Je ne vois pas pourquoi nous n'irions pas tous à Barcelone dans ce camion, comme prévu. Une fois là-bas, vous pourrez emmener Watermill à Madrid en train.

— Je ne vous ai pas demandé votre avis, mon petit gars. Faites ce qu'on vous dit.»

Watermill intervint d'une voix conciliante : «Je serais ravi de partager ce camion avec mes compagnons.

— Laissez-moi régler cette affaire, je vous prie, objecta Lowther.

— Tous ces gens viennent de franchir les Pyrénées à pied, expliqua Lloyd. Ils sont épuisés.

— Raison de plus pour qu'ils se reposent avant de poursuivre leur route.»

Lloyd secoua la tête. «C'est trop dangereux. Le maire de la ville la plus proche est de notre côté – c'est pour ça que nous avons choisi ce lieu comme point de chute. Mais un peu plus bas dans la vallée, c'est une autre histoire. La Gestapo est partout, vous le savez bien – et la plupart des gardes civils sont dans leur camp, pas dans le nôtre. Comme nous sommes entrés clandestinement en Espagne, nous sommes en danger. Et vous savez à quel point il est difficile de sortir des geôles de Franco, même si on est innocent.

— Je n'ai pas l'intention de perdre mon temps à discuter avec vous. Je vous rappelle que je suis votre supérieur hiérarchique.

— Absolument pas.

— Pardon?

— J'ai le grade de commandant. Et cessez de me donner du "mon petit gars" si vous ne voulez pas recevoir mon poing dans la gueule.

— Ma mission est urgente!

— Dans ce cas, pourquoi n'êtes-vous pas venu avec votre propre véhicule?

— Parce que celui-ci était disponible!

— Sauf qu'il ne l'est pas.»

Will Donelly, le grand Américain, s'avança d'un pas. «Je soutiens le commandant Williams, déclara-t-il d'une voix traînante. Il vient de me sauver la vie. Alors que vous, commandant Lowther, vous n'avez encore rien fait.

— Je ne vois pas le rapport, protesta Lowther.

— En ce qui me concerne, la situation est on ne peut plus claire, reprit Donelly. Ce camion est placé sous l'autorité du commandant Williams. Le commandant Lowther voudrait bien le réquisitionner, mais il ne peut pas. Point final.

— Ne vous mêlez pas de ça, gronda Lowther.

— Il se trouve que j'ai le grade de lieutenant-colonel, ce qui fait de moi votre supérieur à tous deux.

— Ce n'est pas de votre ressort.

— Pas plus que du vôtre, manifestement.» Donelly se tourna vers Lloyd. «On y va?

— J'insiste!» bafouilla Lowther.

Donelly se tourna vers lui. «Commandant Lowther, dit-il. Fermez votre gueule. C'est un ordre.

— Allez, tout le monde, dit Lloyd. Montez.»

Lowther le gratifia d'un regard furibond. «Tu me revaudras ça, sale petit bâtard gallois», dit-il.

2.

Les jonquilles fleurissaient à Londres le jour où Daisy et Boy allèrent passer leur visite médicale.

C'était Daisy qui avait eu cette idée. Elle en avait assez que Boy lui reproche son infécondité. Il ne cessait de la comparer à May, l'épouse de son frère Andy, qui avait déjà trois enfants. «Il y a sûrement quelque chose qui cloche chez toi, déclarait-il d'un ton agressif.

— J'ai déjà été enceinte.» Elle cilla au douloureux souvenir de sa fausse couche puis, se rappelant comment Lloyd avait pris soin d'elle, elle éprouva une autre sorte de souffrance.

«Peut-être est-il arrivé quelque chose qui t'a rendue stérile depuis, insista Boy.

— Ou bien c'est toi.

— Comment ça?

— C'est peut-être chez toi qu'il y a quelque chose qui ne va pas.

— Ne sois pas ridicule.

— Tiens, je te propose un marché.» L'espace d'un instant, elle songea qu'elle engageait une négociation un peu comme l'aurait fait son père Lev. «Je suis prête à subir un examen médical... à condition que tu en fasses autant.»

Il avait été surpris, et avait hésité avant de répondre : «Entendu. Vas-y d'abord. Si tu n'as rien, j'irai ensuite.

— Non, dit-elle. Toi d'abord.

— Pourquoi?

— Parce que je n'ai pas confiance en toi.

— Très bien. Nous irons ensemble.»

Daisy se demandait pourquoi elle se donnait tout ce mal. Elle n'aimait pas Boy – elle ne l'aimait plus depuis longtemps. L'homme qu'elle aimait était Lloyd Williams, parti en Espagne pour une mission dont il n'avait pas dit grand-chose. Mais elle était la femme de Boy. Ce dernier lui avait été infidèle, bien sûr, à plusieurs reprises. Mais elle avait commis l'adultère elle aussi, même si c'était avec un seul homme. Elle pouvait difficilement lui faire la morale, et se sentait pieds et poings liés. Si elle accomplissait son devoir d'épouse, se disait-elle, peut-être parviendrait-elle à conserver un peu d'estime pour elle-même.

Le cabinet médical se trouvait dans Harley Street, non loin de leur domicile mais dans un quartier moins huppé. Daisy trouva l'examen extrêmement déplaisant. Le médecin était un homme et il lui reprocha vertement ses dix minutes de retard. Il lui posa quantité de questions sur son état de santé, sur ses règles et ce qu'il appelait ses «rapports» avec son époux, sans la regarder dans les yeux mais en se concentrant sur les notes qu'il rédigeait avec son stylo à plume. Puis il lui inséra une série d'instruments métalliques et froids dans le vagin. «Je fais ça tous les jours, inutile de vous inquiéter», affirma-t-il, avant d'esquisser une grimace qui semblait prouver le contraire.

Lorsqu'elle regagna la salle d'attente, elle n'aurait pas été surprise de voir Boy trahir sa parole et refuser de subir l'examen. Mais il se leva, visiblement contrarié, et entra à son tour dans le cabinet.

En l'attendant, Daisy relut une lettre de Greg, son demi-frère. Il venait de découvrir qu'il avait un fils, fruit de ses amours avec une jeune Noire quand il avait quinze ans. Au grand étonnement de Daisy, ce play-boy de Greg était fou de joie et impatient de participer à la vie de son enfant, même si c'était officiellement en tant qu'oncle et non en tant que père. Plus surprenant encore, Lev avait fait la connaissance du petit et affirmait qu'il était drôlement malin.

Quel paradoxe, songea-t-elle : Greg avait un fils, alors qu'il n'en avait pas voulu, tandis que Boy, qui en désirait ardemment un, en était privé.

Une heure s'était écoulée lorsque Boy sortit du cabinet médical. Le docteur leur promit les résultats une semaine plus tard. Ils le quittèrent à midi.

«J'ai besoin d'un verre, déclara Boy.

— Moi aussi», approuva Daisy.

Ils passèrent en revue les rangées de maisons identiques bordant la chaussée. «Ce quartier est un désert. Pas un seul pub à l'horizon.

— Pas question que je mette les pieds dans un pub, dit Daisy. J'ai envie d'un martini et dans les pubs, personne ne sait les préparer.» Elle parlait d'expérience. Lorsqu'elle avait commandé un martini dry au King's Head de Chelsea, on lui avait servi un verre de vermouth tiède. «Emmène-moi au Claridge, s'il te plaît. À pied, on en a seulement pour cinq minutes.

— Ça, c'est ce que j'appelle une bonne idée.»

Ils retrouvèrent une foule de connaissances au bar du Claridge. En raison des restrictions, les menus proposés par les restaurants étaient soumis à des règles, mais le Claridge avait trouvé une astuce : les lois concernaient la *vente* de nourriture, donc l'établissement offrait un buffet gratuit, facturant simplement encore plus cher les boissons déjà hors de prix.

Assis à une des tables du bar, splendeur Art déco, Daisy et Boy sirotèrent des cocktails parfaits et Daisy commença à se sentir mieux.

«Le docteur m'a demandé si j'avais eu les oreillons, lui raconta Boy.

— Tu les as eus, effectivement.» C'était une maladie infantile, mais Boy l'avait contractée deux ans plus tôt. Affecté dans l'est du pays, il logeait chez un pasteur dont les trois fils en bas âge avaient attrapé les oreillons et l'avaient contaminé. L'épreuve avait été plutôt douloureuse. «Il t'a expliqué pourquoi il te posait cette question?

— Non. Tu sais comment sont les hommes de l'art. Motus et bouche cousue, c'est leur devise.»

Daisy songea qu'elle était bien moins insouciante que naguère. Quelques années plus tôt, jamais elle n'aurait broyé du noir à propos de son couple comme elle le faisait maintenant. À l'instar de Scarlett O'Hara dans *Autant en emporte le vent*, elle était du genre à se dire : «On verra demain.» Mais c'était fini désormais. Peut-être devenait-elle enfin adulte.

Boy commandait un second cocktail lorsque Daisy, en se tournant vers la porte, aperçut le marquis de Lowther qui faisait son entrée, vêtu d'un uniforme froissé et taché.

Daisy le détestait. Depuis qu'il avait deviné la nature de ses relations avec Lloyd, il la traitait avec une familiarité mielleuse, comme s'ils partageaient un secret qui faisait d'eux des intimes.

Il s'assit à leur table sans y avoir été invité, faisant choir les cendres de son cigare sur son pantalon kaki, et commanda un manhattan.

Daisy remarqua tout de suite qu'il ne mijotait rien de bon. Dans ses yeux luisait un éclat de joie malveillante que la perspective d'un bon cocktail ne suffisait pas à expliquer.

«Ça doit faire plus d'un an que je ne vous ai pas vu, Lowthie, dit Boy. Où étiez-vous passé?

— À Madrid, répondit Lowthie. Mais je ne peux pas t'en dire plus. Secret militaire et tout ça. Et toi?

— Je passe mes journées à former des pilotes, mais j'ai accompli moi-même quelques missions ces derniers temps, depuis qu'on a accéléré la fréquence des bombardements sur l'Allemagne.

— Excellente nouvelle. Au tour des Allemands de le sentir passer.

— Sans doute, mais beaucoup de pilotes sont mécontents.

— Ah bon? Pourquoi?

— Cette histoire d'objectifs militaires, c'est de la foutaise pure et simple. Bombarder les usines ne sert à rien, les Allemands les reconstruisent aussitôt. Alors nous visons les quartiers ouvriers. La main-d'œuvre est moins facile à remplacer.»

Lowther eut l'air choqué. «Autrement dit, nous avons pour politique de bombarder la population civile.

— Exactement.

— Pourtant, le gouvernement nous assure...

— Mensonges, coupa Boy. Les équipages l'ont compris. La plupart des hommes s'en fichent royalement, mais certains ont du mal à l'accepter. Selon eux, si nous estimons que cette tactique est justifiée, nous devrions le dire; et dans le cas contraire, nous devrions en changer.»

Lowther paraissait gêné. «Je ne sais pas s'il est bien raisonnable d'aborder ce genre de sujets ici.

— Vous avez sans doute raison.»

On leur servit de nouveaux cocktails. Lowther se tourna vers Daisy. «Et comment va la petite madame? demanda-t-il. Vous participez certainement à l'effort de guerre, vous aussi. Après tout, l'oisiveté est mère de tous les vices, comme dit le proverbe.»

Daisy répondit d'une voix neutre. «À présent que le Blitz est fini, on a moins besoin d'ambulancières, alors je travaille pour la Croix-Rouge américaine. Nous avons des bureaux dans Pall Mall. Nous essayons de venir en aide aux soldats américains affectés à Londres.

— Des hommes seuls, qui ont grand besoin de compagnie féminine, c'est ça?

— Ils ont surtout le mal du pays. Ça leur fait du bien d'entendre parler anglais avec l'accent américain.»

Lowthie esquissa un sourire salace. «Je suis sûr que vous êtes très douée pour les consoler.

— Je fais ce que je peux.

— Je n'en doute pas un instant.

— Dites donc, Lowthie, intervint Boy, vous n'auriez pas un peu trop bu, par hasard? Cette conversation me semble terriblement déplacée, vous savez.»

L'expression de Lowther se fit franchement venimeuse. «Allons, Boy, ne me dis pas que tu n'es pas au courant. Tu es aveugle, ou quoi?

— S'il te plaît, Boy, ramène-moi à la maison», supplia Daisy.

Mais Boy l'ignora et demanda à Lowther : «Que voulez-vous dire au juste?

— Tu devrais lui demander de te parler de Lloyd Williams.

— Qui diable est Lloyd Williams?

— Si tu ne veux pas m'emmener, intervint Daisy, je rentre seule.

— Tu connais un Lloyd Williams, Daisy?»

C'est ton frère, songea Daisy; et elle éprouva une envie presque irrépressible de lui révéler ce secret pour le simple plaisir de le désarçonner, mais elle résista à la tentation. «Tu le connais, toi aussi. Il était à Cambridge en même temps que toi. Il y a quelques années, il nous a emmenés dans un music-hall de l'East End.

— Ah oui!» se rappela Boy. Puis, toujours intrigué, il se tourna vers Lowther : «C'est de lui que vous parlez?» Il avait peine à considérer un homme tel que Lloyd comme un rival. De plus en plus incrédule, il insista : «Un type qui n'a même pas les moyens de se payer un habit de soirée à lui?

— Il y a trois ans, reprit Lowther, il faisait partie de mes élèves à Tŷ Gwyn, au moment où Daisy y résidait. À l'époque, si je me souviens bien, tu risquais ta vie aux commandes d'un Hawker Hurricane au-dessus de la France. Pendant ce temps, elle filait le parfait amour avec ce satané Gallois – dans ta demeure familiale, par-dessus le marché!»

Le visage de Boy vira à l'écarlate. «Si vous inventez ça de toutes pièces, Lowthie, je vous étrillerai, je vous le jure.

— Demande à ta femme!» répliqua Lowther avec un sourire suffisant.

Boy se tourna vers Daisy.

Elle n'avait pas couché avec Lloyd à Tŷ Gwyn. Ils s'étaient retrouvés dans son lit à lui, dans la maison de sa mère, pendant le Blitz. Mais elle ne pouvait pas le dire à Boy en présence de Lowther, et de toute façon, ce n'était qu'un détail. L'accusation d'adultère était fondée et elle ne comptait pas la nier. Le secret était révélé. L'important, désormais, c'était de conserver un semblant de dignité.

« Je te dirai tout ce que tu veux savoir, Boy – mais pas devant ce mufle concupiscent. »

Boy éleva la voix. « Ainsi, tu ne nies pas ? »

Les gens assis à la table voisine se tournèrent vers eux, l'air gêné, puis se concentrèrent sur leurs verres.

Daisy haussa le ton à son tour. « Je refuse de subir un interrogatoire au bar du Claridge.

— Donc, tu avoues ? » cria-t-il.

Le silence se fit dans la salle.

Daisy se leva. « Je n'avoue rien et je ne nie rien. Je te raconterai tout ce qu'il y a à raconter chez nous, en tête à tête, car c'est ainsi que les couples civilisés règlent ce genre de problème.

— Mon Dieu, tu as fait ça, tu as couché avec lui ! » rugit Boy.

Les garçons eux-mêmes avaient cessé de servir et s'étaient figés.

Daisy se dirigea vers la porte.

« Espèce de traînée ! » hurla Boy.

Daisy n'était pas disposée à lui laisser le dernier mot – surtout celui-là. Elle se retourna. « Il est vrai que tu t'y connais en matière de traînées. J'ai eu le malheur d'en rencontrer deux qui t'étaient particulièrement chères, tu te rappelles ? » Elle parcourut la salle du regard. « Joanie et Pearl, lança-t-elle avec dédain. Combien d'épouses auraient supporté cela ? » Et elle sortit sans lui laisser le temps de répliquer.

Elle monta dans un taxi qui attendait. Comme il démarrait, elle vit Boy sortir de l'hôtel et s'engouffrer dans le suivant.

Elle donna son adresse au chauffeur.

En un sens, cette révélation la soulageait. Mais elle était aussi infiniment triste. Quelque chose venait de prendre fin, elle le savait.

Leur maison était à cinq cents mètres à peine. Alors qu'elle arrivait, le taxi de Boy se gara derrière le sien.

Son mari la suivit dans le vestibule.

Elle ne pouvait plus habiter ici avec lui, comprit-elle. C'était fini. Plus jamais elle ne partagerait sa maison, ni son lit. «Apportez-moi une valise, s'il vous plaît, dit-elle au majordome.

— Bien, madame.»

Elle parcourut les lieux du regard. C'était une demeure du XVIIIe siècle, aux proportions parfaites, agrémentée d'un escalier aux courbes élégantes, mais elle ne regrettait pas vraiment de la quitter.

«Où vas-tu? demanda Boy.

— À l'hôtel, je suppose. Sans doute pas au Claridge.

— Pour retrouver ton amant!

— Non, il est sur le continent. En effet, j'aime cet homme. Je suis navrée, Boy. Tu n'as pas le droit de me juger – tes fautes sont plus graves que les miennes –, mais je me juge moi-même.

— C'est décidé, dit-il. Je vais demander le divorce.»

C'étaient les mots qu'elle attendait. Ils avaient été prononcés, tout était fini. Sa nouvelle vie commençait à présent.

«Dieu merci», soupira-t-elle.

3.

Daisy loua un appartement à Piccadilly. Il était équipé d'une grande salle de bains à l'américaine, avec une douche. On y trouvait deux cabinets, dont un réservé aux invités – une extravagance ridicule aux yeux de la plupart des Anglais.

Heureusement, elle n'avait pas de problèmes d'argent. Son grand-père Vialov lui avait légué une fortune dont elle jouissait à part entière depuis l'âge de vingt et un ans. Une fortune en dollars américains.

Comme il était difficile d'acheter des meubles neufs, elle se rabattit sur des antiquités, que l'on trouvait à profusion pour des prix modiques. Elle accrocha aux murs des tableaux d'art moderne afin de composer un décor jeune et gai. Elle engagea une vieille lingère et une jeune femme de chambre et constata qu'il était facile de faire tourner une maison sans majordome ni cuisinière, en particulier quand on n'avait pas de mari à chouchouter.

Les domestiques de la maison de Mayfair rangèrent ses vêtements dans des cartons, qui lui furent livrés par un camion de déménagement. Daisy et sa lingère passèrent un après-midi à ouvrir les cartons et à tout ranger proprement.

Elle avait essuyé une humiliation mais gagné sa liberté. Le bilan était largement positif. Sa blessure finirait par guérir et au moins, elle était débarrassée de Boy à jamais.

Au bout de huit jours, elle se demanda quels étaient les résultats de l'examen médical. Le docteur avait dû les transmettre à Boy, naturellement, puisqu'il était le chef de famille. Comme elle n'avait pas envie de les lui demander et n'y attachait plus grande importance, elle cessa d'y penser.

Elle prit grand plaisir à aménager son nouvel appartement. Les quinze premiers jours, elle fut trop occupée pour fréquenter du monde. Mais une fois que tout fut prêt, elle décida de voir tous les amis qu'elle avait négligés.

Elle en avait beaucoup à Londres. Cela faisait sept ans qu'elle vivait là. Durant les quatre dernières années, Boy était plus souvent en mission qu'à la maison, aussi avait-elle pris l'habitude de sortir seule. L'absence d'un mari ne changerait donc pas grand-chose à sa vie, se dit-elle. Bien sûr, elle ne serait plus jamais invitée chez les Fitzherbert, mais la haute société londonienne ne se limitait pas à eux.

Elle fit des provisions de whisky, de gin et de champagne, achetant légalement tout ce qu'elle pouvait mais n'hésitant pas à recourir également au marché noir. Puis elle envoya des invitations pour sa pendaison de crémaillère.

Tout le monde lui répondit promptement – par la négative.

En larmes, elle appela Eva Murray. «Pourquoi personne ne veut-il venir à ma réception?» sanglota-t-elle.

Dix minutes plus tard, Eva frappait à sa porte.

Elle était accompagnée de trois enfants et d'une nounou. Jamie avait six ans, Anna quatre et la petite Karen deux.

Daisy lui fit visiter l'appartement puis demanda du thé pendant que Jamie transformait le divan en char d'assaut, avec ses sœurs en guise d'équipage.

Eva parlait l'anglais avec un mélange d'accent allemand, américain et écossais. «Daisy, ma chère, Londres n'est pas Rome, tu sais.

— Je sais. Tu es sûre que tu es bien installée?»

Eva était enceinte de son quatrième enfant et approchait du terme. «Ça ne te dérange pas si j'allonge mes jambes?

— Bien sûr que non. » Daisy attrapa un coussin.

« La haute société londonienne est très à cheval sur les principes, reprit Eva. Ne crois pas que je l'approuve. J'ai souvent été mise en quarantaine, et ce pauvre Jimmy se fait parfois snober parce qu'il a épousé une Allemande, à moitié juive qui plus est.

— C'est affreux.

— Je ne le souhaiterais à personne, quelle qu'en soit la cause.

— Il y a des moments où je déteste les Anglais.

— Tu as oublié comment sont les Américains. Tu ne te rappelles pas m'avoir dit que toutes les filles de Buffalo étaient des bêcheuses ? »

Daisy éclata de rire. « Ça paraît si loin !

— Tu as quitté ton mari. En plus, tu l'as fait de façon spectaculaire, en l'insultant au bar du Claridge.

— Et je n'avais bu qu'un martini ! »

Un large sourire éclaira le visage d'Eva. « Je regrette d'avoir raté ça !

— Moi, je regrette un peu de l'avoir fait.

— Inutile de te dire que tout Londres ne parle que de ce scandale depuis trois semaines.

— J'aurais dû m'y attendre.

— Dans l'esprit des gens, assister à ta pendaison de crémaillère reviendrait à approuver l'adultère et le divorce. Moi-même, je ne serais pas tellement contente que ma belle-mère sache que je suis venue prendre le thé chez toi.

— Mais c'est vraiment injuste : Boy a été le premier à me tromper !

— Parce que tu pensais que les femmes étaient traitées à égalité avec les hommes ? »

Daisy se rappela qu'Eva avait d'autres motifs d'inquiétude, bien plus graves que les rebuffades de quelques snobs. Ses proches vivaient toujours dans l'Allemagne nazie. Fitz avait cherché à avoir de leurs nouvelles par l'entremise de l'ambassade de Suisse et avait appris que son père médecin était interné dans un camp de concentration et que son frère luthier avait été tabassé par la police qui lui avait brisé les doigts. « Quand je pense aux ennuis de ta famille, j'ai honte de me plaindre, dit-elle.

— Il ne faut pas. Mais annule ta réception. »

C'est ce que fit Daisy.

Elle en fut cependant très malheureuse. Grâce à son travail pour la Croix-Rouge, ses journées étaient bien remplies, mais, le soir venu, elle n'avait rien à faire et personne à voir. Elle allait au cinéma deux fois par semaine. Elle tenta de lire *Moby Dick* mais trouva ce roman indigeste. Un dimanche, elle décida d'aller à l'église. Celle de St James's, œuvre de Christopher Wren située juste en face de son immeuble de Piccadilly, ayant été bombardée, elle se rendit à St Martin's-in-the-Fields. Boy n'était pas dans l'assistance, mais Daisy reconnut Fitz et Bea, et passa toute la cérémonie les yeux fixés sur la nuque de son beau-père, songeant qu'elle était tombée amoureuse de deux de ses fils. Boy avait hérité de la beauté de sa mère et du caractère résolument égoïste de son père. Lloyd avait hérité de la beauté de Fitz et du grand cœur d'Ethel. Pourquoi ai-je mis tout ce temps à m'en rendre compte ? s'interrogea-t-elle.

Quantité de ses connaissances fréquentaient cette église, mais, après l'office, personne ne lui adressa la parole. Elle était seule et presque sans amis dans un pays étranger, alors que la guerre faisait rage.

Un soir, elle prit un taxi pour se rendre à Aldgate et frappa à la porte des Leckwith. Lorsque Ethel lui ouvrit, Daisy lui déclara : « Je suis venue vous demander la main de votre fils. » Ethel partit d'un grand éclat de rire et la serra dans ses bras.

Elle avait apporté un cadeau, du jambon en conserve américain que lui avait donné un navigateur de l'US Air Force. Pour une famille anglaise soumise au rationnement, c'était un luxe. Elle s'assit dans la cuisine en compagnie d'Ethel et de Bernie, qui écoutaient des chansons à la radio. Tous reprirent en chœur *Underneath the Arches*, le succès du duo Flanagan et Allen. « Bud Flanagan est né ici même, dans l'East End, déclara Bernie avec fierté. Il s'appelle en réalité Chaim Reuben Weintrop. »

Les Leckwith se passionnaient pour le rapport Beveridge, un document gouvernemental qui était devenu un véritable best-seller. « Commandé par un Premier ministre conservateur et rédigé par un économiste libéral, lui expliqua Bernie. Et il propose de faire ce que le parti travailliste réclame depuis toujours ! En politique, vous savez que vous avez gagné la partie quand vos adversaires vous piquent vos idées.

— Son principe, enchaîna Ethel, c'est que toute personne en âge de travailler devrait verser une cotisation hebdomadaire, ce qui lui permettrait de toucher une pension quand elle sera malade, au chômage, à la retraite ou si elle perd son conjoint.

— Une proposition simple comme bonjour, mais qui transformera notre pays en profondeur, conclut Bernie avec enthousiasme. Du berceau à la tombe, personne ne pourra plus sombrer dans la misère.

— Et le gouvernement a accepté de l'appliquer? demanda Daisy.

— Non, répondit Ethel. Clem Attlee a fortement insisté auprès de Churchill, mais Churchill a refusé d'y souscrire. Le Trésor estime que ça coûterait trop cher.

— Si nous voulons le faire appliquer, nous devrons d'abord gagner les élections», ajouta Bernie.

Millie, la fille d'Ethel et de Bernie, vint les rejoindre. «Je ne peux pas rester longtemps, annonça-t-elle. Abie peut garder les enfants une demi-heure, pas plus.» Elle avait perdu son emploi – les femmes n'achetaient pas de robes de luxe ces temps derniers, même celles qui pouvaient se le permettre – mais, heureusement, l'entreprise de vente de cuir de son époux était florissante et ils avaient déjà deux enfants, Lennie et Pammie.

Tout en buvant un chocolat chaud, ils parlèrent du jeune homme que tous adoraient. Ils avaient très peu de nouvelles de Lloyd. Tous les six ou huit mois, Ethel recevait une lettre sur papier à en-tête de l'ambassade britannique à Madrid, où il lui assurait qu'il se portait bien et participait activement à la lutte contre le fascisme. On l'avait promu commandant. Il n'écrivait jamais à Daisy, de peur que Boy n'intercepte ses lettres, mais cette précaution n'était plus nécessaire. Daisy donna sa nouvelle adresse à Ethel et nota celle de Lloyd, une boîte postale de l'armée britannique.

Ils ignoraient quand il pourrait venir en permission.

Daisy leur parla de Greg, son demi-frère, et de son fils Georgy. Elle savait que les Leckwith n'étaient pas du genre à s'offusquer et accueilleraient la nouvelle avec joie.

Elle leur raconta aussi les malheurs de la famille d'Eva à Berlin. Bernie était juif et il eut les larmes aux yeux en apprenant que Rudi avait eu les mains brisées. «Ils auraient dû affronter ces salopards de fascistes dans la rue, tant qu'il était temps, dit-il. C'est ce que nous avons fait.

— J'ai encore dans le dos les cicatrices de la vitrine de Gardiner's, renchérit Millie. J'en ai eu honte pendant longtemps : la première fois qu'Abie a vu mon dos, nous étions mariés depuis six mois. Mais il dit qu'il est fier de mes blessures.

— La bataille de Cable Street a été un sale moment, c'est sûr, reprit Bernie. Mais on a mis un terme à leurs conneries. » Il ôta ses lunettes et s'essuya les yeux avec son mouchoir.

Ethel posa le bras sur ses épaules. « Ce jour-là, j'avais conseillé aux gens de rester chez eux, murmura-t-elle. J'avais tort et c'est toi qui avais raison. »

Il sourit d'un air contrit. « Ce n'est pas fréquent.

— Mais c'est le Public Order Act, la loi adoptée par le Parlement après Cable Street, qui a définitivement balayé les fascistes britanniques, remarqua Ethel. Il a suffi d'interdire le port d'uniformes politiques sur la voie publique pour qu'ils disparaissent de la circulation. S'ils ne pouvaient plus parader en chemise noire, ils n'étaient plus rien. C'est aux conservateurs que nous le devons – reconnaissons-leur ce mérite. »

Toujours passionnés de politique, les Leckwith préparaient déjà la réforme de l'Angleterre d'après-guerre. Clement Attlee, le brillant dirigeant du parti travailliste, occupait le poste de vice-Premier ministre aux côtés de Churchill, et Ernie Bevin, un héros des luttes syndicales, celui de ministre du Travail. Grâce à eux, Daisy envisageait l'avenir avec optimisme.

Millie prit congé et Bernie alla se coucher. Lorsqu'elles furent seules, Ethel demanda à Daisy : « Vous avez vraiment l'intention d'épouser mon Lloyd ?

— C'est ce que je désire le plus au monde. Vous croyez que ça peut marcher ?

— Bien sûr. Pourquoi pas ?

— Nous venons de milieux si différents. Vous êtes des gens tellement épatants. Vous ne vivez que pour servir l'intérêt public.

— À l'exception de Millie. Elle tient du frère de Bernie – seul l'argent l'intéresse.

— Elle a tout de même gardé des cicatrices de Cable Street.

— C'est vrai.

— Lloyd est comme vous. Pour lui, la politique n'est ni un loisir ni un passe-temps – c'est l'essence de sa vie. Alors que moi, je ne suis qu'une millionnaire égoïste.

— Il existe, je crois, deux sortes de couples, murmura Ethel d'un air pensif. Le premier est une sorte d'association confortable, dont les deux partenaires partagent les mêmes espoirs, les mêmes craintes, élèvent leurs enfants ensemble et s'offrent mutuellement aide et réconfort. » Elle parlait de Bernie et d'elle-même, comprit Daisy. « Le second est une union passionnée, faite de folie, de joie et de sexe, souvent avec quelqu'un qui ne vous convient pas, voire qu'on n'admire pas et qu'on aime encore moins. » Ethel parlait de sa liaison avec Fitz, Daisy en était sûre. Elle retint son souffle : elle savait que ce qu'Ethel lui disait là était la vérité sans fard. « J'ai eu de la chance, j'ai connu les deux, conclut Ethel. Et si j'ai un conseil à vous donner, c'est le suivant : si vous avez l'occasion de vivre un amour fou, saisissez-la à bras-le-corps, et au diable les conséquences.

— Comptez sur moi ! » fit Daisy.

Elle prit congé quelques minutes plus tard. Elle était émue et honorée qu'Ethel se soit livrée avec une telle franchise. Mais en regagnant son appartement désert, elle se sentit déprimée. Elle se prépara un cocktail qu'elle vida dans l'évier. Elle mit la bouilloire à chauffer puis éteignit la cuisinière. Le programme de la radio s'acheva. Étendue entre des draps glacés, elle regretta l'absence de Lloyd.

Elle compara la famille de Lloyd à la sienne. Toutes deux avaient une histoire chaotique, mais Ethel avait su forger une famille forte et solide à partir de matériaux disparates, chose dont la mère de Daisy avait été incapable – même si la faute en incombait à Lev plus qu'à Olga. Ethel était une femme remarquable et Lloyd avait hérité nombre de ses qualités.

Où était-il à présent, que faisait-il ? Quelle que fût la réponse à ces questions, il était sûrement en danger. Et s'il se faisait tuer, alors qu'elle était enfin libre de l'aimer en toute liberté et peut-être même de l'épouser un jour ? Que ferait-elle s'il mourait ? Sa propre vie n'aurait plus aucun sens : pas de mari, pas d'amant, pas d'amis, pas de pays. Elle s'endormit enfin à l'aube, bercée par ses larmes.

Le lendemain, elle fit la grasse matinée. À midi, elle prenait son café dans sa petite salle à manger, vêtue d'un peignoir de soie noire, lorsque sa jeune femme de chambre entra et annonça : « Le commandant Williams, madame.

— Comment ? s'écria-t-elle. Ce n'est pas possible ! »

Il apparut sur le seuil, son sac sur l'épaule.

Il semblait épuisé, ses joues étaient mangées de barbe et, de toute évidence, il avait dormi dans son uniforme.

Elle le serra dans ses bras et embrassa ses joues râpeuses. Il l'embrassa en retour, un peu gêné par le sourire radieux qu'il n'arrivait pas à effacer de ses lèvres. «Je dois empester, dit-il entre deux baisers. Ça fait huit jours que je ne me suis pas changé.

— Tu pues comme une cave à fromages, acquiesça-t-elle. Et j'adore ça.» Elle l'entraîna dans sa chambre et commença à le déshabiller.

«Je vais prendre une douche en vitesse, dit-il.

— Non.» Elle le poussa sur le lit. «Je suis trop pressée.» Le désir qu'il lui inspirait tenait de la frénésie. Et, à vrai dire, cette forte odeur lui tournait la tête. Loin de la dégoûter, elle exerçait sur elle un effet diamétralement opposé. C'était lui, l'homme dont elle avait redouté la mort, et ces effluves lui emplissaient les narines et les poumons. Elle en aurait pleuré de joie.

Pour lui ôter son pantalon, elle devait d'abord lui retirer ses bottes, ce qui risquait d'être compliqué, aussi ne prit-elle pas cette peine. Elle se contenta de déboutonner sa braguette. Puis elle se débarrassa de son peignoir de soie noire et retroussa sa chemise de nuit sur ses hanches, sans cesser de fixer avec avidité le sexe pâle qui pointait hors de la toile kaki. Puis elle l'enfourcha, se laissa descendre sur lui, inclina la tête et l'embrassa. «Ô mon Dieu! fit-elle. Si tu savais comme j'ai eu envie de toi.»

Elle resta ainsi, presque sans bouger, l'embrassant encore et encore. Il lui prit le visage au creux des mains et la regarda fixement. «C'est pour de vrai, hein? chuchota-t-il. Ce n'est pas un rêve?

— C'est pour de vrai.

— Tant mieux. Je n'aimerais pas me réveiller en ce moment.

— Je voudrais rester comme ça pour toujours.

— Excellente idée, mais je ne vais pas pouvoir me tenir tranquille plus longtemps.» Il se mit à bouger en elle.

«Si tu fais ça, je vais jouir», lui dit-elle tout bas.

Ce qu'elle fit.

Ils restèrent ensuite allongés un long moment à bavarder.

On lui avait accordé deux semaines de permission. «Installe-toi ici, proposa-t-elle. Tu peux aller voir tes parents tous les jours, mais je te veux ici toutes les nuits.

— Je ne voudrais pas te compromettre.

— Trop tard. Tout Londres m'évite déjà.

— Je sais.» Il avait téléphoné à Ethel depuis la gare de

Waterloo, et elle lui avait appris que Daisy s'était séparée de Boy et lui avait donné sa nouvelle adresse.

«Nous devrions prendre quelques précautions, remarqua-t-il. Je me procurerai des capotes. Mais peut-être devrais-tu songer à te faire poser un de ces machins, tu sais. Qu'en penses-tu?

— Tu veux être sûr que je ne tombe pas enceinte?» demanda-t-elle.

Elle se rendit compte qu'il y avait une note de tristesse dans sa voix, et il la perçut lui aussi. «Ne te méprends pas», dit-il. Il se redressa sur le coude. «Je suis un enfant illégitime. On m'a raconté des mensonges sur mes origines et, quand j'ai découvert la vérité, je peux te dire que le choc a été terrible.» Sa voix tremblait un peu sous l'effet de l'émotion. «Jamais je ne ferai subir cela à mes enfants. Jamais!

— Rien ne nous obligerait à leur mentir.

— Nous leur dirions que nous ne sommes pas mariés? Que tu es en fait l'épouse d'un autre?

— Pourquoi pas?

— Imagine les moqueries qu'on leur infligerait à l'école.»

Elle n'était pas convaincue, mais de toute évidence, c'était une question fondamentale pour lui. «Alors, que proposes-tu? demanda-t-elle.

— Je veux que nous ayons des enfants. Mais seulement quand nous serons mariés. Ensemble.

— J'avais compris. Autrement dit...

— Nous devrons attendre.»

Décidément, les hommes n'étaient pas très vifs pour saisir les allusions. «Je ne suis pas très à cheval sur les traditions, dit-elle. Mais il y a quelques fondamentaux...»

Il comprit enfin où elle voulait en venir. «Oh! D'accord. Une minute.» Il se redressa pour se mettre à genoux sur le lit. «Daisy, ma chérie...»

Elle éclata de rire. Comme il avait l'air drôle, encore en uniforme, son sexe fripé dépassant de sa braguette. «Je peux te prendre en photo?» demanda-t-elle.

Il baissa la tête. «Oh, pardon...

— Non, surtout, ne change rien! Reste comme tu es et dis-moi ce que tu as à me dire.»

Il sourit. «Daisy, ma chérie, veux-tu être mon épouse?

— Tout de suite», répondit-elle.

Ils s'allongèrent à nouveau et s'étreignirent.

Elle se lassa bientôt de son étrange odeur et ils prirent une douche ensemble. Elle le savonna de la tête aux pieds, s'amusant de sa gêne lorsqu'elle lava ses parties intimes. Elle lui shampouina les cheveux et lui décrassa les pieds avec une brosse.

Une fois propre, il insista pour la laver à son tour, mais il n'en était qu'aux seins lorsque la passion les emporta à nouveau. Ils firent l'amour debout, dans la cabine de douche, sous une cascade d'eau délicieusement chaude. De toute évidence, il avait oublié son aversion pour les grossesses illégitimes et elle se garda de la lui rappeler.

Ensuite, il se planta devant le miroir pour se raser. Enveloppée dans un drap de bain, elle s'assit sur le couvercle des toilettes pour le regarder faire. « Combien de temps te faudra-t-il pour obtenir le divorce ? demanda-t-il.

— Je n'en sais rien. Il faudrait que j'aille discuter avec Boy.

— Pas aujourd'hui. Aujourd'hui, je te veux toute à moi.

— Quand comptes-tu aller voir tes parents ?

— Demain, peut-être.

— Alors, j'en profiterai pour aller voir Boy. Je veux en finir le plus vite possible.

— Bien. C'est décidé, alors. »

4.

Daisy éprouva une étrange impression en entrant dans la maison où elle avait vécu avec Boy. Un mois plus tôt, cette demeure était la sienne. Elle était libre d'y aller et venir comme bon lui semblait, d'entrer dans chacune de ses pièces sans demander la permission. Aujourd'hui, elle était une étrangère en visite. Elle garda ses gants et son chapeau et suivit le vieux majordome qui la conduisit au petit salon.

Boy ne daigna ni lui serrer la main ni l'embrasser sur la joue. Toute son attitude exprimait une vertueuse indignation.

« Je n'ai pas encore engagé d'avocat, dit Daisy en s'asseyant. Je voulais d'abord te parler en tête à tête. J'espère que nous réussirons à régler cette affaire sans nous détester. Après tout, nous n'avons pas d'enfants à nous disputer et nous sommes riches tous les deux.

— Tu m'as trahi! » lança-t-il avec colère.

Daisy soupira. De toute évidence, elle avait nourri de faux espoirs. «Nous avons commis l'adultère l'un comme l'autre, reconnut-elle. Mais c'est toi qui as commencé.

— Tu m'as humilié publiquement. Tout Londres est au courant!

— J'ai fait mon possible pour t'empêcher de faire un esclandre au Claridge – mais tu étais trop occupé à me traîner dans la boue! J'espère que tu as réglé son compte à ce détestable marquis.

— Et pourquoi l'aurais-je fait? Il m'a rendu service.

— Il aurait été mieux inspiré de te faire des confidences au club.

— Je ne comprends pas comment tu as pu t'enticher d'un péquenaud comme ce Williams. J'en ai appris de belles à son sujet. Sa mère n'était qu'une gouvernante!

— C'est sans doute la femme la plus admirable que j'aie jamais rencontrée.

— J'espère que tu te rends compte que personne ne sait qui est son père? »

L'ironie était de taille, se dit Daisy. «Je le sais, moi, répliqua-t-elle.

— Ah oui? Qui est-ce?

— Ne compte pas sur moi pour te le dire.

— Voilà qui a le mérite d'être clair.

— Nous n'irons pas bien loin comme ça, tu ne crois pas?

— En effet.

— Peut-être vaut-il mieux qu'un avocat t'écrive de ma part. » Elle se leva. «Je t'ai aimé, Boy, ajouta-t-elle avec tristesse. Tu étais drôle. Je regrette de ne pas avoir suffi à te combler. Je te souhaite d'être heureux. J'espère que tu épouseras une femme qui te conviendra mieux et qu'elle te donnera de nombreux fils. J'en serais heureuse pour toi.

— Inutile d'y compter », murmura-t-il.

Elle se dirigeait déjà vers la porte mais elle se retourna. «Pourquoi dis-tu ça?

— J'ai reçu les résultats de la visite médicale. »

Elle lui était complètement sortie de la tête depuis leur séparation. «Alors?

— En ce qui te concerne, tout va bien – tu peux avoir une kyrielle de marmots. Quant à moi, je ne serai jamais père. Chez l'adulte, les oreillons peuvent être cause de stérilité, et j'ai tiré le mauvais numéro.» Il partit d'un rire amer. «Tous ces Allemands ont passé des années à me canarder, et je me suis fait avoir par trois morveux de fils de pasteur.»

Elle sentit son cœur se serrer. «Oh! Boy, j'en suis vraiment peinée.

— Eh bien tu vas l'être plus encore, car j'ai décidé de ne pas divorcer.»

Un frisson la parcourut. «Que veux-tu dire? Pourquoi fais-tu ça?

— Pourquoi ne le ferais-je pas? Je n'ai pas l'intention de me remarier. Après tout, je ne peux pas avoir d'enfants. C'est le fils d'Andy qui héritera du titre.

— Mais je veux épouser Lloyd!

— Qu'est-ce que ça peut me faire? Pourquoi aurait-il des enfants et pas moi?»

Daisy était atterrée. Le bonheur allait-il lui être refusé alors qu'il semblait enfin à sa portée? «Boy, tu ne parles pas sérieusement!

— Je n'ai jamais été aussi sérieux de ma vie.

— Mais Lloyd veut des enfants, lui aussi! insista-t-elle, effondrée.

— Il aurait dû y penser avant de baiser la femme d'un autre.

— Très bien, lança-t-elle d'un air de défi. C'est moi qui demanderai le divorce.

— Pour quel motif?

— Adultère, bien sûr.

— Tu n'as aucune preuve.» Elle allait lui répondre qu'il ne devrait pas être difficile d'en obtenir lorsqu'il ajouta avec un sourire méchant: «Et je veillerai à ce que tu n'en aies pas.»

C'était réalisable s'il était discret, comprit-elle avec horreur. «Mais tu m'as chassée du domicile conjugal! protesta-t-elle.

— Je dirai au juge que tu y es toujours la bienvenue.»

Elle tenta de refouler ses larmes. «Jamais je n'aurais cru que tu me haïrais à ce point, murmura-t-elle, bouleversée.

— Ah bon? fit Boy. Eh bien, maintenant, tu es fixée.»

5.

Lloyd Williams frappa à la porte de Boy Fitzherbert en milieu de matinée, espérant qu'à cette heure-là il serait à jeun, et se présenta au majordome comme le commandant Williams, un parent éloigné. Il estimait qu'une conversation d'homme à homme s'imposait. Boy ne comptait sûrement pas savourer sa vengeance jusqu'à la fin de ses jours. Lloyd avait revêtu son uniforme, jugeant préférable de parler entre soldats. Le bon sens finirait sûrement par l'emporter.

On le fit entrer dans le petit salon, où Boy lisait le journal en fumant un cigare. Il lui fallut quelque temps pour le reconnaître. «Vous! s'exclama Boy quand il comprit à qui il avait affaire. Foutez le camp.

— Je suis venu vous demander d'accorder le divorce à Daisy, déclara Lloyd.

— Sortez.» Boy se leva.

«Je vois que vous êtes tenté d'en venir aux mains, dit Lloyd, aussi permettez-moi de vous avertir que vous allez au-devant de certaines difficultés. Je suis certes un peu plus petit que vous, mais je boxe dans la catégorie des poids welter et j'ai remporté un certain nombre de combats.

— Je ne vais certainement pas me salir les mains en vous touchant.

— Je suis ravi de l'entendre. Mais êtes-vous prêt à revenir sur votre décision?

— En aucun cas.

— Il y a un détail que vous ignorez, poursuivit Lloyd. Je me demande s'il ne serait pas susceptible de vous faire changer d'avis.

— J'en doute. Mais puisque vous êtes ici, essayez toujours.» Il se rassit, sans offrir de siège à son visiteur.

Tu l'auras voulu, songea Lloyd.

Il sortit de sa poche une vieille photographie sépia. «Si vous voulez bien examiner ce portrait de moi.» Il le posa sur la table basse, à côté du cendrier.

Boy ramassa le cliché. «Ce n'est pas vous. Cet homme vous ressemble, mais il porte un uniforme victorien. Votre père, sans doute.

756

« — Mon grand-père, plutôt. Retournez donc ce portrait. »

Boy lut l'inscription figurant au dos. « Comte Fitzherbert ? dit-il avec dédain.

— Oui. Le précédent comte, votre grand-père – et le mien. Daisy a trouvé cette photo à Tŷ Gwyn. » Lloyd inspira profondément. « Personne ne connaît mon père, lui avez-vous dit. Eh bien, je peux vous détromper. Il s'agit du comte Fitzherbert. Nous sommes frères, vous et moi. » Il attendit sa réaction.

Boy s'esclaffa. « Ridicule !

— C'est exactement ce que j'ai dit la première fois.

— Eh bien, vous m'étonnez, je dois vous l'avouer. J'aurais cru que vous auriez trouvé des arguments plus sérieux que cette invention grotesque. »

Lloyd avait espéré que cette révélation mettrait Boy dans de meilleures dispositions, mais visiblement, ce n'était pas le cas. Néanmoins, il tenta encore de le raisonner. « Allons, Boy... Est-ce tellement improbable ? Ces choses-là arrivent dans les meilleures familles, comme on dit. Une jolie femme de chambre, un jeune noble vigoureux, et la nature fait le reste. Quand le bébé vient au monde, on étouffe l'affaire. Ne me dites pas que vous n'avez jamais entendu parler de ce genre d'incidents.

— Ils sont fréquents, je vous l'accorde. » Boy avait perdu de sa morgue, sans rendre les armes pour autant. « Mais il est tout aussi fréquent que des roturiers s'inventent des liens avec l'aristocratie.

— Oh ! Je vous en prie, fit Lloyd avec mépris. Je ne souhaite certainement pas de telles attaches. Je ne suis pas un vendeur d'une boutique de nouveautés, rêvant de grandeur. Je suis issu d'une éminente famille de politiciens socialistes. Mon grand-père maternel a été l'un des fondateurs de la Fédération des mineurs de Galles du Sud. La dernière chose dont j'aie besoin, c'est d'être apparenté à une famille de pairs conservateurs. C'est terriblement embarrassant pour moi. »

Boy éclata de rire, avec moins de conviction cependant. « Embarrassant *pour vous* ! Si ce n'est pas du snobisme à l'envers...

— À l'envers ? J'ai plus de chances que vous de devenir Premier ministre un jour. » Lloyd comprit que la discussion tournait à la dispute de cour de récréation, et ce n'était pas ce qu'il souhaitait. « Peu importe. Ce dont je veux vous convaincre, c'est que vous ne pouvez pas passer le reste de votre vie à vous venger de moi – ne serait-ce que parce que nous sommes frères.

— Je n'en crois rien », s'obstina Boy, qui reposa la photo sur la table pour reprendre son cigare.

« Moi aussi, j'ai eu du mal à me rendre à l'évidence. » Lloyd persista dans ses efforts : son avenir était en jeu. « Mais on m'a fait remarquer que ma mère travaillait à Tŷ Gwyn lorsqu'elle est tombée enceinte ; qu'elle s'était toujours montrée très évasive à propos de l'identité de mon père ; et que, peu de temps avant ma naissance, elle a obtenu les fonds nécessaires à l'achat d'une petite maison à Londres. Je lui ai fait part de mes soupçons et elle m'a avoué la vérité.

— C'est risible.

— Mais c'est vrai et vous le savez, n'est-ce pas ?

— En aucun cas.

— Oh si ! Au nom de nos liens familiaux, n'allez-vous pas agir en honnête homme ?

— Sûrement pas. »

Lloyd comprit, accablé, qu'il ne gagnerait pas. Boy avait le pouvoir de lui gâcher la vie et il était résolu à le faire.

Il ramassa la photographie et la remit dans sa poche. « Vous poserez la question à notre père. Vous ne pourrez pas vous en empêcher. Il faudra que vous en ayez le cœur net. »

Boy émit un reniflement de mépris.

Lloyd se dirigea vers la porte. « Je pense qu'il vous dira la vérité. Adieu, Boy. »

Il sortit, refermant la porte derrière lui.

XVI

1943 (II)

1.

Le colonel Albert Beck reçut une balle russe dans le poumon droit à Kharkov en mars 1943. Il eut de la chance : un chirurgien lui plaça un drain pour évacuer son pneumothorax, lui sauvant la vie de justesse. Affaibli par l'hémorragie et l'infection quasiment inévitable, Beck fut renvoyé en train à Berlin et se retrouva dans l'hôpital de Carla.

C'était un quadragénaire sec et noueux, au crâne prématurément dégarni, dont le menton en galoche évoquait la proue d'un drakkar. La première fois qu'il adressa la parole à Carla, les médicaments et la fièvre lui firent perdre toute prudence. «Nous sommes en train de perdre la guerre», dit-il.

Toute son attention fut aussitôt en éveil. Un officier mécontent était une source d'information potentielle. «Selon les journaux, répondit-elle d'un ton insouciant, nous réduisons nos lignes sur le front de l'Est.

— En d'autres termes, nous battons en retraite», fit-il avec un petit rire désabusé.

Elle l'encouragea à poursuivre. «Et en Italie, ça se présente mal.» Le dictateur Benito Mussolini – le plus puissant des alliés d'Hitler – venait de tomber.

«Vous vous rappelez 1939, et 1940? demanda Beck avec nostalgie. Les victoires foudroyantes se succédaient. C'était le bon temps.»

De toute évidence, il n'était pas animé par des buts idéologiques, ni même politiques. C'était un soldat ordinaire, un patriote, qui avait cessé de se bercer d'illusions.

Carla l'aiguillonna. «On raconte que l'armée est à court de tout, de cartouches comme de caleçons, mais je ne peux pas le croire.» Ce genre de rumeur, qu'il était risqué de propager, était désormais monnaie courante à Berlin.

«C'est la pure vérité.» Bien que totalement désinhibé, Beck s'exprimait clairement. «L'Allemagne n'a tout simplement pas les moyens de produire autant d'armes et de chars que l'Union soviétique, l'Angleterre et les États-Unis réunis – d'autant que nous subissons des bombardements incessants. Et nous avons beau tuer des Russes en masse, l'armée Rouge semble avoir des réserves inépuisables de nouvelles recrues.

— Que va-t-il se passer à votre avis?

— Les nazis ne s'avoueront jamais vaincus, c'est évident. Et les gens continueront à mourir. Des millions de victimes, tout ça parce que leur fierté leur interdit de se rendre. C'est de la folie. De la folie.» Il sombra doucement dans le sommeil.

Il fallait être malade – ou dément – pour exprimer de telles opinions, mais elles étaient de plus en plus partagées, Carla en était persuadée. En dépit de la propagande intensive du gouvernement, personne ne pouvait plus se cacher qu'Hitler allait perdre la guerre.

La mort de Joachim Koch n'avait provoqué aucune enquête policière. Les journaux avaient parlé d'un accident de la circulation. Carla s'était remise de son choc initial, mais, de temps à autre, elle se rappelait qu'elle avait tué un homme et revivait sa mort en esprit. Elle était alors prise de tremblements si violents qu'elle était obligée de s'asseoir. Heureusement, cela ne s'était produit qu'une fois pendant ses heures de service, et elle avait évoqué un malaise passager dû à la faim – explication plausible dans Berlin en temps de guerre. Sa mère était plus durement atteinte. Étrange que Maud ait pu aimer un être faible et stupide comme Joachim; mais l'amour ne s'explique pas. Carla elle-même s'était trompée au sujet de Werner Franck : celui qu'elle prenait pour un homme fort et courageux s'était révélé un lâche et un égoïste.

Elle parla longuement avec Beck durant son hospitalisation, le sondant pour se faire une idée de sa personnalité. Une fois remis, il s'abstint de tout nouveau commentaire sur la guerre. Elle apprit que c'était un militaire de carrière, veuf, dont la fille était mariée et vivait à Buenos Aires. Son père avait fait partie du conseil municipal de Berlin : comme il ne précisait pas à quelle formation politique il avait appartenu, elle en avait conclu qu'il ne s'agissait sûrement pas du parti nazi ni d'un de ses alliés. S'il ne disait jamais de mal d'Hitler, il n'en disait pas de bien non plus, et ne tenait jamais de propos désobligeants sur les Juifs et les communistes. Par les temps qui couraient, une telle attitude relevait presque de l'insubordination.

Son poumon finirait par guérir, mais il n'aurait plus la capacité physique de se battre, et il confia à Carla qu'il allait être affecté à l'état-major. Peut-être pourrait-il être une mine de précieux secrets. Sans doute risquait-elle sa vie en tentant de le recruter, mais le jeu en valait la chandelle.

Elle savait qu'il aurait oublié leur première conversation. «Vous avez été très franc», lui dit-elle à voix basse. Il n'y avait personne dans les parages. «Nous sommes en train de perdre la guerre, m'avez-vous dit.»

Une lueur de peur traversa son regard. Elle n'avait plus affaire à un malade en chemise de nuit, aux joues barbues. C'était un convalescent propre et rasé de frais, assis bien droit sur son lit dans son pyjama bleu marine boutonné jusqu'au cou. «Vous allez me dénoncer à la Gestapo, n'est-ce pas, s'inquiéta-t-il. Il me semble tout de même qu'un homme en proie à la fièvre ne peut pas être tenu pour responsable de ses divagations.

— Il ne s'agissait pas de divagations. Vous étiez on ne peut plus clair. Mais je ne vous dénoncerai à personne, rassurez-vous.

— Pourquoi?

— Parce que vous avez raison.»

Il était surpris. «Peut-être est-ce moi qui devrais vous dénoncer.

— Si vous faites ça, je dirai que vous avez insulté le Führer dans votre délire et inventé cette histoire pour vous protéger quand j'ai menacé de vous signaler à qui de droit.

— Si je vous dénonce, vous me dénoncez. Nous serons quittes.

— Mais vous n'allez rien faire. Je vous connais assez pour le savoir. Je vous ai soigné. Vous êtes quelqu'un de bien. Vous vous êtes engagé par amour pour la patrie, mais vous détestez la guerre et vous détestez les nazis.» Elle était sûre à quatre-vingt-dix-neuf pour cent de ce qu'elle avançait.

«C'est très dangereux de parler ainsi.

— Je sais.

— Il ne s'agit donc pas d'une conversation ordinaire.

— En effet. Vous m'avez dit que des millions de gens vont mourir uniquement parce que les nazis sont trop fiers pour se rendre.

— J'ai dit cela?

— Vous pouvez nous aider à sauver ces malheureux.

— Comment?»

Carla hésita. C'était maintenant qu'elle mettait sa vie en danger. «Toute information dont vous disposez pourra être transmise par mes soins à des personnes intéressées.» Elle retint son souffle. Si elle s'était trompée sur Beck, elle était condamnée à mort.

Elle perçut de l'étonnement dans son regard. Il avait peine à imaginer que cette jeune infirmière efficace puisse être une espionne. Mais elle vit qu'il la croyait. «Je pense vous avoir comprise», dit-il.

Elle lui tendit une chemise en carton verte de l'hôpital, vide.

Il la prit. «C'est pour quoi faire? demanda-t-il.

— Vous êtes un soldat. Vous connaissez la notion de camouflage.»

Il acquiesça. «Vous risquez votre vie», observa-t-il et elle lut dans ses yeux ce qui ressemblait à de l'admiration.

«Vous aussi, à présent.

— Oui, approuva le colonel Beck. Mais moi, j'ai l'habitude.»

2.

De bon matin, Thomas Macke emmena le jeune Werner Franck à la prison de Plötzensee, à Charlottenburg, la banlieue ouest de Berlin. «Il faut que vous voyez ça, dit-il. Ensuite, vous pourrez dire au général Dorn que nous sommes vraiment efficaces.»

Il se gara sur le Königsdamm et conduisit Werner derrière le bâtiment principal. Ils entrèrent dans une pièce de huit mètres de long sur quatre de large, où les attendait un homme portant une queue-de-pie, un haut-de-forme et des gants blancs. Werner fronça les sourcils devant cette étrange tenue. «Je vous présente Herr Reichhart, dit Macke. Le bourreau.»

Werner déglutit. «Nous allons assister à une exécution?

— Oui.»

D'un air faussement décontracté, Werner demanda : «Pourquoi cette tenue de soirée?»

Macke haussa les épaules. «C'est la tradition.»

Un rideau noir divisait la pièce en deux. Macke le tira, révélant huit crochets de boucher fixés à une poutre métallique courant sur le plafond.

«Pour les pendaisons?» demanda Werner.

Macke acquiesça.

Il y avait aussi une table en bois avec des sangles permettant d'y maintenir un individu. L'une de ses extrémités était occupée par un appareil en hauteur, d'une forme caractéristique. Un lourd panier était posé sur le sol.

Le jeune lieutenant était pâle. «Une guillotine.

— Exactement», confirma Macke. Il consulta sa montre. «Ils ne devraient plus tarder.»

Plusieurs hommes entrèrent alors. Certains saluèrent Macke comme une vieille connaissance. Se penchant vers Werner, le commissaire lui dit à l'oreille : «Le règlement exige la présence des juges, des huissiers, du directeur de la prison et de l'aumônier.»

Werner déglutit encore. Il n'aimait pas ça, Macke le voyait bien.

C'était le but recherché. Si Macke l'avait fait venir là, ce n'était pas pour impressionner le général Dorn. Werner l'inquiétait. Il y avait chez lui quelque chose qui sonnait faux.

Werner travaillait pour Dorn, c'était incontestable. Il avait accompagné Dorn lors d'une visite du quartier général de la Gestapo et, peu après, Dorn avait rédigé une note louant le travail du contre-espionnage berlinois et citant nommément Macke. Durant les semaines suivantes, ce dernier s'était pavané de façon écœurante.

Macke n'arrivait pourtant pas à oublier le comportement de Werner le soir où, près d'un an auparavant, ils avaient failli prendre un espion dans un atelier de fourrures désaffecté près de l'Ostbahnhof. Werner avait paniqué – du moins en apparence. Par accident ou à dessein, il avait alerté le pianiste qui avait eu le temps de prendre la fuite. Macke le soupçonnait d'avoir joué la comédie, d'avoir délibérément cherché à sauver leur proie.

Macke n'était pas assez sûr de lui pour arrêter et torturer

Werner. Il aurait pu le faire, certes, mais Dorn risquait de mal le prendre et Macke aurait des ennuis. Son supérieur, le commissaire principal Kringelein, qui ne l'appréciait guère, lui demanderait de produire des preuves matérielles contre Werner. Or il n'en avait aucune.

Les minutes suivantes devraient cependant lui révéler la vérité.

La porte s'ouvrit à nouveau sur deux gardiens escortant une jeune femme. Reconnaissant Lili Markgraf, Werner ne put réprimer un hoquet d'effroi.

«Qu'y a-t-il? demanda Macke.

— Vous ne m'aviez pas dit que le condamné était une jeune fille.

— Vous la connaissez?

— Non.»

Lili avait vingt-deux ans, mais paraissait plus jeune. Le matin même, ses cheveux blonds avaient été coupés ras. Elle boitait et avançait le dos voûté, comme si elle souffrait de douleurs abdominales. Elle était vêtue d'une robe sans col taillée dans une grossière cotonnade bleue. Ses yeux étaient rougis par les larmes. Les gardiens la tenaient fermement, ne voulant courir aucun risque.

«Cette femme a été dénoncée par l'une de ses proches qui a trouvé un manuel de chiffrage caché dans sa chambre, expliqua Macke. Le code russe à cinq chiffres.

— Pourquoi marche-t-elle comme ça?

— Les conséquences de l'interrogatoire. Mais nous n'en avons rien tiré.»

Le visage de Werner demeurait impassible. «Dommage, dit-il. Elle aurait pu nous mener à d'autres espions.»

S'il jouait la comédie, il était très fort, songea Macke. «Elle ne connaissait son complice que sous le nom d'Heinrich – patronyme inconnu –, et peut-être est-ce un pseudonyme. En général, il ne sert à rien d'arrêter des femmes – elles ne savent presque rien.

— Au moins, vous avez récupéré le manuel de chiffrage.

— Pour ce que ça vaut... Le mot clé est changé régulièrement, si bien que le décryptage des transmissions n'est jamais simple.

— Dommage.»

L'un des hommes s'éclaircit la gorge et prit la parole d'une

764

voix de stentor. Il se présenta comme le président de la cour et lut la sentence de mort.

Les gardes escortèrent Lili jusqu'à la table. Ils lui donnèrent la possibilité de s'y allonger volontairement, mais comme elle reculait d'un pas, ils l'empoignèrent pour la coucher de force. Elle ne leur résista pas. Ils lui plaquèrent le visage contre le bois et l'attachèrent.

L'aumônier récita une prière.

Lili se mit à supplier. «Non, non, dit-elle sans élever la voix. Non, je vous en prie. Laissez-moi.» Elle s'exprimait de façon cohérente, comme si elle demandait simplement un service.

L'homme au chapeau haut de forme se tourna vers le président, qui secoua la tête et dit : «Pas encore. Attendez que la prière soit finie.»

La voix de Lili monta dans les aigus, se faisant implorante. «Je ne veux pas mourir! J'ai peur! Ne me faites pas ça, je vous en supplie!»

Le bourreau se tourna à nouveau vers le président. Cette fois-ci, celui-ci l'ignora.

Macke observait Werner avec attention. Il semblait avoir le cœur au bord des lèvres, mais on pouvait en dire autant de toute l'assistance. Cela ne prouvait pas que Werner était un traître. Tout ce qu'on pouvait déduire de sa réaction, c'est qu'il était sensible. Macke allait devoir trouver un autre moyen de le percer à jour.

Lili se mit à hurler.

Macke lui-même commençait à s'impatienter.

Le pasteur s'empressa d'achever sa prière.

Lorsqu'il dit *Amen*, la jeune fille cessa de crier, comme si elle avait compris que tout était fini.

Le président fit un signe de tête.

Le bourreau actionna un levier et la lame s'abattit.

Elle émit comme un murmure en tranchant le cou pâle de Lili. Sa tête aux cheveux ras tomba dans une gerbe de sang. Elle atterrit dans le panier avec un bruit sourd qui sembla résonner dans toute la pièce.

C'était absurde, mais Macke se demanda si la tête avait souffert.

3.

Carla tomba sur le colonel Beck dans un couloir de l'hôpital. Il était en uniforme. Elle lui jeta un regard épouvanté. Depuis qu'il était sorti, elle vivait dans la terreur, imaginant qu'il l'avait dénoncée et que la Gestapo allait l'arrêter d'un jour à l'autre.

Mais il sourit et lui dit : «Le docteur Ernst m'a convoqué pour un examen de contrôle.»

C'était tout? Avait-il oublié leur conversation? Ou faisait-il semblant? Une Mercedes noire de la Gestapo était-elle garée dans la rue?

Beck tenait dans ses mains une chemise en carton verte.

Un cancérologue en blouse blanche passa près d'eux. Comme il s'éloignait, Carla demanda à Beck d'une voix enjouée : «Comment vous sentez-vous?

— Aussi bien que possible. Plus jamais je ne conduirai de troupes au combat, mais je mènerai une vie normale à condition de renoncer à l'athlétisme.

— Je suis ravie de l'entendre.»

On allait et venait tout autour d'eux. Carla craignait que Beck ne trouve pas l'occasion de lui parler en privé.

Il demeurait pourtant impassible. «Je voulais juste vous remercier pour votre gentillesse et votre professionnalisme.

— Je vous en prie.

— Au revoir, mademoiselle.

— Au revoir, colonel.»

Lorsque Beck s'éloigna, c'était Carla qui tenait la chemise en carton.

Elle gagna d'un pas vif le vestiaire des infirmières. Il était désert. Elle resta derrière la porte en la bloquant du talon pour que personne ne puisse entrer.

La chemise contenait une enveloppe de papier beige bon marché, comme on en utilisait dans les bureaux du monde entier. Carla l'ouvrit. Il s'y trouvait plusieurs feuillets tapés à la machine. Elle examina le premier sans le sortir de l'enveloppe. Il portait le titre suivant :

Ordre de mission n° 6
Code Zitadelle

Le plan de bataille pour l'offensive d'été sur le front de l'Est. Son cœur battit plus vite. C'était une mine d'or.

Elle devait transmettre cette enveloppe à Frieda. Malheureusement, celle-ci ne se trouvait pas à l'hôpital ce jour-là : c'était sa journée de congé. Carla envisagea de déserter son poste pendant ses heures de service pour se rendre chez son amie, mais y renonça aussitôt. Mieux valait se conduire normalement, ne pas attirer l'attention.

Elle glissa l'enveloppe dans le sac à bandoulière accroché à sa patère. Elle recouvrit celui-ci de l'écharpe de soie bleu et or qui lui servait toujours à dissimuler les objets compromettants. Puis elle resta sans bouger quelques instants, le temps que son souffle reprenne un rythme normal. Elle retourna à son poste.

Elle effectua le reste de son service comme si de rien n'était puis enfila son manteau, sortit de l'hôpital et se dirigea vers la station de métro. En passant devant un immeuble bombardé, elle vit des graffitis sur les ruines. Un vaillant patriote avait écrit : «Nos murs peuvent se briser, nos cœurs jamais.» En guise de commentaire, quelqu'un d'autre avait cité le slogan d'Hitler au moment de l'élection de 1933 : «Donnez-moi quatre ans et vous ne reconnaîtrez plus l'Allemagne.»

Elle acheta un ticket pour Zoologischer Garten.

Dans la rame, elle se fit l'effet d'une étrangère. Au sein de tous ces Allemands loyaux, elle était celle qui détenait dans son sac des secrets qu'elle allait livrer à Moscou. C'était un sentiment très déplaisant. Personne ne lui prêtait attention, mais cela ne faisait que la persuader que tous évitaient son regard. Il lui tardait de confier l'enveloppe à Frieda.

La station Zoologischer Garten se trouvait à la lisière du Tiergarten. Les arbres semblaient tout petits par rapport à l'immense tour de défense antiaérienne. On avait édifié à Berlin trois blocs de béton comme celui-ci, hauts de plus de trente mètres. Aux quatre angles du toit étaient placés des canons de cent vingt-huit millimètres pesant vingt-cinq tonnes chacun. On avait peint le béton en vert dans une vaine tentative pour rendre cette monstruosité plus agréable à l'œil au milieu de ce parc.

En dépit de la laideur de ces installations, les Berlinois étaient enchantés. Quand les bombes tombaient, le tonnerre qui montait de ces tours les rassurait car ils savaient que, dans leur camp, quelqu'un répliquait.

Les nerfs toujours tendus, Carla se dirigea vers la maison de Frieda. Comme on était en milieu d'après-midi, ses parents seraient certainement sortis, Ludwig à l'usine et Monika chez une amie, peut-être la mère de Carla. La moto de Werner était garée dans l'allée.

Ce fut le majordome qui lui ouvrit. « Fräulein Frieda n'est pas là, mais elle ne devrait pas tarder, lui dit-il. Elle est allée au KaDeWe s'acheter des gants. Herr Werner est au lit avec un gros rhume.

— J'attendrai Frieda dans sa chambre, comme d'habitude. »

Carla se défit de son manteau et monta, son sac à la main. Une fois dans la chambre de Frieda, elle ôta ses souliers et s'allongea sur le lit pour lire le plan de bataille de l'opération Zitadelle. Elle se sentait tendue comme un ressort, mais cela irait mieux dès qu'elle serait débarrassée de ce brûlot.

Un bruit de sanglots lui parvint de la chambre voisine.

Elle tendit l'oreille, interloquée. C'était la chambre de Werner. Carla avait peine à imaginer le tombeur de ces dames en larmes.

C'était pourtant bien un homme qui pleurait, et il semblait avoir peine à contenir son chagrin.

Carla fut prise de pitié, bien malgré elle. Sans doute s'était-il fait plaquer par une femme moins aveugle que les autres. Mais elle ne put s'empêcher de s'émouvoir de cette manifestation de détresse.

Elle se leva, rangea le plan de bataille dans son sac et sortit dans le couloir.

Elle colla l'oreille à la porte de Werner. Les sanglots étaient encore plus distincts. Elle était trop sensible pour rester indifférente à son chagrin. Elle ouvrit la porte et entra.

Werner était assis sur son lit, la tête entre les mains. En entendant la porte s'ouvrir, il sursauta et leva les yeux. Ses joues empourprées étaient inondées de larmes. Il avait ouvert son col et dénoué sa cravate. Les yeux qu'il tourna vers Carla étaient rougis par le désespoir. Il était sincèrement bouleversé, bien trop effondré pour penser à sauvegarder les apparences.

« Qu'y a-t-il ? demanda Carla, pleine de compassion.

— Je n'ai plus la force de continuer », dit-il.

Elle referma la porte. « Que s'est-il passé ?

— Ils ont guillotiné Lili Markgraf – et j'ai été obligé d'assister à ça. »

Carla en resta bouche bée. «Qu'est-ce que tu racontes?

— Elle n'avait que vingt-deux ans.» Il prit un mouchoir dans sa poche et s'essuya les yeux. «Tu es déjà en danger, mais si je te raconte ça, ce sera encore pire.»

Les spéculations les plus folles se bousculaient dans son esprit. «Je crois que j'ai déjà deviné, mais parle», lança-t-elle.

Il acquiesça. «De toute façon, tu aurais fini par le découvrir. Lili aidait Heinrich à transmettre des informations à Moscou. Ça va plus vite si quelqu'un lit les séries de chiffres à l'opérateur radio. Et plus ça va vite, moins on court le risque de se faire pincer. Mais la cousine de Lili a passé quelques jours chez elle et elle a découvert ses manuels de chiffrage. Salope de nazie.»

Ces paroles confirmaient les soupçons les plus fous de Carla. «Tu es au courant pour le réseau?» demanda-t-elle.

Il lui adressa un sourire ironique. «C'est moi qui le dirige.

— Bon Dieu!

— C'est pour ça que j'ai cessé de m'intéresser à toutes ces histoires de meurtres d'enfants déficients. Ordre de Moscou. Ils avaient raison. Si j'avais perdu mon poste au ministère de l'Air, j'aurais cessé d'avoir accès à des dossiers confidentiels, ainsi qu'aux gens susceptibles de me livrer des secrets.»

Les jambes coupées, elle se percha au bord du lit à côté de lui. «Pourquoi ne m'as-tu rien dit?

— Nous partons du principe que tout le monde parle sous la torture. Celui qui ne sait rien ne peut pas trahir les autres. Cette pauvre Lili a été torturée, mais elle ne connaissait que Volodia, qui est reparti à Moscou, ainsi qu'Heinrich, mais elle ignorait son nom de famille et ne savait rien sur lui.»

Carla était transie jusqu'à la moelle. *Tout le monde parle sous la torture.*

«Je regrette de t'avoir dit tout ça, mais après m'avoir vu dans cet état, tu aurais fini par comprendre, acheva Werner.

— Autrement dit, je t'ai vraiment mal jugé.

— Ce n'est pas de ta faute. Je t'ai délibérément induite en erreur.

— Je me sens quand même bête. Dire que ça fait deux ans que je te méprise.

— Alors que je brûlais du désir de tout te dire.»

Elle lui passa un bras autour des épaules.

Il lui prit la main et l'embrassa. «Peux-tu me pardonner?»

Elle n'était pas très sûre de ses sentiments, mais ne voulant pas le repousser dans cet état, elle lui répondit : «Oui, bien sûr.

— Pauvre Lili, soupira-t-il dans un murmure. Ils l'avaient tellement martyrisée qu'elle pouvait à peine marcher jusqu'à la guillotine. Et jusqu'au bout, elle les a suppliés de l'épargner.

— Mais pourquoi étais-tu là?

— Je me suis lié d'amitié avec un type de la Gestapo, le commissaire Thomas Macke. C'est lui qui m'a emmené.

— Macke? Je ne l'ai pas oublié, c'est lui qui a arrêté mon père.» Elle avait gardé le souvenir vivace d'un homme au visage rond, barré d'une petite moustache noire; en repensant à son arrogance quand il avait embarqué son père et au chagrin qu'elle avait éprouvé quand son Vati chéri avait succombé aux blessures que cet ignoble individu et ses acolytes lui avait infligées, une rage intacte l'envahit.

«J'ai l'impression qu'il me soupçonne et qu'il a voulu me mettre à l'épreuve. Peut-être espérait-il que je perdrais mon sang-froid et chercherais à empêcher l'exécution. Quoi qu'il en soit, je pense avoir réussi l'examen.

— Mais si tu te fais arrêter...»

Werner acquiesça. «Tout le monde parle sous la torture.

— Et tu sais tout.

— Je connais tous les agents, tous les codes... La seule chose que j'ignore, c'est le lieu depuis lequel ils émettent. Je leur laisse le soin de le choisir et ils évitent de me le communiquer.»

Ils restèrent main dans la main en silence. Après un long moment, Carla dit : «Je suis venue apporter quelque chose à Frieda, mais autant que je te le donne.

— Quoi donc?

— Le plan de bataille pour l'opération Zitadelle.»

Werner fit un bond. «Mais ça fait des semaines que j'essaie de mettre la main dessus! Comment te l'es-tu procuré?

— Grâce à un officier de l'état-major. Peut-être ne devrais-je pas te dire son nom.

— Surtout pas. Mais ce document est-il authentique?

— Tu ferais mieux d'y jeter un œil.» Elle retourna dans la chambre de Frieda et en revint avec l'enveloppe en papier beige. Il ne lui était pas venu à l'idée de douter de son authenticité. «Il m'a l'air correct, mais je n'y connais rien.»

Werner s'empara des feuillets dactylographiés. «C'est du solide. Fantastique! s'écria-t-il au bout d'une minute.

— Je suis bien contente!»

Il se leva. «Il faut que j'apporte ça à Heinrich sur-le-champ. Nous devons le coder et le transmettre cette nuit même.»

Carla fut déçue – sans savoir vraiment ce qu'elle en attendait – que ces instants d'intimité s'achèvent aussi vite. Elle suivit Werner dans le couloir. Après avoir récupéré son sac dans la chambre de Frieda, elle descendit au rez-de-chaussée.

La main sur la poignée de la porte d'entrée, Werner lui dit : «Ça me fait plaisir que nous soyons à nouveau amis.

— Moi aussi.

— Crois-tu que nous pourrons oublier cette période de brouille?»

Elle ignorait où il voulait en venir. Souhaitait-il redevenir son amant – ou voulait-il lui faire comprendre qu'il n'en était pas question? «Il me semble que nous pouvons tourner la page, dit-elle sans trop s'engager.

— Bien.» Il lui déposa un bref baiser sur les lèvres. Puis il ouvrit la porte.

Ils sortirent ensemble et il enfourcha sa moto.

Carla gagna la rue et se dirigea vers la station de métro. L'instant d'après, Werner la dépassa et la salua d'un coup de klaxon et d'un geste de la main.

Restée seule, elle avait enfin le loisir de réfléchir à cette révélation. Que ressentait-elle exactement? Elle l'avait détesté deux ans durant. Mais, au cours de cette période, jamais elle n'avait eu de petit ami. Était-elle toujours amoureuse de lui? À tout le moins, elle ne l'avait pas entièrement banni de ses pensées. Tout à l'heure, devant la détresse qui l'habitait, elle avait senti se dissiper l'hostilité qu'il lui inspirait. Désormais, l'affection qu'elle lui portait lui réchauffait le cœur.

L'aimait-elle encore?

Elle n'en savait rien.

4.

Macke avait pris place aux côtés de Werner sur la banquette arrière de la Mercedes noire. Il avait au cou un sac ressemblant à un cartable d'écolier, à cette différence près qu'il le portait devant et non sur son dos. Il était suffisamment petit pour être dissimulé sous son manteau boutonné. Un mince fil le reliait à un minuscule écouteur. «C'est le dernier cri, expliqua Macke. Plus on s'approche de l'émetteur, plus le volume augmente.

— C'est plus discret qu'une fourgonnette avec une antenne sur le toit, approuva Werner.

— Les deux nous sont utiles – la fourgonnette pour repérer la zone d'émission, cet appareil pour localiser l'émetteur avec précision.»

Macke était dans ses petits souliers. L'opération Zitadelle avait tourné à la catastrophe. Bien avant le début de l'offensive, l'armée Rouge avait attaqué les aérodromes où étaient rassemblées les forces de la Luftwaffe. Zitadelle avait été annulée au bout d'une semaine, mais l'armée allemande avait subi des pertes irréparables.

Quand les choses tournaient mal, les dirigeants allemands étaient prompts à blâmer les conspirateurs judéo-bolcheviques, mais cette fois, ils avaient raison. Selon toute apparence, l'armée Rouge avait eu connaissance à l'avance de l'ensemble du plan. Et, à en croire le commissaire principal Kringelein, Thomas Macke était le seul responsable. C'était lui le chef du contre-espionnage berlinois. Sa carrière était en jeu. Il risquait son poste – sinon pire.

Son seul espoir était de réussir un coup d'éclat, de capturer l'ensemble des espions qui sabotaient l'effort de guerre allemand. Ce soir-là, il avait tendu un piège à Werner Franck.

Si celui-ci était innocent, il n'avait pas de plan de rechange.

Un talkie-walkie posé à l'avant de la voiture se mit à grésiller. Le cœur de Macke battit plus fort. Le chauffeur saisit l'appareil. «Ici Wagner.» Il démarra. «Nous arrivons, dit-il. Terminé.»

Les dés étaient jetés.

«Où allons-nous? demanda Macke.

— À Kreuzberg.» C'était un quartier populaire situé au sud du centre-ville.

Comme ils se mettaient en route, une sirène annonça un raid aérien.

Ce n'est vraiment pas le moment, se dit Macke en jetant un coup d'œil au-dehors. Les projecteurs s'allumèrent, oscillant comme des lances de lumière. Sans doute leur arrivait-il parfois de repérer des avions, mais Macke n'avait jamais vu ce cas de figure. Lorsque les sirènes cessèrent de hurler, il entendit le rugissement des bombardiers qui approchaient. Au début de la guerre, les escadrilles britanniques se composaient de quelques dizaines d'avions – ce qui était déjà beaucoup –, mais ils en envoyaient désormais plusieurs centaines à la fois. Le bruit était terrifiant avant même qu'ils ne larguent leurs bombes.

« Il vaudrait mieux annuler la mission, suggéra Werner.

— Vous voulez rire ? » fit Macke.

Le rugissement des avions s'accentua.

Fusées éclairantes et bombes incendiaires se mirent à pleuvoir alors que la voiture approchait de Kreuzberg. Ce quartier était une cible idéale pour la RAF, dont la stratégie actuelle consistait à tuer le plus de civils possible, des ouvriers surtout. Avec une hypocrisie éhontée, Churchill et Attlee prétendaient n'attaquer que des objectifs militaires et regretter les pertes civiles occasionnées par leurs raids. Les Berlinois n'étaient pas dupes.

Wagner négociait à vive allure les rues éclairées par intermittence par les flammes. On n'y voyait personne excepté le personnel de la défense antiaérienne : tous les citoyens étaient tenus de gagner les abris. Les seuls véhicules qu'ils croisaient étaient des ambulances, des camions de pompiers et des voitures de police.

Macke observait discrètement Werner. Le jeune homme était tendu, ne tenait pas en place, jetait au-dehors des regards anxieux, tapait du pied sans s'en rendre compte.

Macke n'avait confié ses soupçons à personne hormis à ses subordonnés. Il aurait eu du mal à justifier le fait d'avoir révélé le fonctionnement des opérations de la Gestapo à un homme qu'il soupçonnait d'espionnage. Cela aurait pu le conduire dans sa propre salle de torture. Il ne pouvait agir qu'à coup sûr. Sa seule planche de salut était de livrer un espion à ses supérieurs.

Si ses soupçons étaient fondés, en revanche, il ne se contenterait pas d'arrêter Werner mais embarquerait aussi sa famille et ses amis, ce qui lui permettrait d'annoncer l'élimination de tout un réseau. Voilà qui changerait la donne. Peut-être même aurait-il droit à une promotion.

Les bombes changèrent de nature à mesure que le raid progressait, et Macke entendit le bruit sourd et profond des explosifs. Une fois la cible éclairée, la RAF aimait lâcher un mélange de bombes incendiaires de gros calibre qui faisaient partir des brasiers que des explosifs attisaient et qui gênaient les services de secours. C'était une tactique cruelle, mais Macke savait que la Luftwaffe en faisait autant.

Le son s'amplifia dans l'écouteur de Macke lorsqu'ils s'engagèrent précautionneusement dans une rue bordée d'immeubles de cinq étages. Le quartier était soumis à un terrible pilonnage et plusieurs bâtiments s'étaient déjà effondrés. «Nous sommes en plein dans leur ligne de mire, bon sang!» s'exclama Werner.

Macke s'en fichait. Bombardement ou pas, sa vie était en jeu. «Tant mieux, se réjouit-il. Le pianiste s'imaginera qu'il n'a rien à craindre de la Gestapo pendant un raid aérien.»

Wagner s'arrêta près d'une église en flammes et désigna une rue latérale. «C'est ici», dit-il.

Macke et Werner descendirent de voiture.

Macke s'avança d'un pas vif, Werner à ses côtés et Wagner sur leurs talons. «Vous êtes sûr que c'est un espion? lui demanda Werner. Et si c'était autre chose?

— Qui d'autre lancerait des signaux radio?» répliqua Macke.

Il entendait toujours du bruit dans son écouteur, mais faiblement, à cause de la cacophonie due au raid : les avions, les bombes, les canons antiaériens, les bâtiments qui s'effondraient et le rugissement des flammes.

Ils passèrent devant des écuries où des chevaux hennissaient de terreur, et le signal s'accentua. Werner jetait autour de lui des regards de plus en plus anxieux. Si c'était bien un espion, il devait redouter qu'un de ses collaborateurs ne se fasse prendre par la Gestapo – et se demander comment l'éviter. Tenterait-il la même ruse que la dernière fois, ou trouverait-il un nouveau moyen de donner l'alerte? Si ce n'était pas un espion, pensa Macke, toute cette mascarade n'était qu'une perte de temps.

Macke saisit son écouteur et le tendit à Werner. «Tenez, écoutez», dit-il sans cesser d'avancer.

Werner opina. « Le signal est de plus en plus net. » Une lueur affolée traversa son regard. Il rendit l'écouteur à Macke.

Cette fois, je te tiens, se dit le commissaire, triomphant.

Un fracas retentissant ébranla l'air au moment où une bombe s'abattait sur un immeuble tout proche. Ils se retournèrent et virent les flammes dévorer une boulangerie. « Bon Dieu, ce n'est pas passé loin », s'exclama Wagner.

Ils s'arrêtèrent devant une école, un bâtiment de brique qui s'élevait dans une cour asphaltée. « C'est ici, je crois », dit Macke.

Les trois hommes montèrent une volée de marches donnant sur une entrée latérale. La porte était ouverte. Ils la poussèrent.

Ils se trouvaient à l'extrémité d'un couloir. À l'autre bout, une porte donnant sans doute sur une salle de classe. « Allons-y », s'écria Macke.

Il dégaina son pistolet, un Luger 9 mm.

Werner n'était pas armé.

Ils entendirent un coup de tonnerre, puis un grondement sourd suivi du rugissement d'une explosion très proche. Toutes les vitres du couloir se brisèrent et des éclats de verre s'éparpillèrent sur le sol carrelé. Une bombe avait dû toucher la cour de récréation.

« Dégagez, tout le monde ! hurla Werner. Le bâtiment va s'effondrer. »

Il n'y avait aucun danger qu'il s'écroule, remarqua Macke. Werner ne cherchait qu'à alerter le pianiste.

Werner se mit à courir, mais, au lieu de fuir par où ils étaient venus, il se précipita vers l'autre bout du couloir.

Pour alerter ses amis, se dit Macke.

Wagner dégaina son arme, mais Macke cria : « Non ! Ne tire pas ! »

Arrivé au bout du corridor, Werner ouvrit la porte donnant sur une salle. « Barrez-vous tous ! » hurla-t-il. Puis il se figea et se tut.

Devant lui, Mann, l'opérateur radio de Macke, tapait des signaux sans queue ni tête sur son émetteur.

Il était flanqué de Schneider et de Richter, l'arme au poing.

Macke arbora un sourire triomphant. Werner était tombé dans le panneau.

Wagner avança jusqu'au jeune homme et lui colla le canon de son arme sur la tempe.

«Tu es en état d'arrestation, ordure bolchevique», lui lança Macke.

Werner réagit au quart de tour. Il releva la tête pour se dégager, empoigna le bras de Wagner et l'entraîna dans la salle. L'espace d'un instant, il s'en fit un bouclier pour se protéger des pistolets de Schneider et Richter. Puis il se débarrassa de lui sans ménagement, le repoussant brutalement au fond de la salle. Wagner trébucha et tomba, entraînant les autres dans sa chute. Et, avant que personne n'ait eu le temps de réagir, Werner attrapa une chaise et ressortit de la salle dont il claqua la porte avant d'en bloquer la poignée avec le dossier de la chaise. Macke et Werner se retrouvèrent seuls, face à face, dans le couloir. Werner s'avança.

Macke pointa son Luger sur lui. «Arrête ou je tire.

— Ça m'étonnerait.» Werner continua de marcher sur lui. «Il faudra bien que vous m'interrogiez si vous voulez savoir qui sont mes complices.»

Macke visa les jambes de Werner. «Je peux t'interroger avec une balle dans le genou», rétorqua-t-il, et il tira.

Il manqua son coup.

Werner bondit sur lui, lutta et lui fit lâcher son arme qui alla glisser plus loin. Comme Macke se baissait pour la ramasser, Werner prit ses jambes à son cou.

Macke récupéra son pistolet.

Werner arriva devant la porte. Macke visa à nouveau ses jambes et tira.

Ses trois premières balles manquèrent leur cible et Werner franchit la porte.

Macke tira une quatrième fois. Werner poussa un cri et s'effondra.

Macke se mit à courir dans le couloir. Derrière lui, il entendit les autres qui enfonçaient la porte de la salle dans laquelle ils étaient enfermés.

Puis le toit s'effondra dans un bruit de tonnerre, et une averse de feu s'abattit sur lui. Macke poussa un cri de terreur, qui se transforma en cri de souffrance lorsque ses vêtements s'embrasèrent. Il tomba à terre, et ce fut le silence, puis les ténèbres.

5.

Les médecins triaient les patients dans le hall de l'hôpital. Les blessés légers étaient dirigés vers la salle d'attente, où les infirmières débutantes les pansaient et leur administraient de l'aspirine. Les cas les plus graves avaient droit à un traitement d'urgence sur place, avant d'être orientés vers les spécialistes aux étages. Quant aux morts, on les évacuait dans la cour où on les allongeait sur le pavé en attendant que leurs proches viennent les chercher.

Le docteur Ernst examina un brûlé qui hurlait, auquel il prescrivit de la morphine. «Déshabillez-le et mettez de la pommade sur ses brûlures», ordonna-t-il, et il passa au suivant.

Carla prépara une seringue tandis que Frieda découpait les vêtements calcinés du blessé. Il était grièvement brûlé sur le flanc droit, mais le gauche était quasiment indemne. Carla localisa une zone de peau intacte sur sa cuisse gauche. Elle allait lui administrer une piqûre lorsqu'elle examina son visage et se figea.

Elle connaissait cette tête ronde, cette moustache pareille à une tache de saleté sous le nez. Deux ans plus tôt, cet homme avait fait irruption chez eux pour arrêter son père qu'elle n'avait revu qu'à l'agonie. Ce grand brûlé était le commissaire Thomas Macke, de la Gestapo.

Tu as tué mon père, songea-t-elle.

Et à présent, ta vie est entre mes mains.

Rien de plus simple. Quatre fois la dose maximale de morphine, et on n'en parlerait plus. Personne ne remarquerait rien, surtout par une nuit comme celle-ci. Il sombrerait aussitôt dans l'inconscience et mourrait au bout de quelques minutes. Un médecin épuisé attribuerait son décès à une défaillance cardiaque. Personne ne contesterait son diagnostic, personne ne poserait de question embarrassante. Il ferait partie des milliers de victimes de ce raid aérien. *Requiescat in pace.*

Werner craignait que Macke ne l'ait démasqué, elle le savait. Il risquait d'être arrêté d'un jour à l'autre. *Tout le monde parle sous la torture.* Werner leur livrerait Frieda, Heinrich et les autres – elle ferait partie du lot. Elle avait la possibilité de les sauver tous.

Elle hésitait.

Elle se demanda pourquoi. Macke était un assassin et un tortionnaire. Il méritait mille fois la mort.

Carla avait déjà tué Joachim, ou du moins contribué à le tuer. Mais cela s'était passé au cours d'une lutte. Joachim était en train de frapper brutalement sa mère lorsqu'elle lui avait fracassé le crâne avec une marmite. Cette fois, ce n'était pas la même chose : Macke était un patient.

Si Carla n'était pas croyante, certaines choses n'en étaient pas moins sacrées à ses yeux. Elle était infirmière et les patients lui faisaient confiance. Macke n'hésiterait pas à la torturer et à la tuer, bien sûr... Mais elle n'était pas comme lui. Ce n'était pas lui qui était en cause, c'était elle.

Si elle tuait un patient, elle devrait renoncer au métier d'infirmière, renoncer à soigner les autres. Elle serait comme un banquier qui vole les épargnants, un homme politique qui accepte des pots-de-vin, un prêtre pervertissant des premières communiantes. Elle se trahirait elle-même.

« Qu'est-ce que tu attends ? lui demanda Frieda. Je ne peux rien faire tant qu'il n'est pas anesthésié. »

Carla plongea la seringue dans le bras de Thomas Macke, qui cessa aussitôt de hurler.

Frieda entreprit d'enduire son épiderme brûlé de pommade.

« Celui-ci souffre d'une simple commotion, disait le docteur Ernst à propos d'un autre patient. Mais il a reçu une balle dans le derrière. » Il leva la voix pour s'adresser au patient. « Qui vous a tiré dessus ? La RAF nous balance de tout, sauf des balles. »

Carla se retourna pour voir. Le patient était allongé sur le ventre. On avait coupé son pantalon, mettant ses fesses à nu. Il avait la peau blanche et le creux des reins couvert d'un duvet blond. À moitié dans le brouillard, le blessé réussit néanmoins à bredouiller quelques mots.

« Un policier vous a tiré dessus par erreur, c'est ça ? » demanda Ernst.

Le patient répondit distinctement : « Oui.

— Je vais vous extraire la balle. Ça va faire mal, mais nous sommes à court de morphine et il y a des gens plus gravement atteints que vous.

— Allez-y. »

Carla nettoya la plaie. Ernst sélectionna une longue paire de pinces. «Mordez votre oreiller», conseilla-t-il.

Il inséra les pinces dans la plaie. Le patient poussa un cri de douleur étouffé.

«Essayez de ne pas contracter vos muscles, dit le docteur Ernst. Vous ne faites qu'aggraver les choses.»

Quelle remarque stupide, se dit Carla. Comment ne pas être crispé quand on triturait votre plaie?

«Ah, merde! rugit le patient.

— Je la tiens, annonça le docteur Ernst. Restez tranquille!»

Le patient obtempéra, et Ernst réussit à extraire la balle, qu'il jeta dans une cuvette.

Carla nettoya la plaie et y appliqua un pansement.

Le patient se retourna.

«Non, non, lui dit-elle. Vous devez rester allongé sur le...»

Elle se tut. C'était Werner.

«Carla? fit-il.

— C'est moi, dit-elle, aux anges. En train de te panser les fesses.

— Je t'aime.»

Elle l'étreignit d'une façon qui n'avait vraiment rien de professionnel et s'écria: «Oh! mon chéri. Je t'aime, moi aussi.»

6.

Thomas Macke revint lentement à lui. Il resta d'abord prisonnier de ses rêves. Puis reprenant progressivement conscience, il saisit qu'il était à l'hôpital et sous calmants. Il comprit pourquoi: sa peau était douloureuse, notamment son flanc droit. Les médicaments atténuaient la sensation de brûlure sans l'éliminer entièrement.

Peu à peu, il se rappela comment il était arrivé là. Le bombardement. Il aurait sûrement péri s'il n'avait pas tenté de fuir le bâtiment pour rattraper sa proie. Tous ses collaborateurs devaient être morts. Mann, Schneider, Richter et le jeune Wagner. Son équipe au complet.

Mais il avait pincé Werner.

L'avait-il vraiment pincé? Il lui avait tiré dessus et Werner était tombé, et puis la bombe avait explosé. Macke avait survécu, alors peut-être Werner s'en était-il tiré, lui aussi.

Macke était désormais le seul à savoir que Werner était un espion. Il devait parler immédiatement à son supérieur, le commissaire principal Kringelein. Il tenta de se redresser, mais s'aperçut qu'il n'en avait pas la force. Il décida d'appeler l'infirmière avant de constater qu'il en était incapable. Ce simple effort l'épuisa et il sombra dans le sommeil.

Lorsqu'il se réveilla, il devina que la nuit était tombée. Tout était calme autour de lui, personne ne bougeait. Il ouvrit les yeux et découvrit un visage penché sur lui.

Werner.

« Vous allez quitter cet endroit maintenant », déclara Werner.

Macke voulut appeler à l'aide mais aucun son ne sortit de sa gorge.

« Vous allez partir ailleurs, reprit Werner. Vous ne serez plus tortionnaire – là-bas, c'est vous qui serez torturé. »

Macke ouvrit la bouche pour hurler.

Il vit un oreiller descendre sur lui, se plaquer sur son visage et sur son nez. Il ne pouvait plus respirer. Il tenta de se débattre, mais ses membres étaient sans force. Il essaya vainement de reprendre son souffle. La panique le gagna. Il réussit à agiter la tête de droite à gauche, mais l'oreiller se plaqua plus fermement encore sur son visage. Lorsque enfin il réussit à émettre un son, ce ne fut qu'un pitoyable bruit de gorge.

L'univers devint un disque de lumière qui se réduisit peu à peu à un point.

Puis ce fut le noir.

XVII

1943 (III)

1.

« Veux-tu m'épouser ? demanda Volodia Pechkov en retenant son souffle.

— Non, répondit Zoïa Vorotsintseva. Mais merci quand même. »

Elle était souvent incroyablement directe dans ses rapports avec les gens mais là, même de sa part, la réponse était un peu abrupte.

Ils étaient allongés après l'amour dans une chambre du luxueux hôtel Moskva. Zoïa avait joui deux fois. Sa pratique préférée était le cunnilingus. Elle n'aimait rien tant que se laisser aller sur une pile de coussins tandis qu'il s'agenouillait entre ses cuisses tel un adorateur. Il ne se faisait jamais prier et elle lui rendait la pareille avec enthousiasme.

Ils étaient ensemble depuis plus d'un an et tout semblait aller à merveille. Son refus le déconcerta.

« Est-ce que tu m'aimes ? demanda-t-il.

— Oui. Je t'adore. Et je te remercie de m'aimer au point de me proposer le mariage. »

Voilà qui était mieux. « Alors pourquoi ne veux-tu pas m'épouser ?

— Je ne veux pas avoir d'enfants dans un monde en guerre.

— D'accord, je comprends ça.

— Repose-moi la question quand nous aurons gagné.

— Mais peut-être que je ne voudrai plus t'épouser à ce moment-là.

« — Si tu es aussi inconstant, j'ai bien fait de refuser aujourd'hui.

— Pardon. J'avais oublié que tu ne comprenais pas la taquinerie.

— Il faut que j'aille faire pipi. » Elle se leva et traversa la chambre toute nue. Volodia avait du mal à croire à sa chance. Elle avait le corps d'un mannequin ou d'une vedette de cinéma. Sa peau était blanche comme le lait et ses cheveux – ainsi que sa toison – blonds comme les blés. Elle s'assit sur le siège sans fermer la porte de la salle de bains et il l'écouta. Son absence de pudeur était un délice sans cesse renouvelé.

Il était censé être en train de travailler.

Les milieux du Renseignement moscovites étaient complètement désorganisés à chaque visite des dirigeants alliés et la conférence des ministres des Affaires étrangères, inaugurée le 18 octobre, avait bouleversé la routine de Volodia.

L'Union soviétique recevait Cordell Hull, le secrétaire d'État américain, et Anthony Eden, son homologue britannique. Ils avaient en vue un projet d'alliance quadripartite insensé incluant la Chine. Staline, qui jugeait cette idée ridicule, ne comprenait pas pourquoi on lui faisait perdre son temps. Hull, l'Américain, était âgé de soixante-douze ans et crachait du sang – son médecin personnel l'avait suivi à Moscou –, mais il n'en était pas moins déterminé à faire aboutir ce projet.

Il y avait tant à faire pendant la conférence que le NKVD était obligé de coopérer avec ses rivaux des services de renseignement de l'armée Rouge, pour lesquels travaillait Volodia. Il fallait dissimuler des micros dans les hôtels – il y en avait un dans cette chambre, mais Volodia l'avait débranché. Il fallait placer les ministres et leurs assistants sous une surveillance constante. Il fallait ouvrir et fouiller clandestinement leurs bagages. Il fallait enregistrer, transcrire, traduire en russe, lire et résumer leurs conversations téléphoniques. La plupart des gens qu'ils croisaient, serveurs et femmes de chambre compris, étaient des agents du NKVD, mais tous ceux à qui ils adressaient la parole, quels qu'ils soient, dans l'hôtel ou au-dehors, devaient faire l'objet d'un contrôle, qui risquait de déboucher sur une arrestation et un interrogatoire pouvant aller jusqu'à la torture. Tout cela représentait beaucoup de travail.

Volodia était sur un petit nuage. Ses espions berlinois lui fournissaient de précieux renseignements. Ils lui avaient communiqué le plan de bataille de l'opération Zitadelle, la plus grande offensive allemande de l'été, et l'armée Rouge avait infligé à l'ennemi une cuisante défaite.

Zoïa était heureuse, elle aussi. L'Union soviétique avait relancé ses recherches nucléaires et Zoïa appartenait à l'équipe chargée de concevoir une bombe atomique. Ils avaient pris du retard sur l'Ouest à cause du scepticisme de Staline, mais, en compensation, ils recevaient une aide inestimable des espions communistes opérant en Angleterre et en Amérique, parmi lesquels Willi Frunze, le vieux camarade de classe de Volodia.

Elle revint au lit. « Lorsqu'on s'est rencontrés, dit Volodia, j'ai eu l'impression que tu ne m'appréciais pas beaucoup.

— Je n'aimais pas les hommes, répondit-elle. Je ne les aime toujours pas. La plupart d'entre eux sont des ivrognes, des brutes et des imbéciles. Il m'a fallu quelque temps pour comprendre que tu étais différent.

— Merci. Mais tu trouves vraiment les hommes aussi affreux que ça ?

— Regarde autour de toi. Regarde notre pays. »

Il tendit le bras pour allumer le poste de radio posé sur la table de chevet. Bien qu'il ait débranché le micro dissimulé derrière la tête de lit, on n'était jamais trop prudent. Lorsque la radio eut chauffé, elle se mit à diffuser une marche militaire. Assuré de ne pas être entendu, Volodia reprit : « Tu penses à Staline et à Beria. Mais ils ne sont pas éternels.

— Sais-tu comment mon père est mort ? demanda-t-elle.

— Non. Mes parents ne me l'ont jamais dit.

— Il y a une bonne raison à cela.

— Je t'écoute.

— À en croire ma mère, des élections ont été organisées à l'usine de mon père afin d'envoyer un député au soviet de Moscou. Un candidat menchevique s'est présenté contre le bolchevik, il a organisé une réunion et mon père est allé l'écouter. Il ne soutenait pas ce menchevik, il n'a pas voté pour lui ; mais tous ceux qui ont assisté à cette réunion ont été licenciés et, quelques semaines plus tard, mon père était arrêté et conduit à la Loubianka. »

Elle parlait du quartier général de la police secrète, place Loubianka.

« Ma mère est allée voir ton père et l'a supplié d'intervenir, poursuivit-elle. Il l'a aussitôt accompagnée à la Loubianka. Ils sont arrivés juste à temps; tous les hommes arrêtés avec mon père ont été fusillés, mais ton père a pu sauver le mien in extremis. Grigori l'a cru tiré d'affaire, mais ils ont exécuté mon père en douce quelques jours plus tard.

— C'est horrible, murmura Volodia. Mais c'est Staline qui...

— Non. Ça s'est passé en 1920. À l'époque, Staline était commandant de l'armée Rouge et participait à la guerre soviéto-polonaise. Le dirigeant, c'était Lénine.

— C'est arrivé du temps de Lénine?

— Oui. Tu vois, il n'y a pas que Staline et Beria. »

Cela ébranlait sérieusement la vision qu'avait Volodia de l'histoire du communisme. « Mais pourquoi? »

La porte s'ouvrit.

Volodia tendit le bras pour prendre le pistolet caché dans le tiroir de la table de chevet.

Ce n'était qu'une jeune fille vêtue d'un manteau de fourrure, sans rien dessous apparemment.

« Pardon, Volodia, dit-elle. Je ne savais pas que tu avais de la compagnie.

— Qui diable est cette fille? lança Zoïa.

— Natacha, comment as-tu fait pour ouvrir cette porte?

— Tu m'as donné un passe. Il ouvre toutes les portes de l'hôtel.

— Tu aurais pu frapper, quand même!

— Désolée. Je venais t'annoncer une mauvaise nouvelle.

— Hein?

— Je suis allée dans la chambre de Woody Dewar, comme tu me l'avais ordonné. Mais ça n'a pas marché.

— Qu'est-ce que tu as fait?

— Ça. » Natacha ouvrit son manteau révélant son corps nu. Elle avait des formes voluptueuses et une toison pubienne noire et luxuriante.

« C'est bon, je vois le tableau, lança Volodia. Qu'est-ce qu'il a dit? »

Elle lui répondit en anglais. « Il a simplement dit : "Non." J'ai demandé : "Comment ça, non?" Et il m'a répondu : "Le contraire de oui." Puis il a ouvert la porte et attendu que je sois sortie.

— Merde, fit Volodia. Il va falloir que je trouve autre chose. »

2.

Chuck Dewar comprit qu'il allait y avoir du grabuge lorsque le capitaine Vandermeier débarqua dans la section Territoire ennemi en milieu d'après-midi, le visage empourpré par un déjeuner bien arrosé à la bière.

Le service du Renseignement militaire de Pearl Harbor avait pris de l'ampleur. Jadis baptisé station HYPO, il avait reçu l'appellation ronflante de Joint Intelligence Center, Pacific Ocean Area (JICPOA), Centre mixte du renseignement pour la zone de l'océan Pacifique.

Vandermeier était accompagné d'un sergent des marines. «Hé! les deux tantes, lança le capitaine. Je vous amène un client mécontent.»

Depuis le développement des opérations, tout le monde s'était spécialisé dans un domaine précis, et Chuck et Eddie étaient chargés de cartographier les zones de débarquement des forces américaines envoyées reprendre une par une les îles du Pacifique.

«Voici le sergent Donegan», reprit Vandermeier. Le marine était un homme de haute taille, raide comme un fusil. Connaissant les penchants sexuels un peu troubles de Vandermeier, Chuck se demanda s'il avait le béguin pour lui.

Il se leva. «Enchanté de faire votre connaissance, sergent. Je suis le premier maître Dewar.»

Chuck et Eddie étaient tous deux montés en grade. À mesure que des milliers de conscrits rejoignaient l'armée américaine, les officiers commençaient à manquer, et les soldats qui s'étaient engagés avant le conflit et savaient se débrouiller gravissaient rapidement les échelons. Chuck et Eddie n'étaient plus tenus de loger sur la base. Ils avaient loué un petit appartement.

Chuck tendit la main mais Donegan ne la serra pas.

Il se rassit. Son grade faisait de lui le supérieur hiérarchique de ce sergent et il pouvait lui aussi se montrer grossier. «Que puis-je pour vous, capitaine Vandermeier?»

Un capitaine de marine ne manquait pas de moyens pour mener la vie dure à ses subalternes, et Vandermeier les connaissait tous. Il modifiait le tableau de service afin que Chuck et

Eddie ne soient jamais en congé en même temps. Il notait leurs rapports «passable», sachant parfaitement que toute appréciation inférieure à «excellent» équivalait à un blâme. Il envoyait des messages contradictoires au chef comptable afin que la solde de Chuck et d'Eddie soit versée en retard, voire diminuée, ce qui les obligeait à perdre des heures à régulariser leur situation. Bref, c'était un enquiquineur patenté. Quel mauvais tour avait-il encore imaginé?

Donegan sortit de sa poche une feuille de papier fort abîmée et la déplia. «C'est votre boulot, ça?» demanda-t-il d'un air agressif.

Chuck prit le papier. C'était une carte de la Nouvelle-Géorgie, une des îles Salomon. «Faites-moi voir», dit-il. Il s'agissait bien de son œuvre, il le savait, mais il cherchait à gagner du temps.

Il s'approcha d'un classeur et ouvrit un tiroir. Il en sortit le dossier de la Nouvelle-Géorgie puis referma le tiroir d'un coup de genou. De retour à son bureau, il s'assit et ouvrit la chemise en carton. Elle contenait un double de la carte de Donegan. «Oui, confirma Chuck. C'est mon boulot.

— Eh bien, je suis venu vous dire que c'est de la merde, déclara Donegan.

— Ah bon?

— Regardez ici. D'après vous, la jungle s'étend jusqu'à la mer. En réalité, il y a une plage large de quatre cents mètres.

— Je suis navré de l'apprendre.

— Navré!» Donegan avait bu à peu près autant de bière que Vandermeier et il cherchait la bagarre. «Cinquante de mes gars sont morts sur cette plage.»

Vandermeier rota et demanda : «Comment avez-vous pu commettre une aussi grossière erreur, Dewar?»

Chuck était atterré. S'il était effectivement responsable d'une erreur qui avait coûté la vie à cinquante hommes, il méritait qu'on lui passe un sacré savon. «On n'avait que ça pour travailler», se justifia-t-il. Le dossier contenait une carte approximative de l'archipel, datant sans doute de l'époque victorienne, et une carte nautique plus récente qui détaillait les profondeurs au large de l'île sans révéler grand-chose de sa topographie. Ils ne disposaient ni de description de première main, ni de messages japonais décryptés. Pour compléter le dossier, une photographie noir et blanc un peu floue obtenue par les services de reconnaissance aérienne. Posant l'index sur celle-ci, Chuck déclara : «On dirait pourtant que les arbres vont jusqu'à la ligne de haute mer. Y a-t-il une marée? Dans le cas contraire, il n'est pas impossible que le sable ait été recouvert d'algues le jour où on a pris cette photo. Les algues, ça apparaît et disparaît en un rien de temps.

— Vous feriez preuve de moins de désinvolture si vous deviez vous battre sur des îles comme celle-ci. »

C'était sans doute vrai, se dit Chuck. Donegan était grossier et agressif, et cette ordure de Vandermeier lui avait bien monté la tête, mais ça ne voulait pas dire qu'il avait tort.

«Ouais, Dewar, renchérit Vandermeier. Vous deux, les tapettes, vous feriez peut-être bien d'accompagner les marines, lors du prochain assaut. Pour voir ce que valent vos cartes sur le terrain. »

Chuck cherchait une repartie cinglante lorsqu'il lui vint l'idée de prendre cette suggestion au sérieux. Peut-être devrait-il effectivement aller au feu. Il était facile d'être blasé derrière un bureau. Les griefs de Donegan méritaient d'être pris en considération.

D'un autre côté, il allait risquer sa vie.

Chuck regarda Vandermeier droit dans les yeux. «Ça me semble une bonne idée, capitaine, acquiesça-t-il. J'aimerais me porter volontaire pour cette mission. »

Donegan parut surpris, comme s'il commençait à comprendre qu'il avait mal jugé la situation.

Eddie prit la parole à son tour. «Moi aussi. Je suis prêt.

— Parfait, dit Vandermeier. Vous apprendrez sûrement des choses qui vous seront utiles à votre retour... Si vous revenez. »

3.

Volodia n'arrivait pas à saouler Woody Dewar.

Au bar de l'hôtel Moskva, il posa un verre de vodka devant le jeune Américain et lui dit dans un anglais scolaire : «Vous allez adorer celle-ci : c'est la meilleure de toutes.

— Je vous remercie infiniment, répondit Woody. C'est très aimable de votre part. » Et il ne toucha pas au verre.

Woody était grand, dégingandé et semblait d'une franchise confinant à la naïveté, raison pour laquelle Volodia l'avait pris pour cible.

S'exprimant par le truchement de son interprète, Woody lui demanda : «Pechkov est-il un patronyme courant en Russie ?

— Pas tellement, répondit Volodia en russe.

— Je suis de Buffalo et il y a là-bas un homme d'affaires bien connu qui s'appelle Lev Pechkov. Je me demandais si vous étiez apparentés. »

Volodia sursauta. Le frère de son père s'appelait Lev Pechkov et avait émigré à Buffalo avant la Première Guerre mondiale. Mais il préféra se montrer prudent. «Il faudra que je pose la question à mon père, dit-il.

— J'étais à Harvard avec Greg, le fils de Lev Pechkov. C'est peut-être votre cousin.

— Possible. » Volodia jeta un coup d'œil inquiet aux agents de la police secrète assis autour de la table. Woody l'ignorait, mais à leurs yeux, tout citoyen soviétique entretenant des liens avec un Américain devenait automatiquement suspect. «Vous savez, Woody, dans ce pays, refuser un coup à boire passe pour une insulte. »

Woody esquissa un sourire affable. «Pas en Amérique», dit-il.

Volodia attrapa son verre et jeta un regard circulaire aux espions déguisés en fonctionnaires et en diplomates. «Portons un toast ! À l'amitié entre les États-Unis et l'Union soviétique ! »

Les autres levèrent leurs verres. Woody les imita. «À l'amitié ! » répétèrent-ils.

Tous burent hormis Woody, qui reposa son verre sans y avoir touché.

Volodia se demanda s'il était aussi naïf qu'il en avait l'air.

Woody se pencha au-dessus de la table. «Il faut que vous sachiez une chose, Volodia : je ne connais aucun secret. Je n'occupe pas un poste assez important pour cela.

— Moi non plus», répondit Volodia. Ce n'était pas vrai, loin de là.

«Ce que je veux dire, poursuivit Woody, c'est que vous n'avez qu'à me poser des questions. Si je peux répondre, je le ferai. Rien ne m'en empêche puisque que je ne détiens aucun secret. Inutile de m'enivrer ou d'envoyer des prostituées dans ma chambre. Interrogez-moi, c'est tout. »

C'était sûrement une ruse, se dit Volodia. Personne n'était

ingénu à ce point. Mais il décida de se prêter au petit jeu de Woody. Pourquoi pas? «Très bien, approuva-t-il. J'aimerais bien savoir ce que vous voulez. Pas vous personnellement, bien entendu. Votre délégation, le secrétaire d'État Hull et le président Roosevelt. Qu'attendez-vous de cette conférence?

— Nous voulons que vous souteniez l'alliance quadripartite.»

C'était la réponse courante, mais Volodia décida d'aller plus loin. «Voilà précisément ce que nous ne comprenons pas.» C'était à lui d'être sincère cette fois, trop peut-être, mais son instinct lui soufflait de baisser un peu sa garde. «Qui peut bien s'intéresser à une alliance avec la Chine? Nous devons vaincre les nazis en Europe. Et nous avons besoin de votre aide.

— Vous l'aurez.

— C'est ce que vous dites. Mais vous aviez promis d'envahir l'Europe cet été.

— Eh bien, nous avons débarqué en Italie.

— Ça ne suffit pas.

— L'année prochaine, c'est au tour de la France. Nous l'avons promis.

— Alors pourquoi avez-vous besoin de cette alliance?

— Comment dire...» Woody marqua une pause, cherchant à rassembler ses idées. «Nous devons montrer au peuple américain qu'il est dans son intérêt d'envahir l'Europe.

— Pourquoi?

— Pourquoi quoi?

— Pourquoi devez-vous expliquer ça au peuple? Roosevelt est président, non? Il n'a qu'à le faire!

— Il y a des élections l'année prochaine. Il veut être réélu.

— Et alors?

— Les Américains ne voteront pas pour lui s'ils estiment qu'il les a entraînés sans raison valable dans la guerre en Europe. Il veut donc leur présenter celle-ci comme un élément de son plan général pour une paix mondiale. Si nous mettons sur pied l'alliance quadripartite, cela montrera que nous sommes décidés à créer une Organisation des Nations unies. Alors les Américains seront plus nombreux à admettre que le débarquement en France est une étape sur la voie d'un monde plus pacifique.

— Je n'en reviens pas, lança Volodia. C'est lui le président, et il est obligé de justifier tous ses actes!

« — Il y a de ça, acquiesça Woody. C'est ce qu'on appelle la démocratie. »

Volodia avait la vague impression que cette histoire incroyable était vraie. « Autrement dit, cette alliance est nécessaire pour convaincre les électeurs américains de soutenir votre intervention en Europe ?

— Exactement.

— Mais pourquoi avons-nous besoin de la Chine ? » Staline n'avait que mépris pour l'insistance avec laquelle les Alliés tenaient à inclure la Chine dans cette alliance.

« La Chine est un allié faible.

— Alors, oubliez-la.

— Si les Chinois sont tenus à l'écart, cela va les décourager, et ils se battront peut-être avec moins d'énergie contre les Japonais.

— Et alors ?

— Et alors, nous devrons renforcer nos troupes dans le Pacifique, ce qui nous empêchera de le faire en Europe. »

Volodia s'alarma. L'Union soviétique n'avait pas la moindre envie que des forces alliées soient retirées d'Europe pour être déployées dans le Pacifique. « Donc, vous faites une fleur à la Chine dans le seul but de pouvoir concentrer vos forces sur le débarquement en Europe ?

— Oui.

— À vous entendre, ça paraît si simple.

— Pour une bonne raison : ça l'est », conclut Woody.

4.

Le 1er novembre au matin, Chuck et Eddie mangèrent un steak pour le petit déjeuner en compagnie de la 3e division de marines au large de Bougainville, dans les mers du Sud.

Cette île mesurait deux cents kilomètres de long. Les Japonais y avaient construit deux bases aériennes, une au nord, l'autre au sud. Les marines se préparaient à débarquer à mi-chemin de la côte ouest, faiblement défendue. Leur objectif était d'établir une tête de pont et de s'emparer de suffisamment de terrain pour construire une piste d'atterrissage d'où ils pourraient attaquer les bases japonaises.

Chuck était sur le pont à sept heures vingt-six, lorsque les fusiliers marins, casqués et chargés de leur barda, descendirent le long des filets accrochés sur la coque du navire pour sauter dans les barges de débarquement. Ils étaient accompagnés d'un petit nombre de chiens, des dobermans aux qualités de sentinelles infatigables.

Comme les barges approchaient de la côte, Chuck repéra aussitôt une erreur sur la carte qu'il avait dressée. De fortes vagues s'écrasaient sur une plage escarpée. Sous ses yeux, une barge secouée par le ressac chavira. Les marines durent nager jusqu'au rivage.

«Il faut indiquer le ressac sur la carte», dit Chuck à Eddie, qui se tenait près de lui.

«Mais comment le repérer?

— La reconnaissance aérienne doit envoyer un appareil à assez basse altitude pour que les gerbes d'écume soient visibles sur les photos qu'il prend.

— Ils ne peuvent pas prendre un tel risque à proximité d'une base aérienne ennemie.»

Eddie avait raison. Mais il fallait trouver une solution. Chuck enregistra mentalement le problème, premier enseignement de cette mission.

Pour celle-ci, ils avaient bénéficié d'informations plus précises qu'à l'ordinaire. Outre les cartes peu fiables et les photographies aériennes difficiles à déchiffrer, ils disposaient du rapport d'un groupe d'éclaireurs débarqués par sous-marin six semaines plus tôt. Ils avaient identifié douze plages propices à un débarquement sur une longueur de côte de six kilomètres. Mais ils n'avaient pas parlé du ressac. Peut-être était-il moins violent ce jour-là.

Pour l'instant, la carte de Chuck était relativement exacte. Une plage de sable de cent mètres de large, puis un fouillis de palmiers et d'autres végétaux. Derrière les fourrés, à en croire la carte, s'étendait un marais.

La côte n'était pas totalement sans défense. Chuck entendit le rugissement de l'artillerie et vit un obus se perdre dans les hauts-fonds. Un coup dans l'eau, mais le canonnier ajusterait son tir. Les marines semblaient galvanisés lorsqu'ils sautèrent sur le sable et foncèrent en direction du couvert végétal.

Chuck se félicitait d'être là. Jamais il ne s'était montré négligent dans le tracé de ses cartes, mais il était salutaire de constater par soi-même qu'une carte précise était capable de sauver des vies et que la moindre erreur pouvait être fatale. Avant même leur embarquement, Eddie et lui s'étaient montrés plus exigeants. Ils avaient demandé à ce qu'on reprenne des clichés quand les photos aériennes n'étaient pas nettes, interrogé les éclaireurs par téléphone et demandé un peu partout des cartes nautiques plus fiables.

Il se félicitait pour une autre raison. Il avait pris la mer, ce qui le ravissait. Il partageait un navire avec sept cents jeunes gens et il appréciait leur camaraderie, leurs blagues, leurs chansons et l'intimité des cabines bondées et des douches communes. « C'est un peu ce que doit ressentir un hétérosexuel dans une école de filles, dit-il un soir à Eddie.

— Sauf que ça ne leur arrive jamais, mais à nous si », répondit Eddie. Il était aussi enchanté que Chuck. Tous deux s'aimaient sincèrement, ce qui ne les empêchait pas de reluquer les matelots en tenue d'Adam.

À présent, les sept cents fusiliers marins cherchaient à débarquer le plus rapidement possible. La même scène se reproduisait en huit autres points de la côte. Dès qu'une barge était vide, elle s'empressait de faire demi-tour pour embarquer un nouveau contingent, mais la procédure n'en semblait pas moins d'une lenteur désespérante.

L'artilleur japonais, tapi quelque part dans la jungle, parvint enfin à ajuster son tir et, sous les yeux horrifiés de Chuck, un obus explosa au milieu d'un groupe de marines, projetant une gerbe de corps, de fusils et de membres arrachés qui retombèrent sur la plage et vinrent rougir le sable.

Chuck contemplait cette scène de carnage lorsqu'il entendit le rugissement d'un avion et vit un chasseur Zéro longer la côte à basse altitude. Les soleils rouges peints sur ses ailes le terrifièrent. La dernière fois qu'il les avait vus, c'était à la bataille de Midway.

Le Zéro mitrailla la plage. Les marines qui sortaient de la barge se retrouvèrent sans défense. Certains se jetèrent à plat ventre dans l'eau, d'autres tentèrent de s'abriter derrière la coque, d'autres encore de courir vers la jungle. Pendant quelques secondes, on vit jaillir le sang et tomber les hommes.

Puis l'avion repartit, laissant la plage jonchée de cadavres américains.

Quelques instants plus tard, Chuck l'entendit faire feu sur la plage suivante.

Il reviendrait.

Des avions américains auraient dû les protéger, mais il n'en voyait aucun. Le soutien aérien n'était jamais là où il aurait dû être, c'est-à-dire au-dessus des troupes.

Lorsque tous les marines eurent rejoint la rive, les barges y transportèrent médecins et brancardiers. Puis ce fut au tour du matériel : munitions, eau potable, nourriture, médicaments et pansements. Au retour, la barge évacuait les blessés jusqu'au navire.

Chuck et Eddie, dont le rôle n'était pas essentiel pour l'opération, débarquèrent avec le matériel.

Le pilote de la barge s'était adapté au ressac et parvint à la stabiliser, la rampe abaissée sur le sable et la poupe encaissant les vagues, tandis qu'on déchargeait les caisses et que Chuck et Eddie gagnaient le rivage en pataugeant.

Ils arrivèrent ensemble sur le sable.

À ce moment-là, une mitrailleuse ouvrit le feu.

Elle devait être dissimulée dans la jungle, à environ quatre cents mètres. S'y trouvait-elle depuis le début, le tireur ayant patiemment attendu son heure, ou bien venait-on de la mettre en position ? Baissant la tête, Chuck et Eddie coururent vers les palmiers.

Un marin qui transportait une caisse de munitions poussa un cri de douleur et s'effondra, laissant choir son fardeau.

Puis Eddie hurla.

Chuck fit encore deux enjambées avant de pouvoir s'arrêter. Quand il se retourna, ce fut pour voir Eddie se rouler par terre, le genou entre les mains, en criant : « Ah, merde ! »

Chuck revint près de lui. « Tout va bien, je suis là ! » hurla-t-il. Eddie avait les yeux clos, mais il était vivant et Chuck ne lui vit de blessure qu'au genou.

Il leva les yeux. La barge qui les avait transportés était toujours en cours de déchargement près du rivage. Il lui suffirait de quelques minutes pour y ramener Eddie. Mais la mitrailleuse tirait toujours.

Il s'accroupit. « Ça va faire mal, prévint-il. Hurle autant que tu veux. »

Il passa le bras droit sous les épaules d'Eddie, puis glissa le gauche sous ses cuisses. Il le souleva et se redressa. Eddie poussa un cri de douleur lorsque sa jambe blessée se balança dans le vide. «Tiens bon, mon vieux», dit Chuck. Il se tourna vers l'océan.

Soudain, il sentit une douleur insoutenable lui poignarder les jambes, le dos et enfin la tête. Pendant la fraction de seconde qui suivit, il se dit qu'il ne devait pas lâcher Eddie. Puis il comprit qu'il ne pourrait pas faire autrement. Une explosion de lumière derrière ses yeux l'aveugla.

Et le monde prit fin.

5.

Carla travaillait à l'hôpital juif pendant son jour de congé.

C'était le docteur Rothmann qui l'en avait persuadée. Les nazis l'avaient libéré du camp de concentration – ils étaient les seuls à savoir pourquoi, et ils n'en dirent rien à personne. Le médecin juif avait perdu un œil et boitait, mais il était vivant et capable d'exercer son métier.

L'hôpital se trouvait à Wedding, un quartier ouvrier du nord de la ville, mais son architecture n'avait rien de prolétaire. On l'avait édifié avant la Première Guerre mondiale, à une époque où les Juifs berlinois étaient fiers et prospères. Il consistait en sept élégants bâtiments disposés dans un vaste jardin. Les différents services étaient reliés par des tunnels, si bien que patients et personnel pouvaient se déplacer de l'un à l'autre sans craindre les intempéries.

C'était un miracle qu'il existe encore un hôpital juif. Il ne restait presque plus de Juifs à Berlin. On les avait raflés par milliers et déportés dans des trains spéciaux. Nul ne savait où ils avaient été conduits ni ce qu'ils étaient devenus. De folles rumeurs circulaient sur des camps d'extermination.

S'ils tombaient malades, les rares Juifs berlinois ne pouvaient pas se faire soigner par des médecins et des infirmières aryens. Aussi la logique tordue du racisme nazi imposait-elle le maintien de cet hôpital. Son personnel était composé en majorité de Juifs et d'autres malheureux auxquels on refusait le statut d'Aryens. Slaves d'Europe de l'Est, individus d'origines mixtes, époux et épouses de Juifs. Comme il n'y avait pas assez d'infirmières, Carla venait donner un coup de main.

L'hôpital était constamment en butte aux tracasseries de la Gestapo, à court de fournitures médicales et plus particulièrement de médicaments ; son fonctionnement était encore entravé par des effectifs insuffisants et des fonds presque inexistants.

Carla violait la loi lorsqu'elle prenait la température d'un garçon de onze ans au pied broyé lors d'un raid aérien. Et elle commettait aussi un crime en chapardant des fournitures médicales dans l'hôpital où elle travaillait quotidiennement pour les apporter là. Mais elle tenait à prouver, ne fût-ce qu'à elle-même, que certains n'avaient pas plié l'échine devant les nazis.

Alors qu'elle finissait sa tournée, elle aperçut Werner devant la porte, dans son uniforme de la Luftwaffe.

Plusieurs jours durant, ils avaient vécu l'un comme l'autre dans la terreur, se demandant si quelqu'un avait survécu au bombardement de l'école et risquait de dénoncer Werner, mais il était clair à présent que tout le monde était mort et que Macke n'avait confié ses soupçons à personne. Une fois encore, ils s'en étaient tirés.

Werner s'était rapidement remis de sa blessure.

Et ils étaient amants. Werner avait emménagé dans la grande maison à moitié vide des von Ulrich et couchait toutes les nuits dans le lit de Carla. Leurs parents n'y avaient vu aucune objection : tout le monde savait que la mort pouvait frapper d'un jour à l'autre et qu'il fallait profiter de tous les instants de joie dérobés à cette vie de souffrance et de privations.

Mais Werner avait l'air plus solennel que d'habitude lorsqu'il fit signe à Carla à travers la vitre de la porte du service. Elle l'invita à entrer et l'embrassa. «Je t'aime», dit-elle. Elle ne se lassait pas de prononcer ces mots.

Et il était toujours heureux de lui répondre : «Moi aussi, je t'aime.

— Que viens-tu faire ici? demanda-t-elle. Tu avais envie d'un petit baiser?

— J'ai reçu de mauvaises nouvelles. On m'envoie sur le front de l'Est.

— Oh, non!» Elle sentit les larmes lui monter aux yeux.

«C'est un miracle que ce ne soit pas arrivé plus tôt. Mais le général Dorn ne peut plus me garder. La moitié de nos troupes se compose de vieillards et d'adolescents, et je suis un officier de vingt-quatre ans en excellente forme.

— Ne meurs pas, je t'en prie, chuchota-t-elle.

— Je ferai mon possible. »

Toujours dans un murmure, elle poursuivit : « Mais que va devenir le réseau ? Tu es le seul à être au courant de tout. Qui d'autre pourrait le diriger ? »

Il la regarda sans rien dire.

Elle comprit à quoi il pensait. « Oh, non, pas moi !

— Tu es la plus qualifiée. Frieda est un bon agent, mais ce n'est pas un chef. Tu as montré que tu étais capable de recruter de nouveaux éléments et de les motiver. La police ne s'est jamais intéressée à toi et on ne te connaît aucune activité politique. Tout le monde ignore le rôle que tu as joué dans l'affaire de l'Aktion T4. Aux yeux des autorités, tu es une infirmière irréprochable.

— Mais Werner, j'ai peur !

— Tu n'es pas obligée de le faire. Mais si tu ne le fais pas, personne ne le fera. »

À ce moment-là, un bruit parvint à leurs oreilles.

Le service voisin était réservé aux malades mentaux, et il n'était pas rare d'entendre des cris et des hurlements, mais ce bruit-là sortait de l'ordinaire. Une voix cultivée protestait d'un ton irrité. Puis une seconde voix s'éleva, marquée par un fort accent berlinois et par un ton brutal, typique des gens de la capitale à en croire les provinciaux.

Carla s'avança dans le couloir, Werner sur ses talons.

Le docteur Rothmann, dont la veste portait l'étoile jaune, discutait ferme avec un SS en uniforme. Derrière eux, la double porte du service psychiatrique, normalement fermée à double tour, était grande ouverte. Les patients sortaient. Deux policiers et quelques infirmières escortaient dans l'escalier une file désordonnée d'hommes et de femmes, pour la plupart en pyjama ; certains se tenaient droits et paraissaient normaux, alors que d'autres avaient le dos voûté et traînaient les pieds en marmonnant.

Carla se rappela aussitôt Kurt, le fils d'Ada, Axel, le frère de Werner, et le prétendu hôpital d'Akelberg. Elle ignorait où se rendaient ces patients mais elle était sûre qu'on les y tuerait.

« Ces gens sont malades ! vitupérait le docteur Rothmann. Ils ont besoin de soins.

— Ce ne sont pas des malades, répondit l'officier SS, ce sont des aliénés, et nous les conduisons là où ils devraient déjà se trouver.

— Dans un hôpital ?

— Vous en serez informé en temps utile.

— Cela ne me suffit pas. »

Carla savait qu'elle ne devait pas intervenir. Si on s'apercevait qu'elle n'était pas juive, elle aurait de graves ennuis. Elle n'avait pas vraiment l'air d'une Aryenne, avec ses cheveux noirs et ses yeux verts. Si elle se tenait tranquille, personne sans doute ne l'inquiéterait. Mais si elle protestait contre les agissements du SS, elle serait arrêtée et interrogée, et on découvrirait qu'elle travaillait dans l'illégalité. Elle décida donc de serrer les dents.

L'officier éleva la voix : « Dépêchez-vous – faites monter ces crétins dans le bus. »

Rothmann insista. « Je dois savoir où ils se rendent. Ce sont mes patients. »

Ce n'était pas tout à fait vrai car il n'était pas psychiatre.

« Si vous vous faites du souci pour eux, vous n'avez qu'à les accompagner », répliqua le SS.

Le médecin pâlit. Il irait vers une mort presque certaine, il le savait.

Carla pensa à son épouse Hannelore, à son fils Rudi et à sa fille Eva, réfugiée en Angleterre, et la peur lui serra la gorge.

L'officier sourit. « On se sent soudain moins concerné, hein ? » railla-t-il.

Rothmann se redressa. « Vous vous trompez. J'accepte votre proposition. Il y a bien des années, j'ai fait serment de m'efforcer d'aider les malades. Je ne vais pas trahir ma parole aujourd'hui. J'espère mourir en paix avec ma conscience. » Il descendit l'escalier en boitant.

Une vieille femme passa, vêtue d'une simple robe de chambre grande ouverte qui ne laissait rien ignorer de sa nudité.

Carla ne put rester silencieuse plus longtemps. « Nous sommes en novembre ! s'écria-t-elle. Ils ne sont pas habillés pour sortir ! »

L'officier la gratifia d'un regard mauvais. « Ils seront très bien dans le bus.

« — Je vais chercher des vêtements chauds. » Carla se tourna vers Werner. « Aide-moi. Récupère des couvertures où tu pourras. »

Ils firent le tour du service psychiatrique à présent désert, ramassant des couvertures sur les lits et dans les armoires. Puis ils s'empressèrent de descendre, chacun avec sa pile.

Dans le jardin, la terre avait gelé. Un autocar gris était garé devant la porte principale; son chauffeur fumait au volant en faisant tourner le moteur. Carla vit qu'il portait un épais manteau, un chapeau et des gants, ce qui signifiait que le car n'était pas chauffé.

Un petit groupe de SS et de membres de la Gestapo surveillait les opérations.

Les derniers patients montaient dans le véhicule. Carla et Werner les suivirent et entreprirent de distribuer les couvertures.

Le docteur Rothmann se tenait debout au fond du bus. « Carla, dit-il. Tu... tu diras à Hannelore ce qui s'est passé. Je dois accompagner les patients. Je n'ai pas le choix.

— Bien sûr. » Elle avait la gorge nouée par l'émotion.

« Peut-être arriverai-je à protéger ces malheureux. »

Carla acquiesça, mais elle ne le croyait pas vraiment.

« Quoi qu'il en soit, je ne peux pas les abandonner.

— Je le lui dirai.

— Dis-lui aussi que je l'aime. »

Carla ne put retenir ses larmes.

« Dis-lui que c'est la dernière chose que je t'aie dite. Je l'aime. »

Carla acquiesça.

Werner lui prit le bras. « Allons-nous-en. »

Ils descendirent du car.

Un SS lança à Werner : « Hé, vous, vous portez l'uniforme de la Luftwaffe, qu'est-ce que vous faites ici ? »

Werner était si furieux que Carla craignit de le voir déclencher un pugilat. Mais ce fut d'une voix posée qu'il répondit : « Je distribue des couvertures à des vieillards qui ont froid. C'est contraire à la loi à présent ?

— Vous devriez être sur le front de l'Est.

— J'y pars dès demain. Et vous ?

— Attention à ce que vous dites.

— Si vous aviez l'obligeance de m'arrêter, vous me sauveriez peut-être la vie. »

L'homme se détourna.

On entendit grincer les vitesses du car et le bruit du moteur s'amplifia. Carla et Werner se retournèrent. À chaque carreau se plaquait un visage, et ils étaient tous différents : celui-ci bredouillait, celui-là bavait, un autre riait de façon hystérique, celui-là était distrait, le dernier en proie à une détresse spirituelle – tous étaient déments. Les occupants d'une unité psychiatrique évacués par des SS. Les fous guidant les fous.

Le car s'éloigna.

6.

« Peut-être aurais-je aimé la Russie si on m'avait permis de la voir, dit Woody à son père.

— Je partage ton sentiment.

— Je n'ai même pas pu prendre une photo correcte. »

Ils étaient assis dans le grand hall de l'hôtel Moskva, près de l'entrée de la station de métro. Leurs valises étaient bouclées et ils rentraient chez eux.

« Il faut que je dise à Greg Pechkov que j'ai rencontré un certain Volodia Pechkov, reprit Woody. Encore que celui-ci n'ait guère été ravi de l'apprendre. J'imagine qu'avoir un parent à l'Ouest suffirait à le rendre suspect.

— Tu peux en être sûr.

— Enfin, nous ne repartons pas les mains vides – c'est l'essentiel. Les Alliés se sont engagés à créer l'Organisation des Nations unies.

— Oui, approuva Gus d'un air satisfait. Staline s'est fait tirer l'oreille, mais il a fini par admettre que c'était une idée sensée. Tu nous as aidés, je crois, en parlant franchement à Pechkov comme tu l'as fait.

— Toute ta vie tu t'es battu pour ça, Papa.

— C'est un grand moment, c'est sûr. »

Une idée inquiétante traversa l'esprit de Woody. « Tu ne vas pas prendre ta retraite, au moins ? »

Gus s'esclaffa. « Non. Nous n'avons obtenu qu'un accord de principe : le travail ne fait que commencer. »

Cordell Hull avait déjà quitté Moscou, mais certains de ses assistants s'y trouvaient encore et l'un d'eux s'approcha des

Dewar. Woody le connaissait – un jeune homme du nom de Ray Baker. «J'ai un message pour vous, monsieur le sénateur», annonça-t-il. Il paraissait nerveux.

«Eh bien, vous avez failli me manquer – je suis sur le départ, dit Gus. Qu'y a-t-il?

— C'est à propos de votre fils Charles – Chuck.»

Gus pâlit : «Quel est le message, Ray?»

Le jeune homme avait peine à s'exprimer. «Ce sont de mauvaises nouvelles, monsieur. Il participait à une bataille dans les îles Salomon.

— Il est blessé?

— Non, monsieur, pire.

— Oh Seigneur», murmura Gus, et il fondit en larmes.

Woody n'avait jamais vu son père pleurer.

«Je suis désolé, monsieur, reprit Ray. Le message dit qu'il est mort.»

XVIII

1944

1.

Woody se tenait devant le miroir de sa chambre, dans l'appartement de ses parents à Washington. Il était vêtu de son uniforme de sous-lieutenant du 510e régiment de parachutistes de l'armée des États-Unis.

Il l'avait fait confectionner par un excellent tailleur de Washington, mais n'avait pas fière allure pour autant. La couleur kaki lui donnait un teint cireux, les écussons et les insignes de la veste faisaient curieusement négligés.

Sans doute aurait-il pu éviter de rejoindre le contingent, mais il s'en serait voulu. En un sens, il aurait bien aimé continuer à travailler avec son père, qui aidait le président Roosevelt à établir un nouvel ordre mondial destiné à éviter d'autres guerres planétaires. Ils avaient remporté une victoire à Moscou, mais Staline se montrait capricieux et semblait prendre un malin plaisir à leur mettre des bâtons dans les roues. Lors de la conférence de Téhéran, au mois de décembre précédent, le dirigeant soviétique avait cherché à imposer une nouvelle fois la solution de compromis des comités régionaux, et Roosevelt avait dû batailler ferme pour le faire renoncer à cette idée. De toute évidence, l'Organisation des Nations unies exigerait une vigilance de tous les instants.

Gus pouvait cependant se passer de Woody. Et Woody s'en voulait de plus en plus de laisser d'autres faire la guerre à sa place.

Décidant qu'il ne pourrait jamais paraître plus fringant, il gagna le salon pour montrer son uniforme à sa mère.

Rosa avait un invité, un jeune homme en uniforme de l'US Navy, et Woody reconnut les taches de rousseur et le visage avenant d'Eddie Parry. Assis sur le canapé à côté de Rosa, il tenait une canne. Il se leva non sans difficulté pour saluer Woody.

Mama avait l'air triste. «Eddie était en train de me raconter comment Chuck est mort», dit-elle.

Eddie se rassit et Woody prit place en face de lui. «J'aimerais le savoir, moi aussi, murmura-t-il.

— Il n'y a pas grand-chose à raconter, commença Eddie. On était sur la plage de Bougainville depuis à peine cinq secondes quand une mitrailleuse a ouvert le feu depuis les marais. On s'est mis à courir, mais j'ai reçu deux balles dans le genou. Chuck aurait dû foncer se mettre à l'abri sous les arbres. C'est ce qu'on nous apprend à l'entraînement – il faut laisser aux toubibs le soin de récupérer les blessés. Évidemment, il a désobéi à la consigne. Il a fait demi-tour pour venir me chercher.»

Eddie marqua une pause. Une tasse de café était posée sur la table basse devant lui et il en but une gorgée.

«Il m'a pris dans ses bras, reprit-il. Satané idiot. Il faisait une cible idéale. Je suppose qu'il voulait me ramener jusqu'à la barge. Ces embarcations ont une coque assez haute, en acier qui plus est. On aurait été parfaitement à l'abri et j'aurais pu me faire soigner tout de suite. Mais il n'aurait pas dû faire ça. Dès qu'il s'est redressé, il a reçu une rafale de mitrailleuse – qui l'a atteint aux jambes, au dos et à la tête. Je pense qu'il est mort avant de toucher le sol. En tout cas, quand j'ai réussi à relever les yeux vers lui, il n'était déjà plus de ce monde.»

Woody vit que sa mère avait peine à rester maîtresse d'elle-même. Si elle se mettait à pleurer, il craignait d'en faire autant.

«Je suis resté allongé près de lui pendant une heure, poursuivit Eddie. Je ne lui ai pas lâché la main de tout ce temps-là. Puis des brancardiers sont venus me chercher. Je ne voulais pas le quitter. Je savais que je ne le reverrais plus jamais.» Il enfouit son visage entre ses mains. «Je l'aimais tellement», sanglota-t-il.

Rosa passa un bras autour de ses larges épaules et l'étreignit. Il se laissa aller contre elle, pleurant comme un enfant. Elle lui caressa les cheveux. «Allons, allons, fit-elle. Allons, allons.»

Woody comprit que sa mère n'ignorait rien de la nature des relations de Chuck et d'Eddie.

Au bout d'une minute, ce dernier reprit contenance. Il se tourna vers Woody. «Vous savez ce que c'est», dit-il.

Il faisait allusion à la mort de Joanne. «Oui, acquiesça Woody. C'est la pire chose qui puisse vous arriver – mais chaque jour qui passe apaise un peu la douleur.

— J'espère que c'est vrai.

— Vous êtes toujours à Hawaï?

— Oui. Chuck et moi, on travaille à la section Territoire ennemi. On travaillait, je veux dire.» Il déglutit. «Chuck avait décidé de participer à une opération pour vérifier si nos cartes étaient vraiment utiles sur le terrain. C'est pour ça qu'on a débarqué à Bougainville avec les marines.

— Vous devez faire du bon boulot, approuva Woody. Apparemment, nous faisons reculer les Japs dans le Pacifique.

— Peu à peu, oui», confirma Eddie. Il examina l'uniforme de Woody. «Où êtes-vous affecté?

— Jusqu'ici, j'ai suivi un entraînement de parachutiste à Fort Benning, en Géorgie. Mais je pars demain pour Londres.»

Il surprit le regard de sa mère et la trouva soudain vieillie. Il s'aperçut qu'elle avait des rides. C'était en toute discrétion qu'on avait célébré son cinquantième anniversaire. L'évocation de la mort de Chuck à un moment où son aîné venait de revêtir l'uniforme de l'armée avait dû la secouer, devina-t-il.

Cette douloureuse coïncidence échappa à Eddie. «Il paraît qu'on va envahir la France cette année, dit-il.

— C'est sans doute pour ça que j'ai eu droit à une formation accélérée, répondit Woody.

— Vous irez sûrement au feu.»

Rosa étouffa un sanglot.

«J'espère me montrer aussi courageux que mon frère, fit Woody.

— J'espère surtout que vous n'aurez pas l'occasion de le faire», répliqua Eddie.

2.

Greg Pechkov invita Margaret Cowdry à un concert symphonique en matinée. Margaret avait des yeux noirs et une bouche aux lèvres pulpeuses, faites pour les baisers. Mais Greg avait autre chose en tête.

Il avait pris Barney McHugh en filature.

Un agent du FBI nommé Bill Bicks en faisait autant.

Barney McHugh était un jeune et brillant physicien. Le laboratoire secret de l'armée américaine installé à Los Alamos au Nouveau-Mexique lui avait accordé un congé et il faisait visiter Washington à son épouse britannique.

Le FBI avait été informé que McHugh assisterait à ce concert, et l'agent spécial Bicks avait obtenu deux places pour Greg, quelques rangées derrière McHugh. Une salle de concert où se pressaient plusieurs centaines d'inconnus était un lieu idéal pour un rendez-vous clandestin, et Greg voulait savoir ce que mijotait McHugh.

Quel dommage qu'ils se soient déjà rencontrés! Greg avait discuté avec McHugh à Chicago le jour où on avait testé la pile atomique. Même si cela s'était produit dix-huit mois plus tôt, peut-être McHugh s'en souvenait-il malgré tout. Greg devait donc veiller à ne pas se faire voir.

Lorsqu'il arriva en compagnie de Margaret, les places réservées par McHugh étaient inoccupées. Deux couples d'aspect fort banal étaient assis de part et d'autre : à gauche un quinquagénaire en complet gris anthracite bon marché et sa femme grassouillette, à droite deux dames d'un certain âge. Greg espérait que McHugh ne tarderait pas. Si c'était un espion, il était résolu à le coincer.

Ils allaient entendre la *Symphonie n° 1* de Tchaïkovski. «Alors, comme ça, tu aimes la musique classique», remarqua Margaret pendant que les musiciens s'accordaient. Elle n'avait aucune idée de la vraie raison de leur présence ici. Elle savait que Greg travaillait dans la recherche militaire, un champ d'activité ultra-secret, mais, à l'instar de la majorité des Américains, elle ignorait tout de la bombe atomique. «Je croyais que tu n'écoutais que du jazz, ajouta-t-elle.

— Les compositeurs russes me fascinent – je trouve leur musique bouleversante. Je dois avoir ça dans le sang.

— J'ai été élevée dans la musique classique. Mon père aime bien faire venir un orchestre de chambre pour ses réceptions.» La famille de Margaret était incomparablement plus riche que celle de Greg. Mais il n'avait toujours pas rencontré ses parents, et se doutait que ceux-ci n'accueilleraient pas à bras ouverts le fils illégitime d'un célèbre don Juan hollywoodien. «Qu'est-ce que tu regardes comme ça? demanda-t-elle.

— Rien.» Les McHugh venaient d'arriver. «Comment s'appelle ton parfum?

— *Chichi*, de Renoir.

— J'adore.»

Les McHugh semblaient ravis, un jeune couple prospère en vacances. Greg se demanda s'ils étaient en retard parce qu'ils avaient fait l'amour dans leur chambre d'hôtel.

Barney McHugh s'assit à côté de l'homme au complet gris anthracite. La raideur des épaulettes prouvait que ce n'était pas un costume de qualité. Son propriétaire ne daigna même pas se tourner vers les nouveaux venus. Les McHugh ouvrirent un journal et commencèrent à faire les mots croisés, tête contre tête. Quelques minutes plus tard, le chef d'orchestre fit son entrée.

Le premier morceau était de Saint-Saëns. La popularité des compositeurs allemands et autrichiens avait décliné depuis la déclaration de guerre, et les mélomanes élargissaient leurs horizons. Sibelius connaissait une véritable renaissance.

McHugh était probablement communiste. Greg le savait, parce que J. Robert Oppenheimer le lui avait dit. Oppenheimer, un prestigieux physicien de l'université de Californie, dirigeait le laboratoire de Los Alamos et était à la tête de l'ensemble du projet Manhattan. Malgré ses liens étroits avec les communistes, il affirmait énergiquement n'avoir jamais adhéré au Parti.

L'agent spécial Bicks avait demandé à Greg : «Pourquoi l'armée fait-elle appel à tous ces rouges? J'ignore sur quoi vous travaillez au fin fond de ce désert, mais vous ne pourriez pas recruter de brillants jeunes savants américains conservateurs?

— Il n'y en a pas, lui avait répondu Greg. Sinon, on les aurait déjà embauchés.»

Les communistes étaient parfois plus dévoués à leur cause qu'à leur patrie et ne voyaient aucun inconvénient à partager les secrets de la recherche nucléaire avec l'Union soviétique. On ne pouvait pas les accuser de livrer des informations à l'ennemi, après tout. Les Soviétiques étaient les alliés des Américains dans la lutte contre les nazis – en fait, ils s'étaient battus plus vaillamment que tous les autres alliés réunis. De telles initiatives n'en étaient pas moins dangereuses. Une information destinée à Moscou risquait de se retrouver à Berlin. Et quiconque réfléchissait ne fût-ce qu'une minute au monde d'après-guerre devait bien conclure que les États-Unis et l'URSS ne resteraient pas éternellement amis.

Le FBI, qui considérait Oppenheimer comme un élément à risque, ne cessait de réclamer son renvoi au général Groves, le patron de Greg. Mais Oppenheimer était le scientifique le plus brillant de sa génération, et le général ne voulait rien savoir.

Désireux de prouver sa loyauté, Oppenheimer avait dénoncé McHugh comme un communiste probable, raison pour laquelle Greg le surveillait.

Le FBI restait sceptique. «Oppenheimer se fiche de vous, avait dit Bicks.

— Ça m'étonnerait, avait répliqué Greg. Ça fait un an que je le connais maintenant.

— C'est un enfoiré de coco, comme sa femme, son frère et sa belle-sœur.

— C'est un type qui travaille dix-neuf heures par jour pour améliorer l'armement des soldats américains – vous appelez ça un traître?»

Greg espérait confondre McHugh, car cela innocenterait Oppenheimer et assoirait la crédibilité du général Groves tout en le mettant lui-même en avant.

Il ne quitta pas McHugh des yeux durant la première partie du concert. Le physicien n'accorda pas un regard à ceux qui l'entouraient. Il semblait concentré sur la musique et l'attention qu'il portait à l'orchestre ne se relâchait que lorsqu'il jetait des regards enamourés à Mrs. McHugh, une pâle fleur anglaise. Et si Oppenheimer s'était trompé sur son compte? À moins qu'il n'ait ainsi cherché, plus subtilement, à détourner les soupçons qui pesaient sur lui?

Bicks était sur le qui-vive, lui aussi. Il avait pris une place au premier balcon. Peut-être avait-il repéré quelque chose.

Lorsque arriva l'entracte, Greg suivit les McHugh et fit la queue derrière eux pour commander un café. Ni le couple de quinquagénaires ni les deux vieilles dames ne les avaient suivis.

Greg était déçu. Il ne savait que conclure. Ses soupçons étaient-ils infondés? Ou la présence des McHugh dans cette salle de concert ce jour-là était-elle parfaitement anodine?

Alors que Margaret et lui regagnaient leurs places, Bill Bicks s'approcha d'eux. L'agent fédéral était un homme d'une quarantaine d'années bedonnant, au crâne déjà dégarni. Il portait un complet gris clair taché de sueur sous les bras. «Vous aviez raison, dit-il à voix basse.

— Comment le savez-vous?

— Le type assis à côté de McHugh.

— Le costume gris anthracite?

— Ouais. C'est Nikolaï Ienkov, attaché culturel à l'ambassade soviétique.

— Merde alors!» s'exclama Greg.

Margaret se retourna. «Qu'y a-t-il?

— Rien», fit Greg.

Bicks s'éloigna.

«Il y a quelque chose qui te préoccupe, observa-t-elle comme ils s'asseyaient. Je parie que tu n'as pas écouté une seule mesure de Saint-Saëns.

— Je pensais à mon boulot, c'est tout.

— Dis-moi que ce n'est pas une autre femme et je n'en parle plus.

— Ce n'est pas une autre femme.»

Pendant toute la seconde partie du concert, il fut sur le qui-vive. Il ne remarqua aucun échange entre McHugh et Ienkov. Ils ne prononcèrent pas un mot, et Greg ne les vit échanger ni bout de papier, ni rouleau de pellicule – rien.

Le concert s'acheva et le chef d'orchestre salua le public. Celui-ci quitta lentement la salle. La traque de Greg tournait au fiasco.

Une fois dans le foyer, Margaret gagna les toilettes pour dames. Pendant que Greg l'attendait, Bicks s'approcha de lui.

«Rien à signaler, lui dit Greg.

— Moi non plus.

— C'est peut-être une coïncidence. Le fait que McHugh ait été assis à côté d'Ienkov, je veux dire.

— Les coïncidences, ça n'existe pas.

— Ou alors il y a eu un pépin. Il n'avait pas le bon mot de passe, par exemple.»

Bicks fit non de la tête. «Ils ont échangé quelque chose. On n'a rien vu, c'est tout.»

Mrs. McHugh se rendit elle aussi aux toilettes, et, tout comme Greg, McHugh l'attendit à proximité. Dissimulé derrière un pilier, Greg l'étudia avec attention. Il ne portait ni porte-documents, ni imperméable sous lequel il aurait pu dissimuler une chemise ou un dossier. Quelque chose l'intriguait pourtant, sans qu'il puisse mettre le doigt dessus. Qu'était-ce?

Soudain, il comprit. «Le journal! s'exclama-t-il.

— Quoi? sursauta Bicks.

— En arrivant, Barney avait un journal. Ils ont fait les mots croisés, sa femme et lui, en attendant le début du concert. Où est passé ce journal?

— Soit il l'a jeté... soit il l'a passé à Ienkov, en planquant quelque chose dedans.

— Ienkov et sa femme sont déjà partis.

— Ils ne doivent pas être bien loin.»

Les deux hommes foncèrent vers la sortie.

Bicks bouscula les mélomanes qui se pressaient vers les portes, Greg sur ses talons. Une fois dehors, ils regardèrent tout autour d'eux. Greg ne localisa pas Ienkov, mais Bicks avait les yeux d'un chasseur. «En face!» s'écria-t-il.

Debout sur le trottoir, l'attaché culturel et son épouse grassouillette attendaient une limousine noire qui se dirigeait lentement vers eux.

Ienkov tenait un journal à la main.

Greg et Bicks traversèrent la rue, ventre à terre.

La limousine s'arrêta.

Plus rapide que l'agent fédéral, Greg arriva le premier sur le trottoir.

Ienkov ne les avait pas remarqués. Sans se presser, il ouvrit la portière de la voiture puis s'écarta pour laisser monter son épouse.

Greg se jeta sur lui et ils tombèrent tous les deux. Mrs. Ienkov hurla.

Greg se releva en hâte. Le chauffeur, qui était descendu de voiture, se précipitait vers lui, mais Bicks s'écria : «FBI!» et brandit son insigne.

Ienkov avait lâché le journal. Il voulut le ramasser. Mais Greg fut plus prompt. Il s'en empara, recula d'un pas et l'ouvrit.

Une feuille de papier était glissée entre ses pages. Greg reconnut tout de suite le diagramme qui y figurait. Il représentait le mécanisme d'implosion d'une bombe au plutonium. «Bon Dieu de merde! s'écria-t-il. Ils viennent juste de le mettre au point!»

Ienkov s'engouffra dans la limousine, referma la portière et la verrouilla de l'intérieur.

Le chauffeur remonta en voiture et fonça.

3.

C'était un samedi soir et l'appartement de Daisy était bondé. Il devait y avoir une bonne centaine de personnes, songea-t-elle avec satisfaction.

Elle avait pris la tête d'un groupe d'amis qui s'était constitué autour de la Croix-Rouge américaine de Londres. Tous les samedis, elle donnait une réception pour les militaires américains, et invitait les infirmières de St Bartholomew. Les pilotes de la RAF étaient également les bienvenus. Ils éclusaient ses réserves de scotch et de gin, et dansaient au son de ses disques de Glenn Miller. Sachant que c'était peut-être la dernière fête de ces hommes, elle faisait tout ce qu'elle pouvait pour leur faire plaisir – excepté les embrasser, mais les infirmières y pourvoyaient largement.

Daisy ne buvait jamais d'alcool lors de ces soirées. Elle avait bien trop de choses à régler. Tous ces couples qui s'enfermaient dans les toilettes et qu'elle devait chasser pour que ceux qui voulaient les utiliser normalement puissent en disposer. Tous ces généraux qu'il fallait raccompagner chez eux en état d'ivresse. Il lui arrivait souvent de se retrouver à court de glaçons – en dépit de tous ses efforts, elle ne parvenait pas à convaincre ses domestiques anglais qu'une quantité importante de glaçons était indispensable à une soirée digne de ce nom.

Pendant un certain temps après sa rupture avec Boy Fitzherbert, elle n'avait eu d'autres amis que la famille Leckwith. Ethel, la mère de Lloyd, ne l'avait jamais jugée. Bien qu'elle soit devenue une femme éminemment respectable, elle avait commis son content d'erreurs par le passé, ce qui l'avait rendue plus tolérante. Daisy lui rendait toujours visite tous les mercredis dans sa maison d'Aldgate pour déguster un chocolat chaud en écoutant la radio. C'était sa sortie préférée de la semaine.

Cela faisait deux fois maintenant qu'elle avait été mise au ban de la société, une fois à Buffalo et une fois à Londres, et elle se demandait non sans accablement si elle n'en était pas responsable. Peut-être n'avait-elle pas vraiment sa place dans ce milieu snob à l'extrême, où les règles de conduite étaient d'une rigidité impitoyable. Elle était stupide de chercher à fréquenter ces gens-là.

Malheureusement, elle adorait les réceptions, les pique-niques et toutes ces occasions de s'amuser et de faire assaut d'élégance.

Elle avait tout de même fini par comprendre qu'elle n'avait pas besoin des aristocrates britanniques ni des nouveaux riches américains pour prendre du bon temps. Elle avait créé autour d'elle son propre cercle, bien plus excitant à ses yeux. Parmi ceux qui lui avaient battu froid après qu'elle avait quitté Boy, certains lui faisaient désormais comprendre qu'ils aimeraient bien être invités à l'une de ses fameuses soirées du samedi. Et quantité de gens n'hésitaient pas à se présenter chez elle pour se détendre à l'issue d'un dîner aussi grandiose qu'assommant dans un hôtel particulier de Mayfair.

Ce soir-là, elle était aux anges, car Lloyd était en permission.

Il s'était installé chez elle et ne s'en cachait pas. Au diable le qu'en-dira-t-on, songeait Daisy : de toute façon, elle était perdue de réputation. Par ailleurs, la guerre encourageait bien des gens à faire fi des convenances. Les domestiques pouvaient se montrer aussi collet monté que les duchesses, mais ceux de Daisy l'adoraient, si bien que Lloyd et elle ne feignaient même plus de faire chambre à part.

Elle ne se lassait pas de coucher avec lui. Quoique moins expérimenté que Boy, il compensait cela par son enthousiasme... et était fort réceptif à la nouveauté. Chaque nuit était pour eux l'occasion d'explorer de nouveaux plaisirs.

Alors qu'ils contemplaient leurs invités affairés à rire et à bavarder, à boire et à fumer, à danser et à flirter, Lloyd lui sourit et lui dit : « Tu es heureuse ?

— Presque, rétorqua-t-elle.

— Presque ? »

Elle soupira. « Je veux des enfants, Lloyd. Que nous soyons mariés ou non, je m'en fiche. Enfin, pas tout à fait, mais je veux quand même un bébé. »

Le visage de Lloyd s'assombrit. « Tu sais ce que je pense des naissances illégitimes.

— Oui, tu me l'as expliqué. Mais je voudrais avoir un peu de toi à chérir s'il devait t'arriver quelque chose.

— Je ferai tout ce que je peux pour rester en vie. »

— Bien sûr. » Mais si elle ne se trompait pas, il opérait clandestinement en territoire ennemi, et risquait donc d'être exécuté, comme l'étaient les espions allemands appréhendés sur le sol britannique. Il quitterait ce monde sans rien lui laisser. « Des millions de femmes sont dans le même cas que moi, mais je n'arrive pas à imaginer la vie sans toi. Je crois que j'en mourrais.

— Si je le pouvais, je convaincrais Boy de t'accorder le divorce.

— Arrête, ce n'est pas le moment de parler de ça. » Elle parcourut les lieux du regard. « Hé, mais tu sais quoi ? Je crois bien que c'est Woody Dewar ! » s'écria-t-elle en apercevant un jeune homme en uniforme de lieutenant. Elle se dirigea vers lui pour le saluer. C'était bizarre de le revoir au bout de neuf ans – mais, il n'avait pas beaucoup changé, il paraissait juste un peu plus vieux.

« Il y a maintenant des milliers de soldats américains en Angleterre, remarqua Daisy tandis qu'ils dansaient le fox-trot sur « Pennsylvania Six-Five Thousand ». Nous sommes sûrement sur le point d'envahir la France. Qu'en dis-tu ?

— Ce que j'en dis, c'est que le haut commandement ne me fait pas de confidences, répliqua Woody. Mais je suis comme toi, je ne vois pas d'autre raison à ma présence ici. On ne peut quand même pas laisser les Russes se taper tout le boulot.

— C'est pour quand, selon toi ?

— En général, on attend l'été pour lancer une offensive. Fin mai ou début juin, c'est ce que disent les gens bien informés.

— Déjà !

— Mais personne ne sait où ça se fera.

— La traversée de Douvres à Calais est la plus courte.

— C'est pour ça que les Allemands ont renforcé leurs défenses autour de Calais. Alors on va peut-être tenter de les prendre par surprise – en débarquant à Marseille, par exemple.

— Et la guerre sera enfin finie.

— Ça m'étonnerait. Une fois que nous aurons établi une tête de pont, il nous restera à libérer la France et ensuite à conquérir l'Allemagne. Ça fait un sacré bout de chemin.

— Je veux bien te croire. » Woody avait visiblement besoin qu'on lui remonte le moral. Et Daisy connaissait la fille idéale pour ça. Isabel Fernandez, une étudiante de Rhodes College à Memphis dans le Tennessee, était venue au St Hilda's College d'Oxford pour faire une thèse d'histoire. C'était une beauté, mais son intelligence impressionnante lui avait valu le surnom de «casse-couilles» parmi les garçons. Woody n'était pas du genre à se laisser impressionner. «Viens par ici, dit-elle à Isabel. Woody, je te présente mon amie Bella. Elle vient de San Francisco. Bella, je te présente Woody Dewar, de Buffalo.»

Ils se serrèrent la main. Grande, les cheveux noirs, le teint mat, Bella ressemblait beaucoup à Joanne Rouzrokh. Woody lui sourit et lui dit : «Que faites-vous à Londres?» Daisy les laissa.

Elle servit le souper à minuit. Quand elle arrivait à se procurer des provisions américaines, ses invités avaient droit à des œufs et à du jambon; sinon, ils se contentaient de sandwichs au fromage. Cela leur permettait de faire une pause pour bavarder un peu, comme durant l'entracte au théâtre. Elle remarqua que Woody Dewar était toujours en grande conversation avec Bella Hernandez. Après avoir vérifié que tout le monde était servi, elle alla rejoindre Lloyd dans un coin.

«J'ai décidé ce que j'allais faire après la guerre, si je suis encore en vie, déclara-t-il. À part t'épouser, bien entendu.

— Et quoi donc?

— Je vais me présenter aux élections.»

Daisy frémit de joie. «Lloyd, c'est merveilleux!» Elle lui sauta au cou et l'embrassa.

«Il est un peu tôt pour me féliciter. Je me suis porté candidat pour représenter le parti travailliste dans la circonscription de Hoxton, juste à côté de celle de Mam. Mais la section locale n'est pas obligée de me choisir. Et si elle le fait, je ne serai pas forcément élu. Le député actuel, un libéral, est solidement implanté.

— J'aimerais tant t'aider, dit-elle. Je pourrais être ton bras droit. J'écrirais tes discours – je suis sûre que je suis douée pour ça.

— J'en serais ravi.

— Alors c'est décidé!»

Les plus âgés des invités partirent après le souper, mais les disques continuèrent de tourner et l'alcool de couler à flots, et la fête devint de plus en plus effrénée. Woody dansait le slow avec Bella. Daisy se demanda si c'était son premier flirt depuis Joanne.

L'ambiance se relâcha encore et on vit des couples s'éclipser dans les deux chambres. Il était impossible d'en fermer les portes – Daisy avait caché les clés –, aussi y trouvait-on parfois plusieurs couples à la fois, mais personne ne s'en offusquait. Un soir, Daisy avait surpris deux personnes dormant enlacées dans un placard à balais.

Son mari débarqua à une heure du matin.

Elle ne l'avait pas invité, mais il était accompagné de deux pilotes américains. Elle le laissa donc entrer avec un haussement d'épaules. Déjà passablement éméché, il dansa avec plusieurs infirmières puis l'invita poliment.

Était-il saoul ou était-il revenu à de meilleurs sentiments à son égard? Le cas échéant, se laisserait-il convaincre de lui accorder le divorce?

Elle accepta son invitation et ils entamèrent un swing. La plupart des personnes présentes ne savaient rien de leur situation, mais ceux qui en étaient informés étaient stupéfaits.

«J'ai lu dans la presse que tu as acheté un nouveau cheval de course, dit-elle pour faire la conversation.

— Lucky Laddie, confirma-t-il. Il m'a coûté huit mille quatre cents livres – un record.

— J'espère qu'il les vaut.» Elle adorait les chevaux et avait espéré qu'ils en élèveraient ensemble, mais il n'avait pas daigné partager cette passion avec elle. Un des nombreux motifs de frustration de leur vie conjugale.

Il dut lire dans son esprit. «Je t'ai déçue, n'est-ce pas?

— Oui.

— Toi aussi, tu m'as déçu.»

Voilà qui était nouveau pour elle. Après quelques instants de réflexion, elle demanda : «En refusant de fermer les yeux sur tes infidélités?

— Exactement.» L'ivresse le rendait honnête.

Elle décida de saisir l'occasion. «À ton avis, combien de temps allons-nous encore nous châtier mutuellement?

— Nous châtier? s'étonna-t-il. Comment ça?

— En restant mariés, chacun de nous punit l'autre. Nous devrions divorcer, comme des gens raisonnables.

— Tu as peut-être raison, dit-il. Mais le lieu et le moment sont mal choisis pour en discuter.»

Elle reprit espoir. «Et si je venais te voir? suggéra-t-elle. Quand nous serons tous les deux frais et dispos... et dégrisés?»

Il hésita. «Entendu.»

Elle profita de son avantage. «Demain matin, par exemple?

— Entendu.

« — Je passe chez toi après l'office religieux. Disons à midi ?

— Entendu », répéta Boy.

4.

Woody raccompagnait Bella à l'appartement d'une de ses amies, à South Kensington, et elle l'embrassa alors qu'ils traversaient Hyde Park.

Il n'avait pas embrassé une seule femme depuis la mort de Joanne. Tout d'abord, il se figea. Il aimait beaucoup Bella : c'était la fille la plus intelligente qu'il ait connue depuis Joanne. Et à la façon dont elle se serrait contre lui pendant leur slow, il avait compris qu'il pourrait l'embrasser s'il le voulait. Il était resté sur la réserve. Il ne cessait de penser à Joanne.

Bella prit alors l'initiative.

Elle ouvrit les lèvres et il sentit le goût de sa langue, mais cela lui rappela encore Joanne et ses baisers. Il ne s'était écoulé que deux ans et demi depuis sa mort.

Son esprit cherchait des paroles de rejet courtois, mais son corps ne lui en laissa pas le temps. Il fut soudain brûlant de désir et se mit à l'embrasser goulûment.

Elle réagit avec fièvre à cet accès de passion. Lui saisissant les deux mains, elle les plaqua sur ses seins, aussi opulents que moelleux. Il ne put s'empêcher de gémir.

Il faisait noir et on y voyait à peine, mais, à en juger par les bruits étouffés montant des buissons alentour, ils n'étaient pas le seul couple à profiter de la nuit.

Elle colla son corps contre le sien et il sut qu'elle devait sentir son érection. Il était tellement excité qu'il craignit d'éjaculer d'une seconde à l'autre. Apparemment, le désir de Bella était égal au sien. Il sentit des doigts impatients déboutonner sa braguette puis des mains fraîches enserrer son sexe ardent. Elle le dégagea du pantalon puis, à sa grande surprise et à son immense plaisir, s'agenouilla devant lui. Dès que ses lèvres se refermèrent sur son gland, il se répandit dans sa bouche. Elle le suça et le lécha avec frénésie.

Une fois qu'il eut joui, elle continua d'embrasser son sexe

jusqu'à ce qu'il s'amollisse. Puis elle le remit doucement en place et se redressa.

«C'était très excitant, murmura-t-elle. Merci.»

Il ne savait trop comment la remercier, lui aussi : alors il la prit dans ses bras et la serra très fort. Il était à deux doigts de pleurer de reconnaissance. Il n'avait pas compris à quel point il avait besoin, ce soir-là, de l'affection d'une femme. C'était comme si on l'avait libéré des ténèbres qui pesaient sur lui. «Je ne peux pas te dire...», commença-t-il, mais il était incapable de trouver les mots.

«Alors ne dis rien, répliqua-t-elle. De toute façon, je sais. Je l'ai senti.»

Ils reprirent la direction de son immeuble. Devant la porte, il demanda : «Est-ce qu'on pourrait...»

Elle lui posa l'index sur les lèvres pour le faire taire. «Va vite gagner la guerre», murmura-t-elle.

Puis elle entra.

5.

Lorsque Daisy se rendait à l'office, ce qui ne lui arrivait pas souvent, elle évitait désormais les églises huppées du West End, dont les fidèles l'avaient snobée, et prenait le métro pour se rendre à la chapelle évangélique du Calvaire, à Aldgate. Les différences doctrinales étaient considérables, mais elle s'en fichait. On chantait beaucoup mieux dans l'East End.

Lloyd et elle arrivèrent séparément. Les habitants d'Aldgate savaient qui était Daisy et appréciaient de voir sur leurs bancs une aristocrate en rupture avec son milieu, mais ils n'auraient sûrement pas toléré qu'une femme mariée entre dans l'église au bras de son amant. Pour citer Billy, le frère d'Ethel : «Jésus n'a pas condamné la femme adultère, mais il lui a dit de ne plus pécher.»

Elle pensa à Boy pendant le service. Était-il sincère la veille au soir, lorsqu'il avait prononcé ces paroles conciliantes, ou bien simplement attendri par l'alcool? Il était allé jusqu'à serrer la main de Lloyd en partant. Cela voulait dire qu'il lui pardonnait, non? Elle ne voulait pas s'emballer trop vite. Boy était l'individu le plus narcissique qu'elle ait jamais connu, plus encore que son propre père et son demi-frère Greg.

Après l'office, Daisy allait souvent déjeuner chez Eth Leckwith mais, ce jour-là, elle laissa Lloyd à sa famille et se hâta de regagner le West End. Elle frappa à la porte de la maison de Mayfair. Le majordome l'introduisit dans le salon.

Boy fit son entrée, furibond. «Qu'est-ce que ça veut dire, bon sang?» rugit-il en jetant un journal à ses pieds.

Elle l'avait souvent vu d'humeur massacrante et il avait cessé de lui faire peur. Il n'avait osé lever la main sur elle qu'une seule fois. S'emparant d'un lourd chandelier, elle l'avait menacé. Il n'avait plus jamais recommencé.

Si elle n'était pas effrayée, elle n'en était pas moins déçue. Il avait été de si bonne humeur la veille au soir! Mais peut-être lui ferait-elle tout de même entendre raison.

«Qu'est-ce qui te met dans cet état? demanda-t-elle posément.

— Regarde cette feuille de chou.»

Elle se pencha pour ramasser le journal. C'était le *Sunday Mirror*, un journal socialiste très populaire. En première page figurait une photo de Lucky Laddie, le nouveau cheval de Boy, avec la légende suivante :

LUCKY LADDIE
SON PRIX :
28 MINEURS DE FOND

Les quotidiens de la veille s'étaient fait l'écho de la dépense somptuaire de Boy, mais le *Mirror* lui consacrait un violent éditorial, qui soulignait que le prix du cheval, soit huit mille quatre cents livres, représentait vingt-huit fois le montant de la prime versée à la veuve d'un mineur ayant péri dans un accident.

Or la fortune des Fitzherbert venait des mines de charbon.

«Mon père est furieux, dit Boy. Il comptait bien obtenir le poste de ministre des Affaires étrangères dans le gouvernement d'après-guerre. Ce torchon a probablement ruiné tous ses espoirs.

— Boy, peux-tu m'expliquer en quoi je suis responsable de cet article? demanda Daisy d'une voix exaspérée.

— Regarde qui l'a signé!»

Daisy s'exécuta.

Billy Williams
Député d'Aberowen

« L'oncle de ton amant !

— Penses-tu qu'il me consulte avant de prendre la plume ? »

Il agita un index menaçant. « Pour une raison qui m'échappe, cette famille nous déteste !

— Ils jugent injuste que tu gagnes des millions grâce au charbon alors que les mineurs sont aussi mal traités. C'est la guerre, tu sais.

— Toi aussi, tu vis de tes rentes, rétorqua-t-il. Et hier soir, dans ton appartement de Piccadilly, on ne peut pas dire que l'ambiance était à l'austérité.

— Tu as raison, admit-elle. Mais moi, je donne des réceptions pour remonter le moral de nos soldats. Toi, tu dépenses une fortune pour un cheval.

— C'est mon argent !

— Mais il provient du charbon.

— À force de coucher avec ce bâtard de Williams, tu es devenue une bolchevik comme lui.

— C'est une des choses qui nous séparent, une parmi tant d'autres. Boy, veux-tu vraiment rester mon époux ? Tu n'aurais aucun mal à trouver une compagne qui te convienne mieux que moi. La moitié des jeunes filles de Londres seraient ravies de devenir vicomtesse d'Aberowen.

— Il n'est pas question que je fasse ce plaisir à la famille Williams. À propos, j'ai appris hier soir que ton joli cœur voulait se présenter aux élections.

— Il fera un excellent député.

— Pas en s'encombrant de toi. Il sera forcément battu. C'est un foutu socialiste. Et toi, tu es une ex-fasciste.

— J'y ai pensé et je suis consciente que ça peut poser un léger problème...

— Un léger problème ? Une barrière insurmontable, oui ! Attends que les journaux soient au courant. Ils te cloueront au pilori comme je l'ai été aujourd'hui.

— J'imagine que tu te feras un malin plaisir d'informer le *Daily Mail.*

— Inutile – ses adversaires s'en chargeront. Retiens bien ce que je te dis. Si tu restes avec lui, Lloyd Williams n'a aucune chance d'être élu. »

6.

Durant les cinq premiers jours de juin, le lieutenant Woody Dewar et sa section de parachutistes furent cantonnés, en même temps qu'un millier d'autres soldats, sur un aérodrome du nord-ouest de Londres. On avait converti un hangar en dortoir géant où s'alignaient des centaines de lits de camp. Pour tromper leur ennui, les soldats pouvaient voir des films et écouter des disques de jazz.

Leur objectif était la Normandie. Grâce à de faux plans soigneusement élaborés, les Alliés s'étaient efforcés de convaincre l'état-major allemand que leur cible n'était autre que Calais, trois cents kilomètres plus loin au nord-est. Si la ruse avait pris, les forces d'invasion ne rencontreraient que peu de résistance, du moins dans un premier temps.

Les parachutistes constitueraient la première vague d'assaut, déclenchée en pleine nuit. La deuxième vague était composée de cent trente mille hommes, qu'une flotte de cinq mille navires allait débarquer à l'aube sur les plages normandes. À ce moment-là, les paras auraient déjà détruit les bastions situés à l'intérieur des terres et pris le contrôle de nœuds de communication stratégiques.

La section de Woody avait pour mission de s'emparer d'un pont qui traversait un cours d'eau dans une bourgade du nom d'Église-des-Sœurs, à quinze kilomètres du littoral. Ils devraient ensuite en assurer le contrôle et empêcher le passage de toutes les unités allemandes envoyées en renfort sur la côte, jusqu'à ce que la force d'invasion ait opéré la jonction avec eux. Et ils devaient à tout prix empêcher les Allemands de faire sauter le pont.

Pendant qu'ils attendaient le feu vert, Ace Webber avait entamé un tournoi de poker qui tournait au marathon ; il avait gagné un millier de dollars pour les reperdre aussitôt. Lefty Cameron ne cessait de nettoyer et de graisser de façon obsessionnelle son fusil semi-automatique M1 ultraléger à crosse pliante. Lonnie Callaghan et Tony Bonanio, qui ne s'appréciaient guère, allaient à la messe ensemble tous les jours. Sneaky Pete Schneider aiguisait le poignard de commando qu'il avait acheté à Londres, obtenant un fil aussi affûté que celui d'un rasoir. Patrick Timothy, qui ressemblait à Clark Gable, moustache comprise, jouait sans se lasser le même air sur son ukulélé, ce qui portait sur les nerfs de son entourage. Le sergent Defoe écrivait inlassablement à sa femme des lettres qu'il déchirait les unes après les autres. Mack Trulove et Smoking Joe Morgan se rasaient mutuellement le crâne, persuadés que cela faciliterait le traitement d'éventuelles blessures à la tête.

La plupart d'entre eux avaient un surnom. Woody avait découvert que le sien était Scotch.

Le jour J était prévu pour le dimanche 4 juin, mais fut repoussé pour cause de mauvais temps.

Le soir du lundi 5 juin, le colonel s'adressa à ses troupes. « Les gars ! s'écria-t-il. Cette nuit, nous envahissons la France ! »

On entendit un rugissement approbateur. Woody savoura l'ironie de la situation. Tous ces hommes bien au chaud et à l'abri étaient impatients de sauter d'un avion pour atterrir dans les bras de soldats ennemis décidés à les tuer.

Ils eurent droit à un repas de gala : steaks, côtes de porc, poulet, frites et crème glacée à volonté. Woody préféra s'abstenir. Contrairement à la plupart des hommes, il savait ce qui l'attendait et préférait ne pas avoir l'estomac plein. Il se contenta d'un café et d'un beignet. C'était du café américain, délicieux et odorant, bien différent de l'épouvantable mixture que servaient les Anglais, quand ils réussissaient à s'en procurer.

Il ôta ses bottes et s'allongea sur son lit de camp. Il songea à Bella Hernandez, à son sourire en coin et à la douceur de ses seins.

Soudain, une sirène mugit.

L'espace d'un instant, Woody crut se réveiller d'un cauchemar où il se voyait partir au combat pour tuer d'autres soldats. Puis il se rendit compte que c'était la réalité.

Tous enfilèrent leur tenue de saut et rassemblèrent leur paquetage, qui était bien trop lourd. Certaines choses étaient essentielles : une carabine, cent cinquante chargeurs de calibre 30, des grenades antichar, une petite bombe baptisée grenade gammon, des rations alimentaires, des pastilles pour purifier l'eau, une trousse de premiers secours contenant de la morphine. D'autres semblaient moins indispensables : une pelle pliante, un nécessaire de rasage, un manuel de conversation en français. Ils étaient tellement chargés que les plus chétifs eurent du mal à gagner les avions alignés sur le tarmac.

Ils allaient être transportés par des C-47 Skytrain. À sa grande surprise, Woody remarqua dans la pénombre qu'on avait peint sur leur carlingue des rayures noires et blanches. Son pilote, le capitaine Bonner, un type du Midwest mauvais coucheur, lui expliqua : « C'est pour éviter que les nôtres nous canardent. »

On pesa les hommes avant l'embarquement. Callaghan et Bonanio transportaient chacun un bazooka en pièces détachées dans des sacs attachés à leurs jambes, ce qui leur ajoutait quarante kilos. Au fur et à mesure que le total augmentait, le capitaine Bonner devenait plus râleur. « Vous m'alourdissez ! gronda-t-il en se tournant vers Woody. Jamais je ne pourrai faire décoller mon zinc !

— Je n'y suis pour rien, mon capitaine, dit Woody. Adressez-vous au colonel. »

Le sergent Defoe monta le premier et prit place à l'avant de l'appareil, sur un siège proche de la porte du cockpit. Il serait le dernier à sauter. Si l'un des hommes hésitait avant de plonger dans la nuit, Defoe l'y aiderait d'une solide bourrade.

Il fallut aider Callaghan et Bonanio à gravir la passerelle tant ils étaient lourds. En qualité que chef de section, Woody fut le dernier à embarquer. Il serait le premier à sauter et le premier à atterrir.

La cabine toute en longueur n'était équipée que de sièges métalliques alignés contre les cloisons. Les hommes eurent des difficultés à boucler leur ceinture vu les dimensions de leur barda, et certains ne prirent même pas cette peine. La porte se referma et les moteurs se mirent à vrombir.

Woody était partagé entre la peur et l'excitation. Paradoxalement, il était impatient de se battre. Il lui tardait de poser le pied par terre, de localiser l'ennemi et de tirer dessus. Il n'en pouvait plus d'attendre.

Il se demanda s'il reverrait jamais Bella Hernandez.

Il crut sentir l'avion peiner sur la piste, prenant laborieusement de la vitesse. On aurait dit qu'il se traînait sur le sol. Woody s'interrogea sur la longueur de cette foutue piste d'envol. Puis l'appareil s'éleva enfin dans les airs. Comme il n'avait pas l'impression de voler, Woody crut qu'il restait à quelques mètres du sol. Puis il regarda au-dehors. Assis près du septième et dernier hublot, juste à côté de la porte, il distingua les lumières embrumées de l'aérodrome qui s'éloignaient. Ils avaient décollé.

Le ciel était couvert, mais les nuages étaient légèrement lumineux, sans doute parce que la lune s'était levée derrière eux. Un feu de position bleu équipait la pointe de chaque aile et Woody vit son avion se mettre en formation en un V géant avec un grand nombre d'autres appareils.

La cabine était si bruyante qu'il fallait crier dans l'oreille de son voisin pour se faire entendre, et toute conversation cessa bientôt. Les hommes s'agitaient sur leurs sièges, cherchant en vain une position confortable. Certains fermèrent les yeux, mais Woody ne pensait pas qu'ils arrivaient à dormir.

Ils volaient à basse altitude, mille pieds à peine, et Woody apercevait parfois l'éclat terne d'une rivière ou d'un lac. À un moment, il entrevit une foule de gens, des centaines de visages tournés vers les avions rugissant dans le ciel. Ainsi qu'il le savait, plus de mille avions survolaient le sud de l'Angleterre en cet instant, offrant probablement un spectacle remarquable. Ces badauds regardaient l'histoire en train de s'écrire, songea-t-il, une histoire dont il ferait partie.

Au bout d'une demi-heure, ils passèrent au-dessus des plages de l'Angleterre et entreprirent la traversée de la Manche. L'espace d'un instant, la lune apparut entre les nuages et Woody découvrit les navires. Il n'en crut pas ses yeux. On aurait dit une ville flottante, composée de milliers de bateaux de toutes tailles progressant à la file, telles des maisons toutes différentes bien rangées le long des rues, des milliers de bâtiments à perte de vue. Avant qu'il ait pu attirer l'attention de ses camarades, la lune se cacha derrière les nuages et cette vision s'évanouit comme un rêve.

Les avions obliquèrent lentement vers la droite, comptant atteindre la France à l'ouest de la zone de largage puis remonter le littoral vers l'est, afin de repérer le terrain et de s'assurer que les parachutistes atterriraient à l'endroit prévu.

Les îles Anglo-Normandes, possessions britanniques bien que proches de la France, étaient occupées par l'Allemagne depuis la fin de la bataille de France, en 1940, et la défense antiaérienne allemande ouvrit le feu lorsque l'armada d'avions les survola. En raison de leur faible altitude, les Skytrain étaient terriblement vulnérables. Woody songea qu'il risquait de se faire tuer avant même d'être arrivé sur le champ de bataille. L'idée qu'il puisse mourir pour rien le fit frémir.

Le capitaine Bonner se mit à zigzaguer pour éviter les tirs. Woody s'en réjouit, mais les hommes en subirent les conséquences. Tous furent pris du mal de l'air, Woody compris. Patrick Timothy fut le premier à vomir. La puanteur n'arrangea pas les choses. Ce fut ensuite au tour de Sneaky Pete, puis de plusieurs de ses camarades. Ils s'étaient empiffrés de steak et de crème glacée, qu'ils régurgitaient à présent dans leur totalité. L'odeur était atroce et le sol devint glissant.

Ils reprirent une trajectoire rectiligne en s'éloignant des îles. Quelques minutes plus tard, la côte française était en vue. L'avion vira sur l'aile gauche. Le copilote se leva pour aller parler au sergent Defoe, qui se tourna vers le peloton et leva les deux mains en montrant ses dix doigts. Largage dans dix minutes.

L'avion ralentit, passant de sa vitesse de croisière, deux cent soixante kilomètres à l'heure, à la vitesse optimale pour le saut en parachute, soit environ cent soixante kilomètres à l'heure.

Soudain, ils entrèrent dans un banc de brouillard, assez épais pour occulter le feu de position bleu à la pointe de l'aile. Le pouls de Woody s'accéléra. Les avions volant en formation serrée, ils étaient en danger. Et s'il mourait dans un accident d'avion sans jamais être allé au feu ! Bonner n'avait pas le choix et ne pouvait que continuer sur sa trajectoire en espérant que tous en feraient autant. Au moindre changement de cap, ce serait la collision.

L'appareil émergea du brouillard aussi soudainement qu'il y avait plongé. À droite comme à gauche, les autres étaient toujours en formation, ce qui tenait du miracle.

Presque aussitôt, les batteries antiaériennes ouvrirent le feu, et les obus se mirent à éclore autour des avions ainsi que des fleurs meurtrières. Dans de telles circonstances, Woody le savait, les pilotes avaient ordre de filer droit devant en maintenant leur vitesse. Mais Bonner n'en fit qu'à sa tête et quitta la formation. Le rugissement des moteurs devint assourdissant. L'avion se remit à zigzaguer. Il piqua du nez en cherchant à prendre de la vitesse. En jetant un coup d'œil par le hublot, Woody constata que plusieurs autres pilotes se montraient tout aussi indisciplinés. Ils n'avaient plus qu'une idée en tête : sauver leur peau.

Un voyant rouge s'alluma au-dessus de la porte : plus que quatre minutes.

Woody était certain que ce signal était prématuré, que Bonner voulait se débarrasser d'eux pour gagner un abri sûr. Toutefois c'était le capitaine qui avait les cartes en main, et il ne pouvait pas contester sa décision.

Il se leva. «Debout et accrochez-vous!» hurla-t-il. La plupart des hommes ne pouvaient pas l'entendre, mais ils savaient ce qu'il disait. Ils se levèrent et chacun d'eux attacha sa sangle d'ouverture automatique au câble courant le long du plafond, afin de ne pas être projeté accidentellement par la porte. Celle-ci s'ouvrit et le vent s'y engouffra. L'avion volait encore trop vite. Ils seraient désagréablement secoués en sautant à cette vitesse, mais ce n'était pas le plus grave. Les hommes se poseraient trop loin les uns des autres et Woody perdrait du temps à rassembler sa section. Du coup, il atteindrait son objectif avec un certain retard, ce qui affecterait tout le déroulement de sa mission. Il pesta contre Bonner.

Celui-ci ne cessait de virer d'un côté et de l'autre pour éviter les obus. Les hommes avaient le plus grand mal à ne pas glisser sur le sol couvert de vomissures.

Woody jeta un coup d'œil au-dehors. Bonner avait perdu de l'altitude en essayant de gagner de la vitesse, et l'avion volait à présent à cinq cents pieds – beaucoup trop bas. Les parachutes n'auraient peut-être pas le temps de s'ouvrir complètement avant que les hommes touchent le sol. Il hésita, puis fit signe à son sergent de s'approcher.

L'ayant rejoint, Defoe regarda à l'extérieur puis secoua la tête. Il colla ses lèvres à l'oreille de Woody et cria : «La moitié des gars se casseront une patte si on saute à cette altitude. Et ceux qui portent les bazookas sont sûrs d'y passer.»

Woody prit sa décision.

«Veillez à ce que personne ne saute!» cria-t-il à Defoe.

Puis il décrocha sa sangle et se dirigea vers le cockpit, se frayant un chemin entre les deux rangées de parachutistes. Le pilote était assisté de deux hommes d'équipage. «Grimpez! Prenez de la hauteur! hurla Woody à s'en époumoner.

— Retournez dans la cabine et sautez!

— Personne ne sautera à cette altitude!» Woody se pencha et pointa l'index sur l'altimètre, qui affichait quatre cent quatre-vingts pieds. «C'est du suicide!

« — Sortez de mon cockpit, lieutenant. C'est un ordre. »

Woody aurait dû obéir à un supérieur, mais il tint bon. « Pas avant que vous n'ayez repris de l'altitude.

— Si vous ne sautez pas tout de suite, la zone cible sera bientôt derrière nous ! »

Woody perdit son calme. « Grimpez, espèce de con ! Grimpez, je vous dis ! »

Bonner avait l'air furieux, mais Woody ne bougea pas. Il savait que le pilote ne voudrait pas regagner sa base avec un avion encore plein. On ordonnerait une enquête pour savoir ce qui s'était passé. Et Bonner avait enfreint plusieurs ordres cette nuit-là. Poussant un juron, il tira sur le manche à balai. Le nez de l'avion se redressa et il regagna de l'altitude en perdant de la vitesse.

« Ça y est ? Vous êtes content ? gronda Bonner.

— Vous rigolez ? » Si Woody retournait dans la cabine, Bonner s'empresserait d'inverser la manœuvre. « On sautera à mille pieds, pas avant. »

Bonner mit les gaz. Woody ne quittait pas l'altimètre des yeux.

Quand le cadran afficha mille pieds, il retourna auprès de ses hommes. Arrivé devant la porte, il se raccrocha, regarda au-dehors, lança le signal attendu – les deux pouces levés – puis sauta.

Son parachute s'ouvrit aussitôt. Il tomba à toute vitesse pendant que sa corolle se déployait, puis sa chute se ralentit. Quelques secondes plus tard, il plongeait dans l'eau. Il éprouva un instant de panique, se demandant si ce poltron de Bonner les avait largués en pleine mer. Puis ses pieds touchèrent la terre, ou plutôt la boue, et il comprit qu'il se trouvait dans un pré inondé.

La soie du parachute le recouvrit. Il s'en extirpa et se défit de son harnachement.

Debout dans cinquante centimètres d'eau, il jeta autour de lui un regard circulaire. Il avait atterri dans une prairie inondable ou dans un champ noyé par les Allemands pour ralentir une éventuelle armée d'invasion. Il ne distingua personne dans la pénombre, ni ami ni ennemi, ni homme ni animal.

Il consulta sa montre – trois heures quarante – puis sortit sa boussole et s'orienta.

Il sortit ensuite son M1 de son paquetage et en déplia la

crosse. Il mit un chargeur en place puis arma le fusil. Et pour finir, il débloqua le levier de sûreté.

Plongeant une main dans sa poche, il en sortit un cricket, un petit objet en tôle ressemblant à un jouet d'enfant. Quand on appuyait dessus, il émettait un cliquetis caractéristique. Tous les soldats en avaient reçu un afin de pouvoir se reconnaître dans le noir sans risquer de se trahir en prononçant un mot de passe en anglais.

Une fois prêt, il jeta un nouveau regard alentour.

Puis il se décida et pressa deux fois sur le cricket. Au bout de quelques instants, il perçut un cliquetis en réponse droit devant lui.

Il s'avança dans l'eau. Une odeur de vomi lui chatouilla les narines. « Qui va là ? demanda-t-il à voix basse.

— Patrick Timothy.

— Lieutenant Dewar. Suis-moi. »

Timothy avait été le deuxième à sauter, et Woody en déduisit que s'il continuait dans la même direction, il avait de bonnes chances de trouver les autres.

Cinquante mètres plus loin, il butait sur Mack et Smoking Joe, qui s'étaient posés très près l'un de l'autre.

Ils émergèrent du champ inondé pour s'engager sur une route étroite, où ils localisèrent leurs premières pertes. Lonnie et Tony, alourdis par les bazookas, avaient atterri trop brutalement. « Je crois bien que Lonnie est mort », dit Tony. Woody vérifia : il ne se trompait pas. Lonnie ne respirait plus. Apparemment, il s'était brisé la nuque. Quant à Tony, il était incapable de bouger et Woody en déduisit qu'il s'était cassé la jambe. Il lui administra de la morphine puis le traîna dans un pré voisin. Il ne lui restait qu'à attendre les secours.

Woody ordonna à Mack et à Smoking Joe de dissimuler le cadavre de Lonnie de crainte qu'il ne conduise les Allemands à Tony.

Il tenta de distinguer le paysage qui l'entourait, dans l'espoir de reconnaître un repère figurant sur sa carte. La tâche semblait impossible, surtout en pleine nuit. Comment conduire ses hommes à leur objectif s'il ne savait pas où il était ? Il n'était sûr que d'une chose : ils ne se trouvaient pas dans la zone de largage prévue.

Il entendit un bruit suspect et aperçut presque immédiatement une lumière.

Il fit signe aux autres de se jeter à terre.

Les parachutistes n'étant pas censés utiliser de lampe torche et les Français étant soumis au couvre-feu, ils avaient probablement affaire à un soldat allemand.

Woody distingua une bicyclette dans l'obscurité.

Il se leva, empoigna sa carabine. Il était prêt à abattre le cycliste, mais ne put se résoudre à tirer sans sommation. Il s'écria : « Halte ! *Arrêtez !* »

Le cycliste obtempéra et dit : « Salut, mon lieutenant. » Woody reconnut la voix d'Ace Webber.

Il baissa son arme. « Où as-tu trouvé ce vélo ? demanda-t-il d'une voix incrédule.

— Devant une ferme », répondit Ace, laconique.

Woody fit prendre à sa petite troupe la direction dont venait Ace, jugeant qu'il avait plus de chances de récupérer les autres du même côté. Il ne cessait d'examiner le terrain dans l'espoir de trouver des repères figurant sur sa carte, mais il faisait bien trop noir. Il se sentait stupide et inutile. Pourtant, c'était lui l'officier et c'était à lui de résoudre de tels problèmes.

Il retrouva d'autres membres de sa section et ils arrivèrent devant un moulin à vent. Décidant qu'il ne pouvait pas continuer à errer à l'aveuglette, il tambourina sur la porte de la maison du meunier.

Une fenêtre s'ouvrit à l'étage et une voix demanda en français : « *Qui est là ?*

— Les Américains, répondit Woody. *Vive la France !*

— *Que voulez-vous ?*

— *Vous libérer*, dit Woody dans son français de collège. *Mais d'abord, je voudrais bien savoir où je suis.* »

Le meunier s'esclaffa et lança : « *Je descends.* »

Une minute plus tard, dans la cuisine, Woody étalait sa carte en soie sur une table bien éclairée. Le meunier lui montra où il se trouvait. La situation n'était pas aussi grave que l'avait craint Woody. Malgré l'affolement du capitaine Bonner, ils n'étaient qu'à six ou sept kilomètres d'Église-des-Sœurs. Le meunier lui indiqua sur la carte l'itinéraire le plus pratique.

Une jeune fille d'environ treize ans en chemise de nuit s'avança d'un air timide. « Maman dit que vous êtes américain, dit-elle à Woody.

— C'est exact, *mademoiselle.*

— Vous connaissez Gladys Angelus ? »

Woody éclata de rire. «Il se trouve que je l'ai rencontrée un jour, chez le père d'un de mes amis.

— Elle est vraiment belle?

— Encore plus belle que dans les films.

— J'en étais sûre!»

Le meunier lui offrit du vin. «Non, merci, dit Woody. Quand nous aurons gagné, peut-être.» L'homme l'embrassa sur les deux joues.

Woody ressortit et conduisit sa section sur la route d'Église-des-Sœurs. Sur ses dix-huit parachutistes, il en avait déjà rassemblé neuf, lui-même compris. Ses pertes s'élevaient à deux hommes, un mort et un blessé, plus sept qu'il n'avait pas encore retrouvés. Il avait ordre de ne pas consacrer trop de temps à regrouper ses troupes. Il devait gagner son objectif dès qu'il aurait suffisamment d'hommes pour accomplir sa mission.

L'un des sept manquants se manifesta aussitôt. Sneaky Pete sortit d'un fossé et rejoignit ses camarades en leur lançant un «Salut, les gars», comme si c'était la chose la plus naturelle au monde.

«Qu'est-ce que tu fichais là-dedans? lui demanda Woody.

— Je vous avais pris pour des Allemands, répondit Pete. Je me planquais.»

Woody avait aperçu un bout de parachute dans le fossé. Pete devait se cacher là depuis son atterrissage. De toute évidence, il avait paniqué et était resté blotti au fond de la rigole. Mais Woody feignit de croire sa version des faits.

Celui qu'il tenait vraiment à retrouver était le sergent Defoe. Il avait compté s'appuyer sur cet homme d'expérience. Or il demeurait invisible.

Comme ils approchaient d'un carrefour, ils entendirent des voix. Woody identifia le bruit d'un moteur tournant au ralenti et dénombra deux ou trois interlocuteurs distincts. Il ordonna à ses hommes de se mettre à plat ventre et d'avancer en rampant.

Un motocycliste s'était arrêté pour discuter avec deux hommes à pied. Tous trois étaient en uniforme. Ils parlaient allemand. Un petit bâtiment se dressait au carrefour, une taverne ou une boulangerie.

Il décida d'attendre. Peut-être finiraient-ils par partir. Il voulait que son groupe se fasse repérer le plus tard possible.

Au bout de cinq minutes, sa patience était à bout. Il se retourna. «Patrick Timothy!» souffla-t-il.

Une voix lança tout bas : « Pat ! Scotch te demande. »

L'intéressé rampa jusqu'à lui.

Woody l'avait vu jouer au base-ball et savait que c'était un excellent lanceur. « Balance une grenade sur cette moto », lui ordonna-t-il.

Timothy attrapa une grenade dans son barda, la dégoupilla et la lança.

On entendit un bruit métallique. « Qu'est-ce que c'est ? » demanda l'un des soldats en allemand. Puis la grenade explosa.

Il y eut en fait deux déflagrations. La première projeta les trois Allemands à terre. Puis le réservoir de la moto explosa dans un jet de flammes qui brûla les soldats, répandant une odeur de chair carbonisée.

« Restez où vous êtes ! » ordonna Woody à sa section. Il observa le bâtiment. Y avait-il quelqu'un à l'intérieur ? Cinq minutes passèrent sans que personne n'ouvre ni porte ni fenêtre. Soit la maison était déserte, soit ses occupants s'étaient cachés sous leurs lits.

Woody se leva et fit signe à ses hommes de poursuivre. Il ressentit une étrange sensation en enjambant les cadavres brûlés des trois Allemands. Il avait décidé la mort de ces hommes – qui avaient un père et une mère, une épouse ou une fiancée, peut-être même des fils ou des filles. Il ne restait plus d'eux que des poupées de sang et de chair calcinée. Woody aurait dû éprouver un sentiment de triomphe. C'était son premier contact avec l'ennemi et il l'avait vaincu. Or il se sentait un peu nauséeux.

Passé le carrefour, il fit avancer ses hommes à marche forcée, leur interdisant de bavarder comme de fumer. Pour garder ses forces, il mangea une barre chocolatée qui avait un goût de mastic sucré.

Au bout d'une demi-heure, il entendit un véhicule et donna l'ordre à ses hommes de se cacher dans les champs. La voiture roulait à vive allure, tous feux allumés. Sans doute était-elle allemande, mais les Alliés comptaient transporter des Jeep par planeur, ainsi que des canons antichar et autres pièces d'artillerie, de sorte qu'il avait peut-être affaire à des camarades. Il se tapit derrière un buisson et ouvrit les yeux.

Le véhicule roulait trop vite pour être identifié. Il se demanda s'il aurait dû ordonner de faire feu sur lui. Non, décida-t-il ; tout bien considéré, mieux valait se concentrer sur leur mission.

Ils traversèrent trois hameaux que Woody réussit à localiser sur sa carte. Quelques chiens aboyèrent, mais personne ne vint voir ce qui se passait. De toute évidence, les Français avaient appris sous l'Occupation à se mêler de leurs affaires. Il trouvait un peu sinistre de progresser ainsi en terre inconnue, dans les ténèbres, armé jusqu'aux dents, en marchant devant des maisons paisibles dont les habitants dormaient sans se douter de la présence de soldats dans les parages.

Ils arrivèrent enfin dans les faubourgs d'Église-des-Sœurs. Woody décréta une brève pause. Ils se dirigèrent vers un bosquet et s'assirent dans l'herbe. Ils burent à leurs gourdes et mangèrent quelques rations. Woody leur interdisait toujours de fumer : la braise d'une cigarette pouvait être visible de très, très loin.

La route qu'ils suivaient devait mener droit au pont, estimat-il. Ils ne disposaient d'aucune information sur les effectifs qui le gardaient. Puisque les Alliés le jugeaient important, il supposait qu'il en allait de même des Allemands et qu'il devait s'attendre à y trouver une ou plusieurs sentinelles ; mais il ignorait tout de l'armement qu'elles pourraient leur opposer. Pour planifier son assaut, il devait d'abord examiner sa cible.

Dix minutes plus tard, il donna le signal. Inutile d'imposer le silence aux gars : tous sentaient le danger à présent. Ils avancèrent à pas de loup, longeant des maisons, une église et des boutiques, rasant les murs et ouvrant l'œil, sursautant au moindre bruit suspect. En entendant une quinte de toux derrière une fenêtre ouverte, Woody faillit lâcher une rafale.

Église-des-Sœurs était un gros village plutôt qu'une petite ville, et Woody aperçut l'éclat de la rivière plus tôt qu'il ne l'aurait cru. Il leva la main pour arrêter ses hommes. La grand-rue descendait en pente douce jusqu'au pont, ce qui lui offrait une vue parfaite sur celui-ci. La rivière faisait une trentaine de mètres de large et le pont n'avait qu'une arche. Il devait être très vieux, car il était si étroit que deux voitures n'auraient pas pu s'y croiser.

Malheureusement, les Allemands avaient édifié un blockhaus sur chaque rive, un dôme de béton où s'ouvraient des meurtrières horizontales. Deux sentinelles allaient et venaient de l'un à l'autre. Pour le moment, elles se trouvaient chacune à une extrémité du pont. La plus proche, le visage collé à une meurtrière, discutait probablement avec un soldat posté dans le blockhaus. Puis les deux hommes s'avancèrent l'un vers l'autre et, arrivés au milieu du pont, contemplèrent les eaux noires de la rivière. Comme ils ne semblaient pas très inquiets, Woody en déduisit qu'ils ne savaient pas encore que l'invasion avait commencé. Leur vigilance ne s'était pas relâchée pour autant : ils semblaient attentifs au moindre bruit suspect et ne cessaient de regarder à droite et à gauche.

Impossible de deviner le nombre des soldats en place dans les blockhaus et la nature de leur armement. Auraient-ils à affronter des fusils ou des mitrailleuses ? Cela ferait une sacrée différence.

Woody regrettait amèrement son manque d'expérience. Qu'était-il censé faire en pareil cas ? Sans doute étaient-ils des milliers de jeunes officiers comme lui contraints d'improviser sur le champ de bataille. Si seulement le sergent Defoe était à ses côtés.

La meilleure méthode pour neutraliser un blockhaus, c'était de s'en approcher discrètement et de jeter une grenade par une meurtrière. Un commando particulièrement habile n'aurait aucun mal à gagner le plus proche sans se faire repérer. Mais il fallait que Woody neutralise les deux en même temps, faute de quoi l'attaque du premier alerterait les occupants du second.

Comment atteindre le blockhaus le plus éloigné à l'insu des deux sentinelles ?

Il sentit ses hommes s'impatienter. Ils n'aimaient pas que leur chef fasse preuve d'indécision.

« Sneaky Pete, appela-t-il. Rampe jusqu'au blockhaus le plus proche et balance une grenade par la meurtrière. »

Pete avait l'air mort de peur, mais il obtempéra : « À vos ordres, mon lieutenant. »

Woody appela ensuite les deux meilleurs tireurs du peloton. « Smoking Joe, Mack. Choisissez chacun une sentinelle. Dès que Pete aura lancé sa grenade, abattez-les. »

Les deux hommes acquiescèrent et levèrent leurs armes.

En l'absence de Defoe, il décida de faire d'Ace Webber son second. Il appela trois autres soldats et leur dit : « Suivez Ace. Dès que ça commencera à tirer, traversez le pont en courant et arrosez le blockhaus sur l'autre rive. Si vous êtes assez rapides, vous les prendrez par surprise.

— À vos ordres, mon lieutenant, répondit Ace. Ces salopards

ne vont rien piger à ce qui leur arrive. » Sa gouaille masquait sa peur, devina Woody.

« Les autres, suivez-moi jusqu'au blockhaus le plus proche. »

Woody avait des scrupules à confier à Ace et à son trio la mission la plus dangereuse, se réservant celle qui semblait relativement inoffensive, mais on lui avait dit et répété qu'un officier ne devait jamais risquer sa vie sans nécessité, de peur de laisser ses hommes sans commandement.

Ils se dirigèrent vers le pont, Pete ouvrant la marche. L'instant était périlleux. Même de nuit, dix hommes avançant de concert dans une rue ne pouvaient pas passer inaperçus. Il suffirait qu'une sentinelle regarde dans leur direction pour percevoir un mouvement.

Si l'alarme était donnée trop tôt, Sneaky Pete risquait de ne pas atteindre le blockhaus et la section perdrait l'avantage de la surprise.

Ce fut une longue marche.

Pete fit halte à un coin de rue. Woody comprit qu'il attendait que la sentinelle la plus proche s'éloigne du blockhaus et lui tourne le dos.

Les deux tireurs d'élite s'abritèrent et prirent position.

Woody mit un genou à terre et fit signe aux autres de l'imiter. Tous avaient les yeux rivés sur la sentinelle.

L'homme tira une longue bouffée de sa cigarette, la lâcha, l'écrasa sous sa botte et exhala un nuage de fumée. Puis il se redressa, ajusta la lanière de son fusil sur son épaule et se mit en marche.

L'autre sentinelle en fit autant.

Pete courut jusqu'au pâté de maisons suivant et arriva au bout de la rue. Il se jeta à quatre pattes et traversa la chaussée en rampant. Arrivé près du blockhaus, il se releva.

Personne ne l'avait repéré. Les deux sentinelles s'approchaient l'une de l'autre.

Pete prit une grenade et la dégoupilla. Puis il attendit quelques secondes. Il ne voulait pas laisser aux soldats ennemis le temps de la lui renvoyer, comprit Woody.

Tendant la main vers la meurtrière, il laissa doucement tomber la grenade à l'intérieur du blockhaus.

Les carabines de Joe et de Mack crépitèrent. La sentinelle la plus proche s'effondra, mais l'autre était indemne. Au lieu de s'enfuir, le soldat mit courageusement un genou à terre et saisit son fusil. Mais il fut trop lent : les carabines tirèrent à nouveau, presque simultanément, et il tomba sans avoir eu le temps de riposter.

La grenade de Pete explosa dans le premier blockhaus avec un bruit étouffé.

Woody courait déjà, ses gars sur les talons. En quelques secondes, il atteignit le pont.

Le blockhaus était muni d'une porte en bois assez basse. Woody l'ouvrit et entra. Trois corps vêtus de l'uniforme allemand gisaient sur le sol.

Il se posta devant l'une des meurtrières. Ace et son trio traversaient le pont en courant sans cesser de tirer comme des forcenés. Le pont ne faisait que trente mètres, mais c'était quinze de trop. Comme ils arrivaient au milieu, une mitrailleuse ouvrit le feu. Les Américains étaient pris au piège dans un étroit couloir, sans couverture. Une rafale sèche, et ils tombèrent tous les quatre. L'ennemi continua de les arroser par acquit de conscience – achevant du même coup les deux sentinelles, si elles n'étaient pas déjà mortes.

Les balles cessèrent de voler et le calme revint.

Silence total.

«Dieu tout-puissant», souffla Lefty Cameron tout près de Woody.

Il en aurait pleuré. Il avait causé la mort de neuf hommes, quatre Américains et cinq Allemands, sans pour autant parvenir à ses fins. L'ennemi tenait toujours l'autre rive et était en mesure d'arrêter l'avance des Alliés.

Il lui restait cinq hommes. S'ils tentaient eux aussi de franchir le pont, ils n'y survivraient pas. Il fallait qu'il trouve une autre stratégie.

Il observa le village. Que faire ? Si seulement il avait eu un char.

Il fallait agir vite. Peut-être y avait-il dans ce petit bourg d'autres soldats ennemis, que les détonations n'auraient pas manqué d'alerter. Ils ne tarderaient pas à réagir. Il pourrait leur résister en tenant les deux blockhaus. Autrement, il était dans le pétrin.

Si ses hommes ne pouvaient pas traverser le pont, peut-être parviendraient-ils à franchir la rivière à la nage. Il décida de jeter un coup d'œil au rivage. «Mack et Smoking Joe, dit-il.

Tirez sur l'autre blockhaus. Essayez de viser les meurtrières. Occupez-les pendant que je pars en reconnaissance. »

Les carabines parlèrent et il sortit.

Il réussit à s'abriter derrière le blockhaus pendant qu'il jetait un coup d'œil au rivage en amont. Puis il lui fallut traverser la chaussée pour examiner l'autre rive. Par bonheur, l'ennemi s'abstint de faire feu.

Il n'y avait pas de quai. La berge se réduisait à une pente qui descendait vers l'eau. L'autre rive lui parut identique, mais l'obscurité ne lui permettait pas d'en être sûr. Un bon nageur traverserait sans problème. Une fois sous le pont, il ne serait pas facile à repérer depuis la position ennemie. Et arrivé sur l'autre rive, il lui suffirait de répéter la manœuvre de Sneaky Pete et de jeter une grenade dans le blockhaus.

En examinant le pont de plus près, il eut une meilleure idée. Une corniche de trente centimètres de large courait sous le parapet. Un homme qui aurait le cran de ramper dessus resterait hors de vue.

Il regagna le blockhaus pris à l'ennemi. Lefty Cameron était le plus petit des survivants. Et puis c'était un bagarreur, pas du genre à se dégonfler. « Lefty, dit Woody. Il y a une corniche qui longe le pont par l'extérieur, sous le parapet. Elle sert sans doute aux ouvriers qui font des réparations. Tu vas passer par là pour rejoindre l'autre rive et balancer une grenade dans le blockhaus.

— Ça gaze », fit Lefty.

Décidément, il avait du cran. Il venait pourtant de voir périr quatre de ses camarades.

Woody se tourna vers Mack et Smoking Joe. « Couvrez-le. » Ils ouvrirent le feu.

« Et si je me retrouve dans la flotte ? demanda Lefty.

— Tu tomberas de cinq ou six mètres à peine, répondit Woody. Il n'y a aucun danger.

— Okay », dit Lefty. Il se dirigea vers la porte. « Seulement, je ne sais pas nager », ajouta-t-il. Et il sortit.

Woody le vit traverser la rue en courant. Il jeta un coup d'œil par-dessus le parapet, l'enjamba et se laissa glisser, jusqu'à être hors de vue.

« C'est bon, lança-t-il aux deux autres. Cessez le feu. Il est en route. »

Ils restèrent tous aux aguets. Rien ne bougeait. Woody remarqua que le jour se levait : le village lui apparaissait de plus en plus nettement. Mais aucun villageois ne montra le bout de son nez : ils étaient trop avisés pour ça. Peut-être des soldats allemands se rassemblaient-ils dans une rue voisine, mais il n'entendait rien. Il se rendit compte qu'il tendait l'oreille en quête d'un bruit d'éclaboussures, redoutant que Lefty ne tombe dans la rivière.

Un chien traversa le pont en trottinant, un bâtard de taille moyenne à la queue fièrement dressée vers le ciel. Il renifla les cadavres avec curiosité puis poursuivit sa route d'un air décidé, comme s'il avait un rendez-vous de la plus haute importance. Woody le regarda passer près de l'autre blockhaus et disparaître sur l'autre rive.

Puisque le jour se levait, les forces alliées avaient dû commencer à débarquer sur les plages. À en croire un expert, c'était l'opération amphibie la plus importante de l'histoire. Il se demanda si les Alliés rencontraient une forte résistance. Il n'y a rien de plus vulnérable qu'un fantassin chargé comme une mule s'avançant dans les vagues, en direction d'une plage constituant une zone de tir idéale pour les soldats ennemis planqués dans les dunes. Woody se sentait bien plus en sécurité dans son blockhaus.

Lefty prenait son temps. Était-il tombé dans l'eau sans faire de bruit ? Avait-il rencontré un obstacle imprévu ?

Enfin Woody le vit, mince silhouette en kaki se hissant sur le parapet près de l'autre rive. Il retint son souffle. Lefty se laissa tomber à genoux, rampa jusqu'au blockhaus et se redressa, le dos collé au mur de béton. Il attrapa une grenade de la main gauche. Il la dégoupilla, attendit deux ou trois secondes puis bondit et la jeta à travers la meurtrière.

Woody entendit le fracas d'une explosion et aperçut un violent éclair derrière les meurtrières. Lefty leva les bras au-dessus de sa tête, prenant une pose de champion.

«Planque-toi, connard», dit Woody, sachant pourtant que l'autre ne pouvait pas l'entendre. Un soldat allemand se cachait peut-être dans un bâtiment tout proche, brûlant du désir de venger ses amis.

Mais aucune balle ne fendit l'air et, après avoir esquissé un pas de danse, Lefty entra dans le blockhaus et Woody poussa un soupir de soulagement.

Cependant, il n'était pas encore tout à fait rassuré. Il suffirait d'une attaque surprise d'une vingtaine d'Allemands pour reprendre le pont. Et tout ce qu'ils avaient fait n'aurait servi à rien.

Il s'obligea à patienter une minute de plus pour s'assurer qu'aucun soldat ennemi n'apparaissait. Toujours rien. Apparemment, les seuls Allemands présents à Église-des-Sœurs étaient ceux qui gardaient le pont : sans doute étaient-ils relevés toutes les douze heures par les soldats d'une caserne distante de quelques kilomètres.

«Smoking Joe, dit-il. Débarrasse-nous de ces trois cadavres. Balance-les à la flotte.»

Joe traîna les corps à l'extérieur du blockhaus et les fit basculer dans l'eau. Les cadavres des deux sentinelles suivirent le même chemin.

«Pete et Mack, ordonna Woody. Allez rejoindre Lefty dans l'autre blockhaus. Restez sur le qui-vive, tous les trois. On n'a pas encore tué tous les Allemands de France. Si vous voyez des troupes ennemies approcher de votre position, pas d'hésitation, pas de négociation : tirez.»

Les deux hommes sortirent et traversèrent le pont au petit trot.

Il y avait désormais trois Américains dans chaque blockhaus. Si les Allemands tentaient de reprendre le pont, ils auraient de sacrées difficultés, notamment en plein jour.

Woody se rendit compte que les cadavres américains qui gisaient sur le pont risquaient d'apprendre aux forces ennemies que les blockhaus avaient été pris. Mieux valait conserver l'effet de surprise.

Autrement dit, il fallait les jeter à l'eau, eux aussi.

Il donna ses instructions aux autres et sortit.

L'air matinal était frais et clair.

Arrivé au milieu du pont, il prit le pouls de chacun des hommes tombés, mais aucun doute ne subsistait : ils étaient tous morts.

Un par un, il souleva ses camarades et les jeta par-dessus le parapet.

Ace Webber était le dernier. Comme il disparaissait dans les eaux, Woody déclara : «Reposez en paix, mes potes.» Il resta un moment immobile, la tête basse et les yeux clos.

Lorsqu'il se retourna, le soleil se levait.

7.

Les Alliés craignaient par-dessus tout que les Allemands envoient des renforts massifs en Normandie et lancent une contre-attaque suffisamment puissante pour les rejeter à la mer, rééditant ainsi le fiasco de Dunkerque.

Lloyd Williams faisait partie de ceux qui devaient s'assurer que cela n'arriverait pas.

Depuis le débarquement, l'évacuation des prisonniers évadés était moins prioritaire, et il travaillait désormais en liaison avec la Résistance française.

Dès la fin mai, la BBC avait transmis des messages codés pour déclencher une campagne de sabotage dans la France occupée. Les premiers jours de juin, des centaines de fils téléphoniques furent sectionnés, le plus souvent dans des lieux difficiles d'accès. Des dépôts de carburant furent incendiés, des arbres abattus pour bloquer les routes, les pneus de véhicules allemands crevés.

Lloyd assistait des cheminots majoritairement communistes, qui avaient baptisé leur réseau « Résistance-Fer ». Des années durant, ils avaient harcelé les nazis par leurs activités subversives. Il arrivait que les transports de troupes allemands soient détournés sur des lignes secondaires et échouent à des kilomètres de leur destination. Les locomotives accumulaient les pannes inexplicables, quand ce n'était pas les convois qui déraillaient. La situation était si grave que l'occupant avait fait venir des employés des chemins de fer allemands. Mais les nazis n'étaient pas au bout de leurs peines. Au printemps 1944, les résistants s'attaquèrent à l'infrastructure du réseau. Ils firent sauter les voies ferrées et sabotèrent les grues nécessaires pour déplacer les wagons accidentés.

Les nazis ne se laissèrent pas faire. Ils fusillèrent des centaines de cheminots et en déportèrent des milliers dans les camps. Mais la campagne de sabotage ne fit que s'intensifier et, quand vint le jour J, le trafic était totalement paralysé dans certaines régions de France.

Le 7 juin, Lloyd était allongé sur le ventre au sommet d'un talus près de la ligne menant à Rouen, la capitale de la

Normandie, juste avant l'entrée d'un tunnel. De son poste d'observation, il voyait les trains approcher à plus d'un kilomètre de distance.

Il était accompagné de deux hommes ayant pour noms de code Légionnaire et Cigare. Le premier était le chef local de la Résistance, le second un cheminot. Lloyd avait apporté la dynamite. La fourniture d'armes était la principale contribution des Britanniques à la Résistance.

Les trois hommes se dissimulaient derrière de hautes herbes parsemées de fleurs sauvages. Le genre d'endroit où on aurait plaisir à amener une jolie fille par une aussi belle journée, se dit Lloyd. Daisy aurait adoré.

Un train apparut dans le lointain. Cigare l'observa attentivement tandis qu'il approchait. C'était un petit homme d'une soixantaine d'années, sec comme une trique, au visage ridé de gros fumeur. Le train était encore à quatre ou cinq cents mètres d'eux lorsqu'il secoua la tête en signe de dénégation. Ce n'était pas celui qu'ils attendaient. La locomotive passa en crachant sa fumée et disparut dans le tunnel. Elle tractait quatre wagons bondés de passagers, un mélange de civils et de militaires. Lloyd traquait une proie plus importante.

Légionnaire consulta sa montre. Avec son teint basané et son épaisse moustache noire, il devait avoir un ancêtre nord-africain dans son arbre généalogique. Il était nerveux : ils étaient particulièrement exposés sur ce talus. Plus ils s'attardaient, plus ils couraient le risque de se faire repérer. « Il y en a encore pour longtemps ? » interrogea-t-il d'une voix anxieuse.

Cigare haussa les épaules. « On verra bien.

— Vous pouvez partir maintenant si vous voulez, intervint Lloyd en français. Tout est en place. »

Légionnaire ne répondit pas. Il n'avait pas l'intention de manquer ça. Son prestige et son autorité étaient en jeu. Il fallait qu'il puisse dire par la suite : « J'y étais. »

Cigare se crispa et plissa les yeux, creusant encore les rides de ses joues. « Ah », fit-il sans autre précision. Il se redressa sur ses genoux.

Lloyd avait peine à distinguer le train, sans parler de l'identifier, mais Cigare était aux aguets. La motrice allait bien plus vite que la précédente, constata Lloyd. Comme elle approchait, il remarqua aussi que la rame était plus longue : vingt-quatre wagons au bas mot.

« C'est lui », annonça Cigare.

Le pouls de Lloyd s'accéléra. Si le cheminot ne se trompait pas, ce transport de troupes convoyait vers le front de Normandie plus de mille soldats et officiers – et ce n'était peut-être que le premier d'une longue série. Lloyd devait s'assurer qu'aucun d'eux ne franchirait le tunnel.

Son regard fut soudain attiré par autre chose. Un avion avait pris le train en chasse. Sous ses yeux, l'appareil adapta sa vitesse à celle du convoi et perdit de l'altitude.

C'était un avion britannique.

Lloyd reconnut un Hawker Typhoon, un chasseur-bombardier monoplace surnommé le Tiffy. Leurs pilotes effectuaient souvent des missions dangereuses, pénétrant profondément en territoire ennemi pour attaquer les voies de communication. L'homme qui était aux manettes était un brave, se dit-il.

Mais son intervention n'était pas prévue. Il ne fallait pas que le train soit détruit avant de s'engager dans le tunnel.

« Merde », souffla-t-il.

Le Tiffy lâcha une rafale sur les wagons.

« Qu'est-ce que ça veut dire ? demanda Légionnaire.

— Je n'en sais foutre rien », répliqua Lloyd.

Il remarqua alors que la rame était composée de wagons de passagers et de wagons à bestiaux. Mais ceux-ci devaient également contenir des soldats.

Le chasseur accéléra et mitrailla les wagons l'un après l'autre. Il était équipé de quatre canons à chargement par bande qui tiraient des projectiles de 20 mm, et faisaient un bruit d'enfer, couvrant celui du moteur et du train. Lloyd ne put s'empêcher de plaindre les soldats pris au piège dans les wagons, incapables d'échapper au tir meurtrier du Tiffy. Il se demanda pourquoi le pilote ne lâchait pas ses obus. Même s'ils rataient souvent leur cible, ils étaient capables de détruire des véhicules en marche. Peut-être les avait-il tous utilisés lors d'un précédent engagement.

Des Allemands particulièrement hardis passèrent la tête par les fenêtres pour riposter à coups de fusil ou de pistolet – sans résultat.

Lloyd aperçut alors une batterie antiaérienne légère sur un wagon plat situé juste derrière la motrice. Deux artilleurs s'activaient à la déployer. Le canon pivota sur son socle et se pointa sur le chasseur anglais.

Sans doute le pilote ne l'avait-il pas vu, car il maintint son cap, continuant à mitrailler les toits des wagons.

Le canon tira et manqua son coup.

Lloyd se demanda s'il connaissait ce pilote de chasse. Ils n'étaient que cinq mille en service actif dans tout le Royaume-Uni et un grand nombre d'entre eux fréquentaient les soirées de Daisy. Lloyd pensa à Hubert St John, un brillant diplômé de Cambridge avec qui il avait échangé des souvenirs de fac quelques semaines plus tôt ; à Dennis Chaucer, qui venait de la Trinité et se plaignait de la fadeur de la cuisine anglaise, en particulier de la sempiternelle purée de pommes de terre ; et aussi à Brian Mantel, un Australien affable auquel il avait fait franchir les Pyrénées lors de sa dernière mission d'évacuation. Oui, il connaissait sans doute le courageux pilote de ce Tiffy.

Le canon antiaérien tira de nouveau, sans toucher sa cible.

Le pilote ne l'avait toujours pas vu, ou bien il se croyait invulnérable ; au lieu de tenter de lui échapper, il continua à voler suffisamment bas pour arroser le convoi.

La motrice n'était qu'à quelques secondes du tunnel lorsque l'avion fut touché.

Les flammes jaillirent de son moteur, un panache de fumée noire monta dans le ciel. Le pilote voulut virer, mais il était trop tard.

Le train entra dans le tunnel et Lloyd vit défiler les wagons devant sa position. Chacun d'eux était rempli de dizaines, de centaines de soldats allemands.

Le Tiffy passa juste au-dessus de lui. L'espace d'un instant, il crut qu'il allait lui tomber dessus. Il était déjà plaqué au sol, mais ne put s'empêcher de se protéger la tête des deux mains, ce qui n'aurait servi à rien.

Le Tiffy volait en rugissant à trente mètres d'altitude.

Légionnaire actionna le détonateur.

Un coup de tonnerre ébranla le tunnel, suivi d'un terrible grincement d'acier torturé lorsque le train s'écrasa contre la roche.

Les wagons continuèrent d'avancer quelques secondes encore puis s'arrêtèrent net. Deux d'entre eux s'élevèrent dans les airs, dessinant un V inversé. Lloyd entendit hurler leurs passagers. Tous les wagons déraillèrent et s'éparpillèrent telles des allumettes autour de la gueule noire du tunnel. Le fer se froissa comme du papier, des éclats de verre s'abattirent sur les trois saboteurs qui observaient la scène depuis leur talus. Comprenant qu'ils étaient eux aussi en danger de mort, ils se levèrent d'un bond et s'enfuirent en courant.

Lorsqu'ils furent en lieu sûr, tout était fini. Un nuage de fumée sortait du tunnel : au cas bien improbable où des hommes auraient survécu à la collision, ils seraient brûlés vifs.

Le plan de Lloyd était une réussite. Non seulement il avait tué plusieurs centaines de soldats ennemis et détruit un transport de troupes, mais il avait bloqué en outre une voie ferrée stratégique. Il faudrait plusieurs semaines pour dégager ce tunnel. Les Allemands auraient un peu plus de difficulté à renforcer leurs défenses en Normandie.

Un sentiment d'horreur l'envahit.

Il avait déjà assisté à des scènes de carnage en Espagne, mais rien de comparable à cette boucherie. Et c'était lui le responsable.

Un nouveau bruit retentit et, en se tournant vers sa source, il vit que le Tiffy venait de s'écraser. Il brûlait mais son fuselage était intact. Le pilote était peut-être vivant.

Il courut vers l'avion, Cigare et Légionnaire sur les talons.

Le chasseur gisait sur le ventre. L'une de ses ailes s'était brisée en deux. Son moteur fumait toujours. Le capot en plexiglas du cockpit était noirci par la suie et Lloyd ne distinguait pas le pilote.

Il monta sur une aile et débloqua le capot. Cigare en fit autant de l'autre côté. Ensemble, ils le firent coulisser sur ses rails.

Le pilote était inconscient. Il portait un casque et des lunettes de vol; un masque à oxygène lui couvrait le nez et la bouche. Lloyd était incapable de dire s'il le connaissait ou pas.

Il se demanda où était la réserve d'oxygène et si elle avait déjà explosé.

Légionnaire avait eu la même idée. «Il faut le sortir de là avant que l'avion prenne feu», dit-il.

Lloyd déboucla la ceinture du pilote. Puis il l'attrapa par les aisselles et tira. L'homme resta inerte. Impossible d'évaluer la gravité de ses blessures. Peut-être même était-il déjà mort.

Il extirpa le pilote du cockpit, puis le cala sur ses épaules comme le font les pompiers, ne faisant halte qu'à bonne distance de l'épave en feu. Puis, avec d'infinies précautions, il l'allongea dans l'herbe, le visage tourné vers le ciel.

Il entendit un bruit – à la fois un souffle et un bruit sourd –, et vit que l'avion était en feu.

Se penchant sur le pilote, il lui retira doucement ses lunettes et son masque à oxygène, découvrant, bouleversé, un visage familier.

C'était Boy Fitzherbert.

Il respirait encore.

Lloyd essuya son nez et sa bouche maculés de sang.

Boy ouvrit les yeux. Il sembla tout d'abord ne pas comprendre ce qui se passait. Puis, au bout d'une minute, son expression s'altéra : « Vous ?

— On a fait sauter le train », expliqua Lloyd.

Boy semblait ne pouvoir remuer que les yeux et les lèvres. « Le monde est petit, murmura-t-il.

— En effet.

— Qui est-ce ? » demanda Cigare.

Lloyd hésita un instant avant de répondre : « Mon frère.

— Mon Dieu. »

Boy ferma les yeux.

« Il faut aller chercher un médecin », dit Lloyd à Légionnaire.

Celui-ci secoua la tête. « Nous ne pouvons pas traîner ici. Dans quelques minutes, les Allemands viendront voir ce qui est arrivé à leur train. »

Il avait raison, Lloyd le savait. « Il va falloir l'emmener. »

Boy ouvrit les paupières : « Williams.

— Oui, Boy ? »

On aurait dit qu'il souriait. « Tu peux épouser cette salope, maintenant. »

Et il mourut.

8.

Daisy pleura en apprenant la nouvelle. Boy était un sale type et il l'avait fait souffrir, mais elle l'avait aimé et lui devait son éducation amoureuse ; sa mort l'attristait.

Son frère Andy était désormais vicomte et héritier du titre ; May, son épouse, devenait du coup vicomtesse ; quant à Daisy, compte tenu des usages byzantins de l'aristocratie anglaise, elle était la vicomtesse douairière d'Aberowen – jusqu'à ce qu'elle épouse Lloyd, ce qui ferait d'elle, pour son plus grand soulagement, Mrs. Williams tout court.

Et elle devrait pourtant attendre encore un moment. Au fil de l'été, on perdit tout espoir de voir le conflit s'achever rapidement. Le 20 juillet, un complot de généraux allemands décidés à assassiner Hitler échoua. La Wehrmacht battait en retraite sur le front de l'Est et les Alliés reprirent Paris en août, mais Hitler était résolu à lutter jusqu'au bout, coûte que coûte. Daisy ignorait quand elle reverrait Lloyd, sans parler de l'épouser.

Un mercredi de septembre, comme elle allait passer la soirée à Aldgate, elle fut accueillie par une Eth Leckwith folle de joie. « Grande nouvelle ! annonça-t-elle lorsque Daisy entra dans la cuisine. Lloyd a été choisi comme candidat travailliste de la circonscription de Hoxton ! »

Millie, la sœur de Lloyd, était là ainsi que ses deux enfants, Lennie, quatre ans, et Pammie, deux ans. « C'est formidable, non ? lança-t-elle. Je parie qu'il finira Premier ministre.

— Oui, fit Daisy en s'asseyant lourdement sur une chaise.

— Eh bien, ça n'a pas l'air de vous enchanter, remarqua Ethel. Comme dirait mon amie Mildred, ça a tout l'air de vous rester en travers du gosier. Que se passe-t-il ?

— Eh bien, si nous nous marions, ça compromettra ses chances d'être élu. » Elle l'aimait, voilà pourquoi elle en était toute désemparée. Comment pourrait-elle se résoudre à gâcher ses perspectives d'avenir ? Mais comment se résoudre aussi à renoncer à lui ? Lorsque de telles pensées l'agitaient, elle avait le cœur gros et la situation lui paraissait sans issue.

« Parce que vous êtes riche ? demanda Ethel.

— Pas seulement. Avant de partir pour sa dernière mission, Boy m'a dit que Lloyd ne serait jamais élu à cause du passé fasciste de son épouse. » Elle se tourna vers Ethel, qui n'était pas femme à mâcher ses mots. « Il avait raison, n'est-ce pas ?

— Pas forcément », répondit Ethel. Elle mit la bouilloire à chauffer puis s'assit en face de Daisy. « Je ne vais pas prétendre que ça n'a aucune importance. En même temps, il ne faut pas désespérer. »

Tu es comme moi, songea Daisy. Tu dis ce que tu penses. Pas étonnant qu'il soit tombé amoureux de moi : je ressemble à sa mère, en plus jeune !

« L'amour triomphe de tout, non ? » lança Millie avant de

remarquer que Lennie tapait sur Pammie avec un soldat de bois. «Arrête de frapper ta sœur!» s'écria-t-elle. Se retournant vers Daisy, elle reprit : «Et mon frère est fou de toi. À vrai dire, je crois qu'il n'a jamais aimé personne d'autre.

— Je sais, murmura Daisy au bord des larmes, «mais il est résolu à changer le monde et je ne supporte pas l'idée d'être un obstacle sur sa route.»

Ethel prit sur ses genoux la fillette en pleurs, qui se calma aussitôt. «Je vais vous dire ce qu'il faut faire, déclara-t-elle à Daisy. Préparez-vous à ce qu'on vous pose des questions déplaisantes, et à ce que certains se montrent hostiles à votre égard, mais ne cherchez pas à éluder le débat, ni à dissimuler votre passé.

— Que dois-je dire?

— Que vous avez cédé aux illusions du fascisme, comme des millions d'autres; mais que vous avez conduit une ambulance pendant le Blitz et que vous espérez vous être ainsi rachetée. Préparez vos arguments avec Lloyd. Ayez confiance en vous, déployez votre charme irrésistible et ne vous laissez pas démonter.

— Est-ce que ça marchera?»

Ethel hésita. «Je ne sais pas, dit-elle enfin. Vraiment pas. Mais il faut tenter le coup.

— S'il devait, à cause de moi, renoncer à ce qu'il aime le plus au monde, je ne me le pardonnerais pas. Il y a de quoi détruire n'importe quel couple.»

Daisy espérait vaguement qu'Ethel la détromperait, mais celle-ci n'en fit rien. «Je ne sais pas», répéta-t-elle.

XIX

1945 (I)

1.

Woody eut vite fait de s'habituer à ses béquilles.

Il avait été blessé en Belgique, à la fin de l'année 1944, au cours de la bataille des Ardennes. Alors qu'ils fonçaient vers la frontière allemande, les Alliés avaient été surpris par une contre-attaque. En compagnie d'autres soldats de la 101ᵉ division aéroportée, Woody avait tenu Bastogne, une ville qui occupait une position stratégique. Lorsque les Allemands les avaient sommés de se rendre, le général McAuliffe leur avait répondu d'un seul mot, destiné à passer à la postérité – *Nuts!* –, les traitant en fait de cinglés.

Le jour de Noël, une rafale de mitrailleuse avait démoli la jambe droite de Woody. Ça faisait un mal de chien. Pis encore, il avait dû attendre un mois avant d'être évacué de la ville assiégée vers un hôpital digne de ce nom.

Ses os finiraient par se ressouder, et peut-être cesserait-il un jour de boiter, mais plus jamais il ne sauterait en parachute.

La bataille des Ardennes avait été la dernière offensive allemande sur le front occidental. Désormais, l'armée hitlérienne ne lancerait plus aucune contre-attaque.

Woody retourna à la vie civile, ce qui lui permit de s'installer chez ses parents, à Washington, et de se faire dorloter par sa mère. Une fois son plâtre enlevé, il retourna travailler au bureau de son père.

Le jeudi 12 avril 1945, il se trouvait au sous-sol du Capitole, le bâtiment abritant le Sénat et la Chambre des représentants, et discutait avec son père du sort des personnes déplacées. « Selon nos estimations, environ vingt et un millions de personnes ont été chassées de leur foyer en Europe, expliqua Gus. L'Administration des Nations unies pour le secours et la reconstruction est prête à les aider.

— Elle ne tardera pas à se mettre au travail, je pense, observa Woody. L'armée Rouge est aux portes de Berlin.

— Et l'armée américaine en est à moins de cent kilomètres.

— Combien de temps Hitler peut-il encore tenir ?

— Un homme sain d'esprit se serait déjà rendu. »

Woody baissa la voix. « On m'a dit que les Russes avaient découvert une sorte de camp d'extermination. Les nazis y tuaient plusieurs centaines de personnes par jour. C'est un endroit qui s'appelle Auschwitz, en Pologne. »

Gus acquiesça d'un air sombre. « C'est exact. Le public n'en a pas encore été informé, mais il le sera tôt ou tard.

— Les coupables devront être jugés et condamnés.

— Depuis deux ans déjà, la Commission des crimes de guerre des Nations unies dresse une liste des criminels de guerre et rassemble des preuves. Il y aura un procès, à condition bien sûr que nous arrivions à maintenir les Nations unies sur pied après le conflit.

— Mais nous y arriverons, c'est évident ! protesta Woody. Roosevelt a fait campagne sur ce thème l'année dernière et il a remporté l'élection. La conférence des Nations unies s'ouvre à San Francisco dans quinze jours. » San Francisco avait une signification toute particulière pour Woody, car c'était là qu'habitait Bella Hernandez, mais il n'avait pas encore parlé d'elle à son père. « Le peuple américain exige une coopération internationale afin d'éviter de nouveaux conflits comme celui-ci. Qui pourrait s'opposer à cela ?

— Tu serais surpris ! Tu sais, la plupart des membres du parti républicain sont des hommes de bonne volonté qui ont une vision du monde différente de la nôtre, c'est tout. Mais il y a parmi eux un noyau dur de connards et de cinglés. »

Woody sursauta. Il n'était pas dans les habitudes de son père de parler ainsi.

« Les types qui ont fomenté une insurrection contre Roosevelt durant les années 1930, poursuivit Gus, les hommes d'affaires comme Henry Ford, qui considéraient Hitler comme un excellent chef d'État, un anticommuniste résolu. Ils ont adhéré à des groupes de droite comme America First. »

Woody ne se rappelait pas l'avoir jamais vu aussi furieux.

« Si ces imbéciles ont leur mot à dire, nous aurons une troisième guerre mondiale et elle sera encore pire que les deux premières, ajouta Gus. La guerre m'a pris un fils et, si je dois avoir un petit-fils un jour, je ne veux pas le perdre, lui aussi. »

Woody sentit son cœur se serrer. Si elle avait vécu, Joanne aurait donné des petits-enfants à Gus.

Woody ne fréquentait personne pour le moment, donc la paternité n'était qu'une perspective lointaine – à moins qu'il ne retrouve la trace de Bella à San Francisco...

« Pour les crétins finis, il n'y a rien à faire, reprit Gus. Mais peut-être arriverons-nous à quelque chose avec le sénateur Vandenberg. »

Arthur Vandenberg était un républicain du Michigan, un conservateur qui s'était opposé au New Deal. Il siégeait à la commission des Affaires étrangères du Sénat aux côtés de Gus.

« C'est l'homme le plus dangereux pour notre camp, remarqua celui-ci. Un homme vaniteux et imbu de sa personne, sans doute, mais respecté de tous ou presque. Le Président lui a fait du charme et il a fini par se ranger à notre point de vue, mais il peut encore changer d'avis.

— Pourquoi le ferait-il?

— Il est farouchement anticommuniste.

— Il n'y a pas de mal à ça. Nous le sommes aussi.

— Oui, mais Arthur est assez rigide sur ce point. S'il estime que nous plions l'échine devant Moscou, il ne décolérera pas.

— Que veux-tu dire au juste?

— Dieu sait à quels compromis nous devrons nous résoudre à San Francisco. Nous avons déjà accepté de considérer l'Ukraine et la Biélorussie comme des États distincts, ce qui revient à donner trois voix à Moscou à l'Assemblée générale. Nous ne pouvons pas nous passer des Soviétiques – mais, s'il juge que nous allons trop loin, Arthur risque de se braquer contre le projet d'Organisation des Nations unies. Dans ce cas, le Sénat refusera de le ratifier, comme il a rejeté la Société des nations en 1919.

— Autrement dit, notre mission à San Francisco consistera à contenter les Soviétiques sans offusquer le sénateur Vandenberg.

— Exactement. »

Ils entendirent un bruit de pas précipités, inhabituel en ce lieu empreint de dignité. Ils se retournèrent d'un même mouvement. À sa grande surprise, Woody vit Harry Truman, le vice-président, qui courait dans le couloir. Il était vêtu de façon ordinaire, costume trois-pièces gris et cravate à pois, mais ne portait pas de chapeau. Apparemment, il avait perdu son escorte d'assistants et de gardes du corps. Il courait à un rythme soutenu, le souffle court, en regardant droit devant lui, comme un homme terriblement pressé.

Woody et Gus, ainsi que toutes les personnes présentes, ouvrirent des yeux étonnés.

Lorsque Truman eut disparu, Woody lança : « Que diable... ?

— Je pense que le Président est mort », murmura Gus.

2.

Volodia Pechkov entra en Allemagne à bord d'un camion militaire Studebaker US6 à dix roues. Fabriqué à South Bend dans l'Indiana, ce camion avait été transporté par rail à Baltimore, expédié par navire dans le golfe Persique via l'océan Atlantique et le cap de Bonne-Espérance, puis acheminé par voie ferrée jusqu'au centre de la Russie. Comme le savait Volodia, c'était l'un des deux cent mille camions Studebaker offerts à l'armée Rouge par le gouvernement américain. Les Russes les adoraient : ils étaient aussi robustes que fiables. À en croire les soldats, le sigle *USA* peint au pochoir sur leurs flancs signifiait *Ubil Sukina sina Adolfa*, c'est-à-dire « Ce camion a tué un salopard d'Adolf ».

Ils appréciaient tout autant la nourriture envoyée par les Américains, notamment le SPAM, cette viande en conserve d'un étrange rose vif, mais très riche en matières grasses.

Volodia avait été envoyé en Allemagne parce que les renseignements transmis par ses espions berlinois étaient désormais moins pertinents que les informations que l'on pouvait tirer des prisonniers de guerre allemands. Comme il parlait allemand couramment, il avait été chargé de les interroger.

En franchissant la frontière, il avait vu une affiche du gouvernement soviétique proclamant : « Soldat de l'armée Rouge ! Te voici en territoire allemand. L'heure de la vengeance a sonné ! » C'était l'un des exemples les plus modérés de propagande.

Depuis quelque temps, le Kremlin attisait la haine des soldats soviétiques contre les Allemands, dans l'espoir de les rendre plus combatifs. Les commissaires politiques avaient calculé, ou prétendaient l'avoir fait, le nombre d'hommes morts sur le champ de bataille, de maisons incendiées, de civils massacrés dans les villes conquises par l'ennemi, et dont le seul crime était d'être juifs, slaves ou communistes. Les soldats du front étaient nombreux à connaître par cœur les chiffres concernant leurs propres villages et ils brûlaient du désir de rendre à l'ennemi la monnaie de sa pièce.

L'armée Rouge était arrivée sur les rives de l'Oder, un fleuve dont les méandres traversaient la Prusse du sud au nord, le dernier obstacle avant Berlin. Un million de soldats soviétiques se massaient à moins de cent kilomètres de la capitale, prêts à lui porter un coup fatal. Volodia se trouvait avec la 5ᵉ armée de choc. En attendant le début des combats, il lisait attentivement *L'Étoile rouge*, le journal de l'armée.

Son contenu l'horrifia.

La propagande était plus virulente que tout ce qu'il avait pu voir jusque-là. «Si tu n'as pas tué au moins un Allemand par jour, tu as perdu ta journée, lut-il. Si tu attends que la bataille commence, tue un Allemand pour passer le temps. Si tu tues un Allemand, tues-en un autre – rien ne nous amuse autant qu'un monceau de cadavres allemands. Tue les Allemands – c'est la prière de ta vieille mère. Tue les Allemands – c'est la supplique de tes enfants. Tue les Allemands – c'est le cri de ta terre russe. N'hésite pas. Ne recule pas. Tue.»

Cela donnait un peu la nausée, se dit Volodia. Mais certains sous-entendus étaient encore pires. Le rédacteur se montrait indulgent avec les pillards : «Les manteaux de fourrure et les cuillers en argent que vous volez aux Allemandes, elles les ont volés à d'autres.» Et le viol faisait l'objet d'une plaisanterie de mauvais goût : «Un soldat soviétique ne refuse jamais les avances d'une femme allemande.»

Les soldats n'étaient pas au départ les hommes les plus civilisés du monde et le comportement des envahisseurs allemands en 1941 avait indigné tous les Russes. Le gouvernement mettait de l'huile sur le feu en parlant ainsi de vengeance. Et voilà que l'organe officiel de l'armée incitait les soldats à se déchaîner sur les Allemands vaincus.

Autant appeler l'Apocalypse de ses vœux.

3.

Erik von Ulrich espérait de tout cœur que la guerre serait bientôt finie.

En compagnie de son ami Hermann Braun et de leur supérieur, le docteur Weiss, Erik avait installé un hôpital de campagne dans un petit temple protestant; puis ils s'étaient assis dans la nef, désœuvrés, pour attendre l'arrivée des ambulances à cheval transportant leur cargaison d'hommes affreusement mutilés et brûlés.

L'armée allemande avait renforcé ses positions sur les Hauteurs de Seelow, qui dominaient l'Oder à son point le plus proche de Berlin. L'hôpital de campagne se trouvait dans un village à quinze cents mètres du front.

Selon le docteur Weiss, dont un ami travaillait pour le Renseignement militaire, cent dix mille soldats allemands étaient censés défendre Berlin contre un million de soldats soviétiques. Toujours sarcastique, il avait ajouté : «Mais comme le moral des troupes est au beau fixe et qu'Adolf Hitler est le plus grand génie de l'histoire militaire, nous sommes sûrs de gagner.»

Les soldats allemands continuaient à se battre férocement, malgré leur situation désespérée. Sans doute était-ce à cause des rumeurs sur les exactions de l'armée Rouge qui étaient parvenues jusqu'à eux, se disait Erik. Prisonniers exécutés, maisons pillées et incendiées, femmes violées et clouées aux portes des granges. Les Allemands étaient persuadés de protéger leurs familles des brutalités communistes. La propagande haineuse du Kremlin se retournait contre elle.

Erik priait pour la défaite. Il fallait mettre fin à ce massacre. Il voulait rentrer chez lui.

Son vœu serait bientôt exaucé – ou alors il serait mort.

Il s'était endormi sur un banc et fut réveillé à trois heures du matin par l'artillerie russe. En ce lundi 16 avril, ce n'était pas la première fois qu'il entendait le son du canon, mais celui-ci était dix fois plus fort ce jour-là que tout ce dont il avait été témoin auparavant. Pour les hommes du front, il devait être littéralement assourdissant.

Les premiers blessés arrivèrent à l'aube et ils se mirent au travail en dépit de leur fatigue, amputant les membres, réduisant les fractures, extrayant les balles, nettoyant et pansant les plaies. Ils manquaient de tout, aussi bien de médicaments que d'eau pure, et n'administraient de la morphine qu'à ceux qui hurlaient de souffrance.

Les hommes encore capables de marcher et de tenir une arme étaient renvoyés au combat.

Les troupes allemandes résistèrent plus longtemps que ne l'avait pensé le docteur Weiss. Au soir du premier jour, elles n'avaient pas quitté leur position, et l'afflux de blessés se tarit à la nuit tombée. L'unité médicale réussit à voler quelques heures de sommeil.

Le lendemain de bonne heure, Werner Franck fit son apparition, le poignet horriblement broyé.

Il avait à présent le grade de capitaine. On lui avait confié la responsabilité d'une section du front avec trente canons de DCA de 88 mm. «Nous n'avions que huit obus par canon, expliqua-t-il tandis que les doigts habiles du docteur Weiss soignaient méticuleusement ses os fracassés. Nous avions ordre d'en tirer sept sur les chars russes puis de détruire chaque canon avec le huitième pour éviter qu'il tombe entre les mains des rouges.» Il se tenait à côté d'un de ces canons lorsqu'un projectile russe l'avait frappé de plein fouet, le renversant sur lui. «J'ai eu de la chance que ce soit la main qui prenne. Ça aurait pu être ma foutue tête.»

Une fois son poignet bandé, il demanda à Erik : «Tu as des nouvelles de Carla?»

Erik savait que sa sœur et Werner étaient ensemble. «Ça fait des semaines que je n'ai pas reçu de lettres.

— Moi non plus Il paraît que la situation est très dure à Berlin. J'espère qu'elle va bien.

— Je suis inquiet, moi aussi», dit Erik.

À la surprise générale, les Allemands tinrent les Hauteurs de Seelow pendant un jour et une nuit de plus.

Personne n'avertit l'hôpital de campagne que la ligne de front avait été enfoncée. Ils triaient un nouvel arrivage de blessés lorsque sept ou huit soldats soviétiques firent irruption dans le temple. L'un d'eux tira une rafale de mitraillette en direction du plafond voûté et Erik se jeta à terre, imité par tous ceux qui pouvaient encore bouger.

Constatant que personne n'était armé, les Russes se détendirent. Ils firent le tour de la salle pour s'emparer des montres et des alliances de ceux qui en possédaient. Puis ils repartirent.

Erik se demanda ce qui allait se passer à présent. C'était la première fois qu'il était piégé derrière les lignes ennemies. Devaient-ils abandonner leur hôpital de campagne pour tenter de rejoindre leur armée en déroute ? Ou leurs patients étaient-ils plus en sécurité ici ?

Le docteur Weiss avait déjà pris sa décision. « Que tout le monde se remette au travail », dit-il.

Quelques minutes plus tard, ils virent arriver un soldat soviétique portant un camarade sur son épaule. Il braqua son arme sur Weiss et prononça un flot de paroles en russe. Il était visiblement affolé et son compagnon était couvert de sang.

Weiss ne perdit pas son sang-froid. Il lui répondit dans un russe hésitant : « Inutile de me menacer. Posez votre ami sur cette table. »

Le soldat s'exécuta et l'équipe se mit à l'œuvre. Pendant tout ce temps, le soldat garda son fusil braqué sur le médecin.

Plus tard dans la journée, les patients allemands furent évacués, à pied ou à bord d'un camion qui prit la direction de l'est. Erik vit Werner Franck disparaître : il était prisonnier de guerre. Quand Erik était petit, on lui avait souvent raconté l'histoire de son oncle Robert, qui avait été pris par les Russes lors de la Première Guerre mondiale, et était rentré à pied au pays depuis la Sibérie, un périple de six mille kilomètres. Il se demanda où l'on conduisait Werner.

On leur amena d'autres blessés russes, et les Allemands les soignèrent comme ils l'auraient fait pour leurs propres compatriotes.

Plus tard, sombrant dans un sommeil épuisé, Erik se rendit compte qu'il était, lui aussi, prisonnier de guerre.

4.

Alors que les armées alliées s'approchaient de Berlin, les pays vainqueurs commencèrent à se chamailler à la conférence des Nations unies de San Francisco. Woody en aurait été découragé s'il n'avait pas consacré tous ses efforts à tenter de retrouver la trace de Bella Hernandez.

Elle n'avait pas quitté ses pensées durant tous les combats, du jour J à la conquête de la France, de son entrée à l'hôpital à la fin de sa convalescence. Un an auparavant, elle s'apprêtait à terminer ses études à Oxford et comptait aller soutenir sa thèse à Berkeley, c'est-à-dire à San Francisco. Sans doute habitait-elle chez ses parents, à Pacific Heights, à moins qu'elle n'ait loué un appartement près du campus.

Malheureusement, il n'arrivait pas à la joindre.

Toutes ses lettres restaient sans réponse. Quand il composa le numéro qu'il avait trouvé dans l'annuaire, une femme d'un certain âge qui devait être sa mère lui répondit avec une politesse glaciale : « Elle n'est pas là pour le moment. Voulez-vous lui laisser un message ? » Bella ne rappela jamais.

Elle devait sortir avec quelqu'un. Dans ce cas, il voulait qu'elle le lui dise en face. Mais peut-être sa mère interceptait-elle son courrier et ne lui transmettait-elle pas ses messages.

Il aurait été raisonnable de renoncer. Il allait finir par se ridiculiser. Mais ce n'était pas dans sa nature. Il se rappela Joanne et la longue cour qu'il s'était entêté à lui faire. On dirait que l'histoire se répète, songea-t-il ; est-ce moi qui suis bizarre ?

Pendant ce temps, chaque matin, il accompagnait son père dans la vaste suite au dernier étage de l'hôtel Fairmont, où Edward Stettinius, le secrétaire d'État, réunissait l'équipe américaine. Stettinius remplaçait Cordell Hull, qui venait d'être hospitalisé. Les États-Unis avaient également un nouveau Président, Harry Truman, qui avait prêté serment après le décès du grand Franklin D. Roosevelt. Dommage, avait commenté Gus Dewar, qu'en ces circonstances décisives pour l'avenir du monde, les États-Unis soient dirigés par deux hommes sans expérience.

Les choses avaient mal commencé. Le président Truman avait maladroitement heurté Molotov, le ministre soviétique des Affaires étrangères, lors d'une rencontre préliminaire à la Maison Blanche. Du coup, Molotov arriva à San Francisco de fort méchante humeur. Il repartirait sur-le-champ à Moscou, affirma-t-il, si la conférence n'admettait pas immédiatement la Biélorussie, l'Ukraine et la Pologne.

Personne ne souhaitait le départ de l'URSS. Sans les Soviétiques, les Nations unies ne seraient pas les Nations unies.

La majorité de la délégation américaine était favorable à un compromis avec les communistes, mais le sénateur Vandenberg, célèbre pour son nœud papillon, insista d'un air pincé pour qu'aucune décision ne soit prise sous la pression de Moscou.

Un matin, alors que Woody disposait de deux heures de liberté, il se rendit chez les parents de Bella.

Ils habitaient Nob Hill, un quartier huppé relativement proche de l'hôtel Fairmont, mais comme Woody marchait toujours avec une canne, il prit un taxi. Il en descendit dans Gough Street, devant une grande demeure victorienne à la façade jaune. La femme qui lui ouvrit la porte était trop bien habillée pour être une domestique. Devant son sourire en coin, identique à celui de Bella, il comprit que c'était sa mère. « Bonjour, madame, lui dit-il poliment. Je m'appelle Woody Dewar. J'ai fait la connaissance de Bella Hernandez l'année dernière à Londres et j'aimerais bien la revoir, si cela est possible. »

Le sourire de la femme s'effaça. Elle le fixa longuement du regard et dit : « Ainsi, c'est vous. »

Woody interloqué ne sut que répondre.

« Je suis Caroline Hernandez, la mère d'Isabel. Vous feriez mieux d'entrer.

— Je vous remercie. »

Elle ne prit pas la main qu'il lui tendait, affichant clairement une hostilité dont il ignorait le motif. Mais il était dans la place.

Mrs. Hernandez conduisit Woody dans un vaste salon confortable jouissant d'une vue splendide sur l'océan. Elle lui désigna un fauteuil, l'invitant à s'y asseoir d'un geste à peine poli. Elle prit place en face de lui et lui décocha un nouveau regard noir. « Combien de temps avez-vous passé avec Bella en Angleterre ? demanda-t-elle.

— Quelques heures à peine. Mais je n'ai cessé de penser à elle depuis. »

Suivit un silence pesant, puis elle reprit : « Quand elle est partie pour Oxford, Bella était fiancée à Victor Rolandson, un jeune homme charmant qu'elle connaissait depuis toujours, ou presque. Les Rolandson sont d'excellents amis de mon époux et de moi-même – ou plutôt ils l'étaient, jusqu'à ce que Bella rentre à la maison et rompe brutalement ses fiançailles. »

Le cœur de Woody fit un bond dans sa poitrine.

« Tout ce qu'elle a consenti à nous dire, c'est qu'elle avait compris qu'elle n'aimait pas Victor. Je me suis doutée qu'elle avait rencontré quelqu'un d'autre. Je sais maintenant qui c'est.

— J'ignorais qu'elle était fiancée, murmura Woody.

— Elle portait une bague en diamant qu'il était difficile de ne pas voir. Vos piètres facultés d'observation ont provoqué une tragédie.

— Je suis navré », dit Woody. Puis il se reprocha d'être trop timoré. «En fait, non, reprit-il. Je suis ravi qu'elle ait rompu ses fiançailles, parce que je trouve que c'est une fille sensationnelle et que je la veux pour moi. »

Mrs. Hernandez n'apprécia guère. «Vous êtes bien imperti-nent, jeune homme. »

Mais Woody ne supportait plus sa condescendance. «Madame Hernandez, vous venez de prononcer le mot de "tra-gédie". Ma fiancée Joanne est morte dans mes bras à Pearl Harbor. Mon frère Chuck a été fauché par une mitrailleuse sur la plage de Bougainville. Le jour J, j'ai envoyé quatre jeunes Américains à la mort pour prendre un pont dans un trou perdu de Normandie. Je sais ce que c'est qu'une tragédie, madame, croyez-moi, et ça n'a rien à voir avec une rupture de fian-çailles. »

Elle fut manifestement désarçonnée. Sans doute n'avait-elle pas l'habitude que des jeunes gens lui tiennent tête. Elle ne répondit pas, mais pâlit légèrement. Au bout d'un moment, elle se leva et sortit sans un mot. Woody ne savait pas ce qu'elle attendait de lui, mais, comme il n'avait pas encore vu Bella, il décida de ne pas bouger.

Cinq minutes plus tard, Bella était là.

Woody se leva, le cœur battant. Il lui suffit de l'apercevoir pour avoir le sourire aux lèvres. Elle portait une robe jaune pâle très sobre qui faisait ressortir ses cheveux d'un noir lustré et sa peau couleur café. Les tenues les plus simples étaient tou-jours les plus seyantes sur elle, devina-t-il; comme sur Joanne. Il mourait d'envie de la serrer dans ses bras, de presser son corps souple contre le sien, mais il attendit un signe de sa part.

Elle paraissait inquiète et mal à l'aise. «Que fais-tu ici? demanda-t-elle.

— Je suis venu te voir.

— Pourquoi?

— Parce que je n'arrête pas de penser à toi.

— On ne se connaît même pas.

— Il faut y remédier dès aujourd'hui. Puis-je t'inviter à dîner ce soir ?

— Je ne sais pas. »

Il traversa la pièce pour la rejoindre.

Elle fut surprise de le voir s'appuyer sur une canne. « Qu'est-ce qui t'est arrivé ?

— Quelques balles dans le genou, en Europe. Ça va mieux, mais c'est long.

— Je suis désolée.

— Bella, je te trouve merveilleuse. J'ai l'impression que tu m'aimes bien. Nous sommes libres tous les deux. Qu'est-ce qui t'inquiète ? »

Elle lui adressa ce sourire en coin qu'il aimait tant. « Disons que je suis gênée. À cause de ce que j'ai fait cette nuit-là à Londres.

— C'est tout ?

— C'était un peu beaucoup, pour une première soirée ensemble.

— Ces choses-là arrivaient tout le temps. Pas à moi personnellement, mais j'en ai entendu parler. Tu pensais que j'allais mourir. »

Elle acquiesça. « Je n'avais jamais fait ça de ma vie, même avec Victor. Je ne sais pas ce qui m'a pris. Et dans un parc public, en plus ! J'ai l'impression d'être une putain.

— Je sais exactement ce que tu es, dit Woody. Tu es une jeune femme intelligente, belle et généreuse. Alors oublions ce moment de folie à Londres et apprenons à nous connaître comme les jeunes gens respectables et bien élevés que nous sommes, veux-tu ? »

Elle s'adoucit. « Tu crois que c'est possible ?

— Bien sûr.

— Alors c'est d'accord.

— Je viens te chercher à sept heures.

— Entendu. »

C'était le moment de prendre congé, mais il hésita. « Je ne peux pas te dire à quel point je suis heureux de t'avoir retrouvée ».

Pour la première fois, elle le regarda droit dans les yeux. « Oh ! Woody, moi aussi. Je suis si heureuse ! » Puis elle lui passa les bras autour de la taille et le serra contre elle.

C'était ce qu'il avait espéré. Il lui rendit son étreinte et plongea le visage dans ses cheveux splendides. Ils restèrent ainsi durant une longue minute.

Puis elle s'écarta de lui. « Rendez-vous à sept heures, dit-elle.

— Compte sur moi. »

Il sortit de la maison aux anges.

De là, il se rendit directement à une réunion du comité de pilotage qui se tenait dans une salle du Veterans Building, juste à côté de l'Opéra. Quarante-six personnes avaient pris place autour de la longue table, flanquées de leurs assistants. Gus Dewar faisait partie de ces derniers et, en tant qu'assistant d'un assistant, Woody s'assit sur une chaise contre le mur.

Molotov, le ministre soviétique des Affaires étrangères, fut le premier à prendre la parole. Il n'était pas très impressionnant, songea Woody. Avec son crâne dégarni, ses lunettes et sa petite moustache bien taillée, on aurait dit un vendeur de grand magasin, profession que le père de Molotov avait d'ailleurs exercée. Mais il avait survécu aux intrigues bolcheviques durant de longues années. Ami de Staline bien avant la révolution, il était l'architecte du pacte germano-soviétique de 1939. C'était un travailleur acharné, que l'on surnommait Cul-de-Pierre à cause des heures qu'il passait assis à son bureau.

Il proposa que l'Ukraine et la Biélorussie soient admises au rang des membres fondateurs des Nations unies. Ces deux républiques soviétiques avaient particulièrement souffert de l'invasion nazie, souligna-t-il, et chacune d'elles avait fourni plus d'un million de soldats à l'armée Rouge. Certains laissaient entendre qu'elles n'étaient pas totalement indépendantes de Moscou, mais on pouvait en dire autant du Canada et de l'Australie, deux dominions de l'Empire britannique auxquels on avait accordé un statut de membre à part entière.

La proposition fut adoptée à l'unanimité. Comme le savait Woody, tout avait été décidé d'avance. Les pays d'Amérique latine avaient menacé de se retirer si l'Argentine, l'alliée d'Hitler, voyait sa candidature refusée, et on leur avait accordé cette concession en échange de leurs voix.

L'intervention suivante fit l'effet d'une bombe. Jan Masaryk, le ministre tchèque des Affaires étrangères, se leva. Ce célèbre libéral, adversaire farouche des nazis, avait fait la couverture du *Time* en 1944. Il proposa que la Pologne soit, elle aussi, admise à l'ONU.

Les Américains refusaient que cet État soit membre tant que

Staline n'y aurait pas autorisé la tenue d'élections libres et Masaryk, un démocrate, aurait dû soutenir leur démarche, d'autant plus qu'il s'efforçait lui aussi d'édifier une démocratie dans son pays sous l'œil vigilant de Staline. Molotov avait dû exercer de fortes pressions pour qu'il trahisse ainsi ses idéaux. De fait, en se rasseyant, Masaryk affichait l'expression de quelqu'un qui a avalé de travers.

Gus Dewar était tout aussi sombre. Grâce au compromis auquel on était parvenu sur la Biélorussie, l'Ukraine et l'Argentine, cette réunion aurait dû se dérouler sans anicroche. Et voilà que Molotov leur infligeait ce coup bas.

Le sénateur Vandenberg, assis avec les représentants américains, était outré. Attrapant un stylo et un bloc-notes, il se mit à griffonner furieusement. Au bout d'une minute, il arracha le feuillet, fit signe à Woody et le lui donna en disant : « Apportez ceci au secrétaire d'État. »

Woody s'approcha de la table, se pencha au-dessus de l'épaule de Stettinius et posa la feuille de papier devant lui : « De la part du sénateur Vandenberg, monsieur.

— Merci. »

Woody regagna sa place contre le mur. Ma contribution à l'histoire, songea-t-il. Il avait jeté un coup d'œil à la note avant de la transmettre. Vandenberg avait rédigé un discours bref mais passionné pour rejeter la proposition tchèque. Stettinius suivrait-il l'initiative du sénateur ?

Si Molotov réussissait son coup, Vandenberg risquait de saboter les Nations unies au Sénat. Mais si Stettinius allait dans le sens de Vandenberg, Molotov risquait de quitter les négociations et de rentrer à Moscou, ce qui marquerait également la fin de l'ONU.

Woody retint son souffle.

Stettinius se leva, la note de Vandenberg à la main. « Nous venons d'honorer les engagements pris envers la Russie à la conférence de Yalta », déclara-t-il. Les États-Unis avaient alors accepté de soutenir les candidatures de l'Ukraine et de la Biélorussie. « D'autres engagements de Yalta attendent encore d'être tenus. » Il répétait le discours de Vandenberg. « Parmi ceux-ci figure la mise en place en Pologne d'un gouvernement provisoire représentatif. »

Un murmure choqué parcourut l'assistance. Stettinius s'opposait de front à Molotov. Woody jeta un coup d'œil à Vandenberg. Il buvait du petit-lait.

« Tant que cela ne sera pas fait, poursuivit Stettinius, cette conférence ne pourra, en toute conscience, reconnaître le gouvernement de Lublin. » Il regarda Molotov en face et conclut en citant mot pour mot le texte de Vandenberg. « Ce serait là une déplorable démonstration de mauvaise foi. »

Molotov semblait sur le point d'exploser.

Anthony Eden, le ministre britannique des Affaires étrangères, déplia sa longue carcasse et se leva pour apporter son soutien à Stettinius. Sa voix était d'une courtoisie irréprochable, mais son discours était virulent. « Mon gouvernement n'a aucun moyen de savoir si le peuple polonais soutient son gouvernement provisoire, dit-il, puisque nos alliés soviétiques refusent l'entrée de la Pologne aux observateurs britanniques. »

Woody sentit que le vent tournait contre Molotov. De toute évidence, le Russe partageait cette impression. Il consulta ses assistants d'une voix si forte que Woody perçut nettement la colère qui l'animait. Mais irait-il jusqu'à claquer la porte ?

Le ministre belge des Affaires étrangères, un homme chauve et bedonnant au visage alourdi par un double menton, proposa un compromis, une motion exprimant l'espoir que le nouveau gouvernement polonais puisse être constitué à temps pour être représenté à San Francisco avant la fin de la conférence.

Tous les regards se tournèrent vers Molotov. On lui offrait une possibilité de sauver la face. La saisirait-il ?

Il était toujours furieux. Mais il hocha légèrement la tête en signe d'assentiment.

La crise était terminée.

Eh bien, se dit Woody, deux victoires en un jour. Ça s'arrange.

5.

Carla sortit faire la queue à la pompe.

Cela faisait deux jours qu'il n'y avait plus d'eau aux robinets. Par bonheur, les Berlinoises avaient découvert l'existence d'antiques pompes publiques installées toutes les deux ou trois rues, désaffectées depuis des lustres mais toujours reliées à des réservoirs souterrains. Elles étaient mangées par la rouille et grinçaient terriblement, mais elles fonctionnaient encore. Tous les matins, les femmes du quartier s'y retrouvaient avec leurs cruches et leurs seaux.

Les attaques aériennes s'étaient interrompues, sans doute parce que l'ennemi s'apprêtait à entrer dans la ville. Pourtant, il était toujours dangereux de s'aventurer dans les rues, car l'artillerie de l'armée Rouge poursuivait son pilonnage. Carla ne comprenait pas pourquoi. La quasi-totalité de la ville était détruite. Des quartiers entiers n'étaient plus que des champs de ruines. Tous les services publics étaient interrompus. Il ne circulait plus ni bus ni trains. Les sans-abri se comptaient par milliers, voire par millions. La capitale n'était plus qu'un gigantesque camp de réfugiés. Cependant, les obus continuaient de tomber. La plupart des gens passaient la journée dans leur cave, ou dans des abris antiaériens publics, mais il fallait bien sortir chercher de l'eau.

Peu avant que l'électricité ne soit définitivement coupée, la BBC avait annoncé que l'armée Rouge avait libéré le camp de concentration de Sachsenhausen. Comme celui-ci se trouvait au nord de Berlin, cela voulait dire que les Soviétiques, venant de l'est, avaient choisi d'encercler la capitale au lieu de foncer droit sur elle. Maud, la mère de Carla, en avait déduit que les Russes souhaitaient arrêter au plus vite l'avancée des troupes américaines, britanniques, françaises et canadiennes qui arrivaient de l'ouest. Elle avait cité Lénine : « Qui tient Berlin tient l'Allemagne, qui tient l'Allemagne tient l'Europe. »

Mais l'armée allemande n'avait pas renoncé. Inférieurs en nombre et en armes, manquant cruellement de munitions et de carburant, ses soldats à moitié morts de faim tenaient bon. Leurs chefs lançaient sans désemparer de nouveaux assauts contre les forces ennemies, et les hommes leur obéissaient sans broncher, se battant vaillamment et mourant par centaines de milliers. Parmi eux figuraient les deux hommes que Carla aimait le plus au monde : son frère Erik et Werner, son amant. Elle ignorait où ils se trouvaient, ignorait même s'ils étaient encore en vie.

Carla avait mis fin aux activités de son réseau d'espionnage. Les combats tournaient au chaos. Les plans de bataille ne voulaient plus rien dire, ou si peu. Pour les Soviétiques, les renseignements en provenance de Berlin avaient de moins en moins de valeur. Inutile, dans ces conditions, de courir des risques. Les espions avaient brûlé leurs manuels de chiffrage et enfoui leurs émetteurs radio dans les gravats des immeubles bombardés. Ils étaient convenus de ne jamais parler à quiconque de leurs activités. Ils s'étaient montrés courageux, ils avaient abrégé la guerre et sauvé des vies, mais ils ne devaient pas s'attendre aux remerciements du peuple allemand vaincu. Leur bravoure demeurerait à jamais un secret.

Pendant que Carla attendait son tour devant la pompe, un groupe de membres de la Jeunesse hitlérienne chargés de la lutte antichars longea la file d'attente, se dirigeant vers la zone des combats à l'est. Une douzaine d'adolescents à bicyclette étaient encadrés par deux quinquagénaires. Ils avaient attaché à leur guidon deux lance-grenade Panzerfaust du dernier modèle. Perdus dans leurs uniformes et leurs casques bien trop grands pour eux, ils auraient paru du plus haut comique si l'épreuve qui les attendait avait été moins terrible. Ils partaient affronter l'armée Rouge.

Ils marchaient vers une mort certaine.

Carla détourna les yeux à leur passage : elle ne voulait pas se rappeler leurs visages.

Comme elle remplissait son seau, Frau Reichs, qui patientait derrière elle, lui demanda tout bas afin de ne pas être entendue : «Vous êtes bien une amie de la femme du docteur?»

Carla se crispa. Frau Reichs parlait certainement d'Hannelore Rothmann. Le médecin avait disparu en même temps que tous les malades mentaux de l'hôpital juif. Rudi, le fils des Rothmann, avait arraché son étoile jaune pour rejoindre les Juifs qui vivaient dans la clandestinité, comme des non-juifs : les *U-Boot* ainsi que les surnommaient les Berlinois. Mais Hannelore, qui n'était pas juive, vivait toujours dans la vieille maison familiale.

Pendant douze ans, une question comme celle-ci – vous êtes une amie de la femme d'un Juif? – avait été une accusation. Comment l'interpréter aujourd'hui? se demanda Carla. Frau Reichs n'était pour elle qu'une vague connaissance : elle ne pouvait pas lui faire confiance.

Carla ferma le robinet. «Le docteur Rothmann était notre médecin de famille quand j'étais petite, répondit-elle, sur ses gardes. Pourquoi?»

Frau Reichs prit à son tour la pompe et commença à remplir

un vieux bidon d'huile. « Des gens ont emmené Frau Rothmann, dit-elle. J'ai pensé que ça vous intéresserait peut-être. »

Cela n'avait rien d'extraordinaire. On « emmenait » des gens tous les jours. Mais quand cela arrivait à un proche, c'était comme un coup au cœur.

Inutile de tenter de découvrir ce qui leur était arrivé – c'était même dangereux : celui qui s'inquiétait d'une disparition avait vite fait de disparaître à son tour. Carla ne put pourtant s'empêcher de demander : « Vous savez où elle est allée ? »

Cette fois-ci, elle obtint une réponse. « Au camp de transit de la Schulstrasse. » Carla sentit l'espoir renaître. « C'est au vieil hôpital juif de Wedding. Vous connaissez ?

— Oui. » Comme il lui arrivait d'y travailler, officieusement et en toute illégalité, elle savait que le gouvernement avait réquisitionné un des bâtiments, le laboratoire de pathologie, qui était désormais entouré de barbelés.

« J'espère qu'elle va bien, dit Frau Reichs. Elle a été très bonne avec moi quand ma Steffi est tombée malade. » Elle ferma le robinet et s'éloigna avec son bidon rempli d'eau.

Carla s'empressa de rentrer chez elle.

Elle devait faire quelque chose pour Hannelore. Jusqu'ici, il avait été quasiment impossible de faire sortir quelqu'un d'un camp, mais comme tout allait à vau-l'eau, peut-être trouverait-elle un moyen d'y parvenir.

Arrivée à la maison, elle confia le seau à Ada.

Maud était partie faire la queue avec ses tickets de rationnement. Carla se changea et enfila son uniforme d'infirmière, jugeant que cela lui faciliterait peut-être les choses. Elle dit à Ada où elle se rendait et ressortit.

Elle dut gagner Wedding à pied, ce qui faisait près de cinq kilomètres de marche. Elle se demanda si cela en valait la peine. Même si elle retrouvait Hannelore, elle ne pourrait sans doute pas l'aider. Puis elle pensa à Eva, réfugiée à Londres, et à Rudi, caché quelque part dans Berlin : quelle tragédie s'ils perdaient leur mère pendant les dernières heures de la guerre. Il fallait tenter le coup.

La police militaire avait envahi les rues et tout le monde devait montrer patte blanche. Les policiers travaillaient par groupes de trois et s'intéressaient surtout aux hommes en âge de se battre qui risquaient une exécution sommaire s'ils cherchaient à éviter le combat. Grâce à son uniforme, Carla ne fut pas inquiétée.

Dans ce paysage de désolation, il était étrange de voir fleurir les pommiers et les cerisiers et d'entendre les oiseaux gazouiller entre deux explosions, aussi gaiement que par un printemps ordinaire.

Horrifiée, elle vit plusieurs hommes pendus à des réverbères, dont certains en uniforme. La plupart d'entre eux portaient au cou un écriteau annonçant « Lâche » ou « Déserteur ». Des victimes de la justice sommaire appliquée par la police militaire. Les nazis n'avaient donc pas étanché leur soif de massacres ? Elle en aurait pleuré.

Trois bombardements successifs l'obligèrent à chercher un abri. Lors du dernier, alors qu'elle ne se trouvait plus qu'à quelques centaines de mètres de l'hôpital, il lui sembla qu'Allemands et Soviétiques s'affrontaient deux ou trois rues plus loin. Le bruit des détonations était si violent qu'elle fut tentée de faire demi-tour. Hannelore était sans doute condamnée, voire déjà exécutée : pourquoi sacrifier sa propre vie ? Elle poursuivit tout de même sa route dans le soir tombant.

L'hôpital se trouvait dans l'Iranische Strasse, au coin de la Schulstrasse. Les arbres de la rue arboraient un feuillage tout neuf. Le laboratoire transformé en camp de transit était étroitement surveillé. Carla envisagea de s'adresser à un gardien pour lui exposer sa mission, mais cette stratégie ne semblait pas très prometteuse. Elle se demanda si elle pourrait s'introduire à l'intérieur du bâtiment par le tunnel qui le desservait.

Elle entra dans le bâtiment principal. L'hôpital était toujours en activité. Tous les patients avaient été transférés au sous-sol et dans les tunnels. Médecins et infirmiers travaillaient à la lueur des lampes à pétrole. À en juger par l'odeur, les toilettes ne fonctionnaient plus. On allait chercher l'eau au vieux puits du parc.

Surprise, elle vit des soldats amener des camarades blessés. Que tout le personnel soit juif leur était désormais indifférent.

Elle emprunta le tunnel qui passait sous le parc et rejoignait le sous-sol du laboratoire. Comme elle s'y attendait, la porte d'accès était gardée. Mais, en voyant son uniforme, le jeune membre de la Gestapo en faction la laissa passer sans rien dire. Peut-être ne voyait-il plus l'utilité de sa mission.

Elle était maintenant à l'intérieur du camp. Elle se demanda s'il serait aussi facile d'en ressortir.

L'odeur était atroce et elle comprit vite pourquoi. Le sous-sol était bondé. Plusieurs centaines de prisonniers étaient enfermés dans quatre réserves du laboratoire. Ils étaient assis ou allongés à même le sol, et seuls les plus chanceux disposaient d'un bout de mur pour s'y adosser. Ils empestaient; sales et épuisés, ils la regardèrent d'un œil morne et indifférent.

Elle trouva Hannelore au bout de quelques minutes.

La femme du médecin avait jadis eu un corps sculptural et un visage séduisant couronné de cheveux blonds. Comme la plupart des gens, elle était aujourd'hui maigre à faire peur, et ses cheveux étaient gris et ternes. L'angoisse lui avait ridé les traits et creusé les joues.

Elle parlait à une adolescente, à la physionomie encore enfantine mais aux formes exagérément voluptueuses, les hanches larges et la poitrine plantureuse, comme en présentent certaines jeunes filles de cet âge-là. Elle pleurait, assise par terre, et Hannelore s'était agenouillée près d'elle pour lui tenir la main tout en la consolant à voix basse.

En apercevant Carla, elle se leva et s'écria : « Mon Dieu ! Que viens-tu faire ici ?

— J'ai pensé que si je leur disais que vous n'êtes pas juive, ils vous relâcheraient peut-être.

— Tu es bien courageuse !

— Votre mari a sauvé tant de vies. Il est normal que quelqu'un sauve la vôtre. »

L'espace d'un instant, Carla crut qu'Hannelore allait fondre en larmes. Son visage se décomposa. Puis elle battit des cils et secoua la tête. « Je te présente Rebecca Rosen, dit-elle d'une voix ferme. Ses parents sont morts aujourd'hui dans un bombardement.

— Oh ! Ma pauvre Rebecca », s'exclama Carla.

La jeune fille resta sans réaction.

« Quel âge as-tu, Rebecca ? insista Carla.

— Presque quatorze ans.

— Il va falloir que tu te conduises en adulte à présent.

— Pourquoi est-ce que je ne suis pas morte, moi aussi ? J'étais juste à côté d'eux. J'aurais dû mourir. Maintenant, je suis toute seule.

— Non, tu n'es pas toute seule, répliqua Carla vivement.

Nous sommes avec toi.» Elle se tourna vers Hannelore. «Qui est le responsable de ce camp?

— Walter Dobberke.

— Je vais lui dire qu'il doit vous libérer.

— Il est parti pour la journée. Et son adjoint est un sergent complètement borné. Mais attends, voilà Gisela. Elle a une liaison avec Dobberke.»

Une jolie jeune femme, aux longs cheveux blonds et à la peau laiteuse, venait d'entrer. Tous détournèrent les yeux en la voyant. Elle affichait un air hautain.

«Elle couche avec lui sur le lit d'examen de la salle d'électrocardiographie à l'étage, expliqua Hannelore. En échange, elle a droit à des rations supplémentaires. Je suis la seule à lui adresser la parole. J'estime que nous n'avons pas à juger les autres pour les compromis qu'ils acceptent. Nous sommes en enfer, après tout.»

Carla était sceptique. Jamais elle n'accepterait d'être l'amie d'une Juive qui couchait avec un nazi.

Croisant le regard d'Hannelore, Gisela se dirigea vers elle. «Il a reçu de nouveaux ordres», dit-elle, si bas que Carla dut tendre l'oreille pour l'entendre. Puis elle hésita.

«Oui? fit Hannelore. Et quels sont ces ordres?»

La voix de Gisela se réduisit à un murmure. «D'abattre tous ceux qui sont ici.»

Carla sentit une étreinte glacée lui serrer le cœur. Tous – y compris Hannelore et la petite Rebecca.

«Walter ne veut pas le faire, reprit Gisela. Au fond, ce n'est pas un mauvais bougre.

— Quand est-il censé nous exécuter? demanda Hannelore sur un ton fataliste.

— Immédiatement. Mais il veut d'abord détruire les archives. Hans-Peter et Martin sont en train de les brûler dans la chaudière. Comme ça risque d'être long, nous avons quelques heures de répit. Peut-être l'armée Rouge arrivera-t-elle à temps pour nous sauver.

— Et peut-être pas, rétorqua Hannelore. Y a-t-il un moyen de le convaincre de désobéir aux ordres? Pour l'amour de Dieu, la guerre est presque finie!

— Avant, j'arrivais à le convaincre de faire tout ce que je voulais, dit tristement Gisela. Mais il commence à se lasser de moi. Vous savez comment sont les hommes.

— Il ferait bien de penser à l'avenir. D'un jour à l'autre, les Alliés vont prendre le contrôle du pays. Les crimes des nazis ne resteront pas impunis.

— Si nous mourons tous, qui l'accusera? demanda Gisela.

— Moi», déclara Carla.

Les deux autres la regardèrent, et se turent.

Carla comprit alors qu'on la fusillerait avec les autres, même si elle n'était pas juive, pour faire disparaître tous les témoins.

Cherchant désespérément une solution, elle lança : «Si Dobberke nous épargnait, ça l'aiderait peut-être auprès des Alliés.

— Bonne idée, approuva Hannelore. Nous pourrions attester par écrit qu'il nous a sauvé la vie à tous. »

Carla se tourna vers Gisela. «Peut-être accepterait-il», dit-elle d'un ton dubitatif.

Hannelore jeta un regard autour d'elle. «Voici Hilde. C'est elle qui lui sert de secrétaire. » Elle appela la jeune femme et lui exposa leur plan.

«Je vais taper des ordres de libération pour tous les prisonniers, proposa Hilde. Nous lui demanderons de les signer avant de lui donner notre attestation de bonne conduite. »

Comme il n'y avait pas de gardiens au sous-sol, excepté la sentinelle de faction devant la porte d'accès du tunnel, les prisonniers avaient toute liberté de mouvement. Hilde se rendit dans la pièce qui servait de bureau à Dobberke. Elle commença par dactylographier l'attestation. Hannelore et Carla firent ensuite le tour des prisonniers pour leur expliquer leur projet et recueillir leurs signatures. Pendant ce temps, Hilde tapa les ordres de libération.

Il était près de minuit lorsqu'elles eurent fini. Elles ne pouvaient rien faire de plus avant le retour de Dobberke, prévu pour la matinée.

Carla s'allongea sur le sol près de Rebecca Rosen. Il n'y avait pas d'autre endroit où dormir.

Au bout d'un moment, Rebecca se mit à pleurer doucement.

Carla ne savait pas quoi faire. Elle aurait voulu la réconforter, mais les mots lui manquaient. Que dire à une enfant qui vient de voir ses parents se faire tuer? Ses sanglots étouffés ne s'apaisaient pas. Finalement, Carla s'approcha d'elle et la prit dans ses bras.

Elle comprit aussitôt que c'était la chose à faire. Rebecca se blottit contre elle, la tête sur sa poitrine. Carla lui tapota le dos comme à un bébé. Peu à peu, ses sanglots s'espacèrent et elle s'endormit.

Carla fut incapable de fermer l'œil. Elle passa la nuit à composer des discours imaginaires à l'intention du commandant du camp. Tantôt elle faisait appel à sa bonté d'âme, tantôt elle le menaçait des foudres de la justice alliée, tantôt encore elle lui suggérait de veiller à ses propres intérêts.

Elle s'efforça de ne pas penser à l'exécution qui l'attendait probablement. Erik lui avait raconté comment les nazis massacraient les Russes par douzaines. Sans doute disposeraient-ils ici d'un système tout aussi efficace. Elle avait peine à l'imaginer. Cela valait peut-être mieux.

Elle pourrait sans doute échapper à la mort en s'enfuyant tout de suite, ou dès le lever du jour. Elle n'était ni prisonnière ni juive, et ses papiers étaient en règle. Il lui suffirait de sortir par où elle était entrée, toujours vêtue de son uniforme d'infirmière. Mais cela l'obligerait à abandonner Hannelore et Rebecca. Elle ne pouvait s'y résoudre, malgré la tentation.

Les combats firent rage dans les rues jusqu'au petit matin, puis il y eut une brève accalmie. Ils reprirent dès le lever du soleil. Ils étaient désormais suffisamment proches pour qu'on entende les fusils-mitrailleurs en plus des canons.

En début de matinée, les gardiens leur apportèrent une marmite de soupe fade et un sac rempli de quignons de pain rassis. Après avoir bu et mangé, Carla se rendit à contrecœur dans des toilettes d'une indicible saleté.

En compagnie d'Hannelore, de Gisela et d'Hilde, elle monta au rez-de-chaussée pour attendre Dobberke. Les bombardements avaient repris et elles risquaient leur vie à chaque seconde, mais elles tenaient à le voir dès son arrivée.

Il n'était pas à l'heure. Pourtant, il était généralement ponctuel, affirma Hilde. Peut-être avait-il été retardé par les combats. Peut-être même était-il mort. Carla espérait que non. Son adjoint, le sergent Ehrenstein, était tellement stupide qu'il était impossible de discuter avec lui.

Au bout d'une heure, Carla commença à perdre espoir.

Le commandant arriva après un deuxième tour d'horloge.

«Que se passe-t-il? demanda-t-il en découvrant les quatre femmes qui l'attendaient dans le hall. Une réunion de mères de famille?

« — Tous les prisonniers ont signé une attestation affirmant que vous leur avez sauvé la vie, répondit Hannelore. Et cela peut sauver la *vôtre*, si vous acceptez nos conditions.

— Ne soyez pas ridicule. »

Carla intervint. « D'après ce que dit la BBC, les Nations unies détiennent une liste nominative des officiers nazis qui ont pris part à des crimes de guerre. Dans huit jours, vous serez peut-être sur le banc des accusés. N'aimeriez-vous pas avoir entre les mains une attestation signée prouvant que vous avez épargné des condamnés ?

— Écouter la BBC est un crime.

— Moins grave que le meurtre. »

Hilde tenait une chemise en carton. « J'ai dactylographié un ordre de libération pour chaque prisonnier, expliqua-t-elle. Si vous les signez, nous vous remettrons l'attestation.

— Qu'est-ce qui m'empêche de vous la prendre de force ?

— Si nous sommes tous morts, personne ne croira à votre innocence. »

Dobberke avait beau être furieux, il n'était pas assez sûr de lui pour refuser de les écouter. « Je pourrais vous faire fusiller toutes les quatre pour insolence, remarqua-t-il.

— Voilà à quoi ressemble la défaite, lança Carla avec impatience. Autant vous y habituer tout de suite. »

Le visage de Dobberke s'empourpra et elle comprit qu'elle était allée trop loin. Si seulement elle pouvait retirer ses paroles ! Elle ne le quitta pas du regard, s'efforçant de ne pas laisser transparaître sa peur.

À cet instant, un obus explosa tout près du bâtiment. Les portes vibrèrent et l'une des fenêtres se brisa. Tous se baissèrent instinctivement, mais personne ne fut blessé.

Lorsqu'ils se redressèrent, l'expression de Dobberke avait changé. La rage avait cédé la place à une sorte de résignation écœurée. Le cœur de Carla battit plus vite. Allait-il céder ?

Le sergent Ehrenstein fit irruption. « Aucune perte à déplorer, mon commandant.

— Très bien, sergent. »

Ehrenstein allait ressortir quand Dobberke le rappela. « Ce camp est désormais fermé », annonça-t-il.

Carla retint son souffle.

« Fermé, mon commandant ? » Le sergent hésitait entre surprise et agressivité.

«J'ai reçu de nouveaux ordres. Dites aux hommes...» Dobberke hésita. «Dites-leur de se présenter au bunker de la gare de la Friedrichstrasse.»

Dobberke improvisait, Carla le savait, et Ehrenstein sembla s'en douter. «À quelle heure, mon commandant?

— Immédiatement.

— Immédiatement.» Ehrenstein resta cloué sur place, comme s'il avait besoin qu'on lui explique le sens de ce mot.

Dobberke le fit plier d'un regard.

«À vos ordres, mon commandant, acquiesça le sergent. Je vais rassembler les hommes.» Il sortit.

Carla triomphait, tout en se disant qu'elles n'étaient pas encore tirées d'affaire.

«Montrez-moi cette attestation», demanda Dobberke à Hilde.

Hilde ouvrit la chemise. Elle contenait une douzaine de feuillets, tous portant le même texte dactylographié et une série de signatures. Elle les lui tendit.

Dobberke les plia et les fourra dans sa poche.

Hilde lui tendit ensuite les ordres de libération. «Veuillez signer ces documents, s'il vous plaît.

— Vous n'avez pas besoin de cette paperasse, répliqua-t-il. Et je n'ai pas le temps de signer cent fois le même formulaire.

— Il y a des policiers partout, protesta Carla. Ils pendent des gens aux réverbères. Nous avons besoin de ces papiers.»

Il tapota sa poche. «C'est moi qui serai pendu si on trouve cette attestation.» Il se dirigea vers la porte.

«Emmène-moi avec toi, Walter!» s'écria Gisela.

«Hein? fit-il en se tournant vers elle. Et que dirait ma femme?» Il sortit en claquant la porte.

Gisela éclata en sanglots.

Carla se dirigea vers la porte, l'ouvrit et vit Dobberke s'éloigner d'un pas vif. Pas d'autres membres de la Gestapo en vue: ils avaient obéi à ses ordres et abandonné le camp.

Arrivé dans la rue, Dobberke se mit à courir.

Il avait laissé le portail ouvert.

À côté de Carla, Hannelore ouvrait des yeux incrédules.

«Nous sommes libres, je crois, murmura Carla.

— Il faut prévenir les autres.

— Je m'en charge», fit Hilde. Elle redescendit au sous-sol.

D'un pas craintif, Carla et Hannelore s'engagèrent dans l'allée conduisant du laboratoire au portail ouvert. Elles échangèrent un regard hésitant.

« La liberté est effrayante », remarqua Hannelore.

Derrière elles, une petite voix s'écria : « Carla, ne pars pas sans moi ! » C'était Rebecca qui se dépêchait dans l'allée, ses seins ballottant sous son chemisier crasseux.

Carla soupira. Me voilà avec un enfant sur les bras, songea-t-elle. Je ne me sens pas vraiment prête à assumer un rôle de mère. Mais que faire ?

« Viens, dit-elle. Mais il va falloir courir, tu sais. » Ses inquiétudes étaient infondées : Rebecca était bien plus rapide qu'Hannelore et elle-même.

Elles traversèrent le parc en direction de la porte principale où elles s'arrêtèrent pour inspecter l'Iranische Strasse. Tout semblait tranquille. Elles traversèrent la chaussée et accélérèrent le pas jusqu'au coin de la rue. Comme Carla jetait un coup d'œil dans la Schulstrasse, elle entendit une rafale de mitraillette et remarqua un échange de coups de feu un peu plus loin. Des soldats allemands battaient en retraite dans leur direction, poursuivis par ceux de l'armée Rouge.

Jetant autour d'elle un regard circulaire, elle n'aperçut aucun endroit où se cacher, sinon derrière les arbres, qui ne leur offraient aucune protection.

Un obus tomba sur la chaussée à une cinquantaine de mètres et explosa. Carla en sentit le souffle mais en fut quitte pour la peur.

Sans avoir besoin de se concerter, les trois fugitives regagnèrent l'hôpital.

Elles retournèrent dans le laboratoire. Quelques prisonniers se tenaient derrière les barbelés, comme s'ils redoutaient de sortir.

« Je sais que le sous-sol empeste, mais c'est le seul refuge qui nous reste », leur dit Carla. Elle entra dans le bâtiment, descendit l'escalier, et la plupart des autres la suivirent.

Elle se demanda combien de temps elle allait devoir rester là. L'armée allemande finirait par se rendre, mais quand ? Hitler n'accepterait certainement pas la défaite, quelles que soient les circonstances. Cet homme avait fondé toute son existence sur l'affirmation arrogante de sa supériorité de chef. Comment pourrait-il reconnaître ses erreurs, sa stupidité, sa monstruosité ? Admettre qu'il avait massacré des millions de gens et entraîné son pays à la ruine? Affronter le jugement de l'Histoire, qui le présenterait comme l'être le plus malfaisant de tous les temps? C'était impossible. Il allait devenir fou, mourir de honte ou s'enfoncer un pistolet dans la bouche et presser la détente.

Mais quand? Dans combien de temps? Un jour? Une semaine? Davantage encore?

On entendit un cri à l'étage. «Ils sont là! Les Russes arrivent!»

Puis un bruit de lourds brodequins fit vibrer la cage d'escalier. Où les Russes avaient-ils trouvé des godillots aussi robustes? Était-ce un cadeau des Américains?

Ils entrèrent dans la salle, quatre, six, huit, neuf hommes au visage sale, armés de mitraillettes à chargeur tambour, prêts à tirer sur tout ce qui bougeait. Ils semblaient occuper tant d'espace! Les gens se recroquevillaient d'effroi devant eux, devant ces hommes censés venir les libérer.

Les soldats évaluèrent la situation et décidèrent manifestement que les prisonniers – en majorité des femmes – étaient parfaitement inoffensifs. Ils baissèrent leurs armes. Certains allèrent inspecter les pièces voisines.

Un soldat de haute taille releva sa manche gauche. Il portait six ou sept montres-bracelets. Il aboya un ordre en russe en les désignant de la crosse de son arme. Carla crut comprendre ce qu'il voulait, mais elle n'en revenait pas. L'homme saisit alors une vieille femme, s'empara de sa main et désigna son alliance.

«Vont-ils nous prendre le peu que les nazis nous ont laissé?» demanda Hannelore.

C'était bien cela. L'air agacé, le soldat tenta d'arracher l'alliance au doigt de la vieille dame. Comprenant ce qu'il voulait, celle-ci l'ôta d'elle-même pour la lui donner.

Il la prit, hocha la tête puis balaya la pièce du canon de son arme.

Hannelore s'avança vers lui. «Tous ces gens sont des prisonniers! dit-elle en allemand. Des Juifs et des proches de Juifs, persécutés par les nazis!»

Qu'il l'ait comprise ou non, il se contenta de désigner à nouveau les montres passées à son bras.

Les quelques détenus qui avaient réussi à conserver des objets plus ou moins précieux les remirent aux soldats.

L'arrivée de l'armée Rouge libératrice ne ressemblait guère à la fête que certains avaient espérée.

Mais le pire était encore à venir.

Le soldat pointa le doigt vers Rebecca.

Celle-ci se fit toute petite et tenta de se cacher derrière Carla.

Un second soldat, un blond, moins grand que le premier, agrippa Rebecca par l'épaule et l'attira contre lui. La jeune fille hurla et le visage de l'homme se fendit d'un large sourire, comme si ce bruit lui plaisait.

Un affreux pressentiment étreignit Carla.

Le petit blond immobilisa Rebecca pendant que le grand soldat lui tripotait les seins brutalement, lançant un commentaire qui les fit s'esclaffer tous les deux.

Des cris de protestation s'élevèrent du groupe de prisonniers.

Le grand soldat pointa son arme sur eux. Terrorisée, Carla crut qu'il allait tirer. Dans cette pièce surpeuplée, une rafale de mitraillette pouvait faire des dizaines de victimes.

Tous comprirent le danger et se turent.

Les deux soldats reculèrent vers la porte, emmenant Rebecca. Elle hurlait et se débattait, sans parvenir à se dégager.

Comme ils arrivaient sur le seuil, Carla s'avança d'un pas et cria : « Attendez ! »

Quelque chose dans sa voix les fit obéir.

« Elle est trop jeune, dit Carla. Elle n'a que treize ans ! » Avaient-ils compris ? Elle leva les mains, leur montrant ses dix doigts puis en ajoutant trois. « Treize ans ! »

Le plus grand des deux soldats parut comprendre. Un large sourire aux lèvres, il lança : « *Frau ist Frau.* » Une femme est une femme.

Carla s'entendit répondre : « C'est une vraie femme qu'il vous faut. » Elle s'avança d'un pas lent. « Prenez-moi à sa place. » Elle s'efforça d'esquisser un sourire enjôleur. « Je ne suis pas une enfant. Je sais comment on fait. » Elle s'approcha encore, assez près pour humer l'odeur nauséabonde d'un homme qui ne s'était pas lavé depuis des mois. S'efforçant de dissimuler son dégoût, elle baissa la voix et ajouta : « Je sais ce que désire un homme. » Elle frôla ses seins d'un geste aguicheur. « Oubliez cette enfant. »

Le grand soldat regarda Rebecca. Elle avait les yeux rougis par les larmes et la morve au nez, ce qui, par bonheur pour elle, la faisait ressembler à une gamine bien plus qu'à une femme.

Puis il se retourna vers Carla.

« Il y a un lit à l'étage, ajouta-t-elle. Vous voulez que je vous montre ? »

Ignorant toujours s'il comprenait ce qu'elle disait, elle le prit par la main et il la suivit au rez-de-chaussée.

Le blond lâcha Rebecca et gravit les marches derrière eux.

Elle avait réussi, pensa Carla tout en regrettant amèrement son audace. Elle n'avait qu'une envie : prendre ses jambes à son cou. Mais alors les Russes l'abattraient et s'en prendraient à Rebecca. Carla pensa à l'enfant bouleversée qui avait perdu ses parents la veille. Subir un viol aussitôt après la briserait à jamais. Carla devait la sauver.

Ça ne me détruira pas, se jura-t-elle. Je m'en remettrai. Je redeviendrai moi-même.

Elle les conduisit dans la salle d'électrocardiographie. Glacée, elle avait l'impression d'avoir le cœur gelé, le cerveau engourdi. Près du lit, elle aperçut un bidon de vaseline, dont les médecins se servaient pour améliorer la conductivité électrique de leurs appareils. Elle ôta sa culotte et préleva une bonne quantité de vaseline qu'elle s'enfonça dans le vagin. Cela lui éviterait peut-être de saigner.

Elle devait continuer à jouer la comédie. Se retournant vers les deux soldats, elle constata avec horreur que trois autres les avaient suivis. Elle s'efforça de sourire, en vain.

Elle s'allongea sur le dos et écarta les jambes.

Le grand soldat s'agenouilla entre ses cuisses. Il déchira son uniforme d'infirmière pour dénuder ses seins. Elle vit qu'il se tripotait pour hâter son érection. Il s'allongea sur elle et la pénétra. Elle se dit et se répéta que cela n'avait rien à voir avec les étreintes qu'elle partageait avec Werner.

Elle voulut détourner le visage, mais le soldat lui prit le menton et l'obligea à le regarder pendant qu'il la besognait. Elle ferma les yeux. Elle le sentit qui l'embrassait, cherchait à insinuer la langue entre ses lèvres. Il avait une haleine de viande pourrie. Lorsqu'elle serra les dents, il la frappa au visage. Elle poussa un cri et ouvrit sa bouche tuméfiée. Elle s'efforça de se rappeler qu'une vierge de treize ans aurait bien plus souffert.

Le soldat éjacula dans un grognement. Elle fit tout son possible pour dissimuler son dégoût.

Il descendit et le blond prit sa place.

Carla tenta de fermer son esprit, de le détacher de son corps, de transformer celui-ci en machine, sans aucun rapport avec elle. Le blond n'avait pas envie de l'embrasser, mais il la téta et lui mordit les mamelons, et, lorsqu'elle poussa un cri de douleur, il sembla ravi et la mordit de plus belle.

Le temps passa, et il éjacula.

Un autre prit sa place.

Elle songea soudain que lorsque cette épreuve serait enfin finie, elle ne pourrait ni se baigner ni se doucher, car il n'y avait plus d'eau courante dans la capitale. Ce fut cette perspective qui la fit basculer. Elle garderait leur semence en elle, leur odeur sur sa peau, leur salive dans sa bouche, et n'aurait aucun moyen de se laver. Pour une raison qui lui échappait, cela l'accabla plus encore que le reste. Perdant tout courage, elle se mit à pleurer.

Le troisième soldat prit son plaisir en elle, un quatrième le remplaça.

XX

1945 (II)

1.

Le lundi 30 avril 1945, Adolf Hitler mettait fin à ses jours dans son bunker de Berlin. Une semaine plus tard exactement, à dix-neuf heures quarante, à Londres, le ministère de l'Information annonçait la capitulation de l'Allemagne. Le lendemain, mardi 8 mai, fut déclaré férié.

Assise à la fenêtre de son appartement de Piccadilly, Daisy assistait aux réjouissances. Il y avait tellement de monde dans la rue que les voitures et les autobus ne pouvaient plus passer. Les filles embrassaient tous les hommes en uniforme, et des milliers d'heureux militaires en profitaient de bon cœur. Au début de l'après-midi, bien des gens étaient ivres. Par la vitre ouverte, Daisy entendait chanter au loin, et elle devina que la foule, massée devant Buckingham Palace, chantait «Land of Hope and Glory». Elle prenait part à la liesse générale, mais elle n'avait envie d'embrasser qu'un soldat, Lloyd, mais elle ne savait pas exactement où il était, en France ou en Allemagne. Elle priait pour qu'il n'ait pas été tué pendant les dernières heures de la guerre.

Millie arriva avec ses deux enfants. Son mari, Abe Avery, était aussi sous les drapeaux, quelque part. Elle avait amené les petits dans le West End pour participer aux festivités, et ils venaient souffler un peu à l'abri de la foule, chez Daisy. La maison des Leckwith à Aldgate avait longtemps été un refuge pour Daisy, et elle était heureuse d'avoir l'occasion de rendre la pareille à Millie. Elle alla préparer du thé – les domestiques étaient sortis faire la fête – et servit du jus d'orange aux enfants. Lennie avait cinq ans, à présent, et Pammie trois.

Depuis qu'Abe avait été enrôlé, c'était Millie qui dirigeait son affaire de négoce de cuir en gros. Elle s'occupait de la partie commerciale tandis que sa belle-sœur, Naomi Avery, tenait la comptabilité. «Les choses vont changer, forcément, remarqua Millie. Ces cinq dernières années, on avait besoin de grosses peaux épaisses pour faire des chaussures et des bottes. Maintenant, la demande va se tourner vers des cuirs plus souples, de l'agneau et du porc, pour des sacs à main et des mallettes. Quand le marché du luxe reprendra, il y aura enfin moyen de gagner correctement sa vie.»

Daisy se rappela que son père, Lev, avait la même façon de voir les choses que Millie. Comme elle, il regardait toujours vers l'avenir, à l'affût de toutes les possibilités.

Eva Murray vint ensuite, accompagnée de ses quatre enfants. Jamie, qui avait huit ans, organisa une partie de cache-cache, et l'appartement se transforma en cour d'école maternelle. Le mari d'Eva, Jimmy, qui avait été promu colonel, se trouvait également en France ou en Allemagne, et Eva connaissait les mêmes affres que Daisy et Millie.

«Nous allons avoir des nouvelles d'un jour à l'autre, vous allez voir, dit Millie. Et alors, ce sera vraiment fini.»

Eva attendait aussi avec angoisse des nouvelles de sa famille à Berlin. Mais dans le chaos de l'après-guerre, elle pensait qu'il s'écoulerait peut-être des semaines voire des mois avant qu'on puisse savoir ce qu'était devenu tel ou tel Allemand.

«Je me demande si mes enfants connaîtront jamais mes parents», soupira-t-elle tristement.

À cinq heures, Daisy prépara une cruche de martini. Millie alla faire un tour à la cuisine et, toujours aussi efficace, revint bientôt avec une assiette de canapés aux sardines à grignoter en buvant un verre. Eth et Bernie arrivèrent juste au moment où Daisy en confectionnait une seconde tournée.

Bernie annonça à Daisy que Lennie savait déjà lire, et que Pammie connaissait l'hymne national. «Le grand-père dans toute sa splendeur, commenta Ethel. Il pense qu'il n'y a jamais eu d'enfants intelligents avant.» Mais Daisy voyait bien qu'au fond de son cœur, elle était tout aussi fière d'eux.

Alors qu'elle buvait son deuxième martini, heureuse et détendue, elle parcourut du regard le groupe disparate réuni chez elle. Ils lui avaient fait honneur en passant la voir sans être invités, sachant qu'ils seraient les bienvenus. Ils étaient les siens comme elle était des leurs. Ils étaient sa famille, songea-t-elle.

Elle se sentait très privilégiée.

2.

Assis devant la porte du bureau de Leo Shapiro, Woody Dewar contemplait pensivement un paquet de photos. Celles qu'il avait prises à Pearl Harbor, pendant l'heure qui avait précédé la mort de Joanne. Après avoir laissé la pellicule dans son appareil pendant des mois, il avait fini par la développer et avait tiré les clichés. Les regarder l'avait tellement attristé qu'il les avait rangés dans un tiroir de sa chambre, dans son appartement de Washington, et ils y étaient restés.

Mais le temps du changement était venu.

Il n'oublierait jamais Joanne, et pourtant, il était amoureux à nouveau. Il adorait Bella, et elle le lui rendait bien. Quand ils s'étaient séparés, à la gare d'Oakland à la périphérie de San Francisco, il lui avait dit qu'il l'aimait, et elle avait répondu : « Moi aussi, je t'aime. » Il allait lui demander de l'épouser. Il l'aurait déjà fait si ça ne lui avait semblé un peu précipité – moins de trois mois ; il ne voulait pas donner aux parents de la jeune fille, hostiles à cette union, une bonne raison d'élever des objections.

Et puis, il avait une décision à prendre ; une décision concernant son avenir.

Il ne voulait pas se lancer dans la politique.

Ses parents en seraient bouleversés, il le savait. Ils avaient toujours pensé qu'il suivrait les traces de son père, devenant ainsi le troisième sénateur Dewar. Il s'était engagé sur cette voie sans réfléchir. Mais au cours de la guerre, et surtout pendant son séjour à l'hôpital, il s'était demandé ce qu'il voulait *vraiment* faire, s'il s'en sortait, et la réponse avait été : « Pas de politique ».

C'était le bon moment pour se retirer. Son père avait réalisé l'ambition de sa vie. Le Sénat avait débattu du projet des Nations unies. C'était à un point similaire de l'histoire que la SDN, l'ancienne Société des nations, avait fait naufrage, un souvenir pénible pour Gus Dewar. Mais le sénateur Vandenberg avait défendu avec passion ce qu'il avait appelé le «rêve le plus précieux de l'humanité», et la charte des Nations unies avait été ratifiée par quatre-vingt-neuf voix contre deux. C'était gagné. Même si Woody renonçait maintenant à cette carrière, il n'aurait pas l'impression de laisser tomber son père.

Il espérait que Gus verrait les choses comme lui.

Shapiro ouvrit la porte de son bureau et lui fit signe. Woody se leva et entra.

Shapiro était plus jeune que Woody ne s'y attendait. Il devait avoir une trentaine d'années. C'était le chef du bureau de Washington de la National Press Agency. Il retourna s'asseoir et lui demanda :

«Que puis-je faire pour le fils du sénateur Dewar?

— Je voudrais vous montrer quelques photos, si vous permettez.

— Je vous en prie.»

Woody étala ses photos sur le bureau de Shapiro.

«C'est Pearl Harbor? demanda Shapiro.

— Oui. Le 17 décembre 1941.

— Mon Dieu.»

Woody voyait les clichés à l'envers, mais il en avait les larmes aux yeux. Il y avait Joanne, si belle, et Chuck, arborant un grand sourire heureux, heureux d'être en compagnie de sa famille avec Eddie. Et puis les avions qui surgissaient dans le ciel, les bombes, les torpilles qui tombaient de leur ventre, les explosions de fumée noire sur les navires, les marins qui grimpaient sur les bastingages, se jetaient à la mer et nageaient avec l'énergie du désespoir.

«C'est votre père, là, remarqua Shapiro. Et votre mère. Je les reconnais.

— Et ma fiancée, qui est morte quelques minutes plus tard. Mon frère, qui a été tué à Bougainville. Et le meilleur ami de mon frère.

— Ce sont des clichés sensationnels! Combien en voulez-vous?

— Je ne veux pas d'argent», répondit Woody.

Shapiro leva les yeux, surpris.

«Ce que je veux, dit Woody, c'est du travail.»

3.

Deux semaines après la fête de la Victoire en Europe, Winston Churchill annonça l'organisation d'élections législatives.

La famille Leckwith fut prise au dépourvu. Comme la plupart des gens, Ethel et Bernie pensaient que Churchill attendrait la capitulation japonaise. Clement Attlee, le chef du parti travailliste, avait envisagé des élections en octobre. Churchill les avait tous pris à contre-pied.

Le commandant Lloyd Williams fut démobilisé pour pouvoir être candidat du parti travailliste à Hoxton, dans l'East End de Londres. Le parti proposait une vision d'avenir qui lui inspirait un enthousiasme ardent. Le fascisme avait été vaincu, et le peuple britannique pouvait désormais fonder une société alliant liberté et mieux-être social. Les travaillistes avaient un programme bien conçu pour éviter les catastrophes des vingt dernières années : l'assurance chômage intégrale et universelle afin d'aider les familles à traverser les périodes difficiles, la planification économique censée empêcher une nouvelle crise, et l'Organisation des Nations unies pour maintenir la paix.

«Tu n'as aucune chance de gagner», lui dit son beau-père, Bernie, dans la cuisine de la maison d'Aldgate, le lundi 4 juin. Son pessimisme était d'autant plus convaincant qu'il lui ressemblait bien peu. «Ils vont voter conservateur parce que Churchill a gagné la guerre, poursuivit-il d'un ton funèbre. C'est ce qui s'est passé avec Lloyd George en 1918.»

Lloyd s'apprêtait à répliquer, mais Daisy le prit de vitesse. «La guerre n'a pas été gagnée par le libéralisme et le capitalisme, protesta-t-elle. Elle a été gagnée par des gens qui ont uni leurs forces pour supporter les épreuves, chacun faisant sa part. C'est ça, le socialisme!»

Cette passion, voilà ce que Lloyd aimait plus que tout chez elle. Quant à lui, il avait tendance à être plus mesuré : «Nous avons déjà appliqué des mesures que les anciens conservateurs auraient jugées dignes des bolcheviks, comme le contrôle gouvernemental des chemins de fer, des mines et du transport maritime, autant de mesures instaurées par Churchill. Et Ernie Bevin a été chargé de la planification économique pendant toute la durée de la guerre.»

Bernie secoua la tête d'un air entendu, une attitude de vieil homme qui avait le don d'agacer Lloyd. «Les gens votent avec leur cœur, pas avec leur cerveau, objecta-t-il. Ils vont vouloir exprimer leur reconnaissance.

— Eh bien, ça ne sert à rien de rester ici à discuter avec toi, dit Lloyd. Je préfère discuter avec les électeurs.»

Ils prirent le bus, Daisy et lui, pour se rendre quelques stations plus au nord, au Black Lion, un pub de Shoreditch où ils retrouvèrent une équipe de militants du parti travailliste de la circonscription de Hoxton qui faisait du porte-à-porte. En réalité, Lloyd savait bien que le porte-à-porte n'avait pas pour but d'essayer de convaincre les électeurs. Son principal objectif était d'identifier les sympathisants, afin que, le jour de l'élection, la machine du parti s'assure qu'ils se rendaient bien tous aux urnes. Ils cochaient les sympathisants déclarés du parti travailliste ; ceux des autres partis étaient purement et simplement rayés. Seuls les indécis méritaient qu'ils leur consacrent plus de quelques secondes : on leur donnait l'occasion de parler au candidat.

Lloyd s'attira quelques réactions négatives. «Vous êtes commandant, hein ? lui lança une femme. Mon Alf est caporal. Il dit que les officiers ont bien failli perdre la guerre.»

S'ajoutaient quelques accusations de népotisme : «Vous êtes le fils de la députée d'Algate, non ? Alors, c'est quoi, une monarchie héréditaire ?»

Il se remémora le conseil de sa mère : «On ne gagne jamais une élection en prouvant à l'électeur qu'il est idiot. Sois charmant, sois modeste et ne perds jamais ton calme. Si un électeur se montre hostile et grossier, remercie-le de t'avoir donné un peu de son temps et prends congé. Il se demandera après ton départ s'il ne t'a pas mal jugé.»

Les électeurs de la classe ouvrière étaient majoritairement favorables aux travaillistes. Beaucoup firent remarquer à Lloyd qu'Attlee et Bevin avaient fait du bon boulot pendant le conflit. Les indécis appartenaient surtout à la petite bourgeoisie. Quand ils lui disaient que c'était Churchill qui avait gagné la guerre, Lloyd leur rappelait l'aimable critique d'Attlee : «Cela n'a pas été un gouvernement d'un seul homme, et cela n'a pas été la guerre d'un seul homme.»

Churchill avait présenté Attlee comme un homme modeste qui avait d'excellentes raisons de l'être. L'humour d'Attlee était moins agressif, et de ce fait même plus percutant; tel était du moins l'avis de Lloyd.

Deux électeurs lui annoncèrent qu'ils voteraient pour l'actuel député de Hoxton, un libéral, parce qu'il les avait aidés à résoudre un problème. Les gens faisaient souvent appel aux membres du Parlement lorsqu'ils avaient l'impression d'être injustement traités par le gouvernement, un employeur ou un voisin. C'était un travail qui prenait du temps, mais qui rapportait des voix.

L'un dans l'autre, Lloyd aurait été incapable de dire de quel côté penchait l'opinion.

Un seul électeur lui parla de Daisy. Un homme qui vint lui ouvrir la porte, la bouche pleine. «Bonsoir, monsieur Perkinson, commença Lloyd. Je crois savoir que vous aviez quelque chose à me demander.

— Votre fiancée a été fasciste», répondit l'homme en mastiquant.

Lloyd devina qu'il avait lu le *Daily Mail*, qui avait publié un article fielleux sur Lloyd et Daisy intitulé LE SOCIALISTE ET LA VICOMTESSE.

«Elle a été brièvement aveuglée par le fascisme, convint Lloyd. Comme beaucoup d'autres.

— Comment un socialiste peut-il épouser une fasciste?»

Lloyd chercha Daisy du regard, et lui fit signe d'approcher.

«Monsieur Perkinson ici présent m'interroge sur ma fiancée, à laquelle il reproche d'avoir été fasciste.

— Enchantée, monsieur Perkinson, dit Daisy en serrant la main de l'homme. Je comprends tout à fait que cette question vous préoccupe. Mon premier mari a été fasciste dans les années 1930, et je l'ai effectivement soutenu.»

Perkinson hocha la tête. Il jugeait probablement qu'une femme devait avoir les mêmes opinions politiques que son mari.

«Nous étions de jeunes idiots, poursuivit Daisy. Mais quand la guerre a éclaté, mon premier mari s'est engagé dans l'armée de l'air et a combattu les nazis aussi courageusement que n'importe qui.

— C'est vrai?

— L'année dernière, il pilotait un Typhoon au-dessus de la France, et mitraillait en rase-mottes un convoi de troupes allemand quand son appareil a été abattu. Il est mort. Je suis donc veuve de guerre.»

Perkinson déglutit. «Ma foi, je vous présente toutes mes condoléances.»

Mais Daisy n'avait pas fini. «Quant à moi, je suis restée à Londres durant le conflit. J'ai conduit une ambulance pendant toute la durée du Blitz.

— C'était très courageux de votre part, en tout cas.

— Je voudrais seulement vous convaincre que nous avons payé notre dette, mon défunt mari et moi.

— Ça, c'est une autre affaire, marmonna Perkinson.

— Nous ne voudrions pas vous retenir davantage, intervint Lloyd. Merci de m'avoir fait part de votre point de vue. Bonne soirée.»

Comme ils s'éloignaient, Daisy remarqua : «Je n'ai pas l'impression que nous l'ayons gagné à notre cause.

— On n'y arrive jamais, répondit Lloyd. Mais au moins, maintenant, il a entendu les deux sons de cloche, et quand il parlera de nous au pub, plus tard, dans la soirée, il sera peut-être un peu moins virulent.

— Hum.»

Lloyd sentit qu'il n'avait pas réussi à rassurer Daisy.

Le porte-à-porte s'acheva de bonne heure, parce que ce soir-là, la BBC diffusait sa première émission sur les élections et que tous les militants voulaient l'écouter. Churchill avait le privilège d'ouvrir les débats.

Dans le bus qui les ramenait chez eux, Daisy murmura : «Je suis inquiète. Je suis un obstacle pour ton élection.

— Aucun candidat n'est parfait, répondit Lloyd. C'est la façon de gérer ses faiblesses qui compte.

— Je ne veux pas être une faiblesse pour toi. Il vaudrait peut-être mieux que je ne m'en mêle pas.

— Au contraire, je veux que tout le monde sache tout à ton sujet, de A à Z. Si tu es un obstacle, c'est moi qui laisserai tomber la politique.

— Ah non! Je ne me pardonnerais jamais de t'avoir fait renoncer à tes ambitions.

— On n'en arrivera pas là.» Mais il se rendait bien compte, encore une fois, qu'il n'avait pas su apaiser ses craintes.

Quand ils regagnèrent Nutley Street, la famille Leckwith était assise autour du poste de radio Marconi, dans la cuisine. Daisy prit Lloyd par la main. «Je suis souvent venue ici pendant ton absence, lui dit-elle. Nous écoutions de la musique, du swing, et nous parlions de toi. »

À cette pensée, Lloyd songea qu'il avait bien de la chance.

La voix de Churchill se fit entendre sur les ondes. Son timbre rauque si familier avait quelque chose de galvanisant. Pendant cinq années noires, cette voix avait donné aux gens espoir, force et bravoure. Lloyd perdit courage : il était tenté, lui-même, de voter pour lui.

« Mes amis, commença le Premier ministre, je me dois de vous dire qu'une politique socialiste est incompatible avec la notion britannique de liberté. »

Bon, c'était l'argumentation habituelle. Toutes les idées nouvelles étaient condamnées comme des importations étrangères. Mais qu'est-ce que Churchill avait à offrir au peuple ? Les travaillistes avaient un programme précis. Et les conservateurs, que proposaient-ils ?

« Le socialisme est intrinsèquement lié au totalitarisme, affirma Churchill.

— Il ne va quand même pas prétendre que nous ne valons pas mieux que les nazis ? s'indigna Ethel.

— J'ai bien peur que si, répondit Bernie. Il va dire que nous avons vaincu l'ennemi à l'étranger, et que maintenant nous devons le vaincre chez nous. La bonne vieille tactique conservatrice.

— Les gens ne vont jamais avaler ça, objecta Ethel.

— Chut ! fit Lloyd.

— Un État socialiste, une fois solidement et précisément établi sous tous ses aspects, poursuivait Churchill, ne tolérera aucune opposition.

— C'est révoltant ! s'exclama Ethel.

— Mais j'irai plus loin, continuait Churchill. Je vous le déclare du fond du cœur, aucun système socialiste ne peut se passer de police politique.

— Une police politique ? répéta Ethel, indignée. Où est-il allé chercher ça ?

— En un sens, c'est bien, intervint Bernie. Comme il ne trouve rien à critiquer dans notre programme, il nous attaque sur des propositions qui ne sont pas les nôtres. Satané menteur !

— Écoutez ! s'écria Lloyd.

— Ils seraient obligés d'établir à leur tour une sorte de Gestapo », disait Churchill.

Ils bondirent sur leurs pieds comme un seul homme, poussant des hurlements indignés qui couvrirent la voix du Premier ministre.

« Ah, le salaud ! hurla Bernie en agitant le poing vers le poste de radio. Le salaud, le salaud ! »

Lorsqu'ils se furent calmés, Ethel reprit la parole : « Ça va être ça, leur campagne ? Une kyrielle de mensonges ?

— Ça m'en a tout l'air, répondit Bernie.

— Mais est-ce que les gens vont le croire ? » demanda Lloyd.

4.

Au sud du Nouveau-Mexique, non loin d'El Paso, s'étend un désert appelé Jornada del Muerto, le voyage du mort. Toute la journée, un soleil meurtrier accable les buissons épineux de prosopis et les yuccas aux feuilles lancéolées. Les seuls habitants sont des scorpions, des serpents à sonnettes, des fourmis rouges et des tarentules. C'est là que les hommes du projet Manhattan testaient l'arme la plus effroyable jamais conçue par l'humanité.

Greg Pechkov accompagnait les chercheurs qui suivaient l'essai à dix kilomètres de distance. Il espérait deux choses : d'abord, que la bombe fonctionnerait, ensuite que dix kilomètres seraient suffisants pour qu'ils soient à l'abri.

Le compte à rebours commença à cinq heures neuf du matin, le lundi 16 juillet. Le jour se levait, barrant le ciel de traînées d'or à l'est.

L'essai portait le nom de code Trinity. Quand Greg avait demandé pourquoi, le responsable de l'équipe de chercheurs, J. Robert Oppenheimer, un Juif de New York aux oreilles pointues, avait cité un poème de John Donne : « Bats, mon cœur, Dieu de Trinité. »

« Oppie » était l'homme le plus intelligent que Greg ait jamais rencontré, le physicien le plus brillant de sa génération. Il parlait six langues, il avait lu *Le Capital* de Karl Marx dans sa version originale allemande, et pour se divertir, il apprenait entre autres le sanscrit. Greg l'aimait et l'admirait. La plupart des physiciens étaient des asociaux binoclards, mais Oppie, comme Greg, d'ailleurs, faisait exception à la règle : grand, beau, charmant, un véritable bourreau des cœurs.

Il avait ordonné au Corps des ingénieurs de l'armée de construire au milieu du désert, sur des fondations de béton, une tour en poutrelles d'acier de trente mètres de haut qui soutenait une plateforme de chêne. La bombe avait été treuillée au sommet le samedi.

Les chercheurs n'utilisaient jamais le terme « bombe », ils parlaient du « gadget ». Son cœur était formé par une boule de plutonium, un métal qui n'existait pas à l'état naturel mais était un sous-produit créé dans les piles nucléaires. La boule pesait dix livres et contenait tout le plutonium du monde. Quelqu'un avait estimé son prix à un milliard de dollars.

Trente-deux détonateurs placés à la surface de celle-ci devaient se déclencher simultanément, créant une pression interne si puissante qu'elle accroissait la densité du plutonium, jusqu'à ce qu'il atteigne la masse critique.

Ensuite, personne ne savait ce qui se passerait.

Les chercheurs avaient ouvert les paris, à un dollar la mise, sur la force de l'explosion mesurée en tonnes d'équivalent de TNT. Edward Teller avait misé sur quarante-cinq mille tonnes, Oppie sur trois cents. La prévision officielle était de vingt mille tonnes. La veille au soir, Enrico Fermi avait proposé un autre pari : l'explosion allait-elle, oui ou non, rayer de la carte tout l'État du Nouveau-Mexique ? Le général Groves n'avait pas trouvé ça drôle.

Les physiciens avaient eu un débat extrêmement sérieux sur les conséquences de l'explosion : et si elle enflammait toute l'atmosphère de la Terre et détruisait la planète ? Ils étaient arrivés à la conclusion que cela n'arriverait pas. S'ils se trompaient, Greg ne pouvait qu'espérer que ce serait rapide.

L'essai avait été prévu au départ pour le 4 juillet. Mais chaque fois qu'ils avaient testé un composant, l'expérience avait été un échec, et le grand jour avait été retardé plusieurs fois. À Los Alamos, le samedi, une maquette absolument identique au véritable spécimen avait refusé de se déclencher. Ce qui avait relancé les paris : Norman Ramsey avait pronostiqué zéro, convaincu que la bombe ferait un flop.

Ce jour-là, l'explosion avait été programmée pour deux heures du matin, mais à l'heure prévue, un orage avait éclaté – en plein désert ! La pluie aurait précipité les retombées radioactives sur la tête des observateurs. Aussi la mise à feu avait-elle été retardée.

L'orage s'était calmé à l'aube.

Greg était au niveau d'un bunker appelé le S-10000, qui abritait le centre de commandement. Comme la plupart des membres de l'équipe scientifique, il était sorti pour mieux voir. Il était partagé entre l'espoir et la peur. Si la bombe faisait long feu, les efforts de centaines de personnes – sans parler de près de deux milliards de dollars – auraient été investis en pure perte. Si elle explosait, ils seraient peut-être tous morts quelques minutes plus tard.

À côté de lui se tenait Wilhelm Frunze, un jeune physicien allemand dont il avait fait la connaissance à Chicago.

«Que se serait-il passé, Will, si la foudre était tombée sur la bombe?»

Frunze haussa les épaules. «Personne n'en sait rien.»

Une fusée éclairante verte fila dans le ciel, faisant sursauter Greg.

«Mise à feu dans cinq minutes», annonça Frunze.

Les services de sécurité n'avaient pas été très méthodiques. Santa Fe, la ville la plus proche de Los Alamos, grouillait d'agents du FBI trop bien habillés. Nonchalamment adossés aux murs avec leurs vestes de tweed et leurs cravates, ils tranchaient sur la population locale en blue jeans et en bottes de cow-boy.

Le FBI avait aussi mis sur écoute, en toute illégalité, les lignes téléphoniques de centaines de personnes mêlées au projet Manhattan. Greg n'en revenait pas. Comment l'institution, responsable au premier chef de l'application de la loi, pouvait-il commettre systématiquement des actes délictueux?

Les services de sécurité de l'armée et du FBI avaient tout de même identifié quelques espions, comme Barney McHugh, et les avaient exclus en douceur du projet. Mais les avaient-ils tous débusqués? Greg n'en savait rien. Groves avait été obligé de prendre des risques. S'il avait viré tous ceux dont le FBI lui demandait de se débarrasser, il ne serait plus resté assez de chercheurs pour fabriquer la bombe.

Malheureusement, la plupart des scientifiques étaient des radicaux, des socialistes et des libéraux. On aurait eu du mal à trouver un conservateur parmi eux. Ils étaient convaincus que les découvertes scientifiques devaient être partagées avec toute l'humanité, et que le savoir ne devait jamais être tenu secret, au profit d'un régime ou d'un pays unique. C'est ainsi que, pendant que le gouvernement américain conservait un silence absolu sur ce projet colossal, les chercheurs organisaient des groupes de discussion sur le partage de la technologie nucléaire avec toutes les nations du monde. Oppie lui-même était suspect. La seule raison pour laquelle il n'était pas affilié au parti communiste était qu'il n'avait jamais été membre d'aucun cercle, d'aucune association.

Pour le moment, Oppie était allongé par terre à côté de son jeune frère, Frank, qui était lui aussi un physicien exceptionnel, également communiste. À l'image de Greg et de Frunze, ils tenaient tous les deux des boucliers de soudeur à travers lesquels ils observeraient l'explosion. Certains chercheurs portaient des lunettes de soleil.

Une autre fusée fut lancée.

« Une minute », annonça Frunze.

Greg entendit Oppie dire : « Bon sang, ça met le cœur à rude épreuve, des machins pareils. »

Il se demanda si ce seraient ses dernières paroles.

À plat ventre sur le sol sablonneux, leur plaque de verre opaque devant les yeux, ils regardaient tous en direction de la zone d'essai.

Face à la mort, Greg pensa à sa mère, à son père et à sa sœur Daisy, à Londres. Il se demanda à quel point il leur manquerait. Il songea, avec une pointe de regret, à Margaret Cowdry, qui l'avait plaqué pour un type disposé à l'épouser. Mais surtout, il pensa à Jacky Jakes et Georgy, qui avait maintenant neuf ans. Il aurait tant voulu le voir grandir ! Il se rendit compte que Georgy était la principale raison pour laquelle il espérait rester en vie. En catimini, l'enfant s'était glissé dans son âme, s'emparant de son amour. La puissance de ce sentiment le surprenait.

Un carillon tinta, un bruit pour le moins insolite dans le désert.

« Dix secondes. »

Greg fut pris de l'envie subite de se lever et de prendre ses jambes à son cou. C'était évidemment stupide – jusqu'où pourrait-il aller en dix secondes ? – mais il dut faire un effort sur lui-même pour ne pas bouger.

La bombe explosa à cinq heures vingt-neuf minutes et quarante-cinq secondes.

Il y eut d'abord un éclair effroyable, d'une luminosité incroyable, la lumière la plus intense que Greg aie jamais vue, plus vive que le soleil.

Et puis un dôme de feu maléfique sembla surgir du sol. Il s'éleva monstrueusement, à une vitesse terrifiante, atteignit le niveau des montagnes et continua à monter ; en comparaison, les sommets devinrent minuscules.

Greg murmura :

« Bon Dieu... »

Le dôme changea de forme et devint cubique. La lumière était encore plus vive qu'en plein midi, et les montagnes lointaines étaient si vivement illuminées que Greg en distinguait la moindre faille, le moindre plissement, la moindre roche.

Et puis la forme se modifia à nouveau. Une colonne apparut en dessous et sembla s'élever à plusieurs milliers de mètres dans le ciel, tel le poing de Dieu. Le nuage de feu bouillonnant qui surmontait la colonne se déploya en parapluie, jusqu'à ce que le tout ressemble à un champignon de plus de dix kilomètres de hauteur. Un champignon de nuages teinté de vert, d'orange et de violet démoniaques.

Greg fut heurté par une vague de chaleur comme si le Tout-Puissant avait ouvert un four géant. Au même moment, le bang de l'explosion atteignit ses oreilles, pareil à un coup de tonnerre infernal. Mais ce n'était qu'un début. Un bruit pareil au grondement d'un orage d'une puissance surnaturelle roula sur le désert, noyant tous les autres sons.

Le nuage incandescent commença à diminuer alors que le tonnerre rugissait encore et encore, se prolongeant insupportablement, au point que Greg se demanda si ce n'était pas le bruit de la fin du monde.

Et puis il finit par s'estomper, et le nuage en forme de champignon se dissipa peu à peu.

Greg entendit Frank Oppenheimer murmurer : « Ça a marché.

— Oui, ça a marché », renchérit Oppie.

Les deux frères se serrèrent la main.

Le monde est toujours là, pensa Greg.

Mais il a changé à jamais.

5.

Le matin du 26 juillet, Lloyd Williams et Daisy se rendirent à l'hôtel de ville de Hoxton pour assister au décompte des voix.

Si Lloyd perdait, Daisy était décidée à rompre leurs fiançailles.

Il refusait d'admettre qu'elle puisse représenter un obstacle à sa carrière politique, mais elle savait à quoi s'en tenir. Les adversaires de Lloyd mettaient un point d'honneur à l'appeler «Lady Aberowen». Certains électeurs prenaient un air indigné face à son accent américain, comme si elle n'avait pas le droit de prendre part à la politique britannique. Les membres du parti travailliste eux-mêmes la traitaient différemment, lui demandant si elle voulait du café alors qu'ils buvaient tous du thé.

Comme l'avait prévu Lloyd, elle réussissait souvent à vaincre l'hostilité initiale dont elle était l'objet par son charme, sa spontanéité et sa serviabilité. Mais cela suffirait-il? Seul le résultat de l'élection apporterait une réponse définitive.

Elle refuserait de l'épouser si leur mariage devait obliger Lloyd à renoncer à ce qui était toute sa vie. Il se déclarait prêt à le faire, mais ce serait un bien mauvais départ pour un jeune couple. Daisy frémissait d'horreur lorsqu'elle l'imaginait faire autre chose – travailler dans une banque ou dans l'administration –, affreusement malheureux et essayant de faire comme si elle n'y était pour rien. Mieux valait ne pas y penser.

Malheureusement, tout le monde était convaincu que les conservateurs remporteraient l'élection.

Au cours de la campagne, certains éléments avaient joué en faveur du parti travailliste. Le discours sur la «Gestapo» de Churchill s'était retourné contre lui. Les conservateurs eux-mêmes avaient été consternés. Clement Attlee, qui s'était exprimé à la radio le lendemain, au nom des travaillistes, avait été d'une ironie glacée : «Hier soir, en entendant le Premier ministre caricaturer ainsi le programme du parti travailliste, j'ai immédiatement saisi son objectif. Il voulait que les électeurs comprennent l'immense différence qu'il y a entre Winston Churchill, grand chef de guerre d'une nation unie, et Mr. Churchill, chef du parti conservateur. Il craignait que ceux qui avaient accepté qu'il les dirige pendant la guerre soient tentés, par gratitude, de continuer à le suivre. Je le remercie de les avoir si puissamment désillusionnés.» Le dédain magistral d'Attlee avait fait passer Churchill pour un fomentateur de troubles. Les gens avaient eu leur dose de passion rouge sang, se disait Daisy. En temps de paix, ils préféreraient sûrement le bon sens et la modération.

Un sondage effectué la veille de l'élection annonçait la victoire des travaillistes, mais personne n'y croyait. George Gallup, un Américain, avait fait un pronostic erroné lors de la dernière élection présidentielle. L'idée selon laquelle on pouvait prévoir le résultat en interrogeant un petit nombre d'électeurs paraissait un peu irréaliste. Le *News Chronicle*, qui avait publié le sondage, voyait les deux partis dans un mouchoir de poche.

Tous les autres journaux prédisaient la victoire des conservateurs.

Auparavant, jamais Daisy ne s'était intéressée aux rouages de la démocratie, mais son destin était dans la balance à présent, et elle regarda, fascinée, les bulletins de vote sortir des urnes. Elle observa les scrutateurs qui les triaient, les comptaient, les rassemblaient en petits paquets et les recomptaient. Le président du bureau de vote – appelé *returning officer*, comme s'il venait de revenir après une absence – était en réalité le secrétaire de mairie. Les observateurs de chacun des partis surveillaient la procédure de dépouillement afin de s'assurer qu'il n'y avait ni fraude ni erreur. Toutes ces opérations prenaient du temps, et l'attente était une torture pour Daisy.

À dix heures et demie, on annonça les premiers résultats d'un autre bureau. Harold Macmillan, un protégé de Churchill qui avait fait partie du cabinet du Premier ministre pendant la guerre, avait été battu par les travaillistes à Stickton-on-Tees. Un quart d'heure plus tard, on apprenait que Birmingham avait nettement basculé du côté du parti travailliste. Les radios n'étaient pas autorisées dans la salle de dépouillement, si bien que Daisy et Lloyd en étaient réduits à se fier aux rumeurs qui filtraient du dehors, et Daisy ne savait pas trop ce qu'elle devait croire.

Vers le milieu de la journée, le président du bureau de vote appela les candidats et leurs agents électoraux dans un coin de la salle pour leur communiquer les résultats avant de procéder à l'annonce publique. Daisy aurait bien voulu suivre Lloyd, mais on ne l'y autorisa pas.

L'homme leur parla à voix basse. En dehors de Lloyd et du député sortant, il y avait un conservateur et un communiste. Daisy tenta de déchiffrer leur expression, sans réussir à deviner qui avait gagné. Ils montèrent tous sur l'estrade, et le silence se fit dans la pièce. Daisy fut prise d'une vague nausée.

«Moi, Michael Charles Davis, agissant en tant que président du bureau de vote de la circonscription de Hoxton...

Daisy se leva avec les observateurs du parti travailliste, les yeux rivés sur Lloyd. Allait-elle le perdre? À cette pensée, l'angoisse lui serra le cœur et lui coupa la respiration. Par deux fois, dans sa vie, elle avait choisi un homme, et ce choix s'était révélé désastreux. Charlie Farquharson était l'opposé de son père, gentil mais faible. Boy Fitzherbert, qui ressemblait beaucoup plus à son père, était un homme à poigne, mais égoïste. Enfin, elle avait trouvé Lloyd, qui était à la fois fort et gentil. Elle ne l'avait pas choisi pour son prestige social, ni pour ce qu'il pouvait lui apporter, mais tout simplement parce qu'il était d'une rare bonté. Il était doux, intelligent, solide, et il l'adorait. Elle avait mis longtemps à comprendre qu'il était exactement ce qu'elle cherchait. Ce qu'elle avait pu être bête!

Le président du bureau de vote annonça le nombre de suffrages exprimés pour chacun des candidats. Ils étaient classés par ordre alphabétique, et Williams était donc le dernier. Daisy était tellement tendue qu'elle n'arrivait pas à retenir les chiffres. «Reginald Sidney Blenkinsop, cinq mille quatre cent vingt-sept...»

Il en arriva enfin au résultat de Lloyd. Une ovation délirante s'éleva parmi les membres du parti travailliste qui l'entouraient. Daisy mit un moment à comprendre qu'il avait gagné. Puis elle vit l'expression solennelle de Lloyd se muer en un large sourire; elle se mit alors à l'applaudir et à l'acclamer plus fort que tous les autres. Il avait été élu! Elle ne serait pas obligée de le quitter! C'était comme si on venait de lui rendre la vie.

«Je déclare donc Lloyd Williams officiellement élu député de Hoxton.»

Lloyd était membre du Parlement. Daisy le regarda fièrement s'avancer et prononcer son discours de remerciement. Elle constata que l'exercice comportait une part de rituel : il enchaîna les formules fastidieuses, remercia le président du bureau de vote et son équipe, puis les adversaires qui s'étaient livrés à une bataille loyale. Elle était impatiente de le serrer sur son cœur. Il finit par quelques phrases sur la tâche qui les attendait, reconstruire l'Angleterre dévastée par la guerre et créer une société plus juste, et quitta la scène sous un nouveau tonnerre d'applaudissements.

Redescendu de l'estrade, il s'avança droit vers Daisy, la prit dans ses bras et l'embrassa.

«Bravo, mon chéri», dit-elle, avant de prendre conscience qu'elle n'arrivait plus à parler.

Au bout d'un moment, ils sortirent et prirent l'autobus pour Transport House, le quartier général du parti travailliste. Ils y apprirent que les travaillistes avaient déjà remporté cent six sièges.

C'était un véritable raz-de-marée.

Les experts s'étaient bel et bien trompés, et les prévisions de tout un chacun étaient bouleversées. Quand l'ensemble des résultats fut connu, le parti travailliste disposait de trois cent quatre-vingt-treize sièges, les conservateurs de deux cent dix, les libéraux de douze et les communistes d'un seul – Stepney. Les travaillistes l'avaient emporté à une écrasante majorité.

À sept heures du soir, Winston Churchill, le grand chef de guerre de l'Angleterre, se rendit à Buckingham Palace donner sa démission de Premier ministre.

Daisy pensa à la façon dont Churchill s'était moqué d'Attlee : «Une voiture vide s'est approchée et Clem en est descendu.» L'homme qu'il considérait comme inexistant l'avait écrasé.

À sept heures et demie, Clement Attlee gagna le palais dans sa propre voiture conduite par sa femme, Violet, et le roi George VI le pria de devenir Premier ministre.

Dans la maison de Nutley Street, lorsqu'ils eurent tous écouté les nouvelles à la radio, Lloyd se tourna vers Daisy et lui dit : «Bon, eh bien, voilà. On peut se marier, maintenant?

— Oui, répondit Daisy. Dès que tu voudras.»

6.

Volodia et Zoïa fêtèrent leur mariage dans l'une des plus petites salles de banquet du Kremlin.

La guerre avec l'Allemagne était terminée, mais l'Union soviétique étant encore ravagée, exsangue, l'heure ne se prêtait pas à une fête fastueuse. Zoïa avait une robe neuve, mais Volodia portait son uniforme. Cela dit, il y avait de la nourriture à profusion, et la vodka coulait à flots.

Le neveu et la nièce de Volodia étaient là, les jumeaux de sa sœur, Ania, et de son affreux mari, Ilia Dvorkine. Ils n'avaient pas encore six ans. Contredisant le comportement que l'on était en droit d'attendre d'un garçon et d'une fille, le petit Dimka aux cheveux noirs était tranquillement assis en train de lire un livre, tandis que l'espiègle Tania aux yeux bleus courait partout dans la pièce, heurtait les tables et asticotait les invités.

Zoïa était tellement séduisante en rose que Volodia aurait aimé l'entraîner sans attendre vers leur chambre à coucher. C'était hors de question, bien sûr. Le cercle d'amis de son père comprenait certains des généraux et des politiciens les plus en vue du pays, et ils étaient nombreux à être venus porter un toast au jeune et heureux couple. Grigori laissait entendre qu'un invité extrêmement prestigieux pourrait arriver plus tard. Volodia espérait que ce n'était pas Beria, le chef dépravé du NKVD.

Le bonheur de Volodia ne lui faisait pas entièrement oublier les horreurs qu'il avait vues, et les profondes réticences qu'avait fini par lui inspirer le communisme soviétique. L'indicible brutalité de la police secrète, les erreurs de Staline qui avaient coûté des millions de vies et la propagande qui avait encouragé l'armée Rouge à se comporter comme une meute de bêtes sauvages en Allemagne, tout cela l'avait conduit à douter des valeurs les plus fondamentales que son éducation lui avait inculquées. Il se demandait avec un certain malaise dans quel pays Dimka et Tania allaient grandir. Enfin, ce n'était pas le moment de penser à tout cela.

Les élites soviétiques étaient de bonne humeur. Elles avaient gagné la guerre et vaincu l'Allemagne. Quant à leur vieil ennemi, le Japon, les États-Unis étaient en train de l'écraser. Le code d'honneur insensé des dirigeants japonais leur rendait la capitulation extrêmement difficile, mais ce n'était plus qu'une question de temps. Chose tragique, pendant qu'ils se cramponnaient à leur orgueil, des soldats japonais et américains continueraient à mourir, des femmes et des enfants japonais continueraient à être chassés de leurs maisons par les bombardements, et tout cela pour quoi? Le résultat final serait le même. Le plus triste était que les Américains paraissaient incapables d'accélérer les choses et d'empêcher toutes ces morts inutiles.

Le père de Volodia, saoul et ravi, fit un discours. « La Pologne est occupée par l'armée Rouge, déclara-t-il. Plus jamais ce pays ne servira de tremplin à l'invasion de la Russie par l'Allemagne. »

Tous ses vieux camarades l'acclamèrent en tapant sur les tables.

« En Europe occidentale, les partis communistes sont soutenus par les masses comme ils ne l'ont encore jamais été. À Paris, aux élections municipales de mars dernier, le parti communiste a remporté le plus fort pourcentage de voix. Je félicite nos camarades français. »

Ils l'acclamèrent de plus belle.

« Quand j'observe le monde d'aujourd'hui, je vois que la révolution russe, pour laquelle tant de braves ont combattu et ont donné leur vie... »

Il s'interrompit alors que des larmes d'ivresse lui montaient aux yeux. Un silence plana dans la salle. Il réussit à se dominer. « Je vois que jamais la révolution n'a été plus solide qu'aujourd'hui ! »

Ils levèrent leurs verres. « Révolution ! Révolution ! »

Ils les vidèrent cul sec.

Les portes s'ouvrirent à la volée, et le camarade Staline fit son entrée.

Tout le monde bondit sur ses pieds.

Il avait les cheveux gris et l'air fatigué. Il avait près de soixante-cinq ans, et avait été malade : selon certaines rumeurs, il avait fait plusieurs crises cardiaques, ou des attaques cérébrales sans gravité. Mais ce jour-là, il était d'humeur joviale. « Je suis venu embrasser la mariée ! » s'exclama-t-il.

Il s'approcha de Zoïa et posa les mains sur ses épaules. Elle mesurait dix bons centimètres de plus que lui, mais réussit à se baisser discrètement. Il l'embrassa sur les deux joues, laissant ses lèvres surmontées d'une moustache grise s'attarder sur sa peau juste le temps d'attiser légèrement la jalousie de Volodia, puis il recula et dit : «Alors, on me donne à boire?»

Plusieurs personnes s'empressèrent de lui tendre un verre de vodka. Grigori insista pour lui céder sa place au milieu de la table d'honneur. Le brouhaha des conversations reprit, un peu atténué : les convives étaient transportés de joie par sa présence, mais devaient maintenant surveiller leurs paroles et leurs gestes. Cet homme pouvait faire tuer n'importe qui d'un claquement de doigts; il l'avait souvent fait.

On apporta encore de la vodka, l'orchestre se mit à jouer des danses folkloriques russes, et peu à peu l'assistance se détendit. Volodia, Zoïa, Grigori et Katerina s'engagèrent dans un quadrille, une danse à quatre destinée à faire rire les spectateurs. Après cela, d'autres couples commencèrent à se trémousser, et les hommes entamèrent une barinia endiablée, une danse qui s'exécutait accroupi, en lançant les jambes devant soi. Beaucoup d'entre eux tombèrent. Comme tous les autres convives, Volodia surveillait toujours Staline du coin de l'œil : il semblait bien s'amuser et tapait avec son verre sur la table au rythme des balalaïkas.

Zoïa et Katerina dansaient une troïka avec le patron de Zoïa, Vassili, un physicien d'un certain âge qui travaillait sur le projet de bombe atomique, et Volodia les contemplait lorsque soudain, l'atmosphère changea.

Un aide de camp en civil entra, fit précipitamment le tour de la pièce et se dirigea vers Staline. Sans cérémonie, il se pencha sur l'épaule du dirigeant et lui parla à l'oreille, d'un ton pressant.

Staline sembla d'abord intrigué. Il posa sèchement une question, puis une autre et son visage s'altéra. Il pâlit et donna l'impression de regarder les danseurs sans les voir.

Volodia chuchota : «Bon sang, qu'est-ce qui se passe?»

Les danseurs n'avaient encore rien remarqué, mais les convives assis à la table d'honneur avaient l'air épouvanté.

Staline se leva. Ceux qui l'entouraient l'imitèrent par déférence. Volodia remarqua que son père dansait toujours. Des gens s'étaient fait fusiller pour moins que ça.

Mais Staline n'avait plus d'yeux pour les invités de la noce. Flanqué de son aide de camp, il quitta la table et se dirigea vers la porte en traversant la piste de danse. Apeurés, les fêtards s'écartèrent précipitamment de son chemin. Un couple tomba. Staline ne parut pas s'en apercevoir. L'orchestre s'interrompit. Sans un mot, sans un regard, Staline quitta la pièce.

Certains des généraux lui emboîtèrent le pas, visiblement inquiets.

Un second aide de camp apparut, suivi de deux autres. Chacun chercha son supérieur pour lui glisser quelques mots. Un jeune homme en veste de tweed s'approcha de Vassili. Zoïa, qui semblait le connaître, l'écouta attentivement. Elle se figea, bouleversée.

Vassili et son aide de camp quittèrent la pièce. Volodia s'approcha de Zoïa et lui demanda : « Bon sang, que se passe-t-il ? »

Elle répondit d'une voix tremblante : « Les Américains ont largué une bombe atomique sur le Japon. » Son beau visage pâle semblait avoir encore blêmi. « Le gouvernement japonais n'a pas tout de suite compris. Ils ont mis des heures à réaliser de quoi il s'agissait.

— On en est sûr ?

— Mille trois cents hectares de bâtiments ont été rasés. On estime que soixante-quinze mille personnes ont été tuées instantanément.

— Combien de bombes ?

— Une.

— Une seule bombe ?

— Oui.

— Nom d'un chien ! Pas étonnant que Staline ait pâli. »

Ils demeurèrent un instant silencieux. La nouvelle se répandait dans la salle comme une traînée de poudre. Certains restèrent assis, pétrifiés. D'autres se levèrent et sortirent, pressés de retrouver leurs bureaux, leurs téléphones, leurs collaborateurs.

« Ça change tout, dit Volodia.

— Y compris nos projets de voyage de noces, soupira Zoïa. Je peux dire adieu à mon congé.

— Nous qui pensions être en sécurité en Union soviétique...

— Ton père vient de dire, dans son discours, que la révolution n'avait jamais été aussi solide.

— Rien ne l'est plus aujourd'hui.

— Non. Rien ne le sera plus tant que nous n'aurons pas notre propre bombe. »

7.

Jacky Jakes et Georgy étaient à Buffalo. C'était leur premier séjour chez Marga. Greg et Lev étaient là, eux aussi, et le jour de la victoire sur le Japon – le mercredi 15 août –, ils se rendirent tous au Humboldt Park. Les allées regorgeaient de couples radieux, et des centaines d'enfants pataugeaient dans le lac.

Greg était heureux et fier. La bombe avait explosé. Les deux engins largués sur Hiroshima et Nagasaki avaient provoqué des dégâts épouvantables, mais avaient hâté la fin de la guerre, sauvant ainsi des milliers de vies américaines. Greg avait joué un rôle dans ce triomphe. Grâce à tout ce qu'ils avaient fait, Georgy grandirait dans un monde libre.

«Il a neuf ans», remarqua Greg en se tournant vers Jacky.

Ils étaient assis sur un banc et bavardaient, pendant que Lev et Marga avaient emmené Georgy acheter une glace.

«Je n'arrive pas à le croire!

— Je me demande ce qu'il fera plus tard.

— En tout cas, il ne sera sûrement pas acteur ou trompettiste, répondit Jacky avec véhémence. Il est incroyablement intelligent.

— Tu voudrais qu'il soit professeur d'université, comme ton père?

— Oui.

— Dans ce cas...» C'était là que Greg voulait en venir, et il craignait un peu la réaction de Jacky. «... Il faut qu'il aille dans une bonne école.

— À quoi penses-tu?

— Que dirais-tu d'une pension? Celle où je suis allé, par exemple.

— Il serait le seul élève noir.

— Pas forcément. Quand j'y étais, nous avions un garçon de couleur, un Indien de Delhi qui s'appelait Kamal.

— Un seul.

— Oui.

— Les autres élèves ne l'embêtaient pas?

— Si. On l'appelait Chamelle. Mais les garçons ont fini par s'habituer à lui, et il s'est fait des amis.

— Qu'est-ce qu'il est devenu ? Tu le sais ?

— Il est pharmacien. J'ai entendu dire qu'il était déjà propriétaire de deux drugstores à New York. »

Jacky hocha la tête. Greg voyait qu'elle n'était pas hostile à son projet. Elle était issue d'une famille cultivée. Bien qu'elle se soit rebellée et ait abandonné ses études, elle croyait à la valeur de l'éducation. « Et les frais de scolarité ?

— Je pourrais demander à mon père.

— Tu crois qu'il accepterait de payer ?

— Regarde-les. »

Greg tendit le doigt vers le chemin. Lev, Marga et Georgy revenaient de la voiture du marchand de glaces. Lev et Georgy marchaient main dans la main, dégustant leurs cornets.

« Mon père conservateur, tenant un enfant de couleur par la main dans un parc public. Fais-moi confiance, il paiera les frais de scolarité.

— Georgy n'est vraiment à sa place nulle part, observa Jacky, l'air troublé. C'est un petit garçon noir qui a un papa blanc.

— En effet.

— Dans l'immeuble de ta mère, les gens me prennent pour la bonne – tu le savais ?

— Oui.

— Je me suis bien gardée de les détromper. S'ils apprennent qu'il y a des Noirs dans l'immeuble, pas comme domestiques mais comme invités, ça pourrait faire des histoires. »

Greg soupira.

« Ça me navre, mais tu as raison.

— La vie va être rude pour Georgy.

— Je sais, acquiesça Greg. Mais il nous a, nous.

— Ouais, répondit-elle avec un de ses rares et précieux sourires. Et ça, c'est quelque chose. »

Troisième partie

La paix froide

XXI

1945 (III)

1.

Après le mariage, Volodia et Zoïa s'installèrent dans un appartement à eux. Rares étaient les jeunes couples russes à avoir cette chance. Pendant quatre ans, toute la puissance industrielle de l'Union soviétique avait été mobilisée dans l'armement. On avait construit peu d'immeubles d'habitation, et beaucoup avaient été détruits. Mais Volodia était commandant dans les services de renseignement de l'armée Rouge, il était fils de général, et savait faire jouer ses relations.

L'espace était néanmoins exigu : un salon avec une table de salle à manger, une chambre si petite que le lit l'occupait presque entièrement, une cuisine dans laquelle on tenait tout juste à deux, un minuscule cabinet de toilette avec un lavabo et une douche, et une entrée étroite avec une penderie. Lorsque la radio était allumée dans le salon, on l'entendait dans tout l'appartement.

Ils en firent vite leur nid. Zoïa acheta un dessus-de-lit jaune vif. La mère de Volodia leur offrit un service qu'elle avait acheté en 1940, en prévision du mariage de son fils, et mis de côté pendant toute la durée de la guerre. Volodia accrocha un tableau au mur, une photo de fin d'année de sa promotion à l'Académie militaire, section Renseignement.

Ils faisaient plus souvent l'amour, maintenant. Le fait d'être seuls était plus appréciable que Volodia ne l'aurait cru. Il ne s'était jamais senti particulièrement gêné quand il couchait avec Zoïa chez ses parents, ou dans l'appartement qu'elle habitait en colocation, mais il se rendait compte à présent que ce n'était pas sans importance. Il fallait parler à voix basse, éviter de faire grincer le lit, et il y avait toujours un risque, faible mais réel, que quelqu'un entre dans la chambre. Chez les autres, on n'avait jamais vraiment d'intimité.

Ils se réveillaient souvent tôt, faisaient l'amour, puis restaient allongés à s'embrasser et à bavarder pendant une heure avant de s'habiller et d'aller travailler. Par un matin comme ceux-là, allongé la tête sur les cuisses de Zoïa, respirant encore l'odeur de leurs étreintes, Volodia proposa : « Tu veux du thé ?

— Oui, je veux bien s'il te plaît. »

Elle s'étira voluptueusement, adossée aux oreillers.

Volodia enfila une robe de chambre et traversa l'étroit couloir menant à la petite cuisine, où il alluma le gaz sous le samovar. Il fut agacé de voir les casseroles et les assiettes du dîner de la veille encore entassées dans l'évier.

« Zoïa ! cria-t-il. C'est la pagaille à la cuisine ! »

L'appartement était assez petit pour qu'elle l'entende sans difficulté. « Je sais », répondit-elle.

Il retourna dans la chambre. « Pourquoi n'as-tu pas fait la vaisselle, hier soir ?

— Et toi ? Pourquoi ne l'as-tu pas faite ? »

Cela ne lui était même pas venu à l'esprit. Mais il répondit : « J'avais un rapport à rédiger.

— Et moi, j'étais fatiguée. »

L'idée qu'il puisse être tenu pour responsable en quelque façon que ce soit l'irrita.

« Je déteste trouver de la vaisselle sale quand j'entre dans la cuisine.

— Moi aussi. »

Pourquoi se montrait-elle aussi bornée ? « Dans ce cas, tu n'as qu'à la laver !

— Faisons-la ensemble, tout de suite. » Elle sauta du lit, passa devant lui avec un sourire aguichant et gagna la cuisine.

Volodia la suivit.

« Tu laves, j'essuie », proposa-t-elle.

Elle prit un torchon propre dans un tiroir.

Elle était encore nue et il ne put s'empêcher de sourire. Elle était svelte et longiligne, et avait la peau très blanche. Elle avait des petits seins plats aux mamelons pointus, et des poils pubiens fins et blonds. L'une des joies du mariage, pour lui, était cette habitude qu'elle avait de se promener toute nue dans l'appartement. Il pouvait admirer son corps autant qu'il le voulait. Elle paraissait aimer ça. Lorsqu'elle surprenait son regard, elle n'était pas gênée, elle se contentait de sourire.

Il retroussa les manches de son peignoir et commença à laver les assiettes qu'il passait à Zoïa pour qu'elle les essuie. Faire la vaisselle n'était pas une activité très virile – Volodia n'avait jamais vu son père la faire –, mais Zoïa semblait penser qu'ils devaient partager ce genre de tâches. C'était une idée excentrique. Zoïa avait-elle une vision exagérée de l'égalité dans le mariage ? Ou se laissait-il émasculer ?

Il crut entendre du bruit au-dehors ; il jeta un coup d'œil dans le couloir : la porte de l'appartement n'était qu'à trois ou quatre pas de l'évier de la cuisine. Soudain, on enfonça le battant.

Zoïa poussa un cri.

Volodia attrapa le couteau à découper qu'il venait de laver. Passant devant Zoïa, il se campa sur le seuil de la cuisine. Un policier en uniforme brandissant une masse se trouvait juste devant la porte fracturée.

Volodia bouillonnait de peur et de colère. « Et merde ! Qu'est-ce que ça veut dire ? » s'écria-t-il.

Le policier s'écarta, et un petit homme mince au visage sournois entra dans l'appartement. C'était le beau-frère de Volodia, Ilia Dvorkine, un agent de la police secrète. Il portait des gants en cuir.

« Ilia ! s'exclama Volodia. Espèce de sale fouine !

— Un peu de respect », répondit Ilia.

Volodia était à la fois déconcerté et furieux. La police secrète n'était pas censée arrêter les agents du Renseignement de l'armée Rouge. Autrement, cela aurait tourné à la guerre des gangs. « Bon sang ! Pourquoi as-tu enfoncé la porte ? Je t'aurais ouvert ! »

Deux autres agents s'engagèrent dans le couloir et prirent position derrière Ilia. Ils portaient leurs manteaux de cuir caractéristiques, malgré la douceur de cette fin d'été.

Ilia dit d'une voix tremblante : « Repose ce couteau, Volodia.

— Il n'y a pas de quoi avoir peur, répondit Volodia. J'étais en train de le laver, c'est tout. »

Il tendit le couteau à Zoïa, debout derrière lui. « Je t'en prie, passons au salon. On pourra discuter pendant que Zoïa s'habille.

— Parce que tu crois que c'est une visite de courtoisie? rétorqua Ilia, indigné.

— Quel que soit le motif de ta visite, tu préféreras sûrement t'éviter la gêne de voir ma femme dans cette tenue.

— Je suis ici en mission officielle!

— Dans ce cas, pourquoi envoient-ils mon beau-frère?»

Ilia baissa la voix. «Tu ne comprends pas que ç'aurait été bien pire pour toi avec un autre?»

Voilà qui semblait présager de gros ennuis. Volodia s'efforça de conserver une attitude bravache.

«Que voulez-vous au juste, cette bande de connards et toi?

— Le camarade Beria a repris la direction du programme de physique nucléaire.»

Volodia le savait. Staline avait mis en place un nouveau comité pour diriger les travaux et en avait confié la présidence à Beria. Celui-ci n'avait aucune notion de physique et n'était absolument pas qualifié pour piloter un projet de recherche scientifique. Mais Staline lui faisait confiance. C'était le problème récurrent du gouvernement soviétique : des gens loyaux mais incompétents étaient promus à des fonctions qu'ils étaient incapables d'assumer.

«Et le camarade Beria a besoin que ma femme rejoigne son laboratoire pour mettre la bombe au point, poursuivit Volodia. Tu es venu la chercher pour la conduire au travail en voiture?

— Les Américains ont fabriqué leur bombe atomique avant les Soviétiques.

— En effet. Auraient-ils accordé aux recherches en physique nucléaire une plus grande priorité que nous?

— La science capitaliste ne peut pas être supérieure à la science communiste!

— Cela va de soi.»

Volodia était perplexe. Où voulait-il en venir? «Alors, qu'est-ce que tu en conclus?

— Il y a forcément eu sabotage.»

C'était exactement le genre de fantasme grotesque que la police secrète était capable d'imaginer.

«Quel genre de sabotage?

— Certains chercheurs ont délibérément retardé la mise au point de la bombe soviétique.»

Volodia commençait à comprendre... et à avoir peur. Il n'en

continua pas moins à répondre sur un ton belliqueux ; trahir sa faiblesse devant ces gens-là était toujours une erreur.

« Bon sang, pourquoi feraient-ils une chose pareille ?

— Parce que ce sont des traîtres – et ta femme est du nombre !

— J'espère que tu n'es pas sérieux, espèce de petit merdeux...

— Je suis venu l'arrêter.

— Comment ? fit Volodia, estomaqué. Mais c'est de la folie !

— Telle n'est pas l'opinion de mon organisation.

— Vous n'avez aucune preuve.

— Si tu veux des preuves, va à Hiroshima ! »

Zoïa prit la parole pour la première fois depuis le cri de surprise qui lui avait échappé.

« Il va bien falloir que je les suive, Volodia. Il vaudrait mieux que tu ne te fasses pas arrêter, toi aussi. »

Volodia pointa le doigt sur Ilia.

« Tu n'as pas idée de la merde dans laquelle tu es en train de te fourrer.

— Je ne fais qu'exécuter les ordres.

— Pousse-toi. Il faut que ma femme aille s'habiller.

— Pas le temps, objecta Ilia. Qu'elle vienne comme elle est.

— Ne sois pas ridicule ! »

Ilia releva le menton. « Une citoyenne soviétique respectable ne se promènerait pas chez elle dans le plus simple appareil. »

Volodia eut une pensée pour sa sœur et se demanda fugitivement comment elle supportait d'être mariée à cette vermine.

« Parce que la police secrète désapprouve moralement la nudité ?

— C'est la preuve de sa dépravation. Nous l'emmènerons dans la tenue où elle se trouve.

— Sûrement pas, bordel !

— Écarte-toi.

— Écarte-toi toi-même. Elle va s'habiller. »

Volodia s'avança dans le couloir et se dressa devant les trois agents, bras écartés, pour laisser Zoïa passer derrière lui.

Comme elle s'avançait, Ilia se précipita derrière Volodia et attrapa la jeune femme par le bras.

Le poing de Volodia partit tout seul. Un coup, un autre. Ilia poussa un cri et recula en titubant. Les deux hommes en manteau de cuir se précipitèrent. Volodia essaya d'en frapper un, malheureusement l'homme esquiva. Puis ils empoignèrent Volodia par les bras. Il se débattit, mais ils étaient costauds, et la manœuvre leur était visiblement familière. Ils le plaquèrent contre le mur.

Pendant qu'ils le maintenaient, Ilia lui donna un, puis deux coups de poing en plein visage avec ses poings gantés de cuir, puis trois, puis quatre, après quoi il lui martela l'estomac, encore et encore, jusqu'à ce que Volodia se mette à cracher du sang. Zoïa essaya de s'interposer, mais Ilia la repoussa brutalement, et elle tomba à la renverse en hurlant.

Les pans du peignoir de Volodia s'écartèrent. Ilia lui donna des coups de pied dans les parties, et dans les genoux. Volodia s'affaissa sur lui-même, incapable de tenir debout, mais les deux hommes en manteau de cuir le hissèrent sur ses pieds et Ilia lui asséna encore plusieurs coups de poing.

Ilia se détourna enfin en se frottant les jointures. Ses deux acolytes lâchèrent Volodia qui s'écroula. Il arrivait à peine à respirer et était incapable de bouger, mais il était conscient. Du coin de l'œil, il vit les deux gros bras empoigner Zoïa et la faire sortir, toujours nue, de l'appartement. Ilia leur emboîta le pas.

Plusieurs minutes s'écoulèrent. La souffrance aiguë se changea en une douleur sourde, profonde, et Volodia retrouva une respiration normale.

Il récupéra peu à peu l'usage de ses membres et réussit à se mettre debout. Il parvint à atteindre le téléphone, et composa le numéro de son père, en espérant qu'il n'était pas encore parti au travail. Il fut soulagé d'entendre sa voix.

« Ils ont arrêté Zoïa, annonça-t-il.

— Les ordures ! s'exclama Grigori. Qui ça ?

— Ilia.

— Quoi ?

— Appelle tous les gens que tu peux, supplia Volodia. Essaie de savoir ce qui se passe. Il faut que je me lave, il y a du sang partout.

— Du sang ? Comment ça du sang ? »

Volodia raccrocha. Il n'avait que quelques pas à faire pour rejoindre la salle de bains. Il laissa tomber son peignoir ensanglanté et entra dans la douche. L'eau chaude soulagea son corps endolori. Ilia était vicieux, mais pas très costaud ; il ne lui avait rien cassé.

Refermant le robinet, il se regarda dans le miroir de la salle de bains. Il avait le visage couvert de plaies et d'ecchymoses.

Il ne prit pas la peine de se sécher. Il enfila, au prix d'efforts considérables, son uniforme de l'armée Rouge. Ce symbole d'autorité pourrait lui être utile.

Son père arriva alors qu'il essayait de nouer les lacets de ses chaussures.

« Qu'est-ce que c'est que ce foutoir ? » rugit Grigori.

Volodia répondit : « Ils cherchaient la bagarre, et j'ai été assez idiot pour leur donner satisfaction. »

Son père ne lui témoigna d'abord aucune compassion. « Je t'aurais cru plus malin.

— Elle n'était pas encore habillée et ils ont absolument tenu à l'emmener comme ça.

— Les fumiers !

— Tu as trouvé quelque chose ?

— Pas encore. J'ai passé quelques coups de fil. Personne ne sait rien. »

Grigori avait l'air préoccupé.

« Soit quelqu'un a fait une vraie connerie... Soit, pour une raison ou une autre, ils sont drôlement sûrs d'eux.

— Conduis-moi à mon bureau. Lemitov va être fou de rage. Il ne les laissera pas s'en tirer comme ça. S'ils se permettent de me faire ça à moi, aucun membre des services de renseignement de l'armée Rouge n'est à l'abri. »

La voiture avec chauffeur de Grigori attendait devant l'immeuble. Ils se rendirent au terrain d'aviation de Khodynka. Grigori resta dans la voiture pendant que Volodia entrait en boitant dans les bureaux des services de renseignement de l'armée Rouge. Il se dirigea droit vers le bureau de son supérieur, le colonel Lemitov.

Il frappa à la porte, entra et dit :

« Ces salauds de la police secrète ont arrêté ma femme.

— Je sais, répondit Lemitov.

— Vous êtes au courant ?

— J'ai donné mon accord. »

Volodia en resta bouche bée.

« Bordel de merde...

— Assieds-toi.

— Mais que se passe-t-il ?

— Assieds-toi et boucle-la. Je vais t'expliquer. »

Volodia se laissa tomber dans un fauteuil.

« Il faut qu'on fabrique une bombe atomique, et vite, reprit Lemitov. Pour le moment, Staline tient la dragée haute aux Américains parce qu'on est à peu près sûrs qu'ils n'ont pas un arsenal nucléaire suffisant pour nous rayer de la surface de la planète. Mais ils sont en train de constituer des stocks, et ils vont bien finir par s'en servir – à moins que nous n'ayons les moyens de riposter. »

Ça n'avait aucun sens. « Parce que vous croyez que ma femme pourra concevoir une bombe pendant que la police secrète la tabasse. C'est complètement crétin !

— Tais-toi, bon sang ! Notre problème, c'est qu'il y a plusieurs conceptions possibles. Les Américains ont mis cinq ans à comprendre laquelle était la bonne. Or le temps presse. Nous devons leur voler leurs résultats.

— Mais nous aurons encore besoin de chercheurs russes pour reproduire le modèle – et pour ça, il faut qu'ils soient dans leurs laboratoires, et pas au fond des sous-sols de la Loubianka.

— Tu connais un certain Wilhelm Frunze ?

— Oui, j'étais en classe avec lui. À Berlin. À l'Académie de garçons.

— Il nous a communiqué de précieuses informations sur les recherches nucléaires britanniques. Ensuite, il est parti pour les États-Unis, où il a travaillé sur le projet de bombe atomique. L'équipe du NKVD en poste à Washington l'a approché. Ils ont été tellement maladroits qu'ils l'ont effrayé et il a rompu tout contact. Il faut qu'on le récupère.

— Et qu'est-ce que ça a à voir avec moi ?

— Il te fait confiance.

— Ça, c'est vous qui le dites. Il y a douze ans que je ne l'ai pas vu.

— Il faut que tu ailles en Amérique lui parler.

— Mais pourquoi avez-vous arrêté Zoïa ?

— Pour être sûrs que tu reviendras. »

2.

Volodia se dit que c'était dans ses cordes. À Berlin, avant la guerre, il avait déjoué la filature d'agents de la Gestapo, il avait rencontré des espions potentiels, les avait recrutés et en avait fait des sources de renseignement fiables. Ce n'était jamais simple – le moment le plus difficile était celui où il fallait convaincre quelqu'un de trahir – mais il était expert en la matière.

Cette fois, tout de même, c'était l'Amérique.

Les pays de l'Ouest où il s'était rendu – l'Allemagne et l'Espagne dans les années 1930 et 1940 – n'avaient rien à voir avec ça.

Il était dépassé. Toute sa vie, on lui avait raconté que les films hollywoodiens donnaient une impression exagérée de prospérité et qu'en réalité, la plupart des Américains vivaient dans la misère. Or depuis que Volodia avait mis les pieds aux États-Unis, il avait pu se convaincre que les films n'exagéraient pas, au contraire. Et les pauvres ne couraient pas les rues.

New York grouillait de voitures, dont les conducteurs n'avaient pas franchement l'allure de hauts fonctionnaires : des jeunes, des hommes en tenue de travail, même des femmes qui faisaient leurs courses. Et tout le monde était tellement bien habillé ! Tous les hommes paraissaient porter leur plus beau costume. Les femmes avaient les jambes gainées de bas d'une finesse arachnéenne. Et apparemment, toutes les chaussures étaient neuves.

Il devait faire un effort pour se rappeler les mauvais côtés de l'Amérique. Il y avait forcément de la pauvreté quelque part. Les Noirs étaient persécutés, et dans le Sud, ils n'avaient pas le droit de vote. Le taux de criminalité était considérable – les Américains disaient eux-mêmes qu'elle était endémique –, et pourtant étrangement, Volodia n'en voyait aucune trace et se sentait tout à fait en sécurité quand il marchait dans les rues.

Il passa quelques jours à explorer New York. Il s'efforça de perfectionner son anglais, qui n'était pas fameux, mais ça n'avait pas d'importance : la ville était pleine de gens qui parlaient un anglais approximatif, avec un accent épouvantable. Il apprit à reconnaître les visages de certains des agents du FBI affectés à sa filature, et identifia plusieurs endroits commodes pour les semer.

Par un matin ensoleillé, il quitta le consulat soviétique de New York, tête nue, vêtu d'un pantalon gris et d'une chemise bleue, comme s'il allait faire quelques courses. Un jeune homme en costume noir et cravate lui emboîta le pas.

Il alla acheter des sous-vêtements et une chemise avec un petit motif à carreaux marron dans le grand magasin Saks de la Cinquième Avenue. Celui qui le filait devait penser qu'il se contentait de faire des achats.

Le chef du NKVD au consulat l'avait prévenu qu'une équipe soviétique le suivrait à chaque instant de son séjour en Amérique pour s'assurer de sa bonne conduite. Volodia avait eu du mal à contenir sa colère contre l'organisation qui avait emprisonné Zoïa, et il avait dû résister à la tentation de sauter à la gorge du type et de l'étrangler. Il avait tout de même réussi à garder son calme et avait répondu d'un ton sarcastique que, pour remplir sa mission, il devrait échapper à la surveillance du FBI, et qu'il risquait ainsi de déjouer, par inadvertance, la filature du NKVD ; mais il leur souhaitait bonne chance. La plupart du temps, il s'en débarrassait en cinq minutes.

Le jeune homme qui l'avait pris en filature était certainement un agent du FBI, ce que confirmait son costume d'un classicisme irréprochable.

Portant ses emplettes dans un sachet en papier, Volodia quitta le magasin par une porte latérale et héla un taxi. Il laissa le gars du FBI en plan au bord du trottoir, en train d'agiter le bras. Après avoir fait tourner le taxi à deux coins de rue successifs, Volodia jeta un billet au chauffeur et descendit de voiture. Il se précipita dans une bouche de métro, ressortit par une autre issue et attendit cinq minutes dans l'embrasure de la porte d'un immeuble de bureaux.

Le jeune homme en costume sombre avait disparu.

Volodia gagna Penn Station à pied.

Là, il vérifia deux fois qu'il n'était pas suivi, et prit un billet. Avec pour tout bagage son sachet en papier, il monta dans un train.

Le trajet jusqu'à Albuquerque dura trois jours.

Le train traversait à toute allure des kilomètres et des kilomètres : fermes opulentes, usines puissantes vomissant des panaches de fumée et grandes villes aux gratte-ciel insolemment dressés vers les nuages. L'Union soviétique était plus vaste, mais l'Ukraine mise à part, elle était surtout constituée de forêts de pins et de steppes glacées. Il n'aurait jamais imaginé une richesse d'une telle ampleur.

Et la richesse n'était pas tout. Il y avait plusieurs jours qu'une arrière-pensée le titillait, une singularité propre à la vie en Amérique. Il finit par comprendre ce que c'était : personne ne lui demandait ses papiers. Depuis qu'il avait franchi la barrière des services d'immigration à New York, il n'avait plus jamais montré son passeport. Apparemment, dans ce pays, n'importe qui pouvait entrer dans une gare de chemin de fer ou d'autobus et prendre un billet pour n'importe quelle destination sans avoir besoin d'obtenir une autorisation ou d'expliquer le but de son voyage à un fonctionnaire. Cela lui donnait une impression de liberté dangereusement exaltante. Il pouvait aller où il voulait !

L'opulence de l'Amérique lui fit aussi prendre une conscience plus aiguë du danger auquel son pays était exposé. Les Allemands avaient bien failli détruire l'Union soviétique alors qu'elle était trois fois plus peuplée et dix fois plus riche que l'Allemagne. La pensée que la Russie pourrait devenir une nation subalterne, soumise par la peur de la bombe atomique, tempéra ses doutes à propos du communisme, malgré ce que le NKVD leur avait fait, à sa femme et à lui. S'il avait des enfants, il ne voulait pas qu'ils grandissent dans un monde dominé par une Amérique tyrannique.

Il traversa Pittsburgh et Chicago sans attirer l'attention de qui que ce soit. Il portait des vêtements américains, et on ne remarquait pas son accent pour la simple raison qu'il ne parlait à personne. Il achetait des sandwichs et du café en les désignant du doigt et en tendant l'argent. Il feuilletait les revues et les journaux que les autres voyageurs abandonnaient derrière eux, et essayait de comprendre la signification des gros titres en regardant les photos.

La dernière partie du trajet lui fit traverser un paysage désertique d'une beauté désolée. Le soleil couchant maculait de rouge les pics enneigés dressés dans le lointain, ce qui expliquait probablement leur nom : les montagnes du Sang du Christ.

Il s'enferma dans les toilettes pour changer de sous-vêtements et enfiler la chemise neuve achetée chez Saks.

Il se doutait que le FBI ou la sécurité militaire surveillerait la gare d'Albuquerque et repéra effectivement un jeune homme dont la veste à carreaux – trop chaude pour le climat du Nouveau-Mexique en septembre – ne réussissait pas tout à fait à dissimuler la bosse que faisait son pistolet dans son holster. Mais l'agent s'intéressait probablement aux passagers venus de loin, de New York ou de Washington. Volodia, qui n'avait ni chapeau, ni veston, ni bagages, avait l'air d'un gars du coin revenant d'un court trajet. Il se rendit sans qu'on le suive jusqu'à la gare routière et monta à bord d'un bus Greyhound pour Santa Fe.

Il arriva à destination en fin d'après-midi. Il remarqua deux hommes du FBI à la gare autoroutière de Santa Fe qui le détaillèrent. Mais ils ne pouvaient pas suivre tous ceux qui descendaient de l'autobus, et encore une fois, il se fondait si bien dans la foule qu'ils le laissèrent partir sans l'inquiéter.

Feignant dans la mesure du possible de savoir où il allait, il se promena dans les rues. Les maisons à toit plat, de style pueblo, et les églises trapues qui rôtissaient au soleil lui rappelaient l'Espagne. Les devantures des boutiques formaient des avancées sur les trottoirs, créant des arcades agréablement ombragées.

Il évita le grand hôtel La Fonda, sur la place centrale, à côté de la cathédrale, et prit une chambre au St Francis. Il paya en espèces et s'inscrivit sous le nom de Robert Pender, un nom qui pouvait aussi bien être américain que de plusieurs nationalités d'Europe. «Ma valise arrive demain, expliqua-t-il à la jolie réceptionniste. Si je suis sorti quand on la livrera, pourriez-vous la faire monter dans ma chambre, s'il vous plaît ?

— Mais bien sûr, sans problème, répondit-elle.

— Merci», dit-il. Et il ajouta une phrase qu'il avait entendue à plusieurs reprises dans le train : «C'est très aimable à vous.

— Si je ne suis pas là, quelqu'un d'autre s'occupera de votre bagage, pourvu qu'il soit étiqueté.

— Il l'est.»

Il n'avait pas de bagage, mais elle ne le saurait jamais.

Elle regarda ce qu'il avait inscrit dans le registre.

«Alors comme ça, monsieur Pender, vous venez de New York ?»

Il y avait une nuance de scepticisme dans sa voix, sans doute parce qu'il ne s'exprimait pas comme un New-Yorkais.

« Je suis d'origine suisse, expliqua-t-il, choisissant un pays neutre.

— Ah, voilà qui explique votre accent. C'est la première fois que je rencontre quelqu'un qui vient de Suisse. C'est comment là-bas ? »

Volodia n'avait jamais mis les pieds en Suisse, mais il avait vu des photos.

« Il y a beaucoup de neige.

— Eh bien, j'espère que vous apprécierez le climat du Nouveau-Mexique !

— Sûrement. »

Il ressortit cinq minutes plus tard.

Certains chercheurs vivaient au laboratoire de Los Alamos, lui avaient appris ses collègues du consulat soviétique, mais ce n'était guère qu'un amas de baraquements qui ne disposaient pas de tout le confort moderne. Aussi ceux qui en avaient les moyens préféraient-ils louer des maisons ou des appartements dans le coin. Will Frunze pouvait se le permettre : il avait épousé une artiste à succès, auteur d'une bande dessinée publiée dans tous les journaux sous le titre de *Slack Alice*. Sa femme – Alice, de son prénom –, pouvait travailler n'importe où ; ils habitaient donc dans le centre-ville historique.

C'était le bureau new-yorkais du NKVD qui lui avait fourni cette information. Ils avaient fait des recherches poussées sur Frunze, et Volodia disposait de son adresse, de son numéro de téléphone et de la description de sa voiture, une Plymouth décapotable d'avant-guerre aux pneus à flancs blancs.

Une galerie d'art occupait le rez-de-chaussée de l'immeuble des Frunze. L'appartement, à l'étage, avait une grande baie vitrée orientée au nord, qui devait faire un excellent atelier d'artiste. Une Plymouth décapotable était garée devant.

Volodia préféra ne pas entrer : l'endroit était peut-être truffé de micros.

Les Frunze étaient un couple aisé, sans enfants, et il se dit qu'un vendredi soir, il était peu probable qu'ils restent chez eux à écouter la radio. Il décida d'attendre à proximité pour voir s'ils sortaient.

Il passa un moment dans la galerie, à regarder les tableaux à vendre ; il aimait la peinture lumineuse, vivante, et n'était pas très séduit par ces croûtes bâclées. Il trouva un café un peu plus loin et s'installa devant la fenêtre, à un endroit d'où il pouvait voir la porte des Frunze. Il partit au bout d'une heure, acheta un journal et se planta à un arrêt de bus en faisant semblant de lire.

Cette longue attente lui permit de constater que personne ne surveillait l'appartement des Frunze. Ce qui voulait dire que le FBI et les services de sécurité de l'armée ne considéraient pas Frunze comme un sujet hautement suspect. Il était étranger, comme beaucoup d'autres scientifiques, et l'on n'avait probablement rien d'autre à retenir contre lui.

C'était un quartier commercial du centre-ville, pas un quartier résidentiel, et il y avait beaucoup de monde dans les rues. Au bout de quelques heures, Volodia commença tout de même à craindre de se faire remarquer s'il continuait à traîner dans les parages.

C'est alors que les Frunze sortirent.

Frunze s'était empâté depuis la dernière fois qu'il l'avait vu, douze ans plus tôt – les restrictions alimentaires n'existaient pas en Amérique. Ses tempes commençaient à se dégarnir, alors qu'il n'avait que trente ans, et il avait toujours le même air compassé. Il portait une chemise de sport et un pantalon kaki, une tenue courante aux États-Unis.

Sa femme était habillée de façon moins conventionnelle. Ses cheveux blonds étaient retenus par des épingles sous un béret et elle portait une robe de coton informe d'un brun incertain, mais elle avait une collection de bracelets aux deux poignets, et d'innombrables bagues. C'était le genre de tenue que portaient les artistes en Allemagne, avant Hitler, se rappela Volodia.

Les Frunze s'engagèrent dans la rue, et Volodia les suivit.

Il se demandait quelles pouvaient être les idées politiques de la femme, et si sa présence influerait sur la conversation délicate qu'il était sur le point d'engager. À l'époque où il vivait en Allemagne, Frunze était un social-démocrate pur et dur, et il était peu probable qu'il ait épousé une conservatrice, mais cette spéculation ne reposait que sur son allure générale. D'un autre côté, elle ignorait probablement qu'il avait transmis des secrets aux Russes, quand il était à Londres. Elle représentait donc une inconnue.

Il aurait préféré traiter avec Frunze en tête à tête, et envisagea de les laisser là et de retenter sa chance le lendemain. Mais la réceptionniste de l'hôtel avait remarqué son accent étranger, et il n'était pas impossible que le FBI lui mette un homme aux trousses dès le jour suivant. Il devrait pouvoir s'en débarrasser, mais ce serait moins facile dans cette petite ville qu'à New York ou Berlin. Le lendemain étant en outre un samedi, le couple passerait sans doute la journée ensemble. Combien de temps Volodia devrait-il attendre avant de pouvoir rencontrer Frunze seul ?

Ce n'était jamais une décision facile à prendre. Tout bien pesé, il décida de tenter sa chance le soir même.

Les Frunze entrèrent dans un snack.

Passant devant, Volodia jeta un coup d'œil par les vitres. C'était un restaurant sans prétention, dont la salle était divisée en box. Il envisagea un instant d'entrer et de s'asseoir avec eux, mais préféra les laisser manger tranquillement. Ils seraient de meilleure humeur le ventre plein.

Il attendit une demi-heure en surveillant la porte de loin. Puis, n'y tenant plus, il entra.

Ils finissaient de dîner. Frunze leva les yeux sur Volodia qui traversait le restaurant, puis détourna le regard. Il ne l'avait pas reconnu.

Volodia se glissa dans le box à côté d'Alice et dit tout bas, en allemand : «Alors, Willi, tu ne reconnais plus un vieux copain d'école ?»

Le regard sévère de Frunze se posa sur lui pendant plusieurs secondes, puis son visage s'éclaira. «Pechkov ? Volodia Pechkov ? C'est vraiment toi ?» demanda-t-il avec un grand sourire.

Volodia fut envahi par une vague de soulagement. Frunze était toujours amical. Il n'y aurait pas de barrière d'hostilité à surmonter. «Eh oui, c'est bien moi», fit Volodia. Il lui tendit la main et l'autre la lui serra. Il se tourna vers Alice et dit en anglais : «Désolé, je parle très mal votre langue.

— Ça n'a aucune importance, répondit-elle dans un allemand parfait. Mes parents sont des immigrés bavarois.»

Frunze reprit avec étonnement : «Figure-toi que j'ai pensé à toi il n'y a pas longtemps, parce que je connais un type qui porte le même nom que toi : un certain Greg Pechkov.

— Ah oui ? Mon père avait un frère qui est venu en Amérique vers 1915. Mais il s'appelait Lev.

— Non, le lieutenant Pechkov est beaucoup plus jeune que ça. Enfin, peu importe. Quel bon vent t'amène ?

— Je suis venu te voir», annonça Volodia en souriant.

Sans laisser à Frunze le temps de demander pourquoi, il

poursuivit : «La dernière fois qu'on s'est vus, tu étais secrétaire du parti social-démocrate de l'arrondissement de Neukölln.»

C'était la deuxième étape. Ayant établi des bases amicales, il rappelait à Frunze ses idéaux de jeunesse.

«Cette expérience m'a convaincu que le socialisme démocratique ne marchait pas, répondit Frunze. Contre les nazis, nous étions complètement désarmés. Il a fallu que l'Union soviétique intervienne pour les arrêter.»

C'était vrai, et Volodia se réjouit que Frunze en ait conscience; mais surtout, ce commentaire montrait que les idées politiques de Frunze n'avaient pas changé au contact de la vie américaine facile.

«Nous pensions aller prendre un verre dans un bar, au coin de la rue, intervint Alice. Beaucoup de chercheurs y vont le vendredi soir. Vous voulez vous joindre à nous?»

Volodia ne voulait surtout pas être vu en public avec les Frunze. «Je ne sais pas», éluda-t-il. En réalité, il était déjà resté trop longtemps avec eux dans ce restaurant. Le moment de l'étape numéro trois était arrivé : rappeler à Frunze sa terrible responsabilité. Se penchant en avant, il baissa la voix : «Willi, tu savais que les Américains allaient larguer des bombes nucléaires sur le Japon?»

Il y eut un long silence. Volodia retint son souffle. Il avait fait le pari que Frunze serait rongé de remords.

L'espace d'un instant, il eut peur d'être allé trop loin. Frunze semblait sur le point de fondre en larmes.

Puis il inspira profondément et reprit son empire sur lui-même. «Non, répondit-il. Je ne le savais pas. Aucun de nous ne le savait.»

Alice intervint, rageusement : «Nous pensions que l'armée américaine allait se livrer à une démonstration de force quelconque, ça oui, qu'elle allait brandir la menace de la bombe pour pousser les Japonais à capituler plus vite.» Elle avait donc été informée de l'existence de la bombe avant l'explosion, nota Volodia. Il n'en était pas surpris. Les hommes avaient du mal à cacher ce genre de choses à leur femme. «Nous nous attendions donc à une explosion quelque part, à un moment ou un autre, poursuivit-elle. Mais nous supposions qu'ils détruiraient une île inhabitée, ou peut-être une installation militaire contenant beaucoup d'armes et très peu de soldats.

— Ça, ç'aurait été justifiable, reprit Frunze. Mais... Personne n'imaginait qu'ils la largueraient sur une ville et qu'ils tueraient quatre-vingt mille hommes, femmes et enfants», poursuivit-il d'une voix réduite à un souffle.

Volodia hocha la tête. «Je me disais bien que tu verrais sans doute les choses comme ça.» Il l'avait même espéré de tout son cœur.

«Comment faire autrement? répliqua Frunze.

— Laisse-moi te poser une question encore plus importante.»

Il abordait l'étape numéro quatre. «Est-ce qu'ils vont recommencer?

— Je n'en sais rien, soupira Frunze. Ils en sont bien capables. Que Dieu nous pardonne, ils en sont bien capables.»

Volodia dissimula sa satisfaction. Il avait amené Frunze à se sentir responsable de l'usage futur de l'arme nucléaire autant que de son utilisation passée.

Volodia hocha la tête. «C'est ce que nous pensons, nous aussi.

— Qui ça, *nous?*» demanda sèchement Alice.

Elle était futée, et avait probablement plus de bon sens que son mari. Volodia aurait du mal à la duper; il décida de ne même pas essayer. Mieux valait jouer franc jeu avec elle.

«Bonne question, répondit-il, et je ne suis pas venu jusqu'ici pour mentir à un vieil ami. Je suis commandant des services de renseignement de l'armée Rouge.»

Ils le regardèrent en ouvrant de grands yeux. Cette possibilité les avait sûrement déjà effleurés, mais ils étaient désarçonnés par la franchise de l'aveu.

«J'ai quelque chose à vous dire, poursuivit Volodia. Une chose d'une extrême importance. Y a-t-il un endroit où nous pourrions parler tranquillement?»

Ils se regardèrent, indécis. «Chez nous? proposa Frunze.

— Votre appartement a probablement été mis sur écoute par le FBI.»

Frunze avait une certaine expérience de l'action clandestine, mais Alice fut scandalisée. «Vous croyez? demanda-t-elle, incrédule.

— Oui. Le mieux serait de prendre votre voiture et de sortir de la ville.

— Il y a un endroit où nous allons parfois, à peu près à cette heure-ci, pour admirer le coucher de soleil, suggéra Frunze.

— Parfait. Allez chercher votre voiture et attendez-moi à l'intérieur. Je vous rejoins dans une minute. »

Frunze régla l'addition et sortit avec Alice, Volodia ne tarda pas à leur emboîter le pas. Le court trajet pour les rejoindre lui permit de s'assurer qu'il n'était pas filé. Arrivé à la Plymouth, il monta dedans. Ils s'assirent tous les trois sur la banquette avant, à l'américaine, Frunze au volant.

Ils quittèrent la ville et s'engagèrent sur une route de terre battue qui gravissait une petite colline. Frunze arrêta la voiture. Volodia fit signe aux deux autres de descendre et de le suivre. Ils s'éloignèrent d'une centaine de mètres : la voiture aurait pu être équipée de micros, elle aussi.

Ils regardèrent le soleil se coucher sur le désert cailloux, ponctué de buissons d'épineux, et Volodia aborda l'étape numéro cinq : «Nous pensons que la prochaine bombe atomique pourrait être lâchée au-dessus de l'Union soviétique. »

Frunze hocha la tête.« Dieu nous en préserve, mais tu as probablement raison.

— Et nous sommes complètement impuissants, insista Volodia, enfonçant le clou. Nous ne pouvons prendre aucune précaution, dresser aucune barrière, nous ne pouvons rien faire pour préserver notre peuple. Il n'existe aucun moyen de défense contre la bombe atomique – la bombe que tu as fabriquée, Willi.

— Je sais», répondit Frunze, consterné. Il était clair que si l'URSS était victime d'une attaque nucléaire, il se sentirait responsable.

Sixième étape : «Notre seul moyen de protection serait d'avoir notre propre arme nucléaire. »

Frunze tiqua. «Ce n'est pas un moyen de défense, objecta-t-il.

— Non, mais c'est un moyen de dissuasion.

— Peut-être, convint-il.

— Nous ne voudrions pas que ces bombes fleurissent un peu partout, protesta Alice.

— Moi non plus, approuva Volodia, mais le seul moyen sûr d'empêcher les Américains de raser Moscou comme ils ont rasé Hiroshima serait que l'Union soviétique ait sa propre bombe atomique, pour pouvoir les menacer de représailles.

— Il a raison, Willi, murmura Alice. Bon sang, on le sait tous. »

C'était elle la plus solide des deux, comprit Volodia.

Il adopta un ton léger pour la septième étape : «Combien de bombes les Américains ont-ils pour le moment?»

C'était le moment décisif. Si Frunze répondait à cette question, il aurait franchi une ligne. Jusque-là, leur conversation s'était limitée à des généralités. Maintenant, Volodia demandait des informations secrètes.

Frunze hésita longuement. Il se tourna enfin vers Alice.

Volodia vit qu'elle lui adressait un imperceptible hochement de tête.

«Une seule», répondit Frunze.

Volodia dissimula son sentiment de triomphe. Frunze avait trahi un secret. C'était la première démarche, la plus difficile. Le deuxième secret viendrait plus aisément.

«Mais ils en auront bientôt d'autres, ajouta Frunze.

— C'est une course, et si nous la perdons, nous sommes morts, reprit Volodia d'un ton pressant. Nous devons fabriquer au moins une bombe avant que les États-Unis en aient suffisamment pour nous rayer de la carte.

— Vous y arriverez?»

Pour Volodia, c'était le signal de la huitième étape :

«Nous avons besoin d'aide.»

Il vit le visage de Frunze se fermer, et devina qu'il pensait à l'incident, quel qu'il fût, qui l'avait conduit à refuser de coopérer avec le NKVD.

«Et si nous répondons que nous ne pouvons pas vous aider? avança Alice. Que c'est trop dangereux?»

Volodia suivit son instinct. Il leva les mains dans un geste fataliste. «Je rentrerai chez moi et je dirai que j'ai échoué, répondit-il. Je ne peux pas vous obliger à faire quelque chose que vous ne voulez pas faire. Je n'ai pas l'intention d'exercer de pression ni de contrainte sur vous.

— Pas de menaces?» insista Alice.

Ce qui confirma à Volodia son intuition : les agents du NKVD avaient cherché à intimider Frunze. Ils ne pouvaient pas s'en empêcher : ils ne savaient rien faire d'autre. «Je n'essaie même pas de te convaincre, expliqua Volodia à Frunze. Je me contente de t'exposer des faits. Le reste dépend de toi. Si tu veux nous aider, je suis ici, comme contact. Si tu vois les choses autrement, point final. Vous êtes intelligents, tous les deux. Je ne pourrais pas vous tromper, même si je voulais.»

Une fois encore, ils échangèrent un regard. Volodia espérait qu'ils le trouvaient très différent des derniers agents soviétiques qui les avaient approchés.

Leur silence s'éternisa.

Ce fut Alice qui reprit enfin la parole. «De quel genre d'aide auriez-vous besoin?»

Ce n'était pas un «oui», mais c'était toujours mieux qu'un refus, et cette question menait logiquement à l'étape numéro neuf.

«Ma femme est physicienne; elle fait partie de l'équipe de recherche», leur confia Volodia, espérant se donner ainsi un visage plus humain à un moment où il risquait d'être perçu comme un manipulateur.

«Elle me dit qu'il y a plusieurs pistes qui devraient permettre de fabriquer une bombe atomique, et nous n'avons pas le temps de les explorer toutes. Nous pourrions gagner des années si nous savions ce qui a marché pour vous.

— Ça se tient», répondit Willi.

Dixième étape, la plus critique. «Il faudrait que nous sachions quel type de bombe a été larguée sur le Japon.»

Frunze avait l'air torturé. Il regarda sa femme. Cette fois, elle ne lui donna pas le feu vert en opinant du chef, mais elle ne secoua pas la tête non plus. Elle avait l'air aussi partagée que lui.

Frunze soupira. «Deux types de bombes ont été utilisés, murmura-t-il enfin.

— De conceptions différentes?» demanda Volodia, surpris et captivé.

Frunze hocha la tête. «Pour Hiroshima, ils ont utilisé une bombe à l'uranium avec un dispositif de mise à feu par charge explosive. Nous l'avions appelée *Little Boy*. La bombe lâchée sur Nagasaki, *Fat Man*, était une bombe au plutonium qui recourt à la technique de l'implosion.»

Volodia retint son souffle. C'étaient des informations de toute première importance.

«Et quelle est la plus efficace?

— À l'évidence, elles ont toutes les deux fonctionné. Mais Fat Man est plus facile à fabriquer.

— Pourquoi?

— Il faut des années pour produire suffisamment d'uranium enrichi pour fabriquer une bombe. Le plutonium est plus rapide à obtenir, à partir du moment où on a une pile atomique.

— L'URSS aurait donc intérêt à s'inspirer de Fat Man.

— Sans aucun doute.

— Il y a encore une chose que tu pourrais faire pour éviter le pire à l'Union soviétique, poursuivit Volodia.

— Quoi donc ? »

Volodia le regarda bien en face. « Me procurer les plans de fabrication. »

Willi blêmit. « Je suis citoyen américain, murmura-t-il. Ce que tu me demandes, c'est une trahison. Un crime passible de la peine de mort. Je pourrais me retrouver sur la chaise électrique. »

Et ta femme aussi, pensa Volodia. Elle est complice. Heureusement, cette idée ne t'a pas effleuré.

« J'ai demandé à bien des gens de mettre leur vie en jeu au cours de ces dernières années, dit-il. À des gens comme toi. Des Allemands qui détestaient les nazis, des hommes et des femmes qui ont pris des risques terribles pour nous communiquer les informations qui nous ont aidés à gagner la guerre. Et je vais te dire la même chose qu'à eux : beaucoup de gens mourront si tu ne le fais pas. » Il se tut. Il avait abattu son dernier atout. Il n'avait plus rien à offrir.

Frunze consulta sa femme du regard.

« Tu as fait la bombe, Willi, souffla Alice.

— Je vais y réfléchir, Volodia », répondit Frunze.

3.

Deux jours plus tard, il remettait les plans à Volodia, lequel les rapporta à Moscou.

Zoïa fut libérée. Elle était moins furieuse que lui d'avoir été emprisonnée. « Ils l'ont fait pour protéger la révolution, expliqua-t-elle. Et ils ne m'ont fait aucun mal. C'était comme un séjour dans un très mauvais hôtel. »

Le jour de son retour à la maison, après qu'ils eurent fait l'amour, il lui annonça : « J'ai quelque chose à te montrer, quelque chose que j'ai rapporté d'Amérique. »

Il roula à bas du lit, ouvrit un tiroir et en sortit un livre. « Ça s'appelle le catalogue Sears Roebuck », dit-il.

Il s'assit à côté d'elle sur le lit et ouvrit le volume.

« Regarde ça. »

Le catalogue s'ouvrit à la page des robes. Les mannequins étaient d'une minceur invraisemblable, mais les modèles étaient coupés dans des tissus lumineux et gais, avec des rayures, des carreaux, des couleurs unies, des ruchés, des plis et des ceintures. « Elle est drôlement jolie celle-là, fit Zoïa en posant le doigt sur une robe. Mais deux dollars quatre-vingt-dix-huit, ça fait beaucoup d'argent, non ?

— Pas tant que ça, répondit Volodia. Le salaire moyen est d'une cinquantaine de dollars par semaine, et le loyer du tiers, à peu près.

— Vraiment ? s'exclama Zoïa, stupéfaite. Alors la plupart des femmes pourraient sans difficulté s'offrir ce genre de robe ?

— Eh oui. Peut-être pas les paysannes. Encore que ces catalogues aient été destinés au départ aux fermiers qui vivaient à cent cinquante kilomètres du magasin le plus proche.

— Comment ça marche ?

— Tu choisis ce que tu veux dans le livre, tu leur envoies l'argent, et deux semaines plus tard, le facteur t'apporte ce que tu as commandé.

— On doit avoir l'impression d'être une tsarine. »

Zoïa lui prit le livre des mains et tourna la page. « Oh ! Regarde, il y en a encore ! » La page suivante présentait des tailleurs à quatre dollars quatre-vingt-dix-huit. « Ça aussi, c'est élégant, remarqua-t-elle.

— Regarde plus loin », suggéra Volodia.

Des pages et des pages de vêtements pour femmes, manteaux, chapeaux, chaussures, sous-vêtements, bas, pyjamas, s'étalaient sous les yeux stupéfaits de Zoïa.

« Les gens peuvent avoir tout ça ? demanda-t-elle.

— Mais oui.

— On trouve plus de choix sur une seule de ces pages que dans la plupart de nos magasins !

— C'est vrai. »

Elle continua à feuilleter lentement le catalogue. Il y avait une variété similaire de vêtements pour hommes, et même pour enfants. Zoïa montra à Volodia un épais manteau d'hiver en laine qui coûtait quinze dollars.

«À ce prix-là, j'imagine que tous les garçons d'Amérique en ont un.

— Probablement.»

Après les vêtements venaient les meubles. On pouvait acheter un lit pour vingt-cinq dollars. Tout était abordable, quand on gagnait cinquante dollars par semaine. Et c'était la même chose, page après page. Le catalogue contenait des centaines d'articles tout simplement impossibles à acheter en Union soviétique, même quand on avait de l'argent : des jeux et des jouets, des produits de beauté, des guitares, des fauteuils élégants, des appareils électriques, des romans sous des jaquettes en couleur, des décorations de Noël et des grille-pain.

Même un tracteur. «Tu crois, fit Zoïa, qu'en Amérique, n'importe quel fermier qui veut un tracteur peut l'avoir *tout de suite*?

— À condition d'avoir l'argent pour l'acheter, répondit Volodia.

— Il n'a pas besoin de s'inscrire sur une liste et d'attendre plusieurs années?

— Non.»

Zoïa referma le volume et regarda Volodia d'un air grave.

«Pourquoi des gens qui peuvent avoir tout ça voudraient-ils être communistes? demanda-t-elle.

— Bonne question», répondit Volodia.

XXII

1946

1.

Les petits Berlinois avaient inventé un nouveau jeu appelé *Komm, Frau* – «Viens, femme». Les jeux de course-poursuite entre garçons et filles étaient nombreux – une dizaine au moins – mais Carla remarqua que celui-ci avait une particularité. Les garçons faisaient équipe et prenaient une des filles pour cible. Quand ils l'avaient attrapée, ils criaient : « *Komm, Frau !*» et la jetaient par terre. Ensuite, ils la maintenaient pendant que l'un d'eux s'allongeait sur elle et mimait l'acte sexuel. Des enfants de sept et huit ans qui n'auraient pas dû savoir ce qu'était un viol jouaient ainsi parce qu'ils avaient vu ce que les soldats de l'armée Rouge faisaient aux Allemandes. Tous les Russes connaissaient au moins cette phrase en allemand : « *Komm, Frau.*»

Mais qu'est-ce qu'ils avaient, ces hommes russes? Carla n'avait jamais rencontré de femme violée par un soldat français, anglais, américain ou canadien, et pourtant elle supposait que ça devait bien arriver. A contrario, elle ne connaissait pas une seule femme âgée de quinze à cinquante-cinq ans qui n'ait été violée par au moins un soldat russe : sa mère, Maud; son amie Frieda; la mère de Frieda, Monika; Ada, leur domestique; elles avaient toutes été violées.

En même temps, elles avaient eu de la chance, parce qu'elles étaient encore en vie. Certaines, violées par des dizaines d'hommes, des heures durant, n'avaient pas survécu. Carla avait entendu parler d'une fille qui avait été mordue à mort.

Rebecca Rosen y avait échappé, cependant. Depuis que Carla l'avait prise sous sa protection, le jour de la libération de l'hôpital juif, Rebecca s'était installée chez les von Ulrich. La maison se trouvait dans le secteur soviétique, mais elle n'avait pas d'autre point de chute. Elle s'était cachée pendant des mois dans le grenier, comme une criminelle, ne sortant qu'en pleine nuit, quand ces barbares de Russes avaient sombré dans un sommeil aviné. Carla passait quelques heures là-haut avec elle, quand elle pouvait, et elles jouaient aux cartes ou se racontaient leur vie. Carla aurait voulu être une espèce de grande sœur pour elle, mais Rebecca la considérait comme une mère.

Et puis Carla avait découvert qu'elle allait vraiment être mère.

Maud et Monika, qui avaient une cinquantaine d'années, étaient trop âgées pour tomber enceintes, heureusement; et Ada avait eu de la chance. Mais Carla et Frieda avaient été engrossées par leurs violeurs.

Frieda s'était fait avorter.

C'était illégal, et une loi nazie qui punissait l'avortement de mort était encore en vigueur. Mais Frieda était allée voir une « sage-femme » d'un certain âge, qui le lui avait fait pour cinq cigarettes. Frieda avait contracté une grave infection, et serait morte si Carla n'avait pas réussi à voler de la pénicilline, un médicament encore extrêmement rare, à l'hôpital.

Carla avait décidé de garder son bébé.

Ses sentiments à ce sujet passaient avec violence d'un extrême à l'autre. Quand elle souffrait de nausées matinales, elle fulminait contre les sauvages qui avaient profané son corps et lui avaient infligé ce fardeau. À d'autres moments, elle se surprenait à rester assise, les mains sur le ventre, le regard perdu dans le vide, rêvant à de petits vêtements de bébé. Elle se demandait alors si les traits de l'enfant lui rappelleraient l'un des hommes et lui feraient haïr sa propre progéniture. Il aurait certainement aussi quelque chose des von Ulrich, non? Elle était terrifiée et angoissée.

En janvier 1946, elle était enceinte de huit mois. Comme la plupart des Allemands, elle était également gelée, affamée et complètement démunie. Lorsque sa grossesse avait commencé à se voir, elle avait dû renoncer à son poste d'infirmière et rejoindre les millions de chômeurs. Les rations alimentaires étaient distribuées tous les dix jours. Pour ceux qui ne bénéficiaient pas de privilèges particuliers, la ration quotidienne était de mille cinq cents calories. Encore fallait-il avoir de quoi payer, évidemment. Et même quand on avait de l'argent et des tickets de rationnement, il arrivait qu'on ne trouve tout simplement aucune denrée alimentaire à acheter.

Carla avait envisagé de demander aux Soviétiques un traitement spécial parce qu'elle leur avait transmis de précieuses informations pendant la guerre. Mais Heinrich, qui s'y était risqué, avait vécu une expérience épouvantable. Les services de renseignement de l'armée Rouge s'étaient attendus à ce qu'il continue à espionner pour leur compte et lui avaient demandé d'infiltrer l'armée américaine. Quand il s'était dérobé, les choses avaient mal tourné, et ils avaient menacé de l'envoyer en camp de travail. Il s'en était sorti en disant qu'il ne parlait pas anglais et ne pouvait donc pas leur être utile. Ainsi avertie, Carla avait préféré se faire oublier.

Ce jour-là, Carla et Maud étaient contentes parce qu'elles avaient vendu un meuble. C'était une commode Jugendstil en loupe de chêne clair que les parents de Walter avaient achetée pour leur mariage, en 1889. Carla, Maud et Ada l'avaient chargée sur une charrette à bras qu'elles avaient empruntée.

Il n'y avait toujours pas d'homme chez elles. Erik et Werner faisaient partie des millions de soldats allemands portés disparus. Peut-être étaient-ils morts. Le colonel Beck avait confié à Carla que près de trois millions d'Allemands avaient été tués au cours des combats sur le front est, et que davantage encore avaient péri – de faim, de froid ou de maladie – dans des camps de prisonniers. Deux autres millions étaient toujours vivants et trimaient dans des camps de travail en Union soviétique. Quelques-uns étaient rentrés : certains s'étaient évadés, d'autres avaient été libérés parce qu'ils étaient trop malades pour accomplir une quelconque besogne, et ils avaient rejoint les milliers de personnes déplacées qui arpentaient les routes de toute l'Europe, s'efforçant de rentrer chez elles. Carla et Maud leur avaient adressé des lettres aux bons soins de l'armée Rouge, mais n'avaient jamais eu de réponse.

Carla se torturait à la perspective du retour de Werner. Elle l'aimait toujours, et espérait de tout son cœur qu'il était sain et sauf, ce qui ne l'empêchait pas de redouter leurs retrouvailles alors qu'elle portait le bébé d'un violeur. Elle n'y était pour rien, mais elle éprouvait une honte irrationnelle.

Les trois femmes poussaient donc leur charrette dans les rues. Elles avaient laissé Rebecca à la maison. Après avoir atteint un point culminant cauchemardesque, l'orgie de viols et de pillages de l'armée Rouge semblait être retombée, et Rebecca avait quitté son grenier. Néanmoins, il n'était pas encore très sûr pour une jolie fille de se promener dans les rues.

D'immenses portraits de Lénine et de Staline dominaient maintenant Unter den Linden, l'ancien lieu de promenade préféré de la société élégante. La plupart des rues de Berlin avaient été déblayées, et les décombres des immeubles détruits formaient des tas de gravats espacés d'une centaine de mètres, prêts à être réutilisés, peut-être, si les Allemands arrivaient un jour à reconstruire leur pays. Des hectares d'habitations avaient été rasés, souvent par pâtés de maisons entiers. Il faudrait des années pour nettoyer la ville. Des milliers de cadavres pourrissaient dans les ruines, et tout l'été, l'odeur de chair humaine corrompue avait plané dans l'air. Maintenant, cela n'empestait plus qu'après la pluie.

La ville avait été provisoirement divisée en quatre secteurs : russe, américain, anglais et français. Beaucoup de bâtiments encore debout avaient été réquisitionnés par les troupes d'occupation et les Berlinois vivaient où ils pouvaient, cherchant parfois un abri précaire dans les pièces restantes de maisons à moitié démolies. L'eau courante avait été rétablie et l'électricité fonctionnait par intermittence, mais on avait du mal à trouver du combustible pour se chauffer et faire la cuisine. La commode serait peut-être presque aussi précieuse une fois débitée en bois de chauffage.

Elles l'avaient transportée à Wedding, dans le secteur français, où elles l'avaient vendue à un charmant colonel contre une cartouche de Gitanes. La monnaie d'occupation n'avait plus aucune valeur, parce que les Russes en imprimaient trop, et tout se troquait contre des cigarettes.

À présent, elles revenaient triomphantes. Maud et Ada tiraient la charrette vide pendant que Carla, qui l'avait poussée à l'aller et avait mal partout, marchait à côté. Elles étaient riches : avec toute une cartouche de cigarettes, on pouvait acheter bien des choses.

La nuit tomba ; la température frôlait zéro degré. Pour rentrer chez elles, elles devaient traverser une petite portion de secteur britannique. Carla se demandait parfois si les Anglais auraient aidé sa mère s'ils avaient su ce qu'elle endurait. Mais après tout, Maud était citoyenne allemande depuis vingt-six ans.

Son frère, le comte Fitzherbert, était un homme fortuné et influent, mais il avait refusé de l'aider après son mariage avec Walter von Ulrich, et c'était un homme buté : il y avait peu de chances qu'il change d'attitude.

Elles tombèrent sur un attroupement : trente ou quarante personnes dépenaillées massées devant une demeure réquisitionnée par la puissance occupante. Les trois femmes s'arrêtèrent, intriguées, et virent que les badauds observaient une fête donnée à l'intérieur. Par les fenêtres, on distinguait des pièces vivement éclairées dans lesquelles des domestiques allaient et venaient avec des plateaux d'amuse-gueules qu'ils présentaient aux invités, des hommes et des femmes qui riaient, un verre à la main. Carla regarda autour d'elle. Il y avait surtout des femmes et des enfants – il ne restait plus beaucoup d'hommes à Berlin, ni même en Allemagne, à vrai dire –, aux yeux brillants d'envie, comme des pêcheurs refoulés aux portes du paradis. C'était un spectacle pathétique.

« C'est indécent », déclara Maud.

Elle remonta l'allée qui menait à la porte de la maison. Une sentinelle britannique s'interposa en disant : « *Nein, nein* », probablement les seuls mots d'allemand que ce jeune homme connaissait.

Maud lui répondit dans l'anglais châtié qu'elle avait appris dans son enfance : « Je désire voir immédiatement votre commandant. Veuillez le prévenir. »

Carla admira, comme toujours, l'aplomb et la dignité de sa mère.

Le planton contempla d'un air dubitatif le manteau élimé de Maud, mais finit par frapper à la porte, qui s'ouvrit tandis qu'une tête se penchait à l'extérieur.

« Il y a une dame anglaise qui veut voir le commandant », annonça la sentinelle.

Un instant plus tard, le battant s'écarta devant deux personnes. On aurait dit une caricature d'officier britannique flanqué de son épouse : lui en tenue de soirée avec un nœud papillon noir, elle en robe longue et collier de perles.

« Bonsoir, dit Maud. Veuillez m'excuser de perturber ainsi votre fête. »

Ils la regardèrent, stupéfaits de voir une femme en guenilles s'exprimer ainsi.

Maud poursuivit : « Vous ne vous rendez certainement pas

compte du spectacle que vous infligez à ces pauvres gens qui sont là, dehors. »

Le couple posa les yeux sur la foule.

Maud continua : « Pour l'amour du ciel, tirez au moins les rideaux. »

Après un instant de désarroi, la femme demanda : « Oh mon Dieu, George, aurions-nous fait preuve d'un terrible manque de délicatesse ?

— Peut-être, bougonna l'homme. Mais ce n'était pas intentionnel.

— Pensez-vous que nous pourrions nous racheter en leur apportant un peu de nourriture ?

— Oui, certainement, répondit Maud promptement. Ce serait gentil de votre part, et ce serait une excellente façon de présenter vos excuses. »

L'officier parut hésiter. Offrir des canapés à des Allemands qui mouraient de faim constituait probablement une violation d'un règlement quelconque.

La femme implora : « George chéri, tu veux bien ?

— Eh bien, c'est entendu », acquiesça son mari.

La femme se tourna vers Maud. « Nous ne l'avons vraiment pas fait exprès. Merci de nous avoir prévenus.

— Je vous en prie. » Et Maud redescendit l'allée.

Quelques minutes plus tard, les invités commencèrent à sortir de la maison chargés de plateaux de sandwichs et de gâteaux, qu'ils offrirent à la foule affamée. Carla sourit. L'impudence de sa mère avait été payante. Elle prit une grosse tranche de cake qu'elle engloutit avidement. Elle contenait plus de sucre qu'elle n'en avait mangé au cours des six derniers mois.

Les rideaux furent tirés, les invités regagnèrent la demeure et l'attroupement se dispersa. Maud et Ada reprirent les bras de leur charrette et recommencèrent à la pousser vers la maison. « Bravo, Mutti, lança Carla. Une cartouche de Gitanes *et* un repas gratuit, en un seul après-midi ! »

Les Russes mis à part, rares étaient les soldats d'occupation qui se montraient cruels envers les Allemands, se dit Carla. Cela l'étonnait. Les GI américains distribuaient des tablettes de chocolat. Les Français eux-mêmes, dont les propres enfants avaient connu la faim sous l'occupation allemande, faisaient souvent preuve de gentillesse. Après toutes les souffrances que nous, les

Allemands, avons infligées à nos voisins, il est surprenant qu'ils ne nous détestent pas davantage, songeait-elle. D'un autre côté, entre les nazis, l'armée Rouge et les raids aériens, ils estiment peut-être que nous avons suffisamment souffert.

Il était tard lorsqu'elles arrivèrent chez elles. Elles rendirent la charrette aux voisines qui la leur avaient prêtée, et leur donnèrent un demi-paquet de Gitanes en dédommagement. Elles rentrèrent dans la maison qui était, par bonheur, encore intacte. Il n'y avait plus de vitres à la plupart des fenêtres, et la façade de pierre était criblée d'impacts de balles et d'éclats d'obus, mais l'immeuble n'avait pas subi de dégâts structurels et les abritait encore du froid.

Cela dit, les quatre femmes vivaient désormais dans la cuisine et dormaient sur des matelas qu'elles traînaient le soir depuis le couloir. Il était déjà assez difficile de garder la chaleur dans cette unique pièce, et elles n'avaient pas de quoi chauffer le reste de la maison. Dans le temps, le poêle de la cuisine était alimenté au charbon, mais il était maintenant presque impossible de s'en procurer. Elles avaient cependant découvert qu'on pouvait y faire brûler bien d'autres choses : des livres, des journaux, des meubles réduits en morceaux, et même des voilages.

Elles dormaient à deux par matelas, Carla avec Rebecca et Maud avec Ada. Rebecca s'endormait parfois épuisée d'avoir pleuré dans les bras de Carla, comme la nuit où ses parents avaient été tués.

Exténuée par leur longue marche, Carla s'allongea aussitôt. Ada alluma le poêle avec de vieilles revues que Rebecca avait descendues du grenier. Maud ajouta de l'eau au reste de la soupe aux haricots du déjeuner, et la réchauffa en guise de dîner.

En s'asseyant pour manger, Carla eut l'impression de recevoir un coup de poignard dans le ventre. Ce n'était pas parce qu'elle avait poussé la charrette, c'était autre chose. Elle vérifia la date, compta à rebours depuis la date de libération de l'hôpital juif.

« Mutti, murmura-t-elle inquiète, je crois que le bébé arrive.

— C'est trop tôt ! s'écria Maud.

— Je suis enceinte de trente-six semaines, et je commence à avoir des contractions.

— Dans ce cas, nous ferions mieux de nous préparer. »

Maud monta à l'étage chercher des serviettes.

Ada apporta un fauteuil en bois de la salle à manger. Elle

avait récupéré sur un site bombardé un morceau de gros câble d'acier torsadé qui faisait un excellent marteau. Elle brisa le fauteuil et mit les fragments dans le poêle.

Carla posa les mains sur son ventre distendu. «Tu aurais pu attendre qu'il fasse un peu plus chaud, bébé», dit-elle.

Mais elle eut bientôt trop mal pour sentir le froid. Elle n'avait pas imaginé que l'on puisse souffrir à ce point.

Ni que cela pouvait durer aussi longtemps. Elle fut en travail toute la nuit. Maud et Ada lui tinrent la main à tour de rôle pendant qu'elle gémissait et criait. Rebecca assistait à la scène, le visage blême, épouvantée.

La lumière grise du matin filtrait à travers les journaux collés sur les fenêtres sans vitres de la cuisine quand enfin la tête du bébé apparut. Carla fut submergée par un sentiment de soulagement comme elle n'en avait jamais connu, et pourtant la douleur ne cessa pas immédiatement.

Après une dernière poussée atroce, Maud attrapa le bébé entre ses jambes.

«C'est un garçon», annonça-t-elle.

Elle lui souffla sur la figure. Il ouvrit la bouche et se mit à crier.

Elle donna le bébé à Carla et la redressa sur le matelas à l'aide de coussins qu'elle était allée chercher dans le salon.

Le bébé avait la tête couverte d'une tignasse noire.

Maud noua le cordon avec un morceau de coton et le coupa. Carla déboutonna son corsage et posa le bébé sur sa poitrine.

Elle craignait de ne pas avoir de lait. Ses seins auraient dû gonfler et suinter vers la fin de sa grossesse, or ils ne l'avaient pas fait, peut-être parce que le bébé était arrivé trop tôt, peut-être parce qu'elle était sous-alimentée. Mais après qu'il eut tété pendant quelques instants, elle éprouva une douleur curieuse, et le lait commença à couler.

Le petit ne tarda pas à s'endormir.

Ada apporta un bol d'eau chaude et un linge, et nettoya précautionneusement le visage, la tête, puis le corps du bébé.

«Comme il est beau, murmura Rebecca.

— Mutti, dit Carla, si on l'appelait Walter? Tu veux bien?»

Elle n'avait pas eu l'intention de donner à sa question un tour mélodramatique, mais Maud s'effondra. Son visage se crispa et elle se plia en deux, secouée de terribles sanglots. Elle reprit suffisamment le dessus pour balbutier «Pardon», avant d'être à nouveau submergée par le chagrin.

«Oh, Walter, mon Walter», bredouillait-elle, en larmes.

Ses pleurs finirent par se calmer.

«Pardon, répéta-t-elle encore. J'ai horreur de me donner en spectacle.» Elle s'essuya le visage avec sa manche. «J'aurais tellement voulu que ton père soit là pour voir le bébé, c'est tout. C'est tellement injuste.»

Ada les surprit en citant le Livre de Job : «Le Seigneur donne et le Seigneur reprend. Béni soit le nom du Seigneur.»

Carla ne croyait pas en Dieu – jamais un être saint digne de ce nom n'aurait permis l'existence des camps de la mort nazis –, mais cette citation la réconforta quand même. Elle voulait dire qu'il fallait tout accepter de la vie humaine, y compris la souffrance de la naissance et le chagrin de la mort. Maud sembla l'apprécier aussi, et s'apaisa peu à peu.

Carla regardait son petit Walter avec adoration. Elle se jura de s'occuper de lui, de lui procurer chaleur et nourriture quelles que puissent être les difficultés qui se dresseraient sur leur chemin. C'était le plus merveilleux bébé qui ait jamais vu le jour, elle l'aimerait et le chérirait pour toujours.

Il se réveilla, et Carla lui redonna le sein. Il téta avec satisfaction, faisant de petits bruits de succion sous le regard des quatre femmes. Et pendant un petit moment, dans la lumière crépusculaire et la chaleur de la cuisine, il n'y eut pas d'autre son.

2.

La première intervention d'un nouveau membre du Parlement, son discours inaugural, est généralement assommant. Certaines choses doivent être dites, des phrases toutes faites doivent être prononcées, et la règle veut que le sujet choisi ne prête surtout pas à controverse. Tout le monde, sympathisants comme opposants, félicite le nouvel élu, les traditions sont respectées et la glace est rompue.

Lloyd Williams prononça son premier *vrai* discours quelques mois plus tard, lors du débat sur le projet de loi concernant la protection sociale. C'était plus impressionnant pour lui.

Il le prépara en songeant à deux orateurs : son grand-père, Dai Williams, qui recourait au langage et au phrasé bibliques, non seulement au temple, mais aussi – et peut-être surtout – quand il évoquait les épreuves et les injustices de la vie des mineurs. Il adorait les mots courts, lourds de sens : labeur, péché, profit. Il parlait du foyer, de la mine et de la tombe.

Churchill en faisait autant, mais avec un humour qui manquait à Dai Williams. Ses longues périodes majestueuses s'achevaient souvent sur une image saugrenue, ou un détournement de sens. Il avait été rédacteur en chef de la *British Gazette*, le journal du gouvernement, pendant la grève générale de 1926, et avait prévenu les syndicalistes : «Que les choses soient bien claires entre nous : si vous nous infligez une nouvelle grève générale, nous vous infligerons une nouvelle *British Gazette*.» Lloyd estimait qu'un discours devait contenir des surprises de ce genre. C'était comme les raisins dans un pudding.

Mais quand il se leva pour prendre la parole, il trouva soudain que les phrases qu'il avait si soigneusement ciselées sonnaient creux. De toute évidence, son public partageait cette impression : il sentait bien que les cinquante ou soixante députés présents ne lui prêtaient qu'une oreille distraite. Il fut pris d'un moment de panique : comment pouvait-il ennuyer tout le monde avec un sujet tellement important pour ceux qu'il représentait ?

Sur le premier banc du gouvernement, il aperçut sa mère, devenue ministre des Écoles, et son oncle Billy, ministre du Charbon. Lloyd savait que Billy Williams était descendu pour la première fois dans la mine à l'âge de treize ans. Ethel avait le même âge quand elle avait commencé à briquer les parquets de Tŷ Gwyn. Ce débat n'était pas une histoire de belles formules; c'était leurs vies dont il était question.

Au bout d'une minute, il abandonna son texte et commença à improviser. Il rappela les souffrances des familles de la classe ouvrière ruinées par le chômage ou l'invalidité, les drames auxquels il avait assisté de ses propres yeux dans l'East End à Londres et dans les mines de charbon de Galles du Sud. Sa voix trahissait son émotion, ce qui l'embarrassait, mais il poursuivit tout de même. Il sentit que son public commençait à l'écouter. Il parla de son grand-père et de bien d'autres, de tous ceux qui avaient lancé le mouvement travailliste en rêvant qu'une assurance chômage universelle bannirait à jamais le spectre de la misère. Quand il se rassit, son discours fut salué par un tonnerre d'acclamations.

Dans la galerie des visiteurs, sa femme, Daisy, souriait fièrement, le pouce levé en signe de victoire.

Il écouta le reste des débats, rouge de satisfaction. Il avait l'impression d'avoir passé avec succès sa première véritable épreuve de député.

Plus tard, dans le hall, un whip travailliste, un des parlementaires chargés de la discipline du parti, s'approcha de lui. Après l'avoir félicité pour son discours, il lui demanda s'il aimerait devenir attaché parlementaire.

Lloyd était aux anges. Chaque ministre et secrétaire d'État avait au moins un attaché. En réalité, ceux-ci n'étaient que des porteurs de serviette, mais ce poste était souvent un tremplin pour une nomination ministérielle.

« J'en serais très honoré, répondit Lloyd. Pour qui devrais-je travailler ?

— Ernie Bevin. »

Quelle chance ! Lloyd osait à peine à y croire. Bevin était ministre des Affaires étrangères, et le plus proche collaborateur du Premier ministre, Attlee. L'intimité entre ces deux hommes était un bon exemple d'attirance des contraires. Attlee était issu de la classe moyenne : fils d'avocat, diplômé d'Oxford, officier pendant la Première Guerre mondiale. Bevin, quant à lui, était le fils illégitime d'une femme de chambre, il n'avait jamais connu son père, avait commencé à travailler à onze ans et fondé la Transport and General Workers Union, le très puissant syndicat des transports et des travailleurs. Ils étaient aussi physiquement différents qu'il est possible de l'être : Attlee était mince et soigné de sa personne, calme et solennel, tandis que Bevin était un colosse aux éclats de rire tonitruants. Le ministre des Affaires étrangères appelait le Premier ministre « Petit Clem ». Ce qui ne les empêchait pas d'être des alliés indéfectibles.

Bevin était un héros aux yeux de Lloyd et de millions d'Anglais ordinaires.

« Rien ne pourrait me faire plus plaisir, répondit Lloyd. Mais Bevin n'a-t-il pas déjà un attaché parlementaire ?

— Il lui en faut deux, répondit le whip. Présentez-vous demain matin à neuf heures au Foreign Office. Vous commencerez tout de suite.

— Merci ! »

Lloyd se rua dans le couloir aux lambris de chêne, en direction du bureau de sa mère. Il devait y retrouver Daisy après la séance.

« Mam ! cria-t-il en entrant. Je viens d'être nommé attaché parlementaire d'Ernie Bevin ! »

C'est alors qu'il remarqua qu'Ethel n'était pas seule. Le comte Fitzherbert se trouvait avec elle.

Fitz posa sur Lloyd un regard chargé de surprise autant que d'aversion.

Malgré son émoi, Lloyd remarqua que son père portait un costume gris clair à veston croisé extrêmement bien coupé.

Il se tourna vers sa mère. Elle était parfaitement calme. Cette rencontre n'avait pas l'air de la surprendre. C'était elle qui avait dû la manigancer.

Le comte en vint à la même conclusion. « Qu'est-ce que cela veut dire, Ethel ? »

Lloyd avait les yeux rivés sur l'homme dont le sang coulait dans ses veines. Cette situation gênante n'empêchait pas Fitz de conserver son assurance et sa dignité. Il était beau, malgré la paupière tombante que lui avait laissée la bataille de la Somme. Il s'appuyait sur une canne, autre héritage de la guerre. À quelques mois de ses soixante ans, il était tiré à quatre épingles, ses cheveux gris soigneusement coupés, sa cravate argent impeccablement nouée, ses chaussures noires parfaitement lustrées. Lloyd aimait, lui aussi, être sur son trente et un. C'est de lui que je tiens ça, se dit-il.

Ethel s'approcha tout près du comte, supprimant toute distance physique entre eux. Lloyd connaissait suffisamment sa mère pour comprendre ce geste : elle n'hésitait pas à user de son charme quand elle voulait gagner un homme à sa cause. Tout de même, Lloyd n'aimait pas beaucoup la voir aussi chaleureuse envers celui qui avait profité d'elle avant de la laisser tomber.

« J'ai été vraiment navrée d'apprendre la mort de Boy, dit-elle à Fitz. Nos enfants sont notre bien le plus précieux, n'est-ce pas ?

— Je dois y aller », marmonna Fitz.

Avant cette rencontre, Lloyd n'avait fait que croiser son père. C'était la première fois qu'il passait autant de temps en sa présence, la première fois qu'il l'entendait prononcer autant de mots d'affilée. Il avait beau être mal à l'aise, il n'en était pas moins fasciné. Bien que bougon, il avait vraiment de l'allure.

«Je vous en prie, Fitz, reprit Ethel. Vous avez un fils que vous n'avez jamais reconnu – un fils dont vous devriez être fier.

— Vous n'auriez pas dû faire ça, Ethel, répliqua Fitz. Un homme a le droit d'oublier ses erreurs de jeunesse.»

Lloyd était mortifié, mais sa mère insista.

«Pourquoi voudriez-vous l'oublier? Je sais bien que c'était une erreur, mais regardez-le, maintenant : il est député, il vient de faire un discours enthousiasmant, et d'être nommé attaché parlementaire du ministre des Affaires étrangères.»

Fitz refusait obstinément de poser les yeux sur Lloyd.

«Vous voudriez faire comme si notre liaison avait été une aventure sans importance, poursuivit Ethel, mais vous savez la vérité. Oui, nous étions jeunes et stupides, et fougueux bien sûr – vous comme moi –, mais nous nous aimions; nous nous aimions vraiment, Fitz. Il va bien falloir que vous l'admettiez. Vous ne savez donc pas qu'en refusant de reconnaître la vérité sur vous-même, vous aliénez votre âme?»

Le visage de Fitz avait perdu un peu de son impassibilité. Il avait visiblement du mal à se dominer. Lloyd comprit que sa mère avait mis le doigt sur le véritable problème. Ce n'était pas tant que Fitz avait honte de ce fils illégitime, c'était avant tout qu'il était trop fier pour reconnaître qu'il avait été amoureux d'une femme de chambre. Il aimait probablement Ethel plus que sa propre femme, subodora Lloyd. Et cela bouleversait ses convictions fondamentales sur la hiérarchie sociale.

Lloyd ouvrit la bouche pour la première fois. «J'étais aux côtés de Boy lors de ses derniers moments, monsieur. Il est mort en brave.»

Pour la première fois, Fitz le regarda. «Mon fils n'a que faire de votre approbation», lança-t-il.

Lloyd eut l'impression d'avoir été giflé.

Ethel elle-même fut outrée. «Fitz! s'exclama-t-elle. Comment pouvez-vous être aussi mesquin?»

C'est alors que Daisy fit son entrée.

«Bonjour, Fitz, dit-elle gaiement. Vous pensiez probablement avoir réussi à vous débarrasser de moi, et vous revoilà mon beau-père. C'est amusant, non?

— J'essayais précisément de convaincre Fitz de serrer la main de Lloyd, lui expliqua Ethel.

— Dans toute la mesure du possible, j'évite de serrer la main à des socialistes», rétorqua Fitz.

Ethel livrait un combat perdu d'avance, mais elle n'était pas femme à s'avouer vaincue.

«Ne voyez-vous pas à quel point il tient de vous! Il vous ressemble, il s'habille comme vous, il partage votre goût pour la politique – il finira probablement ministre des Affaires étrangères, ce que vous avez toujours voulu être!»

L'expression de Fitz s'assombrit encore. «Il est fort improbable désormais que je devienne jamais ministre des Affaires étrangères.» Il se dirigea vers la porte. «Et rien ne saurait me déplaire davantage que de voir ce grand ministère occupé par mon bâtard bolchevique.» Sur ces mots, il sortit.

Ethel fondit en larmes.

Daisy passa son bras autour des épaules de Lloyd. «Quel mufle, s'écria-t-elle.

— Ne te frappe pas, répondit Lloyd. Je ne suis ni scandalisé, ni déçu.» Ce n'était pas vrai, mais il ne voulait surtout pas apitoyer les autres sur son sort. «Voici bien longtemps qu'il m'a rejeté.» Il regarda Daisy avec adoration. «Et par bonheur, il y a beaucoup d'autres gens qui m'aiment.

— Tout est de ma faute, murmura Ethel d'une voix entrecoupée de sanglots. Je n'aurais jamais dû lui demander de passer. Je pouvais me douter que ça tournerait mal.

— Ne vous en faites pas, voyons, la réconforta Daisy. J'ai une bonne nouvelle pour vous.»

Lloyd la regarda en souriant. «De quoi s'agit-il?»

Elle se tourna vers Ethel. «Êtes-vous prête?

— Je crois.

— Allez, insista Lloyd. Qu'est-ce que c'est?

— Nous allons avoir un bébé», annonça Daisy.

3.

Erik, le frère de Carla, rentra à la maison cet été-là. Il était aux portes de la mort. Il avait attrapé la tuberculose en Russie, dans un camp de prisonniers, et avait été libéré quand il avait été trop malade pour travailler. Il avait dormi à la dure pendant des semaines, voyagé dans des trains de marchandises et demandé à des camionneurs de lui faire faire un bout de chemin. Il arriva chez les von Ulrich pieds nus et vêtu de haillons crasseux. Il avait un visage cadavérique.

Mais il ne mourut pas. Était-ce de se retrouver parmi des gens qui l'aimaient, le temps plus clément à l'approche du printemps, ou seulement le repos? Toujours est-il qu'il commença à moins tousser et reprit assez de forces pour pouvoir effectuer de petits travaux dans la maison, clouer des planches sur les fenêtres brisées, réparer les tuiles du toit, déboucher la tuyauterie.

Par bonheur, au début de l'année, Frieda Franck avait déniché un filon en or.

Ludwig Franck avait été tué dans le raid aérien qui avait détruit son usine, et pendant un moment, Frieda et sa mère s'étaient retrouvées dans la même misère que les autres. Mais elle avait obtenu un poste d'infirmière dans le secteur américain, et peu après – ainsi qu'elle l'expliqua à Carla –, un petit groupe de médecins lui avait demandé d'écouler leurs surplus de vivres et de cigarettes au marché noir, en échange d'une partie du produit de la vente. Et depuis, elle arrivait chez Carla une fois par semaine avec un panier contenant des vêtements chauds, des bougies, des piles pour les torches électriques, des allumettes, du savon et des denrées alimentaires – bacon, chocolat, pommes, riz, pêches en conserve. Maud partageait les provisions en portions et en donnait une double ration à Carla. Laquelle acceptait sans scrupules, pas pour elle-même, mais pour pouvoir nourrir son bébé, le petit Walli.

Sans la manne de Frieda, Walli n'aurait peut-être pas survécu.

Il grandissait vite. La tignasse noire de sa naissance avait disparu et laissé place à des cheveux blonds, fins. À six mois, il avait les merveilleux yeux verts de Maud. Alors que son petit visage prenait forme, Carla nota un pli cutané au coin des yeux qui lui faisait des yeux bridés, et elle se demanda si son père n'était pas sibérien. Elle ne se souvenait pas de tous les hommes qui l'avaient violée. La plupart du temps, elle avait fermé les yeux.

Elle ne les détestait plus. C'était bizarre, mais elle était tellement heureuse d'avoir Walli qu'elle n'arrivait même plus à regretter ce qui s'était passé.

Rebecca était fascinée par Walli. Elle avait maintenant tout juste quinze ans, et était en âge d'éprouver les premiers frémissements d'instinct maternel. C'est avec empressement qu'elle aidait Carla à baigner et à habiller le bébé, elle jouait tout le temps avec lui, et il se mettait à glousser de ravissement dès qu'il la voyait.

Lorsque Erik fut suffisamment rétabli, il adhéra au parti communiste.

Carla n'en revenait pas. Après tout ce que les Soviétiques lui avaient fait endurer, comment pouvait-il prendre une décision pareille? Mais elle se rendit compte qu'il parlait du communisme exactement comme du nazisme dix ans plus tôt. Elle espérait seulement que, cette fois, la désillusion serait plus rapide.

Les Alliés avaient hâte que la démocratie soit rétablie en Allemagne, et il devait y avoir des élections municipales à Berlin un peu plus tard dans l'année.

Carla était sûre que la ville ne retrouverait pas une vie normale tant que son propre peuple n'aurait pas repris son administration en main. Elle décida donc de défendre la cause du parti social-démocrate. Mais les Berlinois ne tarderaient pas à découvrir que les occupants soviétiques avaient une curieuse notion de la démocratie.

Les Russes avaient été déconcertés par le résultat des élections en Autriche, au mois de novembre précédent. Les communistes autrichiens s'attendaient à faire jeu égal avec les socialistes, or ils n'avaient remporté que quatre sièges sur cent soixante-cinq. Apparemment, les électeurs mettaient sur le dos du communisme la barbarie de l'armée Rouge. Le Kremlin, qui n'était pas habitué aux élections libres, ne l'avait pas prévu.

Pour éviter un résultat similaire en Allemagne, les Soviétiques suggérèrent que les communistes et les sociaux-démocrates fusionnent au sein d'un front commun. Les sociaux-démocrates refusèrent, malgré les pressions. En Allemagne de l'Est, les Russes commencèrent à arrêter les sociaux-démocrates, exactement comme les nazis l'avaient fait en 1933, et la fusion fut imposée de force. Mais les élections berlinoises étant supervisées par les quatre Alliés, les sociaux-démocrates réussirent à survivre.

Lorsque le temps se réchauffa, Carla put aller faire la queue pour le ravitaillement comme les autres membres de la maisonnée. Elle portait Walli enroulé dans une taie d'oreiller – elle n'avait pas de vêtements de bébé. Un matin où elle faisait la queue pour des pommes de terre, à quelques rues de chez elle, elle vit s'arrêter une Jeep américaine et eut la surprise de recon-

940

naître Frieda, assise à côté du conducteur. Lequel conducteur, un homme d'un certain âge, aux tempes dégarnies, l'embrassa sur la bouche avant qu'elle descende d'un bond. Elle portait une robe bleue sans manches et des chaussures neuves. Elle s'éloigna rapidement et se dirigea vers la maison des von Ulrich, avec son petit panier.

En un éclair, Carla comprit tout : Frieda ne faisait pas de marché noir, il n'y avait pas de groupe de médecins ; elle était la maîtresse d'un officier américain.

Cela n'avait rien d'exceptionnel. Des milliers de jolies Allemandes s'étaient trouvées devant la même alternative : laisser mourir leur famille ou coucher avec un officier généreux. Les Françaises en avaient fait autant sous l'occupation allemande ; les épouses d'officiers restées en Allemagne s'en étaient suffisamment plaintes.

Carla n'en fut pas moins horrifiée. Elle qui croyait que Frieda aimait Heinrich ! Ils avaient l'intention de se marier dès que la vie aurait retrouvé un semblant de normalité. Elle en avait la mort dans l'âme.

Lorsqu'elle arriva au bout de la queue, elle acheta sa ration de pommes de terre et rentra précipitamment chez elle.

Elle trouva Frieda à l'étage, au salon. Erik avait fait le ménage dans la pièce et mis des journaux aux fenêtres, ce qui était la meilleure solution faute de verre. Les rideaux avaient été depuis longtemps recyclés en draps de lit, mais la plupart des fauteuils étaient toujours là, avec leur tissu fané et élimé, tout comme le piano à queue, miraculeusement. Un officier russe l'avait remarqué et avait annoncé qu'il reviendrait le lendemain avec une grue pour le faire sortir par la fenêtre, mais on ne l'avait jamais revu.

Frieda prit aussitôt Walli des bras de Carla et commença à lui chanter «A, B, C, die Katze lief im Schnee». Carla avait remarqué que Rebecca et Frieda, qui n'avaient pas encore d'enfants, ne se lassaient jamais de jouer avec le bébé. Alors que Maud et Ada, qui en avaient eu, l'adoraient et s'en occupaient également, mais de façon plus pragmatique.

Frieda souleva le couvercle du piano et encouragea Walli à taper sur les touches pendant qu'elle chantait. Il y avait des années que personne ne l'avait ouvert : Maud n'avait pas joué une note depuis la mort de son dernier élève, Joachim Koch.

Au bout de quelques minutes, Frieda s'adressa à Carla :

« Tu as l'air bien sérieuse aujourd'hui. Qu'y a-t-il ?

— Je sais comment tu obtiens la nourriture que tu nous apportes, répondit Carla. Ce n'est pas au marché noir.

— Bien sûr que si, protesta Frieda. Qu'est-ce que tu racontes ?

— Je t'ai vue descendre d'une Jeep tout à l'heure.

— Le colonel Hicks m'a déposée en passant.

— Il t'a embrassée sur la bouche. »

Frieda détourna le regard. « J'aurais dû descendre plus tôt, je le savais bien. J'aurais pu venir à pied du secteur américain.

— Frieda, et Heinrich ?

— Il ne le saura jamais ! Je serai plus prudente dorénavant, je te le jure.

— Tu l'aimes toujours ?

— Mais bien sûr ! Nous allons nous marier.

— Alors, pourquoi... ?

— J'en ai assez des privations ! Je veux pouvoir mettre de jolis vêtements, aller en boîte de nuit et danser.

— Non, ce n'est pas ça, dit fermement Carla. Tu ne peux pas me raconter d'histoires à moi, Frieda – nous sommes amies depuis trop longtemps. Dis-moi la vérité.

— La vérité ?

— Oui, s'il te plaît.

— Tu es sûre ?

— Oui.

— Je l'ai fait pour Walli. »

Carla étouffa un hoquet de surprise. Cela ne lui serait jamais venu à l'esprit, mais cela tenait debout. Frieda était certainement capable de faire un tel sacrifice pour son bébé et pour elle.

Elle se sentit affreusement coupable. C'était en quelque sorte sa faute si Frieda se prostituait.

« C'est affreux ! s'exclama Carla. Tu n'aurais jamais dû faire ça. Nous aurions réussi à nous en sortir, d'une façon ou d'une autre. »

Frieda bondit du tabouret de piano, tenant toujours le bébé.

« Non, ce n'est pas vrai ! » s'emporta-t-elle.

Effrayé, Walli se mit à pleurer. Carla le prit dans ses bras, le berça, lui tapota le dos.

« Non, tu n'y serais pas arrivée, poursuivit Frieda, plus calmement.

— Comment peux-tu dire ça ?

— Pendant tout l'hiver dernier, des bébés sont arrivés à l'hôpital, nus, enveloppés dans des journaux, morts de faim et de froid. Ça me brisait le cœur de les voir.

— Oh mon Dieu, fit Carla en serrant Walli plus fort.

— Ils prennent une couleur bleue bien particulière quand ils meurent gelés.

— Arrête.

— Il faut que je te le dise, sans quoi tu ne comprendras pas ce que j'ai fait. Walli aurait été un de ces bébés bleus, morts de froid.

— Je sais, souffla Carla. Je sais.

— Percy Hicks est gentil. C'est un brave homme qui a une femme un peu popote à Boston, et je suis la créature la plus affriolante qu'il ait vue de sa vie. Il est tendre et rapide pendant l'amour, et il utilise toujours un préservatif.

— Tu devrais arrêter.

— Tu ne penses pas ce que tu dis.

— Non, avoua Carla. Je ne le pense pas, et c'est ce qu'il y a de pire. Je me sens tellement coupable. Je suis coupable.

— Mais non. C'est moi qui l'ai voulu. Les Allemandes ont des choix douloureux à faire. Nous payons les décisions faciles que les hommes de notre pays ont prises il y a quinze ans. Des hommes comme mon père, qui pensaient que l'arrivée d'Hitler au pouvoir serait bonne pour les affaires, ou comme le père d'Heinrich, qui ont voté la loi sur les pleins pouvoirs. Les péchés des pères retombent sur les filles. »

Un coup violent retentit à la porte d'entrée. Un instant plus tard, ils entendirent Rebecca grimper l'escalier quatre à quatre pour se cacher, craignant l'armée Rouge.

Et puis la voix d'Ada : « Oh, monsieur ! Bonjour ! » Elle avait l'air surprise et vaguement inquiète, mais pas effrayée. Carla se demanda qui pouvait bien inspirer cette réaction à leur domestique.

Un pas masculin monta pesamment les marches, et Werner apparut sur le seuil.

Il était sale, déguenillé et maigre comme un clou, mais son beau visage arborait un grand sourire : « C'est moi ! s'écria-t-il avec exubérance. Je suis rentré ! »

Et puis il vit le bébé. Sa mâchoire tomba, et son sourire radieux s'effaça.

« Oh, bafouilla-t-il. Que... qui... À qui est ce bébé ? »

— À moi, mon chéri, répondit Carla. Laisse-moi t'expliquer.

— M'expliquer quoi? répliqua-t-il, furieux. Il n'y a rien à expliquer? Tu as eu un enfant d'un autre! »

Il tourna les talons.

Frieda se dressa d'un bond : « Werner! Dans cette pièce, il y a deux femmes qui t'aiment. Ne t'en va pas avant de nous avoir écoutées. Tu ne comprends pas.

— Je crois que je comprends très bien.

— Carla a été violée. »

Il blêmit. « Violée? Par qui?

— Je n'ai jamais su leurs noms, répondit Carla.

— Leurs noms? répéta Werner en déglutissant péniblement. Il... Il y en a eu plusieurs?

— Cinq. Des soldats de l'armée Rouge.

— Cinq? » fit-il d'une voix réduite à un souffle.

Carla hocha la tête.

« Mais... tu n'aurais pas pu... Je veux dire...

— Werner, moi aussi, j'ai été violée, intervint Frieda. Maman également.

— Bon sang! Mais qu'est-ce qui s'est passé, ici?

— C'était l'enfer », répondit Frieda.

Werner se laissa tomber lourdement sur un fauteuil de cuir usé. « Moi qui croyais que l'enfer, c'était là où j'étais », murmura-t-il.

Il enfouit son visage dans ses mains.

Carla traversa la pièce, Walli dans ses bras, et se campa devant le fauteuil de Werner : « Regarde-moi, Werner. Je t'en prie. »

Il leva vers elle un visage ravagé.

« L'enfer, c'était hier, dit-elle.

— Vraiment?

— Oui, répondit-elle fermement. La vie est dure, mais les nazis sont partis, la guerre est finie. Hitler est mort, et les violeurs de l'armée Rouge ont été ramenés à l'ordre, plus ou moins. Le cauchemar est terminé. Nous sommes tous les deux en vie, et ensemble. »

Il tendit le bras et lui prit la main.

« C'est vrai.

— Nous avons Walli, et dans une minute, tu vas faire la connaissance de Rebecca. Elle a quinze ans et c'est un peu ma fille à présent. Il va falloir fonder une famille avec ce que la guerre nous a laissé, exactement comme il va falloir reconstruire des maisons avec les décombres entassés dans les rues. »

Il hocha la tête en signe d'acquiescement.

« J'ai besoin de ton amour, poursuivit-elle. Rebecca et Walli aussi. »

Il se releva lentement. Elle le regardait d'un air plein d'espoir. Il ne répondit pas, mais au bout d'un long moment, il la serra dans ses bras, le bébé avec elle, les enlaçant tous les deux avec une infinie tendresse.

4.

Les réglementations de guerre étant toujours en vigueur, le gouvernement britannique avait le droit d'ouvrir des mines de charbon partout, avec ou sans l'assentiment du propriétaire du terrain. Des indemnités n'étaient versées qu'en cas de perte de revenus lorsqu'il s'agissait de terres agricoles ou de propriétés commerciales.

En tant que ministre du Charbon, Billy Williams autorisa l'exploitation d'une houillère à ciel ouvert sur le domaine de Tŷ Gwyn, propriété ancestrale du comte Fitzherbert, à la périphérie d'Aberowen.

Aucune compensation n'était due, puisqu'il s'agissait d'un parc d'agrément.

Un tollé s'éleva des bancs des conservateurs, à la Chambre des communes. « Votre crassier se trouvera juste sous les fenêtres de la chambre à coucher de la comtesse ! » protesta un tory indigné.

Billy Williams sourit. « Il y a cinquante ans que les fenêtres de ma mère donnent sur le crassier du comte », rétorqua-t-il.

Lloyd Williams et Ethel accompagnèrent Billy à Aberowen, la veille du jour où les ingénieurs devaient commencer les travaux d'excavation. Lloyd hésitait à laisser Daisy, qui devait accoucher deux semaines plus tard, mais c'était un moment historique et il tenait à y assister.

Ses deux grands-parents avaient maintenant près de quatre-vingts ans. Granda était presque aveugle, malgré ses lunettes en cul de bouteille, et Grandmam était toute voûtée. « Mes deux enfants sont là. C'est bien agréable », se réjouit-elle quand ils furent tous assis autour de la vieille table de la cuisine. Elle leur servit un ragoût de bœuf avec une purée de navets et de grosses tranches de pain qu'elle faisait elle-même, sur lesquelles était tartinée la graisse figée du jus de cuisson. Le tout arrosé de grandes tasses de thé au lait sucré.

Lloyd avait souvent fait ce genre de repas quand il était petit, mais trouvait maintenant que ce menu manquait de raffinement. Il savait que même dans les périodes les plus difficiles, en France et en Espagne, les femmes réussissaient à servir des plats savoureux, délicatement assaisonnés d'ail et agrémentés d'épices. Il avait honte de se montrer aussi difficile, et faisait semblant de se régaler.

« C'est quand même dommage pour les jardins de Tŷ Gwyn », lâcha abruptement Grandmam.

Billy fut piqué au vif. « Qu'est-ce que tu racontes ? L'Angleterre a besoin de charbon.

— Mais les gens aiment ce parc. Il est si beau. J'y vais au moins une fois par an depuis que je suis petite fille. Quel dommage qu'il disparaisse !

— Il y a un jardin public tout à fait agréable au centre d'Aberowen !

— Ce n'est pas pareil, s'obstina Grandmam.

— Les femmes ne comprendront jamais rien à la politique, observa Granda.

— C'est sans doute vrai », répondit Grandmam.

Lloyd croisa le regard de sa mère. Elle lui sourit sans rien dire.

Billy et Lloyd partagèrent la deuxième chambre, tandis qu'Ethel se fit un lit par terre dans la cuisine.

« J'ai dormi dans cette chambre toutes les nuits de ma vie, jusqu'à mon départ pour l'armée, confia Billy à Lloyd alors qu'ils s'allongeaient. Et tous les matins, en regardant par la fenêtre, j'ai vu ce putain de crassier.

— Pas si fort, oncle Billy, chuchota Lloyd. Tu ne voudrais pas que ta mère t'entende jurer.

— Zut, tu as raison ».

Le lendemain matin, après le petit déjeuner, ils montèrent tous à pied vers le château. Il faisait doux, et pour une fois, il ne pleuvait pas. Le profil de la crête montagneuse, à l'horizon, était adouci par l'herbe d'été. Alors que Tŷ Gwyn apparaissait à leurs regards, Lloyd ne put s'empêcher d'y voir une belle demeure plus qu'un symbole d'oppression. C'étaient les deux, bien sûr : rien n'était simple, en politique.

Le grand portail de fer forgé était ouvert. La famille Williams entra dans le parc où une foule s'était déjà rassemblée : les ouvriers de l'entreprise avec leurs machines, une centaine de mineurs accompagnés de leurs femmes et de leurs enfants, le comte Fitzherbert et son fils Andrew, une poignée de journalistes avec leurs calepins et une équipe de tournage.

Les jardins étaient d'une beauté à couper le souffle. L'allée de vieux châtaigniers formait un berceau de feuillage, des cygnes évoluaient sur le lac et les parterres de fleurs éclataient de mille couleurs. Lloyd se dit que le comte avait dû veiller à ce que le parc se présente sous son plus beau jour pour mieux dénoncer aux yeux du monde le vandalisme du gouvernement travailliste.

Lloyd ne put se défendre d'un sentiment de compassion envers Fitz.

Le maire d'Aberowen s'adressait à la presse : «Les gens de cette ville sont contre cette exploitation à ciel ouvert», disait-il. Lloyd fut étonné : le conseil municipal était travailliste, et ce n'était certainement pas de gaieté de cœur qu'il s'opposait ainsi à une décision gouvernementale. «Depuis plus de cent ans, la beauté de ces jardins rafraîchit l'âme de ceux qui vivent dans un sinistre paysage industriel», poursuivit le maire. Abandonnant son discours préparé pour se laisser aller à des souvenirs personnels, il ajouta : «J'ai demandé la main de ma femme sous ce cèdre. »

Il fut interrompu par un fracas assourdissant, semblable aux pas d'un géant de fer. Se retournant, Lloyd vit une énorme machine approcher dans l'allée. On aurait dit la plus grande grue du monde. Elle était munie d'une immense flèche d'une trentaine de mètres de long et d'un godet dans lequel on aurait pu aisément faire tenir un camion. Mais le plus surprenant était qu'elle avançait sur des soles d'acier rotatives qui ébranlaient le sol chaque fois qu'elles se posaient.

Billy dit fièrement à Lloyd : «C'est une excavatrice Monaghan à pattes et à bennes traînantes. Elle est capable de retirer six tonnes de terre à la fois. »

La caméra commença à filmer tandis que le monstrueux engin remontait l'allée.

Lloyd n'avait qu'un reproche à faire au parti travailliste : il y avait chez beaucoup de socialistes un fond d'autoritarisme puritain. C'était vrai chez son grand-père aussi bien que chez Billy. Les plaisirs des sens leur étaient étrangers. Le sacrifice et l'abnégation leur convenaient davantage. Peu importait à leurs yeux la splendeur de ces jardins. Ils avaient tort.

Ethel n'était pas comme eux, Lloyd non plus. Peut-être cette fibre rabat-joie avait-elle été éliminée de leur lignée. Il l'espérait.

Pendant que le conducteur de l'excavatrice manœuvrait sa machine pour la mettre en position, Fitz accorda une interview sur l'allée de gravier rose : « Le ministre du Charbon vous a dit que quand la mine serait épuisée, le parc ferait l'objet de ce qu'il a appelé un "programme global de restauration du site". Croyez-moi, c'est une promesse en l'air. Il nous a fallu plus d'un siècle à mon grand-père, à mon père et à moi-même pour parvenir à ce sommet de beauté et d'harmonie. Il faudra encore cent ans pour restaurer ces jardins. »

La flèche de l'excavatrice s'abaissa pour former un angle de quarante-cinq degrés avec les parterres de fleurs et les arbustes du jardin ouest. Le godet était suspendu juste au-dessus du terrain de croquet. La foule attendait, silencieuse, quand Billy s'écria d'une voix forte : « Allez-y, pour l'amour du ciel ! »

Un ingénieur en chapeau melon donna un coup de sifflet.

Le godet s'abattit sur le sol dans un choc épouvantable. Les dents d'acier mordirent dans le gazon vert. Le câble de traction se raidit, on entendit un grincement assourdissant de rouages, et le godet commença à reculer. En raclant le sol, il arracha un parterre d'énormes tournesols jaunes, un massif de clèthre et de pavier, la roseraie et un petit magnolia. À la fin de son parcours, l'auge était pleine de terre, de fleurs et de plantes.

Le godet s'éleva ensuite à six mètres de hauteur, dans une pluie de terre et de végétaux.

La flèche pivota latéralement. Lloyd remarqua qu'elle était plus haute que le château. Il craignit un instant qu'elle fracasse les fenêtres de l'étage supérieur, mais le conducteur était habile, et s'arrêta juste à temps. Le câble se tendit, l'auge s'inclina, et six tonnes de jardin retombèrent à quelques mètres de l'entrée.

Le godet reprit sa position initiale, et le processus se renouvela.

Lloyd se tourna vers Fitz : il pleurait.

XXIII

1947

1.

Au début de l'année 1947, on pouvait se demander si toute l'Europe n'allait pas se convertir au communisme.

Volodia Pechkov ne savait s'il fallait l'espérer ou souhaiter le contraire.

L'Europe de l'Est était sous la botte de l'armée Rouge, et à l'Ouest, les communistes remportaient une élection après l'autre. Leur résistance au nazisme leur avait valu le respect. Aux élections d'après-guerre, cinq millions de Français avaient voté pour le parti communiste qui était ainsi devenu la formation politique la plus populaire. En Italie, une alliance entre socialistes et communistes avait recueilli quarante pour cent des suffrages. En Tchécoslovaquie, les communistes avaient remporté à eux seuls trente-huit pour cent des voix et dirigeaient un gouvernement démocratiquement élu.

Il en allait différemment en Autriche et en Allemagne, où les électeurs avaient été pillés et violés par l'armée Rouge. Aux élections municipales de Berlin, les sociaux-démocrates avaient obtenu soixante-trois sièges sur cent trente, et les communistes seulement vingt-six. Mais l'Allemagne était ruinée, affamée, et le Kremlin espérait encore que la population aux abois se tournerait vers le communisme, exactement comme elle s'était jetée dans les bras des nazis au moment de la grande Crise.

La vraie déception venait de Grande-Bretagne. Un seul communiste était entré au Parlement à la suite des élections d'après-guerre. Il faut dire que le gouvernement travailliste offrait tout ce que proposait le communisme : la sécurité sociale, la gratuité des soins médicaux, l'éducation pour tous, et même la semaine de cinq jours pour les mineurs des houillères.

Mais dans le reste de l'Europe, le capitalisme était impuissant à sortir les populations du bourbier de l'après-guerre.

Le vent soufflait en faveur de Staline, pensait Volodia alors que les couches de neige s'accumulaient sur les coupoles à bulbe. L'hiver 1946-1947 était le plus froid que l'Europe ait connu depuis plus d'un siècle. Il neigeait à Saint-Tropez. En Angleterre, les routes et les voies ferrées étaient impraticables et l'industrie était paralysée, ce qui n'était jamais arrivé, même durant le conflit. En France, les rations alimentaires étaient inférieures à ce qu'elles avaient été pendant la guerre. L'Organisation des Nations unies avait calculé que cent millions d'Européens devaient se contenter de mille cinq cents calories par jour – le seuil où les effets de la malnutrition commencent à se faire sentir. Alors que les outils de production fonctionnaient au ralenti, les gens commençaient à se dire qu'ils n'avaient rien à perdre, et la révolution semblait la seule issue.

Dès que l'URSS posséderait l'arme nucléaire, aucun pays ne pourrait plus se dresser sur son chemin. Zoïa et ses collègues avaient construit une pile atomique au laboratoire numéro deux de l'Académie des sciences – cette dénomination délibérément vague désignait le cœur de la recherche nucléaire soviétique. La masse critique avait été atteinte le jour de Noël, six mois après la naissance de Konstantin, qui dormait pour le moment dans la crèche du laboratoire. Zoïa avait chuchoté à l'oreille de Volodia que si l'expérience tournait mal, le fait de se trouver à deux ou trois kilomètres de là ne changerait pas grand-chose pour le petit Kotia : tout le centre de Moscou serait rasé.

Les sentiments conflictuels que l'avenir inspirait à Volodia avaient pris une nouvelle intensité avec la naissance de son fils. Il voulait que Kotia grandisse dans un pays fier et puissant. Il estimait que l'Union soviétique méritait de dominer l'Europe. C'était l'armée Rouge qui avait vaincu les nazis, après quatre cruelles années de guerre totale. Les autres Alliés étaient prudemment restés en coulisse, livrant de petits combats et ne rejoignant les Soviétiques que pendant les onze derniers mois. Toutes leurs pertes humaines additionnées ne constituaient qu'une fraction de celles que déplorait le peuple soviétique.

Mais il songeait aussi aux réalités du communisme : aux purges arbitraires, à la torture dans les sous-sols de la police secrète, aux soldats conquérants poussés à des excès de bestialité, à cet immense pays obligé d'obéir aux décisions erratiques d'un tyran plus puissant qu'un tsar. Volodia voulait-il vraiment que ce système impitoyable s'étende au reste du continent?

Il se rappelait être entré dans Penn Station, à New York, et avoir acheté un billet pour Albuquerque sans demander l'autorisation à personne, sans avoir à présenter ses papiers d'identité, et n'avait pas oublié l'impression grisante de liberté absolue qu'il avait éprouvée. Il avait depuis longtemps brûlé le catalogue Sears Roebuck, mais celui-ci hantait toujours sa mémoire, avec ses centaines de pages d'articles à la disposition de tous. Le peuple russe croyait que les histoires de liberté et de prospérité occidentales n'étaient que propagande, mais Volodia savait à quoi s'en tenir. Au fond de lui-même, il avait du mal à ne pas espérer la défaite du communisme.

L'avenir de l'Allemagne, et donc de l'Europe, serait réglé à la conférence des ministres des Affaires étrangères organisée à Moscou en mars 1947.

Volodia, désormais colonel, était responsable de l'équipe du Renseignement affectée à la conférence. Les réunions avaient lieu dans une salle richement décorée de la Maison de l'industrie aéronautique, commodément située près de l'hôtel Moskva. Comme toujours, les délégués et leurs interprètes siégeaient autour d'une table, leurs assistants assis derrière eux, sur plusieurs rangées de chaises. Le ministre des Affaires étrangères soviétique, Viatcheslav Molotov, le vieux Cul-de-Pierre, exigeait de l'Allemagne dix milliards de dollars à titre de réparations. Les Américains et les Britanniques protestaient : cela porterait un coup mortel à l'économie allemande moribonde. C'était probablement ce que voulait Staline.

Volodia retrouva Woody Dewar, devenu photographe de presse et chargé de couvrir la conférence. Il était marié, lui aussi, et montra à Volodia une photo d'une femme brune, à la beauté saisissante, tenant un bébé dans ses bras. Assis à l'arrière d'une limousine ZIS-11OB, alors qu'il revenait d'une séance de photos officielles au Kremlin, Woody fit remarquer à Volodia : «Vous vous rendez bien compte que l'Allemagne n'a pas de quoi vous payer ces réparations, n'est-ce pas?

« — Dans ce cas, comment nourrissent-ils leur population et avec quoi rebâtissent-ils leurs villes ? » rétorqua Volodia.

Il avait fait des progrès en anglais, et ils pouvaient discuter sans interprète.

« Grâce aux aides que nous leur versons, évidemment, répondit Woody. Ça nous coûte une fortune. Toutes les réparations que les Allemands vous verseraient seraient en réalité payées avec notre argent.

— Et alors ? Les États-Unis ont bien profité de la guerre. Mon pays a été dévasté. Il n'est peut-être pas anormal que vous mettiez la main à la poche.

— Ce n'est pas ce que pensent les électeurs américains.

— Les électeurs américains ont peut-être tort. »

Woody haussa les épaules. « C'est vrai... mais c'est leur argent. »

Et voilà, c'était reparti, songea Volodia : il ne comprendrait jamais cette complaisance à l'égard de l'opinion publique qu'il avait déjà eu l'occasion de relever en discutant avec Woody. Les Américains parlaient des électeurs comme les Russes de Staline : il fallait leur céder, qu'ils aient tort ou raison.

Woody baissa la vitre. « Ça ne vous ennuie pas que je prenne une photo de la ville ? La lumière est merveilleuse. » Il appuya sur le déclencheur.

Il savait qu'il était censé ne prendre que des photos autorisées. Mais il n'y avait rien de compromettant dans la rue, seulement des femmes qui pelletaient la neige. Volodia dit malgré tout : « Ne faites pas ça, s'il vous plaît. » Il se pencha par-dessus Woody et remonta sa vitre. « Des photos officielles, c'est tout. »

Il était sur le point de demander à Woody de lui remettre sa pellicule quand celui-ci changea de sujet : « Vous vous rappelez que je vous ai parlé de mon ami Greg Pechkov, qui porte le même nom que vous ? »

Volodia ne risquait pas de l'avoir oublié. Willi Frunze lui avait fait une réflexion similaire. Il s'agissait probablement du même homme. « Non, je ne m'en souviens pas. » Volodia mentait. Il ne voulait pas avoir affaire à un éventuel parent à l'Ouest. Ce genre de lien ne valait généralement aux Russes que suspicion et ennuis.

« Il fait partie de la délégation américaine. Vous devriez lui parler. Voir si vous êtes de la même famille.

— Je n'y manquerai pas », répondit Volodia, bien résolu à éviter ce type à tout prix.

Il décida de ne pas réclamer la pellicule de Woody. Inutile de faire des histoires pour une innocente scène de rue.

À la conférence du lendemain, le secrétaire d'État américain, George Marshall, proposa que les quatre Alliés suppriment la division de l'Allemagne en zones d'occupation et la réunifient, afin qu'elle redevienne le cœur économique de l'Europe et qu'elle produise, exploite ses mines, achète et vende.

C'était la dernière chose que voulaient les Russes.

Molotov refusa d'aborder ce point tant que la question des réparations ne serait pas réglée.

La conférence était au point mort.

Ce qui, pensa Volodia, était exactement ce que désirait Staline.

2.

Décidément, la diplomatie internationale était un tout petit monde, se disait Greg Pechkov. L'un des jeunes assistants de la délégation britannique à la conférence de Moscou n'était autre que Lloyd Williams, le mari de Daisy, sa demi-sœur. Au début, l'allure de Lloyd et son élégance de gentleman anglais déplurent à Greg, mais il découvrit que c'était un brave type. «Molotov est un con», lui dit Lloyd, au bar de l'hôtel Moskva, après deux vodkas martinis.

«Sans doute, mais que faire?

— Je n'en sais rien. Une chose est sûre : l'Angleterre ne supportera pas plus longtemps ces manœuvres dilatoires. L'occupation de l'Allemagne coûte des sommes astronomiques, et cet hiver rigoureux a changé le problème en crise.

— Vous voulez que je vous dise? fit Greg, réfléchissant tout haut. Si les Russes ne veulent pas jouer le jeu, nous n'avons qu'à aller de l'avant sans eux.

— Mais comment faire?

— Que voulons-nous? Unifier l'Allemagne et organiser des élections, commença Greg en comptant sur ses doigts.

— Nous aussi.

— Retirer de la circulation le reichsmark qui n'a plus

aucune valeur et introduire une nouvelle monnaie, pour que les Allemands puissent recommencer à faire du commerce.

— Oui.

— Et sauver le pays du communisme.

— C'est aussi la politique britannique.

— Nous ne pouvons pas faire ça à l'Est, parce que les Soviétiques refuseront de participer. Qu'ils aillent au diable ! Nous contrôlons les trois quarts de l'Allemagne – accomplissons tout ça dans nos zones, et que l'Est du pays aille se faire voir. »

Lloyd eut l'air songeur. « Vous en avez discuté en haut lieu ?

— Certainement pas ! Je me contente de cogiter tout haut. Cela dit, pourquoi pas ?

— Je pourrais en parler à Ernie Bevin.

— Et moi, j'en toucherai un mot à George Marshall. » Greg prit une petite gorgée de son verre. « La vodka, c'est la seule chose que les Russes sachent faire convenablement, remarqua-t-il. Alors, comment va ma sœur – Daisy ?

— Elle est enceinte de notre deuxième bébé.

— Et comment est-elle, en mère de famille ? »

Lloyd se mit à rire. « Vous devez penser qu'elle n'est vraiment pas faite pour ça.

— J'ai un peu de mal à la voir dans ce rôle, c'est vrai, répondit Greg avec un haussement d'épaule.

— Elle se montre pourtant patiente, calme, organisée.

— Elle n'a pas embauché six nounous pour faire tout le boulot à sa place ?

— Une seule, pour pouvoir m'accompagner à des soirées, des réunions politiques, le plus souvent.

— Ça alors ! Elle a bien changé.

— Pas complètement. Elle aime encore faire la fête. Et vous ? Toujours célibataire ?

— Il y a une fille, Nelly Fordham, avec qui ça devient vraiment sérieux. Et j'imagine que vous savez que j'ai un filleul.

— Oui, répondit Lloyd. Daisy m'a parlé de lui. Georgy. »

Greg eut la conviction, à en juger par l'air vaguement gêné de Lloyd, qu'il savait que Georgy était son fils.

« Je l'aime beaucoup.

— C'est formidable. »

Un membre de la délégation russe s'approcha du bar, et son regard se posa sur Greg. Il y avait quelque chose de familier dans son apparence. La trentaine, bel homme, malgré une coupe de cheveux militaire trop courte, un regard bleu presque intimidant. Il esquissa un hochement de tête amical, et Greg l'aborda : « On ne se serait pas rencontrés quelque part ?

— Peut-être, répondit le Russe. J'étais au lycée en Allemagne – à l'Académie de garçons, à Berlin. »

Greg secoua la tête. « Vous n'êtes jamais venu aux États-Unis ?

— Non.

— C'est l'homme qui porte le même nom que vous, Volodia Pechkov », intervint Lloyd.

Greg se présenta : « Il n'est pas impossible que nous soyons parents. Mon père, Lev Pechkov, a émigré en 1914, laissant derrière lui une petite amie qui attendait un enfant de lui et qui a ensuite épousé son frère aîné, Grigori Pechkov. Se pourrait-il que nous soyons demi-frères ? »

L'attitude de Volodia changea aussitôt : « En aucun cas, lança-t-il. Excusez-moi. » Il quitta le bar sans commander à boire.

« Pas très causant, commenta Greg.

— En effet, convint Lloyd.

— Il avait même l'air un peu retourné.

— Ça doit être quelque chose que vous avez dit. »

3.

C'était impossible, songeait Volodia.

À en croire Greg, Grigori aurait épousé une fille qui était déjà enceinte de Lev. Si tel était le cas, l'homme que Volodia avait toujours appelé Papa n'était pas son père mais son oncle.

Cette similitude de noms n'était peut-être qu'une coïncidence. À moins que l'Américain n'ait simplement voulu semer le trouble dans son esprit.

Quoi qu'il en soit, Volodia en était encore ébranlé.

Il rentra chez lui à l'heure habituelle. Ils gravissaient rapidement l'échelle sociale, Zoïa et lui, et on leur avait attribué un appartement dans la Maison du gouvernement, l'immeuble luxueux où habitaient ses parents. Comme presque tous les soirs, Grigori et Katerina arrivèrent chez eux au moment où Kotia prenait son dîner. Katerina donna le bain à son petit-fils, puis Grigori lui chanta des chansons et lui raconta des légendes russes. Kotia avait neuf mois, il ne parlait pas encore, mais prenait visiblement plaisir à écouter des histoires avant de s'endormir.

Volodia se conforma aux rituels habituels de la soirée comme un somnambule. Il avait beau essayer de se comporter normalement, il avait le plus grand mal à adresser la parole à ses parents. Il ne croyait pas un mot du récit de Greg, mais ne pouvait s'empêcher d'y penser.

Lorsque Kotia fut endormi et que les grands-parents firent mine de se lever pour rentrer chez eux, Grigori demanda à Volodia : «J'ai un bouton sur le nez?

— Non.

— Alors, pourquoi est-ce que tu m'as regardé comme ça pendant toute la soirée?»

Volodia décida de dire la vérité. «J'ai rencontré un type qui s'appelle Greg Pechkov. Il fait partie de la délégation américaine. Il pense que nous sommes apparentés.

— C'est possible, répondit Grigori d'un ton insouciant, comme si cela n'avait pas grande importance, mais Volodia remarqua que son cou avait rougi, signe révélateur d'une émotion réprimée. La dernière fois que j'ai vu mon frère, c'était en 1919. Depuis, je n'ai plus jamais eu de ses nouvelles.

— Le père de Greg s'appelle Lev, et Lev avait un frère appelé Grigori.

— Il se pourrait donc que ce Greg soit ton cousin.

— Mon frère, d'après lui.»

Grigori ne répondit pas, mais sa rougeur s'accentua.

«Que veux-tu dire? intervint Zoïa.

— D'après ce Pechkov américain, répondit Volodia, Lev avait une petite amie à Saint-Pétersbourg, elle attendait un enfant de lui et aurait épousé son frère après son départ.

— Ridicule!» s'exclama Grigori.

Volodia se tourna vers Katerina. «Tu n'as rien dit, Mamotchka?»

Il y eut un long silence. Révélateur, se dit Volodia. Pourquoi hésitaient-ils si l'histoire de Greg ne comportait aucune part de vérité? Un froid étrange s'empara de lui comme un brouillard glacé.

Sa mère se décida enfin : «J'étais une fille volage. Je n'avais pas la tête sur les épaules, comme ta femme», ajouta-t-elle avec un coup d'œil en direction de Zoïa.

Elle poussa un profond soupir et poursuivit : «Grigori

Pechkov est tombé amoureux de moi. Il a eu le coup de foudre, le pauvre idiot, dit-elle avec un sourire attendri en regardant son mari. Mais voilà. Son frère, Lev, avait de beaux habits, des cigarettes, de l'argent pour acheter de la vodka, des amis un peu louches. Il me plaisait beaucoup plus. J'étais encore plus idiote que lui, comme tu vois.

— Alors, c'est vrai ? » demanda Volodia, stupéfait. Il ne pouvait s'empêcher d'espérer encore un démenti.

« Lev a fait ce que font tous les hommes de son genre, reprit Katerina. Il m'a mise enceinte et il m'a quittée.

— Autrement dit, mon père, c'est Lev. Et tu n'es que mon oncle ! » s'exclama Volodia en regardant Grigori. Il avait l'impression qu'il allait tomber à la renverse. Le sol s'effondrait sous ses pieds. C'était un véritable tremblement de terre.

Zoïa s'approcha de la chaise de Volodia et posa la main sur son épaule, debout à ses côtés, comme pour l'apaiser, ou peut-être le retenir.

Katerina poursuivit : « Et Grigori a fait ce que font toujours les hommes comme lui : il s'est occupé de moi. Il m'aimait, il m'a épousée, et il a subvenu à nos besoins, les miens et ceux de mes enfants. » Assise sur le canapé, à côté de Grigori, elle lui prit la main. « Ce n'était pas lui que je voulais, et je ne le mérite sûrement pas, mais c'est lui que le destin m'a donné.

— J'ai toujours redouté ce jour, murmura Grigori. Depuis ta naissance, je l'ai redouté.

— Alors, pourquoi as-tu gardé le secret ? demanda Volodia. Pourquoi ne pas m'avoir dit la vérité, tout simplement ? »

Grigori répondit d'une voix étranglée : « Je ne pouvais pas supporter de t'avouer que je n'étais pas ton père, articula-t-il avec difficulté. Je t'aimais trop.

— Permets-moi de te dire une chose, mon fils chéri, reprit Katerina. Tu vas m'écouter, et tant pis si c'est la dernière fois, mais je tiens à ce que tu entendes ceci : oublie l'étranger qui a séduit une fille stupide et s'est enfui en Amérique. Regarde l'homme qui est assis devant toi, les yeux pleins de larmes. »

Volodia se tourna vers Grigori, et son expression implorante lui perça le cœur.

Katerina poursuivit : « Cet homme t'a nourri, il t'a habillé et t'a aimé sans faillir pendant trois décennies. Si le mot *père* veut dire quelque chose, ton père, c'est lui.

— Oui, répondit Volodia. Je le sais. »

4.

Lloyd Williams s'entendait bien avec Ernie Bevin. Ils avaient beaucoup de points communs, malgré la différence d'âge. Au cours de leurs quatre jours de voyage en train à travers l'Europe enneigée, Lloyd lui avait confié que, comme lui, il était le fils illégitime d'une femme de chambre. Ils étaient tous les deux farouchement anticommunistes : Lloyd à cause de ce qu'il avait vécu en Espagne, Bevin parce qu'il avait vu les communistes à l'œuvre dans le mouvement syndicaliste. «Ils sont les esclaves du Kremlin et des tyrans pour tous les autres», déclara Bevin, et Lloyd ne pouvait que lui donner raison.

Lloyd n'avait pas beaucoup de sympathie pour Greg Pechkov : il donnait perpétuellement l'impression de s'être habillé à la hâte avec ses poignets de chemise déboutonnés, son col de veston tortillé et ses lacets de chaussures défaits. Greg était astucieux, et Lloyd essayait de l'apprécier, mais sentait que son charme facile dissimulait un noyau de dureté. Daisy lui avait dit que Lev Pechkov était un gangster, et Lloyd se demandait si Greg ne tenait pas un peu de lui.

Pourtant, Bevin adopta avec enthousiasme l'idée de Greg pour l'Allemagne : «Vous pensez qu'il s'exprimait au nom de Marshall?» lui demanda le ventripotent ministre des Affaires étrangères avec son accent traînant de l'ouest du pays.

«Il m'a dit que non, répondit Lloyd. Vous croyez que ça pourrait marcher?

— Je crois que c'est la meilleure idée que j'aie entendue en trois putains de semaines dans cette putain de Moscou. S'il est sérieux, organisez un déjeuner informel, juste Marshall, ce jeune homme, vous et moi.

— Je m'en occupe tout de suite.

— Mais n'en parlez à personne. Pas question que les Soviétiques soient au courant. Ils nous accuseraient, à juste titre, de conspirer contre eux.»

Ils se retrouvèrent le lendemain à la résidence de l'ambassadeur des États-Unis, au 10, place Spassopeskovskaïa, une demeure néoclassique extravagante construite avant la

Révolution. Marshall était grand et mince, le militaire dans toute sa splendeur, Bevin, ventripotent, myope, la cigarette souvent pendue aux lèvres, mais le courant passa immédiatement. C'étaient deux hommes qui ne mâchaient pas leurs mots. Staline lui-même avait accusé un jour Bevin de ne pas s'exprimer comme un gentleman, distinction dont le ministre des Affaires étrangères était très fier. Sous les plafonds peints et les lustres à pendeloques, ils s'attaquèrent à la tâche de remettre l'Allemagne debout sans l'aide de l'URSS.

Ils tombèrent rapidement d'accord sur les principes : la nouvelle monnaie, l'unification des zones britannique, américaine et – si possible – française, la démilitarisation de l'Allemagne de l'Ouest, l'organisation d'élections et la création d'une nouvelle alliance militaire transatlantique. C'est alors que Bevin lança sans ménagement : «Rien de tout ça ne marchera, vous savez.»

Marshall eut l'air ahuri. «Alors, je ne vois pas pourquoi nous discutons, remarqua-t-il sèchement.

— L'Europe est dans le pétrin. Ce plan échouera si les gens meurent de faim. La meilleure protection contre le communisme, c'est la prospérité. Staline le sait bien : c'est pour ça qu'il veut que l'Allemagne reste dans la misère.

— Je suis d'accord.

— Ce qui veut dire que nous devons reconstruire. Mais nous ne pouvons pas le faire à mains nues. Nous avons besoin de tracteurs, de bulldozers, de matériel roulant : autant de choses que nous n'avons pas les moyens de payer.»

Marshall comprit où il voulait en venir. «Les Américains n'ont pas l'intention de continuer à faire la charité aux Européens.

— C'est compréhensible. Mais il faudrait trouver un moyen pour que les États-Unis nous prêtent l'argent dont nous avons besoin pour leur acheter du matériel.»

Le silence se fit. Marshall n'était pas du genre à parler pour ne rien dire, mais l'interruption dura longtemps, même pour un homme comme lui.

Enfin, il reprit la parole : «Ça se tient. Je vais voir ce que je peux faire.»

La conférence dura six semaines, et quand chacun regagna son pays, rien n'avait été décidé.

5.

Eva Williams avait un an quand ses molaires poussèrent. Les autres dents avaient percé assez facilement, mais celles-là la firent souffrir. Lloyd et Daisy ne pouvaient pas faire grand-chose pour elle. Elle était malheureuse, elle n'arrivait pas à dormir, elle les empêchait de dormir, et ils étaient malheureux aussi.

Daisy avait beaucoup d'argent, mais ils vivaient sans ostentation. Ils avaient acheté à Hoxton une agréable maison et avaient pour voisins un commerçant et un entrepreneur en bâtiment. Ils avaient une petite voiture familiale, une Morris Eight neuve, qui pouvait atteindre cent kilomètres à l'heure. Daisy s'achetait encore des jolis vêtements, mais Lloyd n'avait que trois costumes : un habit de soirée, un costume rayé pour la Chambre des communes et un autre en tweed pour arpenter sa circonscription, le week-end.

Il était tard, et Lloyd était en pyjama en train de bercer la petite Evie grincheuse dans l'espoir de l'endormir tout en feuilletant le magazine *Life*, lorsqu'il tomba sur une photo remarquable prise à Moscou. On y voyait une Russe, un fichu sur la tête, son manteau ceinturé par une ficelle comme un paquet, son vieux visage profondément ridé, en train de pelleter de la neige dans la rue. Quelque chose dans la façon dont la lumière tombait sur elle lui donnait l'air d'avoir échappé au temps, d'être là depuis un millier d'années. Il chercha le nom du photographe : Woody Dewar, le type qu'il avait rencontré à la conférence.

Le téléphone sonna. Il décrocha. C'était Ernie Bevin. «Allumez votre radio, dit-il. Marshall est en train de faire un discours.» Il raccrocha sans lui laisser le temps de répondre.

Lloyd descendit au salon, Evie toujours dans les bras, et alluma la radio. L'émission s'appelait «American Commentary». Le correspondant de la BBC à Washington, Leonard Miall, parlait depuis l'université de Harvard, à Cambridge, dans le Massachusetts. «Le secrétaire d'État a annoncé aux anciens étudiants que la reconstruction de l'Europe prendrait plus longtemps et exigerait plus d'efforts que prévu.»

Voilà qui était prometteur, s'enthousiasma Lloyd. «Chut, Evie, je t'en prie», dit-il. Et, miracle, elle se tut.

Lloyd entendit ensuite la voix grave, raisonnable, de George C. Marshall. «Les besoins de l'Europe pour les trois ou quatre années à venir, en vivres et autres produits de première nécessité importés de l'étranger – surtout d'Amérique – sont plus grands que sa capacité de paiement. Il est nécessaire d'envisager une aide supplémentaire, sous peine de s'exposer à une dislocation économique, sociale et politique très grave.»

Lloyd était galvanisé. *Une aide supplémentaire*, c'était ce que Bevin avait demandé.

«Il faut briser le cercle vicieux et rétablir la confiance du peuple européen dans l'avenir économique, poursuivit Marshall. Les États-Unis doivent faire tout ce qui est en leur pouvoir pour permettre le redressement de l'économie mondiale.»

«Il l'a fait! s'écria triomphalement Lloyd, s'adressant à sa petite fille ébahie. Il a dit à l'Amérique qu'elle devait nous accorder une nouvelle aide! Mais combien? Comment? Quand?»

La voix changea et le journaliste reprit la parole : «Le secrétaire d'État n'a pas défini de plan détaillé d'aide à l'Europe ; il a déclaré que c'était aux Européens de rédiger ce programme.

— Veut-il dire que nous avons carte blanche?» demanda Lloyd à Evie.

La voix de Marshall se fit à nouveau entendre : «Je pense que l'initiative doit venir de l'Europe.»

Le reportage s'acheva, et le téléphone sonna à nouveau. «Vous avez entendu? demanda Bevin.

— Oui, mais qu'est-ce que ça veut dire?

— Pas de questions! s'exclama Bevin. Posez des questions, et vous obtiendrez des réponses qui ne vous plairont pas.

— Très bien, fit Lloyd, déconcerté.

— Peu importe ce qu'il a voulu dire. La vraie question est : "Qu'allons-nous faire?" L'initiative doit venir de l'Europe, vous l'avez entendu. Autrement dit, de vous et moi.

— Que puis-je faire?

— Votre valise. Nous allons à Paris.»

XXIV

1948

1.

Volodia était à Prague avec une délégation de l'armée Rouge venue discuter avec l'armée tchèque. Ils séjournaient à l'hôtel Impérial, splendeur Art déco de la ville.

Il neigeait.

Zoïa lui manquait, et le petit Kotia aussi. Son fils avait deux ans, et apprenait à parler à une vitesse stupéfiante. L'enfant changeait si rapidement qu'il semblait chaque jour différent de la veille. Et Zoïa était à nouveau enceinte. Volodia n'appréciait pas du tout de devoir passer deux semaines loin de sa famille. La plupart des hommes du groupe considéraient ce voyage comme une occasion d'échapper un moment à leurs épouses, de boire trop de vodka et peut-être de se laisser aller à quelques fredaines avec des femmes de petite vertu. Volodia, quant à lui, ne demandait qu'une chose : rentrer chez lui.

Les pourparlers militaires étaient bien réels, mais le rôle qu'il y jouait dissimulait sa véritable mission. Il avait été envoyé à Prague pour enquêter sur les activités de la police secrète soviétique – toujours aussi maladroite –, éternelle rivale des services de renseignement de l'armée Rouge.

Son travail ne lui inspirait plus grand enthousiasme. Tout ce en quoi il croyait jadis vacillait. Staline, le communisme, la bonté fondamentale du peuple russe ne lui inspiraient plus confiance. Son père lui-même n'était pas son père. Il serait passé à l'Ouest s'il avait pu trouver le moyen d'emmener Zoïa et Kotia.

Il n'en mettait pas moins tout son cœur dans sa mission à

Prague. C'était une rare occasion de faire une chose en laquelle il avait encore foi.

Deux semaines auparavant, le parti communiste tchèque avait pris le contrôle intégral du gouvernement, éliminant les autres partenaires de la coalition. Le ministre des Affaires étrangères, Jan Masaryk, héros de guerre et démocrate anticommuniste, était désormais littéralement prisonnier à l'étage supérieur du palais Czernin, sa résidence officielle. La police secrète soviétique était de toute évidence derrière ce coup d'État. En réalité, le beau-frère de Volodia, le colonel Ilia Dvorkine, qui se trouvait lui aussi à Prague et séjournait dans le même hôtel, y avait certainement pris part.

Le supérieur de Volodia, le général Lemitov, considérait ce coup d'État comme une catastrophe pour les relations diplomatiques de l'Union soviétique. Masaryk avait représenté aux yeux du monde la preuve que les pays d'Europe de l'Est pouvaient vivre, libres et indépendants, à l'ombre de l'URSS. Il avait permis à la Tchécoslovaquie de se doter d'un gouvernement communiste ami de l'Union soviétique, avec toutes les apparences d'une démocratie bourgeoise. Un arrangement idéal : l'URSS avait tout ce qu'elle voulait et les Américains étaient rassurés. Et voilà que ce bel équilibre avait été bouleversé.

Pourtant, Ilia exultait. « Les partis bourgeois ont été écrasés ! lança-t-il un soir à Volodia au bar de l'hôtel.

— Tu es au courant de ce qui s'est passé au Sénat américain ? demanda doucement Volodia. Vandenberg, le vieil isolationniste, a prononcé un discours de quatre-vingts minutes en faveur du plan Marshall, et il a été accueilli par une ovation délirante. »

Les idées vagues de George Marshall étaient devenues un plan. Surtout grâce à l'habileté de ce renard d'Ernie Bevin, le ministre des Affaires étrangères britannique. D'après Volodia, Bevin était un anticommuniste de la pire espèce : un social-démocrate de la classe ouvrière. Malgré sa masse imposante, il était rapide. Il avait organisé à la vitesse de l'éclair une conférence à Paris qui avait réservé, au nom de l'Europe, un accueil collectif enthousiaste au discours que George Marshall avait fait à Harvard.

Volodia savait, grâce à ses espions en place au ministère des Affaires étrangères britannique, que Bevin était déterminé à faire entrer l'Allemagne dans le plan Marshall, et à en tenir l'URSS à l'écart. Et Staline était tombé tête baissée dans le piège tendu par Bevin en ordonnant aux pays de l'Est de refuser l'aide de Marshall.

La police secrète soviétique semblait maintenant faire tout son possible pour favoriser le passage de la loi au Congrès. «Le Sénat s'apprêtait à rejeter Marshall, poursuivit Volodia. Les contribuables américains ne voulaient pas payer l'addition. Mais le coup d'État, ici, à Prague, les a convaincus de le faire, parce que le capitalisme européen risque de s'effondrer.

— Les partis bourgeois tchèques étaient prêts à se laisser graisser la patte par les Américains, rétorqua Ilia, indigné.

— Nous aurions dû les laisser faire, répondit Volodia. C'était peut-être la façon la plus rapide de saboter le processus. Le Congrès aurait rejeté le plan Marshall : les Américains ne veulent pas donner d'argent aux communistes.

— Le plan Marshall est une manœuvre impérialiste !

— En effet, acquiesça Volodia. Et j'ai bien peur que cette manœuvre soit une réussite. Nos alliés de guerre sont en train de constituer un bloc antisoviétique.

— Ceux qui font obstacle à la marche en avant du communisme doivent être traités en conséquence.

— C'est certain.» Décidément, des types comme Ilia avaient un talent indéniable pour commettre les pires erreurs de jugement politique.

«Et moi, je dois aller me coucher.»

Il n'était que dix heures, mais Volodia remonta lui aussi dans sa chambre. Il resta allongé sur son lit sans pouvoir trouver le sommeil, pensant à Zoïa et à Kotia et regrettant de ne pas être auprès d'eux pour leur souhaiter bonne nuit.

Ses pensées divaguèrent vers sa mission. Il avait rencontré deux jours plus tôt Jan Masaryk, le symbole de l'indépendance tchèque à une cérémonie organisée sur la tombe de son père, Thomas Masaryk, le fondateur de la Tchécoslovaquie et son premier président. Vêtu d'un manteau à col de fourrure, tête nue sous la neige, le second Masaryk semblait accablé.

Si on réussissait à le convaincre de rester ministre des Affaires étrangères, certains compromis seraient possibles, se dit rêveusement Volodia. La Tchécoslovaquie pourrait avoir un authentique gouvernement communiste, mais rester neutre dans ses relations internationales, ou du moins aussi peu antiaméricaine que possible. Masaryk possédait à la fois les compétences diplomatiques et la crédibilité internationale nécessaires pour effectuer cet exercice de funambulisme.

Volodia décida d'en parler à Lemitov dès le lendemain.

Il dormit mal, d'un sommeil agité, et fut réveillé avant six heures. Une alarme sonnait dans sa tête : quelque chose qu'Ilia avait dit la veille au soir le tracassait. Volodia passa mentalement en revue leur conversation. Quand Ilia avait évoqué « ceux qui font obstacle à la marche en avant du communisme », il pensait à Masaryk ; et quand un agent de la police secrète parlait de traiter quelqu'un « en conséquence », cela voulait toujours dire « éliminer ».

Ilia était allé se coucher de bonne heure, ce qui suggérait un départ matinal le lendemain.

Quel idiot ! se reprocha Volodia. J'avais tous les indices en main, et il m'a fallu toute la nuit pour les déchiffrer.

Il se leva d'un bond. Peut-être n'était-il pas trop tard.

Il s'habilla rapidement et mit un gros pardessus, une écharpe et un chapeau. Il n'y avait pas de taxis devant l'hôtel – il était trop tôt. Il aurait pu appeler une voiture de l'armée Rouge, mais le temps qu'on réveille un chauffeur et que la voiture arrive, il fallait bien compter une heure.

Il décida d'y aller à pied. Le palais Czernin n'était qu'à deux ou trois kilomètres à l'ouest. Il quitta l'élégant centre-ville de Prague par le pont Saint-Charles et se dirigea d'un bon pas vers le château, en haut de la colline.

Masaryk ne l'attendait pas, et le ministre des Affaires étrangères n'était pas obligé d'accorder une audience à un colonel de l'armée Rouge. Mais Volodia était sûr qu'il serait assez intrigué pour le recevoir.

Il marcha rapidement dans la neige et arriva au palais Czernin à sept heures moins le quart. C'était une gigantesque bâtisse baroque, dont les trois étages supérieurs étaient ornés d'une grandiose rangée de demi-colonnes corinthiennes. Il constata avec étonnement que l'endroit n'était pas très sévèrement gardé. Une sentinelle était en faction devant la porte d'entrée. Volodia traversa un vestibule au décor chargé sans qu'on lui demande quoi que ce soit.

Il s'attendait à trouver l'éternel crétin de la police secrète assis à un bureau, dans l'entrée, mais il n'y avait personne. C'était mauvais signe. Un sombre pressentiment l'envahit.

Le vestibule donnait sur une cour intérieure. Il jeta un coup d'œil par une fenêtre et aperçut une silhouette allongée dans la neige. On aurait dit quelqu'un qui dormait. Peut-être un type qui s'était écroulé là, ivre mort. Dans ce cas, il risquait fort de mourir de froid.

Faisant tourner la poignée de la porte donnant sur la cour, Volodia s'aperçut qu'elle était ouverte.

Il traversa le quadrilatère en courant. Un homme en pyjama de soie bleue gisait par terre à plat ventre. Il n'y avait pas de neige sur ses vêtements, il ne devait pas être là depuis plus de quelques minutes. Volodia s'agenouilla à côté de lui. L'homme était parfaitement immobile. Apparemment, il ne respirait plus.

Volodia leva la tête. Des rangées de fenêtres identiques s'alignaient au-dessus de la cour tels des soldats à la parade. Elles étaient toutes fermées hermétiquement pour ne pas laisser entrer le froid glacial – toutes sauf une, très haut, au-dessus de l'homme en pyjama. Grande ouverte, celle-là.

Comme si quelqu'un avait été poussé dans le vide.

Volodia retourna la tête sans vie et regarda le visage de l'homme.

C'était Jan Masaryk.

2.

Trois jours plus tard, à Washington, le Comité des chefs d'état-major interarmées présentait au président Truman un plan de bataille d'urgence destiné à riposter à une invasion de l'Europe de l'Ouest par les Soviétiques.

Le risque d'une troisième guerre mondiale faisait la une des journaux. «Nous venons de gagner la guerre, fit remarquer Jacky Jakes à Greg Pechkov. Comment avons-nous pu en arriver là une nouvelle fois?

— C'est ce que je ne cesse de me demander», répondit Greg.

Ils étaient assis sur un banc, dans un parc. Greg soufflait un peu après avoir joué au foot avec Georgy.

«Je suis contente qu'il soit trop jeune pour se battre, dit Jacky.

— Moi aussi.»

Ils avaient les yeux rivés sur leur fils, qui bavardait un peu plus loin avec une fille blonde à peu près du même âge que lui. Les lacets de ses Keds étaient dénoués, et sa chemise était sortie de son pantalon. Il avait douze ans, et avait beaucoup changé ces derniers temps. Quelques poils de duvet noir ombraient sa lèvre supérieure, et il donnait l'impression d'avoir pris au moins cinq bons centimètres depuis la semaine précédente.

« Ça fait un moment que nous rapatrions nos troupes aussi rapidement que possible, poursuivit Greg. Les Anglais et les Français aussi. Mais l'armée Rouge est restée sur place. Résultat : ils ont maintenant trois fois plus de soldats en Allemagne que nous.

— Les Américains ne veulent pas d'un nouveau conflit.

— Ça, tu peux le dire. Et Truman, qui espère remporter l'élection présidentielle en novembre, fera tout son possible pour l'éviter. Il se pourrait qu'elle éclate quand même.

— Tu seras bientôt démobilisé. Qu'est-ce que tu vas faire ? »

Un frémissement dans sa voix lui fit soupçonner que, contrairement à ce qu'elle aurait voulu lui faire croire, ce n'était pas une question de pure forme. Il se tourna vers elle, mais son expression était indéchiffrable. Il répondit : « Si l'Amérique n'est pas en guerre, je tenterai de me faire élire au Congrès en 1950. Mon père a accepté de financer ma campagne. Je commencerai juste après l'élection présidentielle. »

Elle détourna les yeux. « Pour quel parti ? » demanda-t-elle machinalement.

Il se demanda s'il avait dit quelque chose qui lui avait déplu. « Républicain, bien sûr.

— Et le mariage ? »

Greg fut pris de court. « Pourquoi cette question ? »

Elle le regardait durement, à présent.

« Tu vas te marier ? insista-t-elle.

— Eh bien oui, en effet. Elle s'appelle Nelly Fordham.

— C'est bien ce que je pensais. Quel âge a-t-elle ?

— Vingt-deux ans. Comment ça, c'est bien ce que tu pensais ?

— Un homme politique doit avoir une épouse.

— Mais je l'aime !

— Bien sûr. Sa famille est dans la politique ?

— Son père est avocat à Washington.

— Excellent choix. »

Greg était agacé. «Je te trouve bien cynique.

— Je te connais, Greg. Mon Dieu, quand j'ai couché avec toi, tu n'étais pas beaucoup plus vieux que Georgy aujourd'hui. Tu peux abuser tout le monde, sauf ta mère, et moi.»

Elle était fine mouche, comme toujours. Sa mère avait elle aussi critiqué ses fiançailles. Une union stratégique, destinée à servir sa carrière, elles avaient raison. Mais enfin, Nelly était jolie, charmante, et elle adorait Greg, alors où était le mal? «Je la retrouve pour déjeuner près d'ici dans quelques minutes.

— Nelly est au courant, pour Georgy? demanda Jacky.

— Non. Et il n'est pas question qu'elle l'apprenne.

— Tu as raison. Avoir un enfant illégitime, c'est déjà assez fâcheux; un enfant noir pourrait ruiner ta carrière.

— Je sais.

— Presque aussi sûrement qu'une épouse noire.»

Greg fut tellement surpris que la question lui échappa : «Tu pensais que j'allais t'épouser, toi?

— Oh, bon sang! Non, Greg, répliqua-t-elle avec amertume. Si j'avais le choix entre Jack l'Éventreur et toi, je demanderais un peu de temps pour réfléchir.»

Il savait qu'elle mentait. L'espace d'un instant, il essaya d'imaginer sa vie s'il épousait Jacky. Les mariages interraciaux n'étaient pas fréquents, et suscitaient pas mal d'hostilité de la part des Noirs comme des Blancs, mais certains couples mixtes se mariaient quand même et en assumaient les conséquences. Il n'avait jamais rencontré de fille qui lui plaise autant que Jacky; même pas Margaret Cowdry, avec qui il était sorti pendant deux ans, jusqu'à ce qu'elle en ait assez d'attendre une hypothétique demande en mariage. Jacky avait la langue acérée, mais il aimait ça, peut-être parce qu'elle lui rappelait sa mère. Et l'idée de passer tout leur temps ensemble tous les trois était terriblement tentante. Georgy apprendrait à l'appeler Papa. Ils pourraient acheter une maison dans un quartier habité par des gens aux idées larges, un endroit où il y aurait beaucoup d'étudiants et de jeunes professeurs, peut-être Georgetown.

Et puis il vit que la petite amie blonde de Georgy se faisait rappeler à l'ordre par sa mère, une mère blanche, fâchée, qui agitait un doigt en signe de reproche, et il se rendit à l'évidence : épouser Jacky était la plus mauvaise idée du monde.

Georgy regagna le banc où Greg et Jacky étaient assis.

«Alors, comment ça marche en classe? demanda Greg.

— Ça me plaît mieux qu'avant, répondit le garçon. Je trouve les maths plus intéressantes cette année.

— J'étais bon en maths, remarqua Greg.

— Quelle coïncidence ! » lança Jacky.

Greg se leva. « Il faut que j'y aille. » Il serra la main de Georgy. « Continue à bosser les maths, mon pote.

— D'accord », répondit Georgy.

Greg s'éloigna en faisant un signe de la main à Jacky.

Elle avait songé au mariage elle aussi, cela ne faisait pas de doute. Elle savait que son départ de l'armée représentait un tournant pour lui et l'obligeait à réfléchir à son avenir. Elle ne pensait sûrement pas vraiment qu'il l'épouserait, mais quand même, elle devait avoir caressé des rêves secrets. Et voilà qu'il les avait brisés. Eh bien, tant pis. Même si elle avait été blanche, il ne l'aurait pas épousée. Il avait beaucoup d'affection pour elle, il adorait le gamin, mais il avait toute sa vie devant lui et avait besoin d'une femme qui lui apporterait des relations et des appuis. Le père de Nelly était un homme puissant dans le clan républicain.

Il alla à pied jusqu'au Napoli, un restaurant italien, à quelques rues du parc. Nelly était déjà là. Ses boucles cuivrées s'échappaient d'un petit chapeau vert.

« Tu es superbe ! s'exclama-t-il. J'espère que je ne suis pas en retard. » Il s'assit.

Nelly avait le visage fermé. « Je t'ai vu au parc », commença-t-elle.

Et merde, se dit Greg.

« J'étais un peu en avance, et je me suis assise un moment, poursuivit-elle. Tu ne m'as pas remarquée. Et puis j'ai eu l'impression d'être indiscrète, alors je suis partie.

— Tu as donc vu mon filleul ? demanda-t-il avec une jovialité forcée.

— Ah, parce que tu es son parrain ? C'est bizarre de t'avoir choisi pour ce rôle, toi qui ne vas jamais à l'église.

— Je suis gentil avec lui.

— Comment s'appelle-t-il ?

— Georgy Jakes.

— C'est la première fois que tu m'en parles.

— Vraiment ?

— Quel âge a-t-il ?

— Douze ans.

— Tu avais donc seize ans quand il est né. C'est bien jeune pour être parrain.

— Peut-être, oui.

— Et que fait sa mère?

— Elle est serveuse. Il y a des années, elle était actrice. Son nom de scène était Jacky Jakes. Je l'ai connue quand elle était sous contrat dans le studio de mon père.» Ce qui était plus ou moins vrai, se dit Greg, mal à l'aise.

«Et son père?»

Greg secoua la tête. «Jacky est célibataire.» Un serveur s'approcha. «Si on prenait un cocktail? suggéra Greg, dans l'espoir de détendre l'atmosphère. Deux martinis, commanda-t-il au garçon.

— Tout de suite, monsieur.»

Dès que le serveur fut parti, Nelly reprit : «Tu es son père, n'est-ce pas?

— Son parrain.

— Oh, arrête, fit-elle d'une voix chargée de mépris.

— Qu'est-ce qui te permet d'en être tellement sûre?

— Il est peut-être noir, mais il te ressemble. Il est incapable de nouer les lacets de ses chaussures ou de rentrer sa chemise dans son pantalon, comme toi. Et il faisait du charme à cette petite blonde à qui il parlait. Il est de toi, ça ne fait aucun doute.»

Greg rendit les armes. «J'avais l'intention t'en parler, soupira-t-il.

— Quand?

— J'attendais le bon moment.

— Le bon moment aurait été avant de me demander en mariage.

— Je te demande pardon.» Il était ennuyé, mais pas vraiment penaud. Il trouvait qu'elle faisait beaucoup d'histoires pour pas grand-chose.

Le garçon leur apporta les menus et ils les consultèrent tous les deux. «Les spaghettis bolognaise sont excellents, suggéra Greg.

— Je vais prendre une salade.»

Leurs martinis arrivèrent. Greg leva son verre : «Au pardon dans le mariage.»

Nelly ne toucha pas à son cocktail. «Je ne peux pas t'épouser.

— Chérie, voyons, ne prends pas les choses comme ça. Je me suis excusé. »

Elle secoua la tête. « Tu ne comprends pas ?

— Qu'est-ce que je ne comprends pas ?

— Cette femme, qui était assise sur le banc, dans le parc, à côté de toi : elle t'aime.

— Tu crois ? »

Greg l'aurait encore nié la veille, mais après la conversation qu'ils venaient d'avoir, il n'en était plus aussi sûr.

« Bien sûr qu'elle t'aime. Pourquoi ne s'est-elle pas mariée ? Elle est très jolie. Depuis le temps, si elle l'avait vraiment voulu, elle aurait pu trouver un homme prêt à accepter un beau-fils. Mais elle est amoureuse de toi, espèce de brute.

— Je n'en suis pas si sûr.

— Et le petit t'adore, lui aussi.

— Je suis son oncle préféré.

— Sauf que tu n'es pas son oncle. » Elle repoussa son cocktail. « Tu peux prendre mon verre.

— Chérie, je t'en prie, détends-toi.

— Je m'en vais. »

Elle se leva.

Greg n'avait pas l'habitude que les filles le laissent en plan comme ça. Il n'en revenait pas. Son charme aurait-il cessé d'agir ?

« Je veux qu'on se marie ! lança-t-il d'une voix désespérée.

— Greg, tu ne peux pas m'épouser. » Elle retira le solitaire de son doigt et le posa sur la nappe à carreaux rouges. « Tu as déjà une famille. »

Et elle quitta le restaurant.

3.

La crise mondiale arriva à un paroxysme au moins de juin. Carla et sa famille étaient aux premières loges.

Le plan Marshall était devenu une loi signée par le président Truman, et les premiers envois d'aide humanitaire arrivaient en Europe, à la grande fureur du Kremlin.

Le vendredi 18 juin, les Alliés occidentaux avisèrent les

Allemands qu'ils allaient faire une annonce importante à huit heures du soir. Carla et sa famille étaient réunies dans la cuisine, autour du poste réglé sur Radio Francfort, attendant avec impatience. La guerre était finie depuis trois ans, mais aucun d'eux ne savait ce que l'avenir leur réservait : le capitalisme ou le communisme, l'unité ou la division, la liberté ou l'oppression, la prospérité ou la misère.

Werner était assis à côté de Carla. Il tenait sur ses genoux Walli, qui avait maintenant deux ans et demi. Ils s'étaient mariés dans l'intimité un an plus tôt. Carla avait repris son travail d'infirmière. Elle était aussi conseillère municipale de Berlin pour les sociaux-démocrates. Tout comme le mari de Frieda, Heinrich.

En Allemagne de l'Est, les Russes avaient interdit le parti social-démocrate, mais Berlin était une oasis en pleine zone soviétique, dirigée par un conseil des quatre principaux Alliés appelé la Kommandantura, qui avait opposé son veto à cette interdiction. Avec pour conséquence la victoire des sociaux-démocrates aux élections, les communistes n'étant arrivés que troisièmes, derrière les chrétiens-démocrates conservateurs. Les Russes ne décoléraient pas et faisaient tout ce qui était en leur pouvoir pour mettre des bâtons dans les roues du conseil élu. Ce que Carla trouvait exaspérant, mais elle ne pouvait renoncer à un espoir d'indépendance vis-à-vis des Soviétiques.

Werner avait réussi à monter une petite entreprise. Il avait fouillé dans les ruines de l'usine de son père et récupéré un stock de matériel électrique et de pièces de radio. Les Allemands n'avaient pas les moyens d'acheter des postes neufs, mais tout le monde voulait faire réparer les vieux. Werner avait retrouvé certains des anciens techniciens de l'usine et les avait embauchés pour remettre en état les appareils en panne. Il était tout à la fois le directeur et le vendeur de sa société, allant frapper aux portes des maisons et des immeubles pour se constituer une clientèle.

Maud, qui était également assise à la table de la cuisine ce soir-là, travaillait comme interprète pour les Américains. C'était l'une des meilleures, et elle traduisait souvent les procès-verbaux des réunions de la Kommandantura.

Erik, le frère de Carla, portait un uniforme de policier. Il était entré au parti communiste – au grand désespoir de sa famille – et avait trouvé du travail dans la nouvelle police d'Allemagne de l'Est constituée par les occupants russes. Erik prétendait que les Alliés occidentaux cherchaient à couper l'Allemagne en deux. «Vous autres, les sociaux-démocrates, vous n'êtes que des séparatistes», disait-il, récitant le bréviaire communiste sans plus de réflexion qu'il n'avait répété autrefois la propagande nazie.

«Les Alliés occidentaux n'ont rien divisé du tout, répliquait Carla. Ils ont ouvert les frontières entre leurs zones. Pourquoi les Russes n'en font-ils pas autant? Comme ça, nous formerions de nouveau un seul pays.» Il n'avait pas l'air de l'entendre.

Rebecca avait presque dix-sept ans. Carla et Werner l'avaient adoptée légalement. Elle allait au lycée, et était particulièrement bonne en langues.

Carla était à nouveau enceinte, mais ne l'avait pas encore dit à Werner. Elle était aux anges. Il avait déjà une fille adoptive et un beau-fils, et maintenant il allait avoir un enfant bien à lui. Elle savait qu'il serait enchanté quand elle le lui annoncerait et attendait encore un peu pour en être tout à fait sûre.

Mais elle avait hâte de savoir dans quel genre de pays ses trois enfants allaient vivre.

La voix de Robert Lochner, un officier américain, se fit entendre sur les ondes. Ayant grandi en Allemagne, il parlait allemand couramment. Il annonça qu'à partir du lundi suivant, à sept heures du matin, l'Allemagne de l'Ouest aurait une nouvelle monnaie, le deutsche mark.

Carla n'était pas surprise. Le reichsmark perdait de sa valeur tous les jours. Les gens qui avaient du travail étaient généralement payés en reichsmark, que l'on pouvait utiliser pour les dépenses de base comme les rations alimentaires et les tickets de bus, mais tout le monde préférait se faire rémunérer en cigarettes ou en produits d'épicerie. Werner facturait les clients de son entreprise en reichsmarks, mais il demandait cinq cigarettes pour les dépannages de nuit, et trois œufs pour une livraison en ville, quelle que soit la distance.

Carla savait, grâce à Maud, que la nouvelle monnaie avait fait l'objet de discussions à la Kommandantura. Les Russes avaient demandé des planches pour pouvoir l'imprimer. Mais ils avaient mis en circulation une telle quantité de l'ancienne monnaie qu'ils l'avaient complètement dévaluée, et il ne servirait à rien de tirer de nouveaux billets si le même phénomène devait se reproduire. Les Alliés occidentaux avaient donc refusé, et les Soviétiques l'avaient mal pris.

Autrement dit, l'Ouest avait décidé d'aller de l'avant en se passant de la coopération des Soviétiques. Carla était contente parce que la nouvelle monnaie serait bonne pour l'Allemagne, mais elle s'inquiétait de la réaction des Russes.

Les Allemands de l'Ouest pourraient échanger soixante anciens reichsmarks dévalués contre trois nouveaux deutsche marks et quatre-vingt-dix pfennigs, expliqua Lochner.

Puis il annonça que ces mesures ne s'appliqueraient pas à Berlin, du moins au début, déclaration qui fut accueillie par un gémissement collectif dans la cuisine.

Carla alla se coucher en se demandant comment les Soviétiques allaient réagir. Elle était allongée à côté de Werner, l'oreille tendue pour s'assurer que Walli ne pleurait pas dans la pièce voisine. Depuis quelques mois, les occupants soviétiques étaient de plus en plus hargneux. La police secrète soviétique avait enlevé un journaliste, un certain Dieter Friede, dans la zone américaine, et l'avait jeté en prison. Les Russes avaient prétendu ne rien savoir à propos de cette affaire, avant d'accuser Friede d'espionnage. Trois étudiants avaient été exclus de l'université pour avoir critiqué les Russes dans une revue. Pire encore, un avion de chasse soviétique avait frôlé un avion de ligne de la British European Airways qui se posait sur l'aéroport de Gatow : il lui avait arraché une aile, et les deux appareils s'étaient écrasés au sol, provoquant la mort de quatre membres de l'équipage de la BEA, de dix passagers et du pilote soviétique. Quand les Russes étaient en colère, on pouvait s'attendre à ce qu'ils le fassent payer aux autres.

Le lendemain matin, les Soviétiques décrétèrent que l'importation de deutsche marks en Allemagne de l'Est serait considérée comme un délit. Ils précisèrent que cela incluait Berlin «qui faisait partie de la zone soviétique». Les Américains protestèrent aussitôt contre cette formule, rappelant que Berlin était une ville internationale. Mais les esprits s'échauffaient, et Carla n'était pas rassurée.

Le lundi, la nouvelle monnaie fut mise en circulation en Allemagne de l'Ouest.

Le mardi, un coursier de l'armée Rouge se présenta chez Carla et la convoqua à l'hôtel de ville.

Ce n'était pas la première fois, mais elle sortit quand même de chez elle la peur au ventre. Rien ne pouvait empêcher les Soviétiques de l'emprisonner. Les communistes jouissaient de tous les pouvoirs arbitraires qu'avaient détenus les nazis. Ils allaient jusqu'à utiliser les mêmes camps de concentration.

Le célèbre Rotes Rathaus – l'hôtel de ville rouge – avait été gravement endommagé par les bombardements, et le conseil municipal s'était installé dans le nouvel hôtel de ville de la Parochialstrasse. Les deux bâtiments se trouvaient dans le quartier du Mitte, où vivait Carla, en plein secteur soviétique.

Lorsqu'elle y arriva, elle découvrit que le maire par intérim, Louise Schroeder, et plusieurs autres, avaient également été convoqués à une réunion avec l'agent de liaison soviétique, le commandant Otchkine. Il les informa que la monnaie de l'Allemagne de l'Est serait réformée, et qu'à l'avenir, seul le nouvel ostmark serait légal dans la zone soviétique.

Louise Schroeder mit immédiatement le doigt sur le point critique : «Vous voulez dire que cette mesure s'appliquera à tous les secteurs de Berlin?

— Oui.»

Frau Schroeder n'était pas femme à se laisser intimider.

«Conformément à la Constitution municipale, la force d'occupation soviétique ne peut imposer une telle règle aux autres secteurs, dit-elle fermement. Tous les Alliés doivent être consultés.

— Ils n'élèveront pas d'objection. C'est un décret du maréchal Sokolovski, ajouta-t-il en brandissant une feuille de papier. Vous le présenterez demain au conseil municipal.»

Plus tard, dans la soirée, alors que Carla et Werner allaient se coucher, elle lui raconta ce qui s'était passé : «Tu comprends la tactique des Russes? Si le conseil municipal vote le décret, les Alliés occidentaux, qui se réclament de la démocratie, auront bien du mal à revenir dessus.

— Mais le conseil ne le votera pas. Les communistes sont en minorité, et personne d'autre ne veut de l'ostmark.

— Non. Voilà pourquoi je voudrais bien savoir quel atout le maréchal Sokolovski a dans la manche.»

Les journaux du lendemain annoncèrent qu'à partir du vendredi, deux monnaies concurrentes seraient en circulation à Berlin, l'ostmark et le deutsche mark. En fait, les Américains avaient secrètement transporté en avion deux cent cinquante millions de ces nouveaux deutsche marks dans des caisses en bois marquées «Clay» et «Bird Dog», qui étaient maintenant entreposées en lieu sûr un peu partout dans Berlin.

Dans la journée, Carla commença à entendre des rumeurs en provenance d'Allemagne de l'Ouest. La récente monnaie y avait fait des miracles. Du jour au lendemain, de nouvelles marchandises étaient apparues dans les devantures des magasins : des paniers de cerises, des bottes de carottes soigneusement attachées venant de la campagne environnante, du beurre, des œufs et des pâtisseries, des articles de luxe longtemps thésaurisés comme des chaussures et des sacs neufs, et même des bas à quatre deutsche marks la paire. Les gens avaient attendu de pouvoir les vendre contre de l'argent qui valait quelque chose.

Cet après-midi-là, Carla partit pour l'hôtel de ville. Elle devait participer à la réunion du conseil municipal prévue à quatre heures. En s'approchant, elle vit, rangés dans les rues voisines, des dizaines de camions de l'armée Rouge, dont les chauffeurs traînaient aux alentours, la cigarette au bec. C'étaient majoritairement des véhicules américains qui avaient dû être donnés à l'URSS pendant la guerre en vertu de l'accord de prêt-bail. Elle comprit la raison de leur présence en entendant les premiers échos révélateurs d'une foule en colère. L'atout que le gouvernement soviétique avait dans sa manche, se dit-elle, était probablement une matraque.

Devant l'hôtel de ville, des drapeaux rouges flottaient au-dessus d'un rassemblement de plusieurs milliers de personnes, dont la plupart arboraient des insignes du parti communiste. Des camions équipés de haut-parleurs diffusaient des discours rageurs, et la foule scandait : «À bas les séparatistes ! »

Carla se demanda comment atteindre l'entrée du bâtiment. Une poignée de policiers observait la scène d'un œil distrait sans chercher à aider les conseillers à passer. Ce spectacle rappela à Carla un pénible souvenir : l'attitude de la police le jour où les Chemises brunes avaient dévasté le bureau de sa mère, quinze ans plus tôt. Elle était absolument convaincue que les conseillers communistes étaient déjà à l'intérieur, et que si les sociaux-démocrates n'arrivaient pas à entrer, la minorité voterait le décret et proclamerait sa validité.

Elle prit une profonde inspiration et commença à jouer des coudes.

Elle réussit à avancer de quelques pas sans se faire remarquer, mais un homme la reconnut alors et cria «Putain américaine!» en tendant le doigt vers elle. Elle poursuivit son chemin avec détermination. Quelqu'un d'autre lui cracha dessus, maculant sa robe de salive. Elle continua à se frayer un passage, tout en sentant la panique la gagner. Elle était entourée de gens qui la détestaient, une épreuve qu'elle n'avait jamais subie, et dut résister à la tentation de s'enfuir. On la bouscula, mais elle réussit à rester debout. Une main agrippa sa robe. Elle se dégagea, entendit un bruit d'étoffe déchirée et retint un hurlement. Qu'allaient-ils faire? Lui arracher tous ses vêtements?

Elle s'aperçut que quelqu'un d'autre essayait de traverser la foule derrière elle, et jeta un coup d'œil par-dessus son épaule. C'était Heinrich von Kessel, le mari de Frieda. Il arriva à son niveau et ils foncèrent ensemble. Heinrich était plus agressif, n'hésitant pas à marcher sur les pieds et à donner de vigoureux coups de coude à tous ceux qui se trouvaient à sa portée. À deux, ils avancèrent plus vite; ils atteignirent enfin la porte et entrèrent.

Leur calvaire n'était pas terminé. Des manifestants communistes s'étaient rassemblés par centaines à l'intérieur du bâtiment. Carla et Heinrich durent se bagarrer pour traverser les couloirs. Dans la salle de réunion, les trublions étaient partout – non seulement dans la galerie des visiteurs, mais dans la chambre même. Leur comportement était tout aussi belliqueux qu'au-dehors.

Certains sociaux-démocrates étaient déjà là, d'autres arrivèrent après Carla. D'une façon ou d'une autre, les soixante-trois conseillers réussirent presque tous à se frayer un chemin à travers la foule. Elle fut soulagée. L'ennemi n'avait pas réussi à les terroriser au point de les mettre en fuite.

Quand le président de l'assemblée réclama le silence, un conseiller communiste debout sur un banc exhorta les manifestants à ne pas sortir. Voyant Carla, il cria : «Que les traîtres restent dehors!»

Tout cela rappelait sinistrement 1933 : les intimidations, les brimades et le chahut qui entravaient l'exercice de la démocratie. Carla était désespérée.

Levant les yeux vers la galerie, elle reconnut avec consternation son frère, Erik, au milieu de la foule hurlante. «Tu es allemand! lui cria-t-elle. Tu as vécu sous les nazis. La leçon ne t'a donc pas suffi?»

Il n'eut pas l'air de l'entendre.

Frau Schroeder, debout sur l'estrade, lança un appel au calme. Les manifestants la huèrent et l'accablèrent de sarcasmes. Elle haussa le ton et hurla : «Si le conseil municipal ne peut pas siéger en bon ordre dans ce bâtiment, je transférerai le débat en secteur américain.»

Elle fut saluée par une nouvelle bordée d'injures, mais les vingt-six conseillers communistes durent se rendre à l'évidence : le désordre ne servait pas leur cause. Si le conseil tenait une réunion hors du secteur soviétique, rien ne l'empêcherait de le refaire, et même d'aller s'installer définitivement hors de portée de l'intimidation communiste. Après une brève discussion, l'un d'eux se leva et demanda aux manifestants de quitter la salle. Ils sortirent en rang, en chantant l'Internationale.

«Pas besoin de se demander à qui ils obéissent», lui chuchota Heinrich.

Enfin, le calme fut rétabli. Frau Schroeder exposa la revendication des Soviétiques, ajoutant qu'elle ne pouvait s'appliquer à l'extérieur du secteur soviétique de Berlin, à moins d'être ratifiée par les autres Alliés.

Un député communiste prononça un discours l'accusant de recevoir ses ordres directement de New York.

Les accusations et les injures fusèrent. Finalement, ils passèrent au vote. Les communistes soutinrent à l'unanimité le décret soviétique – après avoir accusé le camp adverse d'être contrôlé par l'étranger. Tous les autres votèrent contre et la motion fut rejetée. Berlin avait repoussé les manœuvres d'intimidation. Carla était à la fois triomphante et épuisée.

Mais ce n'était pas fini.

Le temps qu'ils quittent le bâtiment, il était sept heures du soir. L'essentiel de la foule s'était dispersé, mais un noyau dur rôdait encore autour de l'entrée, prêt à en découdre. En sortant, une conseillère municipale d'un certain âge reçut des coups de pied et des coups de poing sous les yeux indifférents de la police.

Carla et Heinrich s'éclipsèrent par une porte latérale, avec quelques amis, espérant passer inaperçus, mais un communiste à bicyclette surveillait la sortie. Il s'éloigna à grands coups de pédales.

Alors que les conseillers hâtaient le pas, il revint à la tête d'une petite bande. L'un des types fit un croche-pied à Carla, qui tomba par terre. Elle reçut un, deux, trois coups de pied, très douloureux. Terrifiée, elle se protégea le ventre des deux mains. Elle était enceinte de près de trois mois : le moment où se produisent la plupart des fausses couches, elle le savait. Le bébé de Werner va-t-il mourir, se demanda-t-elle, désespérée, tué à coups de pied dans une rue de Berlin par des brutes communistes ?

Et puis ils se dispersèrent.

Les conseillers se relevèrent. Aucun n'était gravement blessé. Ils s'éloignèrent ensemble, craignant de nouvelles agressions, mais apparemment les communistes avaient eu leur content de violences pour la journée.

Carla arriva chez elle à huit heures. Il n'y avait pas trace d'Erik.

En voyant ses ecchymoses et sa robe déchirée, Werner fut atterré. « Que s'est-il passé ? demanda-t-il. Tu vas bien ? »

Elle fondit en larmes.

« Tu es blessée, reprit Werner. Tu veux que je t'emmène à l'hôpital ? »

Elle secoua vigoureusement la tête. « Ce n'est pas ça, dit-elle. Ce ne sont que des bleus. J'ai connu pire. » Elle s'effondra dans un fauteuil. « Bon sang, ce que je suis fatiguée...

— Qui t'a fait ça ? insista-t-il, furieux.

— Toujours les mêmes, répondit-elle. Ils ne se disent plus nazis mais communistes, et pourtant ce sont les mêmes. C'est 1933 qui recommence. »

Werner la prit dans ses bras.

Elle était inconsolable. « Les brutes et les tyrans sont au pouvoir depuis si longtemps ! soupira-t-elle entre deux sanglots. Ça ne finira donc jamais ? »

4.

Cette nuit-là, l'agence de presse soviétique publia un communiqué. À partir de six heures du matin le lendemain, aucun transport de passagers ou de marchandises ne pourrait plus entrer à Berlin ou en ressortir : trains, voitures, péniches, plus rien ne passerait. Aucune livraison ne serait autorisée : plus de nourriture, de lait, de médicaments, de charbon. Comme les centrales électriques ne pourraient plus fonctionner, l'électricité serait en conséquence coupée – dans les secteurs occidentaux seulement.

La ville était en état de siège.

Lloyd Williams se trouvait au quartier général de l'armée britannique. Il y avait de brèves vacances parlementaires, et Ernie Bevin était parti se reposer à Sandbanks, sur la côte Sud de l'Angleterre. Mais il était suffisamment inquiet pour envoyer Lloyd à Berlin observer l'introduction de la nouvelle monnaie et le tenir au courant.

Daisy n'avait pas accompagné Lloyd. Leur nouveau-né, Davey, n'avait que six mois ; de plus, le centre de planning familial pour les habitantes de Hoxton qu'elle mettait sur pied avec Eva Murray était sur le point d'ouvrir ses portes.

Lloyd redoutait que cette crise ne mène à la guerre. Des guerres, il en avait fait deux, et était bien décidé à ne pas en voir une troisième. Il avait deux enfants en bas âge et souhaitait qu'ils grandissent dans un monde en paix. Il avait épousé la plus jolie, la plus séduisante, la plus adorable des femmes de la planète, et n'aspirait qu'à une chose : passer de longues et nombreuses décennies avec elle.

Le général Clay, le gouverneur militaire américain – réputé pour être un bourreau de travail – ordonna à ses collaborateurs de constituer un convoi blindé qui foncerait sur l'autoroute depuis Helmstedt, à l'ouest, et traverserait le territoire soviétique jusqu'à Berlin, balayant tout sur son passage.

Lloyd eut vent de ce projet en même temps que le gouverneur britannique, Brian Robertson, et il entendit Sir Brian dire, dans son phrasé militaire incisif : « Si Clay fait ça, ce sera la guerre. »

Mais il n'y avait guère d'autre solution. D'après ce que Lloyd apprit en discutant avec de jeunes assistants de Clay, les Américains avaient avancé d'autres idées : le ministre de l'Armée, Kenneth Royall, avait proposé de revenir sur la réforme monétaire. Clay avait objecté que le processus était trop engagé pour qu'on pût faire marche arrière. Royall avait suggéré ensuite d'évacuer tous les Américains. Clay avait rétorqué que c'était exactement ce que les Soviétiques voulaient.

Sir Brian envisageait, quant à lui, de ravitailler la ville grâce à un pont aérien. La plupart estimaient que c'était impossible. Quelqu'un calcula que Berlin avait besoin de quatre mille tonnes de carburant et de nourriture par jour. Y avait-il suffisamment d'avions au *monde* pour transporter autant de marchandises ? Personne ne le savait. Et pourtant, Sir Brian ordonna à la Royal Air Force de se mettre au travail.

Le vendredi après-midi, Sir Brian rendit visite à Clay, et Lloyd fut invité à l'accompagner. Sir Brian présenta le projet à Clay en ces termes : « Les Russes peuvent bloquer l'autoroute devant votre convoi, et attendre de voir si vous avez le cran de les attaquer ; mais je ne pense pas qu'ils aillent jusqu'à abattre des appareils en plein vol.

— Je ne vois pas comment nous pourrions livrer suffisamment de marchandises par avion, objecta Clay.

— Moi non plus, convint Sir Brian. C'est pourtant ce que nous allons faire en attendant de trouver une meilleure solution. »

Clay décrocha son téléphone. « Passez-moi le général LeMay à Wiesbaden », ordonna-t-il. Et au bout d'une minute : « Curtis, auriez-vous des avions susceptibles de transporter du charbon ? »

La ligne resta silencieuse.

« Du charbon », répéta Clay, plus fort.

Nouveau silence.

« Oui, c'est bien ce que j'ai dit : du charbon. »

Quelques instants plus tard, Clay se tourna vers Sir Brian. « Il dit que l'armée de l'air américaine peut livrer tout ce qu'on veut. »

Les Anglais regagnèrent leur quartier général.

Le samedi, Lloyd prit un chauffeur de l'armée et mit le cap sur le secteur soviétique pour une mission personnelle. Il se fit conduire à l'adresse à laquelle il avait rendu visite à la famille von Ulrich, quinze ans plus tôt.

Il savait que Maud y habitait toujours. Sa mère et elle avaient repris leur correspondance à la fin de la guerre. Dans ses lettres, Maud s'efforçait de faire bonne figure alors que la situation devait être très éprouvante. Elle ne demandait pas d'aide, et de toute façon, Ethel n'aurait rien pu faire pour elle : le rationnement était toujours en vigueur en Grande-Bretagne.

L'endroit avait beaucoup changé. En 1933, c'était un bel hôtel particulier, qui avait connu des jours meilleurs mais conservait son élégance. Aujourd'hui, ce n'était plus qu'un taudis. Les vitres de la plupart des fenêtres avaient été remplacées par des planches ou du papier. La maçonnerie était criblée d'impacts de balles, le mur du jardin était écroulé et les menuiseries n'avaient pas été repeintes depuis des lustres.

Lloyd resta quelques instants assis dans la voiture, les yeux rivés sur la maison. Lors de son dernier séjour, il avait dix-huit ans ; Hitler venait de devenir chancelier. Le jeune Lloyd n'aurait jamais imaginé les horreurs que le monde allait connaître. Personne, d'ailleurs, n'avait soupçonné que le fascisme serait aussi près de s'abattre sur toute l'Europe, n'avait deviné les sacrifices que tous devraient consentir pour le vaincre. Il se sentait un peu comme la demeure des von Ulrich, délabré, bombardé, criblé de balles, mais toujours debout.

Il s'avança dans l'allée et frappa.

La domestique qui lui ouvrit était la même qu'autrefois. « Bonjour, Ada. Me reconnaissez-vous ? demanda-t-il en allemand. Je suis Lloyd Williams. »

L'intérieur de la maison était en meilleur état que l'extérieur. Ada le fit monter au salon. Il y avait un vase de fleurs sur le piano et un plaid aux couleurs vives jeté sur le canapé, sans doute pour en dissimuler les trous. Les journaux qui obturaient les fenêtres laissaient filtrer une lumière étonnamment vive.

Un petit garçon de deux ans entra dans la pièce et examina Lloyd sans dissimuler sa curiosité. Il portait des vêtements visiblement confectionnés à la maison et avait l'air vaguement asiatique. « Qui tu es ? demanda-t-il.

— Je m'appelle Lloyd. Et toi, comment tu t'appelles ?

— Walli », répondit le gamin. Il ressortit en courant, et Lloyd l'entendit dire à quelqu'un, dehors : « Il parle drôle, le monsieur ! »

Au temps pour mon accent allemand, pensa Lloyd.

Et puis il entendit la voix d'une femme d'âge mûr. « Il ne faut pas faire de remarques de ce genre. C'est très impoli.

— Pardon, Oma. »

Aussitôt après, Maud entra dans la pièce.

Lloyd eut un choc en la voyant. Elle avait un peu plus de cinquante-cinq ans, mais on lui en aurait donné soixante-dix. Elle avait les cheveux gris, le visage émacié, et était vêtue d'une robe de soie bleue élimée. De ses lèvres fanées, elle posa un baiser sur sa joue. « Lloyd Williams ! Quelle joie de te revoir ! »

C'est ma tante, pensa Lloyd, avec un sentiment étrange. Mais elle ne le savait pas : Ethel avait gardé le secret.

Maud était suivie de Carla, méconnaissable, et de son mari.

La dernière fois que Lloyd avait vu Carla, c'était une enfant de onze ans, d'une intelligence précoce ; il calcula qu'elle avait vingt-six ou vingt-sept ans. Elle avait l'air à moitié morte de faim – comme la plupart des Allemands –, ce qui ne l'empêchait pas d'être jolie et d'afficher une assurance qui surprit Lloyd. Quelque chose dans son attitude lui fit penser qu'elle devait être enceinte. Il savait, parce que Maud l'avait écrit à sa mère, que Carla avait épousé Werner, qui était un véritable séducteur en 1933 ; il n'avait pas changé.

Ils passèrent une heure à se raconter les événements des dernières années. La famille von Ulrich avait traversé des horreurs effroyables, et n'hésitait pas à en parler. Lloyd avait pourtant l'impression qu'ils éludaient les détails les plus sordides. Il leur parla de Daisy, d'Evie et du petit Davey. Pendant la conversation, une adolescente entra et demanda à Carla l'autorisation d'aller chez une de ses amies.

« C'est notre fille, Rebecca », expliqua Carla à Lloyd.

Comme elle devait avoir seize ou dix-sept ans, Lloyd supposa qu'elle était adoptée.

« Tu as fait tes devoirs ? demanda Carla à la jeune fille.

— Je les ferai demain matin.

— Non, fais-les tout de suite, s'il te plaît, répondit fermement Carla.

— Oh, Mutti !

— Et ne discute pas », ajouta Carla. Elle se retourna vers Lloyd, et Rebecca sortit bruyamment.

Ils parlèrent de la crise. En tant que conseillère municipale, Carla y était plongée jusqu'au cou. Elle était pessimiste quant à l'avenir de Berlin et pensait que les Russes allaient simplement affamer la population jusqu'à ce que l'Ouest baisse les bras et abandonne la ville au contrôle absolu des Soviétiques.

« Je vais vous montrer quelque chose qui pourrait vous faire changer d'avis, dit Lloyd. Vous voulez bien faire un tour en voiture avec moi ? »

Maud resta à la maison avec Walli, mais Carla et Werner accompagnèrent Lloyd. Il demanda au chauffeur de les conduire à Tempelhof, l'aéroport situé dans le secteur américain. Sur place, il les fit entrer dans le bâtiment et monter à l'étage. Ils s'approchèrent d'une fenêtre d'où ils avaient une vue plongeante sur les pistes.

Sur le tarmac, une dizaine d'avions, des C-47 Skytrain, étaient alignés l'un derrière l'autre, certains ornés de l'étoile américaine, d'autres de la cocarde de la RAF. Un camion était rangé devant chacun des appareils. Les portes de la soute étaient ouvertes, et des manutentionnaires allemands aidés d'aviateurs américains déchargeaient des sacs de farine, d'énormes barils de kérosène, des cartons de fournitures médicales et des caisses en bois contenant des milliers de bouteilles de lait.

Sous leurs yeux, les avions vides décollaient tandis que d'autres atterrissaient.

« C'est stupéfiant, murmura Carla, les yeux brillants. Je n'ai jamais rien vu de pareil.

— Il n'y a jamais rien eu de pareil, confirma Lloyd.

— Les Anglais et les Américains pourront-ils continuer comme ça?

— Il va bien falloir, je crois.

— Mais pendant combien de temps?

— Le temps qu'il faudra », répondit fermement Lloyd.

Et c'est ce qu'ils firent.

XXV
1949

1.

Le 29 août 1949 – approximativement le milieu du xxᵉ siècle – Volodia Pechkov se trouvait dans le sud profond de l'Union soviétique, au Kazakhstan, à l'est de la mer Caspienne, très précisément sur le plateau d'Oustiourt. C'était un désert rocailleux, où les nomades gardaient des chèvres un peu comme aux temps bibliques. Volodia était ballotté dans un camion militaire qui bringuebalait sur une piste cahoteuse. Le petit jour commençait à poindre sur un paysage minéral, accidenté, fait de sable et de buissons d'épineux. Un chameau osseux, tout seul le long de la route, posa un regard malveillant sur le camion qui passait.

Dans le lointain, Volodia distingua, d'abord vaguement, la tour de la bombe, éclairée par une batterie de projecteurs.

Zoïa et ses collègues avaient construit leur première bombe atomique conformément aux plans que Volodia avait obtenus de Willi Frunze à Santa Fe. C'était une bombe au plutonium avec un dispositif de mise à feu par implosion. Il y avait d'autres solutions possibles, mais celle-là avait déjà fait la preuve de son efficacité à deux reprises, une fois au Nouveau-Mexique, une autre fois à Nagasaki.

Il n'y avait aucune raison pour que l'expérience de ce jour-là ne réussisse pas.

L'essai portait le nom de code RDS-1, mais entre eux ils l'appelaient «Premier Éclair».

Le camion s'arrêta au pied de la tour. Volodia leva les yeux et aperçut, sur la plate-forme, un groupe de chercheurs qui s'affairaient autour d'un véritable enchevêtrement de câbles reliés aux détonateurs fixés sur le revêtement de la bombe. Une silhouette en combinaison bleue recula dans un jaillissement de cheveux blonds : Zoïa. Volodia éprouva une bouffée de fierté. Ma femme, se dit-il ; éminente physicienne *et* mère de deux enfants.

Elle discutait avec deux hommes, leurs trois têtes réunies dans une conversation animée. Volodia espérait que rien ne clochait.

C'était la bombe qui allait sauver Staline.

Tout le reste n'avait été qu'une série de déboires pour l'Union soviétique. L'Europe de l'Ouest avait définitivement opté pour la démocratie, détournée du communisme par les manœuvres d'intimidation du Kremlin et soudoyée par les pots-de-vin du plan Marshall. L'URSS n'avait même pas réussi à prendre le contrôle de Berlin : le pont aérien s'était poursuivi sans trêve ni relâche, jour après jour, pendant près d'un an, et l'Union soviétique avait fini par baisser les bras, rouvrant les routes et les voies ferrées. Staline n'avait réussi à garder le contrôle de l'Europe de l'Est qu'en usant de la force brutale. Truman avait été réélu président, et se prenait pour le maître du monde. Les Américains avaient constitué des stocks d'armes nucléaires et des bombardiers B-29 étaient stationnés en Grande-Bretagne, prêts à transformer l'Union soviétique en désert radioactif.

Mais tout allait changer ce jour-là.

Si la bombe explosait comme prévu, l'URSS et les États-Unis seraient à nouveau à égalité. L'Union soviétique pourrait brandir la menace du feu nucléaire, et c'en serait fini de la domination américaine sur le monde.

Volodia se demandait si ce serait une bonne ou une mauvaise chose.

Si la bombe n'explosait pas, Zoïa et Volodia seraient probablement victimes d'une nouvelle purge, envoyés dans des camps de travail en Sibérie, ou tout simplement fusillés. Volodia avait déjà parlé à ses parents, et ils avaient promis de s'occuper de Kotia et de Galina.

Ce qu'ils feraient également si Volodia et Zoïa trouvaient la mort lors de l'essai de la bombe.

Dans la lumière de plus en plus vive, Volodia vit près de la tour une juxtaposition hétéroclite de bâtiments : des maisons de brique et de bois, un pont qui n'enjambait rien, et l'entrée d'une espèce d'architecture souterraine. L'armée voulait probablement mesurer l'effet de l'explosion. En regardant plus attentivement, il remarqua des camions, des chars d'assaut et un vieil avion d'un modèle obsolète, placés là dans le même but, supposa-t-il. Les chercheurs voulaient également évaluer l'impact de la bombe sur des êtres vivants : il y avait des chevaux, du bétail, des moutons et des chiens dans des chenils.

Sur la plate-forme, le conciliabule s'acheva sur une décision. Les trois chercheurs hochèrent la tête et se remirent au travail.

Quelques minutes plus tard, Zoïa descendit et s'approcha de son mari.

« Tout va bien ? demanda-t-il.

— Nous pensons que oui, répondit Zoïa.

— Vous *pensez* ? »

Elle haussa les épaules. « Évidemment, c'est la première fois que nous faisons ça. »

Ils montèrent dans le camion et s'éloignèrent à travers ce qui était déjà un paysage de désolation, vers le bunker de commandement.

Les autres chercheurs étaient juste derrière eux.

Au bunker, ils mirent tous des lunettes de soudeurs alors que le compte à rebours commençait.

À soixante secondes, Zoïa prit Volodia par la main.

À dix secondes, il lui sourit et lui dit : « Je t'aime. »

À une seconde, il bloqua sa respiration.

Et puis ce fut comme si le soleil s'était levé d'un coup. Une lumière plus vive que celle du plein midi inonda le désert. À l'endroit où se trouvait la tour de la bombe, une boule de feu s'éleva à une hauteur invraisemblable, montant toujours comme si elle cherchait à atteindre la lune. Volodia fut stupéfait par ses couleurs éclatantes : vert, violet, orange et pourpre.

La boule se changea en champignon dont le chapeau continua à monter, monter, monter. Et puis, enfin, le bruit parvint à leurs oreilles, une déflagration aussi violente qu'un tir rapproché de la plus grosse pièce d'artillerie de l'armée Rouge, suivie d'un roulement de tonnerre qui rappela à Volodia le terrible bombardement des Hauteurs de Seelow.

Au bout d'un temps infini, le nuage commença à se dissiper, et le vacarme s'estompa, suivi d'un interminable silence abasourdi.

Une voix s'écria : « Bon sang, je ne m'attendais pas à *ça.* »
Volodia serra sa femme dans ses bras. « Tu l'as fait », dit-il.
Elle le regarda solennellement. « Je sais, murmura-t-elle. Mais *qu'est-ce que* nous avons fait ?

— Tu as sauvé le communisme », répondit Volodia.

2.

« La bombe russe était une réplique de Fat Man, celle que nous avons larguée sur Nagasaki, dit l'agent spécial Bill Bicks. Quelqu'un leur a donné les plans.

— Comment le savez-vous ? demanda Greg.

— Par un transfuge. »

Il était neuf heures du matin, et ils étaient assis dans le bureau de Bicks, au quartier général du FBI à Washington. Bicks avait tombé la veste. Il avait des auréoles de sueur sous les bras, alors que le bâtiment était agréablement climatisé.

« D'après ce gars, poursuivit Bicks, un colonel des services de renseignement de l'armée Rouge a obtenu les plans grâce à un des membres de l'équipe du projet Manhattan.

— Il a dit son nom ?

— Il ne sait pas de quel chercheur il s'agit. C'est pour ça que je vous ai appelé. Il faut démasquer le traître.

— Le FBI avait pourtant mené des enquêtes serrées sur toute l'équipe à l'époque.

— Et la plupart présentaient un risque en matière de sécurité ! Que pouvions-nous faire ? Mais vous, vous les avez tous côtoyés personnellement.

— Qui est le colonel de l'armée Rouge ?

— J'allais y venir. Ce n'est pas un inconnu pour vous. Il s'appelle Vladimir Pechkov.

— Mon demi-frère !

— Oui.

— À votre place, c'est moi que je soupçonnerais, lança Greg en riant pour dissimuler son malaise.

— Oh, mais nous l'avons fait, croyez-moi, répondit Bicks. Vous avez fait l'objet de l'enquête la plus approfondie que j'aie vue depuis vingt ans que je suis au FBI. »

Greg lui jeta un regard incrédule. « Sans blague ?
— Votre gamin se débrouille bien à l'école, n'est-ce pas ? »
Qui avait bien pu parler de Georgy au FBI ? se demanda
Greg, atterré. « Vous voulez parler de mon filleul ? corrigea-t-il.
— Greg, j'ai dit *approfondie*. Nous savons que c'est votre fils. »
Greg fut ennuyé, mais réprima ce sentiment. Il avait lui-même
enquêté sur la vie privée de nombreux suspects lorsqu'il était
dans la sécurité militaire. Il était mal placé pour s'offusquer.
« J'ai le plaisir de vous annoncer que vous êtes au-dessus de
tout soupçon, poursuivit Bicks.
— Vous m'en voyez fort aise.
— De toute façon, notre transfuge a été très clair : les plans
venaient d'un chercheur et non d'un des membres du person-
nel militaire employés sur le projet. »
Greg dit pensivement : « Lorsque j'ai rencontré Volodia à
Moscou, il m'a assuré qu'il n'était jamais venu aux États-Unis.
— Il vous a menti, répondit Bicks. Il est venu ici en sep-
tembre 1945. Il a passé une semaine à New York. Et puis nous
avons perdu sa trace pendant huit jours. Il a refait surface briè-
vement avant de rentrer chez lui.
— Huit jours ?
— Ouais. Vous imaginez notre embarras.
— Ça suffit pour aller à Santa Fe, y rester deux jours et revenir.
— Exactement. » Bicks se pencha au-dessus de son bureau.
« Mais réfléchissez. Si le chercheur avait déjà été recruté comme
espion, pourquoi n'a-t-il pas été contacté par son officier traitant habituel ? Pourquoi faire venir quelqu'un de Moscou pour
lui parler ?
— Vous pensez que le traître aurait pu être recruté au cours
de cette visite de deux jours ? Ça paraît un peu bref.
— Peut-être avait-il déjà travaillé pour les Soviétiques avant
de les laisser tomber. Quoi qu'il en soit, nous pensons qu'ils ont
dû envoyer quelqu'un que ce chercheur connaissait déjà. Ce
qui veut dire qu'il existait un lien quelconque entre Volodia et
l'un des membres de notre équipe scientifique. » Bicks désigna
d'un geste une petite table qui disparaissait sous les chemises de
papier kraft. « La réponse est là-dedans, quelque part. Ce sont
nos dossiers sur chacun des chercheurs qui ont eu accès à ces
plans.
— Que voulez-vous que je fasse ?
— Que vous y jetiez un coup d'œil.

— Ce n'est pas votre boulot?

— Nous l'avons déjà fait. Nous n'avons rien trouvé. Nous comptons sur vous pour repérer quelque chose qui nous a échappé. Je vais rester ici et vous tenir compagnie en faisant de la paperasse.

— Ça risque de prendre du temps.

— Vous avez la journée devant vous. »

Greg fronça les sourcils.

Bicks déclara d'un ton sans réplique : « Vous n'avez pas d'autres projets pour aujourd'hui. »

Greg haussa les épaules. « Vous avez du café ? »

Il eut droit à du café et des beignets, et encore du café, puis un sandwich à l'heure du déjeuner, et une banane dans l'après-midi. Il lut tous les détails connus sur la vie des chercheurs, de leurs femmes et de leurs familles : leur enfance, leurs études, leur carrière, leurs relations amoureuses, leur mariage, leurs réussites, leurs excentricités et leurs vices.

Il avalait la dernière bouchée de sa banane lorsqu'il s'exclama : « Bordel de merde !

— Quoi, qu'est-ce qu'il y a ? demanda Bicks.

— Willi Frunze a fréquenté l'Académie de garçons, à Berlin », répondit Greg triomphant, en flanquant une claque sur le dossier posé sur la table.

— Et alors... ?

— Alors ? Volodia aussi. Il me l'a dit. »

Bicks frappa du poing sur son bureau, fou d'excitation. « Camarades de classe ! C'est ça ! On te tient, mon salaud !

— Ce n'est pas une preuve, objecta Greg.

— Oh, ne vous en faites pas, il avouera.

— Comment pouvez-vous en être sûr ?

— Ces scientifiques sont convaincus que le savoir ne doit pas rester secret, qu'il faut le partager avec tout le monde. Il va essayer de se justifier en prétendant avoir agi pour le bien de l'humanité.

— C'est peut-être vrai.

— N'empêche qu'il va se retrouver sur la chaise électrique », affirma Bicks.

Greg fut glacé. Il avait trouvé Willi Frunze sympathique. « Vraiment ?

— Vous pouvez en être sûr. Il va griller. »

Bicks avait dit vrai. Willi Frunze fut convaincu de trahison, condamné à mort et envoyé à la chaise électrique.

Sa femme aussi.

3.

Daisy regarda son mari nouer son nœud papillon blanc et enfiler la veste à queue-de-pie de son habit impeccablement coupé. «Tu as vraiment fière allure», dit-elle, et c'était sincère. Il aurait dû faire du cinéma.

Elle repensa à lui au bal de Trinity College, treize ans plus tôt, avec sa tenue de soirée d'emprunt, et éprouva un agréable frisson de nostalgie. Il était vraiment séduisant à l'époque, se rappelait-elle, et pourtant son costume était trop grand de deux tailles au moins.

Ils étaient descendus au Ritz-Carlton de Washington, dans la suite que louait à l'année le père de Daisy. Lloyd était maintenant secrétaire d'État au ministère des Affaires étrangères, et il était venu en visite diplomatique. Les parents de Lloyd, Ethel et Bernie, étaient enchantés de garder leurs deux petits-enfants pendant une semaine.

Ce soir-là, Daisy et Lloyd étaient invités à un bal à la Maison Blanche.

Elle portait une robe renversante de Christian Dior, en satin rose avec une longue jupe d'une ampleur spectaculaire, aux innombrables plis de tulle. Après toutes ces années d'austérité, elle était ravie de pouvoir recommencer à acheter ses robes à Paris.

Elle se revoyait au bal du Yacht-Club, en 1935, à Buffalo, à cette soirée dont elle avait pensé, sur le moment, qu'elle avait fichu sa vie en l'air. La Maison Blanche était évidemment bien plus prestigieuse, mais elle savait que rien de ce qui se passerait ce soir-là ne pourrait lui gâcher la vie. C'était ce qu'elle se disait pendant que Lloyd l'aidait à attacher le collier de diamants roses de sa mère, avec les boucles d'oreilles assorties. À dix-neuf ans, elle recherchait désespérément l'estime de la haute société. Maintenant, c'était le cadet de ses soucis. Tant que Lloyd l'admirait, les autres pouvaient bien penser ce qu'ils voulaient. La seule autre personne dont l'approbation comptait pour elle était sa belle-mère, Eth Leckwith, qui n'appartenait pas au grand monde, et n'avait assurément jamais porté une robe de grand couturier.

Est-ce que toutes les femmes se disaient, en se penchant sur leur passé, qu'elles avaient été des bécasses quand elles étaient jeunes? Daisy repensa à Ethel, qui avait évidemment fait une bêtise – tout de même, se faire engrosser par son patron, un homme marié! – mais qui n'en parlait jamais avec regret. C'était sans doute l'attitude la plus sensée. Daisy réfléchit à ses propres erreurs : se fiancer à Charlie Farquharson, repousser Lloyd, épouser Boy Fitzherbert. Elle n'arrivait pas encore tout à fait, malgré le recul, à évaluer tout le bénéfice de ces choix passés. En réalité, il avait fallu qu'elle soit définitivement mise au ban de la haute société et trouve du réconfort dans la cuisine d'Ethel à Aldgate pour que sa vie s'engage réellement sur la bonne voie. Elle avait cessé de courir après le prestige social, elle avait appris ce qu'était une vraie amitié, et depuis elle était heureuse.

Maintenant qu'elle s'en fichait, elle appréciait encore plus les soirées.

«Tu es prête?» lui demanda Lloyd.

Elle était prête. Elle enfila le manteau de soirée assorti à sa robe Christian Dior. Ils descendirent par l'ascenseur, quittèrent l'hôtel et montèrent dans la limousine qui les attendait.

4.

Carla avait persuadé sa mère de se mettre au piano le soir de Noël.

Il y avait des années que Maud n'avait pas joué. Peut-être cela l'attristait-elle, en ravivant les souvenirs de Walter : ils avaient toujours joué et chanté ensemble, et elle avait souvent raconté aux enfants comment elle avait essayé, sans succès, de lui apprendre le ragtime. Mais elle ne racontait plus cette histoire, et Carla se demandait si désormais, le piano ne lui rappelait pas surtout Joachim Koch, le jeune officier nazi qui était venu chez elle prendre des leçons, qu'elle avait séduit et dupé, et que

Carla et Ada avaient tué dans la cuisine. Carla elle-même n'arrivait pas à effacer les souvenirs de cette soirée de cauchemar, et notamment de leur expédition nocturne pour se débarrasser du corps. Elle ne regrettait rien – elles avaient fait ce qu'il fallait –, mais quand même, elle aurait préféré oublier tout ça.

Maud accepta enfin de jouer «Douce Nuit» pendant qu'ils chantaient. Werner, Ada, Erik et les trois enfants – Rebecca, Walli et Lili, le nouveau bébé –, se réunirent dans le salon autour du vieux Steinway. Carla posa une bougie sur le piano et observa, à la lueur mouvante de la flamme, les visages des membres de sa famille alors qu'ils reprenaient en cœur le refrain familier.

Walli, dans les bras de Werner, aurait quatre ans quelques semaines plus tard, et il essayait de chanter avec eux, devinant promptement les paroles et la mélodie. Il avait les yeux bridés du violeur qui l'avait engendré : Carla avait décidé que sa vengeance serait d'élever un fils qui traiterait les femmes avec douceur et respect.

Erik chanta les paroles du cantique avec sincérité. Il soutenait le régime soviétique aussi aveuglément qu'il avait pris fait et cause pour les nazis. Au début, Carla en était folle de rage ; cela la dépassait. Mais elle y décelait à présent une triste logique. Erik était un de ces individus éternellement inadaptés, qui avaient peur de la vie au point de préférer vivre sous un régime autoritaire et implacable, ne tolérant aucune opposition et disant aux gens quoi faire et quoi penser. C'étaient des êtres stupides et dangereux, mais tragiquement nombreux.

Carla regarda son mari avec tendresse. Il était encore incroyablement séduisant à trente ans. Elle se rappelait l'avoir embrassé, et même un peu plus, sur la banquette avant de son irrésistible voiture garée dans la forêt de Grünewald, quand elle avait dix-neuf ans. Ses baisers lui faisaient toujours autant d'effet.

Quand elle songeait au temps qui s'était écoulé depuis, elle éprouvait mille regrets, mais le plus douloureux était la mort de son père. Il lui manquait constamment, et elle pleurait encore lorsqu'elle repensait à lui, gisant dans l'entrée, si cruellement torturé qu'il était mort avant l'arrivée du médecin.

Mais tout le monde mourait un jour, et son père avait donné sa vie pour un monde meilleur. S'il y avait eu plus d'Allemands aussi courageux que lui, jamais les nazis n'auraient triomphé.

Elle voulait faire tout ce qu'il avait fait : donner une bonne éducation à ses enfants, jouer un rôle dans la politique de son pays, aimer et être aimée. Mais surtout, elle voulait qu'à sa mort, ses enfants puissent dire, comme elle disait de son père, que sa vie avait eu un sens et qu'elle laissait en partant un monde un peu meilleur.

Le chant s'acheva. Maud tint l'accord final; et puis le petit Walli se pencha et souffla la bougie.

FIN

Remerciements

Mon principal conseiller historique pour la trilogie du *Siècle* est Richard Overy. Je suis également redevable aux historiens Evan Mawdsley, Tim Rees, Matthias Reiss et Richard Toye d'avoir relu le tapuscrit de *L'Hiver du monde* et je les remercie pour les corrections qu'ils y ont apportées.

Comme toujours, j'ai bénéficié de l'aide inestimable de mes éditeurs et agents, et plus particulièrement d'Amy Berkower, de Leslie Gelbman, de Phyllis Gramm, de Neil Nyren, de Susan Opie et de Jeremy Treviathan.

J'ai rencontré mon agent, Al Zuckerman, vers 1975, et depuis tout ce temps, il est mon lecteur le plus exigeant, en même temps qu'une source d'inspiration.

Plusieurs amis m'ont fait des commentaires utiles : Nigel Dean, avec un souci du détail à nul autre pareil ; Chris Manners et Tony McWalter, avec leur regard perçant et observateur. Angela Spizig et Annemarie Behnke, qui m'ont épargné de nombreuses erreurs dans les passages situés en Allemagne.

On remercie toujours sa famille, à juste titre. Merci à Barbara Follett, Emanuele Follett, Jann Turner et Kim Turner, qui ont lu le premier jet et m'ont fait des remarques précieuses, tout en m'offrant le cadeau inestimable de leur amour.

La photocomposition de cet ouvrage
a été réalisée par
GRAPHIC HAINAUT
59163 Condé-sur-l'Escaut

Dépôt légal : octobre 2012
N° d'édition : 52481/01

Imprimé au Canada

Marquis imprimeur inc.

Québec, Canada

2012